普世宣教運動面面觀

Perspectives on World Christian Movement

英文版主編：Ralph Winter, Steven Hawthorne

中文版

　　　　顧問編輯：王永信、龍維耐、溫以諾

　　　　主編：陳惠文

　　　　文稿編輯：陳惠雪

封面封底設計：陳奮

內文設計、排版、繪圖：孫福榮

出版：　大使命中心 Great Commission Center International

　　　　848 Stewart Drive, Suite 200

　　　　Sunnyvale, CA 94085, USA.

電話：(1)408-636-0030　　傳真：(1)408-636-0033

電郵：info@gcciusa.org　網站：www.gcciusa.org

印刷：海洋印務 Ocean Printing Co., Ltd.

　　　　Block D & G, 1/F Hong Kong Industrial Building

　　　　444 Des Voeux Road West, Hong Kong.

版次：2006年9月初版，2008年4月二刷

ISBN: 1-933800-02-X

普世宣教運動面面觀

PERSPECTIVES
ON THE WORLD CHRISTIAN MOVEMENT

英文版主編：RALPH D. WINTER

　　　　　　STEVEN C. HAWTHORNE

中文版主編：陳惠文

目錄

第一部分　聖經根據

第二部分 歷史反省

普世宣教運動的擴展

普世宣教運動的先鋒

普世宣教的展望

華人教會與宣教

推薦的話

我在1981年參與香港差傳事工聯會事奉時，曾與同工選譯了《世界基督教運動面面觀》其中十一篇文章。如今欣聞陳惠文姊妹花了數年時間，把該書第三版全部編譯成功。陳姊妹有學養，有差傳負擔，且文筆通暢秀麗，該書出版肯定對神學院、差會、教會和有心差傳人士提供極大幫助。

盧家馼
香港差傳事工聯會董事會主席

牛津字典譯 "Perspective" 為「透視、不同方面的關係、對事物有正確的觀點」，*Perspectives on the World Christian Movement* 一書所帶來的，不是對世上事物的觀點與透視，而是從神來的視野，以神的眼光來看普世宣教運動的全面觀。

這書英文原著的發行，各地以該書為基礎的訓練課程，在各地信徒中掀起了一陣陣宣教熱浪，這熱浪不單挑起了信徒對神的普世福音大計在頭腦上的思想、認識及教育，更催生了各式的宣教行動：不少神學生從其它學科轉向宣教；不少專業信徒帶職參與宣教；不少教會開始對未得之民認領；不少缺乏成果的工場變成了有策略收成……。

華人教會的有效差傳教育正需要這樣雙軌並進：知識的傳遞與行動的參與！

陳惠文博士用了五年的時間，把 *Perspectives* 一書編譯成中文版，為華人教會提供了一本難能可貴的宣教百科全書，其中的資料可作講台講章、主日學教學材料、研討專題及研究策略的資料。

中國大陸教會現正迎向一個前所未有的世紀宣教運動，千萬的年青人已在主前委身宣教，這本書的出版正適逢其時，使宣教的中國能先有宣教的認識及教育，然後才能產生正確長遠的差派行動，為中國教會奠下了穩妥的宣教根基。

林安國
華人福音普傳會總主任

多年來，我在教學和培訓宣教士時，都使用本書的英文版。現在喜見華文編譯本匯合東方和西方的宣教理念、智慧、實踐與經驗，實涵蓋教科書和資料庫於一冊。

我鼓勵每一位教牧、宣教士、神學生、長執都人手一冊，在面前華人帶職跨境生活、事奉，全方位動員的世代中，邊做邊學。教學相長，緊隨聖靈步伐，前呼後應！

龍維耐
香港同路坊協調主任

每一個異象、一種事工、一個屬靈運動，資訊的傳遞非常重要，宣教運動若要成為一股活潑的動力，溪水匯成滾滾江河，產生豐碩的果效、深遠的影響，需要更多的宣教學者提供他們研究成果和真知灼見。無論在聖經研究、神學討論、歷史反省、文化瞭解、策略考量，華人教會在宣教學上期待更多的熱鬧、更深的啟發、更廣的討論，引發實踐的行動。

《普世宣教運動面面觀》英文原著自1981年第一版面世以來，幫助了無數基督徒對福音傳遍普世之使命有更新的認識、熱熾的投身。深信中文版的出現，必能同樣幫助華人信徒發現宣教學的多姿多采、使差傳步伐更輕快，在神安排的崗位上，獻上一分力量，與普世萬民萬族的教會，一同努力，完成使命。

朱昌錂

中華福音使命團國際總主任

期盼已久的《普世宣教運動面面觀》中文版終於脫稿面世，深盼能像英文原著一般，在多國各處廣被採用，於成人主日學及差傳教育方面被主大大使用。

溫以諾

美國西方神學研究院

跨文化博士課程主任

未來，將有越來越多人跨境工作，全家遷往另一國，住在別的民族當中；也就是說，不少家庭將好像宣教士一樣，成為多元文化家庭。

為此我鼓勵姊妹們及早透過這課本認識普世現況，傳福音的機會和異文化生活適應方法，好叫我們和家人有普世視野，成為大有果效的福音大使。

龍蕭念全

全球基督徒婦女網絡北亞區負責人

Perspectives 中文版的出版，是華人教會宣教培訓的重要里程碑，感謝大使命中心眾同工的艱苦努力。我期盼華人教會從研讀《普世宣教運動面面觀》到激發宣教熱忱(Passion)，到產生宣教行動(Participation)。

王志學

羅省基督教會聯會會長

聖迦谷羅省基督教會主任牧師

王 序

在今天紊亂黑暗的世代中，神的教會同時也爆發出前所未有的宣教熱潮。這實在是神奇妙的恩典，黑暗愈深，主耶穌的真光也愈明亮，而這真光的燈台就是教會。

所謂普世宣教也就是普世「送光」運動，教會將福音真光通過專職、雙職及職場宣教方式等送往普世，使「那坐在黑暗裡的百姓，看見了大光。」（太四16）。這普世送光之大業需要聖靈的動力，需要合乎聖經的教導，也需要普世禾場的全備資料。

近年來，神使用祂幾位僕人出版了兩本異常重要而被普遍使用的宣教書籍，一本是莊斯頓牧師所編寫的《普世宣教手冊》(_Operation World_, by Patrick Johnstone)是全世界二百多個國家的詳盡宣教資料。另一本是溫德博士及何澤恩弟兄所編寫的《普世宣教運動面面觀》(_Perspectives on the World Christian Movement_, by Dr. Ralph Winter and Steve Hawthorne)是集合百餘位宣教士及宣教學者的文章，從聖經、歷史、文化及策略角度對普世宣教之深度教導。

大使命中心有鑒於該二書被神大用，對今日教會在普世宣教上之鉅大貢獻，同時也是今日華人教會之所需，故特徵得二書作者及出版社之同意，翻譯並出版此二書之中文版，並由大使命中心副會長陳惠文博士負責主編。

感謝主，陳博士是富樂神學院造就出來的宣教學人材，故作來得心應手。第一本書《普世宣教手冊》已於2003年出版，使眾教會得益。目前乃第二本書《普世宣教運動面面觀》出版，我們謹將此二書奉獻在主手中，並呈獻給全球華人教會，盼對大家在普世宣教方面有所貢獻，有所助益。

謹請各地同工同道惠予代禱、使用，並賜指正。謝謝！

王永信

2006 年 4 月 24 日

編 序

　　華人教會將於2007年慶祝新教來華二百週年。二百年不算短的一段時間，但華人教會在許多方面仍然在襁褓的階段，一般華人教會只著重教會的增長，只顧華族社群的福音需要，而忘記了神的話：「我告訴你們，舉目向田觀看，莊稼已經熟了，可以收割了。」（約四35）

　　感謝神，在過去30多年中使用多位祂忠心的僕人如吳勇長老、鄭果牧師、滕近輝牧師、王永信牧師等前輩，帶領華人教會踏上普世宣教之路。雖然我們起步較遲，進度也緩慢（鄭果牧師語），但深盼在二十一世紀中靠著神的恩典，迎頭趕上，與各種族的教會並肩齊步，努力向著標竿直跑。

　　深知若要加強華人教會的普宣事奉，必須先加強教會的宣教教育。但在芸芸眾多的宣教培育課程中，哪一個讀本和課程是最適合華人教會的需要？感謝神，帶領我們選擇了 *Perspectives on the World Christian Movement: A Reader*。該書是由 Dr. Ralph Winter 和 Mr. Steven Hawthorne 聯合編著。他們更在北美及世界多個地區開設 *Perspectives* 的課程，30年來影響北美教會的普世宣教事奉至鉅，讀本及課程已再版多次。（1985年香港差傳事工聯會曾按其第一版選譯11篇文章輯成《世界基督教運動面面觀》）

　　本書是按其第三版選輯。我們除了精選了原著主要文章譯為中文外，更加入一些華人宣教領袖的文章，務求更適合華人教會的需要。

　　在本書編譯的過程中，蒙多位弟兄姊妹協助翻譯、文稿修潤、校對等工作，請恕不能一一提名道謝，願主親自記念！

陳惠文
2006 年 8 月 31 日

第一部分

聖 經 根 據

The Living God is a Missionary God
永活的主是宣教的神

司徒德(John Stott)著　　徐羅肇瓊譯

今日世界上，仍有數百萬人仇視基督教的宣教事工，指基督教在政治上具破壞性(因為它軟化了一些國家的文化力量)，宗教思想又非常狹隘(因為它確認耶穌的獨一性)，更認為基督徒是驕傲自大的帝國主義者，而領人歸信基督的舉動被視為侵犯別人的私生活。他們說：「信仰是我個人的事」，「我信我的，你管你的好了」。

所以，基督徒要深切體認基督教的宣教使命，才可以在世界的誤解與反對下，仍謙恭而勇敢地堅持宣教工作。我們確信聖經是神的默示和旨意，確信神在聖經中向子民顯明「宣教」的旨意，我們才可以不理會他人的想法或議論，專心服從神的旨意。雖然全本聖經都載有神的宣教目標，本文只集中看舊約。

呼召亞伯拉罕

我們先從約 4 千年前一個名叫亞伯拉罕的人物開始，當時他的名字叫亞伯蘭。以下是神向他的呼召：

耶和華對亞伯蘭說：「你要離開本地、本族、父家，往我所要指示你的地去。我必叫你成為大國。我必賜福給你，叫你的名為大，你也要叫別人得福。為你祝福的，我必賜福與他；那咒詛你的，我必咒詛他。地上的萬族都要因你得福。」亞伯蘭就照著耶和華的吩咐去了，羅得也和他同去。亞伯蘭出哈蘭的時候年七十五歲。(創十二 1-4)。

神給亞伯蘭的是一個多元的應許，瞭解這個應許對認識聖經與基督徒的使命是不可分割的；這可能是貫串聖經最精闢的經文，神全備的旨意都隱藏其中。

首先，我們根據上下文看看神所作應許的背景，然後分兩方面來討論：第一是這**應許**的本身(神承諾了甚麼)，第二是**應驗** (神如何在昨日、今日，甚至未來實踐祂的應許)。現在，我們先從背景來探討：

創世記十二章以「耶和華對亞伯蘭說」開始，我們會立即追問這個對亞伯蘭說話的「耶和華」是誰？而亞伯

蘭又是誰？他們一定不會無端被引入經文之中。這句話是聖經前十一章和其後全部經文承先啟後的鑰句。

那麼，這經文的背景是怎樣的？揀選和呼召亞伯蘭的「耶和華」就是起初創造天地，隨後更照著自己的形像造男人和女人，完成創造奇工的神。所以，我們切勿忘記聖經的開始是宇宙，而非地球；是地球，而非巴勒斯坦；是人類始祖亞當，而非選民之父亞伯拉罕。因此，神是宇宙、地球和全人類的創造主。我們絕不可將祂視之為一個部落的神或一個小神明，如摩押人的神基抹、亞捫人的神摩洛、男性的神巴力、迦南人的女神亞斯他錄。我們也不要以為神揀選亞伯拉罕和他的後裔，就是神放棄或漠視其他民族；被揀選的不一定是最優秀的。相反地，我們看到，神挑選一個人及他的家庭去祝福地上萬族。

當我們看見一本報導世界宗教的書，基督教與其它宗教並列，只佔一章的篇幅時；或者，當人說「基督教的神」時，彷彿還有別的神存在；遇到這些輕視的態度，我們會很憤怒，因為宇宙間只有一位又真又活的神，祂藉著祂的獨生兒子向人完全彰顯！這個一神論就是宣教的基礎，正如保羅對提摩太說：「只有一位神，在神和人中間，只有一位中保，乃是降世為人的基督耶穌。」(提前二 5)

創世記是從獨一的神創造萬物開始，然後，記述祂照著自己的形像造

人，但人背逆了自己的創造主導致審判臨到，這審判可由神的第一個福音應許來解除——有一天，女人的後裔會「傷」、「壓碎」蛇的頭(創三 15)。

接續下來的八章(創四至十一)形容墮落後的毀壞性結果，是人與神逐漸疏遠，人與人關係生疏。在這境況下，神的呼召和應許臨到亞伯拉罕。四周所見盡是道德衰敗、黑暗及疏離，社會愈趨分裂，神並沒有放棄那些照著祂自己形像所造的人(創九 6)。在眾人以為無神的情況下，神呼召一個人及他的家庭，不但應許賜福予他們，更藉他們去賜福全世界。神不會忽略那分散各處的人群，祂正進行一個龐大的計劃把人召聚回來。

應許

昔日神對亞伯拉罕的應許是怎樣的？那是一個組合性的應許。

首先，應許有**後裔**。他離開了「本族、父家」，但神使他「成為大國」，代替他失去的家庭。為了堅立這應許，神把他原來的名字「亞伯蘭」(崇高之父)改為「亞伯拉罕」(多國之父)。神說：「因為我已立你作多國的父。」(創十七 5)

第二，應許有**地土**。神對亞伯蘭的呼召好像分為兩個階段；先是在迦勒底的吾珥，當時他的父親仍在(創十一 31，十五 7)，他父親死後則在哈蘭(創十一 32，十二 1)。但這兩次的呼召，都要他離開本土，由神領他到另

外一個國家去。

第三，應許會**賜福**。**賜福**及**祝福**在創世記十二2-3中出現了五次。神應許給亞伯拉罕的祝福將惠及萬族。

後裔、地土及賜福，每一個應許都在亞伯拉罕蒙召後幾章經文中詳細闡明。

土地。亞伯拉罕慷慨地容許姪兒羅得先選擇他喜歡的土地來定居(他選了肥沃的約旦平原)，但神對亞伯拉罕說：「從你所在的地方，你舉目向東西南北觀看，凡你所看見的一切地，我都要賜給你和你的後裔，直到永遠」(創十三14-15)。

後裔。神給亞伯拉罕一項視覺教育，要他舉目望天：在無雲的黑夜裡，神叫他從帳棚中出來，向天觀看，數算眾星。這是一個有趣的命令！或許亞伯拉罕開始數點星星「1，2，3，5，10，20，30……」，或許他很快便放棄，怎能把所有星星數盡呢？神又對他說：「你的後裔將要如此！」我們又讀到：「亞伯拉罕信耶和華」，他已年約八十多歲，和撒拉還是膝下無兒，但他相信並領受神賜的應許，「耶和華就以此為他的義」。因為他信任神，神接納他，在神眼中他是義人。(創十五5-6)

賜福。「我會賜福給你」；神已經接納了亞伯拉罕為義人，或如新約的術語「因信稱義」，沒有比這個祝福更大的了。這是恩典之約中基本的祝福。幾年後，神向亞伯拉罕詳細說明：「我要與你並你世世代代的後裔立我的約，作永遠的約，是要作你和你後裔的神。」(創十七7)神為他們定下割禮作為一種外在的明顯記號，代表神的恩約，也是應允作他們的神的誓約。這是聖經中首次關於神立約的記載，以後也曾多次重複申述：「我要作他們的神，他們要作我的子民。」

土地、後裔、賜福——與宣教事工有何關係？讓我們暫時放下應許，轉去看看應驗。

應驗

舊約預言的應驗很深奧，往往產生誤解或爭論。但相信大家都會同意一個重要的原則，正如新約作者的理解，舊約預言的應驗往往不是**單一**的，而是**三重**的——過去、現在及將來。過去——即時或稱歷史上的應驗，從以色列民族的歷史中可見；現在——中期或稱福音時期的應驗，藉基督和祂的教會成就；將來——終極或末世時的應驗，將來新天新地的應驗。

神對亞伯拉罕的應許，即時在歷史上應驗於他的肉身後代，即以色列人身上。

神應允給亞伯拉罕有無數的後裔，從他的兒子以撒(創二十六4「像天上的星」)及孫兒雅各(創三十二12「如同海邊的沙」)漸漸開始應驗，以下列出應許成就的幾個階段的發展：

第一階段是在埃及為奴：「以色列人生養眾多，並且繁茂，極其強盛，滿了那地」(出一7；參徒七17)。第二階段是數百年之後，所羅門王稱以色列民「多得不可勝數」(王上三8)。第三階段是所羅門王之後350年，耶利米警告以色列民說，審判將臨及被擄，但他並無忘記神曾應許拯救：「天上的萬象不能數算，海邊的塵沙也不能斗量，我必照樣使我的僕人大衛的後裔……多起來。」(耶三十三22)

亞伯拉罕的後裔如此應驗，土地方面又怎樣呢？神對祂的應許守約信實，我們應存著敬拜和感恩的心，來記念祂對亞伯拉罕、以撒和雅各的應許，拯救在埃及為奴的子民，又賜他們「應許之地」(出二24，三6，三十二13)。約700年後，又從巴比倫人手中帶領他們回歸。不過，亞伯拉罕或他的直系後裔並未承受地土，如希伯來書十一章所記，「這些人都是存著信心死的，並**沒有**得著所應許的」，反而成為「世上的客旅及寄居的」，但他們「等候那座有根基的城，就是神所經營所建造的」(希十一8-16、39-40)。

神實現了後裔和土地的應許，至於賜福又怎樣呢？西乃山上，神向摩西再次確定及澄清與亞伯拉罕的約，又保證自己成為以色列的神(如出十九3-6)。在全本舊約聖經之中，我們都看到神繼續賜福那些順服的人，卻審判那些違命的人。

或者，最戲劇性的例子是何西阿預言的初期；神叫何西阿用祂將要對付以色列人的手法，如可怕的神、循序漸進式的審判，來為他的三個孩子命名。頭生的兒子名叫「耶斯列」，即「神會分散」；二女名叫「羅路哈瑪」，即「不再憐憫」，因為神說祂不會再憐憫，也不赦免祂的子民；最小的兒子名叫「羅阿米」，意思是「不是我的子民」。神給予選民的名字何等可怕！似乎與神對亞伯拉罕的永恆性應許有強烈的對比。

然而，神的作為並未在此停下來，在將要來的審判後面尚有復和，是回應從前對亞伯拉罕的應許：「然而以色列的人數必如海沙，不可量，不可數。」(何一10)那時，何西阿兒女名字所蘊含的審判將會逆轉；以召聚代替分散(「耶斯列」含兩方面的意思)，「不再憐憫」將會得憐憫，「不是我的子民」卻會成為「你們是永生神的兒子」(何一10至二1)。

奇妙的是使徒保羅和彼得都引用了何西阿書這段經文，他們不單看到以色列人繁衍增多，更把外邦人囊括到主耶穌的國度中：「從前你們算不得子民，現在卻作了神的子民；從前未曾蒙憐恤，現在卻蒙了憐恤。」(彼前二10；參羅九25-26)

當我們讀舊約的預言時，必須展望新約，舊約並未清楚說明神對亞伯拉罕及其後代的祝福如何惠及「全地萬國萬族」，以色列被形容為「外邦人的光」，而且要承擔使命「將公理傳給

外邦」(賽四十二 1-4、6，四十九 6)，我們仍未實際看見事情發生。這些預言只應驗在主耶穌基督身上，只有在祂的日子裡，外邦人才實實在在成為得贖的團體。

神對亞伯拉罕的應許，中期或稱福音時期的應驗，藉基督和祂的教會成就。

新約聖經一開始便提到亞伯拉罕，馬太福音是以「亞伯拉罕的後裔、大衛的子孫、耶穌基督的家譜：亞伯拉罕生以撒……」來開始。馬太所追溯的，不僅族譜源自亞伯拉罕，耶穌基督的福音亦由此開始，馬太所記錄的，是神實現了二千年前對亞伯拉罕的古舊應許(參路一 45-55、67-75)。

馬太一開始便說，得到這應許的不一定是亞伯拉罕的**血緣**後代，而是**屬靈**後代，就是要以悔改和信心迎見彌賽亞。施洗約翰對那些到約旦河去聽他教訓的人說：「不要自己心裡說，有亞伯拉罕為我們的祖宗，我告訴你們，神能從這些石頭中給亞伯拉罕興起子孫來。」(太三 9；路三 8；參約八 33-40)他的話令聽眾震驚，因為當時大家都相信亞伯拉罕的每一位後裔都得救。[1]

神已為亞伯拉罕興起子孫來，並非從石頭，而是一個不大可能的出處——外邦人！四卷福音書的作者中，馬太最具猶太色彩，他記載耶穌曾經

說：「我又告訴你們，從東從西，將有許多人來，在天國裡與亞伯拉罕、以撒、雅各、一同坐席，惟有本國的子民，竟被趕到外邊黑暗裡去，在那裡必要哀哭切齒了。」(太八 11-12；參路十三 28-29)

當耶穌和施洗約翰說出這番話以後，聽眾所經歷的震盪和混亂實難想像。**他們**是亞伯拉罕的後裔，**他們**有權得著神對亞伯拉罕的應許，但那些圈外人是甚麼身份，竟然可以分享，顯然是僭奪了他們的位份？他們憤憤不平！他們忘記了神與亞伯拉罕之約的其中一項，是祝福惠及外邦人！如今猶太人應知道，因著亞伯拉罕後裔的彌賽亞耶穌，萬族蒙福。

五旬節後，使徒彼得在他的第二篇講章之中，顯出對這事件的認識。他對一群猶太人說：「你們是先知的子孫，也承受神與你們祖宗所立的約，就是對亞伯拉罕說，地上萬族，都要因你的後裔得福。神既興起他的僕人(耶穌)，就先差他到你們這裡來，賜福給你們，叫你們各人回轉，離開罪惡。」(徒三 25-26)這是一個很重要的聲明，彼得是以悔改和公義這兩方面來詮釋祝福；假若耶穌「先」被差遣去拯救猶太人，祂的第二個對象便會是外邦人，他們在地上本是「住在遠方的人」(參徒二 39)，但卻可以領受祝福。

使徒保羅領受使命，要將這奇妙的主旨發揮。他蒙召並奉差作外邦人

的使徒，神向他顯露永恆但仍是奧秘的目的，就是猶太人及外邦人「同為後嗣，同為一體，同蒙應許」(弗三6)。

負面來説，保羅勇敢地宣佈：「因為從以色列生的，不都是以色列人，也不因為是亞伯拉罕的後裔，就都作祂的兒女。」(羅九6-7)

誰是亞伯拉罕真正的後裔？誰是神所應許的承繼人？保羅十分肯定地闡明：不分種族，只要相信基督耶穌。羅馬書第四章指出，亞伯拉罕不單是因信稱義，他得福還是**在受割禮之前**呢！所以，亞伯拉罕是所有受了割禮或未受割禮的人(即猶太人或外邦人)之父，只要「跟從他信心的榜樣」(羅四9-12)。若我們「效法亞伯拉罕之信的，他就是我們的父，如經上所記「我已經立你作多國的父」(羅四16-17)。惟有藉著信，才可稱為亞伯拉罕的真兒女，而非透過血統或猶太人的割禮，亞伯拉罕的真正的後裔是相信耶穌基督的人，不分猶太人或外邦人。

那麼，亞伯拉罕的後裔會承受甚麼「地土」為業呢？希伯來書指出，相信神的人可以進入那「安息」(來四3)。保羅更語出驚人，指「因為神應許亞伯拉罕和他的後裔，必得**承受世界**」(羅四13)。

相信他寫給哥林多人的信中，也是指同樣的事「萬有全是你的。或保羅，或亞波羅，或磯法，或世界，或生，或死，或現今的事，或將來的事，全是你們的。」(林前三21-23)基督徒藉著神奇妙的恩典，能與基督一同承受萬有。

保羅在加拉太書第三章的教導也提到那應許祝福的本質及承繼人，他先重提亞伯拉罕是因著信而被神稱為義「所以你們要知道，那以信為本的人，就是亞伯拉罕的子孫……」，因此「那以信為本的人和有信心的亞伯拉罕一同得福」(6-9節)。到底「萬國都必因你得福」(8節)是甚麼福呢？一言以蔽之，是救恩之福。在律法之下，我們是受咒詛的，但基督耶穌代替我們成為被咒詛者，「這便叫亞伯拉罕的福，因基督耶穌可以臨到外邦人，使我們因信得著所應許的聖靈」(11-14節)。基督為我們受咒詛，使我們可以承襲從亞伯拉罕而來的祝福，是因信稱義的祝福(8節)，又有聖靈居住在我們裡頭(14節)。保羅用第29節來總結：「你們既屬乎基督，就是亞伯拉罕的後裔，是照著應許承受產業的了。」

但我們所得的不止於此，尚有第三階段的應驗將會來臨。

神對亞伯拉罕的應許，終極或末世時的應驗，將來新天新地的應驗。

啟示錄亦提到神對亞伯拉罕的應許(七9以下)。約翰在異象中看到「許多的人，沒有人能數過來」，而且是一個國際性的群體，「是從各國各族各民各方來的」，他們全都「站在寶座

前」，代表神君王式的統治。神的國終於降臨了，神的子民享受祂仁慈統治下的祝福，神與他們同在。從前在曠野所遭遇的饑荒、口渴、炙熱都過去了，他們最後會抵達應許之地，這地不再是「流奶與蜜」，而是永不乾涸的「活泉湧流之地」。他們為何會得著這些祝福呢？部分是因他們「從大患難出來」，更重要的是「曾用羔羊的血把衣裳洗白淨了」；藉著耶穌基督的死，他們的罪被塗抹，又穿上公義的袍，「**因此**，他們可以站在神寶座之前」。

看到古時神對亞伯拉罕的應許，將在一個永恆的將來中應驗，令我感動不已！這應許所有的重要部分都會實現：這些亞伯拉罕屬靈的後裔「多得不能勝數」，好像數不盡的海沙及黑夜的繁星。這數不盡的群眾來自每一個國家，全地的萬民萬族都得到祝福；到處都是那應許之地，在神恩典的管治下，洋溢著豐盛的祝福。更有耶穌基督這位亞伯拉罕的後嗣，祂流出寶血救贖我們，凡求告祂的人都必得拯救。

結論

神對亞伯拉罕的應許以及應驗，可以總結如下：

第一、神是歷史的神。

歷史不是一些零星的記錄；從亙古到永遠，神的計劃在逐步施行。在歷史的進程中，耶穌基督是亞伯拉罕的後裔，是一個重要的人物。我們作為基督的門徒，就成為亞伯拉罕屬靈的後裔。若我們因信稱義、為神所接納、有聖靈內住的祝福，我們就是神在 4 千年前對亞伯拉罕應許的承繼人。

第二、神是立約的神。

仁慈的神為我們賜下應許，並且一直持守。祂有堅定的愛，又是信實的神；但他的應許不一定立刻實現。亞伯拉罕和撒拉「這些人都是存著信心死的，並沒有得著所應許的，卻從遠處望見，且歡喜迎接」(來十一 13)。以撒的出生無疑是實現了那應許，但他並未得到眾多的後裔，也未承受土地，其他民族亦未受祝福。神所有的應許都會應驗，但承受的人必須「憑信心**和忍耐**」(來六 12)；我們必須安靜等候神的時間來臨。

第三、神是賜福的神。

神對亞伯拉罕說「我必賜福給你」(創十二 2)，彼得回應說：「神先差他(耶穌)到你們這裡來，賜福給你們。」(徒三 26)神是以正面、建設性和豐盛的態度來對待祂的子民。審判是祂「奇異」的工作(賽二十八 21)，祂主要和獨特的工作是藉著救贖賜福給人。

第四、神是憐恤的神。

啟示錄七 9 給筆者很大的鼓勵，得救的人在天上連群結隊，「有許多

的人，沒有人能數過來」。這實在難明，基督徒往往是屬於少數，但經文的記載使我們得著鼓勵。沒有一個篤信聖經的基督徒會是普救論者(相信所有人類至終都會得救)，因聖經指出有可怕的現實以及永恆的地獄；但基督徒亦應該相信得救的人將是不可勝數的國際性群眾。神的應許必會實現，亞伯拉罕的後裔必定像地上的微塵、天上的繁星及海灘的沙粒那樣，數之不盡。

第五、神是宣教的神。

各民各族不會自然地聚集一起。神既應許要藉「亞伯拉罕的後裔」賜福「地上的萬族」(創十二3，二十二18)，我們因信而成為亞伯拉罕的後裔，我們便要把福音傳開，使地上萬族都蒙福，這顯然是神的計劃。

但願「地上的萬族」這幾個字銘刻在我們心中，因為這幾個字最能顯出聖經中的永活主是位宣教的神，同時也責備我們目光短淺、民族主義偏狹、種族自大(無論是白種或黑種人)、傲慢的家長政治和自大的帝國主義。若我們的神是「地上萬族」的神，我們怎能對任何一類有色人種或文化敵對、蔑視，甚至漠不關心呢？我們要成為胸懷普世的基督徒，擁有普世的異象，因為我們有一位普世的神。

讓我們不要忘記 4 千年前祂對亞伯拉罕的應許：「地上**萬族**都必因你的後裔得福。」

注釋

1. J. Jeremias, *Jesus' Promise to the Nations*, SCM Press, 1958, p.48.

(作者為倫敦萬靈堂榮休教區長，倫敦當代基督教學院主席，參與組織洛桑會議。本文摘自作者於 1980 年 6 月在泰國芭提雅全球宣教大會中的演講。)

研習問題

1. 聖經以記載神的創造來開始，而非是亞伯拉罕的神，其重要性何在？

2. 司徒德指神的應許有三重應驗，是甚麼？在過去，土地、後裔、祝福的應許如何應驗？現今又如何？而神對亞伯拉罕的應許將來又會如何實現？

Israel's Missionary Call
以色列的宣教呼召

Walter C. Kaiser Jr.著　　文子梁譯

有人誤以為舊約並沒有宣教的信息或異象，也有人指舊約純粹為猶太人和他們的民族命運而寫，這種說法也不正確。這些誤解和觀點與舊約本身的宣講不符，只看三段主要的舊約經文，便會立刻發現當中蘊涵最強而有力的宣教論點。若我們能深入研讀舊約首卷經卷，便不會懷疑舊約沒有宣教挑戰了。創世記首章至十一章所傳達的信息與範圍是普世性的，是向不同的民族傳講。在這段經文中，有三處特殊的情節：當神施行救恩的時候，祂沒有顧及「地上的萬族」嗎？具體來看，當人類墮落、洪水淹沒大地、建造巴別塔的野心失敗等事件發生後，神沒有賜下偉大的救贖信息嗎？(參創三15，九9-27及十二1-3)

創世記十二1-3記載了神應許亞伯拉罕的話，在應許的本身、範疇和用意上是否與普世有關？是否涵蓋各民族？假如我們對此存有疑問，且讓我們提醒自己，創世記十章已有一個70個民族的族譜，神對亞伯拉罕的應許是以此為背景，這個「地上宗族」的名詞亦在十二3出現。

舊約時代外邦人相信神

舊約書卷屢屢提及，當時的人亦知道，一些外邦人則相信那將要來臨的「後嗣」或「應許之子」。請看撒冷(耶路撒冷)王麥基洗德(創十四)這位外邦人祭司，公開表明認信耶和華(雅巍)。出埃及記十八章亦載述，摩西岳父米甸人葉忒羅為表示信靠摩西與亞倫的主，坐下和他們一起吃獻祭的食物。先知巴蘭接到摩押王之名去咒詛以色列民，不會有人斥責他偏袒猶太人或態度囂張，他的驢比他有更深邃的屬靈見識，他在工作前期的道路並不平順，但他仍是神真理諭示的出口。無論怎樣，巴蘭帶給我們兩章精彩的篇章，民數記第二十三及二十四章寫下了有關偉大的彌賽亞預言。

長話短說，一位猶太人先知宣講信息，也會令全城的人悔改，如約拿對尼尼微城居民便是一例。即或神的僕人極不願意，「一臉愁煩」，且有「險象橫生的經歷」(遭大魚吞進腹中)，

最終，他也完成向這些屠殺猶太人的骯髒外邦人宣講信息的任務。雖然約拿寄望尼尼微城無一人因他宣講的信息而歸向神，他**確實**向尼尼微城人宣講了信息，使闔城的人歸主，人數相當可觀。

但有些人依然懷疑舊約明確提到派遣信徒與使者**到外邦人中間**的事；他們會問，神有否把大使命交予一個以色列人或全體以色列民，然後**差遣**他們出去？

三段重要經文

舊約三段重要的經文清楚指出神的作為，創十二 1-3、出十九 4-6、詩六十七讓我們明白，神向所有以色列民頒佈宣教使命，故我們若不按其中所蘊涵的宣教意義來看，便是對舊約不公允。神在祂永恆的計劃與心意裡，常常把向萬邦傳述祂恩典的責任交託給以色列，神定意要以色列成為傳述祂救恩的民族。

這三段舊約經文並非只屬於基督降世前的命令，也與生活在教會時代的信徒相關，也指出了神亦召喚現代的信徒投身宣教。神的宣教呼召包含以下重點：

1. 宣講神賜福萬邦的計劃(創十二 3)
2. 參與神祭司的職事，成為祂恩福的使者(出十九 4-6)
3. 證明神賜福萬邦的心意(詩六十七)

創世記一至十一章

不要誤以為舊約開首的篇章存有狹隘的民族主義，或舊約的神偏袒猶太人，直至外邦人出現才展開宣教行動。正如上述所說，創世記一至十一章所表達的恰與這個理解相反；就相信的人得享救恩這個觀點來說，這段經文是普世性的，主題是萬邦追求自己的「名聲」。在六 4-6 與十一 4 的記述，人類唯一的目標就是為自己求取「名聲」，使自己的名遠播，而犧牲神的名字。

故「神的眾子」(筆者相信是創六章所載的凶殘而多妻的暴君)奪取了這神聖的頭銜，他們亦假定擁有特權，扭曲了神原本為表彰公義而設立的制度，滿足他們的私欲。這便是創世記第一至十一章列祖時期之前，人類的第二次嚴重失敗。在這段經文之前，第三章亦曾載述人類起初的墮落，而第十一章第三次失敗的巴別塔事件，則是人類失敗的高峰。

創十二 1-3：神宣告祂的計劃

然而，人類三次失敗，神都發出了拯救的恩言：創三 15，九 27，十二 1-3。以下集中探討第三段。這段經文強調，對人類的敗壞，盲目追尋聲譽或「名字」的墮落行徑，神以恩言來回應。神並曾五次表示，其中三次說「我必賜福給你」，也說「我必賜福給祝福你的人」及「地上的萬族都要因你得福」。

無疑，這段經文的鑰詞是**賜福**或**得福**，亦是這段經文的獨特之處。創世記載述神起初祝福亞當與夏娃，要生養眾多，就如祂應許賜福予動物那樣。

可是，人類不斷按自己的意念追求「名聲」。在過往的虛空日子裡(今日依然)，人類撇下神，追尋地位、名聲和成就。但創十二2卻記載了神要賜給亞伯拉罕一個「名字」，這「名」是神對他的祝福，非人的努力可得，乃出於神的愛。

創世記十二2-3載述神的應許包含了三部分：(1)我必叫你成為大國；(2)我必賜福給你；(3)我必叫你的名為大。除非我們明白這些應許，否則難以完全了解其中所蘊含的宣教意義。

神作出應許後，並道明祂的用意——**都要因**你得福。這三重應許中，沒有一項是為了讓亞伯拉罕擴張個人的權勢，而是要亞伯拉罕與他的宗族蒙福，因而可以成為別人的祝福。但是，究竟是哪些人會因亞伯拉罕和他的宗族而蒙福呢？他們又如何得福？我們必須多看兩項應許才能找到答案：

這裡包含了兩類人：為亞伯拉罕祝福的及向亞伯拉罕發咒詛的。而兩項將來的應許則是：(4)為你祝福的，我必賜福予他；(5)那咒詛你的，我必咒詛他。

創世記的作者也再一次說明用意，更完整地表達祂的應許——地上的萬族**都要因**你得福。

這樣，才能解釋何以有這麼多的福澤。從一開始，這人與他的後裔要成為宣教士去傳達真理。由於所有早期的希伯來文文法、版本，以及新約的解釋都同樣強調，故此，我們知道這裡應翻譯為「得福」，而非「賜福他們自己」。所以，蒙福純粹出於神的恩典，而不是憑人為努力或抄襲所得。

萬族都要因這人的**後裔**而得福。事實上，女人的「後裔」(創三15)、閃的「後裔」(創九27)、亞伯拉罕的「後裔」是一個整體，他們的子孫就是一項保證，基督降生也是一脈相承，是所有後裔的其中一員。

這蒙福的群體就是創世記第十章所列的70個民族，即地上「萬族」，可是，隨後發生了巴別塔事件，人類第三次失敗，也帶來了創世記一段神應許召聚世上萬邦歸於祂名下的話。神對亞伯拉罕的話，深深地影響地上萬族。事實上，祂的話含有豐富的宣教教導。

或許，有些人對創十二1-3依然有懷疑，他們未能從中看到任何福音或好消息。請看保羅在羅馬書四13中，稱亞伯拉罕為這世界的繼承者；在本質上說，這顯然是屬靈上的繼承。而保羅在加拉太書三8亦明言，亞伯拉罕在領受「萬族必因你得福」(創十二3)這應許之前，早已聽聞福音。這應許直到如今仍是福音的好消息。

今天，我們相信了這福音，便成為亞伯拉罕的「後裔」(加三29)，所相信和靠賴的對象依然相同，以色列和地上萬邦所注視的就是「應許之子」，是亞伯拉罕和大衛的「後裔」，體現於耶穌基督身上。

福音的信息和內容就是神整全的心意，祂要締造一個民族，給這民族一個「名字」，賜福予他們，他們因而成為萬民之光，也使萬族得福。以色列倘若違背了神的話，就會變得邪惡。以色列要成為神在世上的宣教士——如此看來，我們亦是神的宣教士！這宣教使命今日仍未改變。亞伯拉罕和以色列並不是被動的傳福音「後裔」，我們當然也不能被動。他們要使其他民族得福，故要有實際的行動來向全世界傳遞神的禮物。

神會怎樣看待萬邦，端視萬族怎樣回應這位「應許之子」。應許之子來自神所興起的偉大民族，蒙神呼召把福份帶給別人，成為別人的祝福。以色列蒙召，並未成為排斥世上其他民族的理由和基礎，反之，是萬族蒙福的渠道。今天依然有人追求「名聲」、虛榮和聲望，但神會賜下祂自己的「名字」，神仍然會向那些相信同一「後裔」的人賜下特殊的「名字」，惟有如此，世人和他們地上的親屬才可以蒙福，並成為神家裡的成員。

有人會同意，信仰的對象確是從亞伯拉罕子孫而出，但他們不一定認同，神期望或要求亞伯拉罕和他的後代，履行像我們所領受的宣教使命；或許他們認為神是舊約的唯一演員時，他們可以完全被動。

出十九4-6：參與神祭司的職事

第二段舊約經文——出十九4-6，卻不能應用上面的解釋。摩西在著名的「鷹翅訓言」中提到，神向以色列人申明帶領他們出埃及，就好像鷹教導雛鷹飛翔一般。以色列人蒙受了神的拯救，經文明顯指出「如今……就要……」，暗示神既顯彰祂的大能，引領以色列人逃離埃及，對以色列人必有所要求。

在閱讀出十九5時，如果忽略了這個關係而著重「若」的不確定狀態，實無法領悟這段經文的重點。就如出二十1-2指明是在恩典之下，「我是耶和華你的神，曾將你從埃及地為奴之家領出來。」由於之前神已賜福，故有「如今……就要……」的要求。

出十九5-6繼續說：「……你們若實在聽從我的話，遵守我的約，就要在萬民中作**屬我的子民**，因為全地都是我的。你們要歸我作**祭司的國度**，成為**聖潔的國民**。」(粗體為本文作者所加)這就是神特定指派亞伯拉罕後裔執行的三項工作。

首先，以色列民要成為**神的產業**，較古老的翻譯為「屬於神罕有的子民」。古英文「罕有」這詞來自拉丁文，意思是指珍寶，或任何有別於不動產之類，像珠寶、股票或債券。事

實上，以色列民是神的兒子、祂的子民、祂的長子(出四22)，現今更要成為神的珍寶。這裡強調信息的**可動性**及神賦予祂**子民**極高的價值，正如瑪拉基書三17描述我們如「特歸神的珍寶」。

以色列人要扮演的另一角色，是為神「作君王與祭司」。從屬性或結構來看，這「祭司的國度」在文中先後出現6次，宜譯為「君王與祭司」、「有君尊的祭司」或「皇室祭司」。我們或許仍有疑惑，但以色列人的宣教角色卻相當清晰，以色列全族在神的國度作神與萬族的中介。

事實上，新約裡著名的「信徒皆祭司」的教義(看彼前二9；啟一6至五10)也建基於此。可惜，以色列人抗拒「凡信徒皆祭司」的職份，反而敦促摩西代表他們登上西奈山。神原來的計劃因此而受阻，要推延至新約時代才得成就；但神的計劃並沒有受挫敗、被取代或遭拋棄，依然為信靠祂的人而行，所以信徒也要擔負神與萬民的中介角色。

以色列人第三個角色是作為一個「聖潔的國度」。聖經所指的聖潔並非只在禮拜天才發揮效用的「迷藥」，使會眾無精打彩地被動「做禮拜」；反之，聖潔意味完全，成為「聖潔」就是「完全」屬主。

英語裡，宗教的聖潔(holy)及世俗的完全(wholly)是兩個完全不同的字，實在可惜！追溯歷史，這兩個詞語乃同一字根。在希伯來語方面，情況亦相類似。以色列人要成為一個完全獻給主的國度，不僅在生活上不能跟從其他民族，在服侍神方面更應有所分別。因為他們是蒙召和揀選來服侍神的，早在他們的祖先亞伯拉罕的時候，已確定了他們要服侍。

祭司是神的代表，向萬族啟示祂的話。作為聖潔的國度，以色列人要擔負雙重的關係——向神(他們的君王)及向萬族。所以，他們要永遠成為一個有別於其他民族的國度。但以色列人卻偏行己路，像我們慣常一樣，只是一個敬虔的俱樂部，忘記要與別的民族分享福份、真理、恩賜，並成為萬國的「子嗣」(Seed)。亦即是說，以色列人要擔任「將臨的應許之子的使者」。

以色列民與教會有所不同，很容易辨認，但基督的死亡，拆除了原來防止外邦人進入聖所的圍牆。昔日，外邦人違規進入聖所，必遭治死；如今，無論性別、種族，亦不論是奴隸或自由人，所有信靠基督的人都屬於「神的子民」這個團體。「神的子民」一詞代表了任何年代，信靠救主的人。使徒彼得清楚指與他同時代的外邦信徒為「被揀選的族類、有君尊的祭司、聖潔的國度、屬神的子民」(彼前二9)，如此，出埃及記十九章的用意便顯明了，但我們有沒有洞悉神的計劃和心意是延續的呢？

接著，彼得清楚說明他的觀點；

神給祂的子民冠上這四種稱號，為使他們「宣揚那召他們出黑暗入奇妙光明者的美德」(彼前二9)。以色列人和現今的外邦信徒皆被稱為有君尊的祭司、聖潔的國度、屬神的子民、被揀選的族類、能隨處遷移的神特殊產業，因為我們是神的宣教士和見證者，向人宣告和傳揚祂的救恩。

這些恩賜並非要留為己用，亦非只是標記。這些恩賜的作用是供我們宣揚，神的奇妙作為及召喚人進入祂光明的國度。彼得在同一段經文亦(借用先知何西阿給子女的象徵性名字)指出，我們從前是「非我民」(羅阿米 *Lo-Ammi*)，亦「不蒙憐恤」(羅路哈瑪 *Lo-Ruhamah*)，但如今卻作了神的子民，又蒙了神的憐恤和恩典。

彼得嘗試向我們指出，不同年代的神子民都同歸於一。縱然我們能辨別出這群神的子民當中不同之處，例如以色列人和教會，也能就神使所有民族都蒙福這個單一的計劃和用意，列舉不同方面的情況；但所有信徒同歸於一，以及神的救恩計劃是從舊約延續至新約，卻是毋庸置疑的。不管在舊約或在新約時代，神都屬意我們參與祭司的職事，向地上萬國分享神的恩澤。出埃及記十九章向我們顯明這正是神的計劃。

詩六十七篇：證明神的心意

我們已經看到神召喚我們：(1)向萬邦宣告祂的計劃(創十二)；(2)成為祂的祭司，作萬邦蒙福的使者(出十九)；而(3)第三段亦是最後一段經文詩篇六十七篇則是見證祂的計劃，賜福予萬邦。這詩篇來自民六24-26，亞倫為以色列人祝福：

願耶和華賜福給你，保護你。
願耶和華使祂的臉光照你，賜恩給你。願耶和華向你仰臉，賜你平安。

今天，我們仍常常在基督徒聚會結束時聽到類似的祝福，且看詩人在這詩篇裡所表達的意念。在原文，他用以羅欣 *Elohim*(神)一詞代替耶和華 *Yahweh*(主)，前者用在神對全人類、列國和受造物的關係上，後者是以色列人與立約的神的個人稱謂。詩人禱告說：「願神憐憫我們，賜福與我們。」然後，他改為：「用臉光照我們。」這一句，詩人所用的語句是神的臉光照在「我們中間」，而不是在「我們身上」。

重要的是，這篇宣教的詩篇蘊含了神透過亞倫和眾祭司向萬民所傳達的心意。詩人在第2節立即道出這祝福擴展了：「好叫世界得知你的道路，萬國(或外邦人)得知你的救恩。」這就是神憐憫和祝福以色列人，以及凡信靠祂的人的原因，也和創十二3吻合。

詩中更表達了：願神賜福予我們以色列同胞，願祂樂意使我們得益，願我們的農產增加，願我們的牲口繁衍豐盛，願我們的家族開枝散葉，願

我們在靈性上大得復興，好使萬國曉得因著神的賜福，亞倫的祈禱的確實現了。神厚厚的賜與，顯出祂廣佈福澤的恩典；故此，願神其它的旨意顯明，就是透過賜福給以色列使地上萬邦亦同樣認識神。

有人稱詩篇六十七篇為舊約的「我們的父」，或舊約的主禱文。這首詩分為三段：

1-3 節：以「神啊，願列邦稱讚你，願萬民都稱讚你」作結

4-5 節：以相同的語句作結

6-7 節

以色列人很可能在五旬節的盛筵上頌唱這詩篇。最特別的是，神在這盛筵中向列邦傾注祂的靈，這是較以往一切的筵席更為豐盛。詩人刻意指出，這盛筵象徵各族、各方、各民靈性上的豐收，是決心和承擔的成果。故此，詩人禱告說：願主憐憫(滿有恩典)並賜福與我們。

詩六十七篇在 1、6、7 節，三次提及神的賜福，結構幾乎與創世記十二2-3同出一轍：賜福予我們，賜福予我們，賜福予我們……**使**萬國得知主。

詩人呼籲我們證明和察驗神的心意有三個理由，與我們上述觀察得到的相吻合。第一個理由是神已經憐憫我們(1-3 節)，從祂磨練以色列的方式，我們領受了祂的恩典，亦因著認識神的救恩要澤及萬民，而經歷了祂的恩典。願各民各族的人都親身體會這恩典！

第二個理由是神治理和引導萬邦(4-5 節)。神並非一個施行定罪、檢訴或懲罰的法官，卻如賽十一3 以下所記，是一位按公正管治的君王；亦好比詩二十三3 所記，是引導萬邦的大牧者。故此，詩人重複的話又再迴盪：來啊！地上所有人都要聽，現今是開始頌讚主的時候。

第三個理由是神的美善(6-7 節)。神這樣恩待我們，我們理應顯明祂賜福萬邦的心意。土產豐饒，倉廩充實；這不就是神回答亞倫與眾祭司禱告(民六 24-26)的明證麼？神的大能藉農產豐收顯明出來。

神的能力與臨在既可使物資增長，亦可使屬靈增長。假如我們在生活和宣講上能更多表彰這能力，則人人可以看見自己國家和列邦中所生發的屬靈果子。詩人不作空言，他寫詩篇的目的是讓以色列人與我們都能體驗生命的改變。神的福澤臨到，地上萬邦都要領受屬靈的益處。我們所看到物質上的祝福，只是神恩澤流長的淺嘗。

是的，「神要賜福與我們，地的四極都要敬畏祂。」(第 7 節)「敬畏」這詞並非指惶恐或驚慄，實有兩方面的意思，就是出二十20 敦促我們「不要懼怕，反之，要敬畏主」。故我們不用膽怯，反而要信靠神，把自己完全托付給祂。

因此，敬畏主乃一切事情的開

端，包括知識、生活、個人聖潔，最重要的是個人與神有親密的關係。敬畏是舊約作者用來表達信靠與相信的一個詞語。神恩待以色列人，為讓全地各國敬畏祂，相信即將來臨的應許之子，我們的主耶穌基督。以色列人要作見證和宣講，並成為傳福音的民族，領外邦人來就神的光。

我們在賽四十二及四十九章，會更清楚看到神對以色列的心意。然而，該兩段提及「耶和華僕人」的經文，並非本文要探討的範圍。以色列人是耶和華的僕人，而彌賽亞是其中最後且最傑出的代表，正如神對亞伯拉罕所說、出埃及記作者所告誡、詩人所唱頌的，以色列人乃「萬國之光」。

詩人深切期待和渴望，地上所有民族都認識神，這位以色列的君王是他們的主及救主。我們可以較以色列人鬆懈嗎？神不也同樣呼召我們與以色列人一起證明祂藉詩篇六十七篇所顯露的心意嗎？神挑戰以色列人，亦同樣挑戰我們。在宣講神的名這一個職事上，我們在萬國當中肩負中介的角色，依然是神的心意。在你的生命中有這樣的經歷嗎？

願蘊藏於創世記十二2-3的福音火焰，以及成為聖潔國度和君尊祭司的呼召，燃點起我們的心志，在以後的日子裡努力宣講福音。願向地球上每一個國家宣告：耶穌是主，是父神的榮耀！

(作者為著名舊約學者，亦為美國麻省南哈密爾頓哥頓神學院分校校長。)

研習問題：

1. 作者宣稱，神藉著對以色列應許的心意，在舊約給予以色列人一個宣教的使命。根據作者的意思，一項應許怎樣帶有使命感？

2. 為何蒙福不能止於被動？

3. 根據作者的見解，祭司的職責是甚麼？與宣教使命何干？

The Bible in World Evangelization
聖經與普世福音遍傳

司徒德(John Stott)著　　衛幗壁譯

若沒有聖經，普世福音遍傳非但不可能，簡直是不可思議的事。聖經列明了向全球傳福音的責任，將福音交給我們去傳，也教導我們怎樣傳，並應許我們，福音是神的救贖大能，要賜給每一位相信祂的人。

再者，無論是以往或現在，教會越信服聖經的權威則越有普世福音遍傳的承擔。每當基督徒信服聖經時，便會立志傳福音；不信服聖經時，便會失去傳福音的熱忱。

以下是福音必須向普世遍傳的四個理由：

普世福音遍傳的訓令

第一，向普世廣傳福音是聖經給我們的訓令。今日，宗教狂熱主義(Religious Fanaticism)和宗教多元主義(Religious Pluralism)愈來愈明顯；前者的表現超乎理性的熱忱，(若可能的話)他會使用武力去強逼人相信，並且清除不信者，但後者剛剛相反。

每當宗教狂熱主義或與其相反的漠視宗教主義抬頭時，普世福音遍傳便難以推展。狂熱者不接納與他們對立的佈道工作。而多元主義者則拒絕福音派獨一性的宣稱，指責基督徒傳福音是攪擾他人的私生活。

面對這些阻力，我們必須清楚知道，普世遍傳福音不僅是重要的大使命訓令，傳福音更是全本聖經的啟示。

我們只有一位又真又活的神，祂是宇宙的創造者，也是萬國的主宰和一切血肉生靈的神。約4千年前，祂與亞伯拉罕立約，應許不單祝福他，更透過他的後裔而祝福地上萬族(創十二1-3)。這段經文是基督教宣教的基礎之一，因為神透過亞伯拉罕使萬族蒙福，亞伯拉罕子孫就是基督和基督的子民。我們若因信得以屬乎基督，我們就是亞伯拉罕屬靈的兒女，對全人類都有責任。舊約的先知也預言神如何使基督成為後嗣，及萬族的光(詩二8；賽四十二6，四十九6)。

耶穌來到世上，印證了這些應許。雖然，祂在地上的事奉多限於「以色列家迷失的羊」(太十6，十五

24)，但祂預言將有許多人「從東從西，從南從北而來」，又會「在天國裡與亞伯拉罕、以撒、雅各，一同坐席」(太八11；路十三29)。當祂復活後等待升天之時，祂宣告說：「天上地下所有的權柄，都賜給我了。」(太二十八18)耶穌擁有普世的權柄，吩咐祂的跟隨者要使萬民作祂的門徒，給他們施洗，加入祂的新群體，並教導他們遵守祂的教訓(太二十八19)。

當真理和大能的聖靈降臨在早期的基督徒身上，他們便努力不懈地工作，走遍地極為耶穌作見證(徒一8)。他們如此行是「為了祂的名」(羅一5；約三7)，因為他們知道神已經將耶穌升為至高，坐在神的右邊作王，並賜給祂超乎萬名的名，使萬口皆承認為主，他們渴望耶穌得到祂應得的榮耀。有一天，耶穌將會帶著榮耀再來，施行拯救、審判並掌權。然而，在祂兩次來臨之間應作甚麼呢？教會要向全球宣教！耶穌說過，這天國的福音要傳遍地極，然後世界歷史的末期才會來到(參太二十四14；二十八20；徒一8)。福音傳遍和世界歷史的終結時間是如此奇妙地連接。

可見，全本聖經是神給我們向普世傳福音的訓令，此訓令可以從神的創造(全人類都要向祂負責)、性情(主動、慈愛、憐憫，不願有一人沉淪，希望人人都悔改)、應許(萬族都因亞伯拉罕的子孫而得福，成為彌賽亞的後嗣)、神子基督(已升為至高、有宇宙的

權柄、接受宇宙的頌讚)、神的靈(使人知罪悔改、為基督作見證，並推動教會傳福音)和神的教會(多種族的宣教團體，按神的吩咐去傳福音直到主再來)中看到。

普世福音遍傳的使命是不能抗拒的，信徒和教會若不履行，就是與蒙召的身份不相稱(無論由於無知或不順服)。我們絕不能逃避普世福音遍傳的訓令。

普世福音遍傳的信息

第二，聖經已給了我們該傳講的信息。〈洛桑信約〉對佈道的定義就是傳福音，在第四段的開頭說：「佈道就是將福音傳揚出來。這福音是照經上所記：耶穌為我們的罪而死，從死裡復活，使我們的罪得赦，而且將聖靈賜給我們悔改相信的人。」

我們的信息是從聖經而來，但當翻開聖經找尋這信息時，卻遇到困難。其實，這信息已交給我們，不用自己去發明。它好像是一個「寶藏」，我們是忠心的管家，既要保管，又要在神的家裡使用(提前六20；提後一12-14；林後四1-2)；另一方面，它不是單一的、簡單的數學公式，而是多樣化的方程式，含有多種形像和比喻。

所有使徒只確認一個獨特的福音(林前十五11)，保羅甚至求神咒詛所有傳「別」的福音的人(加一6-8)。使徒們通過不同的方式來表達這個獨一的福

音，這福音是犧牲性(基督流出寶血)、彌賽亞性(進入神的應許)、律法性(審判者宣告不義的成為義)、個人性(天父與叛逆的兒女和好)、救贖性(天上來的拯救者救贖那無助的)、宇宙性(宇宙的主治理全地)的；然而，這些都只是一些選出來的例子而已。

故此，表達的形式雖各有不同，福音仍是一個。神已經把這福音「賜予」我們，在傳講時需要適應不同文化的聽眾。我們只要掌握了這一點，就可避免兩個對立的錯誤。其中一個錯誤可以稱之為「完全流動性(total fluidity)」。最近我聽到一位英國教會領袖說，惟有當我們進入當地處境中，才懂得要傳甚麼「福音」。我們不要有既定的一套，我們到達目的地後，才會明白甚麼是福音。筆者非常同意應對每一個處境敏銳，但若這是他的觀點，就不免言過其實了。我們要知道，神啟示給我們的福音已經確定，我們無權更改。

另一個錯誤可稱為「一成不變(total rigidity)」。這種看法認為，傳福音就好像一字不變地重複述說神給我們的一系列方程式，和一些必要的詞彙。如此，字和詞都成了枷鎖，若每次一定要用「基督寶血」、「因信稱義」、「神的國度」或其它術語，便很容易陷入所謂「福音八股」中。

在這兩個極端之中，另有第三種更佳的方式，就是兼顧聖經啟示和本土環境。合乎聖經的福音的闡述是永不改變的，任何人嘗試用現代術語來傳福音，一定要保證自己的表達絕對合乎聖經。

這第三種方式，既不願放棄聖經中的福音真理，也不願刻板呆滯的背誦福音。相反，我們應該不斷努力(禱告、學習和討論)，以切合環境的方式來傳揚所領受的福音。福音是從神而來，我們必須小心捍衛；福音亦為現代人而設，我們要按正意來闡釋。我們必須忠心(恆久讀經)，又加上敏銳(認識當代的境況)，只有這樣，我們才能忠誠而適切地把神的話向世界宣講，把福音帶進現實，把聖經帶進文化。

普世福音遍傳的模式

第三，聖經給了我們向普世傳福音的模式。除信息(傳講的內容)之外，我們也需要一個傳講的方法。聖經不僅包含福音，它本身就是福音；藉著聖經，神自己在傳福音，要把福音傳給全世界。正如保羅引用創十二3的話，「並且聖經……早已傳福音給亞伯拉罕」(加三8)，所以全本聖經都在佈道，神透過它來傳福音。

聖經本身既是神的佈道事工，我們理當效法神如何傳福音。從聖經默示的過程中，祂已給予我們一個極佳的佈道模式。

最令人感動的是神偉大的降卑，以崇高的真理來顯明自己和基督，祂有憐憫、公義和全備的救恩，但卻選擇用人類的詞彙和文法，透過人類、

人的形象和人的文化來顯示自己。

神透過人的言語和形象，這類低級的媒介來說出祂的話。福音派強調聖經的默示有雙重作者；人說話而神也說話，人被神感動而說出神的話來(彼後一21)，以及神曉諭人去說話(來一1)。這些話無論用口講或筆錄，都同時是神的話和人的話。祂決定要說的內容，卻不扼殺人的個性，人可以運用自己的才能來表達，也不會曲解神的信息。同樣，基督徒肯定「神降生為人」，那是神自我啟示的高峰。「道成了肉身」(約一14)，這是神永恆的「道」，從互古就與神同在，祂就是神，宇宙藉著祂受造；然而，祂成了一個人，擁有第一世紀巴勒斯坦猶太人的一切特徵。祂變成卑微、軟弱、貧窮，並且受到攻擊，也嘗過痛苦和饑餓，並曾被試探；這一切都是祂「肉身」曾經歷的。雖然祂變成和我們一樣的人，但祂仍是祂自己，仍是那不變的「道」，是神的兒子。

聖經之默示與神子成為肉身，都顯明了同一個原則，就是道成了肉身。神透過人來表達祂自己；雖然祂與我們認同，卻沒有放棄祂的本性，而這個「認同而不失身份的原則」，是所有佈道事工，特別是跨越文化的福音工作的模式。

有些人不肯與服侍的對象認同，保留自己，不願像他們一樣；我們不肯放棄保留自己的文化傳統的錯誤觀念，認為是我們絕不可缺少的。我們不單緊緊抓著自己的文化習慣，對服侍地區的文化傳統不尊重，這就是所謂文化帝國主義；既強逼他人接受我們的文化，又鄙視他人的文化。這並不是基督所用的方法，祂捨棄了自己的榮耀而謙卑服侍人。

一些跨文化的福音使者則犯了相反的錯誤，刻意與服侍的對象認同，甚至不惜放下基督徒的原則與價值觀，這也不是基督的方法；因為基督成為人之後，仍保留真正的神性。〈洛桑信約〉闡述了這個原則：「基督的佈道者必須謙卑地倒空自己，但仍用他們個人的真誠作別人的僕人。」(第十段)

我們要努力解決世人不肯接受福音的關鍵，特別要重視文化因素。有些人拒絕福音，不是認為它有錯，而是因為它是外來的。

在1974年的洛桑普世福音會議上，巴迪拿博士(Dr. René Padilla)提到某些歐美宣教士所傳的是「文化基督教」，他們所傳的基督教信息被西方的物質和消費文化扭曲了，因而受到批評。他的話令我們很痛心，但也頗合乎事實。我們都要嚴謹審查所傳的福音，跨文化的傳道者必須謙恭尋求當地基督徒的幫助，藉以辨明自己的信息有否受到文化的歪曲。

有些人不肯接受福音，因為他們覺得福音威脅自己本身的文化。當然，基督向每一種文化挑戰。我們向印度教徒、佛教徒、猶太人、穆斯

林、世俗主義者或馬克斯主義者傳福音時，耶穌基督都會要求他們放棄原來的效忠對象，只忠於祂一人，因為祂是每一個人和每一種文化的主人。威脅和挑戰在所難免，但我們所傳的福音，是否含有不必要的威脅呢？例如要求別人放棄無害的習俗，或摧毀民族藝術、建築、音樂和節慶，又或自己表現出文化優越感和對文化盲目順從。

總而言之，神藉聖經向我們說話，祂是用人的言語；祂在基督裡向我們說話，是用成為肉身的方法。為了要啟示自己，祂同時虛己和降卑，這就是聖經給我們的傳福音模式。在所有真正的傳道工作上，都需要虛己和謙卑；否則，我們就牴觸福音或誤傳基督了。

普世福音遍傳的能力

第四，聖經給了我們向普世廣傳福音的能力。福音工作的需要龐大，我們的資源渺少，人心的防禦阻力亦相當強大；有更甚者，魔鬼真實存在，牠惡毒、有權勢和凶猛，並指揮大群鬼魔。

世故而老練的人或會嘲笑我們的信仰，甚至諷刺。但福音派基督徒都單純地相信耶穌和祂使徒的教導，對我們來說，這是一件嚴肅的事，如使徒約翰所說：「全世界都臥在那惡者的手下。」(約壹五 19)世上的人在得著耶穌基督的釋放，歸向祂的國度之

前，都是撒但的差役。今日，在拜偶像的黑暗權勢和對神靈的恐懼中，在迷信和宿命論裡，在人向假神的膜拜之中，在西方自私的物質主義裡，在無神論的共產主義下，在擴散的荒謬異端中，在暴戾和侵略裡，以及從絕對的良善和真理標準下的墮落裡，我們看到撒但的能力無所不在。這一切現象，就是聖經所說，撒謊者、欺騙者、毀謗者和謀殺者的行為。

基督徒的悔改和重生，誠然是神恩典的奇蹟，是基督與撒但，或啟示錄所說的羔羊與龍的靈界爭戰的結果。因為，若有人能進壯士的家，搶奪他的家具，那是因為那壯士已先被一位更強壯者捆住了(太十二27-29；路十一20-22；西二15)。

那麼，我們怎樣可以擊敗魔鬼的勢力，進入基督的得勝國度？馬丁路德說 ein wörtlin will ihn fallen(一個小小的字就把他擊倒了)。神的話和福音的宣講是帶著能力的，林後第四章正表達了這個情況，保羅說：「此等不信之人，被這世界的神弄瞎了心眼，不叫基督榮耀福音的光照著他們……。」(4 節)

假若人類的心眼瞎了，又怎能看見呢？只有藉神活潑的話，才能叫我們看到光。因為神吩咐說「光從黑暗裡照出來」，已經照在我們心裡，「叫我們得知神榮耀的光，顯在耶穌基督的面上」(6節)，所以使徒比喻那些未重生的心靈，就如太初的黑暗、混亂，

而重生猶如神所發的命令「要有光」一般。

撒但要弄瞎人的思想，神要光照人的心靈，在這一場爭戰中，我們該作甚麼？要謙虛的退出這一次衝突，任由他們自己去一決高下嗎？不，這不是保羅的結論！

林後四4及6節形容神和撒但的活動，但在第5節，保羅提及福音使者的工作是「傳……基督耶穌為主」。撒但要阻止人看見光，而神要把那福音真光照在人心裡；因此，我們就當努力傳福音。不可停止傳福音，這是神所定下的途徑，擊敗那黑暗的掌權者，真光就會進入人心。神的福音是拯救世人的能力(羅一16)。

我們可能很軟弱，有時我真希望我們更軟弱；面對罪惡的勢力，我們時常被誘假作剛強。但基督的能力是在我們的軟弱中顯得完全。在人話語的無能中，聖經賜下祂的大能；因此，我們何時軟弱，也就何時剛強了(林前二1-5；林後十二9-10)。

把它散佈到世界裡！

我們不要消耗精力去爭論神的話，讓我們來使用它，它會以自己的能力證明它是出於神；讓我們把它散佈到世界裡！只要每個宣教士在佈道時都忠心並敏銳地宣揚聖經的福音，只要每個傳道人都正確地講解神的話，那樣，神必然彰顯祂拯救的大能。

若沒有聖經，普世福音遍傳是不可能的！因為若沒有聖經，我們就沒有福音傳給萬邦，沒有傳福音的憑據，也不知道如何去傳，更不會成功。聖經給了我們向普世傳福音的訓令、信息、模式和能力，我們要用心研讀、默想，重新得著它；我們要聽從它的差遣，掌握它的信息，依從它的指示，相信它的能力；讓我們高聲來傳揚！

(作者為倫敦萬靈堂榮休教區長，倫敦當代基督教學院主席，參與組織洛桑會議。)

研習問題

1. 作者如何解釋「全本聖經是普世福音遍傳的訓令」？

2. 作者在有關普世福音遍傳的「信息」一段，提出「完全流動性」和「一成不變」兩種錯誤，請將這兩種極端的做法與「模式」一段中所提及的錯誤來作比較，予以申述。

3. 在得勝邪惡的事上，神的能力與神僕人們的軟弱之間的關係為何？

The Biblical Foundation for the Worldwide Mission Mandate
普世宣教使命的聖經基礎

Johannes Verkuyl 著　　金繼宇譯

很高興廿世紀出現一連串的著作，指出舊約是教會向萬國萬民宣教不可或缺及不可取代的基礎。現在，讓我們看看舊約的其中四項主題：普世、拯救、宣教及敵對，是新約呼籲教會向普世宣教的依據。

普世的主題

舊約中，自稱為亞伯拉罕、以撒、雅各的神的，又向摩西揭示自己的名為雅巍(*Yahweh*，《和合本》用耶和華)，祂是全世界的神。這幾位族長及後來以色列民與神交往的經過，可以擴展至全世界。以下引用幾處舊約經文來說明這個普世的觀念。

創世記十章的列國表

創世記第十章的列國表，對瞭解舊約的普世觀念非常重要，Gerhard von Rad稱它是創造歷史的終結。萬國都出於神的創造，也在祂耐心的看顧和審判之下。這些國家並非只是神人之間的戲劇佈景，他們(所有人類)都在劇情之內，神的工作及活動是針對全人類的。

這是創世記第一至十一章記人類歷史開始時的基本真理，同時也見諸約翰寫有關人類歷史終結的啟示錄中。這位向以色列人啟示自己，又藉耶穌基督居於我們中間的神，自稱是阿拉法及俄梅戛，是起初也是終結。在「各方各國」及「無數的人」未圍繞在祂寶座之前，祂不停地工作，要為在歷史上蹣跚前進的人類開闢道路，達成祂在萬國的目的。

神揀選以色列，志在萬國

巴別塔事件生動地顯示了神對列國的審判，創世記第十二章的重點轉為神呼召亞伯拉罕離開迦勒底的吾珥。看來，這位「全地之神」把祂關心的範圍限於一個家族；事實並非如此。正如de Groot說：「以色列是神救恩宣告的開場白，而非謝幕。」[1] 不錯，有一段時期，作為「亞伯拉罕子孫」的以色列，從其它國家分別出來(出十九3以下；申七14以下)，惟有這樣，神才能藉以色列達成普世的目

的。在揀選只屬人類一部分的以色列時，神並未忽略其它國家，以色列是蒙召去服侍多數的少數人。[2]

神揀選亞伯拉罕及以色列與全世界有關，祂如此專注於以色列，是因為要維持祂對全世界的所有權。在時候滿足，要向普世說話的時候，祂需要一個民族。最近，有不少著作都強調，神揀選以色列來完全揭示祂對普世的計劃。

故此，每當以色列忘記了自己被神揀選是要對列國說話，又自傲而不理列國時，就有先知如阿摩司、耶利米及以賽亞出來，批評以色列自我炫耀，並指他們顛覆了神的真正心意(特別見於摩九9-10)。

被擄時期普世思想的突破

以色列於主前第七及六世紀的經歷，讓他們看見神的普世心願。當以色列被巴比倫擊潰，又被擄到外邦，先知看到以色列的經歷與列國歷史密切相連。以色列在審判中，出現了對新盟約、新釋放(exodus)和另一位大衛子孫的企盼。耶利米、以西結和以賽亞的視野擴展，也見證列國都包括在神應許範圍之內。而但以理的末世異象，更預告人子來臨，祂的國度使世上殘暴的列國終結，祂的領域廣及萬民 (但七1-29)。

拯救與解放的主題

雅巍——以色列的拯救者

聖經中的救贖主題，就是神拯救以色列及列國，與普世主題密切相連。雅巍，全地之神，伸出大能膀臂把以色列從為奴的桎梏中解放，顯出祂對以色列的愛與信諾(參申九26，十三5，十五15，二十四18)；這是以色列信條的根本，對瞭解第一條誡命也極為重要。這位拯救和使人自由的神是唯一的神。「除了我以外，你不可有別的神」(出二十)，這個信條把萬國之一的以色列轉變成一個被揀選的群體，因神的拯救行動而存在，且以詩歌與感恩的祈禱來讚美神。

雅巍——萬國的拯救者

以色列的先知們日漸覺得不僅以色列會分享神救贖之工，而且神會再行使救贖普世萬國的主權。

在這方面，Sundkler與Blaauw都指出，先知是按向心作用來發展這個主題，其它萬國被救贖後會回到神的錫安山朝聖。先知們描繪這些國民歸回耶路撒冷的圖畫，在那裡，以色列的神將以萬民之神的身份顯現(見賽二1-4；彌四1-4；耶三17；賽廿五6-9，六十；亞八20以下)。

多首詩篇也頌讚這主題，如第八十七篇，宣告耶路撒冷是普世的大城市，其中的公民將包括列國的人，甚至一些曾激烈反對以色列之神的國家

的人民，也會參與慶祝神與萬民恢復了團契。

神達成拯救的方法

聖經也提到神拯救以色列與萬國的方法。舊約中最深入探討的，是以賽亞書四十至五十五章中多首的「僕人」之歌，清楚地提到救恩將普及全球。這位僕人將救恩帶到地極(賽四十九6)，非至公義遍及全地祂不會停止，海島也在等候祂的訓誨(賽四十二4)。

第五十三章的第四首僕人之歌，揭露了主的僕人**如何**執行任務；這是一段非常感人的經文，這位僕人被人間最野蠻的屠殺者所害。

人心能想到的虐待都將會加諸祂身上。然而，這位僕人也是代替者，不僅為以色列，也為萬國萬民擔當他們該受的審判。而且，這段經文也描述耶和華把萬國送予這僕人，作為祂順服至死的回報。因此祂得到把救恩和醫治帶給萬民的權利。

宣教的主題

與上述兩個思想有關的是宣教。先知們不厭其煩地提醒以色列，不要將作選民的特權據為己有，而是事奉的呼召，承擔到萬國中作見證的責任。以色列必須在列國中成為標記，顯出雅巍是創造者，也是釋放者。賽四十九6這首僕人之歌，即提到以色列被委為外邦人之光。

幾乎所有的作者都解釋以色列這個呼召有一個臨在的觀念；作為一個被神揀選承受神憐憫和正義的民族，以色列應有責任在外邦中活出神子民的樣式，以顯出祂的恩典、憐憫、正義及釋放的大能。先知們一次又一次對以色列的悖逆大感失望，不停提醒以色列有神聖的呼召；但無論先知的怒火有多大，他們仍不願在萬民中作獨特的民族和有君尊的祭司。

值得一提的是，第二次世界大戰以後，一些宣教學家提倡以基督徒的臨在(presence)作為今日宣教的一個主要方法，並列舉各種理由和方式，聲稱在其他人中作一群特殊的人，是最合宜的見證方式。筆者不打算詳述這個觀念，只想指出「臨在就是見證」的觀念早已植根於舊約；先知不斷宣稱，以色列只要活出神所指定的事奉生活，就為外邦樹立了標記和橋樑。

但筆者不認為宣教的主題只限於臨在，也不瞭解何以一些作者聲稱舊約絕未提及宣教使命。

在 *Mission in the New Testament* 一書中，Hahn 提到舊約有一個「完全被動的特性」；筆者認為是言過其實。Bachli 的 *Israel and die Volker* 一書則比較接近事實，在出埃及記的記載與申命記的傳統，指 *am*(子民)及 *qahat*(宗教群體)二字是有分別的，也特別提到早在曠野時，許多原不屬 *am* 的人已經加入 *qahat* 中了。那些在神子民中間寄居的外邦人，既與以色列人同

行，也參與以色列人的敬拜，他們聽到了神大能的作為，也和以色列一同高唱讚美之歌。

另外，亦有不少離開了他們本族的異教徒，因受言行見證的感動而信靠憐憫他們的活神。麥基洗德、路得、約伯、約拿書中的尼尼微人，以及舊約中許多人的故事，亦好像一扇扇的窗戶，讓我們看見許許多多以色列以外的民族，隱約聽見早已發出向萬民宣教的呼召。

舊約智慧文學的形式及內容，與希臘和埃及的文化相近，以色列的文學無疑也可以成為向外邦傳信仰的媒介。

無論如何，在猶太人散居各地期間，若非那些散居的猶太人**早已聽**到，並且瞭解神呼召他們直接，並以臨在來作見證，則無從解釋那時猶太教在宣教上的影響會如此巨大。

敵對主義的主題

上面所提到的舊約宣教主題仍未完全，與它們交錯存在的，是敵對的主題，雅巍與那些反對祂釋放與恩典權威的勢力在爭戰。

整本舊約(也包括新約)都描寫主耶和華這位與以色列立約的神，與那些企圖減弱及破壞祂在受造物身上的勢力鏖戰。祂要對抗那些人手所造、偶像化、人用來達到自己目的的假神，如巴力與亞斯他錄，它們的敬拜者把自然界、部族及邦國和民族高抬至神聖的地位。神也對抗邪術及占星術，根據申命記，這些事令人把神與受造物的界線混淆。神也與社會各種不義對抗，使隱藏的不義無所遁形(見阿摩司書及耶利米書)。

全本舊約都燃點起打敗這些敵對權勢的盼望，也包含一些偉大的異象，提到在未來的國度裡，每一種關係都會恢復正常，所有的受造物……人、獸、植物等都合於神所期望(見賽二；彌四；賽六十五)。舊約渴望這個國度最終會彰顯，也明確說出耶和華終必得勝的應許。這也是宣教參與的重要主題，因為無論在何處(教會、世界各國或自己的生活之中)，若不與各種反對神旨意的事物爭戰，皆無可能參與宣教。

舊約把敵對的思想與頌讚神的主題連結一起，主耶和華的榮耀將在萬民中彰顯，那時，人人都會真正認識祂就是「有恩典、有憐憫的神，不輕易發怒，有豐盛的慈愛，並且後悔不降所說的災」的一位(拿四 1-2)。

約拿書

約拿書對瞭解宣教的聖經根據很重要，因為它提到神向子民頒下往外邦傳福音的使命，因此成為新約宣教使命的預備。它的重要性也在於讓我們看見，這使命為耶和華親自選派執行普世工作的僕人所頑抗。

今天有不少關於「教導會眾」及「教導人材」的宣教講座與著作，約拿

書提供了教導人作宣教士的材料：它顯示了人的自然傾向需要徹底轉變，人的生命需要完全重建，才能在宣教上發揮作用。

書的背景

書名取自一個不情願的先知約拿。耶羅波安二世的時候(公元前 787-746)，有一位名叫約拿的先知，是亞米太的兒子，本書並未詳細記載這位先知的生平，只用此名來向讀者描述一位對外邦人無心的宣教士，他像後來的法利賽人一樣，不能容忍神向外邦人施憐憫。正如荷蘭作家 Miskotte 所說：「作者想要描繪一個與使徒恰恰相反的人。」約拿書的作者警告他的讀者，不可有這種欠容忍的態度；也問他們是否願意被改變成為一個完成神使命的僕人。

依作者所見，以色列人變得專顧自己，無視於外邦世界了；得到神全部啟示的以色列人拒絕踏足外地，把神審判及釋放的信息傳給外邦人。其實，這本書也是向千方百計逃避普世宣教命令的新約會眾說話。

約拿狡滑的逃避，正是不聽主命、懶惰不忠的教會的寫照。神必須對付以色列人狹窄的民族自我中心主義，把神的工作局限於本族之內，也必須對付教會中拒絕往普世傳神信息及作神工的自我中心主義。作者決心要說服讀者，神拯救的範圍是廣大的，遍及以色列和外邦。

這本強烈反對以色列民族自我中心的約拿書，得以列入聖經正典，真是個奇蹟。它誠實地顯出人企圖破壞神普世的計劃，要使它的讀者——以色列、新約教會、我們——能聽到聖靈想藉這本小書所說的話。

簡單重溫書中八幕情景

第一幕，以約拿受命往尼尼微開始；舊約通常請求外邦人到神的錫安山來，但約拿卻像新約的門徒一樣(太廿八18-20)，受命**出去**。七十士譯本在一2-3及三2-3所用的字 *porettomai*，與太二十八所記耶穌頒發大使命所用的動詞相同。約拿必須往哪裡去呢？偏偏是尼尼微城那個極權主義、窮凶極惡及好戰中心。神要祂的僕人到那座惡名昭彰，向反對者施行無恥的迫害、酷刑及征討的尼尼微城去；神要祂的僕人去警告尼尼微人，審判將臨，呼召城裡的人悔改；祂要救**尼尼微城**！

但約拿拒絕了。是的，他準備好了，但卻是**逃避**萬有之主的神的面。

在第二幕，神回應約拿的逃避——差來一場巨大的風暴(一4-16)。風服從雅巍的命令，而那不順服的約拿卻在船艙沉睡，全不知道風暴對著他而來；教會也偶爾如此，在神對世界審判的風暴中沉睡，並且肯定外面的風暴與自己無關。水手們尋找風暴的起因，正徒勞無功之時，約拿承認他崇拜、敬畏的造滄海陸地、在萬民之上

的神正在責備他，所以，平靜風浪的唯一辦法就是把他丟入海中。在這一幕，水手們代表約拿毫不關心的外邦人，但他們卻要救他一命，經過約拿再次請求，他們才把他拋出船外，風浪也就平靜下來。水手們幾乎不能相信自己的眼睛，隨即向約拿的神發出讚美。他們的順服勝過肇事的約拿，他們對神的心較這位先知更敞開。

第三幕(一17)描寫雅巍指令一條大魚，開口吞吃約拿，然後適時地把他吐在旱地上。約拿根本無法逃避神的宣教使命；神興起風浪，又指揮水手達成祂的旨意，現在又引導一條大魚作為拯救尼尼微計劃的一部分。同時雅巍繼續改造和裝備祂的宣教士，要使他成為祂計劃中一個合適的器皿。

在第四幕(二1-10)，約拿懇求神救他出魚腹。這個對外邦人毫無憐憫，也不承認神的應許會澤及他們的人，現在卻引用詩篇的話來求神憐憫，渴望得到那些在聖殿的敬拜者所祈求的應許。

耶和華回應了；祂吩咐大魚，約拿便安然無恙地被吐在旱地上。得救之後，約拿自覺見證了神是憐憫人的。雖被海草纏身，約拿畢竟見證神不喜悅罪人與破壞者滅亡，卻喜悅他們悔改。

在第五幕(三1-4)，神向這個在魚腹裡親身經歷「救恩出於耶和華」真理的人，重申祂的命令。七十士譯本在三1-2以下用宣講(kerygma)這個字，總

括了約拿的任務：他必須向尼尼微「宣講」，無論人怎樣不相信神，尼尼微仍是神所關心的，但若不悔改，將被毀滅。他所宣講的信息既是威脅，又是應許；既是審判，又是福音。

在第六幕(三5-10)，尼尼微對約拿的悔改呼籲作出回應，傲慢、暴虐的王走下寶座，脫去朝服，披上麻布，坐在灰中，並且詔告百姓及牲畜照樣遵行。以色列一直拒絕遵行的，外邦人卻做了；殘暴的尼尼微王成了悖逆的猶大王的對照。

人民和君王一同悔改，惡行停止，可怕及壓制的不公平政治機制也不再運作。在深深的懺悔中，他們轉離偶像來事奉萬國萬物之主的神；這一切成就，皆因雅巍是神。不信的世界能成為豐收的禾場，皆因祂是神。

這一幕以驚人的話作結：「神察看他們的行為，見他們離開惡道，祂就後悔，不把所說的災禍降與他們了。」雅巍是信實的。今天祂對莫斯科、北京、倫敦、阿姆斯特丹的旨意依然不減，仍是「滿有恩典、憐憫」。正如愛用約拿書講道的馬丁路德說，神震怒的左手已被祂那滿有祝福，使人自由的右手取代了。

第七幕(四1-4)重提一個事實，在執行宣教使命時，需要克服的最大障礙不是水手們，不是魚，也不是尼尼微的君王和人民，而是約拿自己——倔強又心胸狹窄的教會。第四章描述約拿已離開了尼尼微，但仍留在城東

要看該城的下場。40天的悔改期間已過，因神轉意不行毀滅，那城繼續得著耶和華的恩眷；約拿卻因神憐憫了以色列以外的人而大大發怒。他所要的神，是一位像他心目中那樣的神：冷酷、嚴厲、殘忍、懲罰異教徒、總不寬恕。他不能忍受外邦人竟在救恩歷史中有份！

這就是約拿所犯的罪，一個心不在宣教的宣教士的罪。在他孤單地受困於魚腹時，向神求憐憫，現在卻向這位施恩給萬國的神生氣，四2是全書的重要經文：「就禱告耶和華說：『耶和華阿，我在本國的時候豈不是這樣說麼？我知道你是有恩典，有憐憫的神，不輕易發怒，有豐盛的慈愛，並且後悔不降所說的災，所以我急速逃往他施去。』」這段經文有部分來自以色列古代的禱告文，是每個以色列人銘記在心，且在聖殿或會堂敬拜時，即使在半睡眠狀態中，都能隨口背誦的(參出三十四6；詩八十六15，一零三8，一四五8；尼九17)。但是約拿不能忍受這段適用於聖殿所在地耶路撒冷的經文，居然也適用於其它地方——尼尼微、聖保羅、奈羅畢、紐約及巴黎。

約拿為何如此認真地發怒呢？無他，只因神對在聖約之外的人與聖約內的人一樣。其實，約拿的怒氣反把自己置諸聖約之外了，因他倔強地拒絕承認立約的目的——把救恩帶給未信者。他尚未學會，以色列不可自以

為得到神的偏愛。以色列人和外邦人一樣，都得靠這位創造者對所有受造物賜下恩典，才能存活。因此神不再以立約者的身份，而以創造者的身份問祂的先知：「你有權這樣發怒嗎？」

第八幕，也是最後的一幕(四5-11)，你會看到神仍在對這個愚頑的宣教士施教，但他還是不明白風暴、水手們、大魚及尼尼微人悔改的意義，因為他不願意明白。現在耶和華試用奇蹟的樹；一顆篦麻很快地生發成長，給烈日下的約拿遮蔭，但也很快地被蟲咬得枯槁而死。約拿又被觸怒了。

這時神再用這樹作教材，問祂的宣教士學生。這位掌握歷史、管理風浪、使尼尼微數以百萬人悔改的神，現在柔聲問道：「你因這篦麻發怒合乎理麼？這篦麻不是你栽種的，也不是你培養的，一夜發生，一夜乾死，你尚且愛惜，何況這尼尼微大城，其中不能分辨左手、右手的有十二萬多人，並且有許多牲畜，我豈能不愛惜呢？」

神會寬容、拯救。耶路撒冷的神也是尼尼微的神，祂不像約拿，沒有「外邦情結」，祂也不強迫任何人，只溫柔地要求我們全心全意地投入宣教工作。神依然要把許多頑固的、易怒的、沮喪的及彆扭的約拿改變成為把自由帶給人的福音使者。

本書留下了一個懸空的問題：神達到了祂對尼尼微的目的，但約拿會

如何呢？無人會知道；以色列、教會和他們的順服，也是未有答案的。

這問題是每一代基督徒必須自己作答的。Jacques Ellul寫《約拿的審判》(*The Judgment of Jonah*)一書，在結束時說：「約拿書沒有結論，該書最後的問題也沒有答案，只有那完全實行神的憐憫，又確實完成了拯救世界的一位才能得到。」[3]

新約教會必須留心約拿書的信息：耶穌基督是「比約拿大的那一位」(太十二 39-41；路十一 29-32)。祂在十架上受死，因被神遺棄而喊叫，以及祂復活，發出勝利的歡呼，對我們都是約拿的標記，指出祂在世上的一生具深刻的意義，也證實神多麼愛人。若有人從這較約拿更大的一位得了生命，卻拒絕把這好信息傳給別人，他委實是在破壞神自己的目的。約拿是希望得著所有利益與揀選之福，卻推卸責任的基督徒。Thomas Carlisle 的詩《你這個約拿》(*You Jonah*)結束時是這樣寫的：

> 約拿曾悄悄地走近
> 他那蔭下的座位
> 在那裡等候神
> 改變心意
> 依他的途徑
> 神卻一直等候許多約拿
> 在他們舒適家中
> 來轉向祂
> 走祂愛的道路

注釋

1. A. de Groot, *De Bijbel over het Heil der Volken* (Roermond: Romens, 1964).
2. See J. Verkuyl, *Break Down the Walls*, trans. And ed. Lewis B. Smedes (Grand Rapids:Eerdmans, 1973), p. 40.
3. Jacques Ellul, *The Judgment of Jonah* (Grand Rapids: Eerdmans, 1971), p. 103.

(作者曾任阿姆斯特丹自由大學教授及宣教佈道學系院長，1940前往印尼宣教，並曾在日本人集中營中 3 年之久。)

研習問題

1. 本文作者何以不同意其他作者認為舊約並無提及宣教使命的見解？

2. 約拿書提供了一個教人作宣教者的材料：它啟示了人的自然傾向需要徹底轉變，人的生命需要完全重建，才能在宣教上發揮作用。約拿的生命需要怎樣的改變與重建？以色列民族又怎樣？

翻開聖經——明白神的心意

龍維耐著

從聖經神學(Biblical Theology)的角度來看，全部舊約和新約其實就是神的救贖歷史(Heilsgeschichte)。

創世以來，神不斷傳達祂愛世上每一個人的信息。他揀選亞伯拉罕叫他成為一大族，目標是地上萬族因他得福。祂賜福所羅門王建造聖殿，是要那殿成為「萬國禱告的殿」。詩篇中一個極重要的信息是：「萬國啊！你們都當讚美耶和華，地的四極都要充滿祂的榮耀。」耶穌基督升天前，留下祂最重要的囑咐：「你們要往普天下去，傳福音給萬民……。」(可十六15)正如神用祂的話語創造了天地，主耶穌用祂的話語宣告福音將傳給萬民。祂的話語必不落空，必要成就。接下來的二千年中，主耶穌的身體——教會雖經百般摧殘、打壓，卻不能被消滅，並且，福音果然由耶路撒冷傳向地極。神的普世救贖計劃從開頭到如今，一直在推進。

希伯來民族——普世宣教的種子

在曠野裡，神透過摩西來治理、教育、聖化祂的子民(申四6-7)。可是，子民未明白神對普世的心意；所以，神在西乃山上，與摩西面對面講述祂的心意：「如今你們若實在聽從我的話，遵守我的約，就要在萬民中作屬我的子民……你們要歸我作祭司的國度，為聖潔的國民……。」(出十九5-6)

直到今日，猶太人都承認他們的神，是亞伯拉罕、以撒、雅各的神。論到他們的民族和文化根源，就追溯到摩西領他們出埃及(民十四19)。論到以色列國，必提到大衛王。但舊約的以色列人沒有看到這特殊的身份是權利，更有要盡的義務！神賜福以色列人乃是要他們成為萬國的祝福，他們的責任是吸引萬族來一起認識神、敬

拜神。試比對一下神在西乃山上所說的「祭司的國度」和新約彼得前書二章9節的「君尊的祭司」，就看到神在萬代以來普世宣教的心意。

J. Blauw 在他的《教會的宣教使命》一書中，將神對以色列人的心意說得很透徹。他說：「正如祭司職份的設立是為全民眾，以色列整體作為這祭司的職份是為全世界。」

萬國禱告的殿

當所羅門王按照神的藍圖完成了聖殿的建造後，他禱告說：「論到不屬你民以色列的外邦人，為你名從遠方而來……向這殿禱告，求你在天上你的居所垂聽……使天下萬民都認識你的名……。」(王上八41-43)所羅門領以色列人為萬國禱告，祝禱這殿**不單**為以色列人，**也成為**萬民禱告的殿。主耶穌潔淨聖殿時宣告說：「我的殿必稱為萬國禱告的殿。」(可十一17)他驅散佔用外邦人院，為一己的利益而中飽私囊，做買賣的猶太人，好讓外邦人可以在外邦人院禱告。

讓我們來省察一下今天我們的教會(聖殿)，在管理、文化、福音策略上有否佔用了外邦人院？哪一方面需要被潔淨？二、三十年前華人來到北美寄居，借用美國人教會崇拜；現今，華人由寄居而定居，北美華人教會擁有美侖美奐的教堂，輪到其他亞裔或拉丁裔來商借堂址。有些教會願意，有些卻不予借用，也不願意發展其它

語系的福音事工。申命記十19說：「所以你們要憐愛寄居的，因為你們……也做過寄居的，你要敬畏耶和華你的神。」求主把祂的宣教心厚賜華人教會，叫我們真正關懷寄居的，向他們傳福音，來表達我們真心敬畏耶和華神，好叫華人**教會**真正成為**萬民禱告的殿**。

聖殿也可指著我們的身體，我們是否只顧自己的肚腹？我們的生命、事業、家庭是否都只為著自己和自己人，沒有留下才智、時間、金錢來為萬族萬民？求主憐憫我們，叫我們的生活都表達出我們愛鄰舍，也憐憫寄居的。

散與聚

神以鷹比喻自己把祂子民背在兩翅之上，主耶穌以母雞形容自己何等渴望聚集以色列人在他翅膀下。自創世以來，直到將來在白色寶座前，父神的心意，都是渴慕聚集祂的兒女，在這份聚的心意裡，他卻重複地以**散**來成就祂的**聚**。

巴別塔事件是人因驕傲而**聚**，神施管教而變亂他們的口音，使他們散開。在曠野，神藉摩西表明祂的聖潔，若子民敬畏神，就得福；若叛逆，去拜偶像，則神要散開他們，使他們在萬國中拋來拋去。經過一段王朝時代，以色列和猶大國終於告終，猶太人開始了兩千多年的**散**。

進一步來說，神的子民在普天下

散居，開始了「會堂」時代，地中海沿岸一帶，猶太人聚居之地都有了「會堂」——敬拜中心。而保羅就是沿著這些會堂一站一站前行，播下福音的種子，拓植許多初期教會，教會也差派了第一世紀的宣教士，大多是猶太人，也有希利尼人，如提摩太或馬其頓人等等。這樣看來，神仍然看顧散居的猶太人，把他們聚集起來，使用他們的敬拜中心成為宣教基地。**散**成就了**聚**。

到了五旬節，同心合意的聖徒在宣揚基督時，聖靈竟然澆灌下來，聖徒口中說出別國的話，叫在場每個人都聽見自己鄉語的福音信息，引發了耶路撒冷大復興，千萬人歸主。聖靈主動地把不同國籍、文化的人**聚**起來，這是神主動成就宣教的**聚**。

接著，司提反被逼害，門徒四散。「除了使徒以外，門徒都分散在猶太和撒瑪利亞各處……那些分散的人，往各處去傳道。」(徒八1、4)這是宣教的**散**，透過散居(Diaspora)產生許多宣教基地。

「許多」宣教學者把舊約中的「來」差傳模式和新約的「去」差傳模式作對比；但是更正確、更美麗的新約宣教聖經神學(New Testament Biblical Theology of Mission)應該是「來」與「去」的**循環不息**。「來」，讓我們一起等候那大能力(徒二)；「去」，是跨越種族界限，使萬民作主的門徒。然後再「來」聯繫各族各民的信徒，一起敬拜、禱告、裝備、配搭；一起「去」把福音傳得更遠、更廣。這是帶著使命的散開，是帶著主的應許的行動。

再來看看華人得著福音的這兩百年，豈不也是宣教的神把信祂的人背在翅上，或聚在翅膀下嗎？華北大復興是「聚」，接著是五十年的「散」，隨著下放或勞改，聖徒所到之處，神的手托住他們所傳的道，所播下的血種，種子結實百倍、千倍；「散」中有「聚」。「聚」更是為著把主的道散開去，海外華人散居遍及全球，一如猶太人，我們也喜歡有自己的敬拜中心，福音也藉著華人所到之地，被傳開了。教會的宣教使命是整全的福音使命(Holistic Gospel)，要透過福音使命和文化使命來見證神的慈愛，分享耶穌基督的救恩。**聚與散循環不息，去與來彼此呼應**；期盼著那一天各國各族各民，手拿棕樹枝在寶座前的大聚集。

回應神的心意

讓我們來感受一下主耶穌的心跳脈動：「還有那些與耶和華聯合的外邦人，要事奉他，要愛耶和華的名，要作他的僕人……我必領他們到我的聖山，使他們在禱告我的殿中喜樂。他們的燔祭和平安祭，在我壇上必蒙悅納，因我的殿必稱為萬民禱告的殿。」(賽五十六6-7)

今天神憐憫華人教會，賜福華人信徒，乃是要叫華人教會和信徒也成

為萬族萬民的祝福。我們是聖潔的國度，屬神的子民，乃是「要叫」我們去宣揚他(彼前二9)。宣教的神已經賜福華人教會，並恩膏我們這麼大的一群人去成為萬國的祝福。當日，以色列人沒有明白神的心事，今日我們豈敢裝作不明白呢？

每一間華人教會理當成為「萬民禱告的殿」，而不是阻擋外邦、外族人去敬拜的殿。神許可華人散居地球上，擴張我們文化寬度，同時更呼喚我們散開去宣教，把禾捆帶回來天家，遙望那最大、最美麗的寶座前的大聚集。

主啊，華人信徒要在萬民中稱謝你，在列邦中歌頌你！

(作者為資深宣教士，並從事宣教士訓練工作多年，現為香港同路坊協調主任)

研習問題

1. 聖經中有哪些例子明顯講述神對普世宣教的心意？試舉出兩、三個，並加以解釋。

2. 作者指出「聚與散」、「來與去」怎樣成就神的心意？這個理解對你有何意義？

The Story of His Glory
神榮耀的故事

何澤恩(Steven C. Hawthorne)著　　文子梁譯

聖經基本上是有關神的故事。可是，當我們以為可以從聖經自助尋求答案時，卻發現聖經裡的故事缺乏連貫、乏味又令人失望。但若明白聖經所著重的是神而非人的需要時，是否另作別論？當我們發現聖經每一方面——敘述的事件、睿智的經文、深情的預言——都聚焦於一位崇高的人物時，我們的心房會何等悸動？

我們都會同意聖經是真實的故事；正因為它是真實的，至今仍然屬實。我們一般看聖經是一本充滿「愛」的書，但我們往往只偏重於其中一方面——神對世人的愛。倘聖經的重點是世人應該以心、魂、智、力來愛神的話，那麼，較明智的便是從神的角度來看整體的故事，如此，你才會清楚曉得這愛情故事的偉大；神不僅愛人，甚至更新人類，使他們完完全全地愛祂。神吸引人來敬拜祂，人因感受神的愛而將榮耀歸給祂。

世人要認識神才會愛神，聖經就是將神啟示，使萬國都順服敬拜和榮耀祂。聖經既以神熱烈的愛為核心，它確是一本縷述神榮耀的故事。

榮耀的基本概念

要追溯聖經中有關神的故事，我們要掌握三個串連整個故事的相關概念——榮耀、神的名和敬拜。

榮耀

不要被「榮耀」這個帶宗教意味的詞語所嚇倒；其實，「榮耀」就是一種關係性的美，是每個人所看見，甚至置身其中的。聖經所提及的「榮耀」是指人及受造物的基本價值和美，當然亦指創造者本身。「榮耀」一詞在希伯來文的意思包含了「重量」和「實質」，同時亦指光輝亮麗的美。榮耀一個人，便是公開承認這個人的內在價值和美；榮耀神就是公開誠實地讚美祂。從整本聖經來看，榮耀是誠實敬拜的核心。

> 主啊，你所造的萬民都要來敬拜你，他們也要榮耀你的名。(詩八十六9)

> 我們……以神的靈敬拜、在基督耶穌裡誇口……(腓三3)

「榮耀」一詞亦指獲贈或授予的榮譽。當一個人受到讚揚或抬舉時，廣

義來說，也就是聖經所指的得榮耀。神的榮耀既如此豐盛，祂把滿溢的榮耀賜予事奉祂的人，對祂的尊榮也不會有任何折損。耶穌指出我們「互相受榮耀，卻不求從獨一之神來的榮耀」(約五44)。

神的名

在整個故事中，聖經以「神的名」作為一個主要的概念，為了分別他們所具參照、啟示和聲望的作用，筆者將之分為三大類以助記憶——名牌的名、展示的名、聲望的名。

名牌的名(Name-tag names)

首先，聖經對神有獨特的指稱。神從不隱姓埋名，他以多個名字來自稱，因為這些名字具**參照**作用，故我們以「名牌的名」這個辨別身份的方法來解釋神的名字。聖經曾描述神為「萬軍的耶和華」，也以「全能的神」、「審判全地的主」、「榮耀的君王」等名稱來稱呼神；每一個名稱都是神真正的名字。[1]

展示的名(Window name)

其次，神樂意以聖經所描述他的任何名字，來準確表達自己，作用便是**啟示**。任何人若願意花數分鐘來思想「耶和華是我的牧者」這個對神的稱呼，便會更加了解神看顧之愛了。

聲望的名(Fame name)

雖然我們甚少留意，但聖經中屢屢出現「神的名」第三個用法，就是公開稱呼「神的名字」，筆者稱之為「聲望」，乃代表神的**名望**。神的名在祂的土地上被稱讚，神的聲譽藉歷史事實而傳流，讓世人公開追憶及信賴。神的名就是神藉著連篇的聖經故事來宣示祂本身的真理，希伯來人不僅珍而重之，更加以傳述，故神的啟示不像其它宗教那樣，只屬少數人的秘密。先知以賽亞呼籲以色列人「將祂所行的傳揚在萬民中」，好使列邦恆常牢記「祂的名已被尊崇」(賽十二4)。所以，我們看到聖經大部分故事都詳細述說神在萬國中使祂名字顯大的作為。

敬拜

何以神如此精心策劃要世人認識祂？神不僅希望全地的人知道祂的名字，更切盼世人真正敬拜祂。

神昭示榮耀得享榮耀

神的榮耀有兩個流動方向：首先流向世界，向地上萬民彰顯，昭示神自己的身份以及作為；因而引發第二個流動方向，世人透過愛的敬拜歸榮耀給祂。神向萬民**昭示**榮耀，以致祂**從**世人的敬拜中**得享**榮耀。

詩篇九十六篇呈現了這兩個方向，第2-3節記述神**向**列邦宣告祂的榮耀：「天天傳揚祂的救恩。在列邦中述說祂的榮耀，在萬民中述說祂的奇事。」這是對普世得聞福音何等鏗鏘

的描繪！詩人接著描述普世福音遍傳的目的，也就是神榮耀的第二個層面——從列邦之中向神榮耀的回應(7-9節)：「民中的萬族啊，你們要將榮耀能力歸給耶和華，都歸給耶和華。要將耶和華的名所當得的榮耀歸給祂。拿供物來進入祂的院宇。²當以聖潔的妝飾敬拜耶和華。全地要在祂面前顫抖。」

神向萬民昭示祂的榮耀，以致一切受造物皆使祂得享榮耀；宣教的精義於此顯露無遺。

超乎救恩的目的

世人是藉神向全地宣告的救恩而得救，但救恩終極價值，並非從甚麼情況下得救，而是得救目的為何。世人蒙拯救，是要敬拜、服侍神。故可以說，普世福音遍傳是為神而作。雖然，我們常誤以為人非常重要，聖經卻清楚表明，宣教乃基於神的無比崇高。讓我們看看詩篇九十六 2-4：「天天傳揚祂的救恩。在列邦中述說祂的榮耀……因耶和華為大，當受極大的讚美，祂在萬神之上當受敬畏。」

大於崇高的理據

宣教的根據看來很簡單：神既是至高無上，所有受造物均當向祂順服叩拜。但這真正是宇宙中心的理則嗎？我們不會接受，因為事實不僅於此。聖經清晰地宣稱神就是愛，神召喚世人以全人來愛祂。神的愛在何處？我們回應的愛又在哪裡？

假若神純粹因祂自己至高無上，而要求世人敬拜祂，祂就不是一位滿有愛心的神，這樣的神不值得我們景仰；神那麼喜愛讚美，或許是祂的自我形像偏低。若我們認為神像一位暴躁的部族神明，因看到敵人的神明受敬拜而衍生嫉妒，那實在無知！神並沒有受到威脅，反之，祂因世人敬拜假神而極其傷心；因為當世人敬拜神以外的任何人或物時，就會愛上了那些人或物。神對世人有更美好的心意！

那麼，怎樣才是真正的敬拜？當世人認識神，便會公開承認，也願意親近祂，親自向祂感恩，天天效忠。敬拜表達了人與神真摯的互動關係，故神常常喜悅我們獻上禮物來敬拜祂。祂實在不需要人所供獻的禮物，但禮物將獻禮者也帶來歸神，這就道出了詩人何以要敦促萬民拿自己最貴重的東西來呈獻給神(詩九十六 6 等)；藉著獻祭和供物，人向神獻上自己。

完全賜下祂的愛

何以神這樣渴想人向祂敬拜？原因有二：神因人獻上忠誠的愛來真正的敬拜祂而欣悅，而且，藉著世人真正的敬拜，神向他們完完全全地賜下慈愛。從詩篇九十六 6 可以看到：「有尊榮和威嚴在祂面前；有能力與華美在祂聖所。」「尊榮與威嚴」並非指神自己的體會，「能力與華美」亦然(代上十六27則稱為「喜樂」)；「尊榮與威嚴」

是神臨在的特徵,是凡透過真正敬拜來親近祂的人的經歷。神君王性的臨在,壯麗輝煌,震懾人心,人能透過敬拜來享受神的同在,是任何人間的壯觀與威嚴無法比擬的。

敬拜就是世人歸榮耀給神的途徑;從神的角度來看,敬拜亦是神使世人得榮耀——把最高的榮譽帶給世人,亦藉此完成對世人的愛。神愛人之深,使祂立意高抬世人至更偉大的境界,祂希望世人可以靠近祂至一種充滿榮譽感的地步。然而,人縱然努力思想,仍無法領悟神為愛祂的人所預備的榮耀(林前二9)。

或許約翰從啟示錄五1-14大約可見「尊榮與威嚴」的情狀:他聽見天上所有活物高聲讚歎神從各方各民買贖人歸向祂。何以神會以祂兒子的寶血這樣高昂的代價來買贖可恥的世人?神又為何從每一個民族都買贖一些人?這些人有甚麼價值?這些人的珍貴乃在於他們將成為神的祭司,從每一個民族買贖回來的人都樂意為自己的民族向神獻上獨特的榮譽,以及被救贖的榮耀。由於基督寶血的代價,這一些人都有永恆的價值。神為每一個民族妥善地安排了一個在祂面前的位置,以祂大能的心懷,使他們歸到跟前;這事一定會成就。任何宣教事工的基本精神,就是神對每一個民族的熱切且不圖回報的愛。

詩人反映了神對地上民族的熱愛,神召聚「地上萬族」中每一個民族,就是世代藉血緣與婚配而形成的民族。每一個家族,在神面前都有一段歷史和歸宿。以我們一般的說法,神個別邀請他們進入祂君王性的臨在(詩九十六7-9),他們並非空手而來,而是為神帶來自己民族的獨特榮耀與能力。這些民族以不同的語言向神呈獻讚美,沒有民族會疑惑怎樣讚美才恰當,因為只有神所昭示關乎祂自己的真理——「祂名的榮耀」,才是具體和真正有價值的讚美(第8節)。

聖經作為神的故事

聖經記載神以祂的愛吸引萬民敬拜祂的故事,確實使人訝異!請大家牢記故事的基本主題,是神向萬民**昭示**祂的榮耀,使祂**從**一切受造物**得享**榮耀。這榮耀的雙重意義,為這雜亂無章的古代故事中理出了端倪。

亞伯拉罕

無論宣教士的定義為何,當亞伯拉罕抵達應許之地時,他並非一位出色的宣教士,也算不上是一位偉大的佈道家。事實上,亞伯拉罕被逐出埃及(創十二10-20);鄰居使他受驚,以致要為家人而說謊。訛稱妻子為妹子的理由,亦未能顯出一位佈道家生命改變應有的信心:「這地方的人總不懼怕神。」儘管亞伯拉罕屢屢失敗,但當他抵達一個新地方時,作了一件最符合宣教的事:首先建立向神持續公開敬拜的地方,「亞伯蘭就在那裡

為向他顯現的耶和華築了一座壇……求告耶和華的名。」(創十二7-8)或許當時只有他和眷屬在敬拜——但耶和華的名字已被公開尊崇和敬拜。

蒙福而使他人得福

亞伯拉罕曾從一批以劫掠為生的民族聯盟手上，拯救他一些有勢力的鄰居(創十四)。奇蹟地勝利後，亞伯拉罕婉拒所多瑪王給他的意外報酬，因為他知道，倘若接受了賞賜，別人會看他一家受所多瑪王的恩惠。反之，亞伯拉罕要公開讓萬民知道他一家特別蒙神賜福。[3]

在眾目睽睽之下，亞伯拉罕堅稱神是唯一獎賞和賜福他的一位。他敢言並輔以實際行動，向神獻祭(創十四21-24)，向神獻上所多瑪城以及其它邦國的財富，亦協助外族向神作什一奉獻，這是神所認許的正規敬拜(創十四18-20)。麥基洗德是主持的大祭司，亞伯拉罕亦以祭司的身份替其他民族獻上供物。

亞伯拉罕蒙福，目的是令其他民族也蒙福(創十二1-3)，不僅其它邦國蒙福，神自己亦得福。麥基洗德公開確認亞伯拉罕蒙神賜福；藉著神的大能，亞伯拉罕拯救了遭奴役的家眷及貨財，使他的鄰居也蒙福；而更偉大的，就是神自己透過人的讚美而享福。請聽麥基洗德的說話：「願至高的神賜福予亞伯蘭……至高的神……是應當稱頌的……。」(創十四18-20)

我們從這一連串的事件中學到甚麼？亞伯拉罕從不間斷的敬拜，叫外邦人得聞神的名字；神透過令人讚歎的能力救贖祂的子民，使祂的名字顯為大；結果萬國齊集，按真理公開敬拜榮耀神，向祂感恩。

全地的計劃藉順服敬拜而實行

亞伯拉罕一生中最重要的時刻，是一次的敬拜(創二十二)。神吩咐亞伯拉罕帶著兒子以撒上路，在敬拜中把以撒獻上；這是神對亞伯拉罕和他家人的試驗。神能否藉此發現亞伯拉罕是順服的，並有像祭司對神的那股熾熱的心呢？(「敬畏神的人」參創二十二12)亞伯拉罕會否有這份熱忱，奉獻神渴想他獻上的東西？若是，他也會有對神要繁衍各民各族的信心。大家都曉得這故事了。當亞伯拉罕在敬拜中順服神的要求時，神從天上莊嚴起誓，強而有力地宣佈祂對全地的心意，是透過亞伯拉罕的家族使地上萬民得福(創二十二18)。

出埃及

神為祂的名字所行的事，較得到早期亞伯拉罕的敬拜為多，特別在出埃及事件，神已展開涵蓋全地的計劃。驟眼來看，出埃及的故事不像是偉大的宣教事件，很多埃及人死亡，憂傷瀰漫埃及每一家。神在做甚麼？

重要的經文在出埃及記九13-16，摩西向埃及法老提出最後通牒，強而

有力地道達神的用意：「耶和華——希伯來人的神這樣說：容我的百姓去，好事奉我。因為這一次，我要叫一切災殃臨到你，和你臣僕，並你百姓的身上，叫你知道，在普天下沒有像我的。我若伸手用瘟疫攻擊你和你的百姓，你早就從地上除滅了。其實，我叫你存立，是特要向你顯我的大能，**並要使我的名傳遍天下**。」(粗體乃本文作者所加。)

請注意，神並沒有只說「容我的百姓去」，祂申明了原委；請留心傾聽救恩的呼聲：「容我的百姓去，**好敬拜我**。」(出八1、20，九1、13，十3) 4

埃及法老十分明白摩西的要求，就是容讓以色列人離去，好使他們敬拜神。或許埃及法老認為摩西的請求是一種掩飾，在伺機逃遁。或許不少希伯來人也有同樣錯誤的觀念；其中曾有多少人想過，在沙漠敬拜神只是欺瞞統治者的計謀。希伯來人眷戀埃及生活的舒適、美食、安全和娛樂，不足為奇，希伯來人未必能即時理解，神在他們逃離埃及的計劃中，是存有對列邦的心意；他們可能顛倒了神在救恩的用意，以為神主要是救拔他們。其實，神正嚴密佈置一個震憾人心的計劃，吸引萬民歸向祂。

神使全地留意祂的名

神指出祂自己有別於地上所有神明，藉著出埃及事件(賽六十三11-14；尼九9-10)，神給自己一個「永恆的名字」。祂希望埃及國內外的人都曉得，絕對沒有任何神明能像這位永活神；祂希望全世界的人都看見，一群奴隸行伍列隊敬拜祂。神為自己建立了與其它神明截然不同且更偉大的聲望(真正聖潔，並非較為聖潔)——一位完美、全能與充滿光輝的神。出埃及事件乃是神向後世啟示祂的屬性、聖潔和能力。可是，在埃及所發生的混亂事件，何足昭示永活的神呢？

審判埃及的神明

一些學者認為，神向埃及降瘟疫，目標是埃及的假神和埃及人熱切膜拜的高壓統治階層。5 一些埃及人的神明，如尼羅河神或太陽神，都因為血災和黑暗之災而大感尷尬，其它的則因對神所降的災難束手無策而羞慚不已。這些神明都是埃及人所尊敬的，且認為能夠對付昆蟲滋擾或保護牛群免生疾病。那些有權勢的宗教領袖也一併蒙羞，受平民景仰的軍隊頃刻便悉數覆沒。為何神要在世人面前摧毀埃及？

神只是向「埃及一切的神」(出十二12)施行審判而已，並非殺戮人，而是徹底除掉全地最受尊崇的一批假神。若神的目的是殺戮人，祂早已迅速下手。「我若伸手攻擊你，你早就從地上除滅了。其實，我叫你存立，為要使我的名傳遍天下。」(出九15-16)

萬族留意

神的方法是否有效？全地是否留意神使祂自己的名顯為大？出埃及記所載神降災禍，並未成為埃及古史的標題，我們必須明白，令埃及陷於漆黑一片的事件亦未刻於石版之上。

聖經記載，當摩西領導以色列人一同唱「祂的名是**耶和華**……**耶和華**啊，眾神之中誰能像你？誰能像你至聖至榮？」(出十五 3、11)之前，紅海的水仍在翻騰；然後，以色列人列舉鄰邦的名字，清楚地說出：「外邦人聽見就發顫……。」(出十五 14)

葉忒羅以岳丈身份進入摩西的家族，他卻是個外邦人(出十八 1)。多年來，他肯定從摩西那裡聽到不少關於希伯來人的神的事。或許很多城邦都曾聽聞這位偉大的神，而從沒有信靠或敬拜祂，但請聽葉忒羅在埃及遭遇瘟疫後的一番話：「我現今在埃及人向這百姓發狂傲的事上得知**耶和華**比萬神都大。」(出十八 11)葉忒羅是一位外族的祭司首領，他有資格來衡量宗教事件。

今天，當我們閱讀摩西對抗埃及的故事時，會覺得埃及只是個虐待奴隸的專橫帝國。但在摩西的年代，人人皆知埃及背後有糾纏不清的靈界力量，也是個經濟、軍事強國。神瓦解埃及這個複雜的系統，顯示它的核心是可怖的靈界惡魔，它使人走向歧途，偏離神。神曾賜福埃及，但埃及卻令自己與神為敵，我們不應將瘟疫與紅海事件(出十二12)純粹視為神針對埃及惡行的懲罰。神的介入，制止欺壓人的惡魔，使人得釋放。為甚麼要使他們得自由？「容我的百姓去，**好敬拜我**。」神精心策劃出埃及事件，以致祂能夠在全地確立祂的名字，昭示自己的榮耀。神當著全世界的人面前，吸引人歸向祂，建立了一種所有民族都可以參與的敬拜方式。

征服應許地

同樣，從神的眼光來看以色列人征服迦南，就是神要為祂自己贏取一群敬拜祂的聖潔子民，藉著他們的見證，神要吸引每一個民族認識和尊崇祂。

公平的抵償

現代讀者驟眼看以色列人在迦南地的征伐，似乎是滅族屠殺以攫取土地，多於是神美善和仁愛的行動。但當我們深入研讀有關經文，便曉得神在征服迦南這事件上設定了雙重目的。首先，神要這地的居民對所作的「惡行」公平抵償(申九5)。很早以前，神已經對亞伯拉罕說「亞摩利人的罪孽還沒有滿盈」(創十五 16)。神一直容忍罪惡，直至滿盈。或許我們會懷疑迦南人怎知神在發怒，一位被征服的迦南王口中說出，這是神在執行公義的裁決：「神按著我所行的報應我了。」(士一 7)

摧毀虛假的敬拜

希伯來人凶狠地征服迦南地的第二個，且是最主要理由，是神要摧毀虛假的敬拜，使祂的子民單單敬拜祂，並使祂的名字保持聖潔。差不多所有關於以色列人趕逐迦南地居民的記述，都指迦南人的敬拜會迅速使希伯來人「不跟從我，事奉別神」(申四15-24，六13-15，七1-8等)。

對於以色列人採取殘暴手段征伐迦南地，約書亞與摩西都同樣聲明是神下達的命令，核心在於徹底鏟除虛假的敬拜。神下令要完全摧毀迦南地的虛假敬拜，好使以色列人永不「提他們神的名字，也不可事奉叩拜。」(書二十三7)縱然我們難以完全明白神子民這部分的故事，但征服的目的卻很清楚：純粹是為了敬拜神。神要表明並非只有以色列人才能敬拜祂，而是惟有祂才是以色列人要敬拜的神。

崇拜偶像會褻瀆神的名字

崇拜偶像，對今天大部分信徒來說，並非甚麼重要的事，十誡的首四誡可能會使我們感到困惑，為何神如此憎厭偶像崇拜？假若我們未能掌握神要在普世得榮耀的心意，便會認為神對一些低級的原始習俗過分緊張。

但當我們從神的角度來看時，便曉得神已顯出祂的名字遠高於其它事物。事實上，任何一種崇拜偶像的舉動，都會褻瀆了神的名字(即把神的名字降格)。神正要把祂的名字顯明出

來，向全世界宣揚。

再看以色列人征服迦南的事件，攻佔迦南並非表示他們應得到別人的土地，神清楚向以色列人表明，並不因為他們的本質正義或高貴而得到特殊的待遇或寵愛(申七6-7)。神多番警告以色列人說，假如他們轉離，敬拜其它神明，神將同樣迅速地毀滅他們。

聖經清楚記載，以色列人曾多次險遭神毀滅。何故？難道神不特別眷愛和拯救他們嗎？神因自己曾應許給予亞伯拉罕後裔獨特的愛，決心為祂自己的榮耀而行事；神並非不願延遲和等待下一個世代，關鍵在於神子民對祂的敬拜，以及他們要能見證祂的榮耀。

其中一件清楚顯示神這個永恆心意的事，就是在加低斯巴尼亞的叛逆。以色列人已經順從行在神為他們開創的神聖道路上，並且已到達快將完成神心意的時刻。探子前往窺探應許地的人與情況，十個探子恐嚇整群以色列人，令他們失控，為了自保而叛逆神(民十三17至十四10)。神準備完全毀滅以色列人，並打算從摩西另立新的子民，要比希伯來人「更大更強」；關鍵並非在於以色列民做了令神十分憤怒的事，而是神要求祂的子民最少也要相信祂。

當時，摩西與神爭辯一如昔日(出三十二1-14)，他說列邦在察看。相信列邦曾聽聞一些關於神名字的事，但

可能因神這次的舉動而有所誤解：
「如今你若把這百姓殺了，如殺一人，
那些聽見你名聲(字面指「名字」)的列
邦必議論說：『耶和華因為不能把這
百姓領進祂向他們起誓應許之
地……』」。摩西挑戰神說，列邦會認
為希伯來的神是無能的，作出了承諾
卻不能實踐(民十四15-16)。

摩西請求神按祂自己的名字來彰
顯自己：「耶和華不輕易發怒，並有
豐盛的慈愛，赦免罪孽和過犯。」[6] 神
在一段靜默後表示，祂已經按摩西的
祈禱赦免以色列人，然後提高聲調(估
計是最強烈的)說：「然我指著我的永
生起誓，遍地要被我的榮耀充滿。」(民
十四17-21)

神在說甚麼？祂會繼續使用以色
列民，但卻要等待另一代的人；即或
神延遲祂的計劃，祂依然決心永遠實
踐祂對地上萬族的心意，讓地上充滿
「耶和華的榮耀」。神要一群順服、見
證祂和敬拜祂的子民來實踐祂這個心
意。

聖殿

首次有關聖殿清楚的記載，是在
約書亞帶領以色列人進入應許地之
前，在摩押平原上，摩西向以色列人
宣告神的指示，要以色列人徹底毀滅
所有列邦敬拜神明的地方。神並沒有
吩咐以色列人重修既有的祭壇，卻命
令他們要完全摧毀那些神廟，「並將
其名從那地方除滅」，因神的名永不

能與任何神明的名字混雜。相反的，
以色列人要建立嶄新與獨特的地方作
為「立祂名的居所」(申十二2-14，特別
是第5節)。

神宣告建立聖殿的目的：立祂名
的居所。神要藉聖殿作兩件事：第
一，祂希望以「祂的名字」昭示祂自
己；當敬拜的人不斷讚揚神的屬性，
述說和讚頌祂的作為時，聖殿便成為
啟示的場所。第二，神要一處地方與
子民會面，建立關係，作為居所。從
最初提及會幕時開始，神已經透露祂
極希望親近祂的子民，在其中享受他
們的讚美，「使我可以住在他們中間」
(出二十五8)，「住在」表示了雙方的關
係。神的子民親近神，神亦親近他
們；這是一個圓滿的敬拜。所羅門曉
得聖殿並非神的住處，當他將宏偉的
聖殿奉獻予神時表示：「神果真與世
人同住在地上麼？看哪！天和天上的
天尚且不足你居住的，何況我所建的
這殿呢！」(代下六18) [7]

大衛設計聖殿作為親近神和頌讚
祂的場所，所羅門成立了他父親大衛
所構思的詩班及祭司樂師，不斷使用
一些大衛的詩歌來「讚美與榮耀耶和
華」，相信他們會用載於代上十六23-
33的大衛奉獻詩(或是詩九十六篇)，明
確地呼召「民中的萬族」來敬拜神(代上
十六28)。

從所羅門所作的奉獻來看，耶和
華的殿乃是神看祂子民、聽祂子民、
回答祂子民的場所。但這殿並非僅僅

為以色列人而建立，所羅門特別提到「民中」，他洞悉神建立聖殿的心意是歡迎萬族來敬拜祂。

所羅門了解神榮耀的故事。神使祂自己的聲名遠播，其他民族都希望來認識以色列人的神。請聽所羅門令人驚訝的禱告：

論到不屬你民以色列的外邦人，為你名從遠方而來(他們聽人論說你的大名和大能的手，並伸出來的膀臂)向這殿禱告，求你在天上你的居所垂聽，照著外邦人所祈求的而行，使天下萬民都認識你的名，敬畏你像你的民以色列一樣……。(王上八41-43)

所羅門並非只為個別的少數人，而是為每一個民族禱告。他禱求說，當列邦的人來到聖殿禱告和敬拜神時，他們便與神相會。所羅門並沒有祈求外邦人用他們的方式來認識神，而是希望他們能像以色列人一樣認識神。所羅門擬想所有民族和以色列人同樣謙卑、喜樂地敬拜神——「敬畏耶和華」。

萬國開始親近神

神的名是否已遠達全世界？外邦人有否來到耶和華的殿，學習敬畏祂？神有否回應所羅門的祈禱？答案既是「有」，亦是「否」。

聖經記載，聖殿工程完竣後不久(王上九25)，示巴女王因「聽見所羅門**因耶和華之名所得**的名聲」(王上十1)，便前來聆聽和學習所羅門的智慧(王上十8)。她離去時，已經明白那位守約的神「永遠愛以色列」。作為一位皇室統治者，示巴女王曉得是神賜所羅門能力，藉著神的管治，才能「秉公行義」(王上十9)。

這是否一宗個別的事件？明顯不是。隨後的經文這樣的記載：「普天下的王都來求見所羅門，要聽神賜給他智慧的話。」(王上十24)世人不會因所羅門智慧地裁判案件而尊榮他，世人曉得是神把智慧放在所羅門心裡。而所羅門給世人第一項智慧的功課是甚麼？「敬畏耶和華是智慧的開端」(箴一7，九10)，所羅門向世人展示敬拜神以及在神鑒察下的智慧生活。

明顯地，神的心意已經實現。祂的名為大，以色列已彰顯耶和華的名，使萬族的人都認識神。有何事情會耽延神揭示召喚列邦歸向祂的計劃？只有一件，就是神嚴厲警告祂子民的「崇拜偶像」。

最可怕的事就是最壞的事情竟發生了——所羅門自己走上荒誕的崇拜偶像的道路，這是歷史上最令人難以接受的諷刺。想到萬族歸向以色列所帶來的富饒和滿足的燦爛前景，所羅門以我們無法想像的榮耀壯觀場面，把聖殿奉獻歸神。他在結束這盛典時，為這殿的用途與萬邦祝福：「地上的萬民都知道惟獨耶和華是神，並無別神。」(王上八60)

可是，打開了這扇讓萬邦前來認

識神的名和敬畏祂的門後，三章經文之後，卻看到所羅門的心「偏離隨從別神」。所羅門竟然在離聖山不遠之處建立神廟(王上十一1-8)。有誰讀到這段記述而不痛心失望呢？我們不禁會臆測，若以色列人能夠維持純一的敬拜神到下一代，情況會怎樣？

神鍥而不捨

神的計劃很簡單：祂使自己的名字顯大，然後以色列人傳揚祂的名。神經常刻意把祂自己的名字從其它神明的名字中分別出來，祂歡迎萬族因看到以色列人見證祂所昭示的名而前來敬拜祂。

從這裡開始，聖經記載以色列人在崇拜偶像的事上起伏掙扎。我們看到經文屢屢講述以色列人重新敬拜神，不久，他們又陷於褻瀆神的新低潮。以色列人世代以來最重要的學習，就是要藉敬拜神而使神得榮耀。有時候，以色列民甚至非常漠視對神的敬拜，整個世代過去，都沒有留意神吩咐他們要朝見祂(摩西五經裡的敬拜規條)。一些先知指出，即或以色列人敬拜，也是敷衍的，流於表面，並未在每一次奉獻與禱告後，表現出應有的公正和仁慈(賽一11-15；摩五21-24；彌六6-8)。儘管神延遲使以色列和猶大陷落，最終，祂依然把祂的子民驅趕離開應許之地。應許地乃是彰顯神福澤之所，神把祂子民趕逐至遠處，並且發生令人痛心不已的悲劇，

神的家遭焚燒，成為頹垣敗瓦。

先知但以理在以色列人被擄末期，大聲疾呼，懇求神實踐祂的諾言，修復聖殿，重建祂的子民；但以理對神怎樣用大能的膀臂帶領以色列人離開埃及，「使自己得了名，正如今日一樣」(但九15)的事件有深切領悟。耶路撒冷聖山的榮耀受虧損，對「我們周遭所有人來說」，是羞辱了神的榮耀；但以理對此最為關注。他祈求神重建祂的子民及耶路撒冷城，也使祂名的榮耀得以恢復。但以理所求，並非因以色列的偉大，他說「為你自己不要遲延，我的神啊，因這城和這民都是稱為你名下的。」(但九16-19)

但以理同期的另一位先知以西結亦道出相同的主題，神在幾次重要的關頭克制著怒氣，暫不毀滅以色列人，是因祂自己名字的緣故(結二十5-22)。神對付以色列人並非出於祂不合理的偏袒，純粹是為祂在萬族中所得的榮耀：

> 主耶和華如此說：「以色列家啊，我行這事不是為你們，乃是為我的聖名。就是你們到的列國中所褻瀆的。我要使我的大名顯為聖。這名在列國中已被褻瀆。就是你們在他們中間所褻瀆的——他們就知道我是耶和華。」(結三十六22-23)

以色列的終局：來自萬邦的榮耀

不止但以理和以西結兩位先知從

神的名字與榮耀看到以色列人的故事，其他先知與詩篇的作者也提及以色列人的歷史與終局，及萬邦因神的名而歸向祂，以各種不同方法尊榮敬拜祂：

全地都當向神歡呼，歌頌祂名的榮耀！用讚美的言語，將祂的榮耀發明！當對神說：你的作為何等可畏。因你的大能，仇敵要投降你。全地要敬拜你，歌頌你，要歌頌你的名。(詩六十六 1-4)

耶和華啊，地上的君王都要稱謝你，因他們聽見了你口中的言語。他們要歌頌耶和華的作為，因耶和華大有榮耀。(詩一三八 4-5)

認識耶和華榮耀的知識要充滿遍地，好像水充滿洋海一般。(哈二 14)

那時，我必使萬民用清潔的言語好求告我耶和華的名，同心合意的事奉我，祈禱我的，就是我所分散的民，必從古實河外來，給我獻供物。(番三 9-10)

從日出之地，到日落之處，我的名在外邦中必尊為大。在各處，人必奉我的名燒香，獻潔淨的供物，因為我的名在外邦中必尊為大。(瑪一 11)

以上只是預言以色列人的身份與神終極的心意結連的一鱗半爪，神的心意是藉祂在地上的榮耀吸引萬民來敬拜。當神把祂的子民帶回應許之地後，首先要做的是修復聖殿。先知哈

該清楚指出，聖殿乃為神的榮耀，也為一種空前偉大的榮耀而建立。「我必震動萬國，萬國的珍寶必都運來，我就使這殿充滿了榮耀。」(該二7)從以色列人被擄開始，他們一直避免崇拜偶像，但他們所期望的的民族尊榮一直未臨到：一位彌賽亞拯救者，把他們從壓迫下釋放。但當彌賽亞以基督的救贖使命降臨，把神的國度帶到萬民中間，差不多所有以色列人都錯失了。

神在基督裡的榮耀

基督是神榮耀故事的高峰。在萬物的終局裡，基督將從各方各民中買贖人，並領他們來尊崇聖父。故基督的每一項舉動，都帶動神從萬民得榮耀的故事走向高潮。

基督的工作是為聖父帶來全地的榮耀，祂說：

我在地上已經榮耀你。你所託付我的事，我已成全了……你從世上賜給我的人，我已將你的名顯明予他們。(約十七 4、6)

使你的名成聖

由於古英文譯本，將耶穌教導門徒的祈禱文首句譯為「願人都尊你的名為聖」，我們很容易誤解這不是讚美而是一種請求。這禱文其實可以意譯為：「聖父啊！向全地的人高舉、凸顯、讚揚、宣告、昭示你的名，好使你自己實在的名滿天下，地上萬民

都認識和景仰你。」我們可以從耶穌的教導「行在地上如同行在天上」，更體會這禱告對全世界的意義。對所有信徒來說，這禱文的崇高地位毋庸置疑，我們必須明白其中的涵意。耶穌教導整個教會要為神祂自己的榮耀，使昔日律法書所昭示的心意，並以色列人的故事、詩歌和先知的預言得以實現而禱告。

一次，耶穌與一位非猶太裔的撒瑪利亞婦人談話時，宣告神為這婦人及其他外邦人所訂下的計劃：「時候將到，如今就是了，那真正拜父的，要用心靈和誠實拜祂，因為父要這樣的人拜祂。」(約四 23)

萬民敬拜之所

耶穌在最公開的場合，情緒最激烈的時刻，嚴正處理民眾的敬拜；祂趕逐在聖殿裡營商的人，因他們妨礙萬民親近神。耶穌引述賽五十六 7 說：「我的殿必稱為萬民禱告的殿」，在旁的宗教領袖會立刻想起這節經文前後的內容，耶穌有意讓他們聆聽完整的教訓：

> 還有那些與耶和華聯合的外邦人，要事奉祂，要愛耶和華的名……我必領他們到我的聖山，使他們在禱告我的殿中喜樂。他們的燔祭和平安祭在我壇上必蒙悅納。**因我的殿必稱為萬民禱告的殿。**
>
> (賽五十六 6-7)

耶穌在臨上十字架前，揭露祂到

世上來的目的，以及祂將要受死的意義(約十二 24-32)。祂坦誠地懇求父神免祂受死：「我說甚麼才好呢？父啊，救我脫離這時候！」但祂並未逃避，卻說：「然而我正是為了這緣故而來的，要面對這時刻。」(新譯本)這緣故是甚麼？從接下來發自內心的祈禱，可以看到「這個緣故」。祂是為了自己的生死禱告，他說：「父啊，願你榮耀你的名！」然後，父神從天上回答說：「我已經榮耀了我的名，還要再榮耀。」站在耶穌四周的人為之驚愕萬分。倘你能聽見，神從天上的答話依然在迴旋；每個回答都通用於那些為父神能得到更大的榮耀，而願意把生命交付給祂的人。耶穌表示，父神並非回答祂，乃是回答那些按神在遠古所顯明的心意而選擇跟從祂的人。耶穌的受死怎樣使神的名得榮耀呢？「我若從地上被舉起來，就要吸引萬人來歸我。」(約十二 32)

保羅所作更榮耀的事奉

保羅看他一生是為延續神昔日的心意，使普天下萬民熱切順服敬拜神。保羅最精闢的宣教使命宣言，見諸羅馬書一 5：「在萬國之中叫人**為他的名**信服真道。」保羅視全世界為兩大陣營——基督「被稱過」及基督「未被稱過」的地方。保羅決心優先在基督的名字未被宣揚過的地方竭力作工(羅十五 20)。[8]

我們可以從保羅的事奉看到神得榮

耀的雙重方向：一方面，保羅藉著向列邦揭示基督，使基督的名得到認識，竭力來榮耀神；但保羅最熱切的，亦是他最誇口的，乃是領列邦回歸神。「特因神所給我的恩典，使我為外邦人作基督耶穌的僕役，作神福音的祭司，⁹叫所獻上的外邦人，因著聖靈成為聖潔，可蒙悅納。所以論到神的事，我在基督耶穌裡有可誇的」。¹⁰（羅十五15-17）

保羅如此熱切「傳福音」，不止因他從神那裡領受了「作福音的祭司」基本任務（按他的口吻是「所蒙的恩典」）。保羅並沒有誤用所得的意象，在神面前，他看自己像一位祭司那樣服侍萬民，指導並敦促他們親近神，幫助他們為討神喜悅而歸榮耀給祂。保羅並非要改變社會與文化，而是神的靈更新及聖化萬民所呈獻的最美的榮耀。

保羅因看見輝煌的異象，付出了極大的代價，他知道這是值得，而且期待去作。不同地方的信徒，無論猶太人、外邦人、軟弱的、強壯的，將「同心」一起「榮耀神——我們主耶穌基督的父」（羅十五6）。

永恆榮耀的預演

在歷史終結之際，我們會驚訝神的愛是何等圓滿地實現。神贏得萬民熱切的獻身，祂的愛得到最終的勝利。耶穌亦完全實踐祂對聖父所作的承諾：「我已將你的名指示他們，還要指示他們，使你所愛我的愛在他們裡面……。」（約十七26）

到那時候，我們會發現歷代以來萬民的敬拜，乃是為更偉大的愛與榮耀而預演，每一個民族都參與演出更美的榮耀。

天堂降臨地上：「看哪！神的帳幕在人間。祂要與人同住。他們要作祂的子民。¹¹神要親自與他們同在。」（啟二十一3）

萬民將永遠存在，在地若天的城市將受到萬民的君王所景仰，他們不斷把珍寶與果實帶到神的寶座前來（啟二十一22-26）。我們將敬畏、事奉神，並因祂的名光照我們而感尊榮。我們將仰視神的榮面，像蒙愛的祭司般事奉祂（啟二十二1-5）。

福音傳遍世界目的何在？

我們一直都喊叫說：「讓全地聽見祂的聲音！」不要停止向所有受造物傳達祂的話語。大多數人估計，終有一天全地都曾聽聞神的話，那時會怎樣？

有一個聲音從遠古已經呼喚，那是對全地終局的喊叫，我們今天更要突出這呼喚：「願萬民都稱讚你！」（詩六十七3-5）我們從列邦聽到越來越多的讚美！讓我們以深切的關愛和大膽地計劃，要使每一個民族以他們最美善的東西來表達對神的愛。這是何等感人的盼望啊！

實行上的改變

強調神的榮耀，並非粉飾大使命，而是我們須以共同的熱誠，竭力使萬民曉得基督的名字，並且頌揚祂。一個普世福音遍傳的「讚頌性」(帶著榮耀)異象，使我們獲得智慧來完成餘下的工作。當我們浸沈於神榮耀的故事時，會有以下三方面的益處：

一、動機要本於愛慕神的榮耀

普世福音遍傳是為了神。我們常見宣教工作的開展是因關懷世人的困境——看到他們得以脫離地獄，或看見他們接受全人的服侍，又或兩者皆有；這慈憐之心合乎聖經的教導，亦是有需要的。然而，當我們看見神的名被傳開，神得到榮耀，而那些因福音大能而更新的人向神道謝，我們對世人的愛在人的需要和神的榮耀兩方面，都得以平衡及有力量。

當耶穌看見很多人像被遺棄的羊時，充滿悲憫之情。然而，祂並沒有回應這些人的表面需要，卻採取不同的隱喻來描繪祂對這群迷失的人的感受；祂看他們是神看為寶貴的「莊稼」，而非在窘迫境況中的羊群。誰能理解神因見世人生命結出豐盛果子所感受到的喜悅呢？耶穌的表現正是如此。祂懇求莊稼的主差遣工人收取神的莊稼(太九35-38)。耶穌曉得神的方法，反過來說，自告奮勇收莊稼的果效很少，任何具恆久力量的事物均

來自神真正的「差遣」，如河水湧流的憐憫來自那位真正的被差者。

一切宣教的動機，若出於回應人間疾苦，持久性必定有限；對受傷或迷失者欠缺關心的罪疚，只能稍為軟化我們的心。實際上，這些動機只令信徒疲乏和硬心，以至產生象徵式的順服，純粹出於回應絕望的失喪靈魂的短暫激動，未能使我們的動力持久。我們需要付上更大的代價，艱苦地作工。神對全地的心意早於遠古道明，遠超過任何迫切的需要。如今，培育信徒的需要遠超過任何時代，使他們能為神的榮耀而生催迫的心。當我們肯定神必履行祂的應許而勇毅地為神的心意工作時，便會深深為周遭的需要而感動。

二、任務界定為要增添神的榮耀

基督徒現今投入普世福音遍傳的確是空前積極。對群體及其文化的研究，有助於釐定對特定文化的有效傳福音策略。群體策略，對評估進展和合作上的任務分配等，都大有用處。

可是，群體策略帶來很多爭論。多年來，一些人貶抑這種方式，認為會瓦解教會的合一，或只認為是掩飾西方人頑固的殖民壟斷心態。近來，一些人悄悄放棄了這種方式，改用其它似乎更有成效的模式。國家或會在一夜之間分裂，成為多個彼此競爭的群體，但經證實，以國家為單位的傳福音方式依然具吸引力。其它地理性

的方式則有：規劃市區中心，以經緯度設定界線，在地圖上勾出敵擋福音的各樣靈界勢力。無疑，我們可以按地理形勢、都市化程度、種族元素等來把人群歸類。我們也要明白，這些劃分對籌劃任何群體的福音的事工都有助益，但我們不能純粹「視」他們為「目標」，而應當把目標投射超越傳福音，要在該群體中為神贏得獨特的順服敬拜。

所以，重要的並非是從群體**入手**，而是從群體入手而得的**結果**。甚麼是福音的果效？當然不僅是每一個人有機會對福音信息作決定，神要藉各方各族順服而得享榮耀。祂冀望每一個民族都只向祂傾出愛、正義、智慧和敬拜。這是拓植本色化教會的最佳立論基礎，如此，才有利於提升每一群體的獨特處，同時亦大大提升福音無遠弗屆的價值。如此看來，地理因素當然有關，但作為展現神國度的獨特渠道，每一個城市與地點都有重大意義。

三、為神的榮耀整合力量

從榮耀、讚頌神的角度入手，可以避免把傳福音與社會行動明顯二分的錯誤。究竟人的哪一方面更重要？拯救一個靈魂和醫治社會孰重？這些問題同樣令大家厭煩。最普遍的回應就是把這課題視為「同樣重要」而不是「非此即彼」，也許可以處理得較好。我們若從神的角度來看兩者，又會怎樣？

宣揚福音或以神的名行善，使神得榮耀。當整個社群看見基督更新他們的生命時，神會得著更大的榮耀。

一些人以地上的文化使命要與普世傳福音的使命平衡，而提出雙重使命，實屬不必。地上各方各族事奉神，不是只有一個單一的目的嗎？萬民必須以公平與正義，並完全順服神的生命來事奉祂。透過基督到達神面前的敬拜既是言語，亦是工作。

在為神的榮耀的異象之中，蘊含教會間真正合一的元素。當每一個民族切志要以神的榮耀為前提，就不會再堅持敬拜和行事的方式；當我們更切慕同在基督裡的單一真理時，便能夠因大家在正義、和平、喜樂表現多元化而歡欣了。

注釋

1. 一些學者把「雅巍」(Yahweh)譯為「耶和華」(Jehovah)；毋庸置疑，這是個重要的名字，但我們不可單單看永活的神實際只有一個名字，好像寫在祂的出生證明書上一樣。神切盼世人認識祂，故聖經恆常敦促我們認識祂。出三13的問題，並非一個參照性課題(摩西，你究竟代表哪一位神？)，而是關乎名聲(神過去有些甚麼記錄，能感動我們如此自毀性地起義，反抗埃及法老？神值得信賴的基礎何在？)。我們可能能從「我將令所有的存有存在」的意味來理解YHWH這由四個希伯來音字母組成的神名字，這名字確實聯繫著一位同是創造者與守信者的神。從較廣的上下文來看，是神針對百姓提問的終極回答：「你要對以色列人這樣說：『耶和華你們祖宗的神，就是亞伯拉罕的神、以撒的神、雅各的神，打發我到你們這裡來。』這是我的名，直到永遠，這也是我的記念，直到萬代。」(出三15)

2. 希伯來詞語「歸予」，多數學者都譯成為一個簡

單的詞語「給予」，本文作者亦採用較為字面的「給予」，因「歸予」是一種完全認知性的關係。從經文所描述的敬拜可見，百姓向神獻上的禮物遠超精神上所付出的。

3. 亞伯蘭曉得神藉著應許賜福與他的家族，事實是建構一個新的家族。聖經論及蒙福，每每添上家族榮譽和傳承的意味。這種蒙福往往是一種賦予終極歸宿的力量，一個家族蒙福經常是一項最貴重的遺產。不少現代社會規限遺產為先人留下的資產，但聖經所指的並不是先人留下的財物，供人享用。蒙福乃是某個家族給予後代一項特別的遺產，且會不斷增加。神應許給亞伯蘭的福份中最令人詫異的，就是神所頒予亞伯蘭的一項饋贈，使將來地上每一個家庭都分享到實質的福澤，而不僅僅是他的宗族蒙福。

4. 請參看其它釋放希伯來人的呼籲。希伯來文「事奉」一詞，常有「敬拜事奉」的意思(參出三12，四23，五1，七16，八27、29，十9)。請特別留意出十26經文清楚道出，「事奉」乃向神獻上祭牲為禮物。

5. 參 *Moses and the Gods of Egypt*, by John Davis, (Grand Rapids: Baker Book House, 1971)。

6. 神在西乃山已經詳細指出祂與祂名字的關係(出三十三19，三十四6-8)，這是神對待祂百姓好消息的精華，亦是一句重要的陳述。以色列人世世代代因而曉得要向列邦傳述(詩八十六9-15，一四五1-2、8-12、21)。約拿曉得這真理，卻拒絕把這真理告訴尼尼微城的人(拿三9至四2)。

7. 萬不可以為所羅門是質疑神曾否住在人間，發出失望的感歎。所羅門在祈禱中並沒有刻意規劃宇宙的界限，反之，卻吻合他向至高者表示謙遜的態度。所羅門接著更謙卑地，以最具禮儀的語言來表達他的懇求，那就是全地的王紆尊降貴，按照祂的應許，向世人注目，照顧世人(代下六19-21)。

與代下六1-2比較，代下五13-14所羅門王則申述祭司因為耶和華榮光充滿了神的殿而無法承受。

8. 若仔細看上下文，便了解保羅所言基督的名「被稱過」的意思，他並非說某位宣教士曾傳講基督的信息一次，乃是指立下「根基」(羅十五20)。保羅指出他的傳福音工作，在某些特定的地方已經「完成」或「可以結束」(羅十五19)。保羅在前兩節經文曾回顧他傳福音活動的全幅圖畫，若譯為

「完全地傳過了」或「完全地傳講了」等語句，過度強調福音信息的認知性傳遞。參保羅在其它經卷是應用「根基」(尤其在林前三8-15)，故本文作者總結，當一個社群的人有潛力活出基督的生命，並不斷順服祂時，才是「基督被稱過」。這正是很多人對教會的見解。

9. 保羅採用祭司這概念，並轉化成為一個動詞，以致他能有效地說自己是「福音」的祭司；這恰好是希伯來祭司幫助人向神呈獻敬拜禮物的基本職事的寫照。

10. 這概念有如在聖殿中「把臉朝向神」。

11. 一些不同的手稿提供了充分的證據，指這段落中的「民」是眾數。

(作者為美國 WayMakers 創辦人及總幹事。1981 協助編輯 Perspectives on the World Christian Movement 一書及課程後，全力投身於「約書亞計劃」的研究。)

研習問題

1. 我們禱告神聖化祂的名字，怎樣使神在遠古已定的目標得以實現？

2. 如何實踐大使命，才可帶來每一個民族向神敬拜？

3. 請解釋敬拜怎樣顯示神的榮耀，並容許神完全實現祂對世人的愛？

4. 作者表示，聖經的故事乃指向神的名字被世人認識，並受世人敬拜，請評論他的見解。此外，聖經有沒有一個連貫性的故事？神的榮耀是否聖經最大的主題？聖經還有其它的主題嗎？

Let the Nations be Glad!
讓萬國都快樂歡呼！

John Piper 著　　金繼宇譯

宣教並非教會的終極，敬拜才是。宣教的出現，是因為人不敬拜。所以，敬拜才是終極而非宣教；因為神是終極而非人。當這世代過去，無數蒙救贖的人俯伏在神的寶座面前時，就不必再宣教；故宣教的需要是暫時性，敬拜則存到永遠。

因此，敬拜是宣教的燃料與目標。它所以成為宣教的目標，是因為藉著宣教，我們可以把萬國帶來熱烈享受神的榮耀；宣教的目的，是使萬民在神的偉大中歡喜快樂。「耶和華作王！願地快樂！願眾海島歡喜！」（詩九十七1）「神阿，願列邦稱讚你！願萬民都稱讚你！願萬國都快樂歡呼！」（詩六十七 3-4）。

敬拜也是宣教的燃料。在敬拜中，對神的熱忱要先於在教導裡提到神。你不珍愛的東西，就不會推薦；宣教士若不能高喊：「願萬國都快樂歡呼！」便永遠不能從心裡說：「我要因耶和華歡喜……我要因你歡喜快樂；至高者啊，我要歌頌你的名！」（詩一零四34；九2）。宣教因敬拜而開始，也在敬拜中結束。

若不是把尋求神的榮耀置於尋求人的美善之上，在人心之所愛與教會之所重下，不僅人得不到應有的服侍，神也得不到當受的尊敬。筆者並非輕看宣教，而是尊神為大。當敬拜的火焰在神真理價值的熱力下燃燒，宣教的光就照亮了世上最黑暗的人群。筆者盼望那日的來臨！

何處對神的熱忱衰微，那裡對宣教的熱心也必衰微；教會若不以高舉神的莊嚴與美麗為中心，便不會點燃「在列邦中述說他的榮耀」（詩九六 3）的期望。

世上第二大活動

宣教工作最大的關鍵在於以神為教會生活的中心。人若不震懾於神的偉大，怎能高聲傳揚：「因耶和華為大，當受極大的讚美；他在萬神之上，當受敬畏！」（詩九六4）。宣教並非首先和最終的——神才是；宣教也不是空言，是生命力受感與持久的真理。1793年從英國啟航遠赴印度的近

代宣教之父威廉克里(William Carey)，他曾提到這個關係：

離開英國之時，我對印度歸主抱有很大希望；但遭遇諸多障礙，若不是神的幫扶，這希望瀕臨破滅。我有神，而且祂的話是真實的。雖然異教徒的迷信強過他們千倍，而歐洲人的榜樣也惡劣千倍，雖然我被所有人離棄逼迫，但我的信心繫於神可靠的話語，故能超越一切障礙，勝過一切試煉。神要作的必定會成就。[1]

克里以及數以千計像他一樣的人，都被一個偉大得勝之神的異象所感動。先要有異象，並在敬拜中品嚐，再在宣教中傳揚。所有的歷史都邁向一個偉大的目標，就是萬民都對神和祂兒子熾熱敬拜。宣教並非目標，而是方法；故它是世界人類的第二大活動。

神對神的熱忱——我們熱愛神的基礎

神用來使個人與教會得知這個真理的方式，是從他們驚覺神對祂自己也是如此。宣教並非神的終極目標，敬拜才是。當人有所體會時，一切都會改變，世界翻轉了，每件事看來都不一樣——包括宣教工作。

我們熱衷於要看見神得榮耀的最深基礎，是祂自己熱衷於得榮耀。在祂自己的慈愛裡，神是居中且至高的；在祂自己的心中，祂的榮耀無可媲美。神並非崇拜偶像，祂不會違背那第一且最大的誡命，祂盡心、盡性、盡意和盡力來欣賞祂眾多完美的榮耀。[2]宇宙中對神最充滿熱情的心就是神的心。

這個真理較筆者所知的其它一切真理，更能堅定筆者對敬拜是宣教燃料及目標的信念。我們對神的熱忱能推動宣教，其最根深蒂固的原因是，神對神的熱情推動了宣教。宣教是我們以神為樂的心自然流露，因為宣教是神流露出祂樂於作為神的喜樂。敬拜是宣教的目標，最深層的原因是，敬拜是神的目標。從經文所記，神持續要求萬國讚美祂，我們確認這個目標。[3] 「萬國啊，你們都當讚耶和華！萬民啊，你們都當頌讚他！」(詩一一七1)。如果這是神的目標，也必要成為我們的目標。

宣教的能力是敬拜

在神自己心中的至高之情並非「不愛」，事實上祂是愛的源頭。神湧溢著對自己完美無瑕的喜樂，因著祂的慈愛，而願與萬民分享。我們可以再次確定上述的真理，敬拜是推動我們宣教的目標與燃料，正因為它是推動神宣教的燃料與目標。宣教源自神對神完全的熱忱，為要萬國有份於祂對自己的熱忱。(參約十五11，約十七13、16；太二十五21、23)。宣教工作的得力，在於追求神的燃料及神的目標，也就是追求對神的敬拜。

只有一位神為等候的人作工

這位「必然興起，好憐憫你們的」神(賽三十18)，有卓越異象的神，從多方面推動普世宣教。但有一點我們仍未詳加思考的是，神在萬國諸神之中的獨一性，以賽亞知道這點，故他說：「從古以來，人未曾聽見、未曾耳聞、未曾眼見，在你以外有甚麼神為等候他的人行事。」(賽六十四4)。換言之，以賽亞驚覺神的偉大；但吊詭的是，祂不需人為祂作工，若他們可以放棄依靠自己而「等候祂」，祂反會為他們作工來彰顯自己。

以賽亞預期保羅在徒十七25中所說：「神不用人手服事，好像缺少甚麼；自己倒將生命、氣息、萬物賜給萬人。」基督教核心的獨特性，是神在恩典之中自由彰顯祂的榮耀。神是榮耀的，祂不需要列國為祂工作，卻自願為他們作工。「人子來，並不是要受人的服事，乃是要服事人，並要捨命作多人的贖價。」(可十45)。宣教並非一個為神招募勞工的計劃，而是一個把人從諸神的重擔與困軛下釋放的計劃(太十一28-30)。

以賽亞說這樣的一位神，是世上任何地方未曾見，也未曾聽過的。「從古以來，人未曾聽見，未曾眼見，在你以外有甚麼神。」以賽亞所見，各處服侍的神如巴比倫神彼勒及尼波，都是需要人服侍，而非服侍人：

彼勒屈身，尼波彎腰；巴比倫的偶像馱在獸和牲畜上。他們所抬的如今成了重馱，使牲畜疲乏，都一同彎腰屈身，不能保全重馱，自己倒被擄去。雅各家、以色列家一切餘剩的要聽我言：你們自從生下就蒙我保抱，自從出胎，便蒙我懷搋。直到你們年老，我仍這樣；直到你們髮白，我仍懷搋。我已造作，也必保抱；我必懷抱，也必拯救。(賽四十六1-4；參耶十5)

真神與列國諸神不同；真神懷搋，其它神明要人來抬；真神服侍，其它神明要人來服侍；神施慈悲來榮耀其大能，其它神明召集奴隸來榮耀他們的能力。這是一位因對自己榮耀的熱忱而大發慈悲的神，推動了宣教，因為祂在眾神之中是獨一無二的。

世界上最易於分享的信息

這位神還有另一個推動宣教工作的方法。福音從這樣的一位神流向列國，是有一個非常易於分享易於遵行的要求，即靠神歡喜快樂。「耶和華作王，願地快樂！願眾海島歡喜！」(詩九七1)「神啊，願列邦稱讚你！願萬民都稱讚你！願萬國都快樂歡呼！」(詩六七3-4)「謙卑的人看見了就喜樂；尋求神的人，願你們的心甦醒。」(詩六九32)「願一切尋求你的，因你高興歡喜；願那些喜愛你救恩的常說：當尊神為大！」(詩七十4)因神歡欣！因神喜樂！因神喜樂而高唱！還有甚麼信息是宣教士更想傳揚的呢？當你最滿足於神

的時候，神得到最大的榮耀！神樂意向罪人施憐憫來高舉自己。

我們在前線所傳的信息是，各處的人該為自己作最好的打算，這是使人得釋放的事實。我們召喚人來歸向神，使到來的人說：「在你面前有滿足的喜樂；在你右手中有永遠的福樂。」(詩十六 11)神在列國中使自己得榮耀的命令是：「又要以耶和華為樂。」(詩三十七4)祂對各地的人最大並最先的要求是，要他們悔改，從此不再以其它事物，只在祂裡面來尋求喜樂。一位不需要事奉的神，4是一位可以享受的神。世上的大罪行，並非人類未為神作工來加添祂的榮耀，而是我們未能因神而喜樂來反射祂的榮耀；因為我們最能因神喜樂的時候，也是最能反射祂榮耀的時刻。

世上最令人興奮的，是神在教會的使命上顯示祂不變的目的，這與祂要賜予子民無窮喜樂的目的相同。神定意要賜給祂從各族、各方、各民、各國救贖出來的人有這神聖的喜樂，他以同樣的熱誠來在一切所作的事上尋求自己的榮耀。在神的心中，至高的神就是慈悲憐憫及教會宣教運動的驅動力。

聖經中的宣教至高神

有了上述的背景，我們或能完全感受到經文所強調，在教會宣教動力中至高至上的神的力量。我們所看見的動機，會證實聖經中以神為中心的宣教異象。

我們亦看過一些以神的榮耀為宣教中心的舊約經文，包括：「在列邦中述說他的榮耀，在萬民中述說他的奇事！」(詩九六 3)「提說他的名已被尊崇！」(賽十二4)但我們尚未看過耶穌、保羅及約翰直接說出這樣的事情。

為這名撇下家業

耶穌在那少年官不願放下產業跟從祂時，說：「財主進天國是難的。」(太十九23)使徒希奇地問：「這樣誰能得救呢？」(太十九25)耶穌回答說；「在人這是不能的，在神凡事都能。」(太十九26)再看彼得，離開了家庭與事業跟從耶穌作宣教士，他說：「看哪，我們已經撇下所有的來跟從你，將來我們要得甚麼呢？」(太十九27)耶穌因彼得感受到犧牲，略帶責備的語氣回答說：「凡為我的名撇下房屋，或是弟兄、姊妹、父母、兒女、田地的，必要得著百倍，並且承受永生。」(太十九29)

我們要注意的是「凡為我的名」。當一個宣教士撇下家庭及產業時，耶穌幾乎認為是理所當然的，是為耶穌的名，意即為了耶穌的名譽。神的目的是祂兒子的名在全地萬民中被高舉尊崇，因為當兒子受到尊崇時，父親也被尊崇(可九37)。當萬物因耶穌的名屈膝時，就「使榮耀歸於父神」(腓二10-11)。因此以神為中心的宣教是為耶穌之名而有的。

尊神的名為聖的宣教禱告

主禱文中最先的兩個祈求，也許是耶穌所有的教訓中，最清楚說明關於宣教行動是因神熱衷於在列國被尊榮的：「願人都尊你的名為聖，願你的國降臨。」(太六 9-11)耶穌教導我們，求神尊祂的名為聖，並使祂的國度降臨。這是一個宣教的禱告，目的是在吸引那些忘記或者褻瀆神名的人注意神對祂名字的熱愛(詩九 17；七十四 18)。尊神的名為聖，意思是要把神的名分別出來，較我們對一切事物的效忠與喜愛更加珍視與尊崇。耶穌最關心的，是禱文中的第一個祈求——越來越多的人尊神的名為聖。這是宇宙萬物存在的原因，宣教之存在是因為普世失去了這種尊崇。

必須為這名受苦

保羅在往大馬色(大馬士革)的路上改變信仰時，耶穌基督成為他一生的至寶與喜樂，「因我以認識我主基督耶穌為至寶」(腓三8)，也將萬事當作有損，這是一個要付代價的效忠。保羅在大馬色路上所學到的，不僅有赦罪的喜樂及與宇宙的王相交，也知道他必須受苦。耶穌差遣亞拿尼亞傳信息給他時說：「我也要指示他，為我的名必須受許多的苦難。」(徒九 16)保羅為宣教受苦是「為這名的緣故」。當他接近生命終結時被警告勿往耶路撒冷去，他回答說：「你們為甚麼這樣痛哭，使我心碎呢？我為主耶穌的名，不但被人捆綁，就是死在耶路撒冷也是願意的。」(徒二十一 13)對保羅而言，耶穌之名的榮耀及他在世的名譽是比生命更重要。

「為祂在萬國中的名」

保羅在羅一5中清楚地提到他的使命及呼召，是為了基督在萬國中的名：「我們從他受了恩惠並使徒的職分，在萬國之中叫人為他的名信服真道。」

使徒約翰對初期基督宣教士的動機也有相同的描述，他寫信告訴他的一個教會說，他們差遣教會弟兄出去時應該是「為神是值得的」。他所給的理由是「因他們是為主的名出外，對於外邦人一無所取。」(約翰三書 6-7)

司徒德(John Stott)論到羅一5及約三7這兩處經文時說：「他們知道神已高舉耶穌坐在祂右邊寶座上，也已將祂升為至高，為使萬民認祂為主。他們切望耶穌得著祂名該得的尊敬。」[5]這個期望不是一個夢想，而是一個事實。基於我們所有的希望，當萬事成為過去，我們立足於偉大的現實：永恆完全的神是無限地、不可動搖地、永遠委身於祂偉大聖潔之名的榮耀。為了在萬國中祂名的緣故，祂會有所行動，祂的名不會永遠被褻瀆。教會的宣教終必勝利，祂必為祂的子民及祂在全地的旨意辨明。

對失喪者愛心微弱時的力量

憐愛失喪者，是宣教工作的一個崇高且美麗的動機，否則，我們會失去謙虛地將白白得到的寶貝與人分享的甘甜。對人的憐愛必定要與對神榮耀的熱愛結連，青年使命團(Youth with a Mission)的一位領袖John Dawson，加上另一個原因，他指出對「失喪者」或「世人」的強烈感覺與愛難以持久，而且當它到來時也不容易辨識。

你曾想知道愛失喪者的感覺是怎樣的嗎？這是我們基督徒的行內語。許多信徒自責，克苦己心，期盼善心到來，好推動他們勇於佈道；這事卻永遠不會發生。愛「失喪者」是不可能的，你不會對一個觀念或抽象事物有深刻的感覺，你也不會深愛相片中的陌生人，何況是一個國家、一個民族或是那意義模糊的「一切失喪者」。

不要等候愛的感覺來臨才與陌生人分享基督，你既愛天父，也知道這陌生人是祂所造，但離開了祂，就要因你愛神的緣故開始向他傳福音吧！你分享信仰或為失喪者禱告，主要不是由於對人的熱情，而是由於對神的愛。聖經在弗六7-8說：「甘心事奉，好像服事主，不像服事人，因為曉得各人所行的善事，不論是為奴的，是自主的，都必按所行的得主的賞賜。」

人並不比你我更配得到神的愛，我們決不可作基督人道主義者，把耶穌帶給可憐的罪人，把耶穌當作產品去改善他們的生活。人們被定罪是應該的，但耶穌，那受苦的神的羔羊，是配得受苦的賞賜。[6]

哭泣之愛的奇蹟

Dawson之言是一個充滿智慧和鼓勵的警告，提醒我們從事宣教不要限於愛不認識者的層面。然而，筆者也不希望把神給予人對遠方的人有超自然的愛的負擔降至最低。例如國際宣教協會(OMS International)的Wesley Duewel，提及他母親對中國及印度有不平凡的負擔：

母親經年對中國及印度人民非常掛念。多年來，她幾乎每天都在家庭禱告中為這兩個國家禱告，往往在禱告結束前傷心流淚。她的愛深遠而且恆久，她多年對這些國家的愛心負擔，相信會得到永遠的賞賜。這是耶穌的愛，藉著聖靈、由基督徒流出。

筆者必須強調，動機出於愛心及出於對神榮耀的熱愛，兩者不可分。以神為中心的熱愛(唯一能關懷人永恆問題的愛)，會為拒絕神的榮耀、要喝神憤怒苦杯而陷於苦難的人哭泣。但這哭泣並非因為失去了基督徒的喜樂，若是如此，不信者可以據此敲詐聖徒，永遠控制他們的快樂。不，聖徒為了失去寶貴的靈魂而哭泣，而吊

詭的,這是在神裡喜樂之泣。喜樂而泣的理由是,希望把這份喜樂擴展進入沉淪者的生命之中。所以,愛心之泣就是喜樂之泣,是因無法將喜樂向外延展傳予他人而泣。

神的呼召

神對我們的最高呼召,是要我們在生活上完全以至高真神為主為志。人若不感到基督的尊貴,便不能明白宣教士的尊貴;這世界若沒有一個偉大的神,也不會有偉大的普世異象;那裡若沒有敬拜的熱忱,便不會有吸引別人來敬拜的熱忱。

神正以全能的熱忱來追尋一個普世的目的,要從各族、各方、各民、各國之中為他自己召聚充滿喜樂的敬拜者。他對自己在萬國的至高至上的名有無窮的熱愛,因此讓我們的熱愛與他連合,為他名的緣故,讓我們捨棄世上的安舒,加入他普世的目的。若是這樣,神對他名的全能委身,會在我們之上像旌旗帶領我們,即或有苦難,也不致於失敗(徒九16;羅八35-39)。宣教並非教會的終極目標,敬拜才是。大使命是要你先在主裡喜樂(詩三十七4),然後宣告「願萬國都快樂歡呼!」(詩六十七4)如此,神從開始到終結都會得到榮耀,而敬拜也會使宣教工作得到能力,直到主來。

主神,全能者啊,你的作為大哉!奇哉!萬世之王啊,你的道途義哉!誠哉!

主啊,誰敢不敬畏你,不將榮耀歸與你的名呢?因為獨有你是聖的。萬民都要來在你面前敬拜,因你公義的作為已經顯出來了。(啟十五 3-4)

注釋

1. 引自 Iain Murray, *The Puritan Hope* (Edinburgh: The Banner of Truth Trust, 1971), p. 140.

2. 筆者曾在 *The Pleasures of God: Meditations on God's Delight in Being God* (Portland: Multnomah Press, 1991) 一書第一章 "The Pleasure of God in His son",闡釋父神對神自己喜樂的真理見諸對祂的兒子。

3. 請參閱 *Desiring God: Meditations of a Christian Hedonist* (Portland" Multnomah Press, original 1986, 2nd edition 1996)一書附錄一 "The Goal of God in Redemptive History",頁 227-238 及 *The Pleasures of God* 全文。

4. 筆者意識到聖經充滿神的子民事奉祂的圖像,並曾詳細研究聖經中的事奉方式,以免產生對神的誤解,以為祂像一般催主一樣,要靠領薪的催員,詳見 *Desiring God: Meditations of a Christian Hedonist* 一書,頁 138-143。

5. 參司徒德〈聖經與普世福音遍傳〉一文,見本書頁 19。

6. John Dawson, *Taking Our Cities for God* (Lake Mary, Florida: Creation House, 1989), pp.208-209.

7. Wesley Duewel, *Ablaze for God* (Grand Rapids: Francis Asbury Press of Zondervan Publishing House, 1989), pp.115-116.

(作者曾任美國明尼蘇達州伯特利大學教授,1980年起為伯利恆浸信會主任牧師。)

研習問題

1. 請解釋「宣教的出現,是因為人不敬拜」一句的意思。

2. 作者提到對神榮耀的熱忱與神是至高與需要敬拜的意義相同。我們怎樣可以得知神需要的是甚麼?怎樣將這份熱忱來推動宣教?

On Mission With God
與神同負使命

Herny T. Blackaby 與 Avery T. Willis, Jr.合著　編輯室譯

God's Mission

神在執行使命。在歷史中，神不斷要在全地達成他的目標；在聖經中，我們看到神在每一個時刻朝著目標進發：彰顯自己，使自己的名字得榮耀，使國度得建立，使每一群體都有人與他和好。

神啟示自己使世界與祂和好

神選擇啟示自己、祂對普世的目的及所用的方法，讓祂的子民參與，使全世界的人都來認識和敬拜祂。

* 透過亞伯拉罕，神顯示自己是主、全能者和施與者／供應者，透過祂的子民祝福所有人類。

* 透過摩西，神顯示自己是那「自有永有者」，祂透過子民，向世界彰顯自己的榮耀，使祂的子民在全人類中成為祭司的國度。

* 透過大衛，神顯示祂的後嗣將統治萬國，祂的國度屬於所有人類。

* 透過耶穌，神藉著祂道成肉身、受死、復活和升天，顯示祂的大愛及與世人和好的目的。

* 透過保羅，神揭示了千古奧秘，就是所有人類都包括在祂的救贖計劃之內。

* 透過約翰，神表明了每一個國家、部族、語言及人民之中，都有人永遠敬拜祂。

祂的工作從不間斷，直至世界末日，要實現與世人和好的啟示。當這使命完成之時，不但世人獻上完美無瑕的頌讚，更是神大愛最完美的彰顯。

1. 神履行使命	• 神的名得榮耀
透過歷史以…… →	• 神的國度建立
	• 世界與神和好

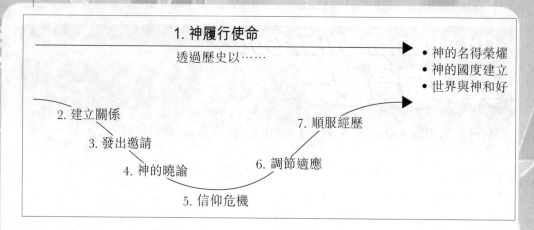

1. 神履行使命

透過歷史以……

- 神的名得榮耀
- 神的國度建立
- 世界與神和好

2. 建立關係

3. 發出邀請

4. 神的曉諭

5. 信仰危機

6. 調節適應

7. 順服經歷

神透過子民主動工作

神透過歷史主動進行每一項工作，祂並非獨自去做，而是選擇了很有人情味的方法，要祂的子民來參與，透過他們來完成目的。當祂要進一步推展工作，會邀請祂的僕人來同工，讓他們知道將要做的事情，指示他們調較生命方向，透過他們來完成每一層面的使命。阿摩司先知指出，「主耶和華若不將奧秘指示他的僕人眾先知，就一無所行」(摩三 7)。

當神要審判世界的時候，祂選了挪亞，藉著挪亞在世上保存公義，使自己得榮耀。當神要為自己揀選一個民族的時候，祂選了亞伯拉罕，藉著亞伯拉罕來成就祂的旨意。當神聽到以色列民的哀求，決定要解救他們，就向摩西顯現，藉著摩西釋放以色列，向他們啟示自己的目的。當祂藉著摩西和以色列人工作的時候，神亦向全世界彰顯了自己。

摩西的經驗乃是神使用祂子民的一個好例子。上圖顯示了摩西所學習

的七個事實，也是神所有子民應學習的。由此可見，神何等歡迎你參與祂的使命。

從舊約到新約，神所使用的就是對摩西所用的方法，今天，神也在我們的身上使用，就是邀請祂的子民來同負使命。神向我們顯示，讓我們認識祂，祂主動與我們建立關係，邀請我們同工。當神向我們顯明祂自己，我們的信仰會受到考驗，因為祂要求我們在生活上作出巨大的改變，使能與祂一起履行使命。當我們調較自己來服從，祂便會將我們放在祂活動的中心，使我們能經歷祂，又能享受與神一同履行使命的興奮。

耶穌：與父神同負使命

神要我們學像耶穌時常順服父神的榜樣，耶穌的一生都與父神同負使命。祂曾宣告，祂來並不是實行自己的意思，而是實行差祂來的父神的旨意(太二十六 42；約四 34，五 30，六 38，八 29，十七 4)。耶穌說，要明白父神的旨意，就要觀察祂的作為，然

後參與：「我實實在在地告訴你們：子憑著自己不能做甚麼，惟有看見父所做的，子才能做。」(約五17、19)。耶穌聆聽父神的話，也就是祂所說的話(約十四10-11)。耶穌並沒有自作主張，而是依靠父神來顯明自己及所作的事(約十七6-8)；祂也為神作見證，而父也藉著祂而作工(約十四10)。

父神愛聖子，主動向祂顯明自己(父神)所作的，或想要作的；耶穌則不斷留意父神的行動，以致能將祂的生命與父神的使命聯結。

明白和按神的方法工作

縱使一個隨意讀聖經的人也會明白，神的方法和計劃，與世人大不相同。耶和華說：「我的意念非同你們的意念，我的道路非同你們的道路。」(賽五十五8)世人完成目標是憑自己的本領和效率，但與神同負使命，就必須跟隨神國度的原則去達成國度的目的。

或許我們認為自己的方法很好，可能獲得不錯的成就。但當我們用自己的方法去為神工作的時候，就不能在過程中看到神的大能，而世人亦不能看到神向他們顯現。當我們讓神使用去完成祂的計劃時，世人會更認識神，會明白這一切的事，惟有神才能成就。神因此得到了榮耀。

學習按神的方法，比較用心努力履行祂的旨意更重要。神熱衷要向我們顯示祂的方法，因為這是達致祂目的的唯一途徑。神要藉你去完成祂的工作，故你必須按祂的旨意和方式來調整你的生命。請開始留心看，神如何歡迎你與祂同工，並且經歷祂。過去，神也用同樣的方法讓子民來參與祂的使命：

1. 神時常在你身旁完成祂的使命。	**期待神與你相遇**，以顯示祂在你附近或較遠的人群當中工作，使失喪的世界與祂和好。
2. 神希望與你經常維繫真實又個別的愛的關係。	**當神邀請你與祂立應許和順服之約，要有所回應。**祂希望能加深對你的愛，多於只使用你去完成一件工作。
3. 當神向你顯示祂自己和祂的工作，就是邀請你與祂同工。	**當神呼召請作出回應**與祂同負使命。
4. 神藉著聖靈，透過聖經、禱告、際遇和教會向你說話，顯明祂的目的、方法和祂自己。	當你與他人學習神的方法時，就是**神裝備你肩負使命，請作出回應**。
5. 神邀請你與祂同工，你會面臨信仰的考驗，需要有信心和行動。	**要順服神差你**前往的地點，祂知道如何善用你來完成使命。
6. 你的生命必須作出重大的調適，使能與神同工。	**神會賜你能力**，當你的生命有所改變，你會照著祂的心意與祂同工。
7. 當你順服，你就會經歷神、認識祂，祂又會藉著你成就祂的工作。	**神會指引你**在祂的使命中顯示祂自己，並且與失喪的世界和好。

明白和履行神的旨意

要怎樣才能明白神的旨意？真正的宣教工作是神在履行祂的使命，對你、我及千年以前的人，或在地球另一邊的人而言都如是，祂從來不願任何人失喪。神的使命是要榮耀祂的名，建立祂的國度，並與世人和好。

在如此大的全球性目標中，神不是要你揣測祂的旨意，祂愛你，故你必須更認識祂，才能明白祂的心意。當你更認識祂，祂就會更清晰顯示祂的旨意，你自己也會改變，願意更遵行祂的美意(腓二13)。

當你與神同負使命時，就會經驗神就是愛，祂的旨意永遠是最美好的，祂愛你，使你參與祂的使命。

當你與神同負使命時，就會經驗神是無所不知的，祂的引導永遠最正確。當你順服，祂就會向你顯示。

當你與神同負使命時，就會經驗神是全能的。當你完全依靠祂，祂就會給你能力去達成祂的旨意。

讓神使你的心歸向祂，然後你會明白祂的旨意。僕人不會向主人要求，只是等候主人吩咐。當你順服神，神便會裝備你，把你能勝任的工作交給你。

與耶穌同負使命

基督徒是天國的子民，基督乃是統管國度的永恆之君。祂「使我們成為國民，作他父神的祭司」(啟一6)。你蒙召要與基督君王同工，參與使這世界與神和好的使命。與耶穌建立關係，就是和祂同擔使命，因為耶穌說：「父怎樣差遣了我，我也照樣差遣你們。」(約二十21)

耶穌與天父同擔一個使命，而祂呼召每一個門徒加入這個充滿愛、能力和有目的的關係。這實在奇妙，效法耶穌跟隨神並與祂同負使命是珍貴無比的！

(Henry T. Blackaby 為美南浸信會國際傳道部 LifeWay 基督教資源中心全球復興禱告及屬靈大醒覺之顧問，著有 Experiencing God。
Avery T. Willis, Jr.為美南浸信會國際傳道部海外事務高級副總裁，曾在印尼宣教達14年之久。)

研習問題

1. 我們的生命必須作出巨大的調適，使能與祂同心肩負使命。神的僕人挪亞(創六至七)、摩西(出三至四)和保羅(徒十三 1-3，十六 6-10)作出怎樣的改變以順服神的命令？

2. 假如神現在呼召你到另一個地方，或作另一種事奉，你需要作出那些改變呢？

3. 每一個基督徒都被耶穌差派「肩負使命」嗎(約二十21)？若是，你認為每個基督徒，應接受怎樣的教導和訓練，才能肩負使命？

The Gospel of the Kingdom
天國的福音

賴特(George Eldon Ladd)著　編輯室修訂

今日，是一個奇異又令人心戰兢的世代，人們不禁問：這是甚麼世代？我們將到哪裡？人類歷史的意義和目標是甚麼？到底人類有沒有前途？抑或我們只像木偶，僵硬地步過時間的舞台，之後，舞台、演員和劇院都會被燒毀，餘下的只有灰燼和焦炭的氣味？

古代的詩人和預言家企盼理想的社會出現。希臘詩人赫西奧德(Hesiod)夢想著昔日的黃金時代，可惜不復再現，所以也對未來失去了盼望。哲學家柏拉圖(Plato)繪出一個理想的國度，但他明白這是無法實現的理想。羅馬詩人維爾吉(Virgil)以詩歌來釋放這個世界的苦楚，使偉大的歲月可以重新開始。

希伯來基督徒則認為人的盼望在於神的國度；他們的信仰建基於神的啟示，不像希臘詩人尋索自己的夢想。神國(天國)這觀念在舊約已根深蒂固，信徒堅信有一位永存永活的神，是啟示的神，透過以色列向人表達祂的心意和期望。

因此先知們宣告，人類有一天必和平共處，那時「神必在列國中施行審判，為許多國民斷定是非，他們要將刀打成犁頭，把槍打成鐮刀，這個不舉刀攻擊那國，他們也不再學習戰事」(賽二4)。不止人類社會的問題得以解決，世界的罪惡也銷聲匿跡。「豺狼必與綿羊同居，豹子與山羊羔同臥，少壯獅子與牛犢並肥畜同群，小孩子要牽引他們。」(賽十一6)神應許有一天，世界會充滿和平、快樂和安康。

拿撒勒人耶穌也向人類宣告：「天國近了，你們應當悔改。」(太四17)神國降臨就是基督宣教的主題，祂指引人進入神國的途徑。祂廣行奇事神蹟，要證實神國已臨到人間。祂用比喻對門徒說明有關神國的真理，教導門徒禱告的重心是：「願你的國降臨，願你的旨意行在地上，如同行在天上。」(太六10)在他離世前夕，他向門徒保證將來必與他們分享天國的快樂，與他們永遠同在(路二十二22-30)，又應許在榮耀中再次降臨地上，

把天國的福氣帶給信徒(太二十五31-34)。

國度的意義

「國度」是指甚麼？現代的解釋叫我們難以明白這詞語在聖經裡的原意。在西方，「國度」就是君王的管治範圍。一般當代的字典所下的定義是：「一個以君王為首的國家或君王政體。」

「國度」的另一個意思，是指王國的人民。一提起大英帝國，我們就會想到英女皇管治的百姓，是她國度裡的子民。

但要真正了解這詞語在聖經的含義，必須拋開現代慣用的解釋。《韋氏字典》解釋這個詞的意思是指「一個君王至高無上的地位、屬性、境況」，亦可指「君王權柄、管治、君主政治、王權等」。藉著這個精確的古代解釋，可以幫助我們明白聖經的教訓。在舊約的希伯來文及在新約的希臘文裡，「國度」的**基本**意思都是指君王所擁有的地位、權柄以及主權；它可以解釋為一個君王管治的地域，也可解釋為在那地域受那君王治理的人民。可是，這全屬次要，「國度」一詞最重要的意義是指統治的權柄、王的主權。

舊約對王權的描述，就是「國度」的基本含義。以斯拉記八1記述以色列人從巴比倫回歸，是得到亞達薛西王的准許，歷代志下十二1記述羅波

安的國家堅立，都與統治權有關；此外，亦可參考耶四十九34；代下十一17，三十六20；但八23；拉四5；尼十二22等。

「神國」的意義

聖經提到神國，通常是指神的統治、治理和主權，而非所管治的領域。「耶和華在天上立定寶座，祂的權柄統管萬有。」(詩一零三19)神的**國**是指神管治萬有，治理全地的主權。「傳說你國的榮耀，談論你的大能」(詩一四五11)，這個排句，表達了神的國就是祂的大能這項真理。「你的國是永遠的國，你執掌的權柄存到萬代」(詩一四五13)，說到神管治的**領域**是天和地；然而，天地不是永恆的，神的管治才是永恆的。但以理對巴比倫王說：「王啊，你是諸王之王，天上的神已將國度、權柄、能力、尊榮都賜給你。」(但二37)「國度」一詞與權柄、能力、尊榮同義，都是指王的權力；這就肯定了「國度」是神給予王的管治權。

福音書中的意思更清楚。「眾人正在聽見這些話的時候，耶穌因為將近耶路撒冷，又因為他們以為神的國快要顯出來，就另設一個比喻說，有一個貴冑往遠方去，要得國回來。」(路十九11-12)那貴冑離開，目的不是要去得一塊領域、一片土地來管治；他所統治的領域已穩握手中，現今要離開的地土，就是他要管治的領域。然

而，他不是一個王，需要取得權柄來管治，他往遠方要得「國」回來的意思，就是要得「王權」回來；RSV譯本就將這「國」字譯為「君王的權能」。

神的國就是祂的王權、管治及權柄，這個意思在新約經文最為明顯。國度不是領域或人民，而是神的統治（God's reign）。耶穌說我們要像小孩「承受神的國」(可十15)，承受甚麼呢？教會？天堂？都不是！所承受的乃是神的管治。為了進入將來國度的領域，人現今就要謙卑自己，以完全信靠的心，順服祂的管治。

當我們祈求「願你的國降臨」，是否祈求天堂降臨人間呢？是的，我們正為此祈求，但我們更渴慕天堂，只因在那裡，神的統治必比現今更能完全實現；離開神的統治，天堂並無意義！所以，我們祈求「願你的國降臨，願你的旨意行在地上，如同行在天上」，是祈求神統治，祈求神的主權及能力在世上彰顯，除去一切不義、一切與神國為敵的事物，讓神獨掌王權。

神國的奧秘

馬可福音第四章及馬太福音第十三章所記載的一連串比喻，都是宣講「神國的奧秘」(可四11)，耶穌以人們日常生活的經驗來說明教訓的核心真理，這核心就是神國的「奧秘」（Mystery）。

我們先要為「奧秘」一詞下定義。與現代的用法不同，聖經裡的「奧秘」，並非一些神秘的東西，也不深奧、玄虛或難以明白，而是一個特別的觀念，羅十六25-26清楚說明了它的意思：「惟有神能照我所傳的福音，和所講的耶穌基督，並照永古隱藏不言的奧秘，堅固你們的心。這奧秘如今顯明出來，而且按著永生神的命，藉眾先知的書指示萬國的民。」所以，聖經裡奧秘的意思，是指從亙古已隱藏，但現今卻顯明的事。這是神從亙古所訂的計劃，是人一直不能知道的，但最後在救贖的過程中，神向我們顯明，透過先知書讓人知道。奧秘是神的計劃，歷世歷代都隱藏在神的心思內，但最後在神救贖工作的新啟示中顯明。

新約的比喻說明了國度的奧秘，就是有關神國的新真理，在舊約中隱藏，但最後主耶穌在地上親自向我們顯明了。這奧秘是甚麼呢？

舊約有關國度的觀點

要回答這個問題，便要追溯舊約中有關神國降臨的典型預言。在但以理書第二章，尼布甲尼撒王夢見一個高大的像：頭是精金，胸膛和膀臂是銀，肚腹和腰是銅，腿是鐵，腳是半鐵半泥。然後王看到一塊非人手鑿出來的石頭，打在半鐵半泥的腳上，把腳砸碎成粉末，粉末又被風吹散得「無處可尋」。而打碎這像的石頭，卻

變成一座大山，充滿天下(但二31-35)。

但二44-45解釋這像代表列國統治世界歷史的過程；但「石頭」代表甚麼呢？聖經說：「當那列王在位的時候，天上的神必另立一國，永不敗壞，也不歸別國的人，卻要打碎滅絕那一切國，這國必存到永遠。你既看見非人手鑿出來的一塊石頭，從山而出，打碎金、銀、銅、鐵、泥，那就是至大的神把後來的事給王指明。」

這是舊約的預言。先知仰望神國的來臨，那是一個榮耀的日子，那時神會統治全地。神國的基本意思既是神的統治，當那日，神會建立祂的王權，取代其它所有的國度及權勢，破碎人類歷史上所有國家的王權。神的統治、神的國、神的管治會除去一切敵對神的勢力；到那日，惟有神作王。

國度的遠象

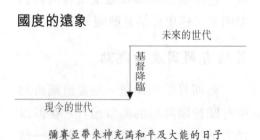

彌賽亞帶來神充滿和平及大能的日子

在舊約，神的國降臨是一件大事；神彰顯大能，把由人掌權的敗壞國度全部清除，讓公義遍滿全地。

國度的新啟示

我們回到馬太福音去，把這真理與先前的研究連結起來。施洗約翰宣告天國降臨(太三2)，是指舊約所預言的神國，而要來的那一位會帶來雙重洗禮：有些人會接受聖靈的洗，並經歷神國裡彌賽亞的拯救，其他人會在最後的審判中經歷火的洗禮(太三11)。隨後的一節經文很清楚說明這是約翰的意思。彌賽亞的工作之一是篩選，將人分別出來，像農夫打穀及簸去糠皮，保存好的麥子而棄掉糠皮；彌賽亞也會把穀場打理乾淨，把麥子收入倉廩(拯救義人)，將邪惡的人送入烈火的審判中(12節)。「不滅的火」並不是指普通的經驗，而是指末世的審判。

施洗約翰坐牢時，派人往見耶穌，問對方是否就是要來的一位，還是等待他人。很多人認為約翰有這疑問，原因是他被捕入獄，故此對他的使命和神的呼召失去了信心。但耶穌對約翰的稱讚說明他們看錯了，約翰並非被「風吹動的蘆葦」(太十一7)。

只因耶穌的表現不像他所宣講的彌賽亞，約翰才有這樣的疑問。聖靈的洗在哪裡？惡人何時被審判？

耶穌回答說，祂實在擁有王權，先知對彌賽亞的預言已經應驗了。耶穌也說：「凡不因我跌倒的就有福了。」(太十一6)「主，那將要來的是你麼，還是我們等候別人呢？」約翰發出疑問，因為但以理的預言看來並未應驗，希律安提帕管治加利利，羅馬軍隊遍佈耶路撒冷，大權落在羅馬異教徒彼拉多手中；拜偶像、多神信

仰、不道德的羅馬帝國用鐵腕政策管治世界。雖然羅馬以高度智慧抑制地管治人民，且基於宗教上的顧忌，對猶太人諸多讓步，可是，只有神才應擁有管治祂子民的主權。約翰感到困惑，每一個敬虔的猶太人也感困惑，連耶穌最親密的門徒都不明白。社會上，罪惡及不法制度充斥，耶穌怎會擁有王權？

耶穌回答說：「凡不因我跌倒的，就有福了。」是的，神的國在這裡，但這裡有個奧秘──有關國度的新啟示。神的國在這裡，不是要摧毀世上君王的管治，而是侵襲撒但的權勢；神的國在這裡，不是外在、政治上的改變，而是靈界及人生命的改變。

國度的奧秘

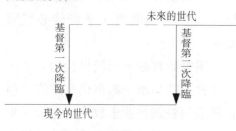

彌賽亞二次降臨

這就是<u>國度的奧秘</u>，是神在救贖歷史中首次宣告。神的國度在人的中間，但這應許會分兩個階段來實現。按但以理書所載，神的國度**是**要取代世上一切權位，世界要看見神大能的治權降臨；這奧秘、新的啟示乃是，天國已不知不覺地在世人中間開展了。這不是說現在就要摧毀人的統

治，不是現在就要廢止人在地上的罪，不是現在已帶來施洗約翰所宣告的火的洗禮；而是靜靜地、謙遜地、祕密地臨到人間，且不為群眾所認知。在屬靈的領域裡，天國已讓人享受神管治的福氣，不再受撒但和罪惡所轄制；天國是神給人的禮物，人可以接受或拒絕；天國是以說服力而非權力降臨。

馬太福音第十三章所說的每一個比喻，都闡明天國的奧秘，神的國要帶著大能與極大的榮耀降臨人間。現在，神國已出人意表地臨到我們中間，把未來世代的福氣帶給正處於罪惡世代的人。

<u>這就是天國的奧秘。在大收割之前，在世代完結之前，神藉聖子進入人類的歷史</u>，在人類中間工作，把祂國度的福氣帶給人。祂謙謙和和的來，作加利利的木匠，走遍巴勒斯坦各城，宣講國度的福音，把人從魔鬼的捆綁中拯救出來；祂的門徒也走遍加利利鄉村宣講同樣的信息，今天耶穌的門徒也在各處宣講天國的福音。天國安靜、謙卑地降臨，沒有火從天上降下，沒有榮耀的火焰，更沒有使山崩裂，或出現劃破長空的巨響。它降臨如同種子播在地上，可能受拒絕、受排斥，它的生命有時看來像凋謝及死亡；但它的確是神的國，它把<u>屬靈生命的奇蹟帶到人間，它引導人進入受神管治的福氣中</u>。對人來說，這是神恩典超然的工作。這同樣的國

度,同樣超自然的神的能力,也會在末後的世代彰顯;屆時,不單在那些已接受主的人生命中靜靜彰顯,更是大有能力和榮耀從地上洗滌罪惡。這就是天國的福音。

天國何時降臨?

我們若已進入享受神國福氣的階段,我們需要做些甚麼?是安享福樂,被動地等待主再來嗎?無疑,我們應該等待,但不是被動。對今天神的子民來說,太二十四14可能是最重要的經節,經文說,主回來時,神的國會大有能力、大有榮耀的降臨。神的子民都想知道基督再來的日子,是近或遠;很多聚會都研究聖經的預言和報章上的大新聞,探求主再來的徵兆,推敲主何時再來。這算是關於主再來的時刻最仔細、最明顯的經文了。

這章聖經由門徒問耶穌有關聖殿被毀開始,門徒問道:「請告訴我們,甚麼時候有這些事,你降臨和世界的末了,有甚麼預兆呢?」門徒期望這世代完結,基督在榮耀中回到世上,天國降臨,引進未來的世代。他們在問:「這世代何時結束?你和你的國何時降臨?」

耶穌很仔細地回答他們。祂先形容這世代的末了將要發生的事,這邪惡的世代要持續直到祂再來:福音及神的子民會被恨惡,罪惡蔓延,詭詐、欺騙的勢力引誘人離開基督,假

宗教、假彌賽亞會領多人離棄真道;戰爭不斷發生;多處出現飢荒、地震;教會遭遇迫害,信徒陷於苦難;但必有多人跌倒,也彼此陷害;假先知興起,不法的事增多,許多人的愛心漸漸冷淡。(4-12節)

這是一幅黑暗的圖畫;但在意料之中,因這世代是伏在幽暗世界的掌權者手下(弗六12)。可是,世界並非沒有希望,神並未離棄這世代。新約時代的猶太啟示文學中提到,這世代完全被罪惡控制,神不再理會人,現世再無拯救,要等到將來神國榮耀降臨時才有盼望,現今世代則只有憂傷和痛苦。

一些基督徒也同樣悲觀,因為撒但成為「這世代的神」,神的子民徒歎奈何!失敗及罪惡充斥,教會徹底變節,文化極端敗壞,基督徒必然戰敗。

聖經確實說,到這世代的末了,罪惡會不斷加增,撒但仍掌王權,但我們必須強調神並未放棄這世代。事實上,神的國已降臨這罪惡的世代;撒但已戰敗。藉著基督,神的國已經建立教會,要透過教會在世上工作,成全祂的旨意,擴展祂的國度。然而,我們會面對強大的鬥爭——與這個世代的衝突。神的國透過福音的能力在地上工作,「這天國的福音,要傳遍天下,對萬民作見證,然後末期才來到。」(太二十四14)

在上述經文裡,筆者發現了三件

事：一個信息、一個使命和一個動機。

天國的信息

第一，那**信息**就是天國的福音，有關神國的好消息。有些聖經學者則指，這裡所提及的福音並非指救恩，而是宣告基督再來的福音。本文無意詳加討論，但可以肯定，這天國的福音也就是使徒在初期教會所宣講的福音。

然而，我們要注意這經文與大使命的密切關係。當主升天時，吩咐門徒說：「所以你們要去，使萬民作我的門徒，奉父、子、聖靈的名，給他們施洗，凡我所吩咐你們的，都教訓他們遵守，我就常與你們同在，直到世界的末了。」(太二十八19-20)與以下經文作比較，發現它們簡單明瞭：「你降臨和世界的末了，有甚麼預兆呢？」「這天國的福音，要傳遍天下，對萬民作見證，然後末期才來到。」「所以你們要去，使萬民作我的門徒⋯⋯我就常與你們同在，直到世界的末了。」兩段經文都提及同一的使命：要向普世傳福音，直到世界的末了。這就是把太二十八19和太二十四14聯繫起來的事件。

使徒行傳敘述使徒出發去履行這項使命。在徒八12，腓利下到撒瑪利亞去宣講福音，RSV譯本用「他宣揚有關神國的好消息」(He preached the good news about the kingdom of God)來描述他所作的事工，這句話可以直譯

為「在宣揚福音，有關神的國」(Gospeling concerning the kingdom of God)。新約希臘文中，「福音」這個名詞，與「宣傳福音」這個動詞的字根相同。太二十四14提及「天國的福音」，徒八12則說腓利在宣揚有關神國的福音。這天國的福音一定要傳遍天下；腓利下到撒瑪利亞，宣揚的福音是關於神國的，即傳天國的福音。

當保羅來到羅馬，召聚猶太人在一起，因他經常是「先對猶太人」傳福音。他宣講的是甚麼信息？「他們和保羅約定了日子，就有許多人到他的寓處來，保羅從早到晚，對他們講論這事，證明神國的道，引摩西的律法和眾先知的書，以耶穌的事，勸勉他們。」(徒二十八23)這有關神國的見證，即天國的福音，正是保羅對羅馬的猶太人所宣講的信息。

不過，保羅所得的回應與主耶穌在以色列向人宣告神國信息時(太四17)相近；一些人相信，但大部分猶太人拒絕接受。以色列人既拒絕相信，保羅於是宣佈神對外邦人的旨意：「所以你們當知道，神這救恩如今傳給外邦人，他們也必聽受。」(徒二十八28)保羅對猶太人傳講神國，他們拒絕了，「神的救恩」便給予外邦人。神國的福音與救恩的信息相同的，可以下列經文證明：「保羅在自己所租的房子裡，住了足足二年。凡來見他的人，他全都接待，放膽傳講神國的道，將主耶穌基督的事教導人，並沒

有人禁止。」(徒二十八30-31)保羅先向猶太人宣講神的國，當他們拒絕時，同樣的國度便向外邦人敞開了。保羅向猶太人和外邦人所傳講的都是神國的福音。

勝過死亡

現在再看聖經中最簡單而最清楚描述神國福音的經文。在林前十五24-26，保羅勾畫出救贖工作的各個階段，他這樣形容基督的彌賽亞統治最後勝利：「再後，末期到了，那時基督既將一切執政的、掌權的、有能的都毀滅了，就把國交與父神，因為基督必要作王。」祂必要以王的身份統治，祂必在祂的國中掌權，「等神把一切仇敵，都放在他的腳下。儘末了所毀滅的仇敵就是死。」

聖經是如此描述基督統治的意義，祂的國直到永遠。這是神藉著祂的兒子耶穌基督來統治，目的是叫祂的仇敵服在祂的腳下，「儘末了所毀滅的仇敵就是死。」神國的使命就是摧毀死亡，神的國也必要滅絕其它一切的仇敵，包括罪惡和撒但，因為罪的工價就是死(羅六23)，而那掌死權的就是魔鬼(來二14)。惟有當死亡、罪惡及撒但被毀滅後，蒙救贖的人才會得享神統治的完美福氣。

天國的福音就是宣告基督勝過死亡。雖然這個圓滿的勝利是將來的事——死亡最後被拋在火湖中(啟二十14)，但基督現在已經戰勝了死亡。

提到神的恩典，保羅說「但如今藉著我們救主基督耶穌的顯現，才表明出來了，祂已經把死廢去，藉著福音將不能壞的生命彰顯出來。」(提後一10)譯作「廢去」(abolish)的字不是除去，而是戰勝、粉碎權力，終止運作的意思。林前十五26也用這個希臘字——「儘末了所毀滅的仇敵，就是死」。林前十五24亦見到這個字——「再後，末期到了，那時，基督既將一切執政的、掌權的、有能的，都毀滅了，就把國交與父神。」

所以死亡的毀滅—廢去—擊敗，有兩個階段，最後的毀滅要等到基督第二次降臨的時候，但藉著死和復活，基督已經勝過死亡，已經粉碎了它的權力。死亡雖然仍是一個敵人，卻是戰敗的敵人。我們確信勝利必定來臨，因為已經取得勝利；我們宣講一個已緊握在手的勝利。

這實在是關於神國的好消息，人何等需要！無論何地，人人都會發現墓地裂開在吞噬臨終的人，每張臉孔都有失落、分隔、死別的淚痕，每張桌子早晚會有一張空椅子，每一個火爐旁邊都有空位，死亡是夷平一切的巨手，無論貧窮或富裕、顯貴或失意、掌權或在野、成功或失敗，是何種族，有何信條，屬於那個文化——人類所有的差異，在無可抗拒的死亡鐮刀橫掃下，都變得無關重要了，因為死亡會把我們全部砍下。葬身之地無論是叫人歎為觀止的泰姬陵，是巨

大的金字塔，或是被人遺忘的亂草叢，還是深不可測的海洋；有一個事實永不變改，就是死亡在掌權。

若沒有天國的福音，死亡是大能的勝利者，在它面前我們無能為力，面對絕不讓步、毫無反應的墳墓，縱使盡全力揮拳，也徒費氣力。不過，好消息就是：死亡已被擊敗，那曾征服我們的已被征服。面對在基督裡神國的權柄，死亡已無能為力，死亡捆不住祂，已被擊敗。生命與不朽已顯露，耶路撒冷的空墳是明證；這便是天國的福音。

勝過撒但

神國的敵人是撒但，基督必治理全地，直至將撒但降服於腳下。同樣，這勝利亦等待著基督的降臨；在千禧年裡，撒但將被捆在無底坑中，到千禧年末，牠就被拋進火湖裡。

但我們知道，基督已戰勝撒但；神國的勝利不是將來的事，現在已取得初步勝利。基督取了血肉之軀——道成肉身——特要藉著死，敗壞那掌死權的魔鬼，並要釋放那些一生因怕死而為奴僕的人。(來二14-15)譯作「敗壞」的字，與提後一10和林前十五24、26所用的字相同。基督已使死亡的能力失效，也使撒但的權力無效。撒但仍像一隻吼叫的獅子迫害神的子民(彼前五8)，牠裝作光明的天使，進入宗教圈子(林後十一14)；但牠是戰敗的敵人，牠的權力、治權已被粉碎，

牠肯定會滅亡的。一場決定性，應該說**那場**決定性的勝利已經穩握。基督曾趕鬼，將人從撒但的奴役中拯救出來，證明神國能拯救那些被撒但奴役的人。神國把人從黑暗裡帶進福音的救贖和醫治的亮光中，這便是神國的好消息。撒但已戰敗，我們可以從屬魔鬼的恐懼與邪惡中得釋放，並認識作神兒子有充滿光榮的自由。

勝過罪惡

罪是神國的敵人。基督曾否就罪做了甚麼事，抑或祂只是應許將來祂在榮耀中把國度帶來時才施行拯救？我們必須承認，罪如同死亡一樣充斥世界，每一份報章都見證罪惡在工作。但罪惡與死亡和撒但一樣，已經戰敗。基督來了，獻上自己來除掉罪，粉碎了罪的權力，「因為知道我們的舊人和他同釘十字架，使罪身滅絕，叫我們不再作罪的奴僕」(羅六6)。這是第三次提到「敗壞」、「滅絕」、「廢去」，基督作王統治，是要「毀滅」每一個敵人(林前十五24、26)。這是將來要作的事，但也是過去的事，這是我們的主基督第二次降臨時要完成的，然而，祂藉著自己的死及復活，已經開始了。「死亡」已被廢去、敗壞(提後一10)，撒但已被打倒(來二14)，羅六6說，這「罪身」已被滅絕。勝利毀滅了基督的敵人，基督得到三重的勝利——勝過撒但、勝過死亡、勝過罪惡。

所以我們不再作罪的奴僕，受罪奴役的日子已過去了。罪仍在世上，但它的權力已不復再，人在它面前不再無力，它的統治權已被破壞，神國的能力已進入了這世代，這是一種能使人從罪的奴役中得釋放的能力。

天國的福音就是宣告神已成就的事及將會做的事，宣告神向祂的眾敵人誇勝，宣告基督會再臨，會永遠毀滅祂所有的敵人。這是盼望的福音，也是有關神已成就的好消息；祂已敗壞死權，戰勝撒但，推翻罪的管治。這福音是一個應許的福音，也是一個經歷的福音，而這應許也是由經歷所得；這就是基督已開始並保證祂將會成就的，我們必須到全世界去宣揚的福音。

天國的使命

第二，太二十四 14 所記載的不僅是一個信息，也是一項**使命**。天國的福音，就是基督勝過神的仇敵的福音，必須向全世界宣講，對萬民作見證。這是我們的使命。這是所有神話語中最重要的經文之一，藉以肯定人類歷史的意義與目的。

歷史的意義

歷史叫今日愛思想的人感到困惑。這個世代潛在著毀滅，其全面性及規模之大，使我們不敢想像，人類在面對這具威脅性的大災難，發出一連串的問題：歷史到底是甚麼一回事？人類為何會活在地球上？他們又會到哪裡去？世上是否有一條與生存意義、目的及天命相關的線索，把人牽引？

過去，進程哲學(Philosophy of progress)受到廣泛的接納。一些學者以直線來描繪歷史的意義，這線從原始時代開始，穩定地慢慢上升，文化與文明都達致高度的水平。進程哲學以為，人類因其內在特性，必定會進步，直到到達一個完美的社會，當中沒有罪惡、戰爭、貧窮及衝突。然而，這種看法已被歷史磨得粉碎了，今日的局面使這個「人類必定不斷進步」的觀念難以接受和不切實際。另一個理論是把歷史看為一連串的循環，好像一個大螺旋在環繞，每一次上升後總比前一次高一點。雖然我們有盛衰浮沉，但這螺旋的整體動向是向上的。這像是修訂後的進程學說。

其它對歷史的解釋則極為悲觀。有人說，歷史就像一隻醉酒的蒼蠅，腳沾了墨水，在白紙上跟跟蹌蹌地走過，留下了痕跡，這些腳蹤沒有目的，也反映不出任何意義。

筆者深信，歷史的最終意義一定要從神在歷史上的作為去找尋，這些作為就是聖經中的啟示及解釋。在這方面，基督教信仰必要表示意見。如果沒有神，人便會失落在茫然的迷宮中，沒有任何有意義的線索可指引。如果神未曾在歷史上有所作為，那麼，歷世歷代的盛衰漲退便像毫無目標地在

永恆的沙土上往返。但在神啟示的聖經中，基本的事實是，神曾說話，神曾在歷史上作救贖的工作，神的作為就是把歷史帶到所命定的目標。

若你到中亞洲一帶旅遊，必會以讚歎的目光注視那些廢墟，它們默默地見證著古代曾一度輝煌的文明。宏大的石柱仍高插入雲霄，附近的地方只遺下了巨大的土崗，點綴著荒蕪的平原，顯示死去的文明所累積下來的殘骸。吉薩(Gizeh)的獅身人像和金字塔，波斯波利斯(Persepolis)的石柱，底比斯(Thebes)的塔，仍見證著昔日埃及與波斯的輝煌。人們仍可攀上雅典的衛城(Acropolis)，或在羅馬的廣場(Forum)內行走，感受到第一世紀文明的光榮與輝煌；從某方面來看，這些文明至今仍無可匹敵，然而只剩下廢墟、傾覆的石柱、伏臥的石像——已死的文明。

這一切代表了甚麼？何以邦國會興衰？有何目的？地球會否有一日成為死的行星，如同月亮一樣了無生命？

神的目的與被揀選的子民

聖經提供了答案。聖經的中心主題，是神在歷史中的救贖工作。很久以前，神已揀選了以色列民——一個弱小和被人輕看的民族。神並不是為了他們的利益而關心他們，神的旨意是遍及全人類。神有主權，祂揀選了這無足輕重的子民，透過他們來成就救贖的目的，最後更包括列邦在內。

埃及、亞述、迦勒底等其它近東的民族存在的終極意義，是在乎他們與這微小的民族——以色列——的關係。神興起這群子民，又保守他們。祂有一個計劃，並要在歷史中進行。

然後「時候滿足」，主耶穌基督這個按肉體是亞伯拉罕子孫的猶太人來到世上，使神的目的進一步實現。這不是說神已經與以色列人了結關係，而是當基督顯現時，神透過以色列來進行的救贖工作已達到初步的目的。到那時為止，我們若要在歷史中找出神所定的意義，以色列民族就是我們的線索。當基督成就了祂的救贖工作——死亡和復活——之後，因為以色列人拒絕福音，神對歷史的心意就從以色列轉移到教會——由接受福音的猶太人和外邦人組成的團契。我們的主在太二十一43所說的話，可印證這事，祂是對整個以色列民族說的：「神的國必從你們奪去，賜給那能結果子的百姓。」而教會是「被揀選的族類，有君尊的祭司，聖潔的國度」(彼前二9)。所以，從教會現今的使命——將神國的好消息帶到普天下去，我們可以看到神在歷史中的救贖工作正在進行。

在我們的主升天與榮耀中再來之間的歷史，終極的意義乃在於福音在世上的工作與延伸。「這天國的福音要傳遍天下，對萬民作見證，然後末期才來到。」自從我們的主在地上生活後，二千年以來，神這個旨意可在

天國福音的歷史中看見，顯明意義的一根線，貫穿著教會宣教的工作。有一天，若我們進入天上的檔案庫，查看一本從神角度來闡明人類歷史意義的書，我們不會抽出一本描述「西方歷史」或「文明發展」或「大英帝國的光榮」或「美洲的發展及擴張」的書，卻會抽出一本可以名為《在萬民中預備與拓展福音》的書，因為神的救贖目的是如此往前推展的。

這是一個令人震驚的事實，神竟把責任委託給像我們這樣的人——被救贖的罪人，要我們執行神對歷史的心意。為何神會用這個途徑？祂是否在冒險？祂的心意能成全嗎？自主降世至今，已超過 1,900 年了(編按：本中文版出版之時，應已超過 2,000 年了)，神的目標仍未達到，為何祂不親自去做？為何祂不差派能信任的天使天軍即時完成？祂為甚麼要委託我們？我們無意回答這些問題，只說神的旨意本如此。事實是，神已將這使命委託我們；除非我們去做，否則不會成事。

願太二十四 14 這節經文在我們的心中燃燒，神從沒有向其他的人如此提及。這神國的好消息必定要藉著普世教會去傳揚，給萬民作見證，這是神的計劃。就是說，現代文明的終極意義和人類歷史的命運，對你和我較聯合國更為重要。從永恆的角度來看，教會的使命比軍隊的調動或大國的行動更為重要，因為只有當教會實

踐使命時，神在人類歷史裡的目的才可以完成。

天國的動機

第三，這節經文包含著一個強而有力的動機：「然後末期才來到」。這部分的主題是天國何時到來，我不會為此定期限，因為我不知道何時是末日，但我知道當教會完成福音遍傳的工作時，基督便會再來，神曾這樣說過。為何祂不在主後 500 年再來？因為教會仍未將福音傳遍世界。為何祂不在主後 1000 年時回來？因為教會仍未完成福音遍傳的工作。祂會否很快便來到？祂會——如果我們作神子民的，肯順服主的命令，把福音傳遍世界。

這是何等嚴肅的認知！使人驚愕萬分，以致有人會說：「我不相信！這不可能是真的，神怎會把這樣重大的責任委託人！」約在兩個半世紀前，當威廉克里(William Carey)要到印度去傳福音的時候，有人對他說：「年青人，坐下吧！當神想傳福音給異教徒時，祂自己會做，用不著你來幫忙啊！」但威廉克里有異象，也認識神的話，所以他並沒有坐下，反而啟程往印度，開始了近代的普世宣教工作。

我們的責任：完成這任務

神已委託我們去延續及完成這工作。使我興奮的是，我們距離抵達這使

命的目標，較以往任何世代更接近。過去一個半世紀，我們在福音遍傳工作上所完成的，較諸使徒時代以來所作的更多。現代科技提供了印刷、汽車、飛機、無線電等，許多促進我們到普世傳福音的方法，先前不認識的語言，已造成文字，神話語的全部或部分已被翻譯成超過 1,700 種語言或方言，而且數目每年在上升。單以說英語的世界來計算，神的子民能正視這一節經文並回應它的挑戰，就可以在我們有生之年完成福音遍傳的工作，親眼見主的再來；這是一個事實。

有人會說，這是不可能的，今天有許多地方仍未對福音開放；我們不能進入某些國家，如印度之門關上了。如果主要等到教會將福音遍傳之後才回來，基督不可能在我們有生之年回來，因為很多地方仍未對福音開放，這工作不可能在這一代完成。

這種態度是沒有把神放在思想之中。現今雖仍有許多封閉的門，但神能夠在一夜之間開啟，更能在關閉的門後工作。筆者所關注的不是門關上，而是門打開了，而我們卻沒有進去。如果神的子民真正忠心且盡所能去完成工作，神自會開啟這些門。但我們的反應是，世上有許多敞開的大門，我們卻沒有進去。我們是不順服的子民，忽視神要我們到普天下傳福音的命令，卻忙於爭論有關福音傳遍天下的意義，以及辯論末世的詳情。

有人會說：「我們如何知道這使命甚麼時候完成？我們距離完工的時間有多久？那些國家是福音已經傳遍，那些仍未？我們距離末期尚有多久？這豈不導致人猜測年日嗎？」

筆者的回答是不知道，只有神才知道答案。我不能準確界定何謂「萬民」，只有神確實知道「傳遍福音」的意思，只有那位告訴我們天國的福音要傳遍普世，對萬民作見證的，才知道這目標何時達到。我不需要探究，只需要知道：基督仍未回來，工作尚未完成。當工作完成時，基督便會再來。我們的責任不是堅持界定工作的範圍，而是把工作完成；基督一日未回來，我們的工作一日未完成。讓我們開始殷勤工作，完成這個使命。

作合乎聖經的現實主義者

我們的責任不是去拯救世界，神並沒有要求我們去改變這世代。這節經文是一句結束語，上文告訴我們，在最終的日子時，將會有戰爭和困難、迫害及殉道。筆者慶幸聖經中有這些字句，因而能夠腳踏實地，神智清醒，不致存著浮誇的樂觀。故邪惡的時刻一旦來到，我們不應沮喪。

因為，我們有一個強而有力的信息帶給這個世界，就是天國的福音。在當今的世代，有兩種勢力在運行，就是罪惡的勢力和神的國度。這世界是一個鬥爭的場地，那惡者的勢力正在襲擊神的子民，但天國的福音也在進攻撒但的國度。這場鬥爭一直會維

持到世代完結——基督再來時，才能有最後的勝利。我們的主在橄欖山上的講話指出，直到末了的日子，罪惡都會充斥這世代，假先知、假彌賽亞將會興起，引人離開正道，不法、邪惡的事多得令人愛心逐漸冷淡，神的子民必要忍受困苦的日子。「在世上你們有苦難」(約十六33)，「我們進入神的國，必須經歷許多艱難」(徒十四22)，所以我們要時常準備忍受在耶穌裡的患難、國度與忍耐(啟一9)。事實上，主自己曾說：「惟有忍耐到底的必然得救」(太二十四13)。人若能忍受極大的災難及迫害，甚至喪失生命，至終必不致滅亡，反得拯救，「你們也有被他們害死的……然而，你們連一根頭髮，也必不損壞」(路二十一16、18)。教會應時常以殉道為教會主要的特質。當我們將福音帶進整個世界時，我們不應期望絕對的成功，要準備遭遇敵對、抵擋，甚至迫害與殉道。世代依然邪惡，敵擋天國的福音。

然而，這裡容不下悲觀的情緒。從一些聖經預言的研究，我們得到的印象是，這世代的末了，就是那些末後的日子，將完全是邪惡的，但有時卻過份強調末後日子的危險特性(提後三1)。根據研究，這個有形的教會必定完全被邪惡的教導滲透，教會裡蔓延著背道的事，只有少數的餘民會忠於神的話。這個末後的日子將是老底嘉時期，在這時期內，整個教會僅在口頭上承認主，對永恆的問題漠不關心，而神的子民所能期望的只有失敗和挫折。邪惡在掌權，教會時代終結，邪惡得到空前的大勝利。有時我們會偏重於末後日子的邪惡特性，以致(肯定是無意的)認為世界越快敗壞越好，因為主會更快的回來。

我們不能否認聖經強調末後日子的罪惡特性。事實上，我們亦曾如此強調，聲稱今世的邪惡特徵在末後會變本加厲，更令人害怕、更反對及憎恨神的國。但這並非說我們要陷於悲觀，要徹底放棄今世和世界，把它們拱手讓給邪惡與撒但。事實上，天國的福音要傳遍世界；神的國已闖入現今邪惡的世代，來世的勢力已進攻今世。末後的日子誠然會是邪惡的，但神「就在這末世，藉著祂兒子曉諭我們」(來一2)，神為這末世已給予我們一個拯救的福音，一個由神的兒子來實現的福音。此外，神也宣稱「在末後的日子，我要將我的靈澆灌凡有血氣的」(徒二17)。神已為末後的日子說話；祂已賜下祂的靈，給予信徒能力去宣講神的話。這末後的日子將會有邪惡，但不是一味的邪惡。針對末後的日子，神給予我們一個福音，也賜給我們能力將這福音帶到全世界去向萬民作見證；然後，末期才來到。

這是我們在這邪惡的世代裡履行使命時必須有的精神。我們不是浮誇的樂觀者，期待福音戰勝這世界，並建立神的國；我們也不是絕望的悲觀者，對這世代的罪惡束手無策，無力完成任務。

我們是現實主義者——合乎聖經的現實主義者，既知道邪惡的可怖，卻在向普世傳揚福音的工作上邁進，為神的國贏取勝利，直到基督在榮耀中再來，得到最後及最大的勝利。

這正是我們承擔使命的動機：最後的勝利有待我們爭取——然後末期才來到。在神的話語中，並沒有其它經文曾提到「然後末期才來到」。基督何時再來？當教會完成她的使命之時。這個世代何時結束？當福音傳遍世界之時。「你降臨和世界的末了，有甚麼預兆呢？」(太二十四 3)「這天國的福音，要傳遍天下，對萬民作見證，**然後**末期才來到。」(太二十四 14)何時？**就在**當教會已完成神所指派的使命之時。

「所以你們要去」

你是否渴慕主的顯現？若是，你要竭力將福音帶到全世界。神的話語既有清楚的教導，主在大使命裡既明確地界定了我們的工作(太二十八 18-20)，可是，我們卻仍視作等閒，這真使人困惑！「天上地下所有的權柄都賜給我了」，這是天國的好消息，基督已從撒但手中奪取了權柄。神的國已進攻撒但的國，未來的世代已藉基督進攻這邪惡的世代。所有權柄現已屬於他，雖然在他再來之前，他不會顯露這權柄在最後榮耀勝利時所擁有的樣式，但這權柄現在已經屬於他了。撒但已被打敗和捆綁，死亡已被征服，罪惡的勢力已被瓦解，所有的權柄都屬於他。「所以你們要去」，為甚麼？因為所有權柄，所有能力都是他的，亦因為他正在等待我們去完工。這國度是他的，他在天上掌權；他也在教會之中，並且透過教會在地上彰顯他的統治。當我們完成使命時，他必再來，並在榮耀中建立他的國度。聖經吩咐我們，不單要等待神的日子來到，也要促使這日子早點來臨(彼後三 12)；這就是天國福音的使命，也是我們的使命。

(作者為美國富樂神學院榮休新約聖經學者，在二十世紀早期積極參與「學生志願運動」。)

(本文由編者根據 Perspectives 一書 1999 年第三版重訂，原文由張光富初譯，何盛華、林麗冰、羅瑜修訂。)

研習問題

1. 在教會的使命與天國的降臨之間存在甚麼關係？按本文作者所說，人有沒有可能影響天國的降臨？

2. 請描述在彌賽亞來臨直至國度得勝期間的特徵。

3. 請明確及仔細解釋天國福音戰勝邪惡的信息。

4. 請明確及仔細解釋天國福音救贖萬民的信息。

5. 馬太福音二十四 14 的歷史涵義對信徒有何意義？

The Master's Plan
主基督的佈道策略

Robert E. Coleman 著　　編輯室譯

本文乃藉尋索福音書中基督的腳蹤，找出其承擔使命的方法，並以基督的整體事工來分析其服侍策略，找出基督與人接觸的深層意義。

目標清晰

基督來到世上，為神從創世已定下的計劃揭開帷幕；祂並沒有忘記要為自己從世上拯救一群人，建立一個不朽壞的屬靈教會的使命，祂一直期待祂的國度在權能和榮耀中降臨。神創造、立定這個屬祂的世界，卻未以此為祂永恆的居所。

神的恩澤及一切的人，祂對所有人的愛，不會有任何改變。祂是「救世主」(約四 42)，切盼所有人類都得到救恩和認識真理，為此，基督捨身以救贖全人類的罪。祂為每一個人死，也為所有人而死。在基督的思想裡，並無本地與海外宣教之分，與我們膚淺的觀念恰巧相反，對基督來說，傳福音就是普世宣教。

計劃必勝

基督在世上的生活，是依祂來世的目的而編排。凡祂所說的和所行的，都屬於整體的一部分，都是為了達成神拯救世人這個終極目標，意義重大。基督的一舉一動都依循著這個異象，祂每時每刻都有清晰的方向。

所以，觀察基督如何努力達成目標非常重要。主揭櫫神得著世人的策略，對未來滿有信心，因知自己在世所行乃依從神的計劃，按部就班在世人眼前展現祂一生。祂謹慎行事，說話字字珠璣，一切以神的事為念(路二 49)。祂在地上生活、受死、復活，皆按神所訂的時間來完成。神的兒子籌算祂如何獲勝，有如一位將領運籌帷幄，祂衡量人類經驗中每一個出路及變數，釐定出無懈可擊的計劃。

人作器皿

自耶穌呼召幾個人跟從祂開始，

就顯出祂傳福音策略的方向。祂所關注的不是用甚麼方法來接觸群眾，而是那些群眾會跟從的人。基督在傳福音和公開講道之前，先召聚了一批人，看來頗為奇特，原來神要使用人作為器皿，以贏取世人歸向。

基督徵召一些人，當祂離開世界後，這些人能夠見證祂的生命和延續祂的工作。基督呼召了這些人跟從祂之後，經常與他們在一起；這是基督訓練門徒的精髓——讓門徒跟從祂。

基督要求跟從祂的人都順服祂，基督並未要求門徒聰穎過人，只要求他們忠心不貳；忠心是基督門徒的標記。當時，跟隨基督的人被為「門徒」，意思是指這些人是主的「學生」或「門生」；後來，門徒才被稱為基督徒(徒十一26)，顯示跟從基督的人必然會承襲了領袖的某些素質。

基督一直在建立祂的事工，直至門徒可以承擔祂的工作，向普世宣講救贖的福音。當門徒跟從基督後，這個計劃便漸漸顯明了。

祂的策略

為何基督刻意在祂一生集中訓練這一小撮人？難道祂不是為拯救所有人而來嗎？對當時大批的群眾來說，施洗約翰震古爍今的宣告言猶在耳，其實主若振臂一呼，肯定回應者雲集。何以當時基督不把握這良機，召聚饒勇善戰的信徒，一舉贏取普天下人歸向？神的兒子一定能以吸引的方

法號召大批群眾跟隨祂。可是，這位坐擁權柄，能令萬有歸伏腳下的主，竟在世上以身死來拯救人類，只落得幾個「亡命之徒」願意為祂效勞，豈不令人大失所望？

要回答以上的質問，我們便要注目於神福音計劃的真正用意。基督並非要世人對祂另眼相看，而是要帶來一個國度；這表示祂需要一些能領導群眾的人。假若祂所召聚的人沒有繼續接受督導和真理的指引，那麼，祂呼召人跟隨對祂的終極目標有何益處？我們多次看見，當時的群眾若未受到悉心的照顧，很容易被假神所牢籠，像無助的羊群得不到牧人的照料而迷路(太九36，十四14；可六34)。他們很容易跟隨那些承諾給他們好處的人，而不管他們是敵或友。這是當時的悲劇——群眾心存崇高的期望，容易因基督而顯得興奮，但他們的熱情也易受到宗教權威人士的唆擺而迅速減退。屬靈瞎眼的以色列領袖(參太二十三1-39；約八44，九39-41，十二40)雖然人數不多，卻完全控制人民的事務，因此，除非有屬神的賢能之士，在真理上領導和保護他們，否則，歸信基督的人很快又會陷入混亂和絕望之中，境況可能較從前更惡劣。故此，主必須先建立能在神的事情上作領導的人，世人才可恆久地獲得幫助。

耶穌站在現實方面來看，祂完全了解人性墮落後的變幻，也認識世上

針對人性的邪惡勢力，故此，祂釐定福音計劃。群眾雖有追隨基督的心，但經常心靈起伏和受到迷惑，基督實無法個別照顧，只有寄望受祂生命濡染的人，替祂負起牧養群羊之責，故集中訓練第一批領袖。基督就祂所能來幫助群眾，但必須專心挑選和訓練少數人，而不是一大群人，才能逐步達到世人都得救的目的；這就是基督的高明。

門徒是這項不公開行動的先鋒，基督希望別人「因聽見門徒的話」而相信祂(約十七20)。他們再向人傳講真理，直到世人皆曉得基督是誰，以及祂降世的目的(約十七21、23)。基督整個福音策略——降世、受死、復活——的成就，端視祂所揀選的門徒能否忠於所託。不論祂所揀選的門徒人數多寡，門徒要教導他們的跟隨者去教導別人；這就是主的教會贏取人歸信的方式，透過那些因深入認識救主而委身的人，因聖靈和主的教導所感召，非向別人傳講福音不可。

基督期望門徒能透過教會，向世界展現像祂一般的樣式。故此，基督在聖靈裡的工作，在門徒的生命中彰顯並且倍增，透過門徒和其他像門徒的人，屬靈的事工不斷擴展，直至群眾也像門徒那樣認識他們的主。藉著這個策略，門徒忠心遵循主的計劃，達到所有世人歸信的目的指日可待。

基督在門徒當中建立教會的架構，以抵擋和克勝所有死亡與地獄的權勢。起初，教會像芥菜種子般，但種子會長大成為一棵樹，「比各樣的菜都大」(太十三31-32；參可四31-32及路十三18-19)。基督並未預期每一個人都得救(祂明白儘管有恩典，但人是叛逆的)，可是，祂預見將有一天，凡有生氣的活物都會聽聞祂的救贖福音。透過這見證，積極傳福音的教會終會成為普世的教會，甚至成為凱旋的教會。

贏得世人歸向，絕非輕鬆的事，在屬靈戰爭中，很多人將受逼迫，甚至殉道。但無論神的子民要通過怎樣艱辛的考驗，也不管所經歷的戰爭帶來甚麼損失，神肯定會得勝。祂的教會最終會奏凱，沒有任何東西能長遠獲勝，「陰間的權柄不能勝過他」(太十六18)。

主基督被釘、復活後、在祂升天前，最後向門徒示範傳福音的原則最少有4次，每次見到門徒時，都吩咐他們出外作祂的工。第一次是在第一個復活節晚上，當門徒(除了多馬)聚集在樓房時，基督向驚訝的門徒展示祂有釘痕的手和足(路二十四38-40)，並且和他們一同進餐(路二十四41-43)，其後說：「願你們平安！父怎樣差遣了我，我也照樣差遣你們。」(約二十21)基督再向門徒應許賜聖靈及權柄，讓他們履行祂的事工。

稍後，當基督和門徒在提比哩亞海濱吃早餐時，祂三次告訴彼得他要牧養祂的羊(約二十一15、16、17)；

這勸勉也被詮釋為漁夫彼得愛主的憑據。

主基督在加利利一座山上，不僅向十一個門徒，更是向全教會(按林前十五6，當時約有500弟兄)頒下大使命。這大使命清楚表明神贏取世人歸向祂的策略：「天上地下所有的權柄都賜給我了。所以你們要去，使萬民作我的門徒，奉父子聖靈的名給他們施洗。凡我所吩咐你們的，都教訓他們遵守。我就常與你們同在，直到世界的末了。」(太二十八18-20；參可十六15-18)。

當基督升天回到父那裡之前，與門徒最後重溫大使命，並向他們示範，當祂還與他們同在時應怎樣實踐大使命(路二十四44-49)。基督受苦、受死及第三天從死裡復活，都按照神所訂的時間發生(46節)，故基督繼續向門徒展示「人要奉祂的名傳悔改赦罪的道，從耶路撒冷起直傳到萬邦」(47節)。在實現神這神聖的心意上，門徒和主基督所承擔的責任相同。門徒是神在世間宣告好信息的工具，聖靈是神賦予門徒能力履行大使命的憑據：「但聖靈降臨在你們身上，你們就必得著能力，並要在耶路撒冷、猶太全地和撒瑪利亞，直到地極，作我的見證。」(徒一8；參路二十四48-49)

毫無疑問，基督並未告訴我們傳福音可憑人的喜好而行。對門徒來說，大使命是確實的命令，當他們接受基督的一剎那，責任已交付他們；

當信主日久，便逐漸深入理解這個使命，最後，就不會有絲毫的懷疑。當日如是，今天亦然。

基督的門徒就是那些受差遣的男女，像主接受父的差遣一樣，投身同樣的工作，主就是為這工作而付上了生命。傳福音並非生活的點綴，可有可無，而是蒙召當作的事情，亦是我們生命的核心。傳福音是教會的使命，為一切奉基督的名履行使命的人和事帶來意義。因此，當我們的焦點較正後，一切事工都會以實現神救贖的目的為依歸。

(作者為美國伊利諾州三一神學院佈道策略教授及世界宣教學院院長，亦為惠敦市葛理翰佈道團主任，著作甚豐。)

研習問題

1. 基督為甚麼不以祂的名聲、權力和影響力，來徵召一群實力雄厚的信徒，席捲世界歸神？

2. 基督的普世宣教策略有何高明之處？你認為今天的教會應否依循？原因何在？

3. 現代的福音策略與基督的宣教策略有何異同？請作比較。

A Man for All Peoples
為萬民的人子

Don Richardson 著　　編輯室譯

很多基督徒都曉得，當耶穌完成祂在世上的工作後，吩咐門徒去「使萬民作我的門徒。」(太二十八19)，我們將主這最後和難以置信的吩咐，冠上堂皇的名號──大使命。倘若我們的行為是信仰的準確寫照(聖經的確如此說)，我們會在心底裡暗自相信；耶穌提出這極具挑戰性的吩咐時，卻未給予門徒足夠的警告。

若我們粗略地看一遍四福音，大使命彷彿是附加在耶穌的教訓之上，好像我們的主在盡訴心底話後，忽然脫口而出：「對了！還有一件事情，希望你們向世上不同語言和文化中的每一個人傳講福音。當然，要你們有時間或認為可行才成。」

耶穌是在門徒毫無心理準備下頒佈大使命嗎？耶穌在臨升天前最後一刻，並未事先警告便直截提出大使命，不讓門徒有任何機會和祂商議這事的可行性嗎？耶穌也沒有提供實踐這使命的方法嗎？

我們閱讀四福音時，經常未能看出神已正面完滿地回答了上述問題，且讓我們看看耶穌如何滿有憐憫，利用與外邦人和撒瑪利亞婦人相遇的機會，幫助祂的門徒跨越文化種族來思考宣教的意義。

一位羅馬百夫長

一次(太八5-13)，一位外邦人羅馬百夫長來到耶穌面前，為他癱瘓了的僕人懇求耶穌。那時，周遭的猶太人敦促耶穌應允這位百夫長的請求，說道：「他配得，因為他愛我們的百姓，給我們建造會堂。」(路七4-5)

兩千年後，這位百夫長所興建的會堂的牆壁和樑柱，可能仍屹立在加利利海北岸；但我們要注意猶太人話語裡的含義，假如該百夫長沒有幫助他們，耶穌便不應幫助他或那位癱瘓了的僕人。過份的家族觀念，正是這些猶太人的寫照，所以耶穌經常慨歎說：「這又不信又悖謬的世代啊！我在你們這裡要到幾時呢？我忍耐你們要到幾時呢？」(太十七17)

耶穌回答百夫長說：「我去醫治他。」但百夫長卻出人意表地說：「主

啊，你到我舍下，我不敢當，只要你說一句話，我的僕人就必好了。因為我在人的權下，也有兵在我以下。」馬太記述：「耶穌聽見就希奇。」是甚麼令耶穌如此希奇？是希奇百夫長因他的軍事經驗而明白「權柄」。如水向低流，權柄亦透過層級嬗遞；任何人服從較他高級的權柄，亦可以向較低級的人行使自己的權柄。這位百夫長留意耶穌完全順服神，便認定祂對宇宙間一切服在祂腳下的東西，具有絕對的權柄，故耶穌必定有能力使癱瘓的僕人康復。

耶穌指出：「我實在告訴你們，這麼大的信心，就是在以色列中，我也沒有遇見過。」耶穌在其它的講論場合裡，也經常隨機教訓門徒，指外邦人亦如猶太人般具有信心的潛質，外邦人同樣也是神施恩的對象。

耶穌決心更清晰地說明祂的論點，說：「我又告訴你們，從東從西(外邦人路加在記述這件事時，加上「從南從北」)將有許多人來，在天國裡與亞伯拉罕、以撒、雅各，一同坐席。惟有本國的子民(這裡純粹指神所揀選的子民猶太人)竟被趕到外邊黑暗裡去，在那裡必要哀哭切齒了。」(太八11-12；路十三28-29)

一般擺設筵席都是為了慶祝，試想想，將來亞伯拉罕與外邦人同赴筵席時會怎樣慶祝？

大使命的呼聲清晰可聞；且慢，還有更多呢！

一位迦南婦人

不久，一位來自推羅(泰爾)西頓的迦南婦人到耶穌面前，懇求耶穌大發慈悲醫治她那遭惡魔附身的女兒。起初耶穌裝作漠不關心，門徒樂意看見他們的主冷淡對待這纏擾的外邦婦人，立刻異口同聲，且也認定耶穌必有同感，說道：「這婦人在我們後頭喊叫，請打發她走罷。」(太十五21-28)

門徒怎曉得耶穌正要試探他們。祂對那婦人說：「我奉差遣，不過是到以色列家迷失的羊那裡去。」耶穌先前明顯地對這婦人不表關心，現已表現出不同的態度。祂曾經治好不少外邦人，何以要拒絕這位婦人的請求？我們可以想像耶穌門徒冷漠地頷首認同，並沒有對耶穌的反常表現起疑竇。那位迦南婦人毫不氣餒，屈膝在耶穌跟前哀求說：「主啊，幫助我！」

耶穌竟雪上加霜，說：「不好拿兒女的餅丟給狗吃。」猶太人喜歡用「狗」來形容外邦人，尤其針對那些干擾猶太人宗教領域和特權的外邦人。換言之，耶穌一反常態，非但不表關心，更顯得冷酷無情。

這些話真是來到世上的救主所說的嗎？毫無疑問，耶穌的門徒認為老師的回應切合當時情況。正當他們心中充滿種族驕傲時，那位迦南婦人肯定從耶穌閃爍的眼神中獲得靈感，豁然領悟真理。

她謙遜而含蓄地回答說：「主

啊，不錯，但是狗也吃牠主人桌子上掉下來的碎渣兒。」(亦參可七 24-30)

耶穌立刻欣然說：「婦人，你的信心是大的。照你所要的，給你成全了罷。」耶穌並非變幻無常，這正是祂一直立意要成就的。在這事件發生之前，耶穌剛教導門徒分辨真正的不潔和寓意的不潔。這是耶穌引入正題的論道技巧。

馬太記述：「從那時候，她女兒就好了。」(28 節)

一個撒瑪利亞人的村莊

其後，耶穌和眾人來到一個撒瑪利亞人的村莊，受到村民的排斥。雅各和約翰(兩人脾氣剛烈，耶穌稱他們為「雷子」)登時怒火中燒，憤慨而頓足道：「主啊，你要我們吩咐火從天上降下來燒滅他們？」

耶穌回過頭來責備兩人。有些古代手稿記述耶穌說：「你們的心如何，你們並不知道。人子來不是要滅人的性命，是要救人的性命。」(路九51-56 及注腳)

耶穌說出這番話，表明祂亦是撒瑪利亞人的救主。

耶路撒冷的希臘人

後來，有些希臘人往耶路撒冷赴筵席，希望得見耶穌，門徒腓力和安得烈把對方的請求向耶穌轉達。耶穌亦利用這機會，以「從萬民的角度」來教導：「我若從地上被舉起來，就要吸引萬人來歸我。」(約十二32)這預言不僅預表了耶穌受死的形式——被釘十字架，亦預表了祂受死所帶來的影響——萬人因耶穌受羞辱而歸向祂這位神所膏立的拯救者。從表面來解釋這句說話，是世上每一個人都會成為基督徒，但我們都曉得這可能性很低，大概是指萬族都會有人因知道耶穌為他們的罪死在十字架上而歸向祂。這正是神與亞伯拉罕立約的應許——並非萬民都蒙福，而是萬族都有福份。因此，耶穌的門徒接到大使命快要到來的另一個合理警告了。

往以馬忤斯的路上

門徒既不相信耶穌所預言外邦人也得聞福音；其實，他們亦未認真相信耶穌說祂將從死裡復活的事。但有兩項事情出乎門徒意料之外。耶穌被人埋葬後三天復活，在往以馬忤斯的路上，以匿名的方式第一次與祂的門徒碰面。可是，兩位門徒卻未能認出同行者就是耶穌(路二十四13-49)；雖然有交談，他們依然未能認出，並且說：「我們素來所盼望要贖以色列民的就是祂(耶穌)。」(路二十四 21)卻未說出：「以色列成為萬民蒙福的器皿。」這兩位門徒心中存有盲點，使他們無法洞悉神與亞伯拉罕的約內，有關萬民蒙福的部分。

耶穌回答道：「無知的人哪，先知所說的一切話，你們的心信得太遲鈍了。基督這樣受害，又進入祂的榮耀豈不是應當的麼？」(路二十四25-26)

然後，便「從摩西和眾先知起，

凡經上所指著自己的話，都給他們講解明白了。」(路二十四27)耶穌以往亦曾多次講述這方面的事情，這一次，祂耐心地給門徒重溫。當耶穌講解聖經時，兩個門徒的心都在燃燒(路二十四32)；他們的心竅是否已經開啟，是否終於胸懷擴闊了？

其後，這兩個門徒認出了耶穌，但在此時，耶穌卻在他們面前消失了。他們立刻循原路折返耶路撒冷，找到十一個門徒(猶大變節後，別人便如此稱耶穌的門徒)，向他們講述經歷。兩個門徒尚未講述完畢，耶穌便在他們中間顯現；十一個門徒於是親身經歷故事的尾聲。

像燕子回巢般，耶穌亦回到聖經和它的中心主題：「開他們的心竅，使他們能明白聖經。又對他們說：『照經上所寫的，基督必受害，第三日從死裡復活。並且人要奉祂的名傳悔改赦罪的道，從耶路撒冷起，直傳到萬邦(萬民)。你們就是這些事的見證。』」(路二十四45-48)。

去使萬民作主的門徒

請留意，耶穌並未吩咐門徒立刻起來行動，直至數天後，耶穌在加利利山上才頒下命令。就門徒來說，他們要開始實踐大使命了。二千年來，亞伯拉罕之約所預表的吩咐，以及基督在世上最後三年訓練祂的門徒，預備迎接的使命是：「天上地下所有的權柄都賜給我了，所以你們要去，使萬民作我

的門徒，奉父子聖靈的名給他們施洗，凡我所吩咐你們的(請注意這些限制)，都教訓他們遵守，我就常與你們同在，直到世界的末了。」(太二十八18-20)

這並非一項不公平的吩咐；舊約早有預表，耶穌每次的教訓也提到。耶穌多次在撒瑪利亞人或外邦人中間服侍，一視同仁，活生生地向門徒示範怎樣實踐大使命。如今，若門徒服從吩咐，耶穌便會賦予門徒權柄，並與他們同在。稍後，當耶穌從橄欖山(在伯大尼附近)升天前一瞬間，進一步應許說：「但聖靈降臨在你們身上，你們就必得著能力……作我的見證。」接著，耶穌說出祂著名廣傳福音的進程：「從耶路撒冷、猶太全地和撒馬利亞，直到地極。」(徒一8)

這是基督在世的最後吩咐；主耶穌並沒有多說，亦沒有留下來與門徒商量，便升天去了。祂期待跟從祂的人完全順服祂的吩咐。

〔作者於為世界宣教使團 *World Team*(前身為 *RBMU*)資深會牧，經常在宣教會議演講，著有 *Peace Child*、*Lords of the Earth* 及 *Etenity in Their Hearts* 等書。〕

研習問題

1. 聖經中有哪些例子可以證明耶穌來的目的是為了萬民？

2. 中國人有句說話是「一日為師，終生為師」，你作為耶穌基督的門徒，你應怎樣對待這位老師的吩咐？

Mandate on the Mountain
山上的訓令

何澤恩(Steven C. Hawthorne)著　石彩燕譯

天使對婦女説：「快去告訴他的門徒……他……在你們以先往加利利去,在那裡你們要見他。」——太二十八 5-7

你們去告訴我的弟兄,叫他們往加利利去,在那裡必見我。——太二十八 10

十一個門徒往加利利去,到了耶穌約定的山上。他們見了耶穌就拜他,然而還有人疑惑。——太二十八 16-17

門徒在山上等待,這是俯瞰加利利海的幾個最高山峰之一,他們沒有來錯地方,因為他們曾在此與耶穌會面,耶穌有時還來這裡禱告。[1] 這次是雅各、約翰和彼得帶著門徒到來,他們三位曾在這裡看見眩目榮耀中顯現的耶穌。

他們凝視著山下的湖泊,打破沉默,大聲説起曾在湖畔發生的一些事情。如今,他們只剩十一人了!人性上,人人都在猜想耶穌來到時可能發生的事;思潮起伏,時間一分一秒地過去,他們等待著,忖測著。

祂從來就是不可預測的,即使早期在加利利的日子也如此。如今,祂已經死去了,將會發生甚麼事呢?祂已經復活了嗎?他們每個人都已經再次見到祂,或者説見過看似是祂的那一個人。然而,每次的會面都超乎常規;祂進入鎖著的門,隱名與好友同行好幾里路,當朋友認出是祂時,又立刻銷聲匿跡。祂也曾像清晨修理花園的園丁,或是在海邊的一個平常人,你可能盯著祂卻不知道就是祂,再看一眼卻突然認出是祂,你卻被嚇得半死。自從祂死後,每次確認祂已經復活的相遇都是突發的、偶然的。但現在他們在約定的地點與祂會面,祂會説些甚麼?實在難以想像。這次會面,門徒們切盼等待的心遠較祂為甚。

門徒都在引領張望,充滿期待。祂終於慢慢從遠處走過來,注視著他們。這個人是誰?祂真的復活了嗎?祂是一個魂魄嗎?雖然有些門徒在狐疑,但每個人都俯首敬拜。門徒自己

一定也很吃驚，這是他們第一次因祂配得的榮耀而敬拜；2 相信他們永遠不會忘記這一次的敬拜和讚美，也不會忘記祂所說的話。

祂開口說話了，聲音並不洪亮，但話語直接穿透他們的軀體，仿佛他們身後還有一群聽眾。後來，他們才意識到祂是對所有跟從祂的人說話。

耶穌在說話中，用了四個「所有」來宣告一切歷史的終局。理解祂的話語最簡單的辦法，就是探討這四個「所有」的意思：所有的權柄，所有的民族，所有的命令，所有的日子。

所有的權柄

當門徒看著耶穌大步走近的時候，感到祂與前不同。是的，祂從死裡復活，這已足使他們困惑；但耶穌身上還有變化，祂好像充滿令人敬畏的力量。自門徒認識祂以來，耶穌一直自信地行使祂的權柄，也一直公開宣揚祂權柄的來源，是用上天賦予的權力做天父要祂做的事。如今，祂更偉大了！祂頭上沒有冠冕，手上也沒有權杖，仍是他們的朋友耶穌，帶著同樣衷心的微笑和忍耐；可是，現在的祂顯得極其高大，是統領全地，主宰一切的君王。在祂未開口以先，門徒已知悉一切了。

「天上地下所有的權柄都賜給我了。」耶穌自己這樣說並未令門徒感到訝異，一切都順理成章。全能的神從亙古之初已授予耶穌最高的權力。

門徒縱使經年晝夜地思想，也永遠無法徹悟其中深意，但這一切都合乎情理，基督已在十字架上戰勝邪惡。因為耶穌基督的得勝，天父高舉並讚揚祂兒子作全人類的領袖。祂現已掌管我們尚未看見的天國裡的天使天軍，祂有能力按照自己的意願來推動歷史，祂被賦予天國的權柄，要使神的國度更全備。

當時在山頂上十一位門徒之一的約翰，可能稍後在天國的時空裡看到天父將權柄交給兒子這一幕(啟五1-14)。約翰所看到的，是全能的神坐在寶座上，手執有七個印嚴封著的書卷，在天上的每一個人都渴望看到書卷裡記載昔日在地上的行為和終局，神對每一個不公正和受苦的經歷，早已有了判決，預備施行。書卷裡記載著每一族、每一代的命運和應受到的讚揚，所得到的盼望實超乎了想像：每一個惡者(evil)被擊潰了，每一個配得的人都受到讚揚。這章被人類遺忘的歷史終結篇，在彌賽亞統管下奇妙地收場。

為甚麼當約翰看到書卷裡所寫的盼望會大哭呢？沒有一個配得的人，神的計劃將不能應驗！沒有一個可以展開書卷的人，沒有一個人有權柄可以實現祂的願望嗎？「不要哭！」約翰受到安慰，因為已經有一個配得的人：「看哪！猶大支派中的獅子，大衛的根，祂已得勝，能以展開那書卷，解開那七印。」(啟五5)神揀選的是

一個完全的人，來自大衛的支派，也具有神性，就是坐在寶座上的羔羊。神把終極的權柄賜給這位榮耀的人子耶穌基督，以成就神一切的旨意。

連互古之時的一切都已賞賜給這位人子。誰能經受得起神的智慧呢？誰不畏懼祂醫治萬國的判斷呢？有哪些邪惡的力量可以嚇倒祂？有誰可以改變祂召聚萬族歸向的旨意？從未有任何一人具備這樣的權柄。祂永不會被超越，永不會從寶座退下，永不會停止，直到祂圓滿地成全父的旨意。

所有的民族

這個榮耀的人站在他們面前說明了祂的權柄後，稍事停頓，讓餘聲在空中迴盪。祂可以指揮任何事，祂有甚麼吩咐呢？

　　所以，你們要去使萬民作我的門徒。

日後的譯本或有所忽略，但他們明白最重要的動詞是「使……作……門徒」，其它的「去……施洗……教訓」也全是帶有命令的行動，而每一個句子都將耶穌的命令核心指向「使萬民作我的門徒」。

是目標，不是過程

耶穌說話的時候，彷彿從祂所站的山上看見一個一個的民族。使每一族裔成為門徒，意味著將有一個完全的改變，包括每一個部族、語言及群體(peoples)。

從耶穌所用的句子結構來看，「使……作……門徒」是需要有訓練的對象，而對象的範圍(在此是「萬民」)則決定了訓練工作的廣度和深度。我們不能將命令簡化成「作門徒」，耶穌的期望是訓練門徒，是「使萬民作我的門徒。」耶穌所設定的目標非常巨大，這個門徒訓練運動是針對地上每一個人，而祂把開始這個運動的任務交給了門徒。

耶穌並沒有強調傳福音的過程，事實上，祂沒有提及福音本身。門徒所接受的命令，不是簡單地向人們闡明福音，而是受託要達致一個成果、一個回應、一個要令全球各族都跟隨耶穌的目標。這是一個應該完成且要實現的任務；毫無疑問，耶穌設定的任何目標，祂自己都會完成。

萬民

現代一般譯為「國」(Nation)這一個字，在希臘語是 *Ethne*，Ethnic(民族)一字由此引申而來。雖然有時用來指非猶太人或非信徒，但如與希臘語的「全部」(All)同用時，通常是指一個族裔或文化群體。

為便於解釋，我們取其為群體(People Group)之意。無論今日抑或是使徒時代，人們都習慣於與同種族的人聚集，在語言、文化、社會、經濟、地理、宗教及政治因素方面彼此認同，這就構成地球上的不同民族。從福音廣傳的角度來看，「群體」是一

個獨特的社群，當福音被傳開，作門徒訓練，教會被建立，植堂運動展開時，人們不需要跨過任何文化或社會障礙。

門徒並沒有誤解耶穌的命令是指向世界上的政治區域。十一位使徒都來自稱為「外邦人的加利利」(太四15希臘文的「外邦人」字根與 *Ethne* 相同，乃指太二十四14和二十八20的萬民、萬族)，當時的加利利是一個人所共知的多族裔城市，居民各自保持自己的語言和習俗(約十二20；太八28等經文)。

他們知道有關的經文都是指向萬族的。身為亞伯拉罕的後裔，他們的使命是祝福本族，並將祝福帶給世上的「萬族」(創十二3，二十二18，二十八14)；他們知道人子彌賽亞的國權將及於「各方、各國、各族的人」(但七14)。

到萬國去

主告訴門徒隨時準備到其它地方去，以完成這個任務。「去」(Going)不是一件附帶的事，好像「到某地作客時，順便帶幾個人信主。」幾年以來，他們和耶穌一同走過很多地方，觀察祂，又協助祂有系統地走遍城鄉(可一38；太四23-25)。祂不只一次差派他們到特定的人群和地方，又指引他們與該群體建立緊密的關係，使當地產生一個對基督國度盼望的運動。若不能實際進入人群當中，就難以宣揚福音(太十5-6、11-13；路十1-3、6-9)。如今，祂差遣他們到遠方陌生之地去，在那裡展開並留下以家庭為基地的門徒訓練和禱告運動。

所有的命令

耶穌給他們兩個簡單而特別的門徒訓練命令：施洗和教導。在加進我們自己對洗禮的認識和理想的教導模式之前，先看看確認耶穌最早的跟隨者所聽到的命令。

歸祂名下的百姓

耶穌的命令是：「奉父、子、聖靈的名給他們施洗。」他們遇見耶穌是在施洗約翰替人們施洗的時候。約翰的洗禮是一個悔改、潔淨的標誌，使成為神國的子民，預備迎接神的國度。

門徒那時開始為人們施洗，人數比約翰所施洗的更多(約四1-2)。但那樣的洗禮，是人們清楚宣告自己悔改，準備跟隨將要來的彌賽亞，表示效忠對象轉變。受洗的人作出了抉擇，當彌賽亞來到的時候，會將自己的生命主權交由祂掌管。

如今耶穌又差派他們去施洗，他們當時並未能完全理解耶穌的用意，但看見稍後的結果便明白了：透過洗禮產生了一個新的團體。這個三位一體的名字並非在舉行洗禮儀時的無意義吟唱，信而受洗的人歸於這位已完全顯明祂自己的真神名下。他們不需

再等候那位神秘的彌賽亞，每一個受洗的門徒都可以親密地與這位賜下獨生子的父神相交，同時又受到聖靈的恩膏。

透過洗禮，神在全球召聚了一群明白神心意的人，他們知道神要向普世的宣告。這群已受洗的人奉耶穌的聖名，公開到每一個群體去。他們日後明白神親自在各民各族中「選取百姓歸於自己的名下」(徒十五 14)。

尊主為主而活

他們當時清楚知道，耶穌所說的「教訓」並非僅向初信者傳授知識，而是「教訓他們遵守」。他們明白不是召聚學生到教室來，教導他們認識希伯來人的作法和思想，而是設法訓練信徒完全認識和跟隨耶穌，讓人人知道祂的名字。傳福音的根本在於生命主權的順服，遠超於強求遵行教義。這就是「信仰」的根基，而目標即如後來保羅所描述的「在萬國之中叫人為祂的名信服真道」(羅一 5)。

「順從耶穌」從來不是一件含糊、主觀的事，可以任由祂的跟隨者擅自解釋祂的規定。耶穌對他們的教導不多，但很清楚，沒有一項命令是律法主義的信仰體系。最首要的命令簡單而具普遍性，是向所有跟隨祂的人說：「彼此相愛。」一個人要「彼此相愛」是不可能的，必須兩個或以上的人自覺地來實行這個交互性的命令，耶穌組織一個樂意獻出生命在祂主權下生活的團體。

如此妥當，使他們驚訝萬分；如此貼切，如此獨特，如此冷靜地急切要向每一個民族召集人們跟從祂。耶穌在一步一步實行祂的鴻圖大計；從互古以先，祂已經被高舉為唯一的救贖主，並且會向所有曾活在世上的男女老幼施行最後的審判，只有祂能成就地上萬族萬民的命運。

所有的日子

「我就常與你們同在……」，這最後的命令其實是「看」，意思是「注視著我，完全專注於我，依靠仰望我」。[3] 祂把他們差到地球最遙遠的地方去，但並非要打發他們離開，卻是召喚他們走近祂，較從前更加靠近祂。祂並非把自己的一些能力授予他們後，便宣佈要離去——若如此，便會帶來問題。相反地，祂重申祂仍在地球之上，會使用祂每一樣權柄，直到世界的末了。祂自己將與門徒天天相伴，直到世代完結祂再來的那一天。[4]

不久之後，門徒在靠近耶路撒冷的另外一座山上，目睹耶穌被接上升 (徒一 9-12)。就從那座城開始，「他們出去，到處宣傳福音。」他們出去的時候，都確信耶穌並沒有消逝，祂坐在天國的寶座上；他們記得祂說會與他們同在。[5] 祂的確如此！馬可福音記載，耶穌坐在「父的右邊」的同時，也與門徒同工，將福音傳遍四方(可十六

19-20)。

耶穌所說的那個時代還未結束，那次見面之後的每一天，耶穌一直與實行祂命命的門徒「同在」。

讀這篇文章的今天的你，也包括在內。耶穌在山上宣告時，清楚知道這一天會來臨。祂認識你，也認識你所處的世代中跟隨祂的人。你會否想像自己是山上人群中的一個，跪在地上，十一位門徒就在你身旁，一同安靜地聽祂講這些話？你可以想像你就在那裡，真實地聽到耶穌講的這一番話。當祂說話的時候，是慎重地清楚向祂的每一位門徒說——包括你和我在內。我們當如何回應呢？祂已經下達一道命令給所有的跟隨者，以祂的全能與他們同工，使全地的人遵從所有祂所宣告的命令。我們除了完全獻上自己，還有甚麼比這樣更好呢？

注釋

1. 天使已經指示他們去加利利，「在你們以先往加利利去，在那裡你們要見他」(太二十八7)，及到那座「耶穌約定的山上」(太二十八16)。也許是靠近加利利海的同一座山(可九9、14、30)，耶穌在榮光中顯現，彼得、雅各、約翰一同聽到天父的聲音(可九1-9；太十七1-8；路九28-36)；後一段經文有時稱作「山上變像」。

2. 當門徒看見耶穌在水面上行走，馬太福音十四33提到「在船上的人都拜祂」；馬可福音則說他們單單是心裡暗自吃驚。太二十八17也描述一個類似困惑、害怕的場景。但筆者個人認為，太二十八章是一個永久崇拜的開始，他們深知耶穌是誰。

3. 有些英文將「看」視為感嘆詞，而非「命令式」的肯定語。

4. 在該段前面有三處「每一天」，希臘文用「所有日子」來表達。

5. 關於「我就與你們同在」一語，參創二十六3、24，二十八14-21；出三12；申二十一8、23；書一5；士六16。當神對以撒、雅各、摩西、約書亞和基甸說「我與你同在」時，他們是在無法完成任務的境況下。建造聖殿的所羅門及日後與哈該一同工作的人，被教導要倚靠神，神將與他們同在(王上十一38；該一13，二4)。因為神宣稱他自己才是賜下權柄、助各人成就使命的泉源，似乎神真正在說：「我就常與你們同在。」這一段和太二十八20很相似，重點不是在神在他們孤寂中給予保證或撫慰，而是神能力的領導。

(作者為美國 WayMakers 創辦人及總幹事。1981 協助編輯 Perspectives on the World Christian Movement一書及課程後，全力投身於「約書亞計劃」的研究。)

研習問題

1. 太二十八20的四個「所有」是甚麼？

2. 為甚麼基督的權柄在這個命令中這樣重要？

3. 為甚麼作者力辯這個命令比門徒訓練的過程更重要？

Discipling All the Peoples
使萬民作我的門徒

John Piper 著　汪莘譯

耶穌進前來，對他們說：「天上地下所有的權柄、都賜給我了。所以你們要去、使萬民作我的門徒、奉父子聖靈的名、給他們施洗。凡我所吩咐你們的，都要教訓他們遵守，我就常與你們同在，直到世界的末了。」(太二十八 19-20)

主的教導，對我們明白教會的宣教使命非常重要，特別要細心查考「使萬民作我的門徒」這一句。「萬民」一語，乃來自希臘文的 *panta ta ethne*（*panta* 意思是「所有」，*ta* 是「這」，*ethne* 是「萬族」)。這短語的重要性在於 *ethne* 一字，譯作「萬族」，普遍指一個政治或地理組別。但這不是希臘文的原意，也不是英文常有的含義，例如美國印第安人切羅基族(Cherokee Nation)或蘇族(Sioux Nation)，是指一些人有同一的族裔身份。事實上，英文的 *ethnic*(民族)一字源自希臘文 *ethnos*（複數是 *ethne*)，於是我們便誤認為 *panta ta ethne* 是指「所有的民族」，「去使萬民作我的門徒」。

因此，我們需要詳細查考更多經文，以驗證其中意義。

新約中 *ethnos* 的單數用法

新約中，明顯從未以單數的 *ethnos* 來指個別的外邦人[1]，每次用都是指某一個群體或「民族」——很多時是指猶太民族；而眾數則通常指「外邦人」，有別於猶太人[2]。

以下是一些例子，顯示單數一般是指一個群體：

民(*ethnos*)要攻打民(*ethnos*)，國要攻打國，多處必有饑荒、地震。(太二十四 7)

那時，有虔誠的猶太人，從天下各國(*ethnous*)來，住在耶路撒冷。(徒二 5)

因為你曾被殺，用自己的血從各族各方各民各國(*ethnous*)中買了人來。(啟五 9)

從這些經文可以確定，單數的用法經常是指某一個具有同樣特徵的族類，即所謂群體。事實上，徒二 5 的「各國」與太二十八 19 的「萬民」十分接近，而徒二 5 肯定是指某一個群體。

新約中 *ethnos* 的複數用法

眾數的 *ethnos* 與單數有所不同，經常非指「群體」，有時只是指個別的外邦人[3]。事例有很多，大多是模糊不清的，但重要的是，眾數可指一個民族，亦可指一些不構成一個民族的個別外邦人，以下經文便是提到個別的外邦人：

徒十三48——當保羅被猶太人拒絕之後，轉向安提阿的外邦人。路加說：「外邦人聽見這話，就歡喜了，讚美神的道。」這裡並非指一個民族，而是一群在會堂裡聽保羅講道的外邦人。

林前十二2——「你們作外邦人的時候，隨事被牽引、受迷惑，去服事那啞巴偶像」。這一節的「你們」，是指一些在哥林多歸主的外邦人，假如寫成為「當你們作民族的時候」就會不知所云了。

這些例子便足以證明，眾數的 *ethnos* 並不一定有「民族」或「群體」之意，有時也會與單數一樣指「群體」。例如：

徒十三19——當保羅提到以色列人攻入了應許之地迦南的時候，他說：「既滅了迦南地七族(*ethne*)的人，就把那地分給他們為業。」

啟十一9——「從各民各族各方各國(*ethnon*)中，有人觀看他們的屍體三天半」。這段經文清楚顯示，「*ethnon*」是指某些民族的團體，而非個別的外邦人。

由此可見，複數的 *ethne* 未必是某一群體，可以指個別的外邦人；亦可以指(單數更經常如此)一個具有某種特徵的群體。這就是說，我們不能肯定太二十八19是指那些人，所以我們也不能肯定，這項使命的對象只是指盡可能接觸的個別人士，或是世上所有的群體。

新約中 *panta ta ethne* 的用法

我們特別關注馬太二十八19所提到的 *panta ta ethne*，「使**萬民**作我的門徒」。

從18次使用 *panta ta ethne*(或其變體)之中，只有太二十五19看來有「個別外邦人」的含義(見上述有關評述)。其中三段，根據上下文來看含有群體之意(徒二5，十35，十七26)；另外六段，根據與舊約的連繫，含有群體之意(可十一17；路二十一24；徒十五17；加三8；啟十二5，十五4)；其餘八段，兩種解釋皆可(太二十四9、14，二十八19；路十二30，二十四47；徒十四16；提後四17；羅一5)。

那麼，從馬太福音二十八19的 *panta ta ethne* 一語可以得出甚麼結論？對大使命有何重要？

在新約，*ethnos* 用作單數時經常指某一群體，作眾數時則指一個群體或個別的外邦人，但經常二者皆可。

至於 *panta ta ethne* 這句，只有一次肯定是指別的外邦人，而肯定指某些群體則有 9 次之多，餘下的八次可能也是指群體。因此，所得的結論是傾向指「萬民」，即「所有群體」。

舊約的盼望

舊約中滿有應許及期待，有一天，神會受到世界各國的人敬拜。這些應許，成為新約宣教異象的基礎。

panta ta ethne 這個片語在希臘文舊約出現了 100 次，且幾乎都不是指個別的外邦人，而是含有「萬民」的意思，指以色列以外的所有群體。[4]

地上萬族都蒙福

新約中的宣教異象建基於創世記十二 1-3 神向亞伯拉罕所立的應許：

耶和華對亞蘭說：「……我必叫你成為大國，我必賜福給你，叫你的名為大，你也要叫別人得福。為你祝福的，我必賜福與他，那咒詛你的，我必咒詛他。地上的萬族都要因你得福。」

這個賜福全世界「地上萬族」的應許，亦在創世記十八 18、二十二 18、二十六 4 及二十八 14 重複出現。

十二 3 及二十八 14 所用「家族(*kol mishpahot*)」的希伯來文片語，在希臘文舊約是 *pasai hai phulai*。在大部分的經文中，*phulai* 是指「部族」，而 *mishpaha* 通常較部族為小。[5] 例如，當亞干犯了罪，所有以色列人要上前接受查驗，

按規模次序是支派(部族)、宗族(*mishpaha*)、家室(書七 14)。

可見，神給亞伯拉罕的祝福，乃是要惠及小規模的群體。但我們不必仔細為這些群體下定義，才能體會這個應許的震撼力。在對亞伯拉罕的應許中，亦曾三次重複使用「萬民」一詞(希伯來文是 *kol goyey*)，在《七十士譯本》皆作 *panta ta ethne*(十八 18，二十二 18，二十六 4)。這又再強烈提醒，這一個片語有宣教意味，是指各群體而非單指個別的外邦人。

新約兩次明確地提到亞伯拉罕應許的獨特。在徒三 25，彼得對猶太群眾說：「你們是先知的子孫，也承受神與你們祖宗所立的約，就是對亞伯拉罕說，地上**萬族**都要因你的後裔得福。」

在加三 6-8 亦提到：

正如「亞伯拉罕相信神，這就算為他的義」。所以你們要知道那以信為本的人，就是亞伯拉罕的子孫。並且聖經既然預先看明，神要叫外邦人(*ta ethne*)因信稱義，就早已傳福音給亞伯拉罕說，萬國(*panta ta ethne*)必因你得福。

從創十二 3 和新約所用的字詞，總結神對全世界的計劃，就是祂賜給亞伯拉罕的應許，藉著耶穌(亞伯拉罕的後裔)而成就的救恩，會傳給世界各民各族。當每一個群體的人相信了基督，成為「亞伯拉罕的子孫」(加三 7)及「應許的後裔」(加三 29)後，或當萬國的

「人們」歸信基督之時，這事便會實現了。

大使命——舊約已記載

在路二十四45-53記載了主耶穌的話，路加細心考查舊約背景，更顯出基督希望萬人得救的心意。

於是耶穌開他們的心竅，使他們能明白聖經。又對他們說，「照經上所寫的，基督必受害，第三日從死裡復活。並且人要奉祂的名傳悔改、赦罪的道，從耶路撒冷起直傳到**萬邦**(*panta ta ethne*)。」

這段經文的背景對本文的目標很重要。首先，耶穌開他們的心竅，使他們能明白**聖經**。然後祂說，「照經(舊約)上**所寫**的」，跟著(在希臘原文)用了三組並列的不定子句，說明舊約已記下：第一，基督必**受害**；第二，第三日祂從死裡**復活**；第三，人要奉祂的名**傳**悔改、赦罪的道到「萬邦」。

可見，耶穌清楚說明祂的大使命，就是要將悔改、赦罪的道直傳到**萬邦**，這是舊約「經文」已寫明，祂要人們明白的一件事。而在舊約中，神的全球計劃是怎樣的(如以上所見)？這正是保羅指出——要令地上萬族都蒙福，在萬民中贏取一個敬拜的民族。[6]

因此，可以證明路二十四47所用的 *panta ta ethne*，在耶穌的意念之中不單是指個別的外邦人，而是世上一群不同民族的人，他們需要聽聞赦罪和悔改的信息。

萬國禱告的殿

在耶穌心目中，最能表示神對普世宣教目的另一處經文是可十一17。當耶穌潔淨聖殿的時候，祂引用賽五十六7：經上不是記著說，我的殿必稱為萬國禱告的殿(*pasin tois ethnesin*)嗎？

當中的原因十分重要，耶穌引用舊約經文(正如在路二十四45-47一樣)來解釋神的普世性計劃，賽五十六7的希伯來文清楚地說：「我的殿必稱為萬國禱告的殿(*kol ha' ammim*)。」

群體的意義清晰可見，以賽亞書的意思是，不是每一個外邦人都有權得到神的同在，而是從「萬國」而來的信主的人，都會進入神的殿敬拜。耶穌熟悉舊約的盼望，而祂的世界性期望亦以此為據(可十一17；路二十四45-47)，這亦提醒我們應當循這脈絡來詮釋「大使命」。

回到馬太福音的「大使命」

現在回到太二十八19，耶穌所說的「所以你們要去使 *panta ta ethne* 作我的門徒」是甚麼意思？這一項命令，與太二十四14勝利的應許相仿：「這天國的福音要傳遍天下，對萬民(*pasin tois ethnesin*)作見證，然後末期才來到。」這命令和應許的範圍都含有 *panta ta ethne* 的意義。

總結這一篇文章的討論，若將 *panta ta ethne* 解釋為「所有個別的外邦人」(或「各國」)乃與證據不符，這命

令的焦點，是要使全世界的群體都作主的門徒。再總結我們的聖經根據如下：

1. 新約所使用單數的 *ethnos* 從來不是指個別的外邦人，經常是指群體或民族。

2. 複數的 *ethne* 可以解作個別的外邦人或群體；有時是二者之一，但多數同時具有這兩種意義。

3. *panta ta ethne* 一詞在新約出現了18次，只有一次解作個別的外邦人，9次肯定指群體，另有8次模糊不清。

4. *panta ta ethne* 在希臘文舊約使用了百餘次，全都指以色列以外的民族。

5. 對亞伯拉罕的應許之中，提到「地上萬族」都要因他的後裔得福，而亞伯拉罕亦會成為「萬族之父」，這應許為新約所傳承，使教會的宣教使命，因舊約對群體的強調而以群體為焦點。

6. 耶穌在路二十四46-47教導的宣教大使命經文，其舊約背景顯示出 *panta ta ethne* 自然地具有「各民和各族」的意思。

7. 可十一17顯示，當耶穌展望神的世界性目標時，祂相信是指群體。

所以，當耶穌差派門徒出外傳福音時，祂的目標極可能非僅為贏得個人歸信，而是贏得各樣的群體信主，使分散各地的人(約十一52)都能成為「神的兒女」，並且呼召要「從各族各方，各民各國中買了人來」歸於祂(啟五9)，而且「萬民都頌讚祂」(羅十五11)。

故此，當耶穌在馬太二十四14說「這天國的福音要傳遍天下，對萬民(*panta ta ethne*)作見證」，除了指在末日之前，福音必須傳給世界所有的群體外，沒有更好的解釋了。而當耶穌說，「使萬民(*panta ta ethne*)作我的門徒」之時，乃是指教會的傳福音工作要在主再來之前，努力傳給所有未聽聞福音的群體。耶穌不僅頒下這命令，更向我們保證，祂再來前一定完成。祂能夠作出這一個應許，乃因祂自己正為各民族建立了祂的教會，天上地下的權柄都為此而賜給祂了(太二十八18)。

注釋

1. 加拉太書二14的英文版似乎例外(「你既是猶太人，若隨外邦人行事，不隨猶太人行事，怎麼還勉強外邦人跟隨猶太人呢？」)但希臘文版在此處不用 *ethnos*，而是用副詞 *ethnikos*，意思是要有外邦人的生活模式。

2. 以下是使用單數 *ethnos* 的新約經文：太二十一43，二十四7(平行經文可十三8及路二十一10)；路七5，二十三2(兩段都指猶太民族)；徒二5(「猶太人從天下各國來」)，七7，八9，十22(「猶太通國」)，35，十七26，二十四2、10、17，二十六4，二十八19(以上五個例子都是關於猶太民族)；約十一48、50、51、52，十八35(全是關於猶太民族的)；啟五9，十三7，十四6；彼前二9，保羅從來不使用這名詞的單數。

3. 例如：太六32，十5，十二21，二十25；路二32，二十一24；徒九15，十三46、47，十五7、14、23，十八6，二十一11，二十二21；羅三29，九24，十五9、10、11、12、16，十六26；加二9，三14；提後四17；啟十四18，十六

19，十九 15 至二十 8，二十一 24。本文作者在這一章中使用「個別的外邦人」一詞並非特別將焦點集中在某些人身上，用意是要全面談及非猶太人，而非標榜他們的族群。

4. 查考所有源自 *panta ta ethne* 變體的複數字詞，以下經文來自希臘文舊約《七十士譯本》，其中有些章節的劃分，可能與希伯來文、英文或中文聖經的章節有差別：創十八 18，二十二 18，二十六 4；出十九 5，二十三 22，二十三 27，三十三 16；未二十 24、26；申二 25，四 6、19、27，七 6、7、14，十 15，十一 23，十四 2，二十六 19，二十八 1、10、37、64，二十九 23 至三十 1、3；書四 24，二十三 3、4，二十四 17、18；撒上八 20；代上十四 17，十八 11；代下七 20，三十二 23，三十三 9；尼六 16；斯三 8；詩九 8，四十六 2，四十八 2，五十八 6、9，七十一 11、17，八十一 8，八十五 9，一一二 4，一一六 1，一一七 10；賽二 2，十四 12、26，二十五 7，二十九 8，三十四 2，三十六 20，四十 15、17，四十三 9，五十二 10，五十六 7，六十一 11，六十六 18、20；耶三 17，九 25-26，二十五 9，三十二 13、15，三十三 6，三十五 11、14，四十三 2，五十一 8；拉二十五 8，三十八 16，三十九 21、23；但三 2、7，七 14；珥四 2、11-12；摩九 12；俄一 15、16；哈二 5；該二 7；亞七 14，十二 3、9，十四 2、16、18、19；瑪二 9，三 12。

5. Karl Ludwig Schmidt 對「家族」的看法是：在一個主要群體裡的較細小的宗族式群體。(*TDNT*, vol 2, ed., Gerhard Kittel, trans. by Goiffrey Bromiley [Grand Rapids：Wm. B. Eerdmans Publishing Co., 1964]，p. 365)

6. 耶穌所有引自舊約的 *panta ta ethne*，至少有以下經文與神子民的宣教異象有關：創十八 18，二十二 18，二十六 4；詩四十八 2，七十一 11、17，八十一 8，八十五：9，一一六 1；賽二 2，二十五 7，五十二 10，五十六 7，六十一 11，六十六 18-20(根據《七十士譯本》的章節編排。)

(作者 1980 年開始擔任明州明尼亞波利斯市伯利恆浸信會主任牧師，並曾在明州聖保羅市伯特利大學教授聖經研究，著作甚豐。)

研習問題

1. 作者説有時 *ethnos* 這字是指個別外邦人而非某些群體。他以甚麼理由確定在太二十八 19 是指某些群體的？

2. 作者如何將創世記十二 3 所説的，與新約形容群體的字詞聯繫起來？

3. 若 *panta ta ethne* 是指群體，對宣教工作有何影響？

The Turning Point: Setting the Gospel Free
轉折點——釋放福音

M. R. Thomas 著　編輯室譯

新約教會所面對的一次最大危機，雖然有人認為是教義問題，實際卻是文化的衝突。當時的猶太人實無法想像沒有摩西和律法的情形，多年來，摩西律法已超越了宗教，成為猶太人根深蒂固的傳統，使他們彼此認同而成為一個群體。神既向保羅指出，外邦人不必生活在猶太人的傳統下，保羅明白，不必強迫外邦人接納一個分不清甚麼是恩典，甚麼是猶太人傳統的福音。

初信者加入「神的家」，若要學習一套新的習慣，他很快便會將因信而得的恩典與工作混淆；若要他們接納一套新的文化，也會使他被排拒於自己的群體之外。結果，福音便失去了動力。若要人接納一些聖經以外的事物，就是要他們背負一個不應承受的軛，一切在聖經以外的要求都是不必要的。這道理似很顯明，但卻常常被忽略。這種困擾所造成的張力，在宣教史上經常反復出現；今日，若我們無法拒絕要將恩典的福音作修正時，這種張力仍然存在。

耶穌在世上的工作

當主耶穌向祂的跟隨者頒下大使命，要他們使萬民成為門徒，在耶路撒冷、猶太全地、撒瑪利亞，直到地極作見證。與門徒在一起的日子，耶穌揭示自己是神的兒子，並且栽培他們承擔未來的任務，對他們說：「父怎樣差遣了我，我也照樣差遣你們。」(約二十21)祂也承諾聖靈會加力量和帶領他們。五旬節那天，宣教工作壯觀地展開。聖靈一如所應許的臨到，而「虔誠的猶太人從天下各國來」(徒二5)都聽見了福音；跟著是大規模的回應，數以千計的人接受了福音。使徒行傳第一至十二章記述了福音由耶路撒冷擴展至安提阿，是14年間的事。

福音傳向猶太人

這是一個特別的時刻，福音運動差不多完全在猶太社群裡發生。神要猶太社群預備迎接彌賽亞來臨足有兩千年的時間；他們有神的話語，就是摩西律法、先知的書和詩篇上所記

的，他們知道一切的事，也緊抓著彌賽亞要來的應許。早期的門徒已明白福音就是彌賽亞預言的應驗，他們相信耶穌就是要來的彌賽亞。

有關耶穌的真理，以及親自見證基督的死亡和復活，都促使猶太基督徒把福音帶到整個猶太世界去。而且，福音亦切合當時猶太人的宗教規例，他們的活動仍以聖殿為中心，仍舊遵行猶太傳統、習俗及節期。除耶穌之外，一切依舊，如今他們有彌賽亞了。在他們的思想裡，猶太教已成形，古舊的經文亦已經應驗了。可是，大部分猶太基督徒並未知道，自己已成為神自己所開始的普世工作中一部分。

福音傳向外邦人

小部分人更看透基督教所帶來的改變。司提反明白福音不可能只留在猶太教的框框之內，他認清聖殿及有關的禮儀和制度已經過去了。從他被捕時所作的辯護，便知道他認識神的目的。司提反被帶到公會，指控他「說話不住地糟踐聖所和律法」，又指他說過「拿撒勒人耶穌要毀壞此地，也要改變摩西所交給我們的規條」(徒六13-14)。司提反引用以賽亞書六十六章1-2節來回答，反映出與耶穌在井旁向撒瑪利亞婦人說的一番話——時候已到，「如今就是了，那真正拜父的，要用心靈和誠實拜他」(約四23)——同樣徹底的改變。

司提反被投擲石頭至死。很多猶太基督徒因受到強烈的迫害，逃出耶路撒冷；對他們來說，聖殿已不再是敬拜的焦點了，福音得以向四周散佈，「那些因司提反的事遭遇患難四散的門徒，直走到腓尼基和塞浦路斯並安提阿。他們不向別人講道，**只向猶太人講**」(徒十一19)。這些基督徒仍堅信耶穌是他們獨有的財產；在他們的觀念上，他們才是福音的「繼承人」。但其中有些人「**也向希臘人傳講耶穌**」(徒十一20)，這是最大的不同。

這是一個轉折點！神賜福他們的工作，「主與他們同在，信而歸主的人就很多了」(徒十一21)。這就發動了把福音傳向外邦世界的運動，如保羅的宣教隊、巴拿巴等人，他們由安提阿出發。使徒行傳十三至二十八章記錄了福音在外邦世界的開展，並非一帆風順，有不少張力和衝突，但藉著他們，神的永恆計劃得以澄清和被了解。

深入探究猶太信徒和外邦信徒之間所出現的裂縫，可以幫助我們明白和學習早期門徒如何克服其中的張力。有一個特別的個案；在安提阿教會及保羅向外邦人宣教之前，福音已經越過猶太人進入外邦人的家裡了。使徒彼得造訪羅馬百夫長哥尼流的家，「他是個虔誠人，他和全家都敬畏神，多多賙濟百姓，常常禱告神」(徒十2)。彼得受到聖靈所催迫不得不前往哥尼流的家，他甚至對這位外邦的

主人家說：「你們知道，猶太人和別國的人親近來往是不合例的。」(徒十28)可是，神早已裝備彼得，所以他接著說：「但神已經指示我，無論甚麼人都不可以看作俗而不潔淨的。」彼得已經克服了一個主要的心理障礙，當他聽完哥尼流的故事，得到了一個嶄新的見解，他開口說：「我真看出神是不偏待人。原來各國中那敬畏主、行義的人都為主所悅納。」(徒十34-35)

明白了這一點，彼得開始向聚集在哥尼流家中的人解釋福音，在他的講道結束之前，神更差遣聖靈以表示認同哩！那些猶太信徒「見聖靈的恩賜也澆在外邦人身上，就都希奇」(徒十45)。但當彼得回到耶路撒冷，卻發現自己陷入了困境；猶太信徒抨擊他，指他「進入未受割禮之人的家和他們一同吃飯」(徒十一2-3)。彼得向他們解釋所發生的事後，他們最終說：「這樣看來，神也賜恩給外邦人，叫他們悔改得生命了。」(徒十一18)

這些早期的片斷，讓我們得到不少線索，知道早期門徒在認識神的工作及傳福音時所經歷的掙扎。可是，真正的張力仍未出現。神揀選了保羅把福音傳向外邦人，保羅可能需要幾年時間才領會神對猶太人和萬民的目的。保羅明白了基督福音不同於猶太律法與傳統，救恩是因信耶穌而得的，與律法有別。他逐漸認清恩典的福音是給予所有的人，不分猶太人或外邦人。這並非他自己所發現的，而是神向他揭示，在他與巴拿巴第一次宣教旅程所傳講的信息「為外邦人開了信道的門」(徒十四27)，令很多外邦人歸向基督，福音也就撒在外邦的土壤上。

一些從耶路撒冷和猶太來的猶太基督徒，並不同意保羅的見解，他們說「若不按摩西的規條受割禮，不能得救」(徒十五1)，以「指正」保羅傳的福音，認為他遺漏了割禮，而且亦未教導那些外邦人有關猶太的習俗，也未要求他們遵守猶太人的特別節日和節期。保羅聽了這番話，大感憤怒。

在耶路撒冷會議上，一些猶太基督徒仍猛烈地維護「必須給外邦人行割禮，吩咐他們遵守摩西律法」(徒十五5)。但要注意的是，討論過程中使徒和長老們所條陳的理由，和達成的結論。經過一輪爭辯，彼得想起了有關哥尼流的事，以及從中所受的教導，便說：「知道人心的神也為他們作了見證，賜聖靈給他們，正如給我們一樣；又藉著信，潔淨了他們的心。」(徒十五8-9)然後，彼得指出事件的核心，說：「現在為甚麼試探神，要把我們祖宗和我們不能負的軛放在(外邦)門徒的頸項上呢？」(徒十五10)接著，「眾人都默默無聲」在聽保羅和巴拿巴述說「神藉著他們在外邦人所行的神蹟奇事」(徒十五12)。最後，雅各引用阿摩司先知的說話，並且回應彼得的觀察，他說：「不可為難那歸服神的外

邦人。」(徒十五 19)

今日的福音

當日，福音的純正和機動性都受到衝擊。福音的本質與它的猶太文化背景有別，設若保羅在這次辯論中失敗，「好消息」會否偏離呢？這個被基督跟隨者稱之為「道路」(The Way)的運動，可能最後會像猶太教中數百個派別之一，灰飛湮滅。然而，神編寫了一個戲劇性的改變：跟隨基督，外邦人不必在文化上成為猶太人。神為萬民的信仰開啟了大門。

第一世紀，門徒遵行大使命把福音帶到各國之前，已將耶穌的普世榮耀從猶太的文化模式中分別出來；今天，我們面對同樣的挑戰。我們必須把耶穌從我們的信仰傳統、「我們的」基督教中區別出來；脫離對耶穌基督

的恩典作修正的錯誤。今日，全球不同文化的人「完全」順服基督的方法都不同，我們必須為這一切歡欣和讚美。惟有如此，福音才能繼續廣傳，而「不受攔阻」(徒二十八 31)。

(作者來自印度，長期從事印地人之門徒訓練工作。)

研習問題

1. 現代基督徒把哪些文化規則加在信徒身上？

2. 宣教士需要經歷怎樣的階段才能決定，初信者的習俗之中有哪些可以容忍，哪些是應反對的？

可以肯定的是：神的靈在中國運行所產生的能力與動力，是無人能阻止的。無人能預知未來十年政治與社會的轉變，也不能預知教會未來取向和將忍受何等逼迫，卻可以肯定復活主將會按照祂所應許的，不住建立祂的教會：「我要建立我的教會，陰間的門不能勝過她。」

——賴恩融(Leslie T. Lyall)《萬有主宰》(中信，1988)

Acts of Obedience
順服的使徒行傳

何澤恩(Steven C. Hawthorne)著　　李亞丁譯

使徒們立刻遵行大使命嗎？要找出答案，不如先看他們是否對耶穌順服。如果順服是意味使徒聽到主耶穌「使萬民作門徒」的大使命(馬太所記)，即在一兩個月內收拾行囊遠赴西伯利亞，那麼他們的行動可能稍為遲緩了。但依照路加所記基督的命令以及使徒隨後的服從，他們還是順服的。[1]

若把馬太福音和使徒行傳合併來看，可以見到使徒對馬太福音二十八章的普世宣教顯得有些拖延。但路加的記述對我們有很強的指引，故此，在作出結論之前，說使徒如馬太所記並非立時履行命令，便須先看看路加的觀點，他的記述非常有價值。

本文從三方面來證明使徒行傳中的使徒領袖是順服的——持守所見之全面性異象，放膽作見證，不拘於文化小節而忠心領人歸主。

持守所見之全面性異象

主耶穌離世前，「藉著聖靈吩咐所揀選的使徒」(徒一2)。然而，耶穌如何藉著聖靈吩咐使徒呢？

主耶穌復活當天，在以馬忤斯路上遇見他的兩個門徒(路二十四13-35)。他們是信徒圈中的人，但不在十二使徒之內，或許他們正離開耶路撒冷前往一個安全的地方。敵人肆無忌憚地在城中景仰祂的人面前殺害主耶穌，敵對的權貴也在搜索要除滅有關的領袖；所以，他們清楚知道，這是個非常時刻，自己正被追捕。

當他們聽到一個陌生人(實際是主耶穌)以一種近乎無禮的口吻對他們說「無知的人哪，先知所說的一切話，他們的心信得太遲鈍了」，一定非常驚訝。耶穌並繼續說道：「基督這樣受害，又進入他的榮耀，豈不是應當的嗎？」這就指出受苦之後是榮耀(路二十四26-27)。接著，主耶穌更把整本聖經都給他們講解。整本聖經以彌賽亞作中心，也以祂作終結。萬物都藉神所膏立的彌賽亞進入「祂的榮耀」而達到高潮。「他的榮耀」是彌賽亞為萬民萬族一次進入永恆的尊榮與平安。[2]全本聖經中的故事都關於這位彌賽亞，並以祂為高峰。

帶著這重新燃點的強烈盼望(他們說：「我們的心豈不是火熱的嗎？」二十四32)，他們急忙趕回險地耶路撒冷，重新進到那些憂傷的使徒藏身之地(約二十19，路二十四33)。忽然，耶穌現身屋內，再次向他們講解聖經，甚至更詳盡地告訴他們自己將如何進到榮耀裡，他的名在世上要受到尊崇，赦罪的道要傳給萬民。然後，他意味深長地加上一個要他們服從的策略：「從耶路撒冷起」向全世界擴展他的榮耀(路二十四45-47)。

路加在使徒行傳中繼續記載，在其後的39天內，主耶穌多次向門徒講解神國的事。在一次與門徒相聚的時候，耶穌強硬地囑咐他們「不要離開耶路撒冷」(徒一4)。這個命令會使發起宣教運動的人感到詫異。但有一件常被忽略的事可以幫助我們明白，那就是耶路撒冷實際上並非他們的家，他們是加利利人！帶信的天使對他們所處的地理環境最清楚不過，所以稱他們為「加利利人哪……」(徒一11)。[3] 耶路撒冷的權貴甚至在黑暗中都可以辨識他們的加利利口音來(太二十六73；路二十二59)。

耶路撒冷對使徒來說，是世上最危險之地。那些手握大權，公開要把他們置諸死地而不必受任何懲罰的敵人，目前在客西馬尼園已想逮捕他們，很可能會再來。所以，路加記載耶穌特別叮囑他們留在耶路撒冷；否則，門徒早就回到他們的安逸的家鄉加利利了。

但是，這些男女門徒明確地遵行主耶穌的命令，留在城裡，勇氣可嘉！他們在馬可樓上禱告、等候，當所應許的能力傾注在他們的身上後，就馬上現身於公眾之中，從此時起，他們一直沒有離開公眾的眼目，即使有生命危險也全然不顧。

當逼迫湧至，使徒並未分散，因為他們在耶路撒冷的見證尚未完成。他們處身於戰略性、也是最危險的地方，縱使被逮捕，受羞辱、責罵、多次被鞭打(徒四1-21，五17-41)，仍奮不顧身。直到雅各被殺(徒十二2)，他們仍留在耶路撒冷，拒絕逃亡，事實上任何反對勢力都可以找到他們。彼得被捕了，得到天使的拯救，最終可以逃出城外找到藏身之所(徒十二17)，也不知道十二使徒之中是否有人與他同去。他們都是執意順服的人，任何威脅逼迫都不能阻嚇他們。

今日當學習的順服功課

耶穌會一如在以馬忤斯路上所作的，我們應當尋求與基督同行，特別是處於無知或專注於自我的時候，這亦提醒我們要放眼於神在歷史中的作為，要看「整個大局」。我們更要期望基督今日「藉聖靈」吩咐我們，特別引導我們與基督榮耀的全面性異象融為一體。使徒的順服之心雖有猶疑，但只要父神以堅定不移的順服充滿他們，他們就有能力面對那特殊的歷史

時刻了。

敢於付代價公開作見證

使徒是否忠於基督所頒佈的命令？根據路加所記，他們公開為主作見證(路二十四48；徒一8)，這個「作見證」，極少是近年所指對朋友或親屬個人面對面的傳福音工作，而是指在公開場合作見證。[4]

為甚麼在法庭或在街上宣講如此重要呢？因為神的心意不只要人認識基督復活，神更要建立一個不可搖動的教會。見證不僅是向人講述有關耶穌的事蹟，而且因為使徒甘心受苦，也奠立了跟隨耶穌的重要價值觀。

公開的審訊凸顯了基督的追隨者，把整個教會置於公眾之中。這些平民百姓在公眾場所展示的品行，甚至連他們的敵人都「認明他們是跟過耶穌的」(徒四13)，他們的生活成為民眾的最高理想(徒五13)。見證的功用不僅是一個短暫的傳播活動，而是一個過程；見證人的順服，在數周、數月甚至更長的時間內仍會繼續發揮作用。

作見證與羞辱和榮耀是相連的；當彼得與其他見證人同在公會面前受審後，心裡歡喜，因為他們覺得配為主的名受辱(徒五41)。主耶穌藉亞拿尼亞傳話給保羅，說他是主所揀選的器皿，「要在外邦人和君王，並以色列人面前宣揚我的名」，聽起來好像是一項王族的任務，而代價卻是高昂的──包含著受苦的見證使命。主接下去給保羅的話

是：「我也要指示他，為我的名必須許多的苦難」(徒九15-16)。他們受羞辱，帶來的是基督的榮耀。

今日當學習的順服功課

作見證不僅是個人分享福音，而是為公開建立教會；亦不是靠動聽的言詞栽建教會，使教會從無至有。使徒行傳像一齣戲劇，繪畫每一所新教會的建立過程。雖有些例外，但大部分的記載都顯示出，凡為基督所興起的運動皆展露於公眾視野之下。秘密運動往往日久漸衰，甚至完全消失；而放膽宣揚主基督名字的運動反可持續，受到民眾所公認為最高情操。是如何發生的呢？實際上，是藉著那些普通的基督徒男女(他們只是當地的平民百姓，而非專職宣教士)，他們受到誣告，反而造成了他們公開作見證的場合，從而建立了跟隨基督的價值觀。

忠心加速福音的突破

眾使徒仍在耶路撒冷時，已開始專心傳講神的話(徒六4)，但他們並沒有定居在耶路撒冷。他們以儆醒的心關注福音的擴展，每當聽到福音到達那裡，他們就立刻趕往，予以確認、祝福和支援(徒八14-25，十一22)。當確知教會在猶大、加利利，以及撒瑪利亞等地紛紛建立時，彼得親自走遍整個地區，「周流四方」，幫助教會成長(徒九31-32)。

也就在這次旅程中，彼得進一步

受到聖靈親自指引，「聖靈向他說：『有三個人來找你。起來，下去，和他們同住。不要疑惑，因為是我差他們來的。』」(徒十 19-20)

彼得一直被描述為民族主義者，即使到了哥尼流家門口，他心裡可能還嘀咕：「我不應該來這裡。你到底想要甚麼？」讀者可以自己理解他對哥尼流所說的話。我覺得好像是一個人對自己先前的態度道歉似的。這些話明確顯示出彼得的「立刻順服」：「你們知道，猶太人和別國的人親近來往，本是不合例的，但神已經指示我，無論甚麼人都不可看作俗而不潔淨的。所以我被請的時候，就不推辭而來。」(徒十 28-29)

當彼得聽到聖靈差他向外邦人傳福音的指示後，只數小時他便去了。通過聖靈打開的哥尼流家門，彼得進入哥尼流家中；就在那一天，另一扇門也都開啟了，這是彼得和其他使徒為神所用而打開的門。這扇門不僅是為宣教士通向萬民所開，更是為萬民可以跟隨基督，又不至離棄本身文化而敞開的信仰之門。

正因為使徒忠心地守候在耶路撒冷，他們才能夠開啟這扇神早已為萬民萬邦敞開的門。「從耶路撒冷起」(路二十四 47)將有一場全球性的運動。為了這一個重要的歷史時刻，神把眾使徒聚集一起，讓他們在靈魂體方面合一，這就是徒十五章所記載的耶路撒冷會議。在福音幾乎要成為猶太傳統

中另一個小派別的關頭，使徒聚集在一起，確信神「為外邦人開了通道之門」(徒十四 27)。

一些早期基督徒認為，神要所有蒙恩得救的外邦人也加入以色列文化與宗教傳統中；有些人甚至堅持，外邦信徒不止要相信耶穌，還要受割禮，從本質上皈依猶太宗教文化。這就意味著外邦人要認識神，就必須離棄其本身的民族。但神藉使徒行傳中的事實清楚指明，雖然外邦人和以色列人在屬靈上合一，但他們不一定要成為文化上的猶太人；外邦人並非一定要離棄其民族、文化、祖先與姓氏，才可以成為基督的門徒。

彼得提醒眾使徒，他們早已領會神的心意是要把生命之道傳給外邦，於是，他們皆歸榮耀與神，並且說：「這樣看來，神也賜恩給外邦人，叫他們悔改得生命了。」(徒十一 18)為了說服眾人，彼得陳述他的見解，保羅述說神現今的作為，雅各則宣告神在聖經中所有的應許如今正在應驗；最後的決定為通往神為萬邦所敞的大門，掃除了一切障礙(徒十五 1-31)。律法之功(「律法」意為宗教、文化傳統)不再是救恩的必要條件，[5] 任何民族的人得救是因著信和跟隨基督，就是保羅日後所說的「信服真道」(羅一 5)。

從許多大規模的運動可以看到，人們轉向相信一種徹底超越他們當代宗教偏見的信仰，並不多見。在歷史上，能使文化差異的民族相信神的運

高牆與鴻溝

宣教使命可分為兩部分：首先是看對福音的理解，是否明白基督和他所彰顯的救恩；其次是要看對福音的接受，是否會公開跟隨基督。我們常常把福音傳播看得較重要，因為那是宣教士眼前的一堵牆；實際上更重要的部分應是服侍眾民，讓他們跟隨基督，又可保持自己的文化。

阻礙傳播之牆垣	悔改歸主的鴻溝
• 理解的障礙	• 接受的障礙
• 宣教士面對的挑戰	• 聽眾面對的挑戰
• 福音的傳播	• 要跟隨基督
• 啟示的神蹟	• 悔改的神蹟
• 參 E 分類法(480 頁)	• 參 P 分類法(480 頁)

翻越高牆：跨文化宣教

致力使萬民透過自己的語言和文化理解福音，必要的是溝通，盡量減少人們認識神的困難。我們必須清楚地傳達福音，從而清楚顯露神透過福音揭示基督的神蹟。所有創意的設計必須經得起考驗；若神的話因言語障礙而不能打動人心，就必須正視這個問題，因為每一種人類的母語都應受到重視和翻譯。

跨越鴻溝：促進歸主運動

我們的工作是要看到福音為萬民所接受。福音不一定為每一個人所接受，但我們不應該使人因某一個群體的一個錯誤印象———蒙召歸主就是要離棄自己的同胞，就是文化自殺———而拒絕基督。另一方面，我們也不應宣揚一種便捷悔改的「廉價恩典」。神所要的是萬民發自內心的悔改，但悔改並不代表崇尚西方的生活和教會傳統。

　　素食的印度教徒不應因為基督徒既吃肉又飲血而懼怕成為基督徒，華人或會誤解悔改信主是與祖先完全斷絕關係而不願相信基督，遊牧民族不應相信所有基督徒必須住在城市和說英語的傳聞。諸如此類的誤傳似乎無關緊要，但對於那些未得之民，這些傳聞就可能像在美國聽到要變性一樣可怕，成為接受福音的巨大障礙。基督的死不是為了要穆斯林吃豬肉，或要土著穿鞋。

　　只讓人聽聞福音是不足夠的，明白福音也是不夠的。人們一定要親眼看見那嶄新的、帶有屬天能力的福音在生活上呈現，這種實況只能在文化處境中的教會團契與崇拜生活中看見。神的話必須像當年道成肉身一樣，在所處的文化中再次道成肉身。

動少而又少。但使徒看見神為萬邦打開的信仰之門，於是他們決意，不讓任何攔阻人們以單純的信心來追隨基督的障礙存在。

今日當學習的順服功課

今日，我們尚無足夠的膽量打開信仰之門。千百族群仍被攔阻相信基督，千百萬人仍被拒於福音門外——不是因為基督的緣故，也不是因為祂所要求的「悔改」，而是因為那些所謂維護「基督教」文化傳統者的要求。外表的事物如飲食、服飾、音樂、姓氏等及其它與福音毫不相關的東西，如果我們把這些東西看得如此重要，我們實無異於把神不要求的「基督教割禮」強加諸人身上。是神打開信仰之門，而非我們；所以，我們應當繼續承傳徒十五章耶路撒冷會議的勇氣和順服。今天，我們應當盡最大努力迎接藉此信仰之門歸向基督的眾民，幫助他們跟隨主，而不應背負那些「合乎聖經的傳統」，實際上卻與信服基督無關的「重擔」(徒十五28)。只有這樣，福音才會被廣傳，萬邦才能無攔阻地跟隨基督(徒二十八31)。

注釋

1. 馬可福音記述使徒全然順服，毫無拖延(可十六20)；馬太只記載了大使命(太二十八18-20)；約翰亦只預言了彼得最後的順服行動(約二十一18)。

2. 「他的榮耀」一語，並非指基督自己被高舉到天國的榮耀裡。正如耶穌所引用的經文顯示，彌賽亞的榮耀是透過歷代信徒服從使命而達致圓滿的(賽二2-4；結三十七24-28；詩二、二十二、八十九、一一零等篇章)。

3. 耶路撒冷並非他們的家一事，顯出多年來對徒一8

的誤解，很多人誤以為佈道由自己的家開始，然後到遠方。這是把耶路撒冷城看為每一個人的本家，而說從「我們自己的耶路撒冷」。這一種驚人的種族主義，將今日的宣教工作與主耶穌當年所強調的分離。事實上，福音只有一個開始，在神的歷史中，從未有另外一個五旬節，此後所發生的一切，都是那次聖靈傾注與順服的結果。我們正處於「最有利的位置」，不是在重複歷史上「我們自己的耶路撒冷」那一幕。徒一8有其地理意義，也有歷史價值。美洲任何一個地方都較亞、非兩洲任何地方更遠離耶路撒冷。

4. 所有在使徒行傳中提到的見證，都是在公開場合中進行(一8、22，二32，三15，四33，五32，十39、41、43，十三31，十四3，十五8，十六2，二十26，二十二5、18、20，二十三11，二十六16、22)。

5. 他們認為神把人類一切所需的都給予挪亞，此外再無任何要求。而禁拜偶像、禁食帶血的肉都與頒給挪亞的禁例有關(創九1-7)。那麼，使徒行傳所提到的奸淫(十五20、29，二十一25)是否創世記也有記述呢？在希伯來人的觀念，洪水確實與創六1-6中不正當的「交合」有密切的關係，無論參與者是人類或天使。這是首次明確提到神不喜悅的性罪惡。

(作者為美國 WayMakers 創辦人及總幹事。1981 協助編輯 Perspectives on the World Christian Movement 一書及課程後，全力投身於「約書亞計劃」的研究。)

研習問題

1. 路加在著述中提到哪些事顯出使徒們服從他們所領受的使命？有哪些事顯出他們在拖延？

2. 何謂「見證」？本文作者把現代所理解的個別的見證，與古代公開的、法庭上的見證區分。使徒行傳中的公開的見證有何價值？若要這樣作，需時多久？

3. 試將你自己放在一個未得之民的處境中來解釋高牆與鴻溝這兩種障礙。

初期教會的十七重突破——
華人教會普世宣教事工的楷模與方向

王永信著

本文題目「初期教會的十七重突破」，更正確的說法應該是「聖靈在初期教會中所作的十七重突破」。因為這樣多次的突破，大半不是初期教會自動自發而作的，乃是神的靈藉著各種環境、各種情勢，實際上是逼著初期教會走上了一條道路、一個方向、一個目標，就是普世宣教。

事實上，初期教會的宣教事工，絕大多數不是因為他們想起了主的大使命吩咐而自願去作的。他們之所以四出宣教，是因為他們受到逼迫被趕出了耶路撒冷，或是因著一些特殊情況而不得不去。對於初期教會來說，「普世宣教」實在是一個難產的嬰孩，再進一步說，無論舊約時代、新約時代，以及歷代教會中，普世宣教一直是難產的嬰孩。

舊約時代

從舊約亞伯拉罕開始，這普世宣教的觀念與行動一直是難產的事。神與亞伯拉罕立約，賜給他和以色列人三大福氣(大國、大福、大名)，並且說：「地上的萬族都要因你得福」(創十二1-3)。但是亞伯拉罕和他的子孫們，好像只聽進了前面一半的話(自己得福)，而沒有聽進後面一半的話(使人得福)。

以色列人從來沒有真正地、主動地、特意地、有計劃地將耶和華的名和祂的愛，向列國傳揚。他們「選民」的身份並沒有給他們帶來「使命感」，只產生了驕傲自大以及歧視他人的心。他們的先知，例如約拿，竟拒絕向外邦人傳神的信息，甚至當尼尼微人全體悔改時，約拿竟「大大不悅，且甚發怒」(拿四1)。

雖然以色列人曾多次使外邦國家得到好處，然而那些事件並不是以色列人為了外邦人的利益特意去作的。例如，雅各的兒子約瑟作了埃及的宰相，治理全國，並拯救埃及脫離七年的饑荒。但是約瑟之到埃及，並非因為雅各家舉行了家庭會議，大家同心合意要履行神的話——地上的萬族都要因你得福——而決定差派約瑟去埃

及，使埃及人得福。約瑟之所以去埃及是因為乃父的偏愛、哥哥們的嫉妒而被賣到埃及。本是一場家庭悲劇，但是神的大作為，使悲劇變為祝福。

同樣，先知但以理在巴比倫得到高位，官拜總理，與他三個伙伴治理巴比倫全省，使巴比倫人得到好處。但是他們之所以到巴比倫，也不出於猶太人對外邦人之愛心。但以理乃是在主前605年被擄到巴比倫。這裡再次給我們看見，神的大能使悲劇變為祝福。

不錯，詩篇的作者們曾發出一些普世宣教的呼聲，例如：詩篇六十七篇的「好叫世界得知你的道路，萬國得知你的救恩」；詩篇九十六篇的「在列邦中述說祂的榮耀，在萬民中述說祂的奇事」。這些美妙的話，簡直好像出自十八世紀「近代宣教之父」威廉克里(William Carey)之口！神藉著詩篇的作者們作出如此明顯而有力的呼喚，提醒以色列人普世宣教的責任，但這一切都未能激發執迷不悟之以色列人的覺醒與行動。

新約時代

一直等到新約時代開始，五旬節來臨，神將聖靈澆灌下來，才能在那死硬、關閉、自我、自縛、自負、偏見與不信的時代中為福音衝出一條出路。藉著神子耶穌基督的死與復活，以及聖靈的降臨，神為自己選召了新的子民，就是屬靈的以色列人、祂的

教會、一切因信而稱義的人。

於是，神將祂的心願，祂從亞伯拉罕以來一直未完成的心願，交給了教會，吩咐教會去完成此一直不變的心願——普世宣教。神以往如何託付亞伯拉罕——地上萬族都要因你得福，今天也照樣託付教會——你們要往普天下去，傳福音給萬民聽；措詞雖然不同，意思卻是一樣。以色列大沒有完成之工，神今天要通過教會來完成。以色列人失敗了，因為他們只願「得福」而不願「送福」，只願「獨享」而不願「分享」。主的審判終於臨到他們，「所以我告訴你們，神的國必從你們奪去，賜給那能結果子的百姓。」(太二十一43)

教會歷史的回顧

初期教會在「送福」(普世宣教)的事上，開始時仍是難產；其實，在教會歷史中長期如此。初期教會在經過產難的痛苦後學到了功課，在第一世紀裡將福音傳遍了地中海沿岸，可說是轟轟烈烈的事奉。但是當第一輩信徒過去後，教會宣教之熱心與教義之真純漸漸冷化與僵化。主後第四世紀基督教成為羅馬帝國國教，表面上看來是教會征服了羅馬帝國，事實上卻是羅馬帝國腐化了教會。

之後的500-1500年期間，稱為黑暗時代，是天主教興旺的時期。雖然在文化上有一定的影響和貢獻，也有忠心傳福音的美麗見證，如佛蘭西斯

(Francis of Assisi)冒著生命危險，向極敵視基督教的伊斯蘭教君王傳福音，但從純正福音的傳播和普世宣教的使命來看，還是遠遠未能滿足大使命的要求。

1517年，馬丁路德掀起了改教運動，但其後的兩百多年中，改教者們一方面忙於闡釋、訂定新教教義，另方面要應付天主教強大的反改教運動，以致未能想到，也無暇兼顧普世宣教的事工。

天主教卻早在十六世紀末葉，開始利用紀律森嚴的耶穌會及異教裁判所進行反改教運動，一方面在歐洲大陸盡力從更正教手下恢復失地，另一方面大力推展海外宣教。他們的宣教士曾遠達印度、日本及中國。明朝萬曆年間(1601年)來華的利馬竇神父就是耶穌會的宣教士。

此後，幾乎過了兩個世紀悠長時間，更正教的海外宣教才慢慢地開始，由於宣教先鋒英國的威廉克里及德國的親岑多夫(Count Zinzondorf)等披荊斬棘地推動，從歐洲到非洲、美洲、亞洲及其它地區。普世宣教之有今天，確非一日之功。來德里(K. S. Latourette)稱十九世紀為「偉大的世紀」，按更正教普世宣教來看，可說當之無愧。

對華人教會的啟示

反觀今天華人教會的普世宣教工作，我們不能不承認，我們還遠遠落在後面，海內外華人教會至今仍然大半處於「關閉自守」及「以不變應萬變」的心態中。仔細觀察一下，可發現普世宣教在華人教會中之難產現象及原因，與初期教會很相像。今日華人教會眾領袖實在可以從初期教會宣教事奉的成敗上得到寶貴教訓，從而獲致突破與改進的可行方策。

在使徒行傳中，我們看見神的靈多次多方的在教會中作擴展與突破的工作，但人的「自我中心」、「文化傳統」、「種族優越」、「驕傲偏見」、「總部情結」及「地區觀念」等心態，幾乎處處成為聖靈突破工作的攔阻。神一直要我們「去」，我們偏偏要「留」；神要我們顧到「大我」，我們一直只顧「小我」(我、我的家、我的教會、我的宗派、我的族人……)；我們的傳統態度是「獨善其身」，但是神切切盼望我們能夠「兼善天下」。

我們現在靠主恩典將使徒行傳中聖靈所作的十七次重要突破簡單述說一下，作我們大家的參考。希望今日華人教會眾同工同道靠聖靈大能，在我們服事的教會中和我們個人的崗位上有同樣的突破。

初期教會的突破

1. 福音廣傳的突破

五旬節聖靈降臨，門徒們「被聖靈充滿，按著聖靈所賜的口才，說起別國的話來」(徒二4)，所說別國的話乃

是外族的鄉談土語。

當時在耶路撒冷聚集的人至少來自15個地區，中間多是虔誠的猶太人，也有進了猶太教的外邦人。他們都驚奇門徒們用各種外邦的土話「講說神的大作為」，突破了當時用希伯來文、亞蘭文和希臘文的傳統慣例。這是神對當時社會一個強烈的宣告，宣告神的福音與救恩將突破傳統言語的範圍傳到普世外邦人中。

2. 耶路撒冷(總部)的突破

使徒行傳共二十八章，到了第七章時教會仍只是在耶路撒冷，仍未出大門，好像忘記了主所吩咐的大使命(徒一8)。

總部情結(Home-Base Syndrome)是一個普遍現象，基督徒不例外，領袖尤甚，大家多願躲在安穩的總部發號施令，而不願去前線衝鋒陷陣。初期教會如此，今日教會也是如此。

所以有時神不得不用些「非常手段」迫使祂的百姓「出去」，來成就祂的使命。當我們不肯「好好地去」或「乖乖地去」時，神會將我們「推去」、「逼去」，甚至「打去」。

使徒行傳第七、八章裡，神藉著逼迫來擊打自我中心的教會，擊打祂自我中心的僕人們。於是門徒們分散在各地(徒八1)。正如一位神僕說：「不肯好散，就被打散。」也好像中國一句俗語說：「敬酒不吃吃罰酒」。

再看我們華人教會、華人基督徒，承繼了「落葉歸根」的內向文化，海外宣教一直不是我們的心願與行動。半個世紀以來，神藉著種種苦難使眾多華人基督徒四散海外，好像初期教會被打散一樣。不同的是初期的門徒們四散後到各處去「傳道」(徒八4)，而我們華人今天四散海外之後，首要的人生目的仍是到處建立自己的「安樂窩」，仍不肯為主出去；好像如此多的苦難與管教仍不能使我們醒悟！難道我們必須經過另一次的打擊，才肯真為主付代價嗎？今天華人宣教士的數目遠遠落在其他種族的後面！

3. 平信徒事主的突破

初期教會因受逼迫而分散，因分散而廣傳。但這些分散的人是誰？不是使徒們，而是門徒們。門徒就是所謂平信徒——教會一般的弟兄姊妹們。這是值得我們注意的。

使徒們(教會領袖)的「總部情結」實在根深蒂固，甚至逼迫與苦難都不能使他們離開大本營耶路撒冷！這給我們看見，初期教會首先衝出耶路撒冷從事開荒宣教的不是領袖們，而是弟兄姊妹們！

4. 全職宣教士(Vocational Missionary)的突破

感謝主，初期教會的信徒們不單首先衝出聖城從事宣教，其中一人成了新約時代第一位全職的宣教士，他

就是腓利——耶路撒冷教會七位執事之一。

他是分散的門徒裡其中一位，不單在宣教上是先鋒，甚至也為使徒們鋪了路。他首先到了撒瑪利亞城傳福音、行神蹟、作美好的事奉，以致「在那城裡，就大有歡喜」(徒八 8)。等到耶路撒冷總部教會聽見這事之後，才差派彼得、約翰兩位使徒前往視察，回程時才「一路在撒瑪利亞好些村莊傳揚福音」(徒八 25)。願主在今天弟兄姊妹中興起更多的腓利！

5. 跨文化宣教的突破

初期教會在耶路撒冷與猶大地的事奉是同文化的工作，在撒瑪利亞的事奉是近文化的工作，從使徒行傳八26 才開始進入跨文化的工作。

腓利被主的使者指示向埃提阿伯(Ethiopia)的太監傳福音是跨文化的工作(徒八 26-39)。太監是政府高官，更是一位謙卑敬畏神的人，他接受腓利的信息，相信了主並且受洗，成為初期教會跨文化宣教初熟的果子。

6. 對外邦人觀念的突破

摩西的律法是猶太人堅持要遵守的，使徒們尤甚，彼得也不例外。按著摩西律法，某些動物、魚、鳥是不潔淨的(利十一 2-47)。於是，他們建立了一個根深蒂固的偏見，認為外邦人也是不潔淨的。其實不論是猶太人或外邦人都可以靠著耶穌基督的寶血得到潔淨，成為神的子民。

這一個重要的救恩要道必須被當時教會領袖們所了解，並且傳揚。使徒行傳前十二章，彼得是主要人物，所以神就從彼得入手。

彼得在約帕見異象(徒十)，看見許多按律法說不潔的動物、昆蟲和飛鳥，並聽見有聲音吩咐他宰了吃，如此三次。彼得不肯從命，他說：「主啊，這是不可的！凡俗物和不潔淨的物，我從來沒有吃過。」好像他比神還要潔淨，還要「守法」。神教導他說：「神所潔淨的，你不可當作俗物。」

直等到彼得被引領到外邦人哥尼流家裡，看見神的恩典臨到哥尼流一家，才恍然大悟地說：「我真看出神是不偏待人，原來各國中那敬畏主、行義的人，都為主所悅納。」人的思想從獨善其身地死守律法，進入與外邦人分享主的恩典，實在不是一件簡單的事。

7. 宣教對象的突破

我們一方面為那些分散的門徒到處去傳福音感謝主，另一方面也對他們有些失望，因為他們「不向別人講道，只向猶太人講」(徒十一 19)。他們肉體雖然離開了耶路撒冷，但還沒有完全脫離死守律法的思想。

正如今天很多華人教會所作的宣教工作；不錯，他們差派華人宣教士到海外去，但是這些華人宣教士到了

工場後，很多只是向當地的「華人」工作，或是幫助當地的「華人教會」，幾乎是使徒行傳十一19的重演，「不向別人講道，只向華人講」！

感謝主，當時門徒們不都如此，徒十一20說：「但內中有居比路(塞浦路斯)和古利奈人，他們到了安提阿，也向希利尼(希臘)人傳講主耶穌」。沒有想到，從「小地方」出來的門徒反比「大本營」出來的門徒更開通、更寬廣、更了解神的心願！他們是我們今天的榜樣。

8. 第二次「總部」教會思想的突破

耶路撒冷教會第一次思想的突破，是因腓利在撒瑪利亞傳福音的成功，教會聽見後受了感動，差遣彼得與約翰前往。

第二次是因門徒們在安提阿傳福音的美好成果，「主與他們同在，信而歸主的人就很多了」(徒十一21)，耶路撒冷聽見後又受了感動，這次差遣巴拿巴去視察。

主一次、再次提醒催促耶路撒冷的教會主動進入宣教，但好像耶路撒冷的教會在宣教方面一直停留於被動地位。

9. 宣教教會(Missionary Church, Modality)的突破

從使徒行傳第十三章起，保羅成了中心人物，安提阿這外邦教會也脫穎而出，在宣教方面超越了耶路撒冷，成為新約時代第一個強而有力的宣教教會、差傳基地。安提阿的教會才成立不久，很需要牧養與傳福音人材，但他們順服主的吩咐，不單差工人出去，而是將最優秀的差出去！我們何等盼望神在今天華人教會中興起很多像安提阿的教會。

10. 宣教團(Missionary Team, Sodality)的突破

雖然腓利及那些分散的門徒們，已經開始了在各地的福音工作，但是由教會所正式差遣的宣教團(或說福音隊)乃是從使徒行傳十三章開始。

當安提阿教會同工們禁食禱告時，聖靈吩咐他們「要為我分派巴拿巴和掃羅，去作我召他們所作的工」(徒十三2)，安提阿教會的同工們就順服聖靈的吩咐，「於是禁食禱告，按手在他們頭上，就打發他們去了」。

宣教之成功來自兩方面，就是神的呼召與人的順服。神的呼召已經在兩千年前向教會發出，一直以來的問題是缺乏人的順服。安提阿教會的同工們(相當於今日教會的牧師、傳道人、長老、執事等)無條件順服聖靈的吩咐，他們中間沒有一個人提出異議，沒有一個人說：「主啊，安提阿教會是個新的教會，我們需要先培育自己的會眾，堅固本身，然後再談差傳。」他們更沒有人說：「主啊，教會地方不夠坐，我們計劃明年建堂，等

建堂之後再說吧！」他們更沒有人說：「主啊，我們教會自己本身的人力物力都不足，過幾年後等我們充足時再由差傳委員會決定吧！」

感謝主，安提阿教會順服聖靈的差遣，正式差出去教會歷史中最早而最有果效的宣教團。他們的足跡遍滿地中海沿岸，他們的信息遠達普世，他們的影響直到未來。他們的工作人員包括保羅、巴拿巴、亞波羅、路加、馬可、提摩太、西拉、提多、百居拉、亞基拉等。

11. 宣教恩賜與訓練的突破

不可否認，宣教與傳福音都需要神的恩賜，腓利有傳福音及行神蹟的恩賜，巴拿巴有信心勸慰的恩賜。

保羅的恩賜與訓練更是豐富，他是舊約學者迦瑪列的弟子，有講道的恩賜、解經的恩賜、神學的恩賜、辯道的恩賜、衛道的恩賜，加上寫作的恩賜，又加上作宣教士的恩賜、栽建教會的恩賜、門徒訓練的恩賜、守獨身的恩賜，真可說是集各種恩賜於一身！

不單如此，他又精通希伯來文、亞蘭文及希臘文，同時他是「猶太人的猶太人」，又是羅馬的公民。

這樣一個「奇材」，本來是一個逼迫主的人，但是主偏偏選召了這位怪傑，在大馬色的路上將他馴服，被神空前使用，成為教會的主將。

保羅，保羅，我們佩服你又敬愛你，你實在有資格說：「你們該效法我，像我效法基督一樣。」(林前十一1)

在這裡我們也不禁想到，舊約與新約聖經中兩位主要人物亞伯拉罕(信心之父)與保羅(宣教之父)，神實際上給了他們一個相同的任務——普世宣教！對前者，神說：「地上的萬族都要因你得福」(創十二3)；有關後者，神說：「他是我所揀選的器皿，要在外邦人和君王，並以色列人面前，宣揚我的名」(徒九15)！這都讓我們看見「普世宣教」是神在舊約與新約中一直不變的心願。

12. 傳統割禮的突破

割禮是神與亞伯拉罕及以色列人立約的記號(創十七9-13)，使他們與萬民有別。

其實這是內在信心與生命變化的外在記號，所以保羅說：「外面肉身的割禮，也不是真割禮……真割禮也是心裡的，在乎靈，不在乎儀文」(羅二28-29)。他又說：「受割禮不受割禮，都無關緊要；要緊的就是作新造的人。」(加六15)

這一重要的道理，當時耶路撒冷的教會並未完全明白，所以當彼得從外邦人哥尼流的家回到耶路撒冷教會時，立刻受到指責：「你進入未受割禮之人的家，和他們一同吃飯了。」(徒十一3)彼得於是向他們詳細解釋神的恩典如何臨到哥尼流一家，最後說：「我是誰，能攔阻神呢？」

聽見他們領袖的親身經歷，又看見神明顯的心願，會眾終於醒悟過來：「眾人聽見這話，就不言語了，只歸榮耀給神，說：『這樣看來，神也賜恩給外邦人，叫他們悔改得生命了。』」

不單進猶太教的會眾不再需要受割禮，甚至保羅所揀選的福音伙伴(傳道人)外邦人提多也不需要受割禮(加二1-5)。

這是一件重要的事，教會會眾的思想開始明瞭律法的精義，開始有廣大的眼界。

13. 「猶太人的會堂」之突破

五旬節之前沒有新約時代的教會，只有猶太人的會堂，所以主耶穌時常進入猶太人的會堂講道。

五旬節之後耶路撒冷的教會建立，使徒行傳十一章中安提阿的教會開始被建立，此外別處尚無正式教會，所以保羅與巴拿巴在宣教的初期多半進入猶太人的會堂講道。

當時各地信主的人很多，保羅當然不願將主的人帶進猶太人的會堂(猶太人的會堂也不接納他們，除非他們進猶太教)。所以他一方面傳福音，一方面教導信主的人，並且為他們成立教會，協助教會成長。「二人在各教會中選立了長老，又禁食禱告，就把他們交託所信的主」(徒十四23)，同時並一次、再次回去看望他們。

從此之後，猶太人的會堂與基督教會劃清了界線，教會之存在被認定，教會是屬靈的以色列，基督徒是屬靈的以色列人，主將大使命的責任交給了教會。

今天華人教會需要了解，神要我們到處栽建教會，而不是建立「猶太人的會堂」。今天有些華人教會的工作原則及思想很接近「猶太人的會堂」(關閉與排他)，所以近來有人建議華人教會是否應考慮將「華人」二字去掉，並向其他種族開放，這是值得思考的事，是成熟的表現。

14. 福音分工合作的突破

保羅和巴拿巴在耶路撒冷與雅各、彼得、約翰舉行聯席會議，大家相交以禮，並且獲得共識，在普世福音事工上大家分工合作，定出了方向；前者在外邦人中工作，後者在猶太人中工作(加二7-9)。

感謝主，在神多次的教訓與開導下，「普世福音遍傳」至終得到初期教會領袖們正式的肯定，「大使命」終於明朗化。

但是，如此的工作劃分其實十分不平衡。當時的教會除十二使徒外尚有3位同工(主的兄弟雅各、保羅、巴拿巴)。按照此次規定，這15人中有13位專向猶太人傳福音(估計約300萬人)，而只有2人向普世外邦人傳福音(估計約9億人)。

但無論如何，福音方向確定了，普世福音遍傳的工作明確地開始了。

15. 猶太教傳統束縛之突破

加拉太書第二章給我們看見，使徒彼得後來到了安提阿外邦教會，開始時他身體力行，不再與外邦人分別，而且與他們一同吃飯、交通。但當耶路撒冷教會的人(從雅各那裡來的人)來到時，彼得改變態度，「就退去與外邦人隔開了。其餘的猶太人，也都隨著他裝假，甚至連巴拿巴也隨夥裝假」！

從這件事上可以看見猶太教傳統壓力之大，甚至使徒們也難完全擺脫。同時也給我們看見，突破傳統的束縛是需要勇氣並需要付代價，於是彼得受到保羅當面的指責。

保羅在加拉太書三 28 更進一步說：「並不分猶太人、希利尼人、自主的、為奴的，或男或女，因為你們在基督耶穌裡都成為一了」！

哈利路亞，感謝主，這才是真正的「解放神學」！加拉太書是解放神學最佳、最正確的課本——基督裡的自由！基督將我們從一切不合聖經的思想、傳統及教義裡面釋放出來了。

16. 全職與帶職合作事奉的突破

舊約時代在聖殿中全職事奉的祭司(利末人)與一般以色列人劃分得十分清楚，一般人不能擅自參與祭司的職務，如果違反，其後果十分嚴重，烏西亞王就是一例(代下二十六 16-23)。

但在新約時代，這一堵牆也被拆除了。彼得前書二 9 說：「惟有你們是被揀選的族類，是有君尊的祭司，是聖潔的國度，是屬神的子民。」在新約時代，神賜給每一位信徒祭司的職份(The Priesthood of the Laity)，也就是說每一位基督徒都有祭司的責任——引人歸主。

保羅就履行了這方面的教訓，一個最顯著的例子就是亞居拉和百基拉(徒十八 1-4)。他們夫婦是以織帳棚為業的「平信徒」，極其愛主，也愛神的僕人，甚至保羅說：「他們在基督耶穌裡與我同工，也為我的命將自己的頸項置之度外。」(羅十六 3-4)他們更深深明白神的道，甚至對傳道人亞波羅也有所教導(徒十八 26)，在他們的家裡還有家庭聚會(林前十六 19)。

使徒保羅接納了這一對熱心愛主的「平信徒」夫婦為同工，信靠他們，甚至在哥林多「投奔了他們」，與他們一同製造帳棚，「同住作工」，成為全職與帶職事奉的美好合作榜樣。

17. 宗派領袖的突破

耶路撒冷的教會是安提阿教會的「母會」，安提阿教會又是多處新興教會的「母會」。雖然聖經沒有用此名稱，不過實際情形的確有此現象。例如，當安提阿的教會發生教義上的爭論時，他們派人去耶路撒冷「母會」請求判斷(徒十五)；保羅與巴拿巴在宣教旅程回來後，除向安提阿教會述職外，也盡量到耶路撒冷的教會作工作報告。

用今天的名稱來說，當時耶路撒冷的教會，加上使徒及長老們組成的核心，很像是一個宗派的總部，他們的仲裁與決定具有權威性。

我們特別為使徒行傳十五章所記載耶路撒冷教會的會議高興。他們熱烈接待從安提阿「子會」來的代表、使徒、長老們鄭重地「聚會商議這事」；他們耐心地聽保羅與巴拿巴的訴說；彼得與雅各兩位使徒一先一後地按著聖靈的帶領，根據親身的經歷，依照眾先知的話，作出了明智而正確的提案，並且得到眾人的認同。何等美好的決定！何等美好的議會！何等美好的一群宗派領袖！

不但如此，他們寫信給安提阿的「子會」，並且特派猶大與西拉陪同保羅與巴拿巴一齊回安提阿去，協助交待信件等等！怪不得聖經說，他們回去後，「眾人念了，因為信上安慰的話，就歡喜了」(徒十五31)。

前瞻

初期教承繼了故步自封、只知律法外衣而不懂律法精意的關閉世代，在諸般困阻與壓力下，至終為福音衝出一條活路，靠著聖靈的啟示與大能，成就了這十七種空前的突破！

這十七種突破中，有些已經在今日華人教會中發生，有些仍待繼續努力，特別是下列幾項，諸如總部情結、宣教對象、「猶太人的會堂」、傳統束縛等。

惟願今日華人教會弟兄姊妹們，特別是教會領袖們，以謙卑的心來到主前，承認我們以往在普世宣教方面的虧欠，求主赦免，並賜給我們廣大的心懷，普世的異象與前所未有的勇氣，大家一同步入普世宣教的行列。有的在前方，有的在後方，大家分工合，各盡其職，真真正正地將福音傳遍地極。

華人教會的懺悔

親愛的主
謝謝你的恩典和
你靈的感動
使我們看見
　在初期教會中
　你的大作為
　使他們至終成為
　普世宣教先鋒

親愛的主
求你也在
今天的教會中，特別是
華人教會裡
作同樣的善工

求你，突破我們
　赦免我們
　赦免我們的
　　只顧自己，不管他人
　　專愛小我，不顧大我
　　只求獨善其身
　　不願兼善天下

還有
　　自我的驕傲
　　種族的驕傲
　　知識的驕傲
　　靈性的驕傲

赦免我們
　　貪愛世界的心
　　貪愛錢財的心
　　貪愛權力的心
　　貪愛罪中之樂的心

求你改變我們
　　自私的心腸
拿去我們的
　　膽怯與懦弱
點燃我們
　　半死的心靈
照亮我們
　　裡面的昏暗

求你將廣大的心懷
　　寬闊的視野
　　慷慨激昂的銳氣
賜給今天的華人教會
賜給你的眾僕人

使他們教導聖徒
　　帶領群羊
　　走上
　　合你心意的道路
不再被因於「自我」牢獄中
不再以「利己」為前題

不再受文化、種族、語言、地理
　　的綑綁
不再到處建立「猶太人的會堂」
　　（「華人教會」）

而是靠你恩典
　　本著你那
　　連先知約拿也不能了解的
廣大的愛
普世的愛
　　來全面建立
　　敞開的教會
有國度觀念的教會
「泛愛眾而親人」的教會
　　直到地極的教會

親愛的主，我們
　　寧可受你的責備
　　而不願作一個
　　　不長進的兒女
　　寧可受你的管教
　　而不願作一個
　　悔而不改的人
　　寧可受你的修理
　　而不願作一個
　　　不結果子的枝子

因為，在你的責備裡
　　有無比的愛
在你的管教裡
　　我們得安慰
在你的修理裡
　　我們得潔淨

親愛的主
　　但願初期教會
　　那十七重的突破
　　沒有一樣
　　不臨到我們
因為，惟有如此
　　我們才有盼望
　　完成您那
　　亙古不變的心願！

(作者現任大使命中心總會會長，為中國信徒佈道會之創辦人，亦曾任世界華人福音事工聯絡中心總幹事、國際洛桑福音事工委員會國際主任、主後二千福音遍傳運動國際董事會主席等。)

研習問題

　1. 使徒行傳中記載使徒和門徒衝破了哪些情意結邁向普世宣教？

　2. 華人教會向普世宣教要突破的有哪些情意結？

The Apostle Paul and the Missionary Task
使徒保羅與宣教任務

葛偉駿(Arthur F. Glasser) 著　汪莘譯

除了基督藉我作的那些事，我甚麼都不敢提，只提祂藉我言語作為，用神蹟奇事的能力，並聖靈的能力，使外邦人順服；甚至我從耶路撒冷，直轉到以利哩古，到處傳了基督的福音。我立了志向，不在基督的名被稱過的地方傳福音，免得建造在別人的根基上。就如經上所記：「未曾聞知祂信息的，將要看見；未曾聽過的，將要明白。」

——羅十五 18-21

本文將追溯使徒保羅對福音遍傳到萬民所用的方法。首先，讓我們重溫，神呼召保羅為使徒，並差派他「傳神的福音……在萬國之中叫大為祂的名信服真道。」(羅一 1、5)這事發生前數年，我們的主被釘十字架，第三天復活，然後開始了那榮耀的 40 天。在這 40 天中，門徒完全確信耶穌已經戰勝了死亡，他們的工作就是「使萬民作門徒」(太二十八 19)。然後，耶穌升了天，門徒等候聖靈的洗禮(徒一 12-14)。10 天之後，在猶太人的五旬節早

上，主差遣聖靈降在祂所召聚的人群之中，並且賜給他們宣教的能力。事件發生時，那一小群人(只有 120 人)被祂的恩膏塗抹，「說起……話來」(徒二 4)。教會藉著聖靈和宣講，興起成為見證的群體；從此，教會知道自己的本質是要見證復活和榮耀的基督，教會的一切活動皆因此而存在。

五旬節以後所發生的事，家喻戶曉。教會成為一個活的有機體，很快便展現其生命的感染力。第一天，會友就增加了 3 千人，教會虔誠和敬拜的火燄在各人心內燃燒。接下來的幾個星期甚至幾個月中，充滿生命力的教會顯出了能力，自發地向外傳耶穌基督的好消息。在徒二至十二章中，我們看到所謂「近鄰傳福音」的絕佳機會，虔誠的信徒到耶路撒冷、猶太全地、撒瑪利亞以及加利利，在巴勒斯坦的居民當中，耶穌和門徒早期撒下的神話語種子，如今有收成了(路八 11)。學者相信這段期間有數年之久，發生了許多事情。相信耶穌是彌賽亞的猶太會眾增加了不少，規模也擴大

了，並且勇敢地面對同胞的迫害；不少祭司歸信主耶穌；著名的信徒司提反被人用石頭打死；撒瑪利亞爆發了大復興；彼得把福音帶給哥尼流和他的家人，成為第一批外邦歸信者。但，最使我們感興趣的是，約在五旬節後 5 年，神挑選了一位猛烈壓迫這個新信仰的人，而且把他改變成為歷史上最偉大的宣教士——使徒保羅(徒九)，現在看看他的故事。

保羅被呼召為使徒

基督教紀元第一個世紀的特色，就是猶太信徒積極宣教。法利賽人掃羅，後來成為使徒保羅，是其中一位熱心的猶太人，他把生命奉獻給神，把猶太律法的祝福帶給當時的人。他所寫的「我又在猶太教中，比我本國許多同歲的人更有長進，為我祖宗的遺傳更加熱心」(加一 14)，相信是指這件事。我們也應該記得，雖然他出生於小亞細亞基利家的大數，這是個大部分為外邦人的城市，但他「長在這城裡(耶路撒冷)，在迦瑪列門下，按著我們祖宗嚴厲的律法受教」(徒二十二 3)，這表示他不是典型的散居外國的猶太人(分散在地中海世界的猶太人)。他年青時很少與外邦人直接接觸，一些學者認為他六歲生日後不久，與父母搬到耶路撒冷去。

掃羅第一次在新約出現時，是個年青人，贊成用石頭把司提反打死(徒八 1)，而且用暴力反對這個仍在成長的猶太人彌賽亞運動，甚至企圖要毀滅它(加一 13)。掃羅積極投身於這些激烈的行動，但在前往大馬士革(大馬色)的途中，突然遇到耶穌(腓三 12)；當他與耶穌相遇的一刻，心中懊悔而降服，信心萌芽，並接受呼召從事宣教工作。他稍後寫道：「神既然樂意將祂兒子啟示在我心裡，叫我把他傳在外邦人中。」(加一 16)

掃羅在往大馬士革的路上，與復活的主相遇，並學習怎樣傳福音給外邦人。神給他以下的傳福音方法：

「我差你到他們那裡去，要叫他們的眼睛得**開**，從黑暗中**歸向**光明，從撒但 權下歸向神。又因信我，**得蒙**赦罪，和一切成聖的人同得**基業**。」(徒二十六 18)換句話說，是先讓人們知道自己的需要，再讓他們看到主能滿足他們的需要；但若要接受救恩，過聖靈同在的生活，必須先慎重地對自己的罪悔改，藉著接受耶穌為主而拒絕撒但在生活中掌權。只有如此，他們的罪才得赦免，能參與地方教會的生活和崇拜。保羅欣然接受了這個傳福音的方法(事實上，耶穌在世上的服侍亦循這方式)。從前，保羅想盡辦法毀滅耶穌的信徒；現在，他致力宣揚耶穌是猶太人的彌賽亞和世界的救主。從此以後，保羅對這一個來自榮耀基督的「天上的異象」，無論那一方面都忠心耿耿。

為宣教服侍作準備

在保羅歸主和接受宣教呼召後的7年或9年間，是他「隱藏的年日」。在這一段時間內，明顯的，他很少不斷從成熟的信徒處得到幫助，但有主領導他經歷一連串的考驗，這是許多耶穌基督的忠心僕人在開始時都接受的訓練。初期，保羅享受與猶太信徒的團契(在大馬士革)，又在猶太會堂中與他們一同作見證。接著，有一段短時期受到迫害，神很智慧地加以干預，然後，有 3 年的時間明顯地與人隔絕，在靈裡與神相交，並接受神的指引(在阿拉伯)。這是必須的經驗，惟有如此，保羅才可以從神本身得到生命和唯一的祝福。當然，也有短暫探訪重要的信徒，使他確信自己對救恩有正確的了解(在耶路撒冷)。在這些事件之後，被差往離開家鄉更遠的地方之前，保羅被差到老家(基利家省的敘利亞大數)去。最後，神特意讓這位祂選定作教會領袖的保羅，先在人的權威下工作(安提阿)，然後才派他出去獨立服侍。

使人驚訝的是，神竟用那麼長的時間訓練一個已經非常熟識希伯來文聖經的人。這就表示，讓一位年青的信徒太早擔當積極的服侍，或獨挑重任，或擔任很重要的領導人是不智的。稍後，保羅寫著：「給人行按手的禮，不可急促。」(提前五 22，是指在地方教會委以重任)或許是他自己的

體會和經歷，神特意慢慢一步一步差遣他作外邦人的宣教士。

使徒團隊的重要

上面曾提及徒二至十三章描述地方堂會有向「近鄰傳福音」的機會，也提到基督教運動擴展的方式，即從耶路撒冷到猶太全地，再到撒瑪利亞，又從撒瑪利亞到猶太人巴勒斯坦一地的邊緣。徒十一章把這個故事帶進高潮，顯示在地中海世界的第四大城安提阿成立了一個外邦人居多的教會，神更把安提阿教會命定為到地中海西岸傳福音的要塞。安提阿教會的一群群小堂會(家庭教會)是如此有活力，使由耶路撒冷奉差來監督工作和協助事奉的巴拿巴相信，需要一位更有活力和才幹的人幫助新信者融入日漸興起的教會之中。巴拿巴想到保羅，於是差人到基利家去；最後，巴拿巴與保羅二人合力領導教會「有一年之久」。我們無法不讚賞這一間教會！安提阿教會真正具世界視野，有傳福音精神，受到良好的教導，而且是主的子民中非常慷慨的一群；徒十三1-5中更形容這所教會肯承擔，跪下來「崇拜主和禁食」。

至於安提阿教會的領袖禁食一事，給我們的印象是，他們在尋求神的指引，來使教會履行責任，將福音傳到地中海世界的不同種族之中。安提阿的基督徒認定福音乃萬民所需，他們所缺乏的是與別人分享福音的方

法。早期「向近鄰繼續傳遞」的方法只適合於相同的文化，現在所需要的是有系統地將基督向外擴展，要有一個方法來克服地理、語言、文化、種族、社會或經濟等的障礙。所以，他們禱告禁食，顯出真心誠意！

聖靈作出了回應，引領他們踏出前所未有的決定性步伐。這一段記載曾兩次提及這一點，相信是強調這個決定得到聖靈的回應、同在和指引。於是，他們「組織了後來通常被稱為海外宣教隊」的隊伍。[1]當巴拿巴和保羅被指派作宣教隊的開創者時，教會僅僅是「打發他們去了」(3節)，因為背後有聖靈的權威和選派「差遣他們前去」(4節)。

由此，我們總結出，教會的教區組織和流動的宣教團隊，在神的眼中同樣有效，同樣可以稱之為「教會」，因為兩者都是神子民的生活。這一個記載清楚地挑戰一個已廣泛接受的觀念，「地方教會是新約宣教士的中介和具權威的差派團體」。[2]而且，也無法證明保羅：

> 雖擁有一切使徒權威，他是由教會差派(教會指神子民在地上的有形教會，也與其它堂會有聯繫)；而同樣重要的，是他感到需要向教會交代。[3]

這流動團隊大致是獨立的，雖然也願意接受地方教會的資助，但在經濟上自給自足。它招募人員，給予訓練，有時候也會對隊員施行處分。然而，有聖靈指引方向，就像曠野裡的以色列民，有領袖，也有跟從者。

這一個團隊是作使徒的工作，即是說隊員視自己是神派往未信世界的使者，他們的生活「長期在信與不信者的張力中，目的為基督贏取未信的一群」。[4]只有當再無新領域可跨越，只有當耶穌基督再來，所有人都順服在衪的權威之下時，才可以說這種宣教團隊的需要正式告終。

從這時開始，使徒保羅的宣教方法是使徒團隊的活動；但這種動態的架構(sodality)組織(羅馬天主教會「結合了宗教和慈善事業的社團」)並非像地方教會一樣可以自我成長。一個人向神承諾參加這(宣教)團隊，就要盡力參與擴展基督教的運動。徒十四21-23描述宣教團隊的活動是：宣講福音；使人作門徒；帶領歸信者成為基督的肢體，彼此相屬，作福音國度的監護人；最後，帶領他們加入地方教會，委身彼此服侍，接受神的靈管轄。

當他們的第一次宣教旅程完結之後，成員們「坐船往安提阿」，「聚集了會眾，就述說神藉他們所行的一切事，並神怎樣為外邦人開了信道的門。」(徒十四27)

使徒團隊的策略

這個團隊往外宣教時有何計劃？它似乎有兩個一般性的目的。第一，在早期，他們先探訪四散在羅馬帝國內的猶太會堂，因為福音「先傳給猶

太人的」(羅一16)，所以，很自然是由小亞細亞開始。保羅深深相信這一點，那時候，幾乎每個猶太會堂都有外邦歸信者和「敬畏神的人」——外邦男女擺脫了偶像崇拜，受到猶太民族的道德一神論所吸引，但並未成為真正的成員。保羅知道在這些會堂內，可以看見神早已在外邦人中間工作的證據，且只有在猶太會堂中，能夠同時接觸猶太人和外邦人。若一個地方的猶太會堂社群大部分人拒絕他的信息，就可以將注意力轉向當中已有反應的猶太人和外邦人，我們從保羅在彼西底的安提阿向拒絕的猶太人的説話可見一斑：

> 神的道先講給你們原是應當的，只因你們棄絕這道，斷定自己不配得永生，我們就轉向外邦人去。因為主曾這樣吩咐我們説，「我已經立你作外邦人的光，叫你施行救恩，直到地極」。(徒十三46-47)

要留意這些對猶太人和外邦人開始的佈道工作，並非今日所謂的「宣教」；宣教是要接觸那些不信神的人。相反的，猶太人已經擁有「兒子的名份、榮耀、諸約、律法、禮儀、應許」，對他們而言「列祖就是他們的祖宗，按肉體説，基督也是從他們出來的」(羅九4-5)；因此，使徒保羅對他們分享彌賽亞來臨的好消息，以及耶穌釘十字架和復活的重要。從此以後，每當猶太人拒絕福音，保羅就宣

告神在有反應的外邦人中的作為，來「使他們嫉妒」(羅十一11、14)。神對祂古代子民所做的工作尚未完成，這個特別的責任仍是今日教會的首要任務，福音是「先傳給猶太人的」。

保羅宣教策略的第二個一般性目的是，無論在何地，一找到對福音有反應的猶太民族時，便開始建立彌賽亞會堂；一發現大部分信徒是外邦人時，便建立外邦人教會。可説，基督教紀元的首個世紀，是猶太人宣教活動**最傑出**最偉大的世紀(太二十三15)。而且，在那段日子，差不多每個會堂的外圍都有一批外邦人，他們大多是希臘人中「敬畏神的人」，受到猶太人的見證影響，要崇拜真神，過一種遠超過羅馬世界的高質素生活。雖然他們被猶太人的道德力量、智慧活力、紀律生活、健全家庭所吸引，但大部分仍舊不接受割禮成為猶太人；保羅決心要贏得這些飢渴慕義的外邦人相信耶穌，使他們成為新興的基督教運動中希臘教會的核心。

當路加寫「一切住在亞西亞的，無論是猶太人，是希利尼(希臘)人都聽見主的道」(徒十九10)，大概是指宣教的工作遍及亞洲，即今土耳其西南部，而且新的堂會中有深感滿足的猶太人和被救贖的希臘人，一起宣講這個新的信仰。無可避免，仍留在拉比猶太教內的猶太人「很嫉妒」，今日亦如是；所以，教會在宣教上的服從和所產生的果效，必要激發猶太人去反

省，何以不願與別的民族分享這位萬族創造者的神。

屬靈恩賜及職事

保羅在寫信給新建立的教會時，常常提到一個奇妙的事實，就是神透過聖靈「把恩賜給予」祂的子民，且充足的供應，使他們在恩典中成長，參與傳福音作見證。這一個題材有很多方面，值得仔細研究。保羅說有「各種的職事(事工)」(林前十二5)，是強調角色的多樣化，正是在本地堂會團契及世界各族之中的事奉特色。對保羅而言，「職事」這個字包含了基督徒的全部責任(弗四8、12)，所有基督的門徒都蒙召參與服事，也蒙賜與各樣恩賜(彼前四10)；這些恩賜是代表神所施的恩典(羅十二6)，有別於「聖靈的果子」(加五22-23)。在理想的情況下，基督的身體每一部分「適當地工作」時，基督的身體就會擴大，靈命進深，活力充沛(羅十二4-8)。但我們在強調「屬靈恩賜」對宣教的獨特重要性之前，要緊記它的內在和外在基本功能。

內在的「服事」包括崇拜時在本地堂會事奉主的職事(藉著禱告、頌讚、聖禮和聆聽神的話語)，成員為了「共同的益處」而彼此服侍(林前十二7；林後八4)，而且藉著教導職事，信徒群體一再領受使徒傳統的規範(徒六4；羅十二7)。崇拜、分享和教導，是使任何一所地方堂會的內部生活(是指相交*koinonia*，即神的子民在生活、領導

和對主的事奉上共同參與)充滿活力的要素。

同樣的，外在的「服事」也有三部分，經常被形容為教會的「使命」，包括了所有基督徒都被差派到世界去完成的任務。有些人受到特殊的呼召，去牧養有特別需要的人，如窮人、寡婦、孤兒、囚犯、流浪者和陌生的鄰居；保羅的教導清楚指出，神已經裝備了一些男女來做這些慈善和救援的工作(羅十二8；加六10上)。此外，也有復和的職事，基督徒藉此促進人與人之間的和諧及社會上的公義；保羅傳講的福音，宣稱罪人可以透過基督在十字架上的救贖而與神和好，他也盡義務要為世上被遺棄的人和敵對團體作和解的工作(林後五18-21)。最後，是佈道的職事，基督徒要世人正視基督透過死亡、埋葬和復活成就救恩的好消息；基督徒既是大僕人的追隨者，應該服侍當代未得救恩的人，使非基督徒相信這位大僕人，就是他們至高的事奉。

那麼，可以總結說，藉著保羅所施行的教導，所有「重生」的基督徒都被賜與「叫人得益處的聖靈」(林前十二7)，他卻未忽視基督要我們向普世傳福音的訓令。

在一大段有關屬靈恩賜的冗長討論後，保羅針對哥林多信徒發出最具挑戰性的鼓勵，策勵他們要「切切的求那最大的恩賜」(十二31)；雖然所有基督徒都有神賜予特別的屬靈恩賜，

也有責任去發掘和運用(藉著活躍的參與，從中發掘本地堂會中所需的各種才幹)，保羅要他們特別注意那「最大的恩賜」。明顯的，他所指的恩賜是與宣講神話語直接有關的服事，而且，保羅呼召信徒要向外開展事工，藉著輔導、教導或廣傳福音，尋找機會向人傳講神的話語。他們應該藉著禱告切切渴求這種「使徒的恩賜」，尋求成為神的使者、傳道者，在不信者的世界中建立教會。他們應該藉著禱告求神膏抹，有先知的恩賜，在已經認信的教會中成為宣講者和復興者。或者，他們應該渴求牧養的恩賜，在本地堂會為神作教師、牧者。正如慕迪(D. L. Moody)所說：「渴望成為有用的人，要有大計劃，因為神是你的伙伴。」

教會和宣教

「我為此奉派作傳道的，作使徒，作外邦人的師傅，教導他們相信，學習真道，(我說的是真話，並不是謊言。)」(提前二 7)保羅決心要看到教會成長。他確實認為教會的主要和不能替代的任務，是向所有人宣講福音，讓那些相信者加入教會，有相交的生活。保羅感覺只有刻意大量增加新堂會的數目，才可以向他的世代傳福音。保羅作為一個使徒，是使徒事工團隊的一員，站在傳福音事工的前方，並以此為優先的工作。

這就是說，保羅認為他的團隊和藉神的祝福而建立的新堂會之間，關係密切。事實上，我們難以理解保羅從外邦人教會收集捐項來救援猶太教會的做法(如羅十五 25-27)，或許是他有意凸顯神期望教會要合一，使「世人可以信」(約十七 21)的旨意有關。

此外，保羅也努力要使這使徒團隊和所建立的教會之間，維持一種互為表裡的關係。事實上，一些教會很快就把他忘掉，對他傳福音和宣教的事工興趣不大；另一些教會反對保羅，也出乎意外的出現混合宗教、錯謬教導和追求情欲；亦有一些教會非常軟弱，需要像護士照顧小孩一樣看顧；但也有一些有活力的教會，如腓立比教會愛他，並且獻上禮物來表達愛心。

保羅反以他個人的榜樣和教導，不斷地提醒教會應有使徒的呼召。教會是受神的差遣進入世界，向鄰近及遠處的人傳福音。教會的工作是把萬民帶進神的國度，因為基督為萬民而死，萬民仍不認識祂為王。

保羅期望地方教會和流動的宣教工作之間，建立這種共生關係的最顯著例子，可以在羅馬書中找到。保羅寫這封書信時，是在他偉大的宣教事業的中途，而他的使徒團隊剛完成在地中海東岸的外展福音工作。確實地，可以說「從耶路撒冷，遠至以利哩古(今南斯拉夫)」，「基督的福音」已經「完全傳開了」(羅十五 19)。相反的，地中海西岸代表未信世界的黑

暗，其中只有一點小光，那就是在羅馬散居的猶太人和外邦信徒。當保羅在禱告中擔憂而且思想未來的職事時，明顯地，這個信主的社群存於他的心中已多年了(十五 22)。

所以，保羅拿起筆來，寫出這封偉大的書信。保羅是一位「事工型的神學家」，他仔細的挑選了一些主題，並加以發揮，為他未來的宣教策略而裝備羅馬的基督徒。他們必須重新了解人類眾多的罪，整個世界在神的面前都是有罪的(一 18 至三 20)。然後，他們必須相信神對罪人有豐富的恩典，而且因為基督的救贖，使相信的人得稱為義(三21至五)。接下去，保羅提醒他們，神應許把豐富的恩典賜給基督徒，藉著聖靈的內住和能力，過聖潔的生活，也在事奉上多結果實(六 1 至八 39)。然後，保羅寫出神將豐盛的恩典賜給萬民，雖然以色列因為不信而失敗，但神決心要藉著教會向外邦世界傳福音，而且在再來時重建以色列(九 1 至十一 26)。保羅是一個很實際的人，他提出各種實際的方法，如認識和運用聖靈的恩賜(十二 1-21)、教會與政權的關係(十三 1-7)、愛心的重要，鼓勵羅馬教會中不同的人同心合意投入向萬民傳福音的工作(十三 8 至十五 6)。

只有這樣廣泛的回顧(十五15)，保羅才能把他的策略告訴羅馬的信徒：他們要組織起來，成為第二個安提阿教會，作他的使徒團隊的新行動基

地，向西班牙和地中海西岸宣教(十五 22-24)。因此，他們有一個重要的任務，就是向保羅和他的團隊供應有經驗的人，而最重要的是，在財務和禱告上支持他們。換句話說，這封書信的目的，是對在外邦重鎮的一群強大的家庭教會賦予宣教責任，要他們接觸生活圈子以外的民族。藉著參與保羅使徒團隊的宣教工作，這些羅馬的信徒得到一種新的身份，被神所「差出」，也是「差派群體」(一 11-15)。教會和宣教的關係，就是固定的堂會與流動的宣教團隊，所以「這天國的福音要傳遍天下，對萬民作見證，然後末期才來到。」(太二十四 14)

受苦的策略

最後，在追溯使徒保羅的宣教工作時，不能不受感於他一生所受的苦難。當主耶穌呼召保羅作使徒時說：「我也要指示他，為我的名必須受許多的苦難」(徒九 16)。雖然自己已得釋放，但保羅知道只有把神的愛帶給萬人，他才會有自由。按新約聖經的用法，「主」這個字是指奴隸的主人；今日，我們很容易便想到自己是主的「僕人」，與保羅的時期不同。保羅知道若要與主「同工」，自己只不過是「眾人的奴僕」而已(林前九 19-23)。

因此我們要深入看基督徒的經驗和服侍；在現實裡，生活充滿張力，靈性面對壓力，神的子民努力傳福音使他人得釋放的行動，往往受到阻

攔。事實上，我們若不知道保羅在所有的書信中(腓利門書可能例外)都提到撒但經常阻撓他的計劃(如帖前二18)，就不能了解保羅的思想架構和他的經歷——正如他在書信中所顯示，他完全掌握「那不法的隱意」、「世上的小學」、「這世界的神」、「執政的、掌權的」對福音所施行的各種詭計。確實，這些「世界權勢」滲進了他的宣教策略的各層面；雖然所表示出的姿態仍是大有能力的敵人，但保羅知道它們已被十架上的基督奇妙地征服了(西二8-15)。他知道這些靈界的力量可藉著信心、愛心、禱告和順服，還有受苦才能克服，所以他寫道：「我們受患難原是命定的。」(帖前三3)。這就指出了一個基本原則：若沒有四散的子民「補滿基督患難的缺欠」(西一24)，福音就不能傳開，神的子民就不能在萬民中成立教會(約十一52)。

至於「基督的患難」，保羅並非指他在十字架上為救贖而受苦。基督自己能夠忍受那些苦難，當祂完成那令人驚慄的工作後，大叫「成了」，基督的救贖工作是「一次為眾人」而成就的(來九26)。

相反的，基督未完成的苦難與祂在肉體、情感、屬靈上遇到的所有事件有關，是他公開事奉時世人對他的要求。祂經歷身體的疲倦，無數的敵視(約一11：「他到自己的地方來，自己的人倒不接待他」)和屬靈的對抗；一切參與事奉的人都會面對這種的苦難，尤其是公開的事奉。這是「未完成的」患難，亦即是說，若要完成普世的宣教工作，一代一代的神子民都必須自願受苦。到那時，這個基督徒所享有的特權才永遠結束。無論如何，這個受苦的權利今天已自動擴展到所有「誠心渴望最大恩賜」的人。一個人若不能付上這個代價，就無法有效地服侍基督！

我們要完全認識其中的涵義。靈界一直存在，邪靈從不友善——特別是對那些決心事奉主的人，這就是保羅的經驗。他的受苦，是使用勝利的主所供應的武器去克勝邪靈。

今日，假如保羅在我們當中，他會呼召我們積極地抵抗所有妨礙神進行宣教的目的——宗教組織的權勢、學術體系(各種學科和主義)、道德秩序(規則和習俗)、政治體制(暴君、市場、學校、法庭、種族、國家)。[5]當今世代需要聆聽的好消息，包括神的國度已由「那元帥」奪回，他克服了所有反對勢力。但在基督之名下服侍的人仍會受苦，十字架依然是十字架。保羅驅策基督徒「要穿戴神所賜的全副軍裝」以「抵擋魔鬼的詭計」(弗六10-18)是有理由的；穿上軍裝代表要上陣作戰。我們不要忘記，服侍基督也包括靈界爭戰和受苦。

注釋

1 Neill, Stephen, *The Church and Christian Union.* (London: Oxford University Press), 1968, p.80.

2 Peters, George W., *A Biblical Theology of Missions,*

(Chicago: Moody Press), 1972, p.219.

3　Cook, Harold R., 1975, "Who Really Sent the First Missionaries?" *Evangelical Missions Quarterly*, October 1975:234.

4　Bocking, Ronald, "1961 Has the Day of the Missionary Passed?" Essays on *Mission*, No. 5. London, London Missionary Society, p.24.

5　Yoder, John Howard, *The Politics of Jesus*. (Grand Rapids: William B. E. Berdmans Publishing Co.),1972, p.465.

〔作者為富樂神學院跨文化研究學院榮休教務長，曾參與中國內地會(今海外基督使團 OMF)在中國西部宣教多年，並任該使團北美地區主任 12 年之久。〕

研習問題

1. 保羅被差遣從事宣教工作之前，他早期所受的訓練中有些甚麼重要元素？我們今日在裝備宣教士時要強調甚麼重點？

2. 本文作者說教會有「使徒的呼召」，但同時亦需要成立「使徒團隊」，兩者是否有衝突？羅馬書怎樣說明？

3. 為甚麼本文作者使用「受苦的策略」一詞？保羅的受苦是故意的嗎？如何具策略性？

The Church in God's Plan
神計劃中的教會

Howard A. Snyder 著　　趙穎嫻譯

神有一個宇宙性、全盤性的救贖計劃。

　　祂想拯救的靈魂，遠遠超過只佈滿天國之數。聖經講述一個有關所有受造物的神聖計劃，教會在其中擔當重要的角色。聖經也指出何謂教會，並詳細說明了它的使命。

大家庭的主人

　　以弗所書首三章簡潔地說明了神對宇宙的計劃，保羅說：「奉神旨意」(弗一1)、「按著自己意旨所喜悅的」(弗一5)、「都是照祂自己所預定的美意，叫我們知道祂旨意的奧秘」(弗一9)。保羅重複說，神是按祂自己的旨意「揀選」、「命定」和「預定」來待我們。

　　要特別留意弗一10的含義。「安排」Oikonomia，是由「家」House 或「家庭」Household 變化而成，就是指一個家庭的監管，或家庭管理的計劃或安排；亦即是說，「神是這個大家庭的主人，一切皆由祂妥善管理，先後有序」。[1]

　　保羅看神的計劃是一個有關宇宙所有受造物的策略，是「要照所安排的……使天上地上一切所有的，都在基督裡面同歸於一」(弗一10)，所以保羅在以弗所書曾 5 次提到「天上的王國」，神就是「眾人的父，超乎眾人之上，貫乎眾人之中，也住在眾人之內」，基督是「遠升諸天之上，要充滿萬有的」(弗四6、10)。

復和：非僅是「次選」

　　但神的全盤計劃是怎樣的？簡單地說：**神使一切所有的都在基督裡面同歸於一，藉此將榮耀歸於自己**。神的計劃是要使一切都在基督裡面合一與復和，人們能重新服侍他們的創造者。[2]

　　神的計劃是重建祂的受造物，修補人類墮落時對人和大自然所帶來的損害。神定意要使一切受造物和好如初，似乎只為了實踐祂創造的原意，但這只是人類消極的理解；我們斷不可以為神的復和計劃是「次選」，是因創造失敗而構想出來的次等、後備計劃。神的永恆計劃在創造和人類的墮落以前(弗一4)，」已經預定。[3]

　　這個計劃不止包括人與神復和，也使「天上地上一切所有的」復和(弗一

10)。或者，正如保羅在歌羅西書一20所說，這是神的旨意，「藉著基督在十字架上所流的血成就了和平，便藉著祂叫萬有，無論是地上的、天上的，都與自己和好了。」這個計劃的核心，是人藉著耶穌基督的寶血而與神復和，但這個靠基督得勝的復和，澤及所有因犯罪而造成的隔離──自我的隔離、人際的隔離及人類與物質環境的隔離。令人難以置信的是，聖經指出這個復和甚至包括救贖由罪惡而生的物質宇宙，因為一切事物都歸入以耶穌基督為首的管轄(羅八 19-21)。或如以弗所書一10所指，神的目的是「使天上地上一切所有的，都在基督裡面同歸於一。」[4] 在基督內，一切事物都較人類墮落前所經歷的更為完全，實在令人驚喜！

保羅是從整個宇宙來看個人的救恩，是實在的，是廣闊的，人類是在神救贖計劃的**中心**，而非**邊界**。

在神宇宙計劃中的教會

弗三 10 是一句非常重要的話：保羅說，神的宇宙計劃是「為要藉著教會，使天上執政的、掌權的，現在得知神百般的智慧」。[5] 讓我們仔細再看以下一段：

你們念了，就能曉得我深知基督的奧秘，這奧秘在以前的世代沒有叫人知道，像如今藉著聖靈啟示祂的聖使徒和先知一樣。這奧秘就是外邦人在基督耶穌裡，藉著福音，得以同為後嗣，同為一體，同

蒙應許。(弗三 4-6)

可知，這奧秘就是外邦人和猶太人都可以分享神應許的救贖。實際上，猶太人和外邦人已連成為「一體」了。正如保羅所解釋，藉著耶穌基督，神已經「將兩下合而為一，拆毀了中間隔斷的牆。」所有的基督徒都成為一體，「一個新人」，因為「在十字架上滅了冤仇」(弗二 14-16)。

請留意這裡說的兩個層面；猶太和外邦信徒都與神復和，也彼此復和。藉著與耶穌的復和，他們結連起來，也拆毀了昔日彼此的冤仇，成為兄弟姊妹，不再是敵人。

那麼，甚麼是神計劃的奧秘呢？就是在基督裡，神的大能勝過憎恨，也治癒了冤仇。猶太人和外邦人「與神復和，成為一體」。這奧秘不僅是將福音傳給外邦人，更藉著福音的傳播，外邦信徒現已「同為後嗣」，也「同為一體」了。

神對教會的計劃及於全宇宙：

為要藉著教會，使天上執政的、掌權的，現在得知神百般的智慧。這是照神從萬世以前，在我們主基督耶穌裡所定的旨意。(弗三 10-11)

出於神的「百般智慧」，教會在初步展示，在末世時基督要完成的事；奇妙的是，這項公開的展示是超越人類，甚至到達天使的領域。教會是神將基督復和的愛展示的地方，使猶太人和外邦人成為神子民團體內的兄弟姊妹。但是否只限於猶太人和外邦

人？福音的奇蹟是否已在第一世紀時被猶太人與外邦人的復和耗盡了？當然不是！神的計劃還有很多奧秘。最初的歷史性復和，顯露神藉著十架的寶血使所有隔離的人和群體與神復和；這復和由猶太人和外邦人開始，然後延伸至自由的和為奴的、男人和女人、黑人和白人、富有的和貧窮的(西三 10-11；加三 28)，最後至「天上地上的各家」(弗三 15)。

聖經的教會觀

聖經說教會就是基督的身體，是基督的新婦(啟廿一 9)、神的群羊(彼前五 2)、聖靈居住的殿(弗二 21-22)。事實上，聖經對教會的所有描述，都著重基督與教會之間基本的、活生生的和愛的關係。這說明了教會在神計劃中的主要角色，同時亦提醒我們「基督愛教會，為教會捨己」(弗五 25)。如果教會是基督的身體，是基督在世上工作的載體，那麼，教會是福音不可缺少的部分，「教會」和「救贖」是不可分割的。故那些「反教會立場」的說話，削弱了福音的本質，亦誤解了聖經中「教會」的意義。

聖經顯示教會處於文化之中，努力忠於信仰，但有時不慎摻雜了異教的信仰與習俗，以及猶太律法。聖經說，教會的地上和天上的兩個面正如一個錢幣的兩面，是相合的，不是不能相容，更不是分割的。教會只有一個，就是基督的身體，現在存於地上又「在天上」(弗一 3，二 6，三 10)；這

教會觀不僅符合當今人的理性思維，也合乎聖經的教會觀。[6]

第一，**聖經看教會是宇宙/歷史性的**。教會是一群神的子民，由神所設立，神並且透過教會在歷史中工作。在這方面來看，教會的根源可追溯至舊約，甚至是人類墮落，教會的任務也向前伸展，進入未來的歷史一直至永恆；這水平線就是歷史的向度。

而宇宙向度提醒我們，現時所處的時空世界，其實是神所統治的較大的、靈界萬有的一部分。教會就是呈獻給得勝主基督的身體。神已選擇將教會與基督一同放置在祂計劃的中心，使世界與祂復和(弗一 20-23)。

因此，教會的任務是延續耶穌在世上開始的天國以榮耀神(太五16)。如此，便可以要求教會要有更廣闊的事工，是「叫我傳福音給貧窮的人，差遣我報告：被擄的得釋放，瞎眼的得看見，叫那壓制的得自由，報告神悅納人的禧年」(路四 18-19)。

第二，**聖經看教會為聖靈的恩多於一個機構**。在廣義上，教會是一個機構，但更重要的，它是一個帶有神能力的團體，它是基於神的恩典而存在，由神施恩而建立。從聖經上所看，它的結構有別於商業機構或學校；從它的結構來看，更像一個有生命的人體。教會的基本，是一個團體而非階級集團，是一個有機體而非組織。(林前十二；羅十二 5-8；弗四 1-16；太十八 20；彼前四 10-11)

第三，**聖經看教會是神子民的團**

體，將宇宙和聖靈的恩連合起來；我們看見教會在世界之內，卻超越世界。

既然教會是神的子民，它包括一切時間及地區內的神子民，也包括超越時空現正與神同在的人。然而，神的子民必須是可見的、地區性的。在地區性層面上，教會就是聖靈的團體。正如Samuel Escobar所說：「神所呼召的子民組成一個團體，因此，那些由基督而生的新人，要讓社會的人看見生命中現出基督的樣式。」[7]

所以，教會既是一個被召的群體，又屬於一個社群，置身於一個城市或一種文化，但又屬於更大普世範圍。

聖經中以基督的新婦、神的家、神的殿或神的葡萄園等來描述基督的身體，使我們對教會有基本的概念，任何時代的教會都必須與這些形像或模式一致，但這些都是隱喻而非定義。筆者相信最合乎聖經的定義，是教會乃神子民的團體，當中兩個最重要的元素是：教會是一群子民、一個新族類或新人類，教會也是一個團體或團契(聖靈的團契)。[8]

神子民的團體

上述的概念，先強調教會是一群「人」，而不是一個機構性的組織；繼而強調教會並非一個個孤立的人匯聚，而是有合作或相交的本質，這對於教會的真實存在相當重要；最後，這真理顯出能夠成為一個團體和子民，是神藉著基督的工作和聖靈內住所賜的禮物，並非人為技術或計劃能

產生的。教會要藉耶穌基督才能成為神的子民，這實況開啟了進入真正而深交的團體之門。由此，身體的形象有了更深的意義，它包括同是團體和子民的事實。

子民的概念植根於舊約，並且刻劃了神在歷史中的作為的事實，是呼召和預備「被揀選的族類，是有君尊的祭司，是聖潔的國度，是屬神的子民」(彼前二9；比較出十九5-6)。「子民」的希臘文是 *laos*，演變成英文的laity。這提醒我們 **整個** 教會是一群世人，一個族類。這就強調教會是**普世性**的——神的子民遍佈世界，參與數百個宗派、運動和其它組織；是一個包容的、全球的、團體性有男有女的實體，就是歷史上所有藉著耶穌基督與神復和的人。這是神在歷史中的作為，按祂的約呼召的一群來朝拜的子民。**從宇宙、歷史性的角度來看，教會就是神的子民。**

教會是一個團體或一群相交的人、一個團契(*koinonia*)，在新約，更從五旬節的經驗清晰看見。如果能從子民的觀念表明神的計劃是由舊約延續至新約，那麼，「團體」(Community)的觀念應特別注意「新約」和「新酒」，以及基督復活和五旬節聖靈之洗中所行的「新事」。這裡所強調的是，教會「所在地」之內有頻密的、互動的相交生活。**從屬靈的有機體來看，教會是屬聖靈的團體。**

教會作為一個團體，強調了它在特定的文化處境中，地方性和短暫性

的生命。這樣,我們不從超然的高度來看教會,而是從基督徒一起生活,分享生命的瑣碎事情來看教會,便會發現一個基本的事實:真正的團體才能產生有效的見證。這是一個皮酒袋的問題——需要面對實際的情況,以接納和鼓勵一個真正的團體存在。

更加重要的,當教會面對全球化和多元化的境況,要明白教會的精髓在於它是一群人,而不是一個組織;它是一個團體,而不是一個機構。今日對教會的看法,分歧之處,盡在於此。按聖經所說,無論在哪一種文化之內,教會都是神子民的團體,是屬靈的實體。但所有教會性機構,無論神學院、宗派組織、差會、出版社等都不是教會,正確來說,它們是支援機構,是為服侍教會的生命和使命而設立的。

上述的機構為文化所約束,可從社會學的角度來理解和評估,但其本身並非教會。當這些機構和教會混淆了,或被視為教會基本元素的一部分,便會產生種種不幸和誤解,教會也因而受到特殊的文化所約束。

教會是基督的身體、聖靈的團體、神的子民,它是君王的團體,也是神與萬物復和計劃的世上代理人;神國度的代理人不可能被認為只是其中一種。從十字架一直到永恆,「基督愛教會,為教會捨己……成為聖潔,可以獻給自己,作個榮耀的教會,毫無玷污、皺紋等類的病」(弗五25-27),都是真實的。

注釋

1. W. Robert Nicoll, ed., *The Expositor's Greek Testament* (Grand Rapids: Eerdmans, 1961), 3:259. 簡單來説,要注意 oikonomis 這個字在弗三2,西一25,提前一4,路十六2-4有不同的翻譯。
2. 引用 Bernard Zylstra 在基督徒學者協會通訊 *Perspective* 第七卷第二期(1973年3-4月號)頁141。
3. 注意這重要語句屢屢出現,見太十三35,二十五34;約十七24;弗一4;來四3;彼前一20;啟十三8,十七8。這些經文清楚指出基督從永恆已預定為救主,神國度的計劃亦是永恆不變的。
4. 參 Gerhard Kittel 與 Gerhard Friedric 所編 *Theological Dictionary of the New Testament* (Grand Rapids: Eerdmans, 1964-74), 2:681-8。
5. AV 譯本用 "by the church",視「教會是神計劃的中介」。
6. 以下三個要點可參考作者所寫的 *Radical Renewal: The Problem of Wineskins Today* (Houston, TX: Torch Publications, 1996)。
7. Samuel Escobar, "Evangelism and Man's Search for freedom, Justic, and Fulfillment" in *Let the Earth Hear His Voice*, compendium of the International Congress on World Evangelization.
8. 龔漢斯(Hans Kung)有類似的描述,如:教會是「神的子民……信仰的團體」,教會是「神呼召出來和聚集的一個新子民的團體」,見 *Structures of the Church*, trans Salvator Attanasio (London: Burns and Oates. 1964), pp.X, 11。

(作者為美國肯德基州阿斯理神學研究院歷史及宣教神學教授,並曾在巴西聖保羅宣教。)

研習問題

1. 神的計劃用復和來描述,又說要服在基督之下。這兩種概念有沒有矛盾?在以弗所書中,它們是怎樣融合的?

2. 教會是復和的結果抑或是復和的中介?

3. 為甚麼作者將教會定義為一個團體?還有其它的情況嗎?這樣理解對傳福音有何重要?

Prayer: Rebelling Against the Status Quo
禱告——對現實的反抗

David Wells 著　王碧霞譯

如果你有一點社會良知，這個故事一定會令你吃驚。

在美國芝加哥市的南區，住著一個貧窮的黑人婦女，她希望所住的公寓在嚴寒的冬季裡可以有暖氣供應，但她那狂妄的房東不顧市政府的法令，拒絕了她的要求。她是個寡婦，又極之貧窮，對法律制度也毫無所知，將這件事訴諸法庭，因她認為該有公道。她實在不幸，每次出庭時一再碰到同一位法官。這位法官是個乖僻的無神論者，他唯一的原則就是他自己所說的——黑人當守本份。所以這寡婦勝訴的機會微乎其微，尤其是當她明白自己缺少了可以勝訴的要訣——令人滿意的賄賂時，希望更是渺茫；但無論情況如何，她仍舊堅持。

起先，這位法官不太注意她，甚至命令她退庭時，視線也不會從膝上抬起來望她一眼。後來，他開始注意她了。他想，又是一個黑人，竟然愚拙得以為可以取回公道。但這個婦人的堅持使他有了良知，這良知變為內疚與憤怒，最後在尷尬與盛怒下，准許了她的請求，執行了法令。這是反抗現存「體制」的一大勝利——至少在他所運作的腐敗法庭之中如此。

這件事情並不完全真確(據筆者所知)，也非芝加哥的真實案件，但亦不是筆者所「杜撰」的故事，而是脫胎自耶穌所講的一個比喻(路十八 1-8)，用以說明「請求性禱告」的本質。

耶穌所用的比喻，顯然並非說明神與腐敗法官的對比，而是寡婦與請願者。這比喻有兩個意義：第一，寡婦拒絕接受不公平的境遇，正如一個基督徒應該拒絕苟安於這世界的墮落境況一樣；第二，雖然受到挫折，這位寡婦仍堅持請求，基督徒也當如此。第一點是關乎禱告的**本質**，第二點是關乎禱告的**實踐**。

要檢討的是我們微弱且不規則的禱告，特別是在請求方面，常常用了錯誤的方式。當遭遇失敗時，我們往往認為是因自己的意志軟弱，期望乏義，技術無效以及心志搖擺，而鞭策自己。我們一直以為或許在**實踐**上出錯，要絞盡腦汁找出錯處。其實，問

題出於誤解了禱告的本質，以及我們在實踐上欠缺了像寡婦的堅持，除非我們有她那種明確的意志。

「請求性禱告」的本質是甚麼呢？簡要地說是反抗——反抗這個世界的墮落，且要絕對及不斷地拒絕將普遍的不正常當作正常來接受。這本質從負面方面來看，若與神原先所設立的正規相違，便要拒絕每宗事項、每項計劃、每個說明。如此，它本身就說明了善惡之間不可稍通，也是宣告邪惡並非美善的變體，兩者是對立的。

或者，從另一方面來說，若抱著「人生本是如此」的想法，逆來順受，就是那承認世事運作的**必然性**，放棄了基督徒對神的觀點。這種放棄糾正的做法，含有一個不明顯的假設，那就是神改變世界、以善剋惡的能力將不會實現。「放棄」徹底破壞了請求性祈禱(以及基督徒看神的觀點)。耶穌說「你們要常常禱告，不可灰心」，就是不要默從現實(路十八 1)。

請求性禱告的消失，有一個有意義的歷史背景。那些強調安靜默從的宗教，經常貶抑請求禱告。斯多亞派(Stoics)便有如此見解，聲稱這樣的禱告表示了人不願意接受存在的世界乃神的意願。他們認為禱告者意圖藉著改造它來逃避，是一種不應有的行為。佛教也有相類的說法。在我們的世俗文化中，往往有相同的結論，只是推理過程不同而已。

世俗主義是一種為現世而活的態度，認為生活與神並沒有任何關係，無論在意義或道德上，現實的世界就是生活上的唯一規範或「享有」。故他們認為，尋求其它指標來建構我們的生活方式乃屬徒然，是「逃避者」。如此，我們一切的祈求對象(不單單是神)往往變得模糊不清，且對祂與世界的關係也有一種新的看法。這種情況帶來了一個符合世俗假設的看法，就是神可能「存在」且「活動」於世上，但其存在與活動並不能改變甚麼。

反之，可以肯定的就是，請求禱告只在具有兩重信念的地方才會增長：第一，神的名不經常被尊為聖，祂的國度太少彰顯，祂的旨意並非常常成就；第二，相信神自己可以改變這情況。所以請求的禱告是一個希望的表示，相信我們現今的生活**可以**改變，也**應該**改變。所以若不經常禱告，不可能照神的方式活在神的世界，照祂的要求完成祂的工作。

筆者相信，請求禱告在我們的主的生活裡有真正的意義，可惜，福音書的作者並未將祂的禱告生活詳加解釋(如可一 35；路五 16，九 18，十一 1)，雖然如此，仍可看出祂的禱告模式。

第一，當祂在生活上要作出重大決定之前，如揀選門徒，便會作請求性禱告(路六12)。祂何以揀選了一批藉藉無名的烏合之眾呢？唯一的解釋是祂事先經過禱告。第二，當祂被壓過重，有許多事情要費神與關注，又異

常忙碌之時。第三，祂在生活上面臨極大危機與轉折時，如祂的受洗、變像與被釘十字架(路三21，九28-29)。最後，當祂陷於不平凡的試探之前及在試探之中，最感人的一次是在客西馬尼園裡(太二十六36-45)。當那邪惡的「一刻」臨到，耶穌與門徒的應付方式大相逕庭；何以如此，只有從祂堅持禱告而門徒心靈軟弱沉睡的表現，可以作出解釋。面對這些事件，我們的主每次都有可選擇自己的行程、前途，或在神旨意以外的道路；然而，祂每次在「請求性禱告」後，拒絕另作選擇。這正是祂拒絕不按天父旨意而活，或作天父的工作的寫照，也就是祂對這個執迷不悟且墮落的世界的反抗。

禱告是宣告神和祂的世界與現實不同；而「睡覺」、「昏倒」或「喪膽」都是佯裝不見，我們何以如此少為地方的教會禱告？是我們的技術欠佳，心志軟弱，或我們的想像懶散嗎？這些理由難以令人信服！有不少強烈而貼切的討論(可能部分或全部都是正確的)，都論及教會裡的講道平庸、敬拜空洞、團契淺薄以及傳福音無效。既是這樣，為何我們不能像所說的堅持禱告呢？答案很簡單，我們不相信禱告會改變現況，無論有多頹喪，我們都認為情況不能改變，現在、將來也一樣。這與禱告的實踐無關，而是關乎禱告的**本質**；或更確切地說，是關乎神的本性和祂與這世界的關係。

與比喻中的寡婦不同，我們發現我們與周遭不義的及墮落的世界很容易妥協——這種態度甚至侵入了基督教機構，可是，並非每次我們都不知道將會發生的事，而是我們總覺得全無能力去改變任何事情。這種無力感促使我們，縱使多麼不情願，也與錯誤的事情和解。

換言之，在向社會作見證及在神面前禱告兩方面，我們都已經失去了應有的憤慨。可幸的，祂並未失去。神對錯事的反應是憤怒的，藉著祂，真理永遠坐在寶座，錯誤永遠懸於絞架。若沒有神的憤怒，就沒有任何理由要在世上活得合乎道德，且有百般理由可以如此生活。這樣看來，神的憤怒是與祈求在任何情況下都要使真理顯彰、罪惡被消滅的請求禱告密切相連。

耶穌給我們思想這事的準則是神的國度，國度是君王在轄地擁有治權。因為我們的王的本性，這主權的行使是超自然的。在耶穌裡，久待的「來世」已經來到，在祂裡面且藉著祂，彌賽亞已經進入這世界了。作為一個基督徒，不僅要有正確的宗教經驗，也要開始活在那真正神聖的領域裡。傳福音成功不是因為我們所用的技術「正確」，而是因為這「世代」闖入了罪人的生活，而這「將來的世代」已露出了曙光，非某一特定民族或某一種傳統所特有。神的「世代」以及祂死在十架上的兒子的「世代」，已在全

世界露出曙光，所以我們的禱告應該超越我們私人生活所關心的事，應該包括神所關心的全人類。既然福音屬於普世的，禱告就不能局限為地區性了。

把世界看作一個辨明是非的法庭，並非過份。我們禱告無力是因為我們還未看見這一點。除非我們能夠重新看見，否則，我們將不會堅持作一個訴訟者。但我們完全有理由可以重睹這異象，並且行使我們的機會，因為我們面對的法官並非無神論者，也非貪官，而是榮耀的神、我們主耶穌基督的父。你真以為祂不會為那些晝夜呼籲的選民施行公義嗎？祂會一直置諸不理嗎？事實就是，我們的主宣告「要快快地給他們伸冤了」(路十八7-8)。

(作者為哥頓神學院卡羅連納分校教務長，並為系統神學教授。)

研習問題

1. 請求性禱告與教會的使命兩者有何關係？

2. 作者指出與請求性禱告有關的兩個範疇是實踐及禱告的本質。作者如何闡釋有關的問題？哪一個最重要？何故？

3. 在作者對「耶穌基督的禱告」所作的詮釋中，提到禱告的「使命」是甚麼？

Strategic Prayer
策略性禱告

John Robb 著　高偉川譯

在埃塞俄比亞(Ethiopia)，距離首都亞的斯亞貝巴(Addis Ababa)約兩小時車程的一個乾旱山谷內，一棵巨大的樹矗立在阿瓦什(Awash)河岸，多年來仍屹立不倒。由於河水無法輸往較高的地方，附近的居民多年來飽受飢荒的折磨。痛苦的居民相信神明賜給它神聖的力量，每次經過，都向這棵參天巨木膜拜；成人會親吻巨大的樹幹，以恭敬的語調默默對它說話，而小孩子則說：「這株樹救了我們。」

1989 年，世界宣明會在當地開始一項發展計劃，包括一套灌溉系統，令山谷內龜裂的土地首次開花。然而，這棵樹仍像嚴肅的哨兵般屹立著，俯視著整個社區，威嚇奴役區內的人民。居民相信必須以獸牲獻祭，遵守嚴厲的禁忌禮儀，才能令神明喜悅。世界宣明會的同工眼見如此，知道這偶像崇拜攔阻人進入基督的國度，影響整個社區的改革。

一天早上，世界宣明會的同工正在一起祈禱，突然湧出了耶穌的應許：「你們若有信心，可以對這棵樹說：『你挪開此地，投在海裡。』也必成就。」(太二十一 21)帶著這項提醒，同工們開始禱告，相信神必會推倒那令人驚怕的歌利亞。很快，整個社區的人都知道基督徒在為這棵樹禱告；六個月後，這棵樹開始枯乾，本來可以遮蔭的葉子逐漸消失，最後，這棵樹像被打倒的巨人一樣倒在河上。眾人都驚訝地說：「是你們的神做的！你們的神令這棵樹枯萎！」幾個星期內，約有 100 人接受了耶穌基督，因為他們親眼目睹神以祂的大能回應基督徒的禱告。

社會問題的屬靈本質

長久以來，基督徒對最有效改造世界的方法意見分歧，應宣告福音或訴諸社會行動呢？事實上，兩者都不可或缺，否則不算是好消息，而將兩者緊密連繫的——就是禱告。當我們向神祈求暫時的公義時，永恆的救贖亦會彰顯。在最重要的途徑上，傳福音及社會行動是可以結合的。神感召我們為這世界禱告，激動祂子民的

心,要分享祂的好消息,並施贈愛與仁慈。當我們看見人群來到耶穌面前,身體更健康,經濟更繁榮,國家更昌盛,我們可以肯定是信徒禱告的果效;因為世界的本質是邪惡的,禱告是必須的。

我們企圖援助貧困者,對抗不公義,可是,基督徒往往忘記這也是與政體及權力對抗。自從伊甸園以後,人類與撒但和牠的邪靈合作,以駕馭他人和整個世界,使廣大地區發生飢荒、疾病、貧窮、奴役、不公義及痛苦。每當我們希望幫助這些悲劇的受害人,便會捲入與控制著世界眾多機構、社會組織和體制的強大靈界的爭戰。撒但和牠的權勢,正戮力破壞按神的形像所造的人類。撒但是騙術高明的騙徒,偶像敬拜的原創者,以摧毀對神的信心,並扭曲價值和宣傳錯誤的觀念,來支配世界。牠滲入機構、政府、媒體、教育制度、宗教團體,利用它們來教唆人類崇尚金錢、名譽、成就、權力、享樂、科學、藝術、政治及宗教偶像。

被邪惡控制的社會,受到黑暗和毀滅所籠罩;首先是公開的偶像崇拜和邪教,其次是透過錯誤的思想來弄瞎人的心眼,使人看不見真實的神和所帶來的盼望。

偶像崇拜的災難

大部分的舊約,都記載著撒但引誘以色列人放棄向神效忠,隨從埃及、亞摩利、迦南及以東的假神。以色列人因而承受神已預告的惡果——受逼迫、奴役、外侮及窮乏之苦(士六6,十16;申二十八)。同樣的罪和惡果,也折磨著今日的世界。

北印度是世界上最黑暗的地區之一,印度人估計當地可能有逾3億的神明。破壞女神嘉黎(Kali)在西孟加拉邦的加爾各答(Calcutta)極受尊崇,曾到過該地的人都知道,當地人敬拜這位神明所蒙受的災難性後果。世界上其它地方,最粗暴的不公義事件背後,往往都隱藏著異教崇拜。在柬埔寨(Combodia),二十世紀70年代殺害了200萬人的紅高棉政權,是以兩個邪教為大本營;印度教破壞和生殖之神Shiva及毒蛇之神Naga在北部都受到尊崇。國際事工差會(SIM)的宣教士報告,利比里亞(Liberia)內戰期間,不少參戰者學習非洲的巫術 juju 以求獲得力量;他們佩戴靈物,呼喚邪靈進入他們的身體,醉酒,並且殺害全村的無辜居民。

堅固營壘也無力

我們仍發現,人不一定受到撒但操控的偶像崇拜或對靈體的恐懼所影響,卻會被一些錯誤的思想所控制,陷於黑暗之中。使徒保羅在林後十5提到這一種束縛,說是「各樣的計謀,各樣攔阻人認識神的自高之事」。George Otis, Jr. 對這一段經文的詮釋:

> 這些營壘並非鬼魔或地理上的居所,而是心靈的住處。和合本所

翻譯的「計謀」，可以翻譯為想像(imagination)，這是一個有趣的字，來自希臘文 *logismos*，更加準確的翻譯是深思熟慮的推論(相對於隨意、偶然的思想)。如此看來，這些爭論或想像就是宗教或哲學體系。[1]

在上述經文中，保羅所用的希臘文 *hupsoma*，中文翻譯為「自高之事」的，是一個占星術的字彙，意思是「占卜力量可支配的範圍」[2]；這就顯示了保羅認為與福音為敵的人，思想實受到這些力量所影響。

Francis Frangipane 亦指出這些營壘在人的思想內，他說：「這是撒但和牠的軍隊所隱藏和受保護的靈界營壘，這些營壘存在於思想模式和觀念之中，統轄個人和教會，也統轄社區和民族。」[3]

舉例來說，印度教的命運觀把數以百萬的人民囚禁於靈性和經濟的困境中。這種不可踰距的命運力量，把一個人限制於出生的種姓之內；如果你生於貧窮的種姓，要成為律師或會計師來提升生活的機會很微。這種想法是撒但的手段，將人民困於貧窮之境。對這些被圍於命運世界觀的人所訂的發展工作，也因群眾認為一切無法改變，而受局限。

除了妨礙人民發揮他們從神而來的潛力外，惡者也利用人的頑固思想來發動可怖的破壞。1994年，盧旺達(Rwanda)的胡圖族(Hutu)極端主義分子奪取了政權，他們利用非人性的種族成見，指圖西族(Tutsi)是蟑螂，需要滅絕。在短短的三個月內，100萬圖西族及拒絕以武力對付圖西族鄰居的溫和派胡圖族人，被一群居無定所的殺人者所殺害。

在面對這樣的社會邪惡，我們可以怎樣做？無可置疑，我們必須傳揚神的話語，以遏止這些騙人的技倆，然而，我們也必須積極禱告。

致力對付超自然的邪惡力量

我們無法改變邪靈，亦無力與其周旋，只能採用武力，亦即屬靈暴力來反抗。我們認為耶穌愛和平及以非暴力對待敵人，祂所教導將另一邊臉也轉過來給人打，是對待**人類**敵人，而非鬼魔敵人。但祂永不會准許撒但和惡魔大張旗鼓，祂會用武力、權威，甚至是粗暴的姿態來對付，每一次都訓斥、抵擋，並驅趕這些邪惡的力量。

耶穌亦提到在天國來臨的時候，會激烈的鬥爭和反抗。他說：「天國是努力進入的，努力的人就得著了。」(太十一12)許多聖經學者同意這是指天國受到強敵的進攻，是人類和他們的組織俘擄並殺害施洗約翰，宗教領袖與羅馬政權聯手來反對耶穌，更將之處死。在這些人類勢力的背後，耶穌基督看見一個被稱為「世俗之子」的，在可三27提到撒但時說，必先綑住那壯士，才可以搶奪他的家財(指釋放被囚者)。綑住壯士需要動用暴力，這是一場戰爭，教會可以靠著神的力量而得勝。耶穌自己曾應允「地獄之門不

會勝過教會」。

使徒保羅亦強調，「我們並不是與屬血氣的爭戰，乃是與那些執政的、掌權的、管轄這幽暗世界的，以及天空屬靈氣的惡魔爭戰」(弗六 12)。禱告就是這場爭戰的決定性武器——同時，亦具有侵略性和猛烈的。我們必先邀請神加入，否則，很容易會被不公義的組織和力量、壓迫及戰爭所征服，一切努力便付諸東流。我們也要藉著禱告，否則，不可能戰勝外面的世界。

筆者並非說只要禱告便可以改變世界。長期以來不少福音派基督徒以禱告來代替行動，這是把神透過聖經吩咐我們要履行的責任卸回給神；同樣，也不能以社會行動來代替禱告。至於禱告和神怎樣利用我們的禱告來改變世界，仍是一股難以解開的疑團。神學家 Walter Wink 這樣寫道：

> 禱告並非魔術，亦非經常產生作用，也不是我們要去做的，而是對神在我們和世界中間所做的事有所回應。禱告是必定要有的開端，讓神在不妨礙我們的自由下有所行動，禱告是與神攜手合作的最終行動。[4]

吊詭的是，大多具侵略性及威力的屬靈戰爭，是個人很大的破碎和軟弱所發動。耶穌勝過黑暗的權勢，是以十字架上完全的屈辱和無能，就是重要的榜樣。所以，當我們與耶穌來到十字架前認罪，放棄與黑暗勢力同流合污，就能夠堅決反抗邪惡。

禱告的功課

1994 年，一群柬埔寨基督徒領袖對筆者說，他們的屬靈戰爭非常緊張，需要外面的禱告團隊支援。這年的 3 月，筆者組成了一個團隊，支援 60 位柬埔寨牧者和傳道人為他們的國家禱告。我們很快便意識到他們對破壞之神 Shvia 及認為是帶領柬埔寨人民的毒蛇之神 Naga 的崇拜上，感受到謀殺之靈(spirit of murder)的影響。會議舉行的第二日，神的靈透過團隊其中一人說話，指一些人的手染了血腥，因在場的人有曾作紅高棉殺手，殺害數百，甚至數千人。當時大家都流淚痛哭，為在戰場上所作令人髮指的暴行而懺悔。

虛己與公開認罪，柬埔寨基督徒公開放棄昔日君王在國土北部吳哥廟中與黑暗權勢所立的盟約，激動的情緒與認罪，開始了復和的進程，組成了全國基督徒團契。至執筆時止，當地教會的數目已由100增至逾500，而紅高棉則開始衰弱。

以下簡介幾個禱告的特徵，可以作其它禱告事工的參考：

1. **事前需要很多禱告，進行時亦需要禱告**。我們的團隊及柬埔寨基督徒並非單獨禱告，是得到數以千計的人在世界各地代禱。聯合禱告——連繫各地的神子民為特定的地方和人民禱告——是一個有力的組合。

2. **由本地領袖帶領悔改行動**。我們的團隊只作為僕人和催化劑，認定神

將與靈界黑暗勢力決裂的權柄交予本地領袖。

3. **謙卑和破碎對所有參與的人來説是必須的**。在我們的團隊裡及柬埔寨基督徒之中，均沒有自以為必勝的信念。

4. **在每一項事情上，都倚靠神的帶領**。每一位參與禱告的人都尋求神的靈引領，客觀地搜集該國的資訊如歷史資料，來裝備自己，然後等候聖靈主動的指引。

5. **禱告須全面**。我們為政府、不同的群體(很多仍未聽聞福音)、社會的需要，也為教會合一和活力禱告。我們祈求神的平安臨到柬埔寨，使在屬靈和社會上有持久的改變。

6. **恆切禱告才有果效**。我們的團隊在探訪柬埔寨之後，在很長久的時間內仍繼續代禱。該國內黨派不和及爆發衝突，都令我們清楚知道代禱者不可以退下崗位，必須像哨兵一樣站在城牆上看守，否則，那惡者便會從後門進來，在沒有防備之下進行分裂和破壞。

「卡利」會有好東西嗎？

神應允代禱者的祈求，神的平安和改造亦臨到哥倫比亞的卡利(Cali)。[5]這個拉丁美洲的城市，一直受到惡名昭彰的卡利毒品集團所侵蝕。這個組織曾是全球最龐大、最富有與及最有規模的犯罪集團——控制了大部分的政府部門和巨額金錢，並以暴力對付任何反對他們的人。在徹底的絕望中，卡利的牧者協議由1995年1月開始，每週聚集一次為這城市祈禱。

那年的5月，教牧同工會在市政體育館主辦了一次通宵守望祈禱會；體育館可以容納2萬7千人，牧者們只期望有數千人出席，可以坐滿場館的底層。可是，竟然有3萬人在那裡徹夜禱告！其中一位籌辦人記述：「守望最重要的目是表明立場，對抗這犯罪集團和他們看不見的靈界主人，兩者長期操控著我們的城市和國家。經過在神面前彼此虛己後，我們象徵地對卡利(包括受到可卡因、暴力和賄賂的綑綁)伸出基督的權杖。」

禱告會即時的結果是，市內有一整天完全沒有謀殺事件；在這個平均一天有多宗殺人事件的城市，這是一則有價值的新聞。(哥倫比亞在1993年首六個月內已有1萬5千宗謀殺事件，是全球凶殺案最多的地區，為美國的八倍。)隨後的四個月內，900位與集團有關的警務人員(officers)被撤職。然後，幾位代禱者報告說，在夢中看見天使拘捕那些毒品集團的首領，六星期後，哥倫比亞政府宣佈全面對付毒品集團的首腦。那年的8月，即神向代禱者啟示的三個月後，哥倫比亞政府拘捕了7個集團首領。

卡利的信徒決定再舉行第二次通宵禱告會。在預備期間，他們在市內22個區域進行政治、社會和屬靈需要的調查，然後分組特別為所搜集得到的資料禱告。驚人的改變再次出現！哥倫比亞政府進行反貪污調查——不

止對付卡利市政府，亦擴大至國家總統辦公室。

從這時開始，卡利市的經濟增長了25%；當市長看到了信徒禱告的果效，也宣告說：「這個城市需要耶穌基督帶來和平。」市政府也供應音響系統及舞台予22隊同期工作的佈道隊，共有40位當地及國際性的佈道家參與。市內罪案因而大降，而曾高踞拉丁美洲大陸之首的愛滋病人口，亦在下降。

卡利的教會增長之速有如「屬靈爆炸」，按教會增長專家Peter Wagner的看法，卡利所做的切合實際需要，它的屬靈覺醒正向其它城市擴展。但要得到這樣的成果，必須承受靈界的反擊。在該兩年內，超過200位牧者在哥倫比亞被游擊隊或非正規部隊所殺。

向未得之民佈道

接觸未聞福音的群體，首要是有積極和策略性的禱告，理由有二。首先，未得之民是「無教會」的群體，無論是因種族、語言或社會形態而形成，在這些群體均未有蓬勃的植堂運動，來宣告和見證天國的福音。神希望教會成為一個公開見證基督的群眾，但撒但佈下陷阱，企圖以社會上普遍對現實的假設來否定這順服的態度。我們無法肯定這些頑固的見解何時開始，可能因人類追尋自我滿足，而被困於自以為高超的思想內。但我們看見那裡沒有教會，那裡就不順從基督；這些頑固的思想數世紀以來未遇挑戰，過去數代且越加增強。這些

假設的壁壘，需要具勇氣和決心的屬靈戰爭來削弱和趕逐它們，以免攔阻人「認識神」和「順服基督」(林後十3-5)。憑人的說服力無法將整個民族從這些黑暗勢力中釋放，禱告是最重要的。只有當神以慈恩打破這些遍及社會的盲點，才能看見基督的真光。

要為未得之民禱告的第二大理由是，神會差遣工人。未得之民通常受到忽略或者抗拒，雖有宣教士在工作，但人數很少。基督命令祂最初的跟隨者考察那些莊稼多而工人少的地方，然後大膽地請求收莊稼的主，作只有祂能作的工——興起和差派有用的工人。當我們看見在未得之民中有奇妙的突破，我們會非常興奮，但從每一個例子中，我們都可以看到在這群體出現突破前，必有恆久的策略性禱告。宣教歷史充滿令人驚奇的故事，神在世界各地呼召工人，開啟機會之門，挫敗敵人的進攻，並在特定的時間上顯出福音的大能。當我們有共同、具策略性和合一的禱告行動，就會更清楚看見神被我們的祈求所感動。我們只能總結說，收莊稼的主期望差遣工人到世界每一個群體之中。

今日，我們看見了龐大的為未得之民禱告的合作事工，如1993-1999的「為窗內的人禱告」(Pray Through The Window)事工，聯結數億禱告者專為一個特定的未得之民代禱，也有數以百計團隊遠赴這些群體中間「行區禱告」(prayerwalk)，如上述冒險為柬埔寨禱告的行動。這些禱告旅程直接幫助人到每

一個他們期望神會回應的地方祈禱。如果神是那位禱告的真正發動者，人群又以如此多樣的方式禱告，那麼，我們在短期內看見祂的手作偉大的工，進入各民各族，改造社會，並非難事！

神垂聽令世界改變

在啟示錄，使徒約翰記述了一個神所賜有關人類歷史的異象。書內充滿了神的形像和屬靈活物，彼此互動，也與世界互動。經文提到神的羔羊打開了七印——每一印都與地球的歷史有關。在第七章末，所有在天上的都一起讚頌和敬拜神，不禁令人想像，人類下一步的歷史會怎樣。然而，在第八章開始，一切歸於沉靜。七位天使拿著七支號角站在神的面前，預備宣告要揭示這世界的命運，但他們仍須等候第八位天使向神呈獻貢香，內中也有眾聖徒的禱告——為公平與勝利祈禱。直至這些禱告的香氣升到神的面前，事情才發生了。

禱告是最有力的社會行動形式，因為神會直接回應禱告。禱告是向未得之民宣教最有力的一環，因為神會作只有祂才能作的工；甚至在最無望的情況下，祂也會衝破敵人虛妄的掌控，為社會的持久改造帶來屬靈的光和生命氣息。

神使用禱告來改變我們，也改變未來。正如 Walter Wink 所寫：

代禱者創造歷史，他們相信可以塑造未來……只要有少數人完全投入關心未來必然發生的事，發揮

他們的想像力，對未來的塑造必有決定性的影響。這些代禱者塑造未來，為世界帶來渴望已久的新面貌，他們相信未來是可塑造的。[6]

注釋

1. Otis Jr., George, *The Twilight Labyrinth* (Grand Rapids, MI: Chosen Books, 1997), p.281.
2. Friedrich, Gerhard, ed., *Theological Dictionary of the New Testament* (Grand Rapids, MI: Erdmans Publishing Co., 1972), p.614.
3. Francis Frangipane, *The Three Battle grounds* (Marion, IA: River of Life Ministries, 1989). pp.14-15.
4. Wink, Walter, *Engaging the Powers: Discernment and Resistance in a World of Domination* (Minneapolis, MN: Fortress Press, 1992), p.312.
5. Otis, pp. 298-303.
6. Wink, p.299.

(作者為世界宣明會 MARC 中心「未得之民計劃」總裁，曾在約 100 個國家主持「未得之民計劃」研討及策略性禱告。在此之前，參與 OMF 在馬來西亞宣教。)

研習問題

1. 作者聲稱禱告對社會行動最重要，因為靈界的本質是黑暗的，會阻撓人作重要的改變。禱告究竟有何作用？

2. 請解釋靈界黑暗勢力的兩個組織——偶像崇拜和頑固思想，如何阻撓福音遍傳和社會改造？

3. 作者提及未得之民的福音工作，禱告是非常重要的因素，他所列舉的兩大理由是甚麼？這些論點只適用於未得之民嗎？

Prayer Evangelism
禱告佈道

Ed Silvoso 著　　編輯室譯

大使命是從一個城市——耶路撒冷開始的。「但聖靈降臨在你們身上，你們就必得著能力，並要在耶路撒冷，猶太全地和撒瑪利亞直到地極，作我的見證。」(徒一8)當時，大多數人都居於鄉間，耶穌卻選擇了一個城市讓祂的門徒開始佈道。大使命既然從一個城市開始，極有可能在世上最後一個最偏遠的城市聽聞福音而結束。

神很看重城市，祂很關心城市，它們滅亡會令祂憂傷。舊約時期，神差遣先知到城市懇切請求居民悔改；當尼尼微城悔改，神大大喜悅，不理會約拿在氣憤；耶穌自己也曾公開為耶路撒冷哭泣。

耶穌吩咐祂的門徒不要離開耶路撒冷，直等到他們得到從上賜下的能力。使徒行傳一8暗示，當能力已降臨他們身上，在耶路撒冷未得到福音之前，他們並未到猶太及撒瑪利亞去。耶穌詳細說明祂的策略——首先是耶路撒冷，然後像漩渦一樣不停地向外延展，直至地極——的時候，可以想像，彼得正極力遏制心中要改變

方向的衝動。「主阿！」他可能這樣說：「不如從地的四極開始，然後漸漸向內進入耶路撒冷吧？那時，這裡的形勢會平靜下來了。」

彼得的想法肯定有其理由，當時的耶路撒冷最不利於開始宣講福音，因為耶穌被判為有罪，公開釘死在十字架上，大部分市民傾向支持這個判決。而當時的宗教亦與政治纏繞不清，長老的議會與當時佔據的羅馬軍方有強大的連繫，他們亦對耶穌恨之入骨。

耶穌最熱心的跟隨者彼得，曾在人前否認耶穌；耶穌的管事猶大，為了幾兩銀子出賣祂；其餘的門徒都非常焦慮，紛紛走避，恐怕會被陷害耶穌的人所害。

支持門徒見證的最有力論點——耶穌復活，卻被人指為鬧劇；猶太的長老和羅馬軍人合謀瞞騙百姓，指耶穌的復活並無其事，是門徒把屍體收藏起來。

最後，這一群無政治、社會或經濟力量的門徒接到了大使命，清楚地

叫他們從耶路撒冷開始。在這一個以學術為榮的城市中，當權者鄙視他們為無知和不學無術的人。更甚的是，利用社會上的歧視成功詆譭這群加利利人。「從加利利出來的還有甚麼好東西嗎？」可能是當時最有效貶低別人的方式(約一 45-46)。從人的角度來看，門徒們成功的機會微乎其微。

無論如何，耶穌清楚命令他們要從耶路撒冷開始，而且要在這城市成功傳福音後才可以離開。若說有艱難的差事，就是這一件了。

從小樓房到每一戶客廳

當耶穌離開後數星期，門徒在耶路撒冷履行大使命，就受到宗教人士的指責。大祭司代表長老議會對他們說：「你們倒把你們(祂的)的道理充滿了耶路撒冷。」(徒五 28)要將道理「充滿一個城市」唯一的方法，就是挨家逐戶傳福音；當他們的死敵自動承認失敗，我們大可以肯定門徒已獲得巨大的成功了。

從使徒行傳一 8 至五 28 之間相距有多久？只數星期而已！在這短短的時間內，教會已從一個小樓房進到城中每一戶人家。

而且，屬靈有如雪崩一般，不止湧往耶路撒冷的市郊，在宗教逼害的助燃下，轟轟烈烈地從一個城市傳到別的城市去。它經過撒瑪利亞，在這裡擊敗了假宗教的挑戰，群眾歡欣，又繼續伸向安提阿，克服了種族歧視和文化偏見。

不久之後，巴拿巴和保羅受差遣將福音帶到更荒僻的地區去，其中一個地方就是以弗所。保羅數度探訪，為 12 個人施洗，又使他們認識聖靈；這 12 個人及當地會堂少數敬畏神的猶太人，遂成為以弗所教會的創始成員。

這與使徒行傳一 8 所載，門徒在耶路撒冷的遭遇極為相類。這一個 12 人的小組，處於非常繁盛的大都市裡敬拜亞底米女神的異教已滲進到城內各階層，並且結合了政治和經濟的力量。更壞的是，保羅和這一群羽翼未豐的初信者被趕出會堂，搬到一座普通的民房內(徒十九 9)。因此，出現了一幅很喜劇性的圖畫：建築輝煌的亞底米神廟是這一個地區的標誌，但在神廟的對面，有一群新宗教的支持者在租來的地方聚會。從人的角度來看，勝負立見。

但兩年後，以弗所全城的人都聽聞了福音，這是聖經記載最具戲劇性的一場角力，結果是無數的人信了主(徒十九 11-20)。

這種事一再發生！一個在掙扎中的小教會將福音傳遍全城，又再傳到另一個地區去。

禱告佈道的開始

使徒行傳十九 10 的記載，清楚指出大使命在以弗所和小亞細亞的真實成就。早期教會向居住在這裡的每一個人公開見證耶穌是神，祂為世人的

罪而死，且從死裡復活，又以一個確實的方式進入他們的生命裡；神使用這一切，神蹟亦隨著宣講而產生，正如馬可福音十六20所說：「門徒出去，到處宣傳福音，主和他們同工，用神蹟隨著證實所傳的道。」

早期的教會如何從小小的樓房將福音傳遍整個小亞細亞呢？

聖經並沒有記載實際的方法，但使徒行傳對五旬節後早期教會的生活方式則有記載。徒二42大概可以作一個總結：「都恆心遵守使徒的教訓，彼此交接，擘餅，祈禱。」這種生活方式具有四個元素：遵守使徒的教訓、交接、擘餅及禱告。這節經文清楚指出初信的信徒「恆心地」這樣作。

頗為有趣的是，這幾種元素之中，能跨越這群人的就是禱告。學習教理、團契和擘餅都是小組內的事奉。在耶路撒冷城內各處都有家庭聚會，一群一群信徒同心合而為一，依照聖靈藉著使徒的教導，存著歡喜的心領受主餐，這都是透過禱告，與神緊密交通的氣氛之下進行的。

試想像，禱告得蒙應允是一幅多麼美麗的圖畫！這是因為使徒們正確的教導，並以擘餅來表現渴望主再來的心願，靠著聖靈所賜的合而為一的心，彼此交接。毫無疑問，這就是有效的禱告！然則，禱告就是推動整個城市歸主的動力嗎？

筆者認為禱告，尤其是以上這種禱告，乃是**那**把成就大使命的鑰匙；

當年如是，現在也如是。

若確實如此，從這本神聖的記錄中那一處可以得到更清晰的亮光呢？保羅是新約最有果效的植堂者，而提摩太是他最親密的同工之一，就讓我們看看提前二1-8的經文。保羅給予提摩太有關禱告和宣教的教導是：

> 我勸你第一要為萬人懇求禱告，代求，祝謝。君王和一切在位的也該如此。使我們可以敬虔端正，平安無事的度日。這是好的，在神我們救主面前可蒙悅納。祂願意萬人得救，明白真道。因為只有一位神，在神和人中間，只有一位中保，乃是降世為人的基督耶穌。祂捨自己作萬人的贖價。到了時候，這事必證明出來……我願男人無忿怒，無爭論，舉起聖潔的手，隨時禱告。(提前二1-6、8)

要完全掌握這段經文的意義，我們需要澄清一個可能因文化差異而產生的誤解。保羅並非寫信給如今天教會主任牧師般有地位的人物，也不是定出一個每星期三晚上祈禱會的模式，而是向非擁有教會建築物或無舉行週間祈禱會的基督徒說話。對參加公禱會或私禱會的人，保羅提出一個全城的祈禱策略而非崇拜程序，因為這段經文的希臘文這樣說：「我要叫人在任何地方禱告！」我相信這段經文實包含了早期教會實踐佈道的精髓——就是我稱為「禱告佈道」的中心要點，且讓我們細心研究。

「我勸你第一要為萬人懇求禱告、代求、祝謝。」(第 1 節)保羅吩咐提摩太把教會的祈禱者組織起來，教導他們到任何地方都要為該城的全體居民禱告。當然，在這經文中的「人」乃是通稱，包括所有男性和女性。所以，第一件要做的事，就是要確定為城中的每一個人祈禱。

當我們聽到「一切平安無事」這句話的時候，通常會想一幅自給自足的圖畫。舉一些具體的例子：市政府辦事處(city hall)批准設立新的青少年設施，城市規劃局又贊成擴建會議中心，教育局不會干涉我們設立基督教課程。基本上，我們以為「不受干預」就可以享有平靜安穩的生活！但，這並非經文的重點！

保羅說，禱告的結果，見諸**完全**聖潔和誠實的生活。對基督徒來說，只有一個方式可以活在**完全**聖潔和誠實之下：使無數的非信徒成為基督徒，讓未信主者亦能認識神的存在，**並且開始敬畏祂**。如此，惟有如此，完全聖潔和誠實便會透過教會而滲透全城。

保羅給提摩太的教訓，目標非常簡單又極為清晰：為全城禱告，好叫所有市民，特別是在上位者，**會成為基督徒**！為著這個目標，耶穌已經預備「捨自己作萬人的贖價」(提前二6)。神的旨意已清楚說明：神要每一個人都得救(第 4 節)。那還欠缺甚麼？就是教會需要為**全世界**的人祈禱(第1-2節)。

我們為世人求甚麼呢？我們必須將一個人最需要的和他認為自己最需要的分辨出來，後者是所謂「感覺所需」。一般而言，兩者不盡相同。迷失的人通常不能清楚看到他最需要的就是救恩，因為「此等不信的人，被這世界的神弄瞎了心眼」而不能看到救恩(林後四 4)。但，我們為這「感覺所需」祈禱，蒙神應允，他們的眼睛便會張開，看見神的真實性和能力了，便會引導他們明白自己需要救恩。這也許就是保羅的意思，當他說神差遣他，「要叫他們的眼睛得開，從黑暗中歸向光明，從撒但權下歸向神」(徒二十六 18)。通常我們只會在私下向神祈求叫世人歸向耶穌，這是重要的，但我們必須跨越這一步。我們必須確定他們認為重要的是甚麼，求神應允他們的需求。事情若這樣發生，就會打開他們眼睛，看到福音的異象了。

在彼得後書三 9，我們可以看到神對我們(信徒)的忍耐，祂不願任何人(不信者)滅亡，但願所有人都悔改，這段經文與提前二4-6都清楚指出，神的旨意是要所有的人都得救。當然，這並不是說所有的人都會得救。這是一個非常複雜的問題，但為要知道如何按神的旨意祈禱，我們必須明白神的旨意是願意所有人都得救，不願意有人滅亡。這既是祂的旨意，我們的禱告就要環繞這一個重點。

〔作者祖籍阿根廷，跨宗派宣教組織豐收佈
道(Harvest Evangelism Inc.)的創辦人，致力
提供策略性禱告佈道的模式和訓練，進行
城市歸主運動。〕

研習問題

1. 為感到所需要的事而禱告，
如何能開啟人的眼睛看見神？

2. 請描述作者如何追溯禱告的
進程，從小樓房進到每一戶人家。
根據作者所描述，全城如何得聞福
音？

3. 請為「禱告佈道」下定義。

The Supremacy of Christ
基督的至高

Ajith Fernando 著　金繼宇譯

多元主義已成為今日的主流思想。一些東方宗教正積極傳播，新紀元思想正大舉進攻西方社會的不同領域，而基督教的福音運動，特別是在西方，似乎已失去福音基本真理的鋒芒。這從很多人懷疑基督教真理存在的絕對性可見。George Barna 所作的一次民意調查，發現 67% 的北美居民認為世上並無絕對的真理；意外的，在號稱相信聖經的保守派基督徒中，竟有53%也同意無絕對的真理。[1] 信徒的思想竟有這樣大的轉變，可見多元主義與相對主義已嚴重地影響不少人對宗教真理的了解。

多元主義的哲學，實蘊藏於新紀元運動和一些所謂基督教神學的中心思想之內，也與佛教及印度教某些想法相吻合。這裡所說的多元主義，並不是指並存於一個社會或教會之內的政治、種族及文化差異，而是指「一個哲學立場」但有多個最高準則與主張，他們不會承認任何一個思想體系是絕對的真理。宗教多元主義對啟示有新的想法。多年以來，基督徒所了

解的啟示，是神向人類揭示真理，相信神用一些人人都明白的方法，如透過大自然、良心，特別是聖經，而最終是透過耶穌基督來揭示。而宗教的多元主義則認為，真理並非神所揭示，而是我們從經驗中發現，不同宗教的著作，都是人經歷同一位神的不同發現。不同的宗教被視為對絕對真理的不同表達，他們相信每一個宗教都蘊涵著部分真理。

然而，大部分研究宗教的人都承認，不同的宗教是繞著不同的軸心轉動。無可否認，基督教與其它宗教有相似之處，但只在次要的事情，而非在基要的信仰上。若說所教導的都相類似，便屬不確。今日倡導多元主義的人必須認真想到，他們這種態度完全違背了新約教會。新約的傳道者與作者，回應他們當時的多元主義，是堅持基督的獨一性與至高性。保羅在雅典的傳道工作(徒十七 16-34)以及寫給歌羅西和以弗所教會的書信，就是很好的例子。雖然，否定基督是至高的這種看法，在各地皆有人接受，但

耶穌基督的生活和工作，使人有理由相信祂確是至高的。

耶穌是絕對的真理

從當代的思潮發展來看，基督教所稱擁有獨一的、絕對的啟示，受到許多基督徒的質疑，並不令人感到意外。在這真理不明的境況下，相信聖經的基督徒應該堅持我們能夠認識絕對的真理，宣告我們已在耶穌裡尋見，耶穌就是真理。祂說過：「我就是道路、真理、生命。」當耶穌說祂就是真理，意思是祂是真理的化身與體現。耶穌不單單指祂所說的是真理，而是說祂就是真理，是最終的實體(reality)。這個啟示並非單靠經驗就能發現。多元主義者指基督教的啟示，實際只是某些人的宗教經驗的記錄；其實，我們所說的終極真理，是由神向人揭示的，並非人自己所發現。

在約十四 6 後的一段經文，耶穌證實了祂就是真理的宣稱。祂首先解釋，祂是真理的意思是祂與神同等；第7節說：「你們若認識我，也就認識我的父。從今以後，你們認識他，並且已經看見他。」認識耶穌就是認識父。Leon Morris 指出，當耶穌說我們能夠認識神時，祂已「超越古代聖民一切的宣稱……耶穌帶給信祂的人一些新事物和前所未有的宗教經驗，就是對神的真正認識。」[2]

在約十四 7，耶穌更強調的是：「從今以後，你們認識他，並且已經看見他。」耶穌說門徒已經看見父神了。William Barclay對此話的評語是：「在古代世界，耶穌所說的也許是最令人驚愕的言論。對希臘人而言，神是不可見的；猶太人也相信從來沒有人見過神。」[3] 然而，耶穌聲稱祂與神同等，並且說我們看見祂就是看見父神了。

從約十四6-7節耶穌的教導，我們可以概括地說，絕對的真理是可知的，因為已透過耶穌這個人在歷史中具體呈現了(亦參約一 14、18)。我們相信絕對真理的論據就是：耶穌是神，認識耶穌就是認識絕對。我們所以相信基督福音的絕對性，是從相信耶穌是道成肉身的神而來。有趣的是，這個世代最突出的多元論者John Hick，拒絕道成肉身的基督教教義。

個人對真理的回應

現在，讓我們來看認識絕對真理的方法以及意義。如果真理是一個人，我們可以透過認識人的方法來認識真理——透過有關這個人的事件與關係。我們可以透過一個關係來認識絕對，因為這是祂選擇傳遞真理的方法，由祂親自來成就。因此，我們要認識真理，就要認識神。約翰在福音書中常常說，相信就是認識神的方法。相信(belief)一詞在約翰福音出現了98次，主要的意思是「信靠」。J. Carl Laney也說，「相信」基督不僅指在理

性上同意基督，聖經所說的「相信」，是個人對基督的回應和委身。[5] 這就開啟了認識絕對真理之路。

E. Stanley Jones 說過一個未信的醫生臨終時的故事。一位基督徒醫生在他的旁邊催促他降服，相信基督。這位垂死的醫生一面聽，一面感到很驚訝，結果得蒙聖靈光照，他喜樂地說：「我一生都在尋找值得相信的事，如今，我看見誰值得相信了。」相信是將自己交託給耶穌。我們愛祂像愛朋友一樣，跟隨祂像跟隨主人；故此，基督呼召我們的時候是說「跟從我」，而不是「跟從我的教導」。

因為我們是個人親自認識絕對真理的，故我們可以說，我們認識絕對的真理，但這認識並不是主觀的，基督福音的核心是一些客觀的事實。耶穌的福音是一些曾於歷史上發生的事實，包括一些耶穌的宣告。在啟示裡，有些觀點是不可以妥協的，包括耶穌與神的關係是合一的這個真理。例如約十四 11 所說，祂要求祂的門徒「當信我，我在父裡面，父在我裡面」。

耶穌的話確認祂的絕對性

在約十四 10 下，耶穌解釋了我們為何要相信祂自稱與神同等的話，因為這是絕對的真理：「我對你們所說的話，不是憑著自己說，乃是在我裡面的父作他自己的事。」當耶穌說話時，父藉著他作工。我們以為耶穌會說「父藉我說話」，但祂卻說「在我裡面的父作他自己的事」，正如 William Temple 大主教所說：「耶穌的話是神的工作。」[7]

耶穌的意思是必須認真聽祂的話，因為當祂說話就是神說話。祂的話肯定了祂的神性，說話裡有兩方面真實無誤的價值；其一是祂說話對人的相關性與洞察力，令人想到說話者不是個平凡人，而且在祂的說話裡涵含著神對生命的答案；其二，祂的宣稱給我們一個必然的總結，就是祂與神同等。

耶穌離開世上之後，到了二十世紀，仍有很多人讀了福音書就總結出耶穌為自己所作的宣告是真實的。筆者曾聽過一個故事，一位青年以其中一卷福音書作為學英文的材料，一次上課的時候，他突然站起來，在教室裡踱步，然後說：「這不是一個人的話，這是神的話！」這就是耶穌所說，祂的話語本身令人信服。

耶穌說話的十大質素

1. **祂的教導深刻，絕不簡單**。Stephen Neill 主教說：「耶穌的教導大多很平凡，但正是這種品質賦予祂說話超凡的能力，兩千年以來感動了不少人的心。」[8] 被祭司長和法利賽人打發去追拿耶穌的差役，被質問何以空手而回時回答說：「從來沒有人像他這樣說話的。」(約七 46)

2. **祂説話帶著權柄**。祂升天前告訴門徒：「天上地下的權柄都賜給我了。」(太二十八18)祂説話的語調，顯示祂擁有這個身份。關於祂的教訓，祂説：「天地要廢去，我的話卻不能廢去。」(太二十四35)耶穌在山上講完了教訓後，「眾人都希奇他的教訓，因為他教訓他們正像有權柄的人，不像他們的文士。」(太七 28-29) R. T. France 説：「任何其他猶太教師的教導都肯定會引經據典，都是出自經文及老師名下，以加重自己意見的份量；但都只是第二手的權威。耶穌卻不然，直截了當地賜下律法。」[9]

3. **祂宣稱有赦罪的權柄**。當祂赦免了一個癱子的罪，遭到群眾質詢何以有此權柄時，祂行了一個神蹟來證明，並説祂這樣做是「叫你們知道，人子在地上有赦罪的權柄。」(太二 10)

4. **祂不僅叫人「跟隨我的教訓」，而是叫人「跟隨我」，並且要人完全效忠**。「愛父母過於愛我的，不配作我的門徒；愛兒女過於愛我的，不配作我的門徒。不背著他的十字架跟從我的，也不配作我的門徒。」(太十 37-38)

5. **祂引用舊約中神的頭銜**。詩二十七 1 説：「耶和華是我的亮光，是我的拯救。」耶穌説：「我是世界的光。」(約八 12)詩篇二十三 1 説：「耶和華是我的牧者。」耶穌説：

「我是好牧人。」(約十 11)

6. **祂認為自己配得歸給神的榮耀**。賽二十四 8 説：「我是耶和華，這是我的名。我必不將我的榮耀歸給假神，也不將我的稱讚歸給雕刻的偶像。」耶穌説：「父不審判甚麼人，乃將審判的事全交與子，叫人都尊敬子如同尊敬父一樣。不尊敬子的，就是不尊敬差子來的父。」(約五 22-23)

7. **祂宣稱與神有獨一的父子關係**。祂稱自己為神的兒子，而稱神為「我父」。「我父」並不是猶太人對神的稱呼，雖然他們有時會説「我們的父」，或在禱告中説「我父」，但他們一般都會用「在天上的」這一類的説法，以免被人認為過於親密。[10] 在福音書中到處可見，耶穌要表達祂與神的關係，非平常人所能有。

8. **祂宣稱自己是世人的審判者**。在約五 27，耶穌説：「因為祂是人子，父就賜給他行審判的權利。」Leon Morris 指出：「如果耶穌低於神，這個宣告就毫無根據了……沒有任何受造物能決定同是受造物的永恆命運。」[11]

9. **祂説祂將會給人惟有神能賜的事物**。在約五 21，耶穌説：「父怎樣叫死人起來，使他們活著，子也照樣隨自己的意思使人活著。」祂又説：「所賜的水……直湧到永生。」(約四 14)祂也説過會賜下「我

的平安」(約十四 27)和「我的喜樂」
(約十五 11)。

10. **祂的猶太領袖對手，了解祂的宣稱
的涵義。**在一次辯論安息日的問題
時，耶穌説：「我父做事直到如
今，我也做事。」下一句的記載則
説：「所以猶太人越發想要殺他，
因他不但犯了安息日，並且稱神為
他的父，將自己和神當作平等。」
(約五 17-18)

　　有些人提到基督的話時，認為
「若不是具有超人的權柄向我們説
話，便是超人自大狂。」

耶穌的工作證實祂的話

　　然而，耶穌知道有人不會接受祂
為自己所作的驚人宣告，所以祂在約
十四 11 説：「你們當信我，我在父裡
面，父在我裡面；即或不信，也當因
我所做的事信我。」祂的意思是，如
果我們考慮祂所作的工，我們必定會
認真聽祂的話。要考察祂的工作，首
先可以看祂無瑕疵的生命。即使那些
不接受祂所宣告的人，通常也會同意
耶穌的一生是個典範。如果祂是一個
好人，我們何不認真地看待祂一貫所
説有關自己的話呢？

　　第二個考察耶穌工作的方法，是
看耶穌所行的神蹟。福音書中的神
蹟，通常是支持耶穌所作宣告的證
據。當文士在心裡議論耶穌赦免了癱
子的罪時，祂就醫好了他，使那些人
知道「人子在地上有赦罪的權柄」。(可

二 8-11)當猶太人控告祂褻瀆時説：
「又為你是個人，反將自己當作神。」
(約十 33)耶穌回答説：「我若不行我父
的事，你們就不必信我；我若行了，
你們縱然不信我，也當信這些事，叫
你們又知道又明白：父在我裡面，我
也在父裡面。」(約十 37-38)

　　人若認真思想基督的工作，就必
定會掌握祂絕對至高的宣告，因為祂
的工作證實了祂的話。筆者在斯里蘭
卡(Sri Lanka)有一位朋友，是個虔誠的
佛教徒，也是個書不離手的人。一
天，他到市內的公立圖書館借了一本
關於耶穌生平的書。看完了這本書，
他得知耶穌的生平在人類歷史中是獨
一無二的，決定要繼續認識耶穌所作
的宣稱。於是四處尋找認識有關耶穌
的事的人，結果，他找到了一些基督
徒，也因而成為熱心跟隨耶穌基督的
人。

　　我們若相信福音書關於基督生平
的記載是客觀的，就不能接納現代多
元論者的觀點了。基督的絕對主權，
並非僅僅散見於福音書中寥寥數處不
相關的經文，而是貫串四卷書之內。
我們若把書中有關基督絕對主權的經
文剔除，餘下的根本再沒有基督生平
事蹟了。在能夠證明耶穌是個好人的
經文，同樣也提供了祂是絕對之主的
證據。我們不能説耶穌是好人卻非絕
對，所以多元主義者這方面的觀點無
法成立。

　　當然，多元主義者會反對福音書

的歷史性，因而排斥書中基督所作的宣稱。不少多元主義者指這並非耶穌自己的宣稱，只是福音書的作者根據自己主觀的經驗，以及對基督的構想而寫成的。這並非本文所要討論的範圍，故不予回應。然而，筆者要提出的是，最近有幾本著作已經充分證明福音書歷史的可信性了。

絕對性的綜合論證

不同的人會被不同層面的基督絕對性的綜合論證所吸引，若他們打開心門向著其中一個層面，其它的層面也會一一接觸到。但福音書至終的感染力，是綜合了這些層面全部而成的影響。耶穌的教訓，也有其他人提及。最近，一位斯里蘭卡著名律師提出，很多人在思考的一個反對基督教獨特性的有力論據，就是耶穌的倫理教訓也可以在其它宗教裡找到。在某程度上來說，這是真確的。但耶穌這些教導，並非福音的全部。而這些倫理教訓，與祂對絕對性的宣稱又密不可分。

使福音與眾不同的是它的完整性。耶穌是一個聖潔又充滿愛的完美典範，祂教導至高的真理，宣稱與神同等，並且行神蹟來證實。最重要的，是祂獻上自己的生命，宣告祂為拯救世界而死。神使祂從死裡復活，證實了救贖計劃是真確的。最後的一點，也是決定性的一點——耶穌福音最獨特的地方，就是祂為拯救整個世界而死亡與復活；這是福音與世界上其它宗教最終的分別。

真理的喜樂

在這新聖約(New Covenant)的時代，人們能從真理得到極大的喜樂。當我們來到耶穌面前，與真理建立了關係，我們就知道是與絕對接觸。這是一個穩固的基礎，是這困惑的世代之人所渴慕的。能夠發現這真理是多麼喜樂啊！它為人生建立了永恆的根基，由此又帶來一個偉大的保障，就是無窮喜樂的泉源。

當耶穌在簡述這個經歷時，祂說：「你們必曉得真理，真理必叫你們得以自由。」(約八32)當我們經歷這真理時，我們會得到不依靠這不穩定的世界而滿足的自由，脫離使人喪失人性之罪惡權勢的自由，進入得永遠福樂之永恆境地的自由(詩十六11)，使我們內心深處的願望得到滿足。體會耶穌就是真理，是從其它信仰無法得到的經歷；這是經歷永恆的神，也只有這永恆的神才能給我們永遠的福樂。

耶穌是道路

若基督教就是基督，則祂的十字架是認識祂的最重要關鍵。從福音書記載祂離世前一週的事所用的篇幅，就可以看出基督的死在門徒心目中何等重要了：馬太佔30%，馬可佔37%，路加佔25%，約翰佔41%。[14] 英國神

學家P. T. Forsyth說：「對我們而言，基督即祂的十架。基督在天上或地上一切所作的，都在祂於十字架上所作的事之內……你若不認識祂的十架，就是不認識基督。」[15] 在約十六6，耶穌說祂就是道路，意思是藉祂的死成為通道，即如上文所顯示的(約十三33至十四5)。

基督在十架上所成就的是何等深、何等闊，以致教會歷史中有數不清的解說，[16] 以下從新約的六個觀念來描述這成就：

1. **代贖**(Substitution)。耶穌之死最基本的特點，也許就是祂站在我們的位置上，為我們的罪受罰；他是我們的代替者。即使起先不願意耶穌被釘的彼得，後來也寫了兩段重要的經文：「他被掛在木頭上，親身擔當了我們的罪，使我們既然在罪上死，就得以在義上活。因他受的鞭傷，你們便得了醫治。」(彼前二24)；及「因基督也曾一次為罪受苦，就是義的代替不義的，為要引我們到神面前。」(彼前三18)

2. **赦免**(Forgiveness)。我們享受基督之死帶來的益處之一，就是罪得赦免。祂的死是赦罪必須的，正如來九22所說；「按著律法，凡物差不多都是用血潔淨的，若不流血，罪就不得赦免了。」赦罪的信息是基督福音最具革命性的特點之一，是其它宗教所沒有的。

3. **挽回**(Propitation)。此字與聖經中為使神轉離因人犯罪而發烈怒的獻祭有關。約壹二2說：「他為我們的罪作了挽回祭，不是單為我們的罪，也是為普天下人的罪。」「挽回」使人注意到罪的嚴重性，以及神對罪的憤怒，而這憤怒卻由耶穌來承受。也許因為教會很少講論，我們難以接受神發怒的教義。今天我們讀到如「你眼目清潔，不看邪僻，不看奸惡」(哈一13)這些對神的描述時，會感到驚訝。我們已失去了聖經所說對罪的憎惡，但在新舊約聖經中，憤怒是神重要的屬性之一。

4. **救贖**(Redemption)。此字出自奴隸市場，指古時用錢買賣奴隸。買回就是基督付上代價為我們贖罪，換來救恩。弗一7說：「我們藉這愛子的血，得蒙救贖，過犯得以赦免，乃是照他豐富的恩典。」重點在於藉著基督所付的代價，我們得到脫離罪的捆綁的自由。

5. **稱義**(Justification)。此乃法庭用詞，意思為「宣佈、接受，並視之如義人」。在法庭上，這是指一個「執法的行動──宣判無罪開釋，並排除一切定罪之可能。」[17] 羅四25說「耶穌被交給人是為我們的過犯，復活，是為叫我們稱義。」羅五16-18描寫我們稱義的過程：「因一人犯罪就定罪，也不如恩賜。原來審判是由一人而定罪，恩賜乃是由許多過犯而稱義。若因一人的過犯，

死就因這一人作了王,何況那些受洪恩又蒙所賜之義的,豈不更要因耶穌基督一人在生命中作王嗎?如此說來,因一次的過犯,眾人都被定罪;照樣,因一次的義行,眾人也就被稱義得生命了。」

6. **和好**(Reconciliation)。此字本指家庭生活與友誼,保羅說:「這就是神在基督裡叫世人與自己和好,不將他們的過犯歸到他們身上,並且將這和好的道理託付了我們。」(林後五 19)和好是必須的,因為罪是背叛神,使神與人之間敵對,羅五10說:「因我們作仇敵的時候,且藉著神兒子的死得與神和好。」結果是「與神相和」(羅五 1)及作神兒女(約一 12)。

十字架的挑戰

耶穌就是得救贖之路;祂來到世上為給人類帶來救恩,同時也意味著我們無法自救。除耶穌以外別無拯救,基督教是一個恩典的宗教,是神在基督裡拯救我們。很多人聽到恩典的基督信仰時,便會問:「我們不該救自己嗎?為何要別人為我們而死?」大多數的人喜歡自救。Stephen Neill 說:「現代的人最不情願的是任何人為他做任何事。」[18] 十字架的信息刺傷了人內心的驕傲,而驕傲正是罪的本質。亞當及夏娃的罪在於他們要自救而不倚靠神,他們不要倚賴一位至高的神來拯救,或為他們做任何事。今

天的人也是一樣。人們認為可以自救,這樣會使他們感到舒服,暫時掩飾因離開創造者而有的不安與空虛。這也說明了佛教、印度教及新紀元等,應許人可以藉輪迴而自救的宗教,能在西方興起的原因。

聖經說,我們在神的面前是罪人需要救恩,但印度教及新紀元運動則說,我們都是神的一部分,彼此大不相同。對 EST 及 FORUM 的創辦人 Werner Erhard 產生影響巨大的 Swami Muktananda 說了一番話,正好代表了今天許多人的心情:「向你自己下拜,尊崇和敬拜你本人,你就是住在你裡面的神。」[19] 新紀元運動分析家 Theodore Roszak 說,我們的目標就是「喚醒在人內心沉睡著的神。」[20] 墮落的人類本質就是背叛神,人寧願選擇這種方式得救。

當有人問我說:「我們不該為我們的罪付出代價嗎?」我常常會這樣說:「為罪付出代價,是每個宗教都有的原則。」聖經也說:「不要自欺,神是輕慢不得的,人種的甚麼,收的也是甚麼。」(加六7)佛教徒及印度教徒稱之為因果報應律(kurma)。但一個原則或律例的果效,可以被一股更有權勢的力量克制。以重力為例,如果你放開手裡的一本書,它就會掉下:但我們可以用另一股更大的力量來克制。若用手接住下掉的書,並向上舉,便可以克服重力,使書逆向而動。如此做並未破壞重力的定律,只

是用力克制其果效而已。

神對我們所作的也是如此，祂創造了我們，並與我們同在，但我們選擇獨立而離開祂。我們這樣做，為自己積累了大量罪疚。那些想靠自己努力以消除這種罪疚的人，很快就會發現是無能為力的，無論有多努力，都不能使生活潔淨一點。基督的福音說，我們的創造者看見我們無助的光景，並未丟棄我們，卻以愛之律來挽救。祂這樣作，並未破壞公義之律，或撤消祂自己的要求，而是在愛中滿足祂的要求。祂並未忽略或撤消公義的要求，而是得到完全的滿足。神這樣作的唯一方法，就是以祂無瑕疵的兒子擔當我們該受的刑罰。我們所見到的是奇異的大愛！我們不能為自己作的，他倒作了。這就是恩典，結果使我們獲得救恩。筆者認識許多印度教徒及佛教徒，在努力自救時都很沮喪，一旦發現了靠基督之恩可以得救，便如獲至寶。

耶穌是生命

另一個基督的至高的重要層面，是耶穌是生命(約十四6)。基督救贖工作的結果，是永恆的生命(約三16；五24)。耶穌常說，這永生繫於我們與祂的關係。在約十七3，他說：「認識你獨一的真神，並且認識你所差來的耶穌基督，這就是永生。」

耶穌在約十11教導說，我們與他的關係是基於祂對我們的委身：「我

是好牧人，好牧人為羊捨命。」然後立即提到有一些自私的人，不對我們委身負責，當我們有需要時卻置我們於不顧，不像耶穌那樣。祂說：「若是雇工，不是牧人，羊也不是他自己的，他看見狼來，就撇下羊逃走；狼抓住羊，趕散了羊群，雇工逃走，因他是雇工，並不顧念羊。」(約十12-13)耶穌知道這世界中充滿了破碎的關係，那些令我們失望的人，刺透我們內心，傷害我們的感情生活。而耶穌以愛醫治我們所受的創傷，這是基督獨一性的一個重要層面。

在約十10中，耶穌描述祂所賜的生命時說：「我來了是要叫羊得生命，並且得的更豐盛。」一個得著神的愛的人生，是一個完全滿足的人生。這種滿足並非一種非個人化的享樂，或一些特殊經歷的刺激，造物主給我們的滿足是無法藉其它方法得到的。這是佛蘭西斯(Francis Assisi, 1182-1226)所經歷的。他本是個富裕布商的兒子，20多歲時靈性覺醒，他父親以為他瘋了而加以譴責。從此，他過著貧窮的生活，放棄財富也不感到惋惜。他說：「對一個嚐到神的人而言，世上一切的甘甜只是苦澀。」對這種滿足，耶穌解釋說：「我就是生命的糧，到我這裡來的，必定不餓，信我的永遠不渴。」我們到耶穌那裡後，雄心和不安若是健康的，都不會失去；否則，生活何等乏味！事實上，我們對神，對神的榮耀，以及對

神的道路都有一種嶄新的渴慕，而那剝奪我們喜樂與平安的屬世的飢渴，卻一去不回了。

神為使我們與祂相連而創造了我們；若失去了這種關係，我們便如死去。如約翰所說：「人有了神的兒子就有生命，沒有神的兒子就沒有生命。」(約壹五12)。當一個受造而有生命的人，沒有了生命的時候，他們就得不到安息。聖奧古斯丁(St. Augustine, 354-430)說：「你為自己造了我們，我們的心不能安息，除非他們安息在你裡面。」著名的法國發明家與數學家帕斯卡(Blaiza Pascal, 1623-62)指這種不安，是神在每個人心中所塑造的真空。而基督在我們裡面的工作，就是除去這種不安，賜給我們人生所祈求的滿足。這是基督獨一性的主觀層面，在重視主觀經歷的世界中，也許這是基督教對未信者最具吸引力的特點之一。

祂的工作塑造了一個新人類

神也為我們彼此相連而創造我們，福音也藉所謂的新人類獨特地滿足了這個需要。基督工作的偉大果效之一，就是塑造了這新人類，也就是保羅所說基督的身體。耶穌在論到祂的死時，提起這新人類說：「我另外有羊，不是這圈裡的，我必須領他們來。他們必要聽我的聲音，並且要合成一群，歸一個牧人了。」(約十16)。有人解釋「另外有羊」是指教會以

外的人也能得救，他們說基督的工作為普世的人帶來了救恩，不論教會內外；但聖經一貫說，得救必須相信耶穌，不信而得救是不可能的事。「相信」(pistiuo)在約翰福音出現了98次之多。[21] 耶穌在這段經文說：「他們也要聽我的聲音。」就是他們要回應福音的意思。當耶穌講到羊圈，祂指的似乎是猶太人；而「另外有羊」，是指是外邦人。耶穌的意思是，祂的死將外邦人帶進羊群。這一主題多次出現於約翰福音(十一52，十二20-21)，也蘊涵在介紹耶穌為世人救主的經文之中(約一29，三16-17)。把羊合為一群的結果，是組成了一個在基督裡的新人類。保羅在羅五10-20及林前十五20-22中，把新舊人類作了對比：在亞當裡的人，因亞當犯罪都被定罪；而在基督裡的人，經歷耶穌的救恩而復活。

雖然約十16教導我們，基督的死使別的羊得以進入基督的羊群，但今天，是教會要出去把他們帶進來。所以約十16是一句宣教的經文。William Barclay 提到這節經文時說：「基督的夢想要靠我們來實現，是我們幫助祂使世人成為祂所牧養的群羊。」[22] 所以，以約十16這宣教經文作為約十11-15這段描述耶穌之死經文的高峰，是合適不過的。蘇格蘭大神學家鄧尼(James Denney, 1856-1917)在一次宣教會議中，罕有地用了大部分時間描述「挽回」的意思，並以此為總結的背景。他說，如果挽回是真的，那麼我

們就該優先把這信息傳到普世了(宣教之意)。

在約十16下半，耶穌提到把別的羊領進羊群的結果：「並且要合成一群，歸一個牧人了。」這有關普世教會的第一段經文，也是後來保羅更詳細教導的；他把教會比作基督的身體，[23]所有因信而「在基督裡」的人都屬於這身體。耶穌說，外邦人會進來與猶太人合為一群。如果當時的猶太人懂得耶穌這話的意思，則他們會有一個革命性的思想，他們一直認為他們有別於其他民族，並且較為優越，因為他們是神的選民。「一個非猶太人若想參加一個猶太宗教團體，必須先成為一個完全的猶太公民。」[24]而耶穌在這裡的意思卻是，祂的死已使這一步驟成為不必要了。聖經對基督工作所描述的要點之一，是強調他的十字架與復活如何消除地上人與人之間的分別。這個主題常常是教會未能傳講與實行的，但的確是福音為被族群偏見與爭鬥所撕裂的世界，所提供的一個獨特之處。

復活是證明

不像其它宗教，基督教宣稱其創立者具獨一性。我們如何能知這宣稱是真實呢？除了上述理由外，還有耶穌的復活。保羅向慕道的雅典人傳道後，總結說：「(神)叫他從死裡復活，給萬人作可信的憑據。」(徒十七31)即使耶穌常常向門徒教導有關祂的使命，門徒也因祂的死感到困惑。就算復活的主日，

婦女們告訴他們，天使報告耶穌已經復活的消息時，路二十四11說：「他們這些話，使徒以為是胡言，就不相信。」但當門徒知道耶穌真已復活後，他們就變得銳不可擋了。他們邁向耶路撒冷敵視他們的人群，宣告耶穌就是彌賽亞(基督)。彼得宣告耶穌已經復活了：「你們釘在十字架上的這位耶穌，神已經立他為主，為基督了。」(徒二36)所以新約堅稱，復活是神對耶穌為至高的明證。

創造世界的主已為人類的困境提供了一個完全的解答，祂是至高的、獨一的，也是絕對的。因此，我們在這多元的世代中可以大膽地說，聖經所寫的耶穌不僅是獨一的，而且是至高的。他是我們向世人所傳的信息。曾有一次，一位印度教徒問 E. Stanley Jones：「基督教所給予人類的，有甚麼是我們的宗教所無？」他回答說：「耶穌基督！」

注釋

1. George Barna, *What Americans Believe* (Ventura, CA: Regal, 1991), 引自 Charles Colson, *The Body* (Dallas: Word, 1992), 頁171、184。

2. Leon Morris, *Reflections on the Gospel of John* Vol. 3 (Grand Rapids, MI: Baker, 1988), p.495.

3. William Barclay, *The Gospel of John*, vol. 2 in the Daily Bible Study, rev. ed. (Philadelphia: Westminster, 1875), p.159. (中文譯本為《每日研經釋義之約翰福音》)

4. 參 John Hick, "Jesus and the World Religions," in *The Myth of God Incarnate*, ed. John Hick (London: SCM Press, 1977), pp.167-85.

5. J. Carl Laney, *Moody Gospel Commentary: John* (Chicago: Moody Press, 1922), p.20.

6. From E. Stanley Jones, "The Christ of the Indian Road"

(1925), in *Selections from E. Stanley Jones* (Nashville: Abingdon, 1972), p.224.

7. William Temple, *Readings in John's Gospel* (1939, 1940; reprint, Wilton: Moorhouse Barlow, 1985), p.225.

8. Stephen Neill, *The Supremacy of Jesus* (London: Hodder and Stoughton, 1984), p.67.

9. R. T. France, *Jesus the Radical* (Leicester: InterVarsity Press, 19890, P.204.

10. Leon Morris, "The Gospel According to St. John," in *The New International Commentary on the New Testament* (Grand Rapids, MI: Eerdmans, 1971) p.313.

11. Leon Morris, *The Lord from Heaven* (Liecester and Downers Grove, IL: InterVarsity Press, 1974) p36.

12. 引自 W. Griffith Thomas, *Christianity is Christ* (1948; reprint, New Canaan, Conn: Keats Publishing, 1981), p.26.

13. 特別參 Craig Blomberg, *The Historical Reloability of the Gospels* (Liecester and Downers Grove, IL: InterVarsity Press, 1987).

14. 數據來自 Griffith Thomas, *Christianity Is Christ*, p.34.

15. P. T. Forsyth, *The Cruciality of the Cross* (London: Hodder and Stoughton, 1909), pp. 44-45 quoted in John Stott, *The Cross of Christ* (Liecester and Downers Grove, IL: InterVarsity Press, 1986), p.43.

16. 歷史上不同觀點的綜合描述，可參 H. D. McDonald, The *Atonement of the Death of Christ* (Grand Rapids, MI: Baker, 1985).

17. J. I. Packer, "Justification," in *The Evangelical Dictionary of Theology*, ed. Walter A. Elwell (Grand Rapids, MI: Bakes, 1984), p.593.

18. Stephen Neill, , *The Supremacy of Jesus* (London: Hodder and Stoughton, 1984), p.147-48.

19. 引自 Douglas R. Groothuis, *Unmasking the New Age* (Downers Grove, IL: InterVarsity Press, 1986), p.21.

20. Theodore Roszak, *Unfinished Animals* (New York: Harper and Row , 1977), p.225, quoted in Groothuis, Unmasking, p.21.

21. 約翰福音中，沒有用過 *pistis* 這個名詞。

22. William Barclay, *Gospel of John*, vol. 2, p.66.

23. 參林前十二 27；羅十二 5；弗一 22-23，四 12、15；西一 18。

24. Robert Banks, *Paul's Idea of Community* (Grand Rapids, MI: Eerdmans, 1988), p.116.

(作者為斯里蘭卡青年歸主協會總裁，在科倫坡從事英語青年的外展福音工作。)

研習問題

1. 作者如何討論基督的獨一性是指向「基督的至高」？

2. 請解釋，何以約十 1-16 說基督的死亡帶給「新人類」盼望？

3. 在多元主義的思潮下，肯定基督的獨一性何以如此重要？

除非你完全降服於神，你不能知祂的心意；你一降服了，祂就會告訴你應做甚麼。

God does not deal with you until you are wholly given up to Him, and then He will tell you what He would have you do.

施達德(Charles Thomas Studd, 1860-1931)

Suffering and Martyrdom : God's Strategy in the World

受苦與殉道——神對世人的策略

Josef Tson 著　文子梁譯

作為萬王之王及萬主之主，耶穌基督呼召群眾向祂完全效忠。世上任何人事，無論父母、配偶、子女或物質貨財，都不應破壞耶穌與祂的兒女的關係。耶穌期盼世人從祂身上學習，以致祂能像天父差遣祂一般差遣他們，往普天下傳揚祂的信息，為祂作見證。耶穌曉得世人會憎恨祂的見證人，並會無情地以暴力對付，但耶穌卻預期祂的見證人追隨祂為失喪的世人受苦和受死的榜樣，以愛來迎接憎恨，存喜樂的心面對暴力。基督的見證人會因效忠基督，使福音廣傳而受迫害殉道。基督的門徒並非為自己而受苦，亦不是自討苦吃；受苦和受死皆非基督門徒的目標，他們的目標乃是為基督及祂在世的偉業，為廣傳福音。

為基督受苦，不僅指受到逼迫，當一個人因事奉基督而離開摯親，已經是受苦的開始。對某些人來說，為基督受苦是變賣所有產業，用來賙濟窮人；這種行動往往出於廣傳福音的目的。對另一些人而言，為基督受苦可能指迫切地為基督的偉業禱告；或是迫切要建立基督的身體，努力使聖徒邁向完全而勞苦，然而，必須要澄清的是，為基督受苦並非自討苦吃！基督的門徒切切尋求遵行基督的旨意，以及廣傳福音，但為基督受苦也表示了門徒會為基督和福音的緣故而自願吃苦，也在生活上作出犧牲。

而且，一個基督的門徒既自認是基督的奴僕，便完全受主人的擺佈，主人決定這個門徒應作的事奉。門徒的首要任務便是洞察主人的旨意，帶著喜樂和熱誠來行事。只有當門徒盡本份時，他才可以肯定主人永遠和他同在，住在他心中，透過他成就祂的目的。

殉道是神揀選了一些人為基督與福音而死。聖經透露，神預定一些屬祂的子女作出高貴的犧牲。對一些人來說，殉道也許在彈指之間發生，例如遭槍決或斬首。但對另一些人而言，他們在遭殺害殉道之前會受盡折磨，或許神的計劃是要殉道者長期在勞改營或牢獄中悲慘苦痛地生活；最

後，受苦的基督徒縱使獲釋回家，卻因長期囚禁，身體衰退而辭世。筆者相信，神依然看他們的死亡為殉道。在這個高科技的世代裡，亦有人因囚禁於精神病院而殉道；這可說是現代最殘暴的手法，被囚者受藥物或心理折磨，精神與人格完全被摧毀。

在每一件事情上，神都有其心意，若祂揀選了祂的子女受苦及自我犧牲，必定是為成就某些重要的目的；即或作子女的不明白背後的用意和理由，他們依然要順服天父。但天父希望祂的子女明白，有像祂一樣的心意，故此，祂透過寫下來的話語和藉肉身顯明的道來揭示祂的意念、目的和方法。

神透過差遣兒子道成肉身，進入人類歷史中，以受苦僕人的身份在地上受折磨，最後受死。神藉祂兒子受苦受死來曉諭我們，祂是以受苦和自我犧牲來解決人類的罪惡、邪惡和叛逆的難題。自我犧牲乃是唯一與神性情相合的方式，例如神不以憎恨回應憎恨，否則，祂在形式及本質上就仿傚了憎恨的根源，就是那惡者。因為神是愛，所以祂只以愛來回應恨，為那些恨祂的人受苦和自我犧牲；這正是神的本性。

如今，那些從神而生的，就得與神的性情有份(彼後一4)。神的子女也蒙召以同樣無私的愛(*agape*)，就是神的本性(約壹四4-21)，來處理世間的問題。事實不止於此，基督與祂的弟兄合而為一，正如祂與父合而為一(約十七21-26)。基督住在神的子女中間，透過他們展開在世上的工作。但基督並沒有改變祂在世上時所採用的策略，依然以十字架之法；故基督告訴祂的門徒，祂將差遣他們進入世界，如同天父差遣祂進入世界那樣。換言之，基督差遣祂的門徒以同樣的地位，運用同樣的方法來克勝那惡者，就是十字架的方法。正因如此，耶穌吩咐祂的門徒背起他們自己的十字架，學效祂的榜樣，到全世界廣傳福音(作見證)，服侍他人，為他人而死。基督門徒的十字架，象徵他們藉著自願犧牲達成天父對人類的心意。

基本上，殉道者的死帶來三重意義，就是：

1. 神的真理得勝
2. 撒但的潰敗
3. 神的榮耀

殉道與神的得勝

這個尚未得救贖的世界仍處於黑暗之中。未信從神的人，他的心眼遭撒但所蒙蔽，因而恨惡真理之光。對那些長期活在幽暗中的人來說，忽然被強光所照射，自然感到苦痛，無法抵受，故憎恨這光，要設法把光消滅。耶穌以這個比喻來指出世人對祂降世的反應(約三19-20)，祂並告訴門徒要預期面對同樣的待遇。

以現代的詞彙來表達，地球上每一個民族皆認為自己的宗教是世上最

珍貴的寶藏之一，故凡有人指出他們所相信的是錯誤或不真確，都是不可饒恕的冒犯，亦是一種羞辱。假若有人試圖改變他們的宗教，便被看為一種「民族身份」的攻擊；這就是宣教士在不同地方傳講福音時，會遇到敵視和暴力對待的原因。在宣教士而言，他們必須認定撒但會以謊話來蒙蔽他們的傳福音對象，使這些人最終陷於地獄受咒詛。倘若宣教士沒有這種認定，他們便不會甘冒性命危險在宣教對象群體中燃點亮光。

但當基督的使者以愛傳述真理，以喜樂迎接死亡時，奇蹟便會出現：未信者的心眼開啟了，能夠看見神的真理而相信福音。自從在加略山上，羅馬百夫長的心眼被開啟，因**得見耶穌受死的情況**而認信耶穌是神的兒子後(可十五39)，歷世以來，成千上萬的基督徒殉道均帶來相同效果。相信當特土良(Tertullian)寫「殉道者的血是令新基督徒誕生的種子」一語時，他的心中正存有上述意念。地上很多人都可以見證，當一個宣教士殉道，籠罩他們的黑暗頓然消失；但需要更多基督徒願意付上生命的代價，才能消除目前世上無數地區及群眾所處的黑暗。

殉道與撒但的潰敗

耶穌視祂的降世，好比闖入壯士的住處，擄掠他的貨財(太十二29)。耶穌知道要藉祂的受死(約十二31-33)和門徒的工作(路十17-19)，才能將世界之王趕逐。耶穌向祂的門徒指出，毋須懼怕那只能殺身體的，並鼓勵他們要為得勝而勇於付上生命(太十26-39)。使徒約翰毫不疑惑地依從他的主所吩咐，並在啟十二9-11描述撒但遭趕逐和潰敗的情況。

撒但利用兩種工具，使人類受牠的奴役和捆綁。第一種是罪。人類犯罪，受到撒但的「控制」，但因為基督的死亡，加略山的十字架粉碎撒但對人類的控制(西二14-15)。第二種是恐懼死亡(來二14-15)。耶穌再藉著祂的死亡，令自己從死亡的恐懼中釋放。當殉道者不懼怕死亡時，撒但的最後工具完全不能發揮作用，便會被擊破而潰敗。

很多民族被撒但所迷惑，受到黑暗勢力的奴役，當殉道者在萬邦中顯明神的真理時，那些受到黑暗勢力捆綁的人會回轉歸向神。殉道者的死亡開啟未信者的心眼，當他們看見亮光，撒但牢籠他們的勢力便因而消失。啟示錄進一步記載了這情況，殉道者的死亡使列邦得以認識神(啟十一1-19，十四1-12，十五2-4)，透過殉道者的見證與受死，把萬民領到神面前，撒但被擊潰。

約伯的故事讓我們從另一個層面上看到，神的子民在受苦時所表現的信心，把撒但擊潰。約伯拒絕咒詛神，在眾天使面前證明地上有真正敬拜神的人，使撒但的謀算顯得荒謬。

天使看約伯受苦為超凡的表現；當保羅提及門徒受苦時，亦在想及約伯的經歷，說他們「成了一臺戲，給世人和天使觀看」(林前四 9)。

保羅在牢獄中寫信給以弗所的信徒，提到他的工作是「為要藉著教會，使天上執政的、掌權的，現在得知神百般的智慧」(弗三 10)。正如他在林前一17-31所描繪的，同是說明神的智慧被世人認為是絕對愚蠢的：差遣祂獨生的兒子在十字架上受死。但神在世上所彰顯的智慧並不止於基督在十字架上的時刻，當神的子民服從祂頒佈的使命，為基督福音的緣故而自我犧牲時，神的智慧便延續下去。當神的子民面對死亡時，向全宇宙顯示出神的智慧；也藉著信徒的見證與死亡，使撒但的名譽盡毀，且被擊潰。

殉道與神的榮耀

耶穌形容祂被釘十字架使祂自己和神同得榮耀(約十二 27-32，十三 31-32)；可是，釘十字架是最野蠻和最令人羞恥的處決方式，怎可以說是榮耀神的方法呢？若我們能看到這個事件向世人所作出的啟示時，便曉得答案了。基督甘願為人類得救贖而受苦，彰顯了神的真本性。神的本性體現於祂無條件地向世人施與完全的愛，甚至要為世人受苦和受死；神的榮耀透過自我犧牲而顯得光芒四射，是其它地方從未得見的。而最要緊的，乃是神自我犧牲的愛所發放的榮耀光輝，

藉著每一宗殉道事件而普照四方。因此，約翰形容彼得的殉道是為「榮耀神」(約二十一 19)，這亦是保羅決心以死來榮耀基督的原因(腓一 20-21)。

殉道能向那些處身黑暗的人顯示神的愛，因其蘊涵了說服的力量：世人從殉道者受死看到神的愛，故不得不相信神為他們犧牲的愛。保羅說，我們受苦和對他人作自我犧牲的愛，都能彰顯基督的樣式和神的榮耀，也表達了相同的意念(林後三 18，四 1-15)。當神的子民犧牲而令人更認識基督和神的恩典時，我們便會看到有更多人向神感恩、讚美，歸榮耀予祂。

〔*作者分別擔任美國伊利洛州惠頓羅馬尼亞宣教會(Romanian Missionary Society)及羅馬尼亞奧拉迪亞以馬內利聖經學院總裁。*〕

研習問題

1. 作者怎樣為殉道下定義？我們是否可以看到任何受苦都是為基督受苦？

2. 作者認為為基督受死如何會令撒但被擊潰？

3. 請解釋殉道怎樣能榮耀神。

Apostolic Passion
使徒的熱忱

Floyd McClung 著　　鄭惠仁譯

使 徒的熱忱是怎樣的？
「熱忱」(Passion)一般用來描寫心中充滿了愛慕之情，甚至切慕之苦。這詞對你有何意義？對於我，體會為一個人願意為某種事物而忍受一切，這個詞語的英文字根本義亦是如此。Passion 一字源自拉丁文 *paserre*，意思是願意受苦，就是心中極逼切想得到一樣東西，而不惜付任何代價。「使徒」(*apostle*)的意思是受差遣者，作信差。所以「使徒的**熱忱**」就是慎重、刻意地選擇在萬民中為敬拜主耶穌而活，全心付上生命，以傳揚祂的榮耀，心中燃起熱情之火，渴望全地都被神的榮耀所覆蓋。

若我在靈修時，不想到要讓天堂未有的言語都來敬拜耶穌的時候，這種使徒的**熱忱**便會熄滅。我知道縱然口中所唱的仍是關於天堂樂境，若以世界為家，這種熱情已在生命中流失。或者，當我想著球賽、玩具、想到的地方和人事，多於思念萬民向神敬拜的時候，使徒的**熱忱**就在我心內熄滅。

當我計算自己的得失，而非以神能得到榮耀來作決定的時候，我也失去了這份**熱忱**。一些擁有這份使徒熱忱的人有計劃行動，但寧願留下來；而你卻因為神並未呼召你到那些從未聽聞祂的名字的人中間，感到極之失望。如果你不願意為某一件事受苦和犧牲，就是沒有這一份熱忱；如果你說願為主作任何事，而不願為祂受苦，那麼，你對祂及祂在世上的計劃也沒有真正的**熱忱**。

如何能得到這一份**熱忱**呢？像外賣餡餅，保證30分鐘以內送到嗎？有免費電話號碼可以查詢嗎？或者，有更好的優惠，寄出15元或以上的禮金，24小時內便會收到一份特別的熱情。如果你像我一般，就必須想想如何提升這種稱為**熱忱**的東西；我是讀到保羅如何得著**熱忱**而產生動力，他作出了選擇。

保羅在羅馬書十五章說宣揚基督之名是他的心願——你也可以說是他的熱忱。從他得到耶穌基督的啟示開始，一生都培養這種熱忱，他不但在

往大馬士革(大馬色)的路上遇到基督，以後每天也與耶穌見面。耶穌的顯現，以及尋求神的旨意，都令保羅產生了使徒的**熱忱**，以餘下的生命來認識耶穌及宣揚祂的名。他認為「在基督耶穌裡有可誇的」(羅十五17)，其餘的全都是糞土、垃圾、污物。保羅的心志既基於明白神渴望祂的兒子在萬民之中得榮耀而產生，因此他專心「叫所獻上的外邦人，因著聖靈成為聖潔，可蒙悅納」(羅十五16)。

人性的熱忱不若使徒的**熱忱**般恆久；神既將祂自己的熱忱賜給你，就是渴望祂的名在萬民之中得榮耀，故你必須繼續發展神給你的恩賜。以下是四個有效的方法：

1. 使徒性的捨棄

很多人都想得到保羅事工的果子，卻不願像保羅一般付出代價。他死了，對一切事物都死了，每天都在治死自己，與基督同釘十字架。這位意志堅強和主觀的人，知道必須治死「己」，否則，自己在肉身上無法顯出基督的形象，不能保有基督的心；因此他要死，他捨棄了生命，捨棄了「己」。

我們生活的世界充滿了各種熱烈競爭之情。如果我們不對自己死，不讓神在萬民受敬拜的**熱忱**充滿我們的心，就會被其它情感所佔據。我們可以欺騙自己，以為滿有聖經的熱忱，事實卻受自己的文化價值所洗禮，只

冠上基督教稱號而已。惟有當我們內心充滿了神要祂的兒子在萬民之中受敬拜的意念，才會是使徒的**熱忱**。

親愛的朋友，讓我鼓勵你捨棄自己的生命，讓我挑戰你作以下的禱告：「主阿，當我露出自私的野心，也無治死自己的意願時，請勿留情！」保證祂必應允你的禱告——而且很快。

2. 使徒性的焦點

若不集中焦點，就是阻撓耶穌受萬民敬拜的最大敵人。你可能花費很大的氣力到處奔走，做了很多美好的事，卻不能走近萬民之門一步。筆者不反對所有的事工和計劃，這是神的子民應作的，也不懷疑他們的忠心。教會有使徒的呼召，有使徒的使命，神呼召我們到萬民中間，我們必須有焦點，否則就是不順服。

焦點是甚麼？神要一群屬於自己的子民。有行動，卻沒有使人作神子民的意願，只是一項活動，而不是使命；你可以只是傳福音而不履行使命。短期宣教是好的，只要是為了培育工人植堂，你可能會大聲說自己沒有植堂的呼召，事實上卻是有的。神一直期望萬民敬拜祂的兒子！你不必擔心神會因你嘗試植堂而不喜悅，正如有些人以為要得到特別的呼召才去拯救靈魂，訓練門徒，召聚他們來愛耶穌。無論所做的是甚麼，你必須明白，植堂不是為我們，乃是為神。我們若這樣做，神會召聚人來敬拜祂！

3. 使徒性的禱告

多年前，一所聖經學校的學生自告奮勇幫助 David Wilkerson 在紐約市街頭的佈道工作。Wilkerson 問他每天花多少時間祈禱，學生說大約 20 分鐘。Wilkerson 對他說：「回去吧，年青人！你在 30 天內，每天用 2 小時祈禱，然後可以回來。屆時我可能會考慮讓你到充滿謀殺、強姦、暴力和危險的街道上去⋯⋯如果現在把你差出去，憑著每天這20分鐘(的禱告)，等於差派了一個手無寸鐵的兵士上戰場，必死無疑。」

朋友，你可以沒有經常禱告而進入天堂，你可以每天只花 1 分鐘來靈修而神仍然愛你，但你不會憑這小小的1分鐘與神的交談而被稱讚為：「做得好，你是善良又忠心的僕人。」你更不能憑著這樣的禱告生活，到那些從未聽聞和敬拜耶穌的硬土去。現在，向你發出挑戰：細讀保羅所說有關祈禱的一切話，然後問自己：「我願意這樣祈禱嗎？」保羅的禱告是：「日夜祈禱⋯⋯流淚⋯⋯恆切⋯⋯感恩⋯⋯在靈裡⋯⋯不斷地⋯⋯大膽的⋯⋯為神聖的憂傷⋯⋯抗拒那惡者⋯⋯。」

4. 使徒性的決定

假如你沒有一個要使神的榮耀充滿世界的異象，當你在等待神派給你「下一項工作」的時候，你會陷入了追求自己偉大夢想的危機。我們有的是多吃懶做的基督徒，躲在未有神呼召的藉口背後，在等待聽見呼聲或看見異夢——但一直在賺錢，為將來儲備，又奢華作樂。

使徒保羅一直被他的熱忱所帶引，使徒行傳二十和二十一章記載，雖然有真正的先知警告，又有朋友迫切勸告，他仍不理會自己將受到的苦難，決意要到耶路撒冷去。為甚麼保羅不理會自己的直覺，也不理先知和摯友流淚苦勸呢？因為他得到啟示，令他有更偉大的目標和更強大的動力，就是使神得榮耀。

使徒性的抉擇必出於使神在萬民中得榮耀的**熱忱**，然後問：「我應在何處事奉？」可惜大多數的人剛剛相反，一開始便問在那裡和何時，而不是要使神在萬民中得榮耀，故他們從未聽見神說「去」，也未培育出那種熱切要為神之情，讓眾多不重要的欲望佔據了他們的心而永不自知。

獻上你的恩賜、天賦和才能給神，靠近神的胸懷，留在祂那裡，直至你渴望為祂的名出去，在祂那裡接受培育和渴望見到全世界都讚頌祂的心。惟有如此，你的心才會聽到神說「留在這裡」，亦只有那些渴望向萬民宣揚祂榮耀的人，才有資格留下。

如果你有一份使徒的**熱忱**，你是世界上最危險的人，世界再不能管轄你的心，你再不會受到要擁有和要賺取所誘惑，會專心於在萬民中間傳揚

和宣告神的榮耀。你的生活有如一位朝聖者，不攀附於世界，不害怕得失，甚至要得到為傳揚主名而死的榮譽。天父的**熱忱**成為你的**熱忱**，在祂裡面你得到滿足和被看重，你相信祂永遠與你同在，直至生命終結。你已將自己完全交給祂，你為羔羊而活。撒但害怕你，但天使會為你鼓掌。

你最大的夢想，就是要使在天堂從未聽到的語言稱讚祂的名字；你的獎賞，就是來到祂的腳前，看到祂充滿欣悅的眼光，以及祂受苦所得的獎賞——蒙恩者的敬拜。

如此，你有使徒的**熱忱**了！

(作者為美國科羅拉多州特立尼達市 A11 Nation 的創辦人及總裁，亦曾擔任青年使命團國際總裁多年。)

研習問題

1. 本文作者指使徒熱忱是重終極價值多於情感，與一般人對「熱忱」的理解有何分別？

2. 作者認為每一個人都被呼召到萬民之中建立教會。他是否指每一個人都要努力成為宣教士，抑或指每一位信徒都為神的榮耀而盡力？

3. 使徒熱忱與願意受苦兩者有何關係？

1813 年 7 月 13 日耶德遜與妻子抵達緬甸。他的三個孩子和兩任妻子先後死於當地，但他一個人翻譯了全本緬甸文聖經，編著了緬英字典，開拓緬甸的福音工作。他多次被囚獄中，1850 年因病離世。他說：

生命是短暫的，無數緬甸人正步向滅亡。我差不多是世上唯一可以用他們的語言來向他們講述救恩的人。

就算放棄我這條老命也沒有所謂，因為我所遇到試煉太多了。只是我可不認老，你知道我並不老，沒有人離開這個世界時會像我一樣充滿希望和溫暖的感覺……

——選自樂恩年譯，Faith Coxe Bailey 著《緬甸拓荒先鋒——耶德遜》

(香港：大使命團契，1997)

The Hope of a Coming World Revival
將臨的全球復興盼望

Robert E. Coleman 著　　編輯室譯

憑著信心，我們知道世界末日來臨時，將會出現福音大豐收，宇宙終結之前或會出現無法形容的大復興，因為這是一個應許。這是否我們一廂情願？若是事實，我們便得謹慎從事。

令人振奮的預言

人類的文明在劇烈變動，任何關於末後的事情看來都與今日息息相關。教會對普世千千萬萬未得之民日益關注，要向他們傳福音，使這個課題顯得更真切。

雖然末日發生的時間和覆蓋的範圍眾說紛紜，聖經確實指出會出現一場激烈的屬靈戰爭。大部分對未來世界復興的探討都從歷史事件出發，如猶太人被擄後回歸及以色列復國；也與個人對千禧年、大災難及教會被提的觀點有關，一些人認為基督在千禧年統治前重臨地上，把教會提往空中，一些則認為教會在千禧年期間被提，兩者明顯是從不同的角度來看大復興。儘管分歧如此大，無論那一個觀點，都認為大復興必然發生。

聖經中的預言既如此複雜，故任何結論都非定案。雖然，我們現今所知的仍是模糊不清，依然可以勾勒出未來復興運動的輪廓，現時所見的任何事物也為之相形失色。

聖靈澆灌全世界

我們可預期，屆時全世界的教會皆曉得神豐沛臨在，正如先知約珥所預言，人人都會經歷：「以後，我要將我的靈澆灌凡有血氣的。你們的兒女要說預言，你們的老年人要作異夢，少年人要見異象。在那些日子，我要將我的靈澆灌我的僕人和使女。」(珥二28-29)這就清楚表達全世界的人，不論任何階層均會感到靈性煥然一新。彼得把先知預言的應許與五旬節聖靈降臨連結(徒二16-17)，但因當時被聖靈澆灌的神子民，並非來自世界各地，故在普世的層面上，先知約珥的預言並未完全應驗。當然，聖靈在第一個五旬節澆灌「凡有血氣」的，甚至有來自「遠方」的人(徒二39)，可

說當日受聖靈充滿的門徒，向「從天下各國來」的人作見證(徒二5)。事實上，聖靈澆灌了整座耶路撒冷城而已，但當教會漸漸藉聖靈的能力向外擴展時，聖靈的火焰便蔓延至猶太、撒瑪利亞，更抵達文明世界多個遙遠地區。這信息至今仍在傳遞，但預言完全應驗，便要等待光榮的日子到來。

誠然，普世出現靈性復甦，一定是因為神對世人的大愛(約三16)，而且會戲劇性地使福音傳「至地極」(徒一8；參太二十八19；可十六15；約二十21)，最終必會實現神向亞伯拉罕的應許，地上萬族都要因他蒙福(創十二3，二十二18)。一直預言萬族萬民來敬拜神的情景，也會得以實現(參詩二十二27，八十六9；賽四十九6；但七14；啟十五4)，而神的名字亦在外邦中被尊為大，「從日出之地，到日落之處」都受敬拜(瑪一11)。

因此，教會時代就在宏大的屬靈之洗下開始和結束，第一個五旬節所發生的事情可視為天上降下「秋雨」，而結束之際出現的便是「春雨」(珥二23；何六3；亞十1；雅五7)。我們要牢記，無論是水或雨，往往都是聖靈的象徵(約七37-39)。

奇異展示能力

約珥預言聖靈澆灌時說：「在天上地下，我要顯出奇事，有血，有火，有煙柱。日頭要變為黑暗，月亮要變為血。這都在耶和華大而可畏的日子未到以前。」(珥二30-31；參徒二19-20)但聖經記述第一個五旬節時的情景並非這樣，顯然，它們並未發生。

耶穌在講論「大災難」後的日子，所用的措辭亦相近，並且補充說「眾星要從天上墜落，天勢都要震動」(太二十四29，參啟六12-13)。看來，神要結集大自然的力量，以見證地上所發生的事。

聖經更記載，有些人擁有異能，例如變水為血(啟十一6；參加三5)。當然，撒但將會設法迷惑人，聖經亦已發出警告，屆時將會有「假基督」和「假先知」行「大神蹟、大奇事，倘若能行，連選民也就迷惑了」(太二十四24；參出七10-12；太七15-20；提後二9、10)。這些感官上的訴求經常充滿危險，故聖經勸誡我們要試驗諸靈，若那些靈不認基督，便不是出於神(約壹四1-3)。

空前大混亂

馬太福音二十四章，以及啟示錄六至十七章斷斷續續提及末後日子的可怖，似是描述那個時期。當末日越迫近，情況越趨惡劣(參提後三12；帖後二1-3)。

饑荒、瘟疫、猛烈地震等將會發生，戰禍、陰謀滿地，憎恨轄制人心，人人自危，道德淪亡，教會背道加劇。人不依從當代的靈，會受嚴厲的遏制，很多人殉道。毫無疑問，作

門徒的代價高昂。

聖經指出，在這惡劣的險境之中，復興將席捲全地。當神「在世上行審判的時候，地上的居民就學習公義」(賽二十六9)。可怖的災難與令人肅然起敬的救贖情景交織──恐怖的事使人心切求真理，但並非人人都回轉歸向神，仍有人冥頑不靈，且更肆無忌憚地犯罪。世人無論怎樣，皆要面對基督的十字架。

世界如何終結，尚未可知；或許復興現象很接近，但在主再來之前會出現「離經叛道」之事(帖後二3)。一些聖經學者相信，大災難將在教會被提後才臨到，另一些則認為基督徒將在可怖的事件發生期間被提。

不管持那一種觀點，都會同意聖經並無說明最後的大復興能夠阻止災難臨到。我們已經跨越界線，不能回頭，肯定要接受審判。復興或許會遲延，但不會阻止人人在神面前交帳的日子來到。

教會被煉淨

藉著復興的煉淨，神把祂的子民領進神聖的美境。我們的主預期給自己迎娶「榮耀的教會，毫無玷污、皺紋等類的病，乃是聖潔沒有瑕疵的」(弗五27；參約壹三2-3；林後七1；彼前一13-16，三4)。末後日子的試煉，是把基督徒品格精純提煉的火焰，然後，基督的新婦「穿光明潔白的細麻衣」翩然赴羔羊的婚宴(啟十九7-9，參

但十二10)。故此，為預備教會迎接主再臨，聖靈的「春雨」會使教會這「寶貴的出產」變得成熟(雅五7，參歌二10-13)。

儘管疼痛帶來痛苦甚至死亡，教會卻毋須恐懼，受苦會令我們深信不是單靠食物能生存。當我們靠著神來承受苦痛時，受苦便讓我們更明白基督的愛。祂「為你(我)們受過苦，給你(我)們留下榜樣，叫你們跟隨祂的腳蹤行」(彼前二21；參來二10，五8)。若不經歷艱困，很少人能在生命歷程中深切領略恩典。

經過提煉的教會可以毫無阻隔地領受聖靈傾注的能力，勇毅地投身基督的使命。我們有理由相信，當一切與神的計劃同時發生，將令基督身體的事奉恩賜更為增多(弗三7-15；參羅十二6-8；林前十二4-11；彼前四10-11)。這令我們加倍留意，震撼的覺醒快要來臨。

靈魂聚集奇觀

世界將會發生的復興，自然使無數人為救恩而求告主的名字(珥二32；徒二21；參羅十13)，這復興又會預備工人來收取大批的靈魂莊稼，被聖靈充滿的人委身於神的工作，前往最需要的地方，將福音傳給步向地獄的男女；工人的龐大需要，實無法比擬。

重要的是，耶穌曾表明，當福音的使命完成後，祂會再來，「這天國的福音要傳遍天下，對萬民作見證，

然後末期才來到。」(太二十四14；參路十二36-37，十四15-23)無疑，信徒會把握時間熱心傳福音，見證倍增。聖經記述有無數身穿白袍的聖徒聚集，圍繞神在天上的寶座，可見福音會傳至「各族、各方、各民、各國」(啟七9，參五9)，大使命最後將得到實現。

很多人相信，屆時猶太人會在回歸基督的失喪人群之中，至少聖經載有猶太人普遍悔改和接受彌賽亞的情況(參結二十43-44；耶三十一34；羅十一24)，神亦會赦宥和賜福(參耶三十一27-34，三十二37，三十三26；結十六60-63，三十七1-28；何六1-2；摩九11-15；啟七1-8)。看來，世界的復興自然帶來這種情況。持災前被提觀點的基督徒會認為，教會被提後猶太人才覺醒，所依據的是羅馬書十一25-26記載，當外邦人得救的數目滿足後，以色列人將得救。同樣，我們亦能以這段經文為支持基督再來前會出現復興的論據。

無論我們同意那一項觀點，毋庸置疑，我們正面對傳福音的最偉大的日子；收割的時間或許不長，甚至會需要作出重大的犧牲，但現今正是世人接受福音的空前時機。

準備迎接基督再來

地上四極有大批人歸向基督，是為君王的來臨預備道路。在這靈性革新的時刻，我們期待主復臨。「看

哪！農夫等待地裡寶貴的出產，直到得了秋雨春雨。你們也當忍耐，堅固你們的心，因為主來的日子近了。」(雅五7-8)

我們的主仍未重臨確立祂的國度，表明祂冀盼教會能夠完全，祂願意祂為他們獻上生命的每一個人，都得聞福音。神「寬容你(我)們，不願有一人沉淪，乃願人人都悔改」(彼後三9)，但我們斷不能假設主會長久忍耐。沒有人能肯定自己了解預言，預測祂再來的時刻，我們每天都要預備迎接主，當黑夜接近時，我們更當如此。

期待主再來乃是蒙召出發，我們必須清除任何妨礙聖靈流通的阻障，以天父的事為重，以廣傳福音為生活的中心。無論我們有甚麼恩賜，都可以用來見證福音。

禱告中合一

禱告是我們所期待世界復興的最大能力源頭，先知提醒我們「當春雨的時候，你們要向發閃電的耶和華求雨」(亞十1)，在「舌頭乾燥」的日子，神說「我要在淨光的高處開江河，在谷中開泉源」(賽四十一18，參四十四3)。誠然，現在正是「尋求耶和華……使公義如雨降」在我們身上的時候(何十12；參珥二17；徒一14)；捨此，我們並無方法能為教會帶來生命，為世界荒蕪之地帶來盼望。

1748年，美國出現首次大覺醒期間，愛德華滋(Jonathan Edwards)回應蘇

格蘭教會領袖的提議，發表了「這是一個謙遜的嘗試，盼望藉特別的禱告在神子民中間推動公開的協議和有形的聯盟，使聖經所載有關末世的應許和預言得以實現，就是宗教復興並基督在地上的國度得以擴展」。這是愛德華滋根據撒迦利亞書八章20-22節對教會發出聯合為世界復興恆切代禱的呼籲，經文是這樣的：

> 將來必有列國的人和多城的居民來到。這城的居民必到那城，說，我們要快去懇求耶和華的恩，尋求萬軍之耶和華，我也要去。必有列邦的人和強國的民來尋求萬軍之耶和華。

對以上的經文，愛德華滋這樣說：

> 從這預言的模式來看……可能按以下的方式實現：神先賜禱告的靈予多處的子民，這靈使他們摒除己見，聯合起來，以特別的方式禱告，促使神協助祂的教會，向人類大施慈愛，傾倒祂的靈，復興祂的工作，並如祂所應許一樣，在地上擴展祂的屬靈國度。既是同心合意，禱告必大大興旺，更大發熱心，逐漸帶來宗教復興，認信的子民更強烈渴望敬拜和事奉祂。因此，眾信徒互相提醒，彼此有感靈性需要，並且熱切關注屬靈事物和永恆善行，向神殷切祈求靈裡的憐憫，並願意與其他的神子民聯合……如此，信仰得以傳播，直至

那些居上位者醒覺，全國人民也醒覺。經過長久的歲月，世上各強國都成為神教會的成員……那時，經文所展示的情況便得以實現：「聽禱告的主啊！凡有血氣的都要來就你。」(詩六十五 2)[1]

愛德華滋呼籲神的子民聚集恆切為復興祈禱的聲音，如今仍顯出其迫切性。這呼聲不單召喚我們委身於最要緊的代禱事奉，更提醒我們，神已發出指令，要祂的教會勤作見證，直到地上諸民均前來敬拜主。

生活妥作準備

1974 年的洛桑會議，葛理翰(Billy Graham)傳講最後一篇信息，他扼要道出「我們在期待十字架上成就事件的高潮，以及這事件完全實現」，其中有關的現實意義和盼望。其後，葛氏更對未來作出反思：

> 我相信在預言性的經文裡有兩個指向：其一是引導我們明白，當接近末後的日子，基督第二次來臨時，事物會變得更混亂；約珥說「許多許多的人在斷定谷」，耶和華的日子臨近斷定谷所指的是審判。
>
> 可是，我亦相信，當我們接近末後的日子，耶和華臨近的一剎那，同樣是大復興的時候。我們不能忘記復興的應許和可能，在約珥書二 28 節應允，亦在使徒行傳二 17 節複述，末後的日子，有聖靈傾

注，使人更新。這復興將會出現，直至主基督再來。

罪惡會越趨囂張，同時，神卻顯出祂的大能。我祈求在往後的年月我們將看見「春雨」，在主復臨之前，全地都享受天降甘霖。[2]

儘管大家對未來翹首以待，所有人都應當參與這禱告。「山雨欲來風滿樓」，一些震撼性的事件即將發生，我們幾乎可以感受到它們迫在眉睫。雖然罪惡勢力更肆無忌憚，但我們卻聽到對靈性醒覺的呼喊，更多人空前渴慕屬靈的事物；而教會亦擁有過往所無的工具，以把救恩佳音傳給世上未得之民。這是何等充滿生機的日子！

毫無疑問，這肯定不是絕望的時刻。君王必定來臨；在準備迎接君王之際，我們或許就是創世以來能夠目睹偉大復興運動的一代。

注釋

1. Jonathan Edwards, A Humble Attempt..., *The Works of President Edwards*, vol.3 (New York: Leavitt, Trow & Co., 1818), pp.432, 433. 愛氏有關的演說載於423-508頁。全文高舉世界復興的應許，並表達聯合為復興祈禱的需要，內容遠較任何有關的英文著作為詳盡。而同時期的喬治懷特非德(George Whitefield)亦發出聯合祈禱的呼聲。事實上，這呼聲在十九世紀的復興運動中不斷延續，近年，世界福音事工洛桑委員會亦在回應。如欲明白當代學者對復興的解釋，以及認識如何直接投身此運動，可參閱 David Bryant 之 *With Concerts of Prayer* (Ventura: Regal Books, 1984) 或 *Operation: Prayer* (Madison: Inter-Varsity Christian Fellowship, 1987)。又，欲了解有關歷史背景，可參閱J. Edwin Orr, *The Eager Feet: Evangelical Awakenings*, 1790-1830

(Chicago: Moody Press, 1975)。

2. Billy Graham, "The King is Coming" 一文，載於 *Let the Earth Hear His Voice*, ed. J. D. Douglas (Minneapolis: World Wide Publication, 1975), p.1466。這是1974年瑞士世界洛桑福音會議彙報。

(作者為美國伊利諾州三一神學院佈道策略教授及世界宣教學院院長，亦為惠敦市葛理翰佈道團主任。著作甚豐。)

研習問題

1. 請解釋作者何以如此肯定基督復臨前必出現全球性復興。

2. 作者預期將有極大困難「充滿全地」，究竟這些難處對收割會帶來助益或是妨礙？這些結果重要嗎？

3. 基督第二次來臨前，我們能否完全實踐大使命？作者持何觀點？

4. 全球性復興將有甚麼特徵？

第二部分

歷史反省

The Kingdom Strikes Back: Ten Epochs of Redemptive History
國度反擊戰—— 救贖歷史的十個時期

溫德(Ralph D. Winter)著　編輯室修訂

人類幾乎完全抹掉了自己的歷史！百分之九十以上的文物，都被戰爭摧毀了；很多圖書、文學作品、城市和藝術品，已不復存在。可是，從遺留下來的文物所見，人類自古至今都充滿邪惡，將人的潛力扭曲了。

實在荒誕，沒有生物像人類如此狠毒地對待同類！且看，考古出土的人類頭顱，顯然曾被劈開，用火烤熟來作食物。而多次駭人的疫症，又大大減低了人口的增長。

據估計，在亞伯拉罕時期，世界人口約為2,700萬——較2000年美國加州的人口為少。那時的人口增長既緩慢，更有惡者在策動殘酷無情的災難，如戰爭和瘟疫，造成很多慘劇，使人口增長率只約為今日的十六分之一。稍後，由於仇恨和疾病被征服，世界人口迅速上升。假若亞伯拉罕時期人口增長率與今日相仿，現時的世界人口(現為 60 多億)在亞伯拉罕之後320年已經達到了，在那些日子，邪惡張牙舞爪較今日更厲害。

我們可從佔世界人口一半以上的猶太教、基督教和伊斯蘭教信徒所重視的古老文獻，找到詳細的解釋——猶太人稱為「妥拉」(Torah，意即舊約)，基督徒稱為「律法書」(Books of the Law)，穆斯林稱為「討拉結」(Taurat)，不單解釋了罪惡的源頭，更描述了一個幾千年來一直在進行的反擊計劃。

準確地說，創世記首十一章是這個令人震驚的問題的開始，是全本聖經的「引言」。這十一章敘述了三件事：(1)一個榮耀而「美善」的創造；(2)被一個叛逆、破壞的邪惡勢力——超人的惡魔闖入；(3)結果人類變得反叛，被邪惡勢力所轄制。

聖經其餘部分並非像在主日學所聽到的是一個個沒有連貫性的、零零碎碎的故事，而是一齣連貫的戲劇，講述永生神的國度、權能和榮耀已經攻進了敵人佔據的領域。由創世記十二章至聖經最後一卷，甚至到世界終結，我們所看到的是一場連續性的「國度反擊戰」。「國度反擊戰」可以成為聖經一個很好的現代標題(創世記一至十一章是全本聖經的引言)。在這

齣戲劇裡，我們看到，神在過去4千年歷史的中期，差了祂的兒子來，以祂無可抵擋的大能，逐漸光復失地，救贖墮落了的人類，施行救恩，直到如今。「神的兒子顯現出來，為要除滅魔鬼的作為」(約壹三8)，是一個精簡的總結。

這個對付惡者的反擊計劃，當然不會等到故事的中心人物出現才開始。基督來臨*之前*，可明確分為五個時期，*之後*亦可分五期。本文主要是敘述基督降生後的五個時期，但這4千年間的十個時期是連貫的，所以亦會簡略地提及前五個時期。

串連十個時期的主題，是神的恩典介入了「臥在惡者手下」的世界(約壹五19)，攻擊那短暫作「世界之神」的敵人，要使列邦都稱頌神的名。神的計劃是透過亞伯拉罕和他的後裔(信心的子孫)，將不平凡的祝福傳給所有民族，即如我們禱告說「願神的國降臨」。相反的，那惡者的計劃是要使神的名受咒詛；牠掀動仇恨，扭曲事實(甚至DNA的排序)，使創造者受苦，破壞神一切美好的創造。撒但精心擘劃，包括利用致命的細菌，為要使人類對神的愛失去信心。

所以，「祝福」是一個很重要的概念；以撒「祝福」雅各，並沒有「祝福」以掃。所以，「祝福」不是指「很多的福氣」(複數)，而是一項「祝福」(單數)，授與家族名號、責任、義務，還有特權。這祝福並非如得到糖果般可以獨享，或取得個人權力藉以向人誇耀，而是**使**你與天上的父親建立永遠的**關係和團契**。使「萬族」歸回「神的家」，就是祂的國度內。因此**萬民**都可「宣告祂的榮耀」。若萬國不來宣揚神的榮耀，是否顯示神沒有能力去戰勝邪惡？既然神的兒子來了，破壞了魔鬼的工作，神兒子的跟隨者和後嗣應如何顯揚祂的名字？

這個祝福其實是有條件的，必須與其他民族一同分享；因為他們像亞伯拉罕一樣，是憑信心順服神的旨意而成為神國度的一分子，也代表了神的統治、神的大能和神的權柄在萬民中擴展。

四千年故事的上半部

創世記十二章開始的「反擊」故事，約發生於公元前2000年。大概在首400年之內，亞伯拉罕被神揀選，遷往亞非大陸的地理中心去。亞伯拉罕、以撒、雅各和約瑟的時期(一般稱為族長時期)，神曾兩次(十八18，二十

救贖歷史的十個時期：上半部(公元前二千年至公元前)

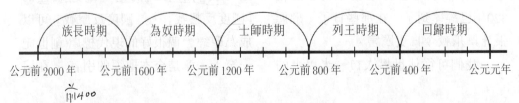

| 族長時期 | 為奴時期 | 士師時期 | 列王時期 | 回歸時期 |

公元前2000年　　公元前1600年　　公元前1200年　　公元前800年　　公元前400年　　公元元年

二18)向亞伯拉罕提及祂要列國歸回祂主權的使命(十二1-3)，亦分別向以撒(二十六4)和雅各(二十八14-15)複述，但他們都很少向周邊列國見證神的主權。

直至約瑟對他的哥哥說：「你們賣了我，然而神差遣了我。」顯然，他成為埃及人的祝福，甚至法老王也承認約瑟被神的靈所充滿(四十一38)。可是，這並非神所**期望**的那種主動順服的宣教行動；因為約瑟的兄長並不是差遣他前往埃及作宣教士。無論人是否有心宣教，但神介入每一項宣教行動。

在隨後的四個時期，每一期約400年，就是(2)在埃及為奴時期，(3)士師時期，(4)列王時期和(5)被擄於巴比倫和散居時期。在這個艱難和動盪的時期，神所應許的**祝福**和所頒下的**使命**(把神的治權擴展至世上萬民)，都變得無影無蹤了。因此，神一方面盡可能使用祂**自願**順服的子民來完成祂的心意；若有需要，祂也會用**非自願**的辦法。約瑟、約拿和全國人民被擄，代表了那一類**非自願**的宣教方式，將神的祝福帶到其他民族。那被擄到亞蘭人乃縵家中的小女孩為神作見證，拿俄米「走過」一段長路程才能向她的兒子和外邦媳婦分享信仰，路得、乃縵、示巴女王是被神對以色列的祝福所吸引而**自動**「前來」的。

可見，當時有四類不同的「宣教機制」，都可以使他人得福：(1)自願前往；(2)非自願前往(沒有宣教意圖)；(3)自願前來；(4)非自願前來，即如王下十七章的外邦人被迫定居以色列。

故此，在每一個時期，無論選民是否通力合作，他們都看見神關注宣教使命的進行。當耶穌出現，更顯出了猶太人的罪，祂「到自己的地方來，自己的人倒不接待祂」(約一11)。拿撒勒人起初很接納祂，直至祂提到神的心意是要祝福外邦人，他們就怒氣滿胸(路四28)；證明這個原被揀選來**接受和分享**祝福的選民(出十九5-6；詩六十七；賽四十九6)，已遠離他們的路向了。不錯，當時有一些火熱的「聖經學生」走遍洋海陸地，帶領人入教(太二十三15)，但他們並不是為使別國得到祝福，而是為了保存和衛護以色列，他們並未關心入教的人是否在心裡受了割禮(申十16，三十6；耶九24-26；羅二29)。

在這個特殊情況下，耶穌來不是**頒佈**大使命，而是**挪走**。那原本的枝子被折斷了，接上其它的枝子(羅十一13-24)。可是，縱然神所揀選的宣教民族普遍不順服，但有許多群體仍然因著看見了一些人的信心和公義而受感動；包括迦南、埃及、非利士〔屬於上古彌諾斯文化(Ancient Minoan Culture)〕、赫、摩押、推羅和西頓的腓尼基、亞述、示巴、巴比倫、波斯、帕提亞、瑪代、以攔和羅馬人。

救贖歷史的十個時期：下半部(公元元年至公元二千年)

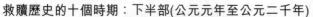

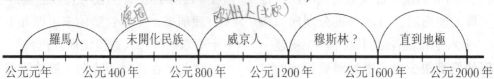

| 羅馬人 | 未開化民族 | 威京人 | 穆斯林？ | 直到地極 |

| 公元元年 | 公元400年 | 公元800年 | 公元1200年 | 公元1600年 | 公元2000年 |

故事的下半部

接著的二千年，神以祂兒子進入歷史為基礎，要保證其它國族得福，亦同樣蒙召成為地上萬族的祝福；「多給誰，就向誰多取；多託誰，就向誰多要」(路十二48)。如今，可以看見神的國度在亞美尼亞(Armenians)、羅馬(Romans)、凱爾特(Celts)、法蘭克(Franks)、盎格魯(Angles)、薩克遜(Saxons)、日耳曼(Germans)種族之中，甚至也在凶狠的北歐海盜威京人(Vikings)中間反攻。福音的大能要入侵和征服他們，同樣，他們也必須與其他人分享神的祝福(並非襲擊)。

隨後的五個時期與首五個時期並無很大的差別，蒙福的民族並不積極與人分享神獨特的恩典，以擴展神的國度。在首千年裡，凱爾特人最活躍，對宣教的回應最明顯。我們看到，正如舊約時期一般，祝福同時帶來責任，責任未盡便後果堪虞。我們會一次又一次的看到神使用祂的四種宣教機制。

耶穌是在「時候滿足」之際應驗預兆，奇妙地在一個被征服的民族中「降生」。羅馬縱然是強權，卻是神手中的器皿，要使這個世界準備迎接祂的來臨。羅馬帝國的版圖是歷史上最大的國家之一，羅馬式的和平強行加諸境內各民族和未開化民族之上。數百年來，羅馬的帝王都在建立一個龐大的交通系統——25萬里的公路通往全境，又有快驛，迅速傳達消息和文件。而且，透過不同的戰役，羅馬合併了較自己更先進的希臘，把曾受高深教育的希臘工藝人材和教師擄到帝國各大城市作奴隸，教授希臘文，使希臘語成為自英格蘭到巴勒斯坦都通用的語言。

很少人知道，但對本文卻很重要的是，羅馬帝國全境的基礎是服從和正義，大批猶太人散居流徙在外，被尊重的程度遠勝於在故土，而學者們相信他們的人數高達羅馬人口十分之一。這些猶太人當中的一項關於男性的元素——心裡受割禮，是吸引很多外邦人到會堂來的因素。很多外邦人如哥尼流等，都成為聖經的忠實讀者和敬拜者——新約稱之為「虔誠的人」或「敬畏神的人」。可見，信仰已經超越了種族界限！這些**敬畏神的人**就成為基督教向外擴展的軌道。基本而言，外邦人信奉猶太人信仰的運動，是猶太人難以理解的。

然而，若非如此，幾卷福音書和

保羅的書信怎可能在短短的時間內，對那麼多的民族產生如此大的影響？

先停下來思想一下：耶穌來，在世上活了33年，與不熱衷宣教的選民理論，被拒絕，被釘十字架，被埋葬，復活，向凡願意回應祂的人重申使命，然後升天回到父神那裡。今天，就是最堅持不可知論立場的歷史學家，都驚訝何以在巴勒斯坦這個羅馬帝國的隱蔽地區，當中的伯利恆城內一個馬槽裡開始的基督教，不到300年竟然掌管了羅馬的皇宮。是怎麼發生的？這實在是個叫人難以置信的故事！

中間時期並無聖徒？

暫且擱下故事的發展，先討論一個心理上的問題。今天的教會似乎在逃避，或是不敢面對，或是遺忘了處於中間的數個世紀。希望愈來愈少人仍舊贊成這個所謂「BOBO」(blinked out and blinked on)的極端理論吧！就是指基督教的信仰在使徒以後消失了，直至馬丁路德(Luther)、加爾文(Calvin)、衛斯理(Wesley)、約瑟史密夫(Joseph Smith)、懷特夫人(Ellen White)、約翰韋伯(John Wimber，或譯溫約翰)這些現代先知興起後才復現。這個理論導致有所謂「早期」聖徒和「末世」聖徒之說，而**中間並無聖徒**。

因此，很多福音派對宗教改革以前的事蹟興趣不大，對教會的改變和馬丁路德、加爾文之前的事件印象模糊，以為真正的基督教只有幾位受逼迫的信徒。舉例來說，有一套名為《二十個世紀的偉大講章》的書，僅用了第一冊的一半來介紹首十五個世紀！福音派的主日學裡，孩子們忙著從創世記到啟示錄，從亞當到使徒時期來看神的作為，主日學課程的出版社更誇口是「全套聖經課程」。這就指出，孩子們無從藉著聖經來認識由使徒到宗教改革期間，神所成就令人難以置信的工作。這段時期所發生的事件，可以交錯地證實聖經有獨特能力；但對很多人來說，就像是「中間並無聖徒」。

在餘下的篇幅，我們僅能概略地瀏覽神的國度在西方所作的反擊——僅是提綱挈領，但有助我們認識神國在不同地區文化的反擊。歷史家來德里(K. S. Latourette)所寫的《基督教歷史》一書，延續了聖經時期的故事，情節引人入勝，是聖經以外一本極具價值的書！

請看第199頁的圖表，來德里使這個階段「重現」，也使我們「茅塞頓開」。

第一個時期，福音征服了羅馬，但羅馬人卻沒有把福音傳給未開化的凱爾特(Celts)人和哥特(Goths)人。結果哥特人像施行懲罰一般入侵羅馬，羅馬帝國西部(拉丁語)從此崩潰。

第二個時期，哥特人聽聞福音後，與其他人一起建立了短暫的新「神聖」羅馬帝國，但亦未認真向北邊的外族傳福音。

第三個時期，像再一次施懲罰一般，北歐海盜威京人入侵這些已經聽聞福音的凱爾特人和哥特人，結果威京人也成為基督徒。

第四個時期，歐洲因為基督教信仰而首次統一，向撒拉森人(穆斯林)作非正式的宣教，這就是所謂十字軍東征。

第五個時期，歐洲人到達世界各地，但因為動機不純，混雜了商業和屬靈的目的，分別帶來損害和祝福。在這個時期，整個非西方世界受到殖民力量的介入，突然繁榮起來，戰爭和疾病也減少了。從來沒有由如此小撮的人影響那麼多的人，而東西兩半球也從未有如此大的鴻溝。

非西方世界會否像哥特人和威京海盜一樣進駐歐洲，甚至美洲？「第三世界」的經濟會否對西方有影響力？產油國家會否控制了國際經濟的發展？明顯地，國際間有一股新的張力在擴展。福音要扮演怎麼樣的角色？我們能否從以前的循環中得到啟迪？

第一期：得著羅馬人(公元0-400年)

基督教歷史上最輝煌的成就，或許是在 200 年內征服了羅馬帝國；對這個階段的歷史，我們很想詳細了解，但因缺乏史料，很多事情仍是個謎。基督教當時的發展，在外表看來是不可能的事，也令人難以置信，若不承認猶太教的基礎，更難以相信。對於早期的發展，我們只能從新約書信所發出的光芒來認識；且讓我們略為瀏覽。

從經文中看見一位猶太人保羅，長於一個希臘城市，全力推動猶太傳統。忽然，他被基督所改變，並漸漸明白猶太人的信仰精髓藉著基督已經成全，不需要猶太的外衣。他明白到受內心割禮的人，可以保持希臘的語言和習慣，如猶太人保持閃族文化一樣！所以，明顯地，無論猶太人、希臘人、化外人、西古提人，抑或為奴的、自由的、男的、女的，任何人都可以被永活的基督改造成為新人。希臘人不必在肉身上受割禮，遵守猶太節期或聖日，或跟從猶太人的飲食慣例，正如女的不必變成男的，才能被神所悅納；所需要的是「信服真道」(羅一 5，十六 26)。

保羅的工作基於一個革命性的聖經原則(直至今日仍有許多猶太人不能接受)，那就是內心的割禮才有價值(耶九 25)；因此，新文化裡的新信徒，不必學習差派教會的語言，穿戴他們的服飾或隨從他們的習慣。這就是說，希臘人不必遵守猶太文化的細則。而對猶太人，保羅仍主張在「摩西律法以下」，只是對那些不熟識摩西律法的人，他傳講「基督律法」，而且在新的環境下可以靈活地完全去實行。或有人認為保羅「沒有律法」，保羅強調

他對神並不是沒有律法。希臘信徒很快便發展了一套適合他們文化而與摩西律法功用等同的代用品，並且付諸實行；事實上，是「早期教會的聖經」(也是猶太人的聖經)帶領他們信主。

或許我們覺得這時期的宣教工作沒有甚麼刻意的組織；若從架構的「透明度」來看，是沒有錯，但其實，保羅是借用了法利賽人的「宣教隊」模式——他也曾是法利賽人哩！差遣保羅的安提阿教會也負有一定的責任，但基本上，他們是把保羅「送出去」而非「差出去」。他的旅行隊在每一所地方教會都擁有權柄，不必聽命於安提阿教會。

我們有足夠的理由相信，基督教在很多地區的擴展是由於「非自願出去」，因為基督徒受逼迫而致分散各地。我們知道哥特人信主是與亞流派(Arian)基督徒的逃亡有關，此外有烏斐拉(Ulfilas, 311-380)和聖帕提克(Patrick, 389-461)，兩人的宣教工作，都是因被俘而發展出來的。

此外，基督教亦可能隨著羅馬帝國的貿易路線而發展，我們知道高盧(Gaul)和小亞細亞的基督徒關係密切，亦有書信往來。可是我們需要面對一個事實，就是羅馬帝國早期的基督徒(今天的基督徒也一樣！)很少願意和實際遵從大使命。看見教會頭數十年的驚人成就，我們只能更懾服於福音本身的奇妙大能。

凱爾特人的社會，是一個自然傳福音的極佳例子。歷史告訴我們，小亞細亞的加拉太省所以得名，因為它的居民原是西歐的**加拉太人**。直到公元四世紀，他們除了使用羅馬帝國一帶的希臘語外，也沿用凱爾特語。保羅書信中的加拉太人，不論只是住在加拉太省的猶太人，抑或是被吸引到會堂來敬畏神、講凱爾特語的外邦加拉太人，保羅特別提醒他們(羅一16)要防備那些只著重猶太文化外在的習俗，並且以習俗混淆了**聖經信仰本質**的人。凱爾特人地區橫跨歐洲，由歐洲南部伸展到西班牙的加利西亞(Galicia)和法國的布列塔尼(Brittany)，再到英國的北部和西部。福音很早進入了歐洲的凱爾特人圈子，可能與保羅在加拉太的事奉有關。保羅在加拉太省傳道，進入了凱爾特人的圈子，福音可能透過這些信徒傳給他們，甚至傳到遠在西方的親友和商業夥伴。

後來，不止數以萬計的希臘和羅馬公民成了基督徒，在羅馬帝國境內外說凱爾特語的人和不同的哥特部族，都有了他們自己一套的聖經信仰形式。這樣的發展，並非有甚麼計劃和組織，大概是羅馬帝國東部基督徒一個不自覺的宣教過程，卻肯定與羅馬帝國西部**拉丁語信徒無關**；這是我們的論點。

另外的證據就是，最早的愛爾蘭宣教中心的設計，是根據**埃及**基督教中心的設計演變而成(小禮堂置於中間，有別於西羅馬帝國)；而早期的高

盧教會是用**希臘語**，並非拉丁語。再看約翰迦賢(John Cassian)和都爾主教馬丁(Martin of Tours)的早期有組織的宣教工作，也是**來自東方**，源於敘利亞和埃及的社區組織。幸而，這些有組織的工作都很著重識字教育，研讀並抄寫聖經與希臘古典文學。

直至公元300年，基督教的影響已非常顯著。312年，康士坦丁大帝(Constantine)宣佈自己是基督徒，我們不能確定他有何個人原因，只知道他居於小亞細亞的母親是一位基督徒，父親則是高盧和不列顛的其中一位攝政王，但在他管轄的地區並未執行丟克里田(Diocletian)於303年頒下逼迫基督徒的詔令。但我們不可忽略，當時在羅馬帝國的基督徒人多勢眾，如果要改變政府壓迫基督教的政策，不僅可行，且是英明的決策。根據前洛杉磯加州大學(UCLA)著名的中世紀歷史學家林威德(Lynn White, Jr.)教授所說，即使康士坦丁大帝並未成為基督徒，一、二十年內，羅馬帝國也無法再抗拒基督教了！羅馬帝國長期的發展，結束了個別城市從前的獨立自治，引發了一個廣泛的歸屬感——林威德教授稱之為身份的危機。基督教是唯一不源於民族主義的宗教，部分原因是它也受到猶太人所抗拒；同時，亦不是某一個部族的民間宗教。林威德教授說，它形成一種「不能擊破的結合性」，但當它與帝國結盟，便成為一個混合的祝福(mixed blessing)。

因此，認識上述所說的基督教這種能力，就可以略為了解何以康士坦丁大帝頒令**寬容**基督教約50年後，基督教自然地發展成為羅馬帝國的**國教**。正式**寬容**基督教的布幕拉開了不久，羅馬基督徒的領袖，竟成為最有權勢和最得帝皇信任的人。所以，康士坦丁大帝把都城遷往康士坦丁堡(Constantinople)時，把他的皇宮(著名的拉特蘭宮Lateran Palace)留給教會作為在羅馬的「決策中心」。公元375年，基督教成為羅馬的國教；若它只是一個民族宗教，羅馬人根本不會以它為國教。

可惜，基督教一旦進入一個特殊的文化傳統和政治圈子，自然便會與反羅馬的人疏遠。甚至只是被**寬容**，便立即產生懷疑，很快開始屠殺阿拉伯及現今伊朗一帶的基督徒。可是，當被稱為叛道者的猶利安(Julian the Apostate)登基，他**反對**基督教，並且轉回信奉異教的神明，迫害就停止了三年之久。這就為羅馬帝國邊陲反對羅馬的民眾(如北非)，埋下了轉向信奉伊斯蘭教的伏線。從另一角度來看，一個文化脫離了基督教，正如基督教脫離猶太方式的聖經信仰一樣。同樣，「黑人穆斯林」今日亦刻意嚴拒「白人的宗教」。

可見，政治上的勝利帶給**基督教**一個混合的祝福。以聖經為中心的信仰，可以穿上非猶太人的外衣；但穿上了這一套羅馬的新外衣，卻又不能

越出羅馬帝國的政治邊界向遠處傳播，只能向西方；原因是甚麼？

沒有人會質疑，當基督教成為羅馬帝國的國教後，卻阻撓了在反羅馬民眾中間完成大使命。但我們會想到，當羅馬的軍事力量依然強大時，只有日耳曼民族接納基督教的旁支。這些部落民族發現可能取得西羅馬帝國的土地，而羅馬天主教和東正教的信仰不可能威脅他們，因為哥特等民族在不受羅馬軍團的統治下，開始接納羅馬的語言和文化。

請留意，半基督教化哥特民族對羅馬所造成的威脅產生骨牌效應：為了自衛，羅馬將軍隊從不列顛撤離，結果，四個世紀以來受羅馬文明影響的不列顛南部一群未開化的民族——益格魯、薩克遜和弗里斯蘭(Frisians)人淹沒；相對於哥特人來說，這些民族完全信仰異教，更殘酷和更具破壞性。到底發生了甚麼？這就開始了兩個黑暗時期的「第一個」。

第二期：得著未開化的民族 (公元 400-800 年)

早期的民族(哥特)成為敵對的亞流派基督徒，對羅馬逐漸產生軍事威脅。但真正造成威嚇的卻是匈奴人(Huns)，他們由中亞細亞進攻歐洲，促使西哥特人(Visigoths)，然後則是東哥特人(Ostrogoths)，再後是汪達爾人(Vandals)進侵羅馬帝國，造成騷動和混亂，破壞帝國西部(今日意大利、西班牙及北非)的內政，稍後，他們認真地重建。

(這是否與二次大戰後的非洲後殖民時期的混亂相若？)事實上，公元410年以前的一連串侵略並未完全摧毀羅馬城，因為哥特人非常尊重生命和財物，更特別尊重教會！因為，羅馬居民早期的非正式宣教工作，產生巨大的影響(拉丁羅馬基督徒也稱其略有貢獻)，至少使這些群體在表面上成為基督徒，就是不相信耶穌的羅馬人也承認自己實在幸運，因為侵略者堅守某些基督教的道德標準；但益格魯和薩克遜人入侵不列顛卻不然。

羅馬人非正式的、近乎無意的分享福音，卻產生這麼大的影響，把**祝福**的消息和權柄伸展到所有外邦民族，實在令人驚訝！羅馬帝國的基督徒，在哥特人首次入侵前 100 年(310-410)，已享有信仰的自由，如果他們當時把握時機，積極傳福音，一定會呈現更好的成果。只一點點的異端基督教信仰已足使這些未開化的民族懂得尊重文化，不像稍後第三時期的威京人般大肆破壞，如果他們對基督教信仰有更多的認識，西羅馬帝國政府的架構可能不會完全崩潰。正如今日，非洲的新興國家能維持穩定，與他們基督教化(在知識和道德上)的程度有關。

無論如何，我們看見一個令人驚訝的現象：稍為認識基督教的未開化民族，竟有膽量和能力，去攻擊那些

自滿且沒有向他們傳福音的基督教帝國，並且很快便學會了羅馬的軍事技巧，甚至成為羅馬兵團的僱傭兵。

(這些事件提醒我們如何面對今日的未得福音之地。正如當年羅馬北方的外族，一些國家不與外國聯繫，但深受基督教影響，擁有核能。1949年後，中國徹底奉行共產主義，你能想像他們自行封立天主教的主教嗎？昔日外族批評羅馬基督徒軟弱和倒退，而中國則批評蘇俄未能堅守共產主義，西方社會充滿色情和罪惡。)

無論是否因為羅馬人沒有向外傳福音而得到這個後果，抑或因外族對基督徒略有認識，在侵略時更有信心和節制，歷史事實是羅馬人失去了帝國的西半部，這些民族則得到了基督教信仰。

所產生的結果是，羅馬城裡出現了兩個基督教派別，亞流派(Arian)和亞他那修派(Athanasian)。還有凱爾特「教會」，這不是一個擁有很多地方教會的宗派，而是由很多宣教中心組成。稍後更出現本篤修士(Benedictines)，它更不像教會，與凱爾特信徒一樣，到歐洲各地建立宣教中心。當北歐海盜威京人出現時，歐洲已有1千個以上這一類的宣教中心了。

宣教區？更正宗信徒，或現代的天主教徒，請先停下來思想。我們對這些特別的(也許誤解)傳福音工具產生疑問，並非我們對他們的工作無知，而是對在他們一千年後所出現的修會

有偏見。若將科倫巴努(Columban)和波尼法修(Boniface, 680-754)這一類的巡迴佈道者，當作馬丁路德時期那些富有而不事生產的奧古斯丁修會的修士來批判，是很不公平的——雖然我們一定要原諒路德有這種思想。

其實這第二個時期的「耶穌子民」，無論他們來自凱爾特修道院(巡迴佈道者)或本篤修會，他們都很愛慕神的話，每星期都會把全本詩篇頌唱一遍；神的國度、權柄和榮耀能傳到盎格魯－薩克遜人和哥特人那裡，也是因為他們努力宣揚。

歐洲基督化的時期，很多奇特和異教的習俗也混進當時各類形式的基督教裡。西羅馬和凱爾特(主要是東方)形式的基督教，直接衝突和競爭的結果，顯出兩者具同樣的聖經信仰基礎。但這些未開化民族掠奪所造成的混亂，使當時的教會與今天我們所見的本地教會不一定相似。

進入未得之地：修道會的貢獻

在當時的獨特環境下(頗像今天世上很多混亂的角落)，最經得起考驗的組織是**修道會**(order)，一類較今天美國更正宗堂會普遍更有紀律，組織更嚴密的團契，他們的「院舍」遍佈歐洲每一處。我們也要承認，這些團體不單是中世紀靈命和學術的來源，更保存了羅馬人各行各業的技術——製革、石工、染色、紡織、冶金、建橋等。他們在民事、慈善和科學方面的貢

獻，更完全被人低估了──尤其是更正宗一貫不友善地稱他們為「僧侶」(Monks)。這些紀律極嚴的基督教團體貢獻極大，我們對羅馬世界的認識差不多全來自他們的藏書；他們靜默的見證顯示，他們雖是基督徒，但亦受古代的「異教」作家尊重。

在今日的世俗社會，一般人不易承認，若非得到這些宣教工場上基督徒抄寫和保存各類文獻(包括聖經及古代基督教和非基督教的經典文學作品)，我們今天對羅馬帝國的認識，就會像對馬雅(Maya)或印加(Inca)帝國一樣貧乏，或者像許多在歷史上湮沒了的帝國一樣，一無所知。

惠敦大學(Wheaton)一位教授的話，震撼了很多福音派，他撰文表達對這些紀律嚴謹的**修道會**的讚賞，在〈修道院挽救了教會〉(The Monastic Rescue of the Church)一文中，有一句很突出的話：

> 修道主義的興起，是基督教歷史中繼基督將大使命交付門徒後最重要──在多方面也是最有益處的事業。[1]

今日我們常用的**第三世界**一詞也出自當日，希臘與拉丁分別代表首兩個世界，而北方未開化的外族就被稱為**第三世界**。歐洲人信主，是因凱爾特人，也因透過他們而信主的盎格魯－薩克遜人的見證和努力，較出於意大利和高盧宣教士的工作為多，他們都可稱為第三世界的宣教士。這個事實顯出西歐

的權力由地中海轉移到北歐去。甚至晚至 596 年，當羅馬的第一位宣教士奧古斯丁(Augustine)在極度戰兢中北上的時候，他遇見了較他更勇敢和更有經驗的愛爾蘭宣教士科倫巴努，這位致力研究凱爾特巡遊修士(peregrini)的學者，已差不多抵達羅馬，遠離他出生的地方，較奧古斯丁打算前去的路程還要遠。

對羅馬帝國東部的人稱康士坦丁堡為「第二羅馬」，並不難於理解；稍後，新信主的法蘭克人和斯拉夫人後代，也稱查理曼時期法國的亞琛(Aachen)和俄國的莫斯科(Moscow)為「新羅馬」以示分別。事實上，羅馬這個城市和意大利這個地區的政治地位，再也比不上那些新興國家，如西班牙、法國、德國和英國的大城市了。

進入查理曼王朝

第二個時期末，即如每一個時期的結束，基督教在新發展的文化區裡非常興旺。強人查里曼大帝的崛起，使西歐的學術交流遠較過去 300 年為興盛；在他的贊助下，學者根據聖經及羅馬時代早期基督徒領袖的作品，重新思想社會、神學和政治課題。查里曼大帝亦可以稱為第二個康士坦丁，他對西歐的影響，在其後 500 年內無人能比。

而且，他在信仰上較康士坦丁更認真，也具體贊助了很多基督教的事工。像康士坦丁時一樣，因為他正式

推崇基督教，結果就產生許多只是名義上的基督徒。偉大的宣教士波尼法修被薩克遜人所殺，是因為他的資助者查里曼大帝曾多次殘酷地鎮壓薩克遜人(他並不完全同意其軍事政策)。有如近代史一樣，殖民政權不單沒有為基督教鋪路，反使人抗拒基督教。值得一提的是，當時查里曼大帝成立的學術中心乃仿效在德國建立的宣教中心。這些宣教中心都是由來自不列顛和凱爾特的宣教士所建立，他們的差會甚至遠至不列顛的艾奧納島(Iona)和林迪斯法恩(Lindisfarne)。

誠然，查里曼大帝是第一位認真試行公眾教育的人，因為得到亞爾昆(Alcuin)等盎格魯凱爾特宣教士和學者的建議及推動，在歐洲大陸設立了許多學校，數以千計的英國和愛爾蘭基督徒到那裡執教。但難以置信的是，後來羅馬竟需要被視為未開化民族的愛爾蘭人到羅馬教授拉丁文(拉丁語從來不是愛爾蘭的本土語)！可見，羅馬帝國的文明深被外族的侵略所破壞，Thomas Cahillh 所寫的《愛爾蘭保存了文明》(How the Irish Saved Civilization)一書有清晰的介紹。

凱爾特基督徒和盎格魯－薩克遜人及歐洲大陸的信徒，特別珍惜聖經。在這個「黑暗」世紀中，保存了最偉大的藝術品——啟導、光照人心的聖經手抄本和美侖美奐的教會建築物，靜靜地見證聖經是他們靈感的來源。另一方面，他們也保存和抄寫非基督徒的經典作品，但未配上圖畫。當羅馬帝國西半部逐漸崩潰，這些外族的遷徙和侵略，使帝國的文化水平低降。羅馬人有兩個復興的理想和盼望，就是重現羅馬昔日的榮耀以及使萬有歸服榮耀之神。公元800年前後，是查里曼大帝最輝煌的時期，這兩個理想幾近實現。一位近代學者說：

> 自羅馬帝國衰微至約一千年後的文藝復興，在這悠長的歐洲歷史裡，唯一有權威的人物就是他(查里曼大帝)。

難怪近代學者把查里曼大帝的時期稱為卡洛林王朝的文藝復興時期(Carolingian Renaissance)。卡洛林王朝將黑暗時期分成為兩段時期，在兩個階段的黑暗時期中間，出現了這個中興的文藝復興時期。

很可惜，重建的帝國(後來被稱為神聖羅馬帝國)並沒有一位像查里曼大帝般的繼承者，而且，又要面對外來的新威脅。查里曼大帝積極要使自己的民族(日耳曼人)成為基督徒，他處事精明，也有屬靈的領導才能，可惜卻未努力向北部斯堪的納維亞半島傳福音，而其兒子所開展的宣教工作也太少和太遲，這是導致神聖羅馬帝國崩潰的原因。

第三期：得著威京人(公元800-1200年)

查里曼大帝在西歐的勢力穩固

後，馬上受到威京人的威脅，再帶來250年的黑暗時期。這些在極北地區的民族還未得著福音。從前侵略羅馬帶來第一個黑暗時期的，大部分都是名義上的亞流派基督徒，但這些威京人，既不文明，也不信主，還是個海上民族。那些設於海島的重要宣教士訓練中心，如艾奧納島或只在潮退時與陸地連接的林迪斯法恩島，從前不易受到陸路的進攻，如今卻很容易受到他們的襲擊。這兩個宣教中心遭劫掠十多次，修道士更被屠殺，或被賣到歐洲大陸作奴隸。肯定說，如果威京人像從前進攻羅馬的外族一樣認識基督教，查里曼帝國裡基督徒的遭遇必定較為好些。從前的西哥特人和汪達爾人不會摧毀教會，但威京人卻相反，像磁石般被吸引到學者和基督徒的修道中心去，他們特別喜愛焚燒教會，在教堂中殺人和販賣修士為奴隸，甚至搶掠附近一些反對他們這種做法的威京人的少女賣往非洲。以下是Christopher Dawson一段描述他們當時在「基督徒」歐洲大屠殺的文字：

> 北方人不斷屠殺和俘擄基督徒，摧毀教堂和焚燒市鎮，遍地屍首——神職人員、信徒、貴族、普羅大眾和婦孺；所有道路和地方都佈滿了屍首。看見基督徒這樣遭摧殘，我們實在痛苦和憤怒！[2]

所以，聖公會的公禱文中有這樣的禱詞：「主啊，請救我們脫離北方人的怒火！」我們再一次看到，當基督徒在所安居之地不向外傳福音的時候，異教的民族就會前來。當基督的大能再一次彰顯，那些征服者便會被俘虜的信仰所征服了。贏得這些未開化民族的，一般是那些被賣作奴隸的修道士，或被奪作威京人妻妾的基督徒少女。神必定非常看重威京人的得救，才會容讓祂所愛的子民遭受蹂躪和傷害；神為了救贖我們，甚至捨棄祂的兒子呢！再說，撒但所作的惡行，神會用作美好的事。

100年前，查里曼大帝的學者曾小心收集古代世界的文獻，如今，大部分的收藏都被威京人所燒掉；幸而在多處存留了抄本，查里曼大帝時期文藝復興的成果才得以保存。從前，學者和宣教士和平地由愛爾蘭出發，經英格蘭到歐洲大陸去，甚至越過查里曼大帝王國的國境，如今，這個曾噴發宣教烈焰300年的愛爾蘭火山已差不多完全熄滅了。威京戰士以愛爾蘭為新基地，也沿著前愛爾蘭宣教士的路線經英格蘭到歐洲大陸，但所帶來的不是新生命和盼望，而是破壞和毀滅。

在這場可怕的災難裡也有祝福。亞勒斐得大帝(Alfred, 844-899)當時是英格蘭的西克撒斯王(Tribal Chieftain of Wessex)，擔心這場浩劫對生命和屬靈造成很大的破壞，率領游擊隊反攻。為了應急，他放棄沿用拉丁語做崇拜語言的慣例，並建立一個當時通用的盎格魯薩克遜語基督教圖書館。若非

威京人的迫逼臨到，這個重要的決定可能會拖延幾百年。

無論如何，正如Dawson所說，這次英國和歐洲大陸的災禍「並非異教徒的勝利」(頁94)。羅路(Rollo)帶領登陸歐洲大陸的北方人(Northmen)，結果成為信奉基督的諾曼人(Normans)，而那些佔領了英格蘭中部的丹麥人與佔領了英格蘭和愛爾蘭大片土地的挪威人，很快便成為了基督徒。福音的大能實在奇妙！結果，一個新的基督教文化竟由他們回流到斯堪的納維亞半島；這個新文化主要受到最早設立修道院和宣教士的英格蘭所影響。英格蘭所失去的，斯堪的納維亞卻得到了。

我們也必須承認，那些本是虔敬的教會和修道院，若不是趨向奢華，也不會吸引威京人。修道的模式由愛爾蘭轉到努西亞的本篤修會(Benedict of Nursia, 480-547)，本是一個改進，但許多人的生活漸趨奢華，不合乎基督徒身份，惹起了斯堪的納維亞人的貪念。故可以說，他們的侵略帶來煉淨教會的副作用哩！其實威京人出現以前，亞尼安的本篤修會(Benedict of Aniane)已進行改革；910年，在克呂尼(Cluny)的推動下已有很大的改進；其中一些改變如修道院不再受地方政權控制，許多「分院」首次與一個屬靈的「母院」連起來。克呂尼復興運動更產生了社會的革新精神。

在公元首個千年內，羅馬最偉大的主教是來自本篤修道會的貴格利一世(Gregory I)；第二個千年之初，克呂尼改革帶來希爾得布蘭(Hildebrand)，隨後西篤會的復興(Cistercian revival)更使其改革向前邁進。希爾得布蘭多年在幕後推動整個教會的全面改革，最後短暫的成為教皇貴格利七世(Pope Gregory VII, 1073-1085)。他的改革熱誠更為後來掌大權的教皇依諾森三世(Innocent III, 1198-1216)鋪路，這位教皇的權力超過從前所有的教皇。貴格利七世務求把教會的權力從君王的手裡奪回，要亨利四世於卡諾薩(Canossa)的雪地上等待三天的就是他。其後，依諾森三世不單繼續推行貴格利的改革，更行使教皇的權力，批准成立托鉢僧(Friars)修會。

第一個時期末，有一個勉強稱之為基督教國家的羅馬帝國，和一位自稱基督徒的皇帝康士坦丁；第二個時期末，有一位虔敬信主的外族基督徒查里曼大帝重建帝國。你可以想像一位過修道士生活的君王嗎？第三個時期末，教皇依諾森三世因為克呂尼、西篤會及有關的屬靈運動(總稱貴格利改革)而成為歐洲最強大的勢力，當時，任何一位想生存的君王都必須尊重教會的領導。這個時期裡，歐洲的基督徒並沒有向外宣教，但很快便贏得了整個北部，更重建查里曼時期的基督教學術和屬靈基礎。

接著的一個時期，發生了一些叫人驚喜或驚駭的事。歐洲人會主動的

傳揚福音嗎？抑或流於自滿呢？事實上，兩者兼而有之。

第四期：贏得穆斯林？(公元1200-1600年)

第四個時期以一個獨特的嶄新福音器皿——托缽僧開始，經歷一連串長期的災禍後，在一場最大且最具生命力和最嚴重的改革分裂下結束。可是，早在100年前，基督徒已捲入了宣教歷史上最大和最悲慘的錯誤裡；譏諷地，上一個時期末信仰的興旺，是導致災難其中一部分成因。從沒有一個國家像歐洲的十字軍東征那樣，積極而不斷地攻進外國領域，部分原因是教會受到威京人的民族性所影響，所有重大的戰役都由威京人後代所領導。

雖然十字軍的東征有不少政治因素，比如岌岌可危的統治者利用來團結人民，但，若沒有基督徒領袖錯誤地積極支持，戰事便不會發生。這些戰役，不單在歐洲造成空前的傷亡，也在穆斯林中留下了不可磨滅的傷痕，更成為希臘和拉丁基督徒合一以及東歐文化統一的致命傷。雖然西方基督徒扼守耶路撒冷100年，但東方基督徒的領土卻斷送給奧斯曼(Ottoman)的君王；更可悲的是，十字軍為基督教建立了一個殘酷和好戰的形象，至今仍使**基督徒**這一個稱謂蒙上污點，使很大部分人望而卻步。

最大的諷刺卻是，十字軍能有如此「成就」，極賴基督徒忠誠的支持。十字軍讓我們學到一個功課：好意，甚至捨己順服，都不能替代深入明白神的旨意。第一位帶領這個悲劇的竟是虔誠的克勒窩的伯爾納(Bernard of Clairvaux, 1090-1153)，著名的詩歌「耶穌，每逢想念著你」(〈主恩滿懷〉)的作者。整個時期裡，只有兩位方濟各修會的修士，西西亞的佛蘭西斯(Francis of Assisi, 1182-1226)和盧勒(Raymond Lull)能真正洞察神的心意，用福音柔和的話語來代替戰爭與暴力，分享神託付給亞伯拉罕和他信心後裔的祝福。

讓我們停下來反思這個令人困惑的時期，嘗試從神的角度來看，小心地一步一步找尋線索。我們知道，第一個時期末，教會已經受了300年的逼迫和苦難，當一切事情都顯得順利的時候，外族就出現了，造成混亂和災難。何故？這個時期本可稱作「古典文藝復興時期」，可是，正當聖經被譯成拉丁文，基督徒在高談神學，史官優西比烏(Eusebius)在編輯大量的基督教文獻，異端信徒被逐出羅馬帝國(無奈地成為唯一向哥特人傳福音的宣教士)，羅馬正式定基督教為國教……，神卻突然把幕拉下，一切都終止了。時候已到，神要使一批新的民族蒙福，滿足神的要求，歸入正在擴展的國度，享有特權和義務。

同樣，第二個時期末，經過300

年的混亂，悍暴的哥特人終於歸信基督，變得馴服和文明。聖經和聖經知識開始普及，凱爾特信徒和他們的盎格魯－薩克遜學生設立了主要的宣教中心，查里曼文藝復興期間，基督徒老師在數以千計的公立學校推行聖經和基礎教育。查里曼大帝敢於反對酗酒，偉大的神學家埋首探討神學和政治問題，比德(Venerable Bede)成為這個時期的優西比烏(查里曼和比德的信仰實際都較康士坦丁和優西比烏為佳)。在這時候，外來的侵略者又告出現，帶來混亂和災難。何故？

第三個時期末，歷史似乎又重演了。這時期最初的 250 年間，威京海盜降服於「福音的反攻」，然後，這時期結束之前，出現長達一個世紀的「文藝復興」，所產生的影響史無前例。十字軍、大教堂、所謂經院神學家(或稱士林神學家)、大學、最重要的蒙福托缽修道士，還有早期的人文主義文藝復興，都約在1050至1350年間發生，稱為中世紀文藝復興或「十二世紀文藝復興」。可是，新的侵略者──黑死病瘟疫忽然來到，較過去的更凶狠，所帶來的混亂和災害也更大；何故？

神不滿意祂的子民不完全順服嗎？抑或是撒但反擊而發動瘟疫？蒙福的人未能積極與萬民分享神的祝福嗎？更令人困惑的是，一場瘟疫造成當時歐洲三分之一的人死亡，方濟各會的修士死亡率更高：單在德國一地已有 12 萬人死亡。神肯定並非因為他們的宣教熱誠而審判他們，然則，神是因為十字軍的暴行而施行審判嗎？若是，為何數百年後才審判呢？肯定是撒但而非神，使歐洲的基督徒遭受這樣嚴厲的痛楚。為何不是撒但而是十字軍因瘟疫而死亡呢？

或許歐洲沒有好好聽從那些虔敬的托缽修道士，也許問題並非出於他們，而在於聽道者未有回應。神審判歐洲的方法，就是把福音取走，也把那些托缽修士和他們的信息拿走。雖然，從我們來看，神似乎在懲罰傳道者而非硬心的聽道者，然而，新約不也這樣教導我們嗎？耶穌到自己的地方來，自己的人倒不接待祂；結果，上十字架的卻是耶穌而不是拒絕祂的百姓。或許，取走傳道者是撒但的企圖──也可能是神用來懲罰那些不聽道的人。

無論如何，淋巴腺鼠疫造成的大倒退，較哥特、盎格魯－薩克遜和威京人入侵的損毀更嚴重。1346 年瘟疫首次出現，以後十年內又經常出擊；它首先令意大利和部分西班牙成為災區，跟著向西和北蔓延至法國、英國、荷蘭、德國和斯堪的納維亞半島。40 年後，歐洲有三分之一至一半的人口死亡；受害最深的是托缽修道士和真正的屬靈領袖，因為只有他們願意留下來服侍病人和埋葬死人。歐洲有如廢墟一般。結果呢？有一段時期竟同時出現了三位教皇，信仰內的

人文主義成份越來越重，農民經常(基於公義，甚至聖經原則)造反，最後流於放任和暴亂。「世界之神」一定樂於看見到處都是死亡、貧困、混亂和長期痛苦，但神卻使一個空前偉大的新改革誕生。

每一個時期結束之際，社會文化似乎一片興盛，今日也不例外：印刷業發達，歐洲人終於擺脫了地理限制，派出船隻到地極去進行貿易、侵略和分享屬靈的祝福。另一方面的改革，是宗教改革赫然出現；在偉大的、看似永遠的、文化下放的歐洲開始。

更正宗信徒覺得，宗教改革運動對當時貪污腐敗的教會官僚反抗是合理的，但我們必須承認，宗教改革不僅如此，日漸增強的活力使基督教世界的權力分散——雖然大部分更正宗基督徒並不明瞭——就是在意大利、西班牙、法國，也與莫拉維亞、德國和英國一樣。各處都看到信徒有新的生命，要研讀聖經，傳講福音信仰的信息。福音驅策信徒作日耳曼人，而非單單讓日耳曼人作羅馬基督徒。不過，這個不可思議的跡象，只是更新路上的其中一項產品(路德不是**第一個**而是第**十四**個翻譯聖經為德語)。可惜，在強調因信稱義這個見解上(當時的意大利和西班牙亦有人倡導)，與日耳曼民族主義(分離分子)連在一起，因而被南歐的政權視為危險的教義而加以壓抑。

更正宗信徒一向都誤解，宗教改革運動時期，南歐並沒有北歐那樣追求生命進深、讀經和禱告上復興。當時，更正宗信徒覺得所面對的是信心與律法的問題，羅馬人則可能認為是統一與分裂的問題，正確地說，是拉丁化專制與國族及本土化多元化之間的問題。然而，爭取本土化最終必然獲勝。

保羅並未要求希臘人成為猶太人才可以作基督徒，但日耳曼人卻需要先成為羅馬人！然而，盎格魯－薩克遜和斯堪的納維亞人可以用他們的言語，日耳曼人則不然，故叛亂從德國開始是合情理的。意大利、法國和西班牙以前歸屬羅馬帝國，已被羅馬所同化，所以它們的改革運動並不牽涉民族主義，也沒有政治動機。

雖然，更正宗信徒在政治上取得勝利，可以重塑基督教的傳統，也回歸聖經，但他們從未提及要向外宣教。然而，這個時期的最後階段，**羅馬化**的歐洲卻向海外擴展政治和宗教力量。所以，最少在兩個世紀之內，更正宗信徒完全沒有擴展，而天主教則在全球推動各類基督教活動，開始了一個史無前例的普世宣教運動。但是，雖然失去非羅馬化的歐洲，仍堅守地中海文化的天主教，嘗試贏得世界其它地方，對剛發生的宗教改革事件並未充份了解。

天主教的傳教士已於兩世紀前出發，何以更正宗仍不嘗試向外傳福

音？一些學者指出，因更正宗並沒有普世的殖民網絡。荷蘭的更正宗有這個條件，可是，他們的船隻卻不載宣教士，反觀一般天主教國家的船隻都載有宣教士。所以，當日本對天主教推廣基督教運動開始感到恐懼時，就只准許荷蘭的船隻入口，荷蘭亦曾為了取悅日本人，協助他們取締正在開展的基督教(天主教)團體。

第五期：直到地極(公元 1600-2000 年)

這個時期開始，歐洲人在世界其它地區有了立足點。但在西半球，除了推翻阿茲特克(Aztec)和印加(Inca)帝國，佔領了幾近荒蕪的地帶外，在人口眾多的非西方世界，所能產生的影響並不強。1945年，歐洲人控制99.5%以上的非西方世界，但並不長久。殖民地內的人民，在學識及進取心上都明顯增長，正如哥特人在羅馬帝國管轄範圍外逐漸強大一樣。而第二次世界大戰後，民族主義迸發，大大改變了西方國家在世界各地的殖民政策。

25年後，西方國家差不多失去了影響力，只剩5%的非西方人口仍受其管制。1945至1969年間，西方的控制權突然崩潰，而基督教在非西方世界中出人意表地迅速發展，筆者曾在其它文章中稱之為「難以置信的25年」。如果我們拿這個時期與羅馬帝國在西班牙、高盧和不列顛失去影響力，也

與查里曼大帝的繼承者在歐洲非法蘭克地區失勢，這兩個時期來作比較，我們可以推算，西方世界可能很快會被非西方人所統轄。

很多人都認為，自從(在「難以相信的25年」之間)西方殖民勢力明顯崩潰，宣教工作應由西方世界轉而到非西方世界承擔。他們把事件混淆了，以為失去了政治勢力就無法向外宣教。

事實並非如此！正因為西方既失去了政治勢力，非西方的人民降服於基督國度的同時，不必降服於西方世界的政治國度。過去法蘭克民族也是在羅馬人失去軍事力量後才接受羅馬人的信仰，而盎格魯－薩克遜、日耳曼和斯堪的納維亞人一直接納羅馬人的信仰，直至教皇攬權，加上權力鬥爭，威脅民族的抱負，結果產生了宗教改革運動，基督教信仰得以本國化。

今天的西方世界明顯地違背了基督教的道德倫理，可能會影響非基督教地區的人接受基督教；但從另一方面來看，基督教的理想可以與西方世界分割，因為西方世界一直是基督教理想的主要支持者。當亞洲人控訴西方國家在戰爭中不守道德，他們是依據基督教的價值觀，而不是憑他們以往的價值觀來判斷的。從這個角度來看，我們可以說基督教已經征服了世界；舉例來說，中國傳統所用的嚴刑拷打，在中國和其它地方不再推崇，

西方文化的脈搏——五個文藝復興時期

信仰每傳入一個新的文化區域，必定會經歷掙扎，才會進入豐收期，學者稱之為「文藝復興」，基督教的傳播也是這樣。

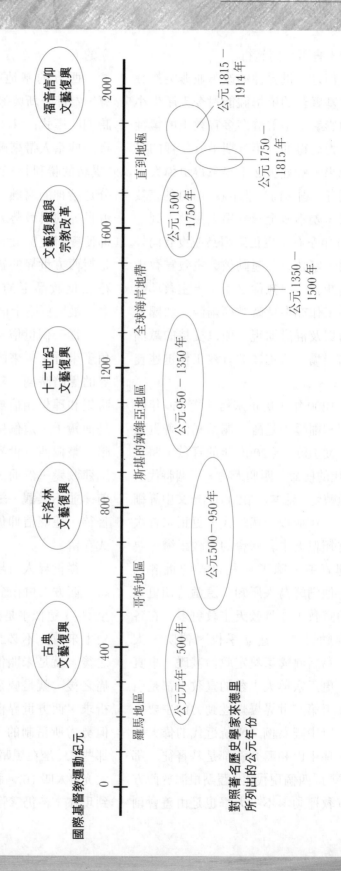

國際基督教運動紀元

對照著名歷史學家來德里所列出的公元年份

古典文藝復興		福音信仰文藝復興
	卡洛林文藝復興	文藝復興與宗教改革
		十二世紀文藝復興

羅馬地區　哥特地區　斯堪的納維亞地區　全球海岸地帶　直到地極

公元元年—500年
公元500—950年
公元950—1350年
公元1350—1500年
公元1500—1750年
公元1750—1815年
公元1815—1914年

至少不會再公開施行。

但是，世界性的改革並非突然發生，基督教的道德觀能對今天產生小小的影響，是許許多多宣教士的犧牲和努力而得的；第五期400年裡的宣教成果，較過去2千年來得更偉大，也更有計劃。前半期(1600-1800)的宣教成果，差不多全屬羅馬天主教；到了1800年左右，更正宗因為並沒有向外宣教，宗教改革運動被天主教宣教士指為叛教，也無從自辯。天主教耶穌會的工作亦在這時被逼削減，法國大革命與及混亂湧現，賴以支持的歐洲經濟崩塌，天主教的宣教工作迅速衰落。

1800年，更正宗信徒從250年的停頓和酣睡中甦醒，開始關注普世宣教，從1800至2000年的宣教，將在〈近代的使命：四個人物，三個時代，兩種轉變〉(見本書第235頁)一文中詳細討論。在最後一個時代，更正宗首次設立類似天主教修會的宣教組織，要急起直追。除了一些錯誤的批評以外，他們鮮為人所知。這個時期更正宗的宣教工作實較天主教更多，在各國推動民主，建立學校、醫院、大學，為新興國家奠定政治基礎。事實上，更正宗與天主教的宣教士都是引發今天第三世界爆炸性動力的主要人物；以中國為例，兩位近代的偉大領袖，孫中山和蔣介石都是基督徒，鄧少平的「四個現代化」觀點根源於西方的宣教運動，不少大學也是由差會創立的。

西方的基地動搖，不能再作領導，為部分新興勢力所凌駕(正如較早時期的模式)，我們可以仿效Dawson批評威京人帶來破壞時所說，這並非「異教的勝利」。西方陷落的原因，部分是精神的腐蝕，另一部分則是非西方世界的異教勢力，一接觸基督教信仰便變得更膽壯，更有力量。這可能是對西方世界的嚴厲懲罰，因為他們花在化妝品上的金錢較宣教事工為多，最近更逾十倍。

從一個世俗，甚至是民族主義的角度來看，未來的歲月可能是西方世界的黑暗時期，基督徒對國家既有的盼望和理想相信無法實現。如果歷史是面鏡子，這個黑暗則是黎明前的黑暗。整個西方世界的政治形態可能會迅速改變，然而，縱使對自己國家的前途並不樂觀，總結過去的經驗，基督徒、聖經信仰仍可以透過不同的形式存留。

從世界人口趨勢來看，二十世紀時，西方人口在全球的比例由18%降至8%，這似乎是必然的趨勢。倘從歷史上來看，不必悲觀；因為羅馬傷痛之後，就是未開化民族得救；外族傷痛之後，就是威京人得救。我們只能祈求，西方世界傷痛之後，就是被撒但勢力所箝制的千千萬萬人得救——那些久「坐在黑暗裡」的人將會「看見大光」(太四16)。我們也知道，從過去到現在，神仍掌管著一切。

如果西方的基督徒堅持收藏著所得的祝福而不與人分享，就會像從前一樣失去神的祝福，而使其他民族蒙福。過去 4 千年，神未曾改變祂的計劃，因此，我們若能毫無保留地運用神所賜的祝福，「成為地上萬族的祝福」，不是較失去福氣更好嗎？這是繼續蒙福的唯一途徑。神的國度在不斷的擴展，不會因我們而停留，「這天國的福音要傳遍天下，向萬民作見證，然後末期才來到。」(太二十四 14)如果我們仍在躊躇不前，神會興起其他的人。本書的其它篇章，將會論及這一點。

注釋：

1　Mark A. Noll, *Turning Points, Decisive Momenta in the History of Christianity* (Grand Rapids: Baker Books, 1997), p.84.

2　Christopher Dawson, *Religion and the Rise of Western Culture*, (New York; Image Book, 1991), P.87.

〔作者曾在危地馬拉高原從事印第安瑪雅族宣教工作，其後任美國富樂神學院跨文化研究學院教授，又創立前線差會(FMF)，並成立美國普世宣教中心及威廉克里國際大學，從事前線之宣教工作。〕

(本文乃編者根據 Perspectives 1999 年第三版修訂)

研習問題

1. 請對以下理論引申解釋：祝福帶來重任，不盡責任便後果堪虞。

2. 請解釋更正宗宗教改革運動背後的文化和社會因素。

3. 本文作者認為歷史是「一齣連續的戲劇」。那麼，這個故事的大綱是怎樣的？有那些主題重複出現？主要的教導是甚麼？

我們唯一的盼望是，完成神所呼召我們去做的工，並且在世界各地主耶穌的教會中，盡全力來服事。
——艾得理(David Howard Adeney)《不變的使命》

宣教的「來」與「去」機制

	來：得福		去：得萬民	
	舊約時代	**新約時代**	**初期教會—1800年**	**近代宣教年代**
去 自願 （擴展）	• 亞伯拉罕去迦南 • 希伯來先知以向以色列鄰近各國口傳或筆傳信息 • 法利賽人越洋過海勸人入教	• 耶穌在撒瑪利亞 • 彼得往見哥尼流 • 保羅和巴拿巴踏上宣教旅程 • 基督徒在巴比倫、羅馬、居比路見證	• 聖帕提克到愛爾蘭 • 凱爾特人遊遍英國和歐洲 • 托缽僧到中國、印度、日本、美洲 • 莫拉維弟兄到美國	• 威廉克里及其他第一代的宣教士 • 戴德生和第二代的宣教士 • 第三代的宣教生力軍興起直到現在
去 非自願 （擴展）	• 約瑟被賣為奴，向法老見證神 • 由於饑荒，拿俄米得以向路得介紹她的神 • 約拿不願意宣教 • 希伯來使女在乃變家服事 • 被擄到巴比倫的希伯來人向囚禁他們的人見證	• 因福迫臨到，信徒離開聖地，分散在羅馬帝國各處	• 烏麥拉被賣到哥特為奴隸 • 被擄的亞流派來到哥特人地區 • 被擄的基督徒領威京人信主 • 羅馬派遣基督徒士兵到英國、西班牙等地 • 清教徒被擄來到美洲，開始印第安人事工	• 二次大戰後基督徒士兵由全球回歸，成立150個新的差傳機構 • 烏干達基督徒流往較少的其它地區 • 北韓信徒逃往基督徒較少的南韓，稍後轉到沙特阿拉伯、伊朗等地作工
來 自願 （吸引）	• 亞蘭王的元帥乃縵去找以利沙 • 示巴女王造訪所羅門的王宮 • 路得選擇離鄉背井，前往猶大	• 希臘人尋找耶穌 • 哥尼流派人去請彼得 • 馬其頓人請保羅去幫助	• 哥特人入侵基督教的羅馬，因而認識基督信仰 • 因被擄的信徒的見證，北歐威京人海盜信主	• 外國旅客、學生及商人湧往西方基督教國家 • 從共產國家湧出難民
來 非自願 （吸引）	• 亞述王將外邦人遷入以色列（王下十七）	• 羅馬軍隊佔領和滲入「外邦的加利利」	• 非洲黑奴被帶到美洲	• 船民，古巴人被逼出國等

The Church is Bigger Than You Think
教會比你想像中更大

莊斯頓(Patrick Johnstone)著　　鄭惠仁譯

以賽亞書五十三章描述神救贖罪人的計劃，將由「受苦的僕人」來成就。對猶太人來說，這是「彌賽亞」的形像，但其中的含義只有當主耶穌基督為罪人受死時才完全顯露。這是屬靈的救贖，所以接下來的第五十四章也有屬靈的應用——這個應用對外邦教會及新約猶太人較昔日的猶太人更具意義。字面上看，這是指從巴比倫被擄後回歸重建的工作，但這實在是暗示一個更大的向神的屬靈真理回轉，而且具有世界意義，也與傳福音有關係。保羅曾將賽五十四 1 應用於教會方面(加四 27-28)，很多著名的解經家也將這預言應用於教會。James Denney 說：「提到教會，以賽亞令我們更加明白僕人救贖工作的價值和功效。僕人的受苦是為教會，祂的身子不是為祂自己。」[1]

因此，筆者願意引用這一段非常獨特的詩句：

> 你這不懷孕、不生養的要唱歌；
>
> 你這未曾經過產難的要發聲唱歌，揚聲歡呼；
>
> 因為沒有丈夫的比有丈夫的兒女更多，
>
> 這是耶和華說的。(賽五十四1)

不生育的婦人不必再因沒有兒女而羞愧，卻因有大群的屬靈後裔而喜樂。

這裡含有生命重建和帶來喜樂之意，是生命、復興和靈性豐盛成長，是神給予覺醒、更新和重建的時間。有些人對於世界和我們，包括教會感到悲觀，認為「情況將會更壞」！這是因為對聖經的觀點灰暗，對基督再來時所發生的事亦感到悲觀，「……當人子回來的時候，遇得見世上有信德嗎？」[2] 很多人利用這節經文作為不信的藉口。耶穌指摘我們不要灰心和放棄，反之，代求的時候要相信祂。以賽亞書五十四 1 是一個應許，我們可以期望在現在和未來的全球的天國大豐收。

期望豐收的歷史基礎

教會歷史上，曾多次出現荒涼時期，而靈命亦落入低潮，神就介入在

各地、各國，甚至地區性的復興中傾注祂的聖靈。

第一次，也是最顯著的一次，就是耶穌復活後的五旬節，對這荒涼的猶太人舊約教會，聖靈賦予能力，使其向當時的世界開展。賽五十四1的預言對這時期具有特別的意義，且毫無疑問，耶穌用祂的復活詮釋了這段經文。這亦可能是祂的原意，因為祂應許地獄的門不能勝過教會。[3] 這肯定不是最後一次，教會歷史上也曾多次發生類似的復興。Edwin Orr曾對多次的復興作了詳細研究，載在他的巨著《教會復興史》內。[4] 在過去200年間，這類覺醒和復興的次數及影響力明顯增加。西方人渴望再度出現類似的復興，也懷疑是否會發生；他們可能不完全了解，其它各大洲近年來已多次出現令人驚訝的覺醒和復興。

我們可以舉出許多全國性復興的例子：英國連續數世紀都曾發生——十五世紀有威克理夫(Wycliffe)，十六世紀有宗教改革，十七世紀有清教徒，十八世紀有衛斯理與懷特腓德(Wesley-Whitefield)，十九世紀中葉有福音大復興；路德會在芬蘭、挪威和瑞典過去200年間，亦曾有一連串的復興；二十世紀初威爾斯(Welsh)和五旬宗大復興的餘震，至今世界各地仍受到影響，過去50年來數百萬人得到甦醒，無數的罪人進入神的國度。1940及50年代的東非，[5] 1950和60年代韓戰期間的韓國，[6] 1945-48年間的中國和1975年

在柬埔寨，[7] 也在印尼，特別是西帝汶[8] 和許多以穆斯林為主的地區，都曾出現相當規模的大復興。而印度東北部荒僻的那加蘭(Nagaland)和米佐拉姆(Mizoram)，近年成為最福音化的地區，當地大部分的人民都因聖靈復興的大能而迅速改變。1970和80年代，中國和拉丁美洲大批的居民轉向神，將福音派基督教的中心，從多世紀以來的基督教發源地、「庇護區」和「監獄」移往別處去了。

今天教會的增長程度是空前的，值得我們雀躍歡欣。初期教會誕生之時，聖靈的澆灌是全球性和向外的，但人數的增長比不上過去200年。所以，我們相信天國大豐收一定會發生，全球都在彰顯耶穌基督的勝利，還有甚麼比這些證據更具說服力？可以更進一步說，我們正處於終局之前的大團聚時刻。過去十多年來，信主的人不斷增加，重生得救和加入福音大家庭的人，較五旬節當日全世界的總人口還要多。

今日，我們雖然較接近完成主復活後所交付我們的基本目標(有些人不以為然)，仍有很多艱巨工作有待完成，耶穌留給我們的目標是可以達到的，筆者會在下文加以解釋。耶穌清楚告訴我們，這世界將會十分不安，而罪惡會加劇，並且得到明顯的勝利；[9] 但同時，祂的子民也會倍增，並且散佈世界各地。不論善與惡，萬事都邁向高潮，這將是午夜潮水的最高

點；深夜將更漆黑，但也是教會復興的高潮，預備等待新郎來臨。

還有更多歡欣的事值得與眾信徒分享，這些都是事實，談天國的事不一定是愁悶的，反而經常是樂事。其中，有很多事需要我們關注，可是，太多傳道人側重於負面的工作，更在講壇上公開宣講。筆者相信過去數百年來，妨礙宣教異象發展的一個巨大因素，就是人們對世界和未來感到悲觀。一般來說，人們喜歡受到鼓勵，掌握神國擴展和成功的應許的正面基礎，使能應付負面的情況。以賽亞就是這樣，他對陷於失望的神子民提出大豐收的希望，這也是筆者現時的目標。筆者相信每一位傳道人和教師都應認識神國在普世發展的事實，並向會眾傳達它的挑戰和擴展，藉以引發異象、代求和行動。

福音的廣傳：宣揚和回應

右邊的圖表顯示過去兩千年之中，三個世界每一世紀的人口比例。[10] 這裡的世界並非依據地理位置，而是根據對基督教信仰的反應。

1. **C 世界**——世界各地的基督徒總人口；這是廣泛的統計，包括羅馬天主教、東正教、更正宗、聖公會、福音派及潛於基督教內的邊緣教派(極端和異端)。圖表清楚顯示了這兩千年間基督教的盛衰，所佔世界人口的比例。

2. **B 世界**——所有曾聽聞福音或所居住的社會和地區讓他們在有生之年能夠聽聞福音的非基督徒。[11] 這個曾聽聞福音的非基督徒數字，可用作衡量天國的擴展，應該比可見的教會更大，這只在早期教會和當今的世代出現。[12]

3. **A 世界**——所有未聽聞福音的非基督徒，假如沒有基督徒願意向他們傳福音，他們便不會改變。

很可能在首個45至50年間，全世界人口中，約有30% 曾聽聞福音。早期的門徒盡了全力去彌補初期失去的時間，幹出翻天覆地的大事來。在第五世紀末，比率上升至40%。雖然起步稍慢，但我們必須佩服使徒時期基督教的非凡成就。

當基督教漸成為歐洲獨特的現象

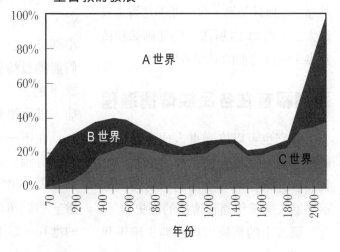

基督教的發展

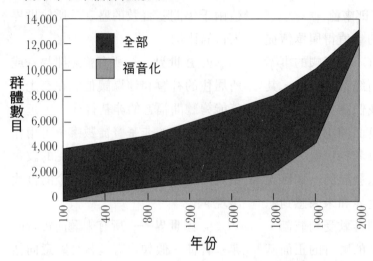

兩千年以來福音化的人口

群體數目 — 年份

全部 / 福音化

時，隨之而來的就是 1 千年的衝突和衰退。請注意從500至1800年間，非基督徒的比例曲線，而基督教的人口不是停滯不前，就是減退，同時，聽聞福音的世界人口亦急劇減少。直至現今，福音所及的人口才迅速地增加。這圖表顯示出耶穌在馬可福音十六 15 所慎重頒佈，要世上每一個人都聽聞福音的命令，可能會在現今的世代裡實現。當然，這並非大使命的全部；將福音遍傳只是第一步，並不足夠，只是太二十八 18-19 所說，門徒訓練和植堂事工進行之前的必須步驟。

追溯福音在各民族傳播進程

我們也可以追溯世人成為門徒的過程，這是完成大使命異象的基礎，我們會詳細探討。上面的一份圖表顯示了過去兩千年福音傳播的歷史。

圖表上的兩條線顯示過去兩千年

間世界的人口。創世記十一章列出，巴別塔事件後有 70 個民族，但基督時期有多少語言族群，相信並無人知道，所以只是一個估計。過去 200 年來，民族大量增加的原因有兩個：民族國家增加而將族群分成多個不同組合，以及少數民族在各洲往來的移民增加。我們估計，目前世界有1萬3千的獨特語言族群。[13]

但我們肯定知道歷史上各時期得聞福音的民族。令人關注的是，1800年得聞福音的民族竟是那麼少。到1900年才大幅增加，但那時期的世界人口，仍有一半以上完全未聽聞福音；可是，到二十世紀的後期，卻戲劇性地增長。

現時，雖仍有很多民族未聽聞福音，卻只佔 100 年前未聽聞福音的一小部分而已；目標已在望——如果我們能動員禱告和努力，又同心合力使餘下的最少聽聞福音的民族成為門徒，很快便會達到目標。

在下一頁圖表所顯示的，是世界上已有福音滲透的 1 萬 3 千族群的類別；為簡化起見，我們以 500 為整數。這簡單的圖表顯示世人成為門徒的進程。以下是圖表中四柱的意義：

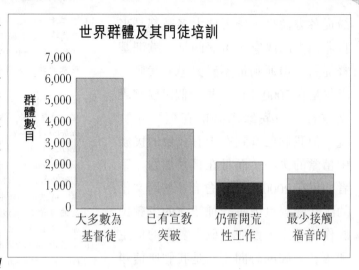

1. **第一柱**顯示當今世上的民族中，有半數民族的大部分人口稱自己是基督徒，包括所有更正宗、天主教、東正教及各本土化的邊緣教派。這是根據每一個人對自己宗教身份的理解，我們不作分析、判斷。這是《環球基督教百科全書》(*World Christian Encyclopedia*)中，Barrett每年所列的〈世界宣教統計表〉，與《普世宣教手冊》(*Operation World*)所引用的統計數字。[14] 這些民族的文化已滲入了福音和基督教的價值觀，雖然數代以後，有些可能成為只徒有基督徒之名的概念基督徒(Notional Christians)。[15]

2. **第二柱**的「宣教突破」一詞是溫德(Ralph Winter)所創立的，[16] 意思是指在一個民族中的宣教工作達到某一點，就是福音的影響力已清楚可見，本土信徒成為「關鍵性的一群」，基督教亦已成為本土文化中可見的部分。屬這一類的 3 千個以上的民族，包括了南韓，他們的教會在二十世紀增長極其快速；然而，韓國的基督徒人數只佔全國人口的三分之一。此外，在新加坡的華人、印度的泰米爾人(Indian Tamil)和肯尼亞的圖爾卡納人(Kenyan Turkana)也有同樣的情形。

3. **第三和第四柱**則代表世界上約 3,500 個民族仍待開荒宣教。這些民族若非未有教會，就是教會太小，力量太弱，若沒有外來的援助不足以影響整個民族的當代文化。這一類，約有 1,200 至 1,500 個民族，其中或完全沒有本土教會，或沒有跨文化宣教士隊伍駐守，向他們傳福音。

4. **第三和第四柱的黑色部分**代表「主後 2000 福音遍傳運動約書亞計劃名單」(AD2000 Movement Joshua Project List)中的民族，列在這名單之內的民族的人口超過 1 萬，但基督徒低於 5%，或僅有 2% 屬福音派。[17]

我們從未看見一幅如此清晰的圖像，對這項使人作門徒未完之工的範圍有了一個梗概。我們不敢低估要完成這宣教工作所面對的巨大挑戰，最低限度我們能夠看到，這項有待完成的工作並非遙不可及。

這份主後 2000 年福音遍傳運動的「約書亞計劃」，是歷史上動員基督徒領人歸主的最大型策略性運動。不同宗派、機構和國家的支持和熱誠，紛

紛從各方湧來，後者佔大多數都是來自非西方的國家，可悲的是，歐洲基督徒對這項運動最不感興趣。我們的異象是在 2000 年時，每一個民族都設立教會；這異象未必能在這一年實現，但我們已看到在未有教會的民族中植堂的決心，而且在日漸加強。筆者期望在 2000 年終，會有一些跨文化的工作隊對世上每一種語言的少數民族作出承擔。然而，個人實際的信主和福音突破的時間，乃是我們所信賴的聖靈的工作，並非我們堂皇的計劃或機智的技巧能夠成就的。

注釋

1. Denney 1972：360
2. 路十八 8。
3. 太十六 18-19。
4. Orr 1973。這本書記述神使用威廉克里等開始成立「禱告聯盟」(Union of Prayer)，帶來英國「第二次大復興」，後來又蔓延至美國，為新的宣教運動帶來動力。
5. Roy Hession 在他的著作 *The Calvary Road* 中將該項復興的信息傳遍世界。這一次的大復興在1930年從盧旺達開始，並伸展至東非和中非大部份地區。可是，這個兩代之前的大復興發源地，竟變成1990年代民族仇恨和種族滅絕的地區。
6. Campbell 1957. *The Christ of the Korean Heart*，由英國倫敦的基督教文字佈道會出版。
7. Burke, *Anointed for Burial*。
8. Kock, Kurt. 1970。
9. 太二十四章。
10. 要對 David Barret 所提供的定義和統計數字(Barrett 1990；25 et seq.)表示謝意。
11. Barrett 1987b，清楚顯示佈道和信主的定義與聖經的教導有所不同，但在一些現代的書籍中，二者的意義相同
12. 筆者不想把宣教限於 A 世界，這是不正確的。在 B 和 C 世界之中，還有數以百萬計的人需要聽聞和明白完整的福音，卻沒有機會；但在 B 和 C 世界中的人，有機會透過現有教會的外展佈道而聽聞福音。

13. 在二十一世紀，語言族群的數目將會大幅減少，因為一些較小的民族語言將會消失。有人預計，可能會有 3,000 種語言和有關的文化消失，造成這現象的最大原因是急劇城市化和大眾媒體的影響。
14. Barrett 1998，莊斯頓(Johnstone)1993。自 1985 年起，每年刊於《國際宣教研究通訊》(*International Bulletin of Missionary Research*)一月份通訊。
15. Brierley 1996。基督教研究協會(Christian Research Association)的 Peter Brierley 創出以下名詞──概念基督徒(Notional Christian)，以在各類基督徒手冊之中，將很多長期生活在基督教國家中的人分類，他們與有組織的基督教會並無聯繫，對福音真義亦不甚了解，但仍認為自己是「基督徒」。
16. 溫德(Winter)曾在各期的《宣教前線》雜誌(*Mission Frontiers Magazine*)中提到，由美國普世宣教中心(USCWM)出版。
17. 約書亞計劃名單乃在1994年開始，由研究者將世界上不同的民族編列，使世界各地的教會得以為其中逾1,700個語言民族禱告和傳福音。然而，人數較少的民族及一些有少許基督徒或已有少許機構在其中的民族，我們沒有忘記；不過，這些工作大多由本國、本區與目標較為獨特的差會/教會，來承擔向相近的族群傳福音。

(作者為「世界福音動員會」國際研究主任，曾在非洲多個國家宣教多年，與 Jason Madryk 合編舉世知名的《普世宣教手冊》一書，為普世未得之民代禱工具。本文節錄自《教會比你想像中更大》一書英文版第六至八章。)

研習問題

1. 請解釋追溯福音在全世界人口之中的進展，與追溯福音在世上各民族中的進展有何分別？你認為哪一種評估最能令你振奮？

2. 作者根據甚麼來預期整個世界的福音遍傳得以完成？

The Two Structures of God's Redemptive Mission
神救贖計劃中的兩類組織

溫德(Ralph Winter)著　　張景龍譯

1973年8月，亞洲宣教研討會在韓國首爾舉行，並成立亞洲宣教協會。溫德(Ralph Winter)在研討會上宣讀了一篇論文，描述神「救贖計劃中的兩類組織」存在於每個社會之中，也見諸歷史。溫德的論文也申明了兩項要素：(1)我們必須接受這兩類組織，地方教會和宣教團體是今日基督教教會中合法而必須的組織，是「神的子民，即教會」不可分割的部分；(2)非西方的教會要有效地履行傳福音的職責，必須組織宣教團體以廣傳福音。

本文的論題是：基督教無論採取西方或亞洲的模式，都有兩類基本組織來推動宣教。本文所列出的幾個重點，乃在指出這兩類組織從古至今的情況，幫助我們確定、闡明和比較它們的本質及重要性；亦會盡力闡釋何以相信今日世界上任何地方，惟有這兩個組織能夠完全和適當地投入事工，彼此支援，福音才能有效地傳開。

新約時代神救贖計劃中的兩類組織

首先，讓我們承認基督徒喜歡名之為「新約教會」的組織，就是基督徒的會堂。[1] 保羅的宣教工作主要是前往散佈在羅馬帝國(由小亞細亞開始)各地的會堂，向猶太和外邦信徒闡明，彌賽亞已藉著神的兒子耶穌基督臨到這世界，而基督的終極權柄遠遠超過摩西；並且較過往更明顯接納外邦人，不會把摩西律法外表的宗教禮儀強加於他們身上。保羅工作的卓越成就，是發展出全新的會堂，不止有基督教，也有希臘文化。

很少基督徒在偶爾閱讀新約聖經(也許他們僅有新約)後，會有以下推測：在保羅開始宣教旅程之前，已有

猶太佈道者出發——基督降生前100年已有宣教運動。耶穌提到一些假傳道時說，他們走遍洋海陸地，勾引一個人入教。保羅亦跟隨他們的腳蹤，且有過之而無不及，向外邦人宣講一個全新的福音，使信主的希臘人保留文化傳統，不用行割禮，也不用改行猶太文化和生活方式。保羅是在一個寬廣的根基上建造，而彼得亦宣告「摩西的書在各城(指在羅馬帝國內)有人傳講，每逢安息日在會堂裡誦讀」(徒十五21)。

保羅不只到過亞細亞每一個會堂，[2] 在完成旅程後，他更宣稱「……整個亞西亞(亞細亞)的百姓都聽到了福音」，且在凡有需要的地方建立了新的會堂式團契，作為宣教活動的基地。這就是新約時代最早的組織，通常被稱為**新約教會**，是沿襲猶太會堂的模式而建立，[3] 由該地方的信徒群體組成。這個組織所具備的特點是包含了男女老少。請留意，保羅很願意這組織包括以往的猶太人和非猶太裔的希臘人。

其次，新約時代也有另一個截然不同的組織。縱然我們對保羅之前的猶太教徒的傳教情況所知有限，但如上述，我們確知他們走遍全羅馬帝國。所以，保羅採納這樣的宣教方式是不足為奇的！我們亦相當瞭解保羅宣教隊的運作方式；他確實受到安提阿教會所差派，但當他離開了安提阿，他就獨立、自主了。他所組成的

小宣教隊若因形勢所迫，經濟上可以完全自立，有時也會依賴他努力傳福音而建立的教會，也不是單單依賴安提阿教會。保羅的隊伍自然可以視為一個組織，縱然難以找到這一類組織的具體結構和形式，同樣亦無法在新約聖經裡找到任何新約教會組織的線索。這是否意味著教會與保羅的宣教隊這兩種組織，在保羅以前已經存在，大家都深明其間的關係，不必解釋。無論是早年的法利賽人掃羅，或日後的保羅，他和巴拿巴奉安提阿教會差遣出去傳福音，即如徒十三2的記載，都採用這種方式。

因此，一方面，我們所稱的**新約教會**是後來所有基督徒團契的雛型，信徒不分男女老少都聚集在關係融洽的大家庭內；另一方面，保羅所建立的**宣教隊**亦可視為日後所有基督教機構的雛型，由一些委身和經驗豐富的基督徒工人所組成，在他們決志加入教會成為會友外，要作第二次決志，委身他們所事奉的「新組織」。

請留心，這是一項**附加**的委身；也請注意，這顯然不僅是安提阿教會向外傳福音的一個機構。不論我們如何理解，我們都知道它並非由安提阿教會遙控運作，亦不同於本地教會，是有其獨特的方式。所以我們應當把這樣的宣教隊看作新約時代兩個救贖組織中的第二個。

總而言之，重要的是明白這兩種組織都不是特別「從天上掉下來」，你

可能開始驚訝神怎樣使用**猶太會堂**或**猶太教**的佈道模式。更令人瞠目結舌的是，神也曾借助異教的希臘語，聖靈曾引導聖經的作者牢牢把握如「*kurios*」(意為主子或統轄一切的君王)一類異教語彙，塑造成傳遞基督教啟示的器皿。雖然新約聖經裡提到猶太會堂為撒但所控制，但這並非意味基督徒必須避開這種模式，也並非不能採取會堂的模式來聚會團契。以上的討論，是為以下要探討教會歷史中福音的擴展而準備，因為稍後的基督徒所採納的模式與新約時代一樣是「借用」過來的。

實際上，在宣教學上的涵義是，讓我們認識新約聖經**如何借用有效的模式**，一方面又使未來的宣教士不致刻意仿效猶太會堂或猶太人佈道隊的形式，可以在歷史和全世界的新處境中，選擇類似的本土化的組織，即或在**形式**上不同，也可以發揮當年保羅的隊伍所發揮的**功能**。是以今日在宣教學上，有大量文獻闡述了一個事實，指出全球基督教大量使用不同的社群語言和文化——遠超其它宗教，這無疑是排除了一切意圖使用任何一種機械性的方式，來拓展新約教會。新約教會實際上是一群「神的子民」，只是將這些不同的個人組織起來。正如 Charles Karft 所說，我們尋求的是功能相等的組織(dynamic equivalence)，而非在形式上抄襲。[4]

基督教組織在羅馬文化中的初期發展

我們既已看過，如何從兩個早已流傳於猶太文化傳統的組織中建構基督教運動，當前的任務便是察看當福音進入更廣闊的世界，這兩類功能相等的組織是否在日後基督教文化傳統中出現。

猶太會堂的原始模式在基督教的組織中維持了一段時間。但由於猶太教徒與基督徒的爭競，拒絕基督徒沿用這個模式，更在某些情況下強行將基督教會堂關閉，尤其是那些分散在各地的猶太會堂，更煽動民眾攻擊那些「顯然叛道」的基督教會堂。與猶太教徒不同，當時的基督徒並未正式獲得認許，可以不參與羅馬帝國的偶像崇拜。[5]所以，儘管各會堂有相當大的獨立性，但基督教的模式很快便融入了羅馬處境，各主教對本教區內所有堂會有絕對的治理權，幾乎與羅馬政府的制度如出一轍。當基督教被羅馬帝國接受為國教後，這種趨向更加確定；教會將羅馬行政區的拉丁用語 *diocese* 用來指稱教區，然後再分地區性的牧區(parishes)。

無論如何，更多獨立會堂的模式廣泛被「聯繫性」的羅馬模式所取代，但是新的基督教教區的教會仍舊保留會堂的基本建制，就是會眾包括男女老幼——也就成為綿延不已的有機體。

與此同時，初期的修道院也以各

種形式發展，並成為第二類組織。這類新的組織迅速蔓延，但與保羅發起的宣教隊毫無關連。實際上，它的形式源於羅馬軍隊多於其它獨有的組織。羅馬的退役軍人帕科繆(Pachomius)得到了3千名追隨者，並吸引了許許多多像該撒利亞的聖巴西流一般的信徒所關注；稍後，約翰卡西安(John Cassian)也步其後塵，在南高盧苦修。[6]他們汲取了羅馬軍隊的制度，成立有紀律的組織，主要為一些名義上的基督徒提供了另類選擇——一種獨特的委身生活。

或者，暫且放下這個話題。談談修道院對更正宗所造成的文化衝擊。中世紀持續了一千年之久，到了末期，更正宗的宗教改革指摘修道主義某些不良的情況。我們無意否認中世紀修道院的生活並非完全合乎理想，一般更正宗信徒對修道院的瞭解也許是正確的，但更正宗一成不變的判斷，難以正確地描述這一千年裡所發生的所有事件！在這漫長的歲月裡，人們經歷了不同的歷史時期和時代變遷，修道院運動也呈現不同的姿態，變化萬千，僅用寥寥數語來總結曠日持久的修道主義，定會以偏蓋全。

且舉出一個例子來說明更正宗對修道院運動的錯謬觀點。中世紀的修道士經常被視為「離塵遁世」，以下是一位浸信會宣教學者的描述，可作比較：

本篤修道會的會規(Benedictine

rule)以及從中衍生的許多規條，可以幫助我們尊重勞動，包括在田裡的體力勞動，這與當時的上層的特權階層鄙夷體力勞動，形成了強烈的對比。古代的歐洲，人們普遍瞧不起從事體力勞動的人，武士階層和非修道的聖職人員都有這樣的態度，後者形成中世紀的中上階層……修道士顯然花費了許多時間和精力開墾荒地，改進農耕技術。在中世紀蠻族橫行和肆虐的年月裡，修道院是秩序井然和安居樂業的地方，修道士更被派負責修路和築路。到了十一世紀，歐洲的城鎮開始興起，他們也成為工業和商貿的先驅。修道院的店舖裡妥善保存了羅馬時代的工業技術……最早使用泥灰作為肥料改善土壤的當推修道士。一些法國的大修會率先在西歐進行農業大開墾，尤其是西篤會修士(Cistercian)，把自己的房屋當作農耕中心，對西歐農業的發展作出了重大的貢獻；更得到平信徒弟兄和雇工相助，擁有大片良田。在匈牙利和德意志的邊境，西篤會修士在改良土壤耕作和提高墾荒技術上，都產生重大的作用。在波蘭、德意志的修道院，也提高了當地的農業水準，並把技術高明的工藝師和工匠引介到當地。[7]

對我們這些有志於宣教的人來說，愛爾蘭巡遊修道士(peregrini)在傳揚基督福音的顯赫成就，大大改變了

我們對修道士「離塵遁世」的想法。這些凱爾特修士引領盎格魯、薩克遜人歸主的貢獻，較稍後南方的奧古斯丁修士使西歐，以至中歐人歸主更大。

可見，這第二類的組織一開始，便對基督教運動的發展和增長作出重大的貢獻。儘管更正宗信徒因種種原因而對中世紀的修道院有偏見，但無可否認，若沒有這類組織，基督教的傳統實難在這幾個世紀之內傳承不息。此外，更正宗亦對其它組織如牧區和教區不滿。事實上，教區組織有名無實，而且懦弱，這是導致中世紀修道院顯赫的原因。比方說，耶柔米和奧古斯丁這些人物在更正宗信徒的心目中並非修道士，而是偉大的學者，約翰加爾文等人從他們的著作中獲益甚大。然而，更正宗信徒通常對耶柔米和奧古斯丁等著名的修道士學者所屬的團體，沒有半句讚譽之詞。可是，若無這些組織作根基，更正宗的建立可能進展緩慢，甚至可能連聖經也沒有。

現在，我們該沿著這一個軌跡進入下一個時期，可以看見主要的修道院紛紛正式設立。到了四世紀，歐洲已出現兩種截然不同的組織——教區和修道院，都在基督教傳播和拓展兩方面擔當重要角色。這些組織的模式都借鑑當時的文化處境，正如初代基督教會堂和宣教隊一樣。

雖然這兩類組織在**形式**上不同，在歷史上也與新約時代的兩類組織互不相干，但它們在**功能**上卻殊途同歸。為便於繼續探討上述兩個組織在功能上有何相似，以下論及宣教事工，會將基督教會堂和教區統稱為**靜態架構**(modalities)，而把宣教隊和修道院稱為**動態架構**(sodalities)。筆者曾在其它文章詳細解釋這些名詞的意思，簡單來說，前者是一種有組織的團契，成員沒有年齡或性別之分；後者也是有組織的團契，但成員都是成年人，且選擇在靜態架構之外參與這類動態架構，並且受到年齡、性別或婚姻狀況的限制。根據這兩個名詞的意義，**宗派**和**本地堂會**都屬於前者，而差會或本地的男士團體則屬於後者；[8] 正如世俗社會裡亦有城鎮(靜態架構)和私營企業，在不少城鎮裡也有連鎖店(動態架構)。而動態架構往往受制於較廣泛的組織，為靜態架構所「制約」(regulated)，但非「行政支配」(adminstered)。某些宗派的傳統，如羅馬天主教和聖公會，是允許創新事工組織。但不少更正宗的宗派卻模仿馬丁路德排斥動態架構，試圖從宗派的總部統管一切；可是，一些地方堂會卻不明白宣教組織的價值和需要。保羅是被安提阿教會「送出去」(send off)，而不是「差出去」(send out)，他或許會向安提阿教會匯報，但並非受教會的指令。他的宣教隊(動態架構)作為一群「巡迴的會眾」，有絕對的自主權和自治權。

初期教會之後，靜態架構與動態

架構兩者沒有任何關係,但保羅的宣教隊滋養各地的會眾,有一個明顯的共生關係。下文我們將會看到,中世紀時恢復了兩者在新約裡的正常關係。

靜態架構與動態架構在中世紀的結合

西方的羅馬帝國正搖搖欲墜之際,開始了中世紀時期,教區在某程度上隨著羅馬政府而瓦解,但修道院(或動態架構)的模式則歷久不衰,在中世紀早期凸顯出未能預料的重要性。中世紀早期,倖存的靜態模式(教區內的基督教)被侵略者的亞流派(Arian)信仰衝擊,為求生存而進一步妥協。所以,當時歐洲很多地方的不同的轉角處,分別矗立著「亞流派」和「天主教」的基督教教會,就像今天在街兩旁對望的衛理公會和長老會教堂一樣。

無論如何,要再一次強調,我們並非貶低牧區或教區形式的基督教,而是指出中世紀早期,被稱為**修道院**的大家庭或類似的組織,在推動基督教運動上,較教區組織,即我們通常所稱的「教會」更重要。我們只稱教區組織為教會,**好像教會是教區內唯一的組織架構**。

或者,中世紀早期,最能闡釋這兩種組織之間關係的重要性,是大貴格利(Gregory the Great)和後來被稱為坎特伯雷大主教的奧古斯丁(Augustine of Canterbury)二人的合作。雖然大貴格利是羅馬教區的主教,一個靜態架構的領袖,但他和奧古斯丁都是修道院所培育的產品;這就告訴我們,當時的動態架構產生了主導作用。大貴格利邀請他的朋友奧古斯丁擔負向英格蘭宣教的重大使命,意圖把被歐洲大陸薩克遜戰士所重創的凱爾特基督教,培植為主教轄區。

縱然大貴格利在轄區內勢力強大,但在宣教上,除了採取動態架構模式外,並無其它可行的組織,因而組成**本篤修道會**(Benedictine monastery)。是以大貴格利最後只好要求奧古斯丁和這所修道院的修士,代表他承擔這個頗危險但有重大意義的宣教旅程。但令人詫異的卻是,這次宣教的目的並非要推廣本篤會的修道主義。凱爾特「教會」在英格蘭的餘民是一個動態架構的聯絡網,因當時凱爾特並沒有教區的組織。而奧古斯丁雖非一個教區修士,他往英格蘭的目的卻是要建立一個基督教教區。頗為有趣的是,本篤會的「會規」(即生活方式)具有很大的吸引力,漸漸地,幾乎所有凱爾特修會都接納了本篤會的會規。

這是具代表性的事件。經過長久的歲月,或許一千年之久,建立或重建靜態架構變成了動態架構的主要工作;亦即是說,在基督教擴展上,修道院成為教區的資源、動力、養料的供應中心。波瀾壯闊的克呂尼改革(Cluny Reform)、西篤會修士(Cistercians)、托缽修道士(Friars)以至耶穌會會士,都

屬於嚴格的動態架構，它們在建立或重建教會的整體，對教區的貢獻極大；但更正宗常常只認定教區是「唯一」的基督教運動。

在很多情況下，這兩種組織之間，主教和修道院院長之間、教區與修道院之間、靜態架構與動態架構之間，的確存有對立；但中世紀的一個重大成果，就是這兩種模式最終能夠結合，天主教各修會能夠與牧區和教區攜手合作，而非磨拳擦掌使整個基督教運動受挫。兩種模式的融合，為羅馬天主教會帶來普世基督教運動最輝煌的一頁，至今也是整個羅馬天主教的最大優勢。

然而，要注意的是，我們的目的不在說明那一類組織(靜態架構或動態架構)，可以在中世紀的一千年當中歷久不衰。事實上，並沒有一種形式，能單獨在基督教運動中持續運作，留給人深刻的印象。(羅馬主教的名錄反映出多次權力鬥爭，動搖制度，不能成為整個基督教運動的核心力量。)另一方面，動態架構經不同領袖一次又一次的重新塑造，顯然成為主要的推動力，成為靈感和更新的泉源，影響教廷、教皇，引發改革運動，使教區的基督教一次又一次得到祝福。其中最顯著的一個例子便是希爾得布蘭(即貴格利七世)就任教皇，他把修道院運動的理想、委身和紀律帶進了梵蒂岡。從這事件來看，教皇、紅衣主教團、主教轄區和羅馬教會的教區組織，豈非降格為次等，成為修道院傳統所衍生的產物嗎？在某些情況下，或許可以稱修道院傳統下的修士為**修會修士**，在牧區和教區內的修士為**世俗修士**。前者自願受教規的約束，後者則是另外一群人，是在第二決志團體以外，不受教規的約束，或受到較少的約束。倘若修會修士的教會、計劃或教區，轉受世俗修士所管理，必然會趨向「世俗化」。若經歷長期的「授職爭議」，最後，修會的聖職人員至少會獲得半自治權，使修會的世俗化受到遏制。

今日，相同的**世俗化**危機依然存在。當一個優秀的宣教動態架構落入由教會全權管理之下(不僅訂會章，也作管轄)，世俗化的情況難免出現。因為靜態架構的堂會代表更寬闊，但主要關注內部的事務，是一個包容著不同類型的基督徒，屬於第一種的團體，一般很少受挑選。在民主之下的大多數，傾向擺脫宣教結構的高度規律，對於宣教的預算，也隨著歲月和會友的增加而傾向減縮。

在談論中世紀時，不可遺忘那些非官方的，或者是逼迫的事件，在每個年代都留下烙印。在這些事件中，聖經是最大的推動者；瓦勒度(Peter Waldo)的事件就是一個例子。由於信眾無法理解耶柔米的古典譯本和彌撒所用的拉丁文，瓦勒度堅持要將聖經譯成本地語言。此外，歐洲許多地方都出現大批的「重洗派」。這些復興運

動的一個主要特點是，並非僅限獨身主義者參加，雖然在某些情況是其中一個特徵，但多數只是在信徒及其家庭中發展「新群體」，嘗試透過生育和文化保持基督教高度文明和啟蒙的形式。這些組織時常遇到強勁的對手和嚴厲的限制，所以單憑進展來判斷它的繁殖力則有欠公允；但我們要留意的是，在一般門諾派或救世軍的團體內，整個家庭成員都屬於該團，表現出他們期望有一個「純潔」的教會，或稱為「信徒」教會，這是基督教組織裡一個有意義的試驗。從某方面來看，這是介乎靜態架構和動態架構之間的組織，因為它既有靜態架構的支持(整個家庭參與)，但它在早期亦具有動態架構的活力和可以作出選擇。下一部分我們將會繼續探討這個現象。

鑒於篇幅，只能概括地指出在一千年的中世紀時期，要衡量基督教信仰的持久性和質素，實在無法撇開動態架構所扮演的角色。在羅馬城內所發生的只是冰山一角，只能代表教會的表面和政治的層面。而在其它地方不同的動態架構中，所湧現的對聖經的基本研究和徹底服從的精神，恰與上述情況成對比，且常為羅馬教廷所反對。

更正宗恢復動態架構

更正宗的改革運動一開始已無意借助任何動態架構。馬丁路德發現他自己的修會所蘊涵的生命力，與當時教區生命的僵化是兩個極端，使他大為失望。因此，他放下了動態架構(但又因這模式引他回歸聖經，回到保羅書信和教導「因信稱義」)，利用當時的政治力量，針對一般的教會生活，發動一場全面的宗教改革運動。起初，路德甚至放棄羅馬主教轄區的組織形式，但他的改教運動最後產生了類似的路德宗組織；然而，路德的運動並沒有採納在天主教傳統中成就卓越的動態架構(修會)。

依照筆者之見，這樣的摒棄，是宗教改革最致命的一個錯誤，使更正宗傳統裡出現了最大的弱點。倘若沒有「敬虔運動」，更正宗會完全放棄了任何有助教會更新的架構。每一次的敬虔運動所迸發的力量，都是一種動態的架構，參加聚會的都是成年人，並且委身於一個新的開始，追求更高的目標，這與已存在的教會聚會並無衝突。在約翰衛斯理(John Wesley)早年的事奉工作中，就曾明顯出現動態架構培育靜態架構的現象，他完全不贊成撇棄教區教會。當代亦有一個影響力甚廣的例子，就是**東非大復興**，這運動吸引了上百萬民眾參與，但又極力避免與本地教會的功能相衝突；因此，那些沒有反對這運動的東非教會都大大蒙福。

可是，敬虔運動以及重洗派所成立的新社群，又走回繁殖性增長的層面，回復普通的堂會生活模式。從動態架構回到靜態架構的層面，且在大

多數的情況下，無論屬於宣教組織或一股更新的力量，都很快便失去了影響力。

最值得研究的是，更正宗因為未能開發動態架構的力量，在近300年來一直缺乏宣教的機制，直至威廉克里(William Carey)的名著《探討》(An Enquiry)一書問世(見本書263頁)，建議使異教徒皈依基督教的**方法**，情況才有所改變。他所用的一個關鍵字眼**方法**，特別指出動態架構的需要，將由熱心人士發起非教會性的工作而組織起來。因此，浸信會差會是更正宗傳統內最重要的一項有組織的發展。在同類組織中，它雖不是最早出現，但藉著稍後出現的聲勢強大的「福音大覺醒」及上述威廉克里著作的印行，促使許多人使用這種「方法」來帶領異教徒皈依。是以在隨後幾年間，不少類似的團體陸續成立，32年間出現了12個團體。[9]更正宗一旦認清了這「方法」的運作，蟄伏了300年的潛力頓時爆發，借用著名的教會歷史家來德里(Latourette)的話，這是一個「偉大的世紀」。威廉克里這本著作幫助人們汲取宗教改革巨大的屬靈力量，對普世宣教所作出的貢獻，在聖經之外，沒有一部書能夠相比的！

十九世紀因而成為更正宗積極參與普世宣教的第一個世紀，而天主教卻處於有史以來的宣教動力低潮，不擬在此多費唇舌解釋。但驚訝的是，僅在這一個世紀之內，隨著西方世界前所未有的對外擴張，更正宗所付出的努力以及獲取的成果，相當於前十八個世紀的總和。無疑，在這一世紀所付出的心血，使更正宗從一潭自我封閉的柔弱無力的歐洲死水，成為基督教的一支普世性大軍。當然，我們站在今天來回顧，更正宗的宣教自十九世紀才異軍突起，其成就實在難以置信！

在組織來看，使更正宗運動生機勃勃的是動態架構的發展，它引發了潛伏在更正宗內的志願力量，因而成立了許多不同的國內和海外宣教的差會。福音派的宣教事工一浪接一浪，改變了整個基督教的面貌，尤以美國、英國、斯堪的納維亞和歐洲大陸各國為甚。1840年，宣教的動態架構在美國更為突出，故有「福音派帝國」等稱號，遂導致了教會反對這新興的第二種組織，帶來了以下一項重點。

當代對宣教動態架構的誤解

十九世紀，差不多所有的宣教事工，無論由跨宗派或宗派性委員會來支持，大部分都是獨立運作，不受原教會結構所支配。到了十九世紀末葉，兩種組織更成為兩種獨立的架構。

一方面，更正宗出現像亨利魏恩(Henry Venn)和魯弗斯安得生(Rufus Anderson)一類的宣教策略思想家，兩人分別擔任歷史悠久的差會如英行會(Church Missionary Society, CMS)及美

部會(America Board of Commissioners for Foreign Mission, ABCFM)的代表，均極力提倡半自治式的宣教動態架構，開始時並未受到教會組織各大領袖的反對。另一方面，一些宗派領袖，主要是長老會，開始實行集中管理，在十九世紀後期三分之二的時間裡，再沒有逆轉回來。直至二十世紀的初期，一度獨立存在的組織，從只**附屬於**宗派，逐漸步向受教會**支配**，不僅是受**規章**制約，而是完全受**行政**管轄。到了十九世紀末葉，遂產生了一種完全與教會分離的宣教組織，稱之為信心差會，戴德生(Hudson Taylor)的中國內地會(China Inland Mission, CIM)首開先河。可是，很多人並不知道，這種模式其實是十九世紀初期差會模式的復活，較宗派性委員會的成立為早。

這些轉變是逐步發生的，很難確定某段時間的觀點如何，但有一點較為清晰的是，更正宗經常不肯定動態架構的合法性。重洗派傳統一貫強調信徒是一個聖潔的群體，故對僅有部分信徒自願參與的事情不感興趣；亞歷山大坎伯爾(Alexander Campbell)的「重建」傳統以及普里茅斯弟兄會(Plymouth Brethren)的看法也相同。近期如雨後春筍般出現的獨立「靈恩中心」，在各地發展得非常迅速，也傾向差派自己的宣教士，但未能學習以往五旬宗教會成立宣教組織的有效性。

美國的宗派不像歐洲大陸的國家由稅收中撥款來支持，相對於歐洲的國家教會，可以有更多的選擇，團契生活也更活潑；各宗派散發出青春的活力，自覺具備一切由宗派負責海外宣教的條件。正因如此，美國有許多新興宗派傾向於教會集中管理宣教工作是唯一合適的模式。

結果，在第二次世界大戰前，宗派性組織的宣教工作都經歷了一場徹底的改變。幾乎所有昔日曾處於半自治或接近完全獨立的宗派性委員會，都轉為統一財政預算負責。結果，一大批新興的獨立宣教組織應運而生，尤其在二次大戰結束後；與較早前出現的信心差會一樣，這些宣教組織很少理會各宗派領袖及其主張以教會為中心的宣教模式。聖公會的CMS及USPG等呈現中世紀的合流，而無意形成的則有美國浸信會聯合會(CBA)及相關的浸信會國際傳道會(CBFMS，今CBI)和浸信會國內傳道會(CBHMS，今MTTA)。所以，更正宗迄今仍被這兩種組織在基督教歷史上的合法和適切的關係所困擾。

更糟的是，更正宗對建立宣教伙伴的盲點，對宣教工場的影響頗鉅。以靜態架構為主導的更正宗差會，趨向以為每一個地區都只建立靜態架構，就是教會。在大多數情況下，這些擁有半自治權的宣教動態架構，在工場上唯一的目標就是建立靜態架構而非動態架構。這些宣教機構(儘管那

些已完全脫離母國的宗派而獨立)所從事的宣教工作就是設立教會，並沒有再在宣教工場上拓植動態架構。[10] 然而，奇蹟般的「第三世界宣教」運動是從宣教工場上的教會開始；這運動並未得到西方宣教機構的鼓勵，實教人傷痛和詫異！

令人震驚的是，大多數的更正宗宣教士對他們所服侍的宣教組織的意義一無所知，不知道他們所參與的(宣教)組織在更正宗的傳統上消失了數百年，使宣教服侍也停頓了。而且因為這個盲點，他們只顧建立教會，並未有效地在工場上努力建立類似自己所參與的宣教組織。而許多二次大戰後才成立的宣教機構，對國外現存的教會運動極度反感，故從未想過要設立**教會**，多年來只是作輔助機構，為早已存在的教會提供各類服務。

我們必須要問，非西方世界宣教地域裡的年青教會，需要多久才能得出這個總結(歐洲的更正宗運動遲遲才得到)，我們需要動態架構的基督教組織，正如威廉克里所提及的「使用方法」，激發教會的信徒在宣教，尤其在跨文化的宣教上產生開創的活力。然而，我們已看到一線曙光，令人憂心的延誤將會過去，所羅門群島上美拉尼西亞弟兄會的傑出成就，就是一個很好的榜樣！

結語

本文無意譴責或批評有組織的教會，而是肯定牧區組織、教區組織、宗派組織和教會體制是必須和不可或缺的。本文認為靜態架構是有意義和絕對基本的結構，並嘗試釐清神在歷史上所展現的各種模式，透過聖靈清晰而又一貫地使用有別於靜態架構(有時甚至取代)的另一種組織。我們希望能幫助教會領袖和其他人認識和理解到這兩者的合法性，不僅有必要存在，且應當諧協合作，共同實踐耶穌基督託付給我們的大使命，成就神期待我們在這個時代完成的大業。

注釋

1. 難以想像基督徒可以有那麼多的方法向外邦社群傳福音。凡基督徒社群所到之處，隨手都可發現現成的傳福音給萬邦的工具：一群生活於聖約下的子民、一個負責任的揀選、聖經、神對萬民的啟示。一個敞開的會堂完全提供了這一切。在會堂裡，每一個猶太群體向基督徒打開了邀請的大門，而首批皈依基督的外邦人也是在會堂裡悔改的。Richard F. DeRidder, *The Dispersion of the People of God* (Netherlands: J. H. Kok, N.V. Kampen,1971). p.87.

2. 保羅時代的亞洲，是今日所稱的小亞細亞，或今日的土耳其國境。那時，沒有人會想到後來這個名詞的涵蓋面竟然會如此寬大。

3. 耶路撒冷的基督徒是按照會堂的模式來組織，尤其是在長老的委任和禱告服侍上。每日對寡婦和有需要的人提供衣食，具體而微地寫出當時會堂的實際做法(徒二 42，六 1)。從雅各的書信亦可以反映出那時期耶路撒冷的普遍狀況：雅二 2 提到一個富有的人「進入你們的會堂去」，是會堂，而非教會。Glenn W. Barker, William L. Lane and J. Ramsey Michaels, *The New Testament Speaks*(New York: Harper and Row Co., 1969), pp.126-27.

4. "Dynamic Equivalence Churches," *Missiology: An International Review*, 1, no. 1 (1973), p.39ff.

5. 當時的基督徒成立「葬禮會」，這是合法的，是信徒實行團契與敬拜的一個方式。

6. Kenneth Scott Latourette, *A History of Christianity* (New York: Harper & Brothers, 1953). pp.181, 221-34.

7. Kenneth Scott Latourette, *A History of the Expansion of Christianity*, vol. 2, "The Thousand Years of Uncertainty (New York: Harper & Brothers, 1938)," pp.379-80.

8. 本文作者所著"The Warp and the Woof of the Christian Movement," 見其與 Pierce Beaver 合著之 *The Warp and Woof: Organizing for Christian Mission* (South Pasadena, CA: William Carey Library, 1970), pp. 52-62.

9. 1795 年成立的有倫敦傳道會(LMS)和荷蘭傳道會(NMS)，1799 年有英行會(CMS)，1804 年有CFBS，1810 年有美部會(ABCFM)，1814 年有美國浸信會傳道部(ABMB)，1815 年有格拉斯哥宣教會(GMS)，1821 年有丹麥宣教會(DMS)，1822 年有海外傳道會(FEM)與及 1824 年有巴陵會(BM)。

10. 本文作者所著"The Planting of Younger Missions," in *Church/Mission Tensions Today*, ed. By C. Peter Wagner (Chicago: Moody Press, 1972).

〔作者曾在危地馬拉高原從事印第安瑪雅族宣教工作，其後任美國富樂神學院跨文化研究學院教授，又創立前線差會(FMF)，並成立美國普世宣教中心及威廉克里國際大學，從事前線之宣教工作。〕

研習問題

1. 請為「靜態架構」和「動態架構」這兩個名詞下定義，並在今日及歷史上各舉出一個例子說明。

2. 你是否同意溫德博士認為「動態架構(sodality)」在教會內是必須且是合法的論點？你有何具體的建議？

3. 溫德博士指「宗教改革所犯的最大錯誤，以及成為更正宗傳統最大的弱點」是甚麼？

> 我愈事奉，就愈感到跨文化訓練和教育對宣教的重要。今日的教會需要有「跨越文化」的宣教異象，栽培工人去收主莊稼。
>
> ——陳紫蘭《我愛猶太人》

The History of Mission Strategy
宣教策略史

R. Pierce Beaver 著　　李亞丁譯

在更正宗普世宣教興起之前，宣教活動已歷時十五個世紀了。寥寥數頁僅能概述更正宗宣教運動興起前之宣教策略史，簡略追溯更正宗之宣教策略；受篇幅所限，完全略去現代羅馬天主教的宣教資料，殊感遺憾！

波尼法修

第一個例子是第八世紀的波尼法修(Boniface)由英國往歐洲大陸的宣教行動，按二十世紀對宣教策略的理解，這是一個成熟的宣教策略。波尼法修向日耳曼異教徒講道，所用的是近乎他們能夠明白的語言。他的行動具挑釁性：藐視他們的神明，摧毀他們的神龕，砍除聖樹，在神聖的地土上建立教會。但他確使他們悔改歸主，教育他們，使他們變得文明。他建立了許多修道院，不僅有文法學校，還有教授農耕、放牧以及家庭工藝等課程，以使社會安定，教會基礎穩固，信徒得到好的培育。波尼法修又從英格蘭帶來一些修女，擔任第二線的教育和家政培訓；這是婦女首次正式積極參與宣教工作。又從當地民眾之間招募神職人員和修士。這些活動皆由英格蘭「母」會支援，波尼法修負責提交報告和提出要求，大家一同探討策略。主教、修士和修女們則向波尼法修提供人力、財力和物力，也以代禱來支援這一項使命。

不幸地，這一項真正的差遣宣教工作，因英格蘭受到侵略，人民被摧殘而停止。在歐洲大陸方面，宣教工作因受到法蘭西諸王、日耳曼繼承者、拜占廷王朝(Byzantine Emperor)以及教皇等操控，成為政治和教會兩方面擴張的工具；結果，斯堪的納維亞各君王驅趕來自歐洲大陸的宣教士，只准許歸順本國又與政治無涉的英格蘭宣教士在國中傳福音。

十字軍

十字軍是歐洲人對穆斯林發動的一連串戰爭，難以視之為真正的宣教，在伊斯蘭教的土地上遺留太多的仇恨，幾使福音工作無法進行，貽害至今。但在戰爭期間，亞西西的佛蘭

西斯(Francis of Assisi)仍憑著愛向當時的統治者(蘇丹)傳福音，形成一股愛心與和平的宣教力量。方濟各會第三修會的拉蒙盧勒(Ramon Lull)甚至放棄阿拉貢王室(Aragon court)貴族的尊貴身份，甘做「愛的傻子」，奉獻生命向穆斯林宣教，以理服人，以辯論的方式勸人歸主。為此，他著寫了《論真理》(*Ars Magna*)一書，對穆斯林或異教徒可能提出的任何問題和反對，有理有據地作答；他還發明了一種智力記憶體(intellectual computer)，收存了各類理據和正確的答案。在他殉道前數十年，不斷請求國王和教皇設立學院，教授阿拉伯語和其它語言及培訓宣教士；此外，也多次敦促他們釐定計劃向海外差派宣教士。

殖民擴張

十六至十八世紀時，隨著葡萄牙、西班牙及法蘭西帝國的擴張，基督教實際成為世界性的宗教。當教皇為葡萄牙和西班牙帝國劃分已經或尚待發現的非基督教領域的同時，也把向當地居民傳福音，建立並維持教會的責任交給這些君王；宣教因而成為政府的一項職責。

葡萄牙人建立了一個貿易帝國，但除了巴西，他們直接控制的領土很少；在轄土之內，他們壓制民族信仰，趕走對立的高層，建立由混血兒及來自社會基層的基督徒社區。

另一方面，西班牙則依自己的模式移植基督教與文明；無情的剝削令加勒比印第安人傷亡慘重，遂激起由巴杜盧梅(Bartholomew de las Casas)等宣教士領導的英雄式鬥爭，為仍留存的印第安人爭取權利。由這時開始，保護原住民，反抗白人以及殖民政府的剝削成為宣教士的重要職責；宣教士也全力爭取廢除奴隸制度和強制性洗禮，遂成為印第安人的教化者和保護者。宣教團往往在開拓的土地上建立一個中心點，並且形成一個小城鎮，印第安人就在此永久聚居。通常有一小隊士兵負責保護宣教士和印第安基督徒，而圍繞四周的宣教站和小城鎮亦與宣教中心聯繫。印第安人接受信仰要道的教導，在教會的信仰生活也受到神甫監管，積極參與輔祭、唱詩和演奏的事奉。民間節期也基督教化，並且有基督徒愛筵和禁食活動。印第安人的民事官員得到宣教士細心的督導，發揮了廣泛的監管作用。農場和牧場也得到發展，印第安人接受放牧與農耕的訓練。印第安人因此得以保留，受教化和基督化，並沒有發生日後在美國被趕盡殺絕的情況。不幸的，政府當局認為差會在教化印第安人的同時，本身也「世俗化」了。於是，宣教士為教區神職人員所取代，可惜後者質素低劣，數目往往也很少；一般政府官員也代替宣教士為統治者，但缺乏宣教士對人民的愛心；土地則為西班牙殖民者所瓜分，印第安人逐漸變為出賣勞力的一群。

法國人在加拿大的政策恰與西班牙相反，只以一小塊殖民地作為貿易基地和對抗英國人的堡壘。法國人所要的是毛裘和森林出產，所以極少干擾印第安人的文化，宣教士也制訂出因應這一政策的策略。因此，他們住在印第安人的村莊裡，向他們講道、教導、施洗，一切的禮儀盡可能適應印第安人的生活環境，同時也允許他們信主後仍然作一個印第安人。在法國殖民地的邊界，建立一些永久的城鎮，內有教會和學校，但居民多短暫居留。

在地球另一端的法屬印度支那半島上，即今日的越南，稍後亦歸屬法國。亞歷山大(Alexander de Rhodes)訂出一套激進的、新的傳福音策略；這是必須的，因為法國宣教士在這個地區受迫害和趕逐為時已久，要使福音工作成功，只能依靠當地人為中介。羅得斯遂為當地人創立一個平信徒傳道會，大家生活在同一的規則下，贏得了數以千計的人歸主。受到這一項經驗所激勵，羅得斯與同寅成立了「巴黎外方傳教會」(Foreign Mission Society of Paris)，為當地教區訂定招募和培訓神職人員的政策，代替宣教士，承擔國內大部分的傳福音及教會牧養工作。這一政策取得顯著的成功。

十七世紀的宣教策略家

隨著基督教擴展而興起的十七世紀首批宣教理論家，包括荷塞(Jose de Acosta)，布蘭卡蒂(Brancati)和多馬(Thomas a Jesu)，撰寫宣教理論與實踐手冊，闡述了宣教士的資格，以及教導與當地人合作的方法。1622年，傳佈信仰神聖部(簡稱傳信部，Scared Congregation for the Propagation of the Faith)在羅馬成立，領導羅馬天主教的宣教工作，並開設學院和機構以培訓宣教士。

這一時期，最勇於創新的當推耶穌會士(Jesuits)，他們藉葡萄牙的渠道前往東方，卻漠視葡萄牙的限制。耶穌會士來自多個國家，在融和、文化匯通、生活適應以及本土化上——無論怎樣稱呼，他們都是現代的開拓者。他們的第一站是日本，宣教士盡力採納日本人的衣食住行，以及社會的習俗禮節。當然，在傳福音和建立教會的過程中，他們並沒有採納神道教或佛教的用語、觀念、形式和禮儀，但卻大量刊印日本信徒的基督教文字作品。當地的執事或教師對傳福音和教導有沉重的負擔，但本地人委身作神甫則為數很少。不久，一個龐大的基督教群體很快便出現了。可是，十七世紀幕府時代的日本，因懼怕外國勢力入侵而閉關自守，並迫害基督教，數以千計的基督徒為主殉道。基督教轉入地下，信徒忍受迫害，直到兩個世紀後，日本才重新恢復與西方往來。

另一項在南印度馬杜賴(Madurai)進行的嘗試，則更進一步。羅拔特(Robert de Nobili)認為，基督教若想在

印度取得成功，必須先贏取婆羅門種姓。於是，他使自己成為一個基督徒婆羅門，穿著打扮像印度教領袖和導師，遵守該種姓的法律和習俗，學習梵文，並修習印度哲學的主要派別，盡可能以印度辭彙來闡釋基督教教義。能夠贏得眾多婆羅門種姓歸主的傳道者極少，他是其中一位。

使基督教融入中國最成功的策略，是由利瑪竇(Matteo Ricci)所制訂，並在繼任者湯若望(Schall)和南懷仁(Verbiest)的帶領下發揚光大。正如在日本，宣教士採納中國人的生活方式，汲取中國文化的精髓，但他們更邁開大步，逐漸以儒家的觀念來介紹基督教的原理和教義。他們允許信徒參加祭祖和國家的禮儀，認為這些活動的性質屬於社會及民事，並非宗教活動。宣教士更在數學、天文學、地圖繪製及各門科學上發揮驚人的影響，向中國人介紹西方知識，與社會名流交往，找尋機會與人分享信仰，也在多方面為帝王服務。所作的都是為了一個目的——為福音鋪平道路。這種宣教策略大獲成功，基督徒社群大為擴展，其中不乏身居要職之人。

另有一些宣教士不能夠接納任何非歐洲的東西、固守傳統的羅馬天主教用語與習慣。因民族主義及黨派的嫉妒，他們攻擊耶穌會士，並向羅馬教廷控之以罪名。教廷最終頒佈諭令，反對耶穌會士的原則，禁止他們的工作，並要求所有前往東方的宣教士發誓遵從。至於中國基督徒，則被禁止參加家族及國家的祭禮。這就意味以後任何基督徒不能做一個真正的中國人，又做一個基督徒；於是基督教被視為衝擊中國社會根本思想——孝道——的信仰。兩個世紀以後，這一項宣誓被廢除，一些折衷的禮儀被接納。耶穌會士輸了一場戰役，最終贏得了整個戰爭。今日，幾乎一切教會的所有宣教士都認同「融和」，或「本土化」的必要。

新英格蘭清教徒：向美洲印第安人宣教

更正宗參與普世宣教始於十七世紀初期，當荷蘭東印度公司的牧師們開始福音工作的同時，新英格蘭地區對美洲印第安人的宣教亦興起。當時，宣教是商業機構的一項功能，但一同前往的牧師都是真正的宣教士。雖然他們對日後的宣教策略影響甚微，但清教徒向美洲印第安人宣教，卻為日後的宣教運動帶來啟迪和參考模式。宣教士以講解福音為目標，使印第安人悔改，個人接受救恩，聚集在教會內，藉著紀律的約束來孕育信仰。他們意圖使印第安基督徒與公理宗教會的典型英國清教徒相類似，故努力以英國模式來教化印第安人。

傳福音是他們的首要任務，以講道為「主要的方法」，同時也輔以教導。多馬梅修(Thomas Mayhew Jr.)在馬

大葡萄園(Martha's Vineyard)以漸進和個別接觸的方式開始，取得很大的成功，但大多數宣教士效法艾里奧(John Eliot)公開宣講的方式開始，有力地向印第安人宣講教義，強調神的震怒、地獄之苦等，像當年向英國會眾宣講一樣。而畢大衛(David Brainerd)則像莫拉維弟兄會那樣，多講神的愛，而不是神的震怒；也產生極大的果效，使許多人感動，悔改歸主。

策略的第二步是把印第安信徒聚集成立教會，但新信徒必須先經過長期的觀察，才可組織教會。然而，當印第安人的宣教工作於1730年代進入第二階段後，這些試驗期已非必要了。教會紛紛組織和建立起來，而信徒的信仰，亦在教會建立前後，得到指引和操練。

第三項策略性的重點是基督徒城鎮的建設。艾里奧與同事都相信，為了讓信徒在恩典中長進，有必要採取孤立的方式，把他們從異教的兄弟群體以及白人壞分子的影響中隔離。在由「祈禱的印第安人」(Praying Indians)所組成的純基督徒城鎮裡，新成員的生活要嚴格遵守教會紀律，並且得到白人宣教士和印第安牧師和教師的培育，如此才能確保科頓馬瑟(Cotton Mather)所稱的「更正派和英式的生活」，而基督化與教化應同時並進，密不可分。艾里奧按照出埃及記十八章來組織符合聖經的政府來治理這些城鎮，但賜予他們土地以建立教會和

學校的麻薩諸塞州總法院，卻於1658年委任英國行政長官來治理這些城鎮。這些城鎮內的印第安人，一起生活於與神所立的聖約之下，無論是個人還是社團都受以聖經為本的法律所規範。

大多數「祈禱印第安人」城鎮都在1674年腓力王之戰(King Philip's War)下被破壞，未能倖存；但這種獨特的基督徒城鎮策略，卻為瑟津特(John Sergeant)所採納，並於1734年建立了斯托克布瑞克宣教中心(Stockbridge Mission)。該鎮不像早期的基督徒城鎮一般封閉，居民經常穿梭於城鎮與森林之間，甚至會到更遠的地方去；斯托克布瑞克的基督徒透過這樣的人際關係，自然地成為福音的使者。

無論早期城鎮內的基督徒，品格受到怎樣的塑造，因與其他印第安人分隔，無法向他人傳福音。十九世紀及二十世紀早期，遠赴非洲和群島向原住民傳福音的宣教士，仍保留著這種觀念，為保證新信徒信仰和行為的純潔，要把他們聚居於獨立的基督徒村莊或房舍。這種做法適得其反，往往使基督徒遠離群眾，兼且所建立的是「四不像」社群，既非本地化，也非歐洲化，妨礙了福音的傳播；一群隔離的人是無法將個人信仰傳給他人。

在每一城鎮的中心或宣教站，往往是一座教堂，旁邊有學校。所有主日及禱告會上的講道、教理講授和初等教育，都是為培育信徒的信仰和文

化而設。

艾里奧所編纂的《印第安教理問答》(*Indian Catechism*)，是第一本以美洲印第安語出版的書籍，本地語和英語並用。英語可促使印第安人適應白人社會，而母語則幫助他們更認識基督教真理。此外，艾里奧也以這兩種語言編寫課本，在傳授聖經及信仰入門的同時，也教導閱讀、寫作和簡單的算術，並把農耕和家庭手工藝帶進印第安人社會，使他們能夠有安定的、文明的生活。在第二個宣教世紀裡，基於策略上的需要，瑟津特亦引進了寄宿學校，使青年人可以完全脫離舊日的生活，在新的環境中成長。這種體制也成為十九世紀宣教的基本策略。

值得稱讚的是，新英格蘭地區的清教徒從未懷疑福音的改變大能和印第安人的潛力，他們期望一些印第安人會具備英國人一樣的素質，需要受到較高等的教育，所以，一些有才華的青年被送往波士頓拉丁文法學校就讀，亦有少數進入哈佛大學的印第安學院深造。而瑟津特在斯托克布瑞克的寄宿學校，以及魏爾克(Eleazer Wheelock)在康奈狄克州黎巴嫩開設的學校，都提供更高水平的教育。

崇拜生活、靈命培育以及教育都需要更多不同層面的本地語著作，艾里奧因此亦出版了麻薩諸塞聖經(Massachusetts Bible)，設立圖書館，擺放了他自己和幾位同工的作品。

整個新英格蘭地區的宣教策略，最首要的任務是招募及培訓本地牧師和教師，宣教士和他們的支持者都認為只有本地人才能有效地傳福音和牧養同胞。1700年時，麻薩諸塞州已有37位印第安傳道人；可惜，白人不斷施壓，舊的基督徒城鎮逐漸衰微，本地的傳道人和教師亦隨而減少，直至消亡。

十七、十八世紀對印第安人的宣教工作遺下了恆久不滅的影響，或許有以下兩點：第一，受艾里奧和布蘭納德的生平所感動，大批人投身於宣教工作；第二，他們為偉大的更正宗海外事業開創了策略性宣教，包括了宣講福音、組織教會、以培育基督徒及認識歐洲文明為目標的教育、翻譯聖經、文學著作、使用本地語言、招募及培訓本地牧者及教師的工作。

丹麥哈勒差會

美洲本土居民的宣教工作一直由英格蘭和蘇格蘭的宣教組織支援，卻未有由不列顛差出的宣教士，第一個由歐洲差出宣教士的是丹麥哈勒差會(The Danish-Halle Mission)。自1705年起，丹麥國王差派德國信義宗宣教士前往印度東南海岸的殖民地特蘭克巴(Tranquebar)。首先抵達是巴多羅買齊根伯格(Bartholomew Ziegenbalg)，他發展了一套在各方面都超越時代的宣教策略，並留給後世宣教士參考。他注重崇拜、講道、教導要理、教育、翻

譯工作，並出版本地著作。他也為學習印度哲學和宗教開闢道路，認為對佈道和教會增長非常重要，但卻遭到德國當權者反對。而且，他早已將醫療事工加進宣教工作內，也是把泰米爾(Tamil)詩詞用於崇拜活動的先驅。

繼齊根伯格之後，最著名也是最後一批哈勒宣教士之一，就是克里斯蒂安施瓦茨(Christian F. Schwartz)，終其一生都在印度南部英國的轄地內從事宣教工作，對各種信仰的印度人，不同國籍的歐洲人，也不論是士兵還是平民，都有極大的影響。他的策略獨特而不拘一格，雖然外表上他仍是一個歐洲人，實際上他已成為一位精神領袖或屬靈導師，為大眾所喜愛和信任。任何人不論宗教，不論種姓，不論身分，皆願聚集在他周圍作他的門徒。他的事工可說是與文化相適應、相融合的典範。

莫拉維弟兄會的宣教

十八世紀最獨特的宣教策略，是莫拉維弟兄會(Moravian)在親岑多夫伯爵(Count Zinzendof)和施旁恩伯主教(Bishop Spangenberg)指導下的發展。1734 年開始，莫拉維弟兄會有目的地差派宣教士到被遺忘和受藐視的人群中間。他們的宣教士要自養，故相應地帶動了工商業發展，不僅支持宣教士的需要，更促進了宣教士和民眾的關係。這樣的自養形式，雖不能在美洲印第安人中實行，但建立了一些公社殖民區，例如在賓夕法尼亞州的伯利恆(Bethlehem)和北卡羅萊納州的撒冷(Salem)，設立了各式的手工藝和工業，以所獲得的利潤來支持宣教工作。

莫拉維的宣教士被知會，不要以「赫仁護特的尺碼」(Hernhut yardstick，意即德國母會的標準)加諸其他民族之上，並且要留意，神賜予各民族不同的性情、特質長處；進一步說，宣教士應當把自己看作是聖靈的助手。他們主要是神的使者、傳道者和教導者，所宣講的不應該是沈重的神學教義，而是簡單的福音，就是神的大愛，藉著救主耶穌基督為全人類降生和受死，使我們能夠與祂復和。在神的時間裡，聖靈會把大批信徒帶進教會來，那時，宣教使者將收集這些初熟的果子。如果在一個地區得不到回應，他們會轉往別處去。實際上，宣教士只在受到逼迫，被驅趕的情況下才會離去；他們都充滿忍耐，不會輕易放棄。

更正宗宣教的偉大世紀

這些早期的宣教活動，終於帶動了十九世紀偉大的更正宗海外宣教事業，由1792年威廉克里(William Carey)在英國成立浸信會差會啟軔。在美國，宣教組織始於 1787 年，組成十多個團體，皆以普世宣教為職志，卻因開荒殖民以及印第安人的工作耗盡了所有資源。1810 年的一個學生運動終

於打破了僵局，藉著美部會(即美國公理會國外佈道會American Board of Commissioners for Foreign Missions)的成立，發起海外宣教運動。1814年，浸禮宗海外差會(Baptist Denomination for Foreign Missions)的「三年會議」組成；接著，聯合海外差會(United Foreign Missionary Society)也於1816年成立。

這些新的團體和委員會都效法美洲印第安人宣教團和丹麥哈勒差會的方法，預先制訂策略。多年來，差會總部的主任都以為他們完全熟悉宣教工作的進行，宣教士啟航海外時都得到詳細的指引。大約半個世紀之後，他們才發現最好是由工場中有經驗的宣教士來制訂策略，然後由差會認可。1795年時，倫敦傳道會(London Missionary Society)兩位性格倔強的人曾因此發生爭執；一位堅持要差派曾受良好教育和已按立聖職的宣教士往那些高度文明和有高級宗教的國家，另一位則堅持差往南海各島嶼的宣教士要有技能，並由已按立的牧者監督，既可以傳福音，又可以教化那些原住民。結果，這兩個提案均獲採納。

即使在具有高等文化的國家，如印度和中國，歐洲宣教士也像那些在化外工作的宣教士一樣，致力「建立文化」，因為他們視當地文化為敗壞、迷信，是「基督教化」的障礙。在首數十年間，從未有人對差會的教化功能的合理性提出質疑，所爭論的無非是次序問題；「基督教化」與「文明」孰先？有些人認為要先達到一定程度的文明，才能使當地人理解並接受信仰；另一些人的爭辯是，基督教化在先，因為福音必然導致人們渴望文明；而更多人相信，兩者是相輔相承的，應並重共進。

印度很快成為西方差會和團體最注目的地區，相應的策略和發展方案可以應用於其它地區。浸信會的「塞蘭坡三傑」，克里(Carey)、馬士曼(Marshman)和華德(Ward)是早期最具影響的人物。克里雖注重個人的悔改，但也致力促使教會成長，可以獨立，由有學識和勤讀聖經的平信徒來承擔，由有教養的本地牧師來管理和牧養。這位自學成材的精英不滿於只有小學，要興辦高等院校。丹麥國王(塞蘭坡當時為丹麥殖民地)頒下開辦學院的准許令，甚至可以頒授神學學位，故在塞蘭坡有多所分別為印度人和外國人子女開設的學校。而龐大的聖經翻譯與印刷工程，已超出印度本地語言，甚至包括中文聖經，成為更正宗信徒高度關注的事工；他們也有為教會出版其它的著作。「三傑」也非常重視宣教策略與行動的學術研究，出版眾人所需的語言材料，並在印度教研究上居領先地位。

此外，這著名的「三傑」還靠著福音的影響，努力改變社會，從而成為強大的社會改革力量，向殖民政府施壓，又開啟印度教徒精英的眼光，使

其認識昔日的惡習並加以摒棄。在三人的努力及影響下，寡婦殉夫自焚、廟妓以及其它不人道的習俗均得以廢除。克里還引進了現代報業，出版本地孟加拉語和英語的報刊雜誌，振興孟加拉文學。在塞蘭坡的宣教事工確是包羅萬有。

蘇格蘭人亞歷山大杜夫(Alexander Duff)與前人諾比里的看法極為相似，認為若要使印度廣大民眾歸主，必先贏得婆羅門種姓。他透過使用英國語言的高等教育，努力贏取婆羅門青年人。在他取得大勝之地，其他人卻受挫，但他的大膽嘗試，只偏重英語學校和學院的發展。這些學院只產生很少的基督徒，但卻促進當地經濟，造福了教會，也為公務員和商業機構培訓英語人材，為殖民地政府所樂見；但也很快消耗各差會的大部分資源。

同一時期，在沒有任何計劃之下，產生了宣教站，信徒群起聚居，他們的社會和經濟完全依賴宣教士維持。一個信徒若不是與整個社群一起信主，便會遭家庭逐離，喪失一切生計；為了照顧這類信徒的生活，宣教士要提供就業機會，例如請他們當僕人、教師或傳道者。教會因而變得過分職業化，平信徒受薪來作本是義務的工作；而且，這種不當的做法也傳到其它地區的宣教站。這類的大宣教站裡，一般有中央教堂、學校、醫院，也許會出版刊物；而宣教士就是這個社區的牧師和管治者。在這種體制內，威廉克里構想中讓本地牧師發揮的機會很少，而離海岸50哩，甚至更遠的荒僻地區，亦沒有有組織的教會，只有一些佈道點而已。稍後，在1854-55年間，魯弗斯安得生(Rufus Anderson)被派前往印度和錫蘭，促使美部會的宣教士解散龐大的中心宣教站，組織鄉村教會，並按立本地牧師來管理。他更規定，教育應以本地語言進行，而英語教育則屬例外。

十九世紀的宣教策略家

十九世紀兩位最偉大的宣教理論家和策略家同時也是兩個最大差會的主管；亨利魏恩(Henry Venn)是英行差會(Church Missionary Society)的總幹事，魯弗斯安得生則是美部會的總幹事。魏恩在不列顛，安得生在美國，兩人的宣教策略主導英、美宣教達一個世紀之久。他們的宣教策略不盡相同，基本原則卻相同，稍後兩人更相互影響，一起建立更正宗所認定的策略目標——著名的「三自」原則，即宣教的目的在建立與促進教會自治、自養、自傳，自十九世紀到第二次世界大戰期間，英美各差會皆贊同。

魯弗斯安得生是公理宗信徒，而魏恩則是安立甘宗(聖公會)信徒，但兩人皆熱衷於由下而上建立地區性教會。魏恩主張當一個地區的教會發展成熟，有合適的本地神職人員，教會又有會眾支持，就當委任一位主教來管理。安得生反對強調「文明教化」，

及企圖一夜改變社會的想法，認為福音如同麵酵，必然對一個國家的生活產生變化。他的策略乃依新約所載保羅的宣教工作而來。

按安得生的見解，宣教士的任務是宣講福音，召集悔改的人到教會來。宣教士經常是一位佈道者，決不是牧師或管治者。當悔改者的生命出現改變，歸向基督，便要立即組成教會，毋須等待他們達到有兩千年歷史背景的美國基督徒期望的標準。而且，這些教會要接受自己的牧者所管理，並且發展自己當地或地區性的組織，宣教士只是本地牧師和會眾的顧問，或信仰上的老大哥而已。

安得生和魏恩都教導，當這些教會各項工作運作順利後，宣教士應當離開，到「別的地區」去開展新的福音工作。建立教會的重心就是傳福音和宣教，教會要自發參與本地的佈道工作，並向其他人群傳福音；宣教衍生宣教。按安得生的觀點，以本地語所進行的教育只有一個目的，那就是服務教會，提高信徒質素，建立有適切訓練的事工。而一切附屬的工作都只為福音，也為教會的培育工作而設。

不列顛各差會不贊成安得生關於本地語教育的觀點，而美國的差會則正式或非正式地採納了這一策略，且原則上持守了超過一世紀。但，當他的時代過後，差會著力興辦以英語授課的中學和高等教育；部分原因是受到社會上達爾文主義的影響，美國人接受了那種必然進化的學說，以神的國度會透過基督教機構(如中學)降臨的觀念，取代了舊的末世論。同時，到十九世紀末期，另一套偉大的策略或多或少地加進「三自」原則裡，就是透過基督教的影響，將基督教服務精神注入日常生活中，使社會變化和改革。高等院校的興辦，主要為達到此目的。

在中國山東的美國長老會宣教士倪維思(John L. Nevius)將安得生的策略稍加修訂，設計出另一套策略，期望平信徒承擔更多責任。他提議平信徒留在原地，持守自己的行業或生意，保有自己的社會地位，又鼓勵他們自願作不受薪的傳道者。倪維思更提議把勤習聖經，嚴格的管理制度與自願服務結合，制訂出一套簡單、靈活的教會體制。可惜，他在中國的弟兄們並沒有採納，反而被在韓國的宣教士採用，並且取得驚人的成功。

殖民主義的心態

除了繼續採用安得生－魏恩的原則外，十九世紀末25年間，在宣教心態以及相應的宣教策略都出現了很大的變化。在魏恩的領導下，不列顛差會在西非的工作目的在於：(1)創立一個獨立教會，由願意把福音傳往非洲內陸的本地神職人員所領導；(2)培養非洲的精英，即知識分子和中產階層，使其成為支持教會及宣教工作的社群與經濟力量。但當魏恩的任期屆

滿後，差會的主管和工場的宣教士認為非洲人質素低下，不能領導事工，差不多立刻改由歐洲人來長期管理。非洲的中產階級商人和知識分子受到輕視。這種帝國主義的觀點，是「白人的累贅」理論在教會的變種，把本土教會降為外國教會的殖民地。

1880年代，類似的情況也在印度發生，美國等受到不列顛人的傳染，也存有這種殖民主義的心態。德國的差會在宣教策略家萬愛克(Gustav Warneck)教授的領導下，同時要建立全國性的民眾教會；但在教會未發展成熟之前，仍受到宣教士所管束。家長作風阻礙發展，但在世紀過渡時期，所有差會仍抱著家長作風和殖民主義。這種不愉快的情況維持至1910年，愛丁堡世界宣教大會發表的研究及調查報告，驟然摧毀了這種沾沾自喜及慣常的心態，顯示出本土教會是一個不容忽視的事實，而且要跳出家長式的管治。這次宣教會議的結果，極力推動各宣教組織將權力「移交」予教會；各差會和團體對這一個理念至少也在表面上支持。

佈道、教育與醫療

總而言之，十九世紀(至1910年的愛丁堡大會)的宣教策略是透過三項主要行動，即佈道、教育與醫療來達到使人悔改、植堂以及社會改革的目的。佈道包括了各種形式的宣講、建立及栽培教會、聖經翻譯、文字出版、分發聖經及其它刊物。

在教育領域，早期所側重的工業學校，但因對學術性教育之期望甚殷，普遍廢棄了。到十九世紀末，一些亞洲國家已具備了龐大的教育體系，從幼稚園至高等院校，也包括醫學和神學院校；但在非洲，中學和大學的教育則被忽略。

首批被差往海外的醫生，主要是照顧宣教士的家庭；未幾，便發現對大眾的醫療服務可予人好感，是傳福音的機會，醫療服務因而成為宣教工作的主要分支。二十世紀中葉，人們才意識到高舉那位「大能醫生」之名和精神的醫療服務，是傳福音的好方法。實際上，那些在農村佈道的宣教士一早已經帶著藥箱旅行了。

同樣，為提供幫助和取得他們好感，也出於改善教會經濟基礎的渴望，宣教士引進了改良家禽與家畜的方法，農作物新品種。在山東所設立的一個大型果園就是一個例子。

對於其它宗教，初時的策略是積極以基督教取代，使所有群眾都悔改。這種激進的精神，隨著世紀漸近尾聲而減弱，逐漸變為欣賞神在其它信仰中的作為，直至1910年，更多人把其它宗教看為「破裂的光」，可以在基督裡得到癒合，是通往福音的橋樑。

由於東方人的習俗，男宣教士幾乎不可能接近兒女成群的婦女。於是，宣教士的妻子努力為女童開辦學

校，或到他們的家中、內室探訪；但她們要料理家庭，照顧孩子，能夠抽出的空閒時間不多，同時也不能外出。現實上要有一種能滿足婦女和兒童需要的宣教策略，但差會和宣教團體堅持反對差派單身女性到海外。在絕望之下，婦女終於在1860年成立自己的差會，向海外差派單身女宣教士。就這樣，一支全新的生力軍加入宣教隊伍：她們以極大的熱情和進取精神，傳福音給婦孺，教育女童，也給予婦女適切的醫療照顧。

一旦婦女進入了教會，她們的孩子們也會跟著來。而婦女教育也證實是解放和提高婦女社會地位最有效的力量。婦女醫療服務亦受到重視，各差會紛紛提高醫療服務的質素，也更注重興辦醫學教育。受到美國婦女這兩項偉大事業的激勵，不列顛和歐洲各國的婦女起而仿效，也為東方婦女打開了進入受尊敬的專業之門，今天能夠在醫療機構任職醫師、護士或教師。

禮讓

十九世紀宣教策略必須申明的另一特點，就是各宗派間的禮讓；美南浸信會(Southern Baptist)是發起並實行這一項行動的一個團體。各差會向來看重作人和錢財的好管家；浪費資源，人皆憎惡，當然希望能夠用得其所。實行禮讓的目的，是為了保證每一地域，每一族人民都有差會在承擔

宣教之責，也為了避免某一區域內(大城市除外)有多個差會進駐或宣教工作重疊，從而消除宗派差異帶來的競爭，避免令當地居民困惑，阻礙宣教工作的發展。故先到達某一地域的須予以承認，後來者隨即轉往其它未開拓的地域。這種慣例會產生「地理宗派主義」的局面，但可預期，當宣教士離開「到另一個地區」之後，本地人會把不同的板塊拼合一起，組成一個本地教會，與以前所建立的任何教會不一樣。

各差會亦同意他們同屬一個基督教會內的肢體，也在洗禮、信徒轉會、教會紀律、薪俸以及本國同工調動問題上達成共識，因而促使各宗派進一步合作，建立地區或全國性的仲裁委員會，調解差會之間的糾紛，同時也統籌聖經翻譯計劃、出版機構以及中、高等院校、師範學校和醫學院的開辦。有效的策略帶來更多更多合作計劃，共同努力，獲得更大的成功。差不多在每一城市、地區及至全國性都舉辦宣教大會，提供共同討論和計劃的機會。

諮商及研討會議

像這類在宣教工場上的合作，增加了總部的諮商與計劃。1910年愛丁堡世界宣教大會開啟了一連串的大會：1928年的耶路撒冷大會，1938年的馬德拉斯(Madras)大會，1947年的惠特比(Whitby)大會，1952年的威靈根

(Willingen)大會以及 1957-58 年的加納
(Ghana)大會。透過這些會議，確定策
略的基本方針，交與各國和各地區組
織作進一步討論，然後實行。1921 年
國際宣教協會(International Missionary
Council)成立，把全國性的宣教會議
〔如 1892 年成立的北美國外宣教會議
(Foreign Missions Conference of North
America)〕和全國性的基督教協會(如
中國基督教協進會)聚集一起，由有經
驗的宣教委員會帶領，在不同層面上
研究問題，制定共同策略，從而建立
一個全球性的體系。1961 年，國際宣
教協會成為普世教會協會(World
Council of Church, WCC)的普世宣教
及佈道事工(World Mission and
Evangelism)的一個部門。

從 1910 年到第一次世界大戰期
間，最為人注目的策略發展，是把本
地教會放在中心位置上，給予充分的
獨立與權力，並發展西方教會與這些
年青本地教會之間的伙伴關係。當時
的口號是「本土教會」(the indigenous
church)與「順服伙伴」(partnership in
obedience)，表達了這個主流策略的重
點。1928 年耶路撒冷大會的出席者為
「本土教會」下定義，特別強調文化融
合，1938 年的馬德拉斯大會重申這一
個定義，並強調要在「與該國家的文
化及宗教遺產有直接、清晰及緊密的
關係」下為基督作見證。1947年的惠特
比大會則提出「順服伙伴」這一理念。

第二次世界大戰後

羅倫艾倫(Roland Allen)在其所寫
的《宣教方法：是保羅的還是我們的
呢？》(*Missionary Methods: St. Paul's or
Ours ?*)和《教會的自發擴展》(*The
Spontaneous Expansion of the Church*)
兩書中，根據保羅的宣教而提出一種
截然不同的策略，但當時並未得到任
何回應，直至第二次大戰後，信心差
會的宣教士才漸漸步向他的標準。他
的宣教策略最主要是：宣教士傳遞福
音，要對新的信徒團體，簡明扼要說
明信仰、聖經、聖禮及事工原則。然
後，他就以老大哥的身份作顧問，由
聖靈引導這個新教會自治、自養，同
時，發展適合他們自己的政策、事
工、敬拜及生活方式。這樣的教會也
一定會自發性宣教。艾倫的理論適合
新的拓荒工作，因為舊的差會和團體
只負責現存的老教會，他們已有一套
老方法，極少開拓新的工場。

工場上的宣教組織一個一個解
散，各項資源交由教會處理，宣教同
工重新受命各奔前程。

西方各差會及團體在新的宣教策
略上少有建樹，卻發展出許多新的方
法，如農業宣教或稱農村發展、一些
城市工業、大眾傳播媒體及有果效的
文字出版。300 年的宣教進程已到達
最後階段，現今的世界不再劃分基督
教界和異教地區，從西方前往福音未
得之地亦非單向宣教，差不多每一個

地方都建立了宣教基地，各地的基督教會和團體正承擔向普世傳福音的使命。這正是以全新的策略展開新的普世宣教的時刻，第一次世界大戰前後，陸續在非西方世界出現的革命，顯明了更正宗宣教的舊秩序告終。

普世宣教的新時代已經來到，也是其它宗教進行普世宣教的時代。面對這個時代，我們需要對宣教有新的理解、新的策略、新的組織，以及新的方向、方式和方法，才能完成教會的核心任務，直至神的國度在祂完全的榮耀中降臨。瞭解過去的宣教策略，將有助於我們對普世宣教的禱告、研究、策劃以及試驗。

(作者已於 1982 年辭世，專研美洲宣教史，曾擔任紐約市宣教研究圖書館主任15年。其所著 All Loves Excelling 一書，記述美國婦女在宣教上的貢獻。)

研習問題

1. 作者總結了宣教策略的一些爭論，如「基督教化」與「文明化」的差異、先後次序。請改用現代的語彙「更新」(transformation)，「處境化」(contextualization)以及「混合主義」(syncretism)來討論這一問題。

2. 哪些宣教策略最依賴殖民地政權力量？哪些策略可以最不依賴工場宣教士而取得最大的進展？

1930 年代廣泛的教會復興和佈道事工熱潮，正好預備了教會面對戰爭中火的試煉。「抗戰」帶來了前所未有的人口西移，亦因此使中國知識分子有空前的機會接觸福音；戰後的數年內，在中國各大學裡亦因而受到強大屬靈運動的影響。但當共產黨在1949年獲得政權時，全國基督教領聖餐的人數仍不足 100 萬，在全世界人口最多的國家裡，仍是無足輕重的少數。然而，經歷了逼害和劇烈的苦難，教會卻反而大大倍增。唯一可接受的解釋是：神在中國無上掌治。

——賴恩融(Leslie T. Lyall)《萬有主宰》(中信，1988)

Four Men, Three Eras, Two Transitions: Modern Mission
近代的使命——四個人物，三個時代，兩個轉折

溫德(Ralph Winter) 著　Maggie Cheng 譯

過去，許多大學生被馬克斯思想嚇呆了！一個重要的原因是共產主義有「遠景」(long look)，共產主義者聲稱已掌握歷史的走勢，正跟隨那不可逆轉的潮流。

近年來，福音派亦深入尋索歷史的趨勢與未來事件的關係。Hal Lindsey的著作和電影對未來的探討，引起了廣泛的回應，叫我們知道群眾正在思考生命，在問「我們有甚麼出路」。

與共產主義比較，基督徒其實擁有更長遠的景象，而且有大量鐵一般的事實與英雄事蹟來證明。但因著某些原因，基督徒甚少討論預言及未來的事件與宣教的關係，他們卻視聖經是一本預言，提到過去與未來。正如Bruce Ker 所說：「整本聖經都是宣教的書籍……將全書連結的主線是揭櫫宣教的目的及其逐步實施。」

幼時曾在主日學聽過他這種想法嗎？可能有，但後來才明白宣教的故事並非由大使命開始。聖經清楚的記載：神告訴亞伯拉罕，他要得福，萬國也要因他得福(創十二 1-3)，彼得在聖殿中也曾引用這段經文(徒三25)，保羅在寫給加拉太人的信中(加三 8)也引用同一項命令。

但有些釋經者暗示，只有經文的前段可以立即實現，即亞伯拉罕自己立刻得著祝福，但他或他的後裔要在兩千年後才可以成為「地上萬族的祝福」。他們認為基督必須先來，並頒佈祂的大使命，故亞伯拉罕的後裔要等待約兩千年，才被召要到地極去，使福氣臨到世人(這稱為「蟄伏訓令的理論」The Theory of the Hibernating Mandate)。更糟的是，近數十年，有一位門生眾多的學者，提出一個觀念，認為舊約時代的人並不期望有宣教士到他們那裡，而是他們往以色列去尋求那光；新約以後則相反；未得福的人不用來，而是那些已得福者要去尋

找他們。這個頗為以假亂真的意念，其中部分被接納，而且有「舊約時代的宣教是向中心凝聚，而新約時代的宣教是向外擴散」一語。事實上，在兩個時代中，兩種使命皆有；這只是利用一些小技倆去解釋一些不存在的策略，容易使人混淆。現時，美國洛杉磯的居民使用137種語言，這就顯示，新約時代和以後的日子，許多民族仍要來就光。

一個較近期令人興奮的詮釋(參本書第11頁Walter Kaiser的〈以色列的宣教呼召〉一文)，指以色列國自亞伯拉罕時代起，已負起與其它民族分享這祝福的責任。同樣，自使徒保羅時代起，每一個有「亞伯拉罕信心後裔」在內的民族，也要負起這個責任(可是，以色列及這些民族大多是失職的)。

舊約時代最大的醜聞，是以色列民族希望得福，卻未盡力使自己成為祝福的源頭。我們細心留意：**以色列民普遍漠視創世紀十二1-3節下半部分，與今日眾信徒漠視大使命相近！**我們研讀聖經時，很容易便忽略舊約中提醒以色列人(及我們)要履行宣教使命的重要經文：創十二1-3，十八18，二十二18，二十八14；出十九4-6；申二十八10；代下六33；詩六十七，九十六，一零五；賽四十5，四十二4，四十九6，五十六3、6-8；耶十二14-17；亞二11；瑪一11。

同樣，今天那些蒙神特別祝福的民族，也可以選擇抗拒或埋藏與其它國家分享祝福的責任，但這並非神的意旨，「因為多給誰，就向誰多取」(路十二48)。

如此，今天的教會提及神的大使命平均會有多少次呢？相信少於舊約時代！然而，大使命仍存在；昔日如此，今日也如此。筆者相信由頒佈的第一天(創十二1-3)開始到如今，仍然要履行；不論是個別的基督徒，抑或是一個民族，我們都有責任「要成為地上萬族的祝福」。

使徒時代以後的大部分年日裡，沒有人留意這個命令，甚至更正宗也被自己的事務及自己的福氣(正如昔日的以色列！)閉塞了超過250年——直至一位充滿信心，懷著無比堅忍的青年出現。在這一篇文章裡，我們集中看因他的生活和見證而開始的宣教年代(公元1800至2000年)。近200年來，沒有一個人能像他一般具有令人振奮的新動力，他是神使用4位有影響力，但都極不完全的人之一。這三個偉大的「時代」，因著他們的信心和順服，開發了新的宣教領域(其中兩位人物帶來第三及最後一個時代)。這四個階段的宣教策略，顯示了每一個時代的特徵，而兩個令人困惑的「轉折期」，使一個時代無可避免地出現了第四個階段，與以下時代第一個階段不同。其中的轉折以圖表來表達較為清晰(請看242頁)，但以故事表達更易明白。

第一個時代

威廉克里(William Carey)，一位未滿 30 歲的青年，因為認真面對大使命，而把自己捲入煩惱之中。有一次，他向一群牧者講道，質問他們為何不回應大使命；牧者們反斥責他說：「當神要拯救失喪者，是不需要你或我們來幫助。」以後，他再不能講論這個主題，故此，他用筆詳細地寫下了他的分析，完成《基督徒向異教徒傳福音責任及方法之探討》(*An Enquiry into the Obligation of Christians to Use Means for the Conversion of the Heathens*)一書。

結果這本小書說服了他幾位朋友，一同組織了一個小型的差會，這正是他所說的「方法」。這個組織相當微弱，只能供應他往印度宣教的最低需要。但他的榜樣，在英語世界引起很大的迴響；他的小書成為更正宗宣教運動的基本憲章(Magna Carta)。

克里並非首位更正宗宣教士；多年以前，莫拉維弟兄會差派宣教士到丹麥的格陵蘭、美洲及非洲。但這本小書加上在美國的福音大覺醒，加速了大西洋兩岸信徒的異象和生命的改變，產生即時的影響：在倫敦成立了另一個差會，蘇格蘭有兩個，荷蘭一個，然後再有一個在英格蘭。至此，克里堅持宣教事工必須由有組織的差會推動的理念，得到了支持。

在美國，5 位大學生受到這本書的激勵，聚在一起禱告來祈求神指引他們的人生路。這個謙遜的禱告會，其後稱為「乾草堆禱告會」，帶來了一個美國的「方法」，成立了美部會(即美國公理會國外佈道會 The American Board of Commissioners of Foreign Mission)。更重要的是，他們開始了一個學生宣教運動，成為當時其他學生宣教運動的先鋒。

事實上，在克里往印度後的 25 年內，大西洋兩岸已成立了 12 個差會，第一個時代的更正宗宣教有了一個好的開始。現實地說，以當時大部分的歐洲人和美洲人全神貫注的大事來相比，第一個時代的工作只是雞毛蒜皮而已。但，要有組織地差派宣教士的觀念得來不易，並且最終成為一個被接納的模式。

克里也影響了一些波士頓的婦女，組成婦女宣教禱告小組，使許多婦女成為宣教知識及推動的主要管理者。幾年後，更有婦女投身工場成為單身宣教士。在 1865 年，未婚美國婦女成立了婦女差會，像羅馬天主教的女修會一樣，完全由本地單身婦女管理和差派單身婦女作宣教士。

第一個時代有兩處值得注意的，其中一處是被差出的宣教士所表現的愛和犧牲，特別是往非洲那一塊禁地。1775 年前，非洲所有的宣教都失敗，不論天主教抑或莫拉維弟兄會的工作都徒勞無功。在第一個時代開始之前，這塊大陸上沒有一個宣教士，

差不多所有宣教士都無可避免受疾病和死亡所纏擾，統計令人驚慄；1790年之後，英勇的宣教士基本上好像進入自殺的洪流，這是事實而非恐嚇，是任何年代所不能比擬，也説不出所以然來。第一個時代的首60年內，很少在非洲的宣教士可以存活超過兩年，他們對主的忠貞，叫筆者潸然下淚，也因此想到，今日自己或同工是否願意如此。你能否想像，今日參加厄巴納(Urbana)宣教大會的學生，前往宣教事奉之前，知道多年以來，20人中有19人會在抵達工場後不久便死亡，他們會怎樣？

第一個時代要留意的另一處，是發展了高質素的宣教策略，出現幾位偉大的宣教學家。在母國的差會(home structure)方面，他們清楚明白宣教組織需要有自己的生命。例如倫敦傳道會(London Missionary Society)就是一個史無前例的成功例子，「部分原因是因為不受教會的監管，部分原因也因為是由數目相若的牧者及平信徒所組成」。至於工場上的組織，可借用Henry Venn的話來説明，他屬於克拉番(Clapham)福音派，亦是英行會(Church Missionary Society)創始人的兒子。Venn有一些説法已經過時，但有一段非常著名的話對現代仍合用：

從成立教會的角度來看一個宣教區的工作，是要建立一個「自立」(self-supporting)制度，由本土牧者牧養的一個本土教會。因此，要

衡量一個宣教區的進展，是視乎本地同工受訓的情況及本土牧者所負的職責。當宣教士看見四周有由本土牧者妥善栽培的會眾，就可以引退，逐漸把自己的職責交予本地牧者，「宣教區無疾而終」，這是值得慶幸的事。直至完全移交後，宣教區便轉而成為一個基督教團體，然後，宣教士及所有差會應移往「下一個地區」去。

請注意，以上並未包括本國教會開始他們的外展使命去開拓新工場。以下乃國際事工差會(SIM)的Harda Fuller描述**宣教活動的幾個階段**一樣：

第一階段：拓荒期──與對象群體初步接觸。

第二階段：家長期──外僑(宣教士)訓練當地領袖。

第三階段：伙伴期──當地領袖與外僑(宣教士)均分責任。

第四階段：參與期──外僑(宣教士)不再是伙伴，而是應邀參與事工。

第一個時代的進展緩慢而且艱辛，但並非沒有果效，可以看到相類的演變進程，在拓荒期並未有教會，到家長期已有雛型教會，至伙伴期及參與期則有較複雜的成熟教會。

美國改革宗差會的Samuel Hoffman有一句很貼切的描述：「一位基督徒宣教士可以是一位受人敬愛的佈道者，或者是位受歡迎的教師，但往往不是一位令人滿意的行政人員」。

差會和教會的關係：四個發展階段

第一階段：拓荒期
需要各種恩賜，特別是有領導的恩賜。未有信徒，宣教士需作領導，凡事要親力親為。

差會

第二階段：家長期
需要有教導恩賜。年青教會與差會如父母與成長期的兒童一樣，但作家長的要避免「家長主義」。

教會　差會

第三階段：伙伴期
需要由父母與子女變為成人與成人的關係；改變會令雙方都感到為難，但這是教會長大成人所必須的經歷。

教會　差會

第四階段：參與期
一個完全成熟的教會可以負起領導責任。仍留下來的差會，應運用恩賜去鞏固教會履行太二十八 19-20 的責任，同時也要在別的地區開始第一階段的工作。

教會　差會

一位宣教士若能在自己任內看見四個進程的過程是幸運的。在某些地區，這幾個階段是由不同的宣教士來完成，或許有些差會早年會在幾個不同地點一起開始工作，幾年後，大多數的工場都差不多同一時期成熟。不論對與錯，這類型的宣教運動已在全球推行，但改變的熱潮和民族化的觀念，迅速由一洲傳到另一洲，影響行政人員的思想，波及最初階段的新工場和仍處於後期階段的舊工場。

到了 1865 年，大西洋兩岸的差會產生明確共識，當宣教士完成任務之後，應回歸本國。第一個時代各差會集中在亞洲及非洲沿岸地區，所以由沒有內陸工場的區域開始撤退是不容置疑的。因此，第一個時代的後期，宣教士首先由夏威夷群島撤退，然後是個別國家。他們成功地完成栽種、澆灌以至收成各個階段，達成最高的期望，如今懷著莫大的榮譽感引退。

第二個時代

1865 年發生了一件更重要的事件，引入第二個時代。一位好像威廉克里一樣仍未足 30 歲的青年，經過短期宣教後，在反對聲中創立了第一個向內陸地區宣教的差會。這個未受到重視的青年，一如威廉克里，造了很多統計、圖表及地圖，提出中國內陸人士需要福音，可惜卻受到斥責，認為他不能深入內陸，並且指他想把青年送往那裡受死。受到這些打擊和搖動，他往海灘漫步，尋求神的引導，最後神向他說話，紓緩了他內心的苦困：「差派青年往中國內地的，並非你，而是我！」因此，他的重擔卸下了。

只受過醫藥的訓練，沒有學位，只有極小的宣教學訓練，在宣教的工場上曾不願與人合作，他只是一個神用來令聰明人羞愧的軟弱小人物。而他早期反對植堂的宣教策略，從今日植堂的準則來看，是錯謬的；但神仍然重視他、使用他，因為他專心凝望著世上最少接觸福音的群體。戴德生 (Hudson Taylor) 有神的靈作後防，聖靈使他避免墮入許多陷阱，特別是他所創立的中國內地會 (China Inland Mission)，成為最具合作性的僕人組織，4 千位宣教士透過不同的方式在中國內地服侍。20 年後，才有其它差會開始與戴德生有同樣的抱負，向內陸未得之民傳福音。

第二個時代的進展緩慢，其中一個因素是許多人困惑不解：現時已有很多差會，為何需要更多？戴德生因而指出，現存的工作只以非洲及亞洲沿海地區或太平洋島嶼為目標。亦有人問：「沿岸地區有很多工作仍未完成，為何要到內陸去呢？」

拿今日的情形來相比，筆者不能肯定是否正確，但第二個時代顯然不只需要一個新異象，也需要更多的新組織。戴德生不單建立了英國的開荒差會，更往斯堪的納維亞半島及歐洲大陸挑戰信徒成立新的差會。透過直接或間接，我們看到 40 間以上的新機構成形，建立信心差會，或他們所稱的開拓差會，如中國內地會、蘇丹內地會、非洲內地會、Heart of Africa Mission，Unevangelized Fields Mission、Regions Beyond Missionary Union。戴德生所關注的是宣教大業多於自己的事業：總結他的一生，他只有半數的事奉日子是在中國。他多次往返中國，一半的時間就是在後方作推動。對戴德生來說，他是為基督而作，並非為中國，這是他所關注的最中心點。

在第一個時代的初期，當一切開始改變的時候，神興起了一個學生運動，規模較從前所有的都要大——學生志願國外宣教運動 (The Student Volunteer Movement for Foreign Mission)，是歷史上唯一最強大的宣教組織。在 1880 至 1890 年間的大學生人數，只有今日的三十七分之一，但這

個學生運動卻網羅了 10 萬位委身宣教的志願者，其中 2 萬位差往外國，8 萬人留在本地為重整差會根基而努力。同時，他們也開始平信徒宣教運動 (Laymen's Missionary Movement)，並且加強了已存在的各個婦女差會。

可是，當第二個時代這批剛從大學畢業的學生抵達海外工場後，他們很少探討第一個時代的年長宣教士把責任交給當地少受教育的人的原因。當時，第一個時代留下來的宣教士已不多，他們多年來累積的智慧被這大批新加入的大學畢業生所忽略。因此，第二個時代的初期，很少開拓新工場，這批新宣教士只領導已經存在的教會，而且也沒有留意以前的宣教紀錄，往往把第一個時代的宣教士及他們幾經艱辛栽培出來的本地領袖推到背後。在某些情況來看，是宣教策略大退步呢！

到了 1925 年，出現有史以來最活躍的宣教運動。第二個時代的宣教士終於領會他們起初忽略的功課，因而產生驕人的成績。他們於 1 千個新據點內植堂，這些據點大部分在「內陸」；到 1940 年，這些在各地建立的「年青教會」，成為「這時代的新景象」。這些教會所發放的力量，令本地領袖及宣教士以為，在世界各地的教會可以用一般的佈道方法將福音傳到一些未開拓的地區去。更使不少人疑惑，是否仍急切需要宣教士；即如 1865 年時，好像應要把宣教士從海外遣回本國去。

對於今天的我們，最重要的是留意這兩個時代有重疊之處，在 1865 至 1910 年(與 1943 至 1980 年相比)的 45 年間是策略的過渡，由第一個時代海岸地區成熟期，轉移至切合第二個時代的內陸地區。

1910 年在愛丁堡舉行全球宣教會議後不久，即發生世界大戰，以及全球殖民地陷於瓦解。至 1945 年，很多海外教會都要預備殖民政府的引退，也為宣教士的撤離而準備。雖然沒有如一些人所料，全面高叫「宣教士回家去」的場面，教會實際感覺情況已在改變，宣教事工不再是開拓期和家長期，而開始了伙伴期和參與期。

在 1967 年，由美國差出的全職宣教士數目開始下降(直至今日仍然持續)，原因何在？因為基督徒相信已經建立了所需的灘頭堡。在這一年，超過 90% 的北美宣教士均與已有不少年日的強壯的本國教會一起工作。

但真正的情況並非如此簡單；在眾人不覺察之下，宣教的另一個時代實際已經開始。

第三個時代

此時期由一對參加學生志願運動的青年金綸湯遜(Cameron Townsend)及馬蓋文(Donald McGavran)開始。湯遜急切地進入宣教工場，寧願放棄完成大學。他前往危地馬拉，在已開拓的地方工作，是一位「第二個時代」的宣教士；危地馬拉一如其它的宣教工

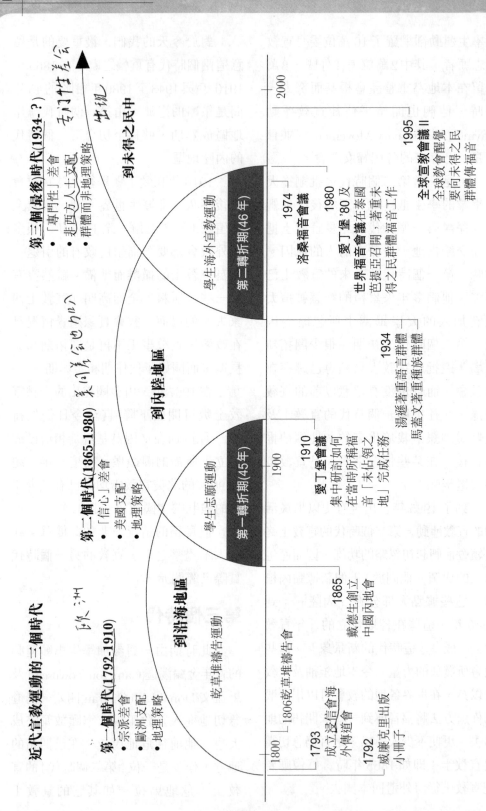

近代宣教運動的三個時代

第一個時代（1792-1910）
● 宗派差會
● 歐洲支配
● 地理策略

到沿海地區

第二個時代（1865-1980）
「信心」差會
● 美國支配
● 地理策略

到內陸地區

第三個（最後）時代（1934-？）
「專門性」差會
● 非西方人士支配
● 群體而非地理策略

到未得之民中

我們正處身心此

我們正在學此

地現

學生志願運動

學生海外宣教運動

第一轉折期（45年）

第二轉折期（46年）

1800

1793
成立浸信會海外傳道會

1792
威廉克里出版小冊子

1806乾草堆禱告會

乾草堆禱告會

1865
戴德生創立中國內地會

1900

1910
愛丁堡會議
集中研討如何在當時所稱福音「未佔領之地」完成任務

1934
湯遜著重重語言群體
馬蓋文著重重種族群體

1974
洛桑福音會議

1980
愛丁堡 '80 及
世界福音會議在泰國
芭提亞召開，著重未得之民群體群體福音工作

1995
全球宣教會覺醒
要向未得之民群體傳福音

全球宣教會覺醒 II

2000

場，宣教士在已建立了本國化的教會中，仍有很多工作。

但湯遜的警覺性很高，注意到多數的危地馬拉人皆不懂西班牙語；他曾逐個村落派發西班牙語聖經，然後開始了解用西班牙語傳福音，是永遠無法深入危地馬拉人的心，尤其是當他被一位印第安人問及「若你的神如此聰明，何以不懂我們的言語」之後，他更加明白這道理。他也與一群較年長的宣教士交往，他們都認為應用本土的「印第安」語言傳福音，從此改變了自己的觀點，那年他才23歲。

在我們這個時代，只有湯遜可以與威廉克里及戴德生相比，湯遜同樣也看到世上仍有未得之地，他為世上被忽視的部族奔波有半個世紀之久。開始的時候，他希望幫助一些成立已久的差會去接觸部族，結果也如威廉克里和戴德生一樣，要自立差會；威克理夫聖經翻譯會(Wycliffe Bible Translators)為要接觸這些新的未得之地而成立。起初，他以為世界上大概還有500個未接觸福音的民族(他是用墨西哥的不同部族語言數目來推算)；後來，數目改為1千，再改為2千，最近則發現約近5千。當他明白到工作的龐大，他的機構也按需要而擴展，今日已有4千位成人同工了。

當湯遜在危地馬拉反覆思想的同一時期，馬蓋文開始被印度那種非因語言，乃因奇特的社會藩籬而做成的障礙所困擾。湯遜「發現」了部族，但

馬蓋文發現了一個更普遍性的類別，他稱之為「同類型單元」(homogeneous units)，今日一般則稱為「群體」(People Groups)。Paul Hiebert 則以「水平分割」(horizontal segmentation)一詞來形容那些居於自己土地上的部族，用「垂直分割」(vertical segmentation)來標誌那些非因地理環境，乃因僵化的社會結構而區分的群體。馬蓋文雖沒有將兩者區分，但他所關心的主要是那微妙的垂直部分。

一個群體一旦被滲透，可以繼續隨著這些宣教突破來深入，在群體中建構那具策略性的「神的橋樑」。亦只有等到出現突破後，才能作正常的佈道及建立教會工作。

馬蓋文並沒有創立一個新的差會(湯遜所以建立差會，因現存差會並未回應部族的需要)，卻積極在教會增長及前線宣教兩方面努力及著作，在已滲透的群體中繼續擴展，也努力向未開展和未能滲透的群體工作。

正如威廉克里及戴德生，湯遜及馬蓋文努力了20年之久，直至1950年代才受人注意。1980年，距離1934年已有46年，才舉行一個相類於1910年的會議，討論兩位所提出被遺忘的群體。是年，在愛丁堡的世界前線宣教諮商會議(World Consultation on Frontier Mission)，代表差會出席的人數之多，是有史以來最大規模的宣教會議。不可思議的，我們以為仍在睡夢中的第三世界，竟然有57個差會派代

表參加，這是第三個時代！同時，一個為青年舉行的國際學生前線宣教諮商會議(The International Student Consultation on Frontier Mission)也同地舉行，這就意味著日後所有的宣教會議應包括年青的出席者。

正如首兩個時代的早期，第三個時代也產生了幾個新的差會，如新部族差會(New Tribes Mission)，從名稱可見其工作重點；其它如福音錄音事工(Gospel Recording)、宣教飛行團契(Mission Aviation Fellowship)，都是運用新科技去接觸部族或與世隔離的群體。一些第二個時代的機構如跨區宣教聯會(Regions Beyond Missionary Union)，亦繼續在前線的工作，並且增加同工，期使事工向前邁進，接觸從前被忽略的群體。

近期，更多人明瞭部族不是唯一被遺忘的群體，還有許多其它群體，有些甚至處於半基督化的地區中，完全被忽略。他們都被稱為「未得之民」，從民族或社會學的特性來看，這些人與現存的教會文化傳統有很大分別，所以需要有宣教(非佈道)策略，在當地建立符合其獨特傳統的本土教會。

若第一個時代是向沿岸地區，第二個時代是向內陸地區，第三個時代則是難以分類、非地理區別的「未得之民」，就是向一些被社會孤立的群眾傳福音。這個概念並不容易解釋，故導致第三個時代較第二個時代的開步為緩慢。40年前，湯遜及馬蓋文已開始為這些被遺忘的群體呼喊，直到最近才較受人注意；更可悲的是，我們忘記了第一及第二時代的拓荒技巧，所以，我們需要再發掘接觸完全未聽過福音的人的方法。

我們知道「未得之民」群體約有1萬1千個，若將相似群體合成為族群(clusters)則不超過3千。每一個群體都需要個別及新的宣教灘頭陣地；是否太過份？能否完成？

我們可以嗎？

這工作並非如想像般困難，幾個令人驚奇的原因如下：首先，這不是美國或一個西方國家的工作，而是需要全球基督徒參予。

最主要的原因是，當在一種文化地區內建立了灘頭陣地，神給予每位信徒的大使命，會替代差會的宣教策略，因為差會所扮演的「進攻」角色已經完成。

其次，「封閉國家」的問題也不大，因為現代的國家越來越需要互相倚賴，沒有一個國家不准許外國人進入。許多被認為「完全封閉」的國家如沙特阿拉伯，實際上希望招攬大量的外國優秀人材；事實上，他們喜歡虔誠的基督徒多於那些酗酒、好色、世俗化的西方人。

我們在第個三時代的工作還有其它好處。我們有一個全球的教會網絡，可以喚醒教會關注我們最主要的使

命。而且，顯而易見，這可能是，也應是宣教的最後一個時代。當代每一個認真的信徒均不敢忽略神要求我們向每一國、每一族及每一種語言群體傳福音的使命，我們這一代是最沒有藉口不去完成主使命的。

〔作者曾在危地馬拉高原從事印第安瑪雅族宣教工作，其後任美國富樂神學院跨文化研究學院教授，又創立前線差會(FMF)，並成立美國普世宣教中心及威廉克里國際大學，從事前線之宣教工作。〕

研習問題

1. 請描述這三個時代中每一時代所強調的重點，及解釋每一時代過渡時所產生的張力。

2. 請列出每一時代的主要人物與大概的年代，及有關的學生運動。

3. 請解釋宣教活動的四個階段。

譯經資料

在全球約 6,913 種語言之中，405 種已有全本聖經，1,034 種有新約，883 種有部分經卷，正在進行的譯經計劃亦有 1,500 個以上——但算一算，仍有 3,000 種以上的語言需要聖經。

威克理夫聖經翻譯會自 1942 年創立以來，已協助不同的語言民族完成了 611 種聖經的翻譯，使 7,600 萬人有聖經可讀。單在 2004 年，該會開始的新項目有 356 個，與其它機構合作的則有：2 本全本聖經、6 本新約、「耶穌傳」影片 13 種語言的配音、16 卷路加福音及 3 卷創世記的錄影帶。

現時，威克理夫聖經翻譯會共有 5,256 位同工，分別來自 60 個國家(35% 非美國人)，從事 1,376 種語言的譯經。此外，有 583 位同工正在接受訓練，但仍需要 2,668 位新同工。連同其它機構一起計算，正在進行的譯經項目共有 1,678 個。

資料來源：Momentum Jan/Feb 2006

A History of Transformation
基督教與社會改革簡史

Paul Pierson 著　李亞丁 譯

耶穌基督的教會，特別是宣教隊伍，通常把社會改革視為重要任務之一。宣教的重心向來在於傳揚基督的佳音，呼召眾人悔改信主，受洗歸入教會。基督徒也知道自己的使命是實踐基督的要求，教導萬族「遵守耶穌所有的吩咐」，期望萬民順從基督，點燃我們對福音化進程的盼望──一點一滴的累積，帶來社會局勢、環境和信徒靈命改變。所產生的改變時令人振奮，時令人失望。縱使對文化有很大的誤解和偏差，也要將個人和社會帶到更符合神的國度的地步，這個盼望向來是宣教工作不可分割的一部分。

宣教士進入的往往是一種已經歷變化的文化，他們更促進其中的變化，結果有時是正面的，有時也與核心的層面相牴觸。宣教士往往有一個既定的變革模式，是與自己認識的文化環境相似；但無論如何，改革是宣教工作基本特徵之一，且大多是有益的。[1]

修道主義：持守與改革的團體

從四世紀到十八世紀，幾乎所有的宣教士都是修道士，而大多數的修道主義運動都明顯有宣教的特性，只有少數例外，然而，差不多所有修道主義運動都帶來重大的社會改革。

歷史上曾出現數十次修道主義運動，其中有本篤修會(Benedictines)及所衍生的修道運動，又有從小亞細亞進入阿拉伯、印度，並橫過中亞進入中國的涅斯多留派(Nestorians)，也有向北往巴爾幹半島和俄羅斯的東正教(Orthodox)，和在愛爾蘭興起，先進入蘇格蘭和英格蘭，然後再重回歐洲大陸的凱爾特(Celts)教會；稍後還有不同修會如方濟各修會(Franciscans)、道明會(Dominicans)和耶穌會(Jesuits)的修士。

本篤會修士並非刻意要宣教，但他們和其他修會的修士進入未被基督教信仰滲入的區域，在那裡建立修道團體，並且以身作則，教導那些移居

中歐及西歐的「未開化」部族認識基督教信仰。修道主義的原意是鼓勵人們過有別於一般人的有紀律與禱告的生活。但修道院和稍後成立的女修道院，很快便成為有章則的自足團體，並為日常的工作與敬拜生活訂立規條；他們的工作有體力和智力，也有在田間或圖書館。這在視體力勞動屬於奴隸階級的古代世界，是一項革命性的觀念。而修道士同時也成為學者，他們成為首批集實踐與理論於一身的人，也因此被稱為指甲帶有泥垢的知識分子呢！這種生活為科學的發展提供有利的環境，修道院也因此成了信仰、學問以及技術改良的中心。

修道主義在學術方面的貢獻廣為人知，但對農業發展的影響卻鮮有人提了。漢納(Hannah)如此寫道，第七世紀時，「這些擁有技能、資本、組織和信仰的修道士，未來將大舉開墾那些因鄉村奴隸制與未開化的游牧民族，而長期荒廢的田地……大片的荒原及沼澤在修道士的手中變為肥美的良田」。2

十二世紀，**西篤會**(Cistercians)的修道士遠離社會，在荒僻之地開闢良田，他們發明新的農業管理方法，並成為歐洲最大的羊毛生產者，為紡織工業提供原始材料。

興盛於第五至十三世紀的**涅斯多留派**，穿越中亞進入印度和中國，西方基督徒對這一項顯赫的運動所知甚少，因為大部分的成果已失傳。誠如一位學者所記：「涅斯多留宣教士把文字和學問帶進那些文盲的人群中間，突厥(Turks)、維吾爾(Vigurs)、蒙古和滿州各族所用的字母，皆被指源於敘利亞文，即涅斯多留派所用的語言」。3

東方教會的**東正教**修士的貢獻亦相同。烏斐拉(Ulfilas)於第四世紀到達多瑙河以北地區，為了翻譯聖經，最先將北歐的語言造成文字。第三世紀，亞美尼亞人首先接受了基督教，到了406年，他們的語言有了書寫的文字，亦因而有了聖經及基督教著作。君士坦丁(Constantine，稍後稱為區利羅 Cyril)和兄弟麥托丟(Methodius)抵達巴爾幹半島，發明了兩套字母來翻譯聖經，並且建立教會。至今，俄羅斯仍使用這種西里爾文字(Cyrillic Script)。

帕提克(Patrick)從英格蘭返回愛爾蘭，發起著名的凱爾特運動，延續了幾個世紀，並且成為宣教熱忱和學習的來源。他的屬靈後裔從愛爾蘭移到蘇格蘭，再到英格蘭，然後橫過海峽到幾個低地國家，最後進入日耳曼中部，對稍後在斯堪的納維亞地區的歸信，起了重大的作用。他們結合了對學問的深切熱愛、屬靈操守以及宣教熱忱，遂使「愛爾蘭在帕提克時代首次成為具文化修養之地」。4 在弗爾大(Fulda)的大修道院，由承襲該傳統的聖波尼法修(St. Boniface)於八世紀時所建，成為日耳曼主要的學習中心。

在查理曼大帝治下的卡洛林文藝復興時期(Carolingian Renaissance)，凱爾特傳統的修道院再次成為教育與改革的主要中心。漢納寫道：「總體來說，他們在粗俗的社會中達成要作基督徒麵酵的目的，栽植並保存基督教文化，就如同在雜亂荒蕪的原野中開墾出一個花園來。」[5]

更正宗宣教運動的先驅

宗教改革後兩個世紀，更正宗信徒很少參與歐洲以外的宣教活動；但在十六世紀晚期，多個運動興起，使教會復興，帶動宗教改革向前邁進，從教義轉入生活層面。這些運動推動了更正宗的宣教，包括**清教徒主義、敬虔主義、莫拉維弟兄會**以及**衛斯理/福音派奮興**。

清教徒注重悔改以及更真實的基督徒生活，並且發展出首套更正宗宣教神學。有兩位偉大的宣教推動者，一位是傑出的牧師及作家理查里巴克斯特(Richard Baxter)，有很多著作；另一位是約翰艾里奧(John Eliot)，他在新英格蘭地區向美洲原住民阿爾貢金(Algonquin)傳福音，成就卓越，他把聖經翻譯成當地的語言，並且組建多個基督徒村落。Rooy這樣描述他：

> 他徒步或騎馬，耗盡所有的氣力……把福音帶給那些土著。他為阻止印第安人的土地被騙而不惜興訟，為被定罪的印第安犯人向法庭求情，反對販賣印第安人為奴，為

印第安人尋找土地和溪流，為印第安兒童與成人設立學校、翻譯書籍；在向他們傳揚救恩的同時，也表現出深切的人道關懷。[6]

敬虔主義適時為更龐大的改革奠下基礎。十七世紀的「三十年戰爭」帶給德國無窮的災難，階級差別加劇，對基督教的認識與屬靈生活低下，信義宗教會為國家所把持，信仰真理流於空談多於篤行實踐，教會與現實脫節。三十年戰爭帶來了普遍的絕望和無神論，在這重重的夾擊下，基督教迅速失去醫治與改革的能力。[7]

施本爾(Philip Jacob Spener)修習神學時，受到清教徒作家影響。日後他在法蘭克福擔任牧師時，發現教區內居民的慘況，於是邀請人們到他家中，一起討論講章、查考聖經、禱告，互相支持，由此而發起了一場被反對者稱為「敬虔主義」的運動。

施本爾堅信，基督教不僅是知識，必須包括信仰實踐。他除了強調必須重生及有聖潔生活，也認為應盡量關心貧窮的人家。

富朗開(A. H. Francke)繼施本爾後成為這個運動的領袖。他教導說，重生應帶來個人的改變，然後是社會，乃至世界的改變；在他看來，信仰與行動是密不可分的。他在哈勒(Halle)大學及格勞查(Glaucha)教區所產生的影響，反映出他將理論與實踐結合。敬虔的意義在於真正關心鄰舍的靈命與物質需要。故此，敬虔派信徒捐出衣

食，並教育窮苦者。富朗開為窮苦的孩子(包括女孩)開設學校，在當時是一種創舉；他也建立了孤兒院及其它救助窮人的機構。他們所做只是憑著信心，但成為後來布里斯托爾的穆勒(George Muller in Bristol)和中國內地會的楷模。

首批前往亞洲的更正宗宣教士來自敬虔運動。受敬虔派宮廷牧師的影響，丹麥國王腓勒德力四世(Frederick IV)於1706年從哈勒差派齊根巴格(Bartholomew Ziegenbalg)和普呂超(Heinrich Plutschau)二人往在印度的殖民地特蘭克巴(Tranquebar)，是十八世紀首批被差往印度的60個敬虔派人士其中2位。齊根巴格在印度的工作，明顯是全人的福音，直到1719年去世。他研究印度教的信仰與實踐，翻譯聖經，建立教會，推動按立印度人為牧師，設立印刷機構，並且創立了兩所學校。

在他的後繼者中，貢獻最大的當屬史瓦茨(C. F. Schwartz)，他不僅建立教會，關心孤兒，更在穆斯林統治者與英國人中間充當和平使者。他於1750年到達後，一直留在印度，直到1798年去世。一位偉大的德國宣教學家寫道：「敬虔主義哺育向異教徒宣教事工……也在基督教世界中興起宗教、道德以及社會罪惡的救助機構……這種整合早在富朗開時已見端倪。」[8]

莫拉維弟兄會源於宗教改革前的胡司運動和敬虔主義，是歷史上最有聲有色的運動之一，素以「二十四小時，一百年禱告守望」著稱。他們嚴守紀律，由矢志「為羔羊贏取靈魂」的已婚男女組成的修道式團體。在早年，他們每14人中就有1位宣教士，往往被派到最艱苦的工場去。

匯成更正宗宣教運動的第四條溪流是英格蘭的衛斯理／福音奮興運動，以約翰衛斯理(John Wesley)為最著名的領袖，並且帶來北美的首次大覺醒運動。北美的覺醒，從許多方面來看是由清教徒運動所產生，故我們只著眼於在英格蘭的發展。

在蒙恩得救之前，衛斯理兄弟和牛津大學「聖潔社」的其他成員已經關心窮人和囚犯，同時亦努力追求屬靈操練，因此贏得「循道派」的雅號。

約翰衛斯理於1734年真正悔改後，立即開始傳道，著重佈道和信徒培育，特別對那些被社會遺棄的窮苦人，他寫道：「基督教實際上是一個社會性宗教，若將其變為離世索居的宗教，實際是毀滅了它。」[9]這一個運動對英格蘭社會改革所產生的影響人人皆知。雷克斯(Robert Raikes)創立了主日學，在窮困的孩子一週內唯一不做工的日子，教他們讀書，和給予道德及宗教上的指引。其他人亦為礦工和苦力組織學校，而浩瓦得(John Howard)不辭勞苦，為改良地方監獄的環境而奔波，終使國會通過了監獄改革法案。

福音派努力監管在新興工廠中的童工，推動群眾教育。在倫敦市郊克拉番(Clapham)，有一群富有的安立甘宗(即聖公會)福音派，以他們的時間及財富和政治力量，影響了不少的宗教與社會計劃，其中威伯福士(William Wilberforce)等人經過長期努力，終於成功使不列顛帝國廢止奴隸制。安立甘宗最龐大的團體是在 1799 年成立的英行會(Church Missionary Society)；其它許多團體也因為受到奮興運動的鼓舞，紛紛成立。

更正宗宣教運動

雖有上述人士早已從事宣教活動，但堪稱為「更正宗宣教運動之父」的是**威廉克里**(William Carey)。他於1792年建立了「浸信會差會」，翌年即遠涉重洋到印度。他的著作和榜樣成為歐美建立相類團體的催化劑，帶來了宣教的「偉大世紀」。他主要的目的是領人歸主，得享永遠的救恩，並認為這一目的與所興辦的教育、農業以及所從事的植物學研究並無衝突。

克里殫心竭慮地反對一切社會罪惡，為亞洲帶來改變；他作為一個園藝家較宣教士的知名度更高；他無畏地反對溺嬰、寡婦殉夫、不人道對待痲瘋病人(活埋或活活燒死)和在盛大朝聖活動所造成的無辜死亡惡俗。此外，他還建立了塞蘭坡學院(Serampore College)，以培訓牧師和教師，同時也提供基督教文學以及歐洲科學等課程。

錯誤的認知

許多十九世紀的宣教運動為社會改革所付出的勞苦，大多不為人所確知，有的只是錯誤和負面的認識。其中的例子如：在安多弗神學院(Andover Seminary)的「乾草堆禱告會」發起之一的米爾斯(Samuel Mills)與同儕，於1810年成立「美部會」(即美國公理會國外佈道會American Board of Commissioners for Foreign Missions)，早期選定的宣教地點之一是夏威夷(當時被稱為三明治群島)，但卻遭到詹姆斯麥奇奈爾(James Michner)的惡意誹謗和歪曲。事實上，宣教士主要的工作是帶領男女悔改歸向基督，並組成教會，而且也致力保護夏威夷人免遭外來商人和水手的性侵害及經濟剝削，也努力使溺嬰等破壞性陋習終止。只數十年，夏威夷群島不僅滿佈教會，更有學校讓孩子們接受夏威夷教師的教導。多年以後，又有宣教士以羅馬字母發明一套書寫系統、翻譯聖經和各種課本；到1873年，已印行了 153 種書籍和 13 種雜誌，也用當地語言出版年鑒。

顯著的對比

許多不太聞名的宣教士對全人需要非常關注，其中一位是默默地在巴西南部落後地區工作的長老會佈道者班克斯(Willis Banks)。他在這一地區建立了首家製磚廠，收留兒童住在自己的家裡，教他們讀書寫字，然後再差

他們出去教導別人。他靠著一本家庭醫療指南，為當地人民醫治傳染病、結核病、瘧疾、寄生蟲和營養不良病症。

班克斯還引進了優良的農耕及飼養牲畜方法，建立了當地首家鋸木廠，並裝置了飼料切割機。班克斯去世後20年，一位人類學家前往該地區訪問，寫下當地社區發展的報告。他訪問了兩個分離的村落，環境差不多完全相同，居民也是同一種族和文化背景。沃爾特格蘭德村(Volta Grande)屬長老會，得益於班克斯的佈道和帶領，人民住於磚和木建成的房屋，有濾水設備，也有些家庭可以自行發電。他們有自己的獨木舟和機動船隻往來鄰近城市，除了種植傳統的稻米、豆類、玉米、木薯和香蕉外，也種植蔬菜。他們有兩群乳牛，生產並食用牛奶、乳酪和黃油。他們閱讀報紙，也有聖經和各類書籍，所有的人都識字。他們又集資興建學校，捐贈給國家，並負責一位教師的薪金。自然地，在該處有一所極好的小學，許多畢業生可以到城市繼續深造。雖然牧師每月只能來這裡一次，但他們卻每週有三次宗教聚會。

另一個吉坡伏拉村(Jipovura)，居民住在泥塊和茅草造成的屋內，家徒四壁。他們所從事的農耕僅可糊口，飲用水未經過濾或煮沸，沒有舟船，以微小的煤油燈照明，多數人文盲。從前曾居於此地的幾家日本人，曾捐贈一所學校給社區，但該地人民對維持一所學校不感興趣，校舍的門窗被偷光，損毀殆盡。人們以玩牌和喝土產的甘蔗甜酒來打發空閒時光，酗酒現象十分普遍。[10]

在歷史上，差不多所有宣教運動都曾以不同的方式關注社會改革，視為宣揚和實踐福音，主要在於教育、醫療、農業和提高婦女及被遺棄與受壓迫者的社會地位等方面。

興辦教育

教育機構通常有三個目的：為教會預備領袖人材，作改善社會的工具及向非基督徒學生傳福音。

成功的程度各有不同，透過以下例證可見一斑：

- 十九世紀末，印度東北部的部族中越來越多基督徒，如今他們的識字率居全國第二位。

- 1915年，巴西掛名天主教徒的文盲比率在60-80%之間，而更正宗信徒(一般為窮人)則為25%。[11]

- 殖民地時期，非洲大多數學校是宣教士建立的；萊斯利紐比根(Leslie Newbegin)指出，二十世紀50年代聯合國一份長達400頁的非洲教育文件中，沒有提到當地90%的學校是與宣教士有關。[12]

- 許多亞洲著名的大學亦為差會所辦，包括漢城(今稱首爾)的延世大學和梨花女子大學。

- 有關巴色會(Basel Mission)在黃金海岸(加納)的教育工作概況，費爾普斯

一斯托克斯(Phelps-Stokes)委員會於1921年提交的報告中說:「巴色會在黃金海岸的教育工作,產生了非洲一個為人所樂道和發揮果效的院校體系……首先,他們的機械廠培訓及僱用了大批的本地熟練工人……其次,他們的商業活動直接觸及人民的經濟生活,影響農業活動以及衣食方面的開銷。」

- 差會除了小學和中學外,也興辦師範學院,擴展受教育的機會。

帶來醫療保健

在早期的宣教運動,佈道的宣教士必需具備少許的醫藥常識。直到十九世紀中葉,才有受過正規訓練的醫生派往宣教工場。首位是約翰斯庫德爾醫生(Dr. John Scudder),由美部會差往印度;後來,他的孫女阿伊達斯庫德爾醫生(Dr. Ida Scudder)在印度的韋洛爾(Vellore)建立了可能是當時最龐大的醫療中心。另外,伯駕醫生(Dr. Peter Parker)把眼科手術帶到中國;繼任者嘉約翰醫生(Dr. John Kerr)更用中文出版了12本醫療事工的書,建立了一所大型醫院,並首先在中國開設精神病者收容機構。而長老會宣教士在泰國共興建了13家醫院和12家藥房。

關懷被遺棄與受壓迫者

在開展教育、醫療及農業事工的同時,另有一些宣教士集中關注社會上被遺棄與受壓迫的人。在印度,差會承擔了一半的結核病工作,基督教機構率先為飽受折磨的病人醫治及從事培訓醫護人員的工作,差會亦開始多個亞洲國家的痲瘋病人工作,並為被遺棄的兒童設立孤兒院。

更有少數的宣教士超越社會服務範疇,抨擊殖民主義政治與社會不公義。在十九、二十世紀之間,在比利時殖民地剛果曾發生一件轟動一時的事件,就是兩位美國長老會宣教士考察非洲一間橡膠廠內壓制勞工後,發表了一篇文章,稱這種壟斷性經濟剝削為「二十世紀的奴隸制度」。事件引起國際關注,兩位宣教士被指控誹謗,但最終獲法院撤銷。

為婦女爭取權益

基督教差會在不同的社會上,最重要的成果之一,就是致力於提高婦女的社會地位。在許多文化中,婦女的地位被貶低,幾乎沒有任何權利。宣教士,通常是單身的女宣教士向他們傳福音,教導他們認識自己是神的孩子。然後鼓勵女童和婦女讀書,發展她們的才藝,有一些更可以從事教育和醫療工作。

在男性無法與大多數女性接觸的文化環境中,為了向婦女傳福音,宣教士首先開展婦女的教育與醫療事工;未幾,即有婦女成為平信徒傳道人,她們往往被稱為「女傳道」(Bible Women),特別以中國和朝鮮為多。雖然,她們未獲得與男人平等的地位,但

這些忠心的工人不僅使教會增長，也提高了婦女的地位。當第一批更正宗宣教士於 1884-85 年間到達朝鮮時，一個女人除了是父親的女兒、丈夫的妻子、長子的母親外，在社會上並無任何地位。但到了二十世紀中葉，世界上最大的女子大學在漢城(首爾)開辦，校長金海倫博士(Dr. Helen Kim)被譽為韓國最偉大的教育家和宣教領袖之一。

美國的女宣教士在印度和中國首先開始婦女醫療事工，開設了第一批女子學校，也為婦女設立了護士學校和醫學院，對婦女醫療事工帶來貢獻，也奠立了婦女的社會地位。由此，印度最受人尊敬的專業之一的醫務工作向婦女開放，如今印度已有數千位女醫生。克拉斯維恩醫生(Dr. Clara Swain)於1870年抵達印度，是首位被差往工場的女醫療宣教士。Beaver 明確指出，斯維恩等視醫務工作與宣教密不可分，她們對患病者個人所表現出愛心的關懷，在基督裡向眾人彰顯出神的愛，與她們的科學知識與技能同樣重要。這些女醫療宣教士的著作與言論，清楚表達她們一直看自己為傳福音的人。[13]

可舉的例子仍有很多很多，基督教宣教運動已在各洲大陸產生巨大的正面影響，並且以更多不同的方式繼續發揮影響。儘管很多宣教事工基本目的在引人歸主，拓植教會，但教會既設立，隨之而來的工作果效深入社會各層面。雖然有很多失敗與讚賞的記錄，但總體上，基督教運動帶來神應許的實現，就是亞伯拉罕的後裔要把神的祝福帶給地上萬族。

注釋

1. Hutchinson, William. *Errand to the World*. Chicago, Univ. of Chicago Press, 1987.
2. Hannah, Ian. *Monasticism*. London, Allen and Unwin, 1924. pp.90, 91.
3. Stewart, Hohn. *The Nestorian Missionary Enterprise*. Edinburgh, T and T Clark, 1928. p.26.
4. Stimson, Edward. *Renewal in Christ*. New York Vantage Press, 1979. p.147.
5. Hannah, Ian. *Monasticism*. London, Allen and Unwin, 1924. p. 86.
6. Rooy, Sidney. *The Theology of Missions in the Puritan Tradition*. Grand Rapids, Eerdmans, 1965.
7. Sattler, Gary. *God's Glory*, Neighbor's Good. Chicago, Covenant Press. 1982. p.9.
8. Dubose, Francis (ed.). *Classics of Christian Mission*. Nashville, Broadman, 1979. p.776.
9. Bready, John W. *This Freedom Whence*. New York, American Tract Society, 1942. p.113.
10. Williams, Emilio. *Followers of the New Faith*. Nashville, Vanderbilt Univ. Press. 1967. pp.181-185.
11. Pierson, Paul. *A Younger Church in Search of Maturity*. San Antonio, Trinity University Press, 1974. pp.107, 108.
12. As reported by Ralph D. Winter. Winter, p.199.
13. Beaver, R. Pierce. *American Protestant Women in Mission*. Grand Rapids, Eerdmans, 1980. p.135.

(作者為美國富樂神學院宣教學和拉丁美洲研究資深教授，1980-1993年擔任該校跨文化研究學院院長，並曾在巴西和葡萄牙為宣教士。)

研習問題

1. 早期宣教視致力於教育、經濟及社會改革的特點，可與宣教工作分開抑或可結合為一體？

2. 修道主義運動為農業科學帶來哪些獨特的貢獻？

Women in Mission
婦女與宣教

Marguerite Kraft 與 Meg Crossman 合著　　編輯室譯

看 見路的盡頭，已是兩日之後了，終於抵達巴蘭高人 (Balangao) 所住的地方。巴蘭高人從前是獵頭族，現在仍會向強悍的精靈獻祭，以避免疾病、死亡和造成混亂。兩位單身的女宣教士，接受了聖經翻譯的訓練後，踏上了到他們中間事奉的路。

他們甫到達，便受到一群下身只圍上幼布條的男人和腰間圍著粗麻布的婦女所歡迎；可是，很難說是誰被嚇驚。巴蘭高人希望有美國人住在他們中間，把他們的語言編成文字，但做夢也沒想到，美國人竟是婦女！

一位年老的男士願意作父親，誠意照顧她們。除了翻譯，這兩位婦女也提供醫療援助、認識他們的精靈世界，也回答他們對生命和死亡的疑惑。其中一位名叫 Jo Shetler，住在當地20年，贏得了他們的心，也完成了新約聖經的翻譯工作。因為她的忠心，數以千計的人認識了耶穌基督是巴蘭高人的主。[1]

Jo 只是一位滿懷夢想的害羞農莊少女，但她的故事卻震盪了不少人的心弦。其實，有很多婦女順服神的呼召，到遠方去服侍祂，可是，她們的事蹟並未留下片言隻字。很多婦女都不明白，何以偉大的神會如此使用她們的恩賜和忠心。

最早的時期

使徒行傳記載，有一位名叫百基拉的婦女，特別蒙神使用，至少在羅馬、希臘及小亞細亞這三個不同的民族中傳福音。聖經清楚記載，她來自小亞細亞，有猶太人的信仰，與丈夫亞居拉同住於羅馬城，直至猶太人被驅趕。他們在哥林多城遇見保羅的時候，可能已經是基督徒了。他們主持一個家庭教會，接待保羅，並受保羅的差派去教導雄辯且熱心的埃及猶太人亞波羅，「將神的道給他講解更加詳細」(徒十八 26)。

保羅知道和讚賞他們的恩賜，並且一同前往以弗所。因為百基拉的名字往往排在名單最前，一些學者認為「她的事奉出色，更能幫助教會」。[2]或者，更感興趣的是她在跨文化事奉上的角色，她的領導和教導都很順理

成章，使徒行傳的作者不必多著墨來評述。看來她的角色備受接納和期許，而且超乎尋常。

在基督教開始的首三個世紀之內，不少婦女因對基督的愛而殉道。約在公元300年，西西里的露西亞(Lucia of Sicily)經常參與基督徒的慈善工作，但與一位富裕的貴族結婚後，被禁止賙濟窮人。她不肯屈服，因而被送往監獄，受到逼害，最後更處以死刑。麥蘭尼亞(Melania)生於羅馬一個富有的家庭，在地中海沿岸擁有不少房產。她把自己的財產分給窮人，又在非洲和耶路撒冷蓋建修道院和教會。公元410年，哥特人(Goths)入侵的時候，她成為難民，從羅馬開始了宣教旅程，與其他婦女在偉大的宣教運動中都擔當了重要的角色。一些婦女為北歐人所擄掠，稍後與俘擄她們的人結婚，並向他們傳福音。[3] 十三世紀初期，基督教遺忘了賙濟窮人的工作，加拉(Clare)重新喚醒人們的注意。她在意大利創立了方濟各赤足女修會(Franciscan order of barefoot nuns)，[4] 主倡女性可以選擇獨身、事奉主或過修道生活，透過這些教會機制來宣揚福音。修士、主教及修女會興建教會和醫院，開辦學校及孤兒院，藉以建立信仰，這是天主教的傳統。

早期的宣教運動

十六世紀更正宗的宗教改革，改變了基督教婦女的角色，改革家再次強調婦女應在家裡，支持男性。葛偉駿(Authur Glasser)寫道：「……宗教改革家局限了婦女的前途，她們唯一的職業就是婚姻。因為修會的解散，婦女不再作教會事奉，被限於丈夫、家庭和兒女的狹窄圈子之內。」[5] 在更正宗主義之下，更產生了婦女是否有權回應聖靈的感動宣講神的話語的討論。

更正宗宣教工作開展的早期，大部分婦女都只是宣教士妻子的身份，但有些具警覺性的男士明白，在非西方社會裡他們不可能與婦女接觸，要由婦女來擔當這個任務。所以，婦女雖有沉重的擔子，但又不被承認宣教士的身份；既要持家理務、教養孩子，又要構思如何接觸本地的婦人與女孩。

起初，單身婦女只能夠在工場裡照顧宣教士的子女，或服侍宣教士家庭而已，但慢慢地新的機會浮現了。R. Pierce Beaver記述，Cynthia Farrar在印度、Elizabeth Agnew在錫蘭(今斯里蘭卡)的工作，以及其他單身的婦女開辦婦女學校。[6] 悄悄地，她們進入了婦女的閨閫。門戶亦藉著醫療服務而開啟，可是，她們的成就卻很少被公開。

然而，一些領袖人物如慕迪(D. L. Moody)、宣信(A. J. Simpsom)、哥頓(A. J. Gordon)都相信，藉著公開的事奉可以使婦女的恩賜加強。中國內地會的創辦人戴德生(J. Hudson)和協同會(TEAM)的創辦人 Fredrik Franson 兩者都察覺需要招募及差派婦女作跨文化

的福音工作。1888年，戴德生寫下了這一句話：「我們的宣教站是由婦女來管理。」[7] 從內地會早期的歷史來看，婦女(無論單身或是已婚)都承擔所有宣教責任，包括講道或教導。

Jane Hunter 研究工場上婦女的書信和已出版的文章，發現「大部分的女宣教士都是出於對神深深的委身，遠超過想得到任何個人的榮譽、聲望或權力。」透過這些感人的報告，在後方的教會婦女都能掌握一個有動力的世界視野，自願奉獻她們的金錢、時間、體力、組織能力及禱告支持。婦女領袖如 Annie Armstrong、Helen Barret Montgomery 委身於推動宣教士禱告小組、籌款及動員基督徒支持工場上各項工作。[9]

差派的新方式

美國的內戰是使差派婦女方式改變的催化劑。內戰時期，許多男性陣亡，令不少女性成為寡婦或者婚姻無望，迫使婦女負起不平凡的責任。她們營商，開辦銀行、農莊，也創立學院，在隨後的50年間，超越了男性的角色，成為宣教運動的主力。[10]

既然差會(missionary boards)拒絕差派婦女直接承擔工作，婦女遂自行組織差會。第一個成立的團體就是婦女聯合差會(Women's Union Missionary Society)，接著很多團體亦紛紛成立。她們所籌得的款項超過一般宗派差會，顯示她們在宣教後方掀起宣教熱

忱的卓越成績。她們開辦女子大學，特別訓練婦女從事宣教。除了喚醒婦女投身海外，亦有逾10萬個婦女宣教團體在本地教會積極活動，是無可匹敵的禱告和籌款的基地。

1900年，已有超過40個宗派性的婦女團體，逾300萬的婦女積極參與籌募經費，在世界各地興建醫院及學校、支付本土女性傳道人的薪金，以及差派單身婦女擔任宣教醫生、教師及傳道人。[11] 二十世紀早期的數十年間，婦女宣教運動成為美國最大的婦女運動，而在宣教工場上的女性數目超過男性，比率為2:1。[12] 可惜的是，在20、30年代，當這些差會被說服與宗派差會合併之後，婦女又逐漸失去了督導工作的機會。

今日依然

整體來說，如今仍然可能有三分之二的宣教人力是婦女。不少差會的行政人員都同意，工作越艱辛、越危險，越多女性自願承擔！趙鏞基(David Yonggi Cho)總結他的經驗時說，婦女是艱難、開拓工作的最佳選擇。「我們發現在這些情況下，婦女永不言棄。男性適宜於建立工作，但當男性氣餒時，女性仍會鍥而不捨。」[13]

有些人感到對穆斯林世界的特殊攔阻，恐怕西方婦女難以參與。在非洲撒哈拉以南的一個穆斯林遊牧族群之中，一位單身女性成功訓練一群伊瑪目(教師之意)認識福音；因為她「只

是一個女人而已」，並無威脅性。她的基礎是建立在人際關係及聖經知識上，她並不給與答案，而是引導他們直接看神的話語。神肯定了她的教導，給與這群領袖異夢和異象。他們歸信了，又再訓練更多的人。這位婦女給了他們最大的福祉，被接納為充滿愛心和關懷的大姊姊。

Jim Reapsome 在《世界脈搏》(*World Pulse*)1992年10月9日的編輯案語中寫道，要給與婦女更多栽培和支持，立即收到一位在東南亞穆斯林團體中工作的宣教士的致謝信，他在信中寫道：

> 奇怪的是，一般都強調要栽培和使用男性，可是——這裡最好的佈道者全都是婦女！事實上，我們最重要的同工(真正在從事最切合時代的事工)之中，有3位是女性。以美國人來算，我們只有1位單身的男性來到這裡，但單身女性卻有4位，有3位正啟程前來。面對男性主義的伊斯蘭教，正好提醒我們，真正的基督教並不是男性主義，對男性和女性都發出同樣令人興奮的呼召，要有新的和實踐性的生命。[14]

特殊地區的機會

在宣教工場上的婦女，展示了一個全人的接觸，包括佈道及滿足人的需要。她們也作出了深入委身於關懷婦女和孩童的榜樣。教育和醫療工作，以及反對纏足、童養媳、殺害女嬰，以至壓迫社會、宗教和經濟結構，都是她們工作的焦點。透過全人的接觸，婦女亦從事醫治。多年以來，醫療宣教一直都由女性承擔。而且婦女既較少參與宗派性的活動，較多專注人的需要，自然有合一性的思想，不怕冒險為同一目標而合作；所以，不少合一性的差會都是由婦女率先創立的。

近年來，婦女在專業性的宣教工作上更形重要。威克理夫聖經翻譯會發現，多年以來，單身婦女團隊在工場上的表現出色，翻譯的成績遠遠超過單身的男性團隊。曾在二次大戰時擔任空軍機師的革林妮(Elizabeth Greene)、是宣教飛行團契(Mission Aviation Fellowship)的創辦人之一；全球錄音事工(Gospel Recordings)供應不同語言的錄音帶(用本土語言朗誦聖經，不必等候文字翻譯)，是因為李德荷芙(Joy Ridderhof)的異象和努力；也因為倩敏思(Ruth Siemens)的創見，全球契機(Global Opportunities)得以成立，協助平信徒在海外帶職宣教。在基督教的事工中，婦女可參與的範圍更加廣闊，從佈道、植堂到聖經翻譯，以至在神學院任教。

今日的基督徒婦女應該知道並要為有這一個遺產而歡呼，要學習婦女回應神的呼召和要求的偉大榜樣。從 Mary Slessor 單身在非洲開荒，到耶德遜夫人(Ann Judson)在緬甸、Rosalind

Goforth 在中國身為妻子而全面的參與服侍；從賈艾梅(Amy Carmichael)在印度，到 Mildred Cable 在戈壁沙漠；從艾華德(Gladys Aylward)這一位纖細的服務員立志到中國，到 Eliza Davids George 這位黑人女性到利比里亞宣教；從翻譯員盛拉結(Rachel Saint)，到宣教醫生 Helen Roseveare；從 Isobel Kuhn 和 Eliszbeth Elliot 動員宣教作家，到穆樂蒂(Lottie Moon)帶領宣教教育；從中東的菲律賓家傭，到宗派辦公室裡的女性行政人員和中國不為人知的傳道婦女，是何等長而光榮的一張名單啊！

名單雖長，卻未完整，正等待加入今日和未來世代的人名。神的婦女現今所享受的自由和機會，非先賢們所能期望。美國大部分小本的生意，都由婦女經營；在政界、商界、法律界及醫療界，女性都位居要職。「多給誰，就向誰多取」。神的婦女今日如何按父神的目的去收善用機會呢？

婦女被放在面前的任務所觸動，往往願意動員和奉獻她們的技能、親善、學識、溫柔、直覺、出色的工作熱誠。歷史上所見的女性，充滿了奉獻和忠心的開荒精神，已為我們樹立了標準。宣教任務之龐大，若非所有神的子民共同努力，實難以完成！

注釋

1. Shetler, Joanne, *The World Came With Power* (Portland, OR: Multnomah Press, 1992.)
2. Jamieson, Fausset and Brownm, *Commentary on the Whole Bible* (Grand Rapids, MI: Zondervan Pulishing House, 1962), p. 1, 117, on Acts 18:18.
3. Malcolm, Kari Torjesen, *Women at the Crossroads: A Path Beyond Feminism and Traditionalism* (Downers Grove, IL: InterVarsity Press, 1982), pp.99-100.
4. Lbid., p. 104.
5. Glasser, Arthur, "One-half the Church — and Mission," *Women and the Ministries of Christ*, eds., Roberta Hestenes and Lois Curly (Pasadena: Fuller Theological Seminary, 1978), pp.88-92.
6. Beaver, R. Pierce, *American Protestant Women in World Misson* (Grand Rapids, MI: William B.Eerdmans Publishing Company, 1980), pp.59-86.
7. Beaver, R. Pierce, *All Loves Excelling* (Grand Rapids, MI: .Eerdmans, 1968), p.116.
8. Tuckes, Ruth, *Guardians of the Great Commission* (Grand Rapids, MI: Academie Books, 1988), p. 38.
9. Lbid., pp.102-110.
10. 1991 年 9 月與溫德博士的私人訪問。
11. Robert, Dana L., *American Women in Mission: A Social History of their Thought and Practice* (Macon, GA: Mercer University Press, 1996), p.129.
12. Tuckes, Ruth, *Guardians of the Great Commission* (Grand Rapids, MI: Academie Books, 1988), p.10.
13. 趙鏞基於 1988 年 3 月在美國阿利桑那州鳳凰城 El Shaddai 牧者團契午餐會。
14. 見於 1992 年 10 月 25 日寫給 Jim Reapsome 的私人信件。

〔 *Marguerite Kraft* 曾在尼日利亞北部坎維人(Kamwe)中間宣教，現為 Biloa 大學跨文化研究人類學及語言學教授。
Meg Crossman 曾任 ICARE 監獄事工總裁 10 年之久，著名之宣教士動員者，並編輯 World Perspectives 一書。〕

研習問題

1. 何以單身婦女團隊在翻譯聖經方面的成就較佳？

2. 是甚麼原因令女宣教士在男性主導的文化裡特別有成效？

3. 婦女何時及如何在宣教工作上扮演主導的角色？

Europe's Moravians: A Pioneer Missionary Church
歐洲莫拉維弟兄會──開荒宣教先鋒

Colin A. Grant 著　　畢倩瑤譯

威廉克里(William Carey)啟程往印度的 60 年前，戴德生(Hudson Taylor)抵達中國的150年前，陶匠多白爾(Leonard Dober)和木匠尼赤曼(David Nitschmann)二人，已在西印度群島的聖湯馬斯島(Island of St. Thomas)傳揚耶穌基督的福音。1732 年，他們從中歐薩克森(Saxony)山區的一個小基督徒社區出發，是莫拉維弟兄會首批宣教士，20 年間，他們的足跡遍及格陵蘭(Greenland, 1733)、北美印第安區(1734)、南美蘇里南(Surinam, 1735)、南非(1736)、北極的薩莫耶德人地區(Samoyedic, 1737)、阿爾及爾(Algiers)及錫蘭(Ceylon)和斯里蘭卡(Sri Lanka, 1740)、中國(China, 1742)、波斯(Persia, 1747)、阿比西尼亞(Abyssinia, 今埃塞俄比亞) 及加拿大東部拉布拉多半島(Labrador, 1752)等地。

這僅僅是個開始而已。在最初的 150 年，莫拉維社團至少差出了 2,158 位宣教士到海外，就像Stephen Neil所形容：「這所小小的教會被一股宣教熱誠所籠罩，永不消滅。」

這群被稱為兄弟會(基督同寅會 United Brethren)的團體，為新約時代之後的普世宣教事工，創下一個史無前例的紀錄。且讓我們再看看這運動的主要特點，學習神給我們的功課。

欣然順服，坐言起行

首先，莫拉維弟兄會毫不猶豫地欣然接受了宣教士的使命，正就Harry Boer 所說：「就像是一個健康的有機體，對自己生命規律的回應。」這股動力源於一小群深被聖靈所感動的流亡信徒；十七世紀，他們從波希米亞(Bohemia)和莫拉維的反宗教改革迫害中逃脫，得到福音派信義會(Lutheran)貴族親岑多夫(Nicolas Zinzendorf)的邀請，在伯帖勒多弗(Berthelsdorf)受到庇護。

1722 年，Christian David(稍後成為海外宣教士)為建造安頓之地〔該地後命名為赫仁護特(Herrnhut)，意思是「上主看顧」〕，砍下第一棵樹時，大家高唱詩篇第八十四篇。隨後的 5 年間，神的恩典和愛如潮水般覆庇他

們，其中一位成員這樣寫道：「整個地方代表著神在人中間建立了會幕，到處只有喜樂和歡欣！」

神為他們以後的事情鋪路。多爾白和尼赤曼在King Christian VI加冕的時候造訪丹麥，遇到了來自聖湯瑪斯島的非洲黑奴Anton而受到挑戰，願意委身事奉。對他們而言，這是基督徒生命中最自然不過的順服。

湯普森博士(Dr. A.C. Thompson)這位十九世紀著名的莫拉維差會早期歷史記錄者，寫道：「向外邦人傳福音的任務人人皆曉，任何參與者都會認為是尋常不過的工作……不需要廣泛宣揚，也稱不上甚麼偉大的事情。」

如此默默耕耘，與今天大事宣揚的差遣場面相比，實在形成很強烈的對比！十九世紀的英國莫拉維差會秘書Ignatius Latrobe牧師寫道：「我們犯了一個很大的錯誤；當受到委任後，宣教士即受到公眾注目和尊崇；因著他們對神的委身，受到無比的讚賞。他們還未作任何刻苦的工作之前，已在會眾面前被視為殉道者和堅守信仰者。我們寧願勸他們悄悄出發，叫會眾以熾熱的禱告支持……」沒有喧鬧，沒有豪情，也沒有宣傳，只有一顆熾熱、不炫耀的心，願意將神的名在未被稱過的地方傳揚。這種精神見諸莫拉維教會內的生活與禮儀，他們的公禱和詩歌均表現這種精神。

熾熱的心，朝向基督

第二，澎湃熱誠的基本動力來自一股**對基督深切的、不間斷的愛**，這種愛在親岑多夫的生命中表露無遺。他在1700年出生，是奧地利的貴族，受到家人薰陶，很快便接受基督的救恩。他對宣教充滿熱誠，早在求學時期已與朋友成立「芥菜種子會」(The Order of the Grain of Mustard)，要向世界宣揚基督的國度。

他不單接待莫拉維信徒，並成為他們第一位領袖，亦為福音的緣故多次出訪海外。「我有一股熱誠，就是為基督，只為基督。」這股熱誠動人心弦，在他所寫的2千多首詩歌中迴盪不已。

偉大的福音派英國社會改革家威伯福士(William Wilberforce)這樣形容莫拉維的信徒：「他們是一個身體，以忠心和熱情服侍，較任何人更實實在在地證明基督的愛。這種經過深思熟慮的熱誠，因順服、親切而顯得溫和，因勇敢與堅持而勇往直前；這勇氣不因受阻撓而退卻，這堅持不因艱苦而磨滅。」今日，我們需要一套完整的神學理論作為宣教的動力，並要充份掌握我們的信仰；但若失去了對基督的熱愛作為一切行動的根源，則只是在世上橫衝直撞，製造一些噪音而已。

面對危難，處變不驚

正如威伯福士所指，莫拉維弟兄

會另一個特點是，他們以**不尋常的勇氣面對無法預料的逆境和危險**。他們忍受艱苦，認為神差他們前往的人群所過的生活，是不可避免的代價之一。保羅說：「向甚麼樣的人，我就作甚麼樣的人。」(林前九 22)，他們對這句話切實履行，在宣教史上無人可比。

大部分早期的宣教士都是帶職宣教的，(大多像多白爾和尼赤曼，是工匠和農夫)，他們主要的經費只有出發時的費用。在一些白人統治的地區(如牙買加和南非)，白人養成一種優越感，這群宣教士卻謙卑地承擔勞動的工作，見證了信仰。舉一位名叫莫彌德(Monate)的宣教士為例，他早年在南非的東部省份工作時，曾為建造一座玉米磨坊而親自砍割了兩塊大沙岩，不僅令他服侍的卡菲爾人(Kaffirs)驚訝不已，更促使他在工作時能與卡菲爾人「閒話」福音。

到蘇里南(Surinam)和西印度(West Indies)這些地方去，等於面對疾病或者死亡；早期的宣教士作出了無可避免的犧牲。例如在圭亞那(Guyana)，160 位宣教士之中，75 位因染上熱帶的熱症或中毒而死，如Andrew Rittmansberger 在抵達6個月後，便在島上身亡。在首批到達格陵蘭的宣教士中，其中1位寫了一首詩歌，反映了他們的態度：「看啊！踏遍冰雪，為救主基督尋回失喪靈魂。喜樂啊！承受貧憂，為被宰羊羔遠征無涯之境。」

在沒有足夠的現代工具幫助下，莫拉維信徒堅毅地學習新語言，更有部分宣教士充份掌握及精通當地的語言。這是他們當時所面對的艱辛，今天我們可能面對不一樣的考驗，但永不改變的是，需要具備由神而來的勇氣。這個優遊的繁華盛世，是否製造了一群意志較薄弱的人呢？

意志堅決，不屈不撓

最後，我們知道很多**莫拉維宣教士表現出崇高和百折不撓的精神**，可是，他們有時也陷於困境之中，不得不立即放棄任務而離開；例如在 1854 年，因澳洲的尋金熱而引起當地人士衝突，宣教士突然要放棄土著的事工。

被稱為「西方艾里奧」(Eliot of the West)的蔡斯伯革(David Zeisberger)，是其中一位最有名的莫拉維宣教士，自 1735 年起在北美東部休倫(Huron)等部族中工作了 62 年。1781 年 8 月的一個主日早上，他以賽六十四 8 為題講道後，教會和園子受到連群結隊的印第安人所攻擊。在連天的大火中，他失去了所有的譯經手稿、詩歌和印第安語文法的詳盡筆記。但他謙恭低頭，降服在神的安排下，再次忠誠埋首工作。多年後，在印度的威廉克里也同樣於一次大火中遭遇相類的損失。

今天，我們是否欠缺宣教的毅力呢？無論如何，我們要肯定短期宣教工作的價值，和當中的神聖目的。但

那些願意為神「破釜沉舟」的人在哪裡？我們面前有很多問題，如子女教育或在神的指引下修改宣教策略；但我們要贏得別人的靈魂、信徒切實受到造就、教會在基督內有完備的生命，便必須在某些地方有「堅持宣教的力量」。

誠然，莫拉維宣教士也有其弱點。他們過份集中傳福音，而忽略了在當地建立教會；結果，他們在訓練基督徒領袖方面很不足。他們集中發展「宣教站」，甚至以一系列聖經地名來命名，如示羅、撒勒法、拿撒勒和伯利恆等。由於他們坐言起行和順服的性格，早期的宣教士大多從「木匠崗位」直接出發，而缺少了周詳的預備。事實上，直至 1869 年，他們才在離赫仁護特 20 公里的彌斯堅(Nisky)，成立第一所宣教訓練學校。

儘管如此，J. R. Weinlick 認為我們要向莫拉維弟兄學習的一課，就是：「在更正宗的教會中，莫拉維教會首先**視這項工作為全教會的責任**，而不是把這責任留給社會或特別有興趣的人。」不錯，他們是一個弱小、緊密和合一的社群，他們有這樣簡單的宣教架構是理所當然的。然而，令人懷疑的是，今天神的教會能否以此為藉口，只維持低水平的宣教事工；若是，我們如何與現今這複雜和相互競爭的宣教社會體制角力。我們是否在衷心聆聽，敢於服從呢？

〔作者曾任英國浸信差會(British Baptist Missionary Society)斯里蘭卡宣教士達 12 年，亦曾任福音派宣教士聯會(Evangelical Missionary Alliance)主席，南美福音派聯會(Evangelical Union of South America)秘書，卒於 1976 年。〕

研習問題

1. 有哪些莫拉維信徒的特點是現今教會最缺乏的呢？哪些特點可以在教會找到呢？

2. 你會怎樣回答本章最後的問題？為甚麼？

我從來沒有像現在這麼渴望去中國，這塊土地盤據我心，想想看，在世上有 1 億 6,000 萬靈魂，無神無指望！想想看，每年有 1,200 萬生靈死時，得不著福音的安慰，可憐被遺忘的中國！幾乎無人關心！

——戴德生(Hudson Taylor)

An Enquiry into the Obligation of Christians to Use Means for the Conversion of the Heathens

基督徒向異教徒傳福音責任及方法之探討

威廉克里(William Carey)著　　編輯室譯

「期望神賜下大事，要為神完成大事。」——威廉克里

1792年，一位一貧如洗的年青英國牧師，兼職教師及鞋匠，將自己的信念寫成了一本小冊子，反對當時盛行「基督徒不需履行大使命」的觀念。他的寫作恩賜並不強，也不愛出風頭，只屬於當時異見教會的一個小團體。然而，威廉克里(William Carey)所寫的文章以及個人身體力行，在其後40年間，為基督教教會的前景及佈道工作帶來重大的革新；而他所強調的，為更正宗樹立宣教「組織」(order)架構的理據和需要。

克里和一位同工在新成立的「浸信會差會」(Baptist Missionary Society)名義下，於1793年乘船啟程往印度，最後在丹麥屬地加爾各答附近的塞蘭坡(Serampore)登陸。威廉克里、約書亞馬士曼(Joshua Marshman)及威廉華德(William Ward)組成「塞蘭坡三人小組」，從事聖經翻譯，並出版部分經卷的幾種亞洲語譯本，又成立一間訓練印度基督徒的學校。克里所受的正規教育很少，但他以驚人的毅力、正確的信念及不撓的精神，安然渡過經濟危機、天然災禍、家人疾病及來自英倫的批評，在傳福音、哲學、自然科學及教育上都取得成效。他積極鼓勵他人及自己要「期望神賜下大事，要為神完成大事」。

今日，克里被公認為「更正宗宣教之父」，歷史家更將其《探討》一書出版之日，作為近代更正宗宣教紀元的起點。培恩博士(Dr. Ernest A. Payne)評論說：「凡讀過《探討》一書的人必感到驚訝；內容嚴謹充實、資料富現代性，因為書內以超過四分之一的篇幅，詳細將地球上不同國家的領土、人口及宗教信仰清楚列出。全書段落清晰、條目分明，且內容簡潔，合乎邏輯，準確度高，有如一本政府文獻或委員會的報告書，非單單是基督教會的先知呼聲。文章並沒有生花妙筆或激烈的訴求，沒有大量的引證經文，也不涉及神學爭論，只是實事求是。文章的標題已顯出作者的性格……」1885年，喬治史密斯(George Smith)說：「這是第一篇，且至今仍是最偉大的英語宣教論文。」克里之論文論點簡潔、中肯，至今仍無人可以超越。

以下摘錄自克里的原作。

正如賜福的主教導我們祈求他的國降臨，他的旨意行於地上如同在天上。這不但讓我們以言詞表達自己的意願，也依照合法的途徑傳揚他的名。為此，我們必須熟悉世界的宗教狀況，這是我們要努力追求的目標；不僅從救贖者的福音，也從人道上的體會來考量。這發自良知的精神意願，確認我們是神救恩的對象，也是普世真正善行及義行的獲益者，這一切都在神自己的屬性中顯露。

罪惡因亞當的墮落進入了人類，從此變本加厲，產生災禍性的影響。隨著時代的變遷，罪以千萬種不同的形式出現，人亦不斷背逆神的旨意及計劃。我們一定以為洪水淹沒全地的事件會代代相傳，藉以阻止人類悖逆創造者的旨意。可是，人類真是無知，在亞伯拉罕時代，凡有人的地方都遍滿罪惡；亞摩利人的罪極大，但仍未滿盈；之後，偶像崇拜越益加劇，直至七個敬虔的民族被棄絕，行神明顯最不喜悅的行為。不過，罪惡仍未中止，以色列人竟與其他民族同流合污，反抗以色列的神。

但神屢次重複提醒，最後他將會戰勝邪惡，並摧毀它一切的工作，建立神自己的國度覆庇全人類，並且擴張國度一如撒但所作的一樣。為此，彌賽亞降世並且死亡，神是公義的，稱義的人必須相信他。當他捨去他的生命，然後再取回自己的生命，他差遣門徒向全人類傳好信息，並竭盡各種可能的方法把這個迷失的世界帶回神的面前。門徒依照神聖的大使命，辛勤工作並且獲得奇妙的成效。無論是文明的希臘人或外族，都屈服在基督的十字架下，接受他為獲得救恩的唯一途徑。自從使徒時代以來，已使用了很多有果效的方法來傳福音，但世界上仍有大部分人生活在異教的黑暗世界裡。很多人仍在努力，但如果整個基督徒團體都能夠熱心加入履行這神聖使命的隊伍，成果將無法估量。可是，有些人很少想及，有些人不瞭解世界局勢，亦有些人愛財富多於關心那些失喪的靈魂。

為了可以進一步思考，筆者提出幾個問題：是否神只要求他的門徒承擔大使命，與我們無關；請簡單重溫從前大使命的工作；分析目前的世界形勢，並考慮做一些較從前所作更實際的工作；思考基督徒在這件事情上的職責。

探討神頒給門徒的大使命是否與我們無關

我們的主耶穌基督在他離開世界之前，命令他的門徒**要往普天下去，傳福音給萬民**。即如一位傳道人的解釋，是**往天下萬國去，向每一個人傳福音**。這個大使命盡量廣泛，而且列為門徒的責任，將他們分散到世界上每一個有人居住的角落，向所有的居民傳福音，沒有例外，也沒有限制。

他們聽命行事，神的力量就與他們同行。自從那時開始，多次嘗試使用相同的方法，取得不同的果效。近年來，基督徒沒有抱著初期信徒的熱情和堅忍，繼續去履行這些工作，除了少數幾個人之外，似乎有些人認為使徒和先賢們已履行了大使命，只關心自己同胞的得救便已足夠。同時，若神想異教徒得救，祂會有辦法將他們帶來信福音，或把福音帶給他們。這麼一來，群眾便會袖手旁觀，漠視比我們人數更多，至今仍是無知及崇拜偶像的人。亦有些人心存偏見，認為門徒們都是格外蒙恩的人，沒有適當的繼承者，適合他們做的事不能保證我們都能做到，所以，我們不一定要履行大使命。對持有這種思想的人，我的意見是：

第一、如果基督教導萬民的命令只給予使徒，或那些被聖靈所感動的人，那麼，洗禮也是一樣；每一個宗派，只有貴格會除外，用手施行水禮都是錯誤的。

第二、如果基督教導萬民的命令只給予使徒，那麼，所有牧者熱心將福音帶給異教徒的人，就是未取得許可，擅自去行的。因此，神應許將最大的恩典賜給異教徒，將福音傳給他們；但不管誰先去，除非神由天上另外給他一個新而特別的大使命，任何人都沒有權柄。

第三、如果基督教導萬民的命令只給予使徒，那麼毫無疑問，神所應許的同在，是有限的；但聖經卻清楚記載：**看哪！我就常與你們同在，直到世界的末了**……

有人指出，在自己的國土內仍有很多需要福音的人，他們和南海(South Sea)的海民同樣愚昧，因此我們在本鄉傳福音已足夠，不必再到其它地方去。在我自己的家鄉仍有成千上萬的人與神遠離，未得福音；我完全同意，這也激發我們要勤奮工作十倍，必須努力使他們認識神。但若說可以取代往外地傳福音的責任，仍有待求證。我們的同胞已有蒙恩的途徑，他們可以選擇聆聽教導；他們也有途徑明白真理，本土各地都有忠心的傳道人，只要堂會會友熱烈支持，他們的牧養工作可以擴展。但在國外則大有差別，沒有聖經，沒有文字，沒有傳道人，沒有好的政府，也沒有我們所擁有的福利。更可憐的是，那裡沒有人道，很多地區並沒有基督教信仰；我們要大聲疾呼，竭盡所能將福音傳給他們。

回顧昔日向異教徒傳福音的工作

……至目前為止，使徒行傳的歷史告訴我們，初期有很多成功的例子；歷史也告訴我們，當年福音在許多地方傳播。彼得談及巴比倫的一個教會；保羅提到要往西班牙傳福音，我們都相信他曾到過那裡，也可能到

過法國和英國；安德烈在黑海北部向西提亞人(Sythians)傳福音；約翰可能曾到過印度講道，我們也知道他曾愛琴海的拔摩島；腓利曾在北亞洲、西提亞(Sythia)及弗里吉亞(Phrygia)，巴多羅買在印度的恆河畔、弗里吉亞及亞美尼亞(Armenia)；馬太在阿拉伯(Arabia)或亞洲的埃塞俄比亞(Asiatic Ethiopia)及帕提亞(Parthia)；多馬到印度，甚至到遙遠的科羅曼德爾海岸(Coromandel Coast)及錫蘭(Ceylon)；迦南人西門在埃及、昔蘭尼(Cyrene)、毛利塔尼亞(Mauritania)，利比亞(Libya)等非洲各地，然後抵達大不列顛；猶大則大多數是在小亞細亞及希臘。他們的工作地域廣泛，也非常成功；以致門徒死後不久，年青的羅馬學者普林尼(Pliny)寫給皇帝他雅努(Trajan)的一封信中，提到基督教不單在城鎮擴展，也已散佈全國各地。在此之前，尼祿王因為基督教昌盛而發出君王諭令(Imperial Edict)，加以遏制，命令所有總督及地方政府消滅基督教……

世界現況

下文乃根據一般情況，將地球分為歐洲、亞洲、非洲及美洲四個區域，同時關注一些國家領域內的人口、文化及宗教等情況……下列各表提出一個較為廣泛的觀點，乃根據可能取得的資料而作(按：下列僅為克里《探討》一書中24個表的其中4個)。

表內的資料乃盡所能取得的世界現況，其中一些國家如土耳其、阿拉伯、大韃靼區、非洲、美洲(美國除外)及大部分亞洲區島嶼並無人口統計。現按照各地區的面積，計算出每平方哩的人數，或多或少，皆屬客觀的環境條件……每一項資料都對基督徒，特別是傳道人發出呼召，催促他們盡所能擴闊事奉的領域。

歐洲

國家	土地幅度		人口	宗教
	長度(哩)	闊度(哩)		
大不列顛 (Great Britain)	680	300	12,000,000	基督教各宗派
愛爾蘭 (Ireland)	285	160	2,000,000	基督教及天主教
法國 (France)	600	500	24,000,000	羅馬天主教、自然神論者及基督教
西班牙 (Spain)	700	500	9,500,000	天主教
葡萄牙 (Portugal)	300	100	2,000,000	天主教
瑞典(Sweden)，包括瑞典本土、哥特蘭(Gothland)、紹寧(Shonen)、拉普蘭(Lapland)、波的尼亞(Bothnia)及芬蘭 (Finland)	800	500	3,500,000	瑞典人是平日的信義宗信徒，但大多數拉布蘭人都非常迷信異教。
哥特蘭島(Isle of Gothland)	80	23	5,000	
—伊斯爾(Oesel)	45	24	2,500	
—伊蘭(Oeland)	84	9	1,000	
—南歐(Dago)	26	23	1,000	

美洲

國家	土地幅度		人口	宗教
	長度(哩)	闊度(哩)		
秘魯(Peru)	1,800	600	10,000,000	異教及天主教
阿馬孫(Amazon)	1,200	900	8,000,000	異教
特拉菲爾馬(Terra Firma)	1,400	700	10,000,000	異教及天主教
圭亞那(Guiana)	780	480	2,000,000	全上
特拉麥哲倫(Terra Magellanica)	1,400	460	9,000,000	異教
舊墨西哥(Old Mexico)	2,220	600	13,500,000	異教及天主教
新墨西哥(New Mexico)	2,000	1,000	14,000,000	全上
美國(States of America)	1,000	600	3,700,000	基督教各宗派
特拉拉布拉多(Terra de Labrador)、新斯科舍省(Nova Scotia)、路易斯安那州(Louisiana)、加拿大及從墨西哥到哈得孫灣(Hudson-Bay)各內陸國家	1,680	600	8,000,000	基督教各宗派，但北美印地安人多為異教徒

非洲

國家	土地幅度		人口	宗教
	長度(哩)	闊度(哩)		
比利都格格勒(Biledulgrerid)	2,500	350	3,500,000	伊斯蘭教、基督教及猶太教
薩拉，或笛薩特(Zaara, or the Desart)	3,400	660	800,000	教
阿比西尼亞(Abyssinia)	900	800	5,800,000	全上
阿別茲(Abex)	540	130	1,600,000	亞美尼亞基督教
內格羅蘭(Negroland)	2,200	840	18,000,000	基督教及異教
洛安哥(Loango)	410	300	1,500,000	異教
剛果(Congo)	540	220	2,000,000	全上
安哥拉(Angola)	360	250	1,400,000	全上
本格拉(Benguela)	430	180	1,600,000	全上
馬塔曼(Mataman)	450	240	1,500,000	全上
阿贊(Ajan)	900	300	2,500,000	全上
贊格巴(Zanguebar)	1,400	350	3,000,000	全上
莫諾馬幾(Monoemagi)	900	600	2,000,000	全上

亞洲

國家	土地幅度		人口	宗教
	長度(哩)	闊度(哩)		
錫蘭群島(Isle of Ceylon)	250	200	2,000,000	除了荷蘭人為基督徒外，全屬異教
一馬爾代夫(Maldives)	1,000 以內		100,000	伊斯蘭教
一蘇門答臘(Sumatra)	1,000	100	2,100,000	伊斯蘭教及異教
一爪哇(Java)	580	100	2,700,000	全上
一帝汶(Timor)	2,400	54	300,000	全上、小部分基督徒
一婆羅州(Borneo)	800	700	8,000,000	全上
一司亞斯(Ceieoes)	510	240	2,000,000	全上
一布塔姆(Boutam)	75	30	80,000	伊斯蘭教
一卡龐特(Carpentyn)	30	3	2,000	基督教
一歐拉冊(Ourature)	18	6	3,000	異教
一波路勞(Pullo Lout)	60	36	10,000	全上

除上述地區外，其它小島如：曼拿(Manaar)，亞利賓(Aripen)，加拉特維亞(Caradivia)，賓甘提哇(Pengandiva)，安拿拉提哇(Analativa)，乃能提哇(Nainandiva)及寧丹提哇(Nindundiva)，島上居民都是基督徒。

向異教徒傳福音事實際可行

向異教徒傳福音，一定會受到攔阻，可能發生的事情如：路途遙遠、生活不文明及粗暴、可能遭殺害、缺乏生活必需品或語言不通。

第一、路途遙遠：當人類未發明指南針之前，兩地之間的距離難以確定，現今則不可同日而語；就算是大片的南海(South Sea)，亦有如通過地中海或其它更小的海一樣，啟碇揚帆，無遠弗屆。神似乎邀請我們去嘗試，正如我們所知，不少貿易公司是在許多未開化的地區經營生意。

第二、生活不文明及粗暴：這個理由不能成立，除非我們仍想著過安逸的生活，不願克己去為別人的福祉。

使徒及接棒者都沒有持反對的意見，當年他們不也是置身於**日耳曼**、**高盧**及仍是蠻夷的**大不列顛人**之中！他們並非等到這些國家的人民開化後才向他們傳福音，而是毫不猶豫地背上十字架前往，正如特土良(Tertullian)所引以為豪，「當年反對羅馬軍隊的不列顛，如今卻被基督福音所征服。」艾里奧(Eliot)和布鋭內德(Brainerd)同樣也沒有異議；他們勇往直前，遭遇種種艱難，若非他們誠心接受福音，帶來美好的果效，則無法與歐洲人長期交往。貿易人員也沒有異議；我們只要盡量以愛相待，關心我們同為人類、同是罪人的靈魂，只要他們得到

一點小小的利益，這些困難都可以解決的……

第三、可能遭殺害：這是真確的，任何一位踏上這路程的人，都必須將生命交托予神，對自己無所牽掛。作為神的受造物及基督徒，正在滅亡的人類呼喚我們，冒險犯難，並盡全力為他們謀求利益呢？保羅和巴拿巴**為主耶穌基督之名而捨身**，他們並未因此而受到批評，反而受到讚賞；約翰馬可因為膽怯而放棄冒險，故被非難。總而言之，筆者質疑大部分蠻族對探訪他們的人的野蠻行為，並非有意冒犯，出於自衛多於凶殘成性。若是海員的行為輕率，觸怒了這些單純的蠻族，也同樣會受到反抗；可是，艾里奧、布鋭內德和莫拉維的宣教士極少遇到這種事情。事實上，一般的異教徒都願意聆聽神的話語，同時也因小部分掛名基督徒的行為而仇視基督教。

第四、缺乏生活必需品：乍看是個大問題，其實不然。雖沒有歐洲的食品，我們可以食用當地土人的食品……

無論如何，筆者認為最少兩個人同行，最好是與妻子及家人前往，分工合作，互相照應。有些地區需要耕種一片小土地來自給自足，預防外來食物的供應斷絕。事實上有許多方法可用，有些現時不曾想到，但時機配合，便會湧現。

第五、需要學習語言：可以借鑑

在不同語言國家經商的經驗。有些地方找到翻譯員，可以幫助一段時間；如果暫時無人可作翻譯，宣教士和當地人必須忍耐，努力學習當地語言，直至可以與他們溝通、交換意見。大家都知道學習語言並不需要特別的天份，不論那一種語言，只要一年的時間，最多兩年，已足夠讓他們明白自己所表達的感情。

探討基督徒一般的職責及推動大使命的方法

如果基督國度擴展的預言是真實的，又如果主耶穌交給門徒的大使命也就是我們的大使命，這就表示所有基督徒應該衷心與主一同來推廣祂的榮耀的計劃，因為**凡在主裡便是合而為一的**。

首先，第一件最重要的責任是熱心和合一地禱告……我相信為傳福音的成功而舉行**月禱會**不會是徒然的；無可否認，我們的禱告不夠熱切，但縱使如此不恆切或微弱，相信神一定聽見，也或多或少會答應我們的祈求……如果所有在救贖者國度下的基督徒聚集一起，向神表達這一個神聖的懇求，可能在今日之前，我們看到的不只是為福音而敞開的門，而是很多人**來回奔跑，知識增加**，正勤奮地使用神所賜的各種方法來傳福音，享受神從天上賜下格外豐厚的福氣和能力。

許多人不能做甚麼，惟有禱告；禱告是使所有宗派的基督徒熱切、毫無保留地合一的唯一方法，這樣，我們才可合一，達致同心合意……

然而，我們不應只是禱告，也應**努力運用各種方法**來達到我們所求所想的；**光明之子**要**效法同時代世俗之子的聰明**；他們想盡辦法去獲得光榮的獎項，但我們從未想過用其它方法來奪取。

當一家商業機構拿到牌照後，會傾盡全力運用資金、船隊、主管及挑選員工和組織，達到既訂的目標；但不會就此停止，成功在望的鼓勵，會使人繼續努力，全力以赴，結交每一位可以提供資訊、從中取得利潤的朋友……

假若有一群虔誠的基督徒、傳道人及朋友組成一個團體，為所擬定的計劃訂定條例、聘請宣教士、規劃開銷等等，這個團體的成員必須有心於這項工作，對信仰認真，並且要有鍥而不捨的精神；甄選必須嚴格，不合上述要求的人寧捨不用，或擱置申請。

這個團體必須委任一個**委員會**，負責收集有關的資訊、奉獻，查詢宣教士的性格、脾氣、能力及宗教觀，同時也負責供應宣教士的需要。

假如我可以對同工及弟兄姐妹產生影響的話，特別是在筆者自己的宗派內，我會建議要組成一個上述的團體和成立委員會，隸屬於指定的浸信

會宗派。

並不是要這一個組織局限在某一個宗派，反而衷心希望任何真正愛主耶穌基督的人都透過某種方式參與。但是，以目前基督教的多宗派情況而言，各宗派分別為主作工較聯合事奉更為美好。

至於奉獻應付開支方面，金錢無疑是需要的……如果會眾願意認獻小小的款項，或按他們的經濟能力每週奉獻更多，積存起來，就可以籌集到一筆資金供廣傳福音之用。

聖經告訴我們「**要積攢財寶在天上，天上沒有蟲子咬，不能鏽壞，也沒有賊挖窟窿來偷**」。聖經也指出「**我們撒甚麼種，就會收甚麼果**」。這些經文教導我們未來的生命豐盛，與今日所撒的種子和收割有關。這都是神的恩典，但不管**財寶**也好，**收割**也好，都要有像保羅、艾里奧、布銳內德那樣的人全心全力為主作工。日後在天堂，在透過他們的努力而認識神的人中，也有無數貧窮的異教徒和不列顛人。如此的**喜樂冠冕**是我們所熱切期待的，這確是值得我們全力來推廣基督的國度。

研習問題

1. 克里的統計小冊子其中一個要點是：大聲呼召基督徒，特別是對傳道人，要竭盡所能在他們的領域內工作。今天的基督徒事奉是否也需要靠統計來鼓勵行動？何故？

2. 克里在小冊子的總結中，簡單描述了他的「方法」，請扼要指出這「方法」的定義。

1872 年 4 月 13 日馬偕(George L. Mackay)在日記中記著説：「如今我已搬進此屋，回想當日離開故鄉左拉時，何曾想到自己竟因主耶穌的引導，平安抵達此地。這好像是在我的行李上貼了一張台灣標籤一樣。我奉命在異教徒的地方，建立基督教會，是多麼光榮的事情啊！上帝啊！請幫助我，主耶穌我的領導者，我再度宣誓歸依你。上帝啊！幫助我吧！」

——陳宏文《馬偕博士在台灣》(中國主日學協會，1997)

學生福音運動與普世宣教

蘇文峰、劉智欽合著

十九世紀的宣教趨勢是從沿岸進入內地，當時學生們對宣教的熱情與委身，在普世宣教的行列中扮演了非常重要的角色，近代各國宣教的歷史中，都可以發現他們的身影。

基督徒大學生最早從事宣教的是7位德國學生，他們到法國巴黎攻讀法律學位時，蒙召一同獻身海外宣教。其中3位前往埃及，只有1人生還。生還者名叫彼得海陵(Peter Heiling)，於1634年繼續前往阿比西尼亞(今埃塞俄比亞)，在當地宣教達20年，並將聖經譯成當地文字，最後也為主殉道。

德國哈勒(Halle)大學的學生，在富朗開(August Francke)的鼓勵下，至少有60人前往印度宣教。該校的畢業生親岑多夫(Zinzendorf)，後來成為莫拉維亞弟兄會的領袖。在他的帶領下，莫拉維亞弟兄會成為普世基督教會第一個遵循大使命的教會，他們所差出的宣教士雖然教育水平不高，卻深深地影響了後來循道衛理運動的領袖衛斯理兄弟。

衛斯理兄弟在牛津大學讀書時，與一些同學組織了一個學生團契，取名「聖潔會社」，並以「實際經歷奉獻的人生」為他們團契事奉的目標。這影響了他們兄弟後來成為宣教士，及後來他們推動循道衛理運動時，在宣教中跨越殖民地的圍籬，邁向普世。

直接影響十九世紀的學生宣教運動，分別來自英、美兩國。為了回應普世福音的大使命，但慢慢被自由派神學滲入了教會，影響他們所謂「福音與宣教」本質的看法。這是一段值得我們這一代中國基督徒仔細思想的主題。

一、劍橋團契與宣教

1782年查理西門(Charles Simeon, 1759-1836)畢業於劍橋大學，他是英國皇家學會的會員，並同時擔任劍橋三一堂的牧師直到年老。1804年在他的帶領下，劍橋的學生成立了「英國與海外聖經公會」(British and Foreign Bible Society)，參與這個團體的學生，受到海外宣教的影響極深。在此附帶一提的是，因著海外宣教而帶來聖經翻譯的需要，各地聖經公會成立，常與宣教同步發展，而學生福音運動扮演了

極重要的推力。

1827年查理西門成立了一個查經班，從其中帶領出許多位著名的聖經學者，也為日後劍橋大學團契的發展，及日後兩個世紀的學生福音運動，奠定了極為穩固的信仰與神學基礎。直到廿世紀，劍橋團契的畢業生約翰司徒德(John Stott)在福音派教會及學生福音運動中，仍然具有影響力。

1836年查理西門逝世後，查經班仍然繼續，並四處傳揚福音。1848年他們成立了一個專為宣教士禱告的團契。在李文斯敦(David Livingstone)於1857年訪問劍橋大學，傳遞海外宣教異象後，他們為此成立了「劍橋中非宣教差會」。1877年他們正式成立「劍橋基督徒學生聯會」(Cambridge Inter-Collegiate Christian Union)，這是現代大學團契的先驅。類似的大學團契很快在英國本土及殖民地的大學興起，並迅速傳到其它國家。

1882年美國著名奮興佈道家慕迪(D. L. Moody, 1837-1899)訪問劍橋大學，在長達一個星期的聚會後，帶來許多學生對拯救失喪靈魂的負擔，許多在畢業後加入了聖公會的差會「英國海外佈道會」。

與此同時，因著戴德生(Hudson Taylor)成立中國內地會，他的信心與見證激勵了許多劍橋的基督徒學生，1885年有7位劍橋畢業生同時申請加入中國內地會。在當時，這事轟動英國，因為過去少有大學生同時加入一個差會，而且是一個初創必須憑信心仰望神的供應，且需進入內地的差會，他們在宣教史上被稱為「劍橋七傑」。〔編按：這七位學生是章必成(Moutagu H.P. Beauchamp)、蓋士利(W.W. Cassels)、何斯德(D.E. Hoste)、西瑟端納(Cecil Polhill-Turner)和其弟亞瑟端納(Arthur Polhill-Turner)、司安仁(Stanley P. Smith)、施大德(C.T. Studd)，他們在中國甚至其它地方都留下了美好的腳蹤。〕在前往中國之前，他們巡迴了全英各地，在許多教會和大學作見證，激勵學生立志海外宣教。

二、乾草堆運動與宣教

「乾草堆運動」始於1806年美國麻州的威廉斯學院。撒母耳米勒(Samuel J. Mills, 1783-1818)與一群同學每週兩次在戶外同為宣教禱告。在一次暴風雨中，他們躲進大乾草堆中禱告，聖靈在這次乾草堆的禱告中大大的充滿他們。1808年他們成立了一個稱為「弟兄會」(The Society of the Brethren)的小團契，以推動宣教為他們的事奉異象。在往後的60年裡，這個小小的團契有527位成員加入，約有半數蒙召前往海外宣教。

米勒後來進入耶魯大學攻讀神學，認識了來自夏威夷群島的Henry Obookiah，因此他們鼓勵同學前往太平洋各島宣教。

1810年在公理會的年會上，米勒與一些同學要求公理會成立差會，將

他們差到海外宣教。所成立的差會在十九世紀的宣教工作中擔當了十分重要的角色，在中國，大家採其英文名稱American Board of Commissioners for Foreign Missions音譯為「美部會」，在中國教會的發展歷程中，公理差會的宣教士有卓越的貢獻。

他們第一位到中國的宣教士是裨治文(Elijah Coleman Bridgman)，他於1830年抵達廣州，與當時駐中國唯一的宣教士馬禮遜(Robert Morrison)同工。他在中國工作31年，除了傳福音外，也致力於改善中國人的生活。他於1832年創辦了《中華叢刊》，刊載教務消息和許多教會早期歷史，也登載中國的宗教、法律、風俗、歷史、文學和時事。同時開辦廣州印刷所，1834年他和其他宣教士成立「中國益智會」(The Society for the Diffusion of Useful Knowledge in China)，以促進華人的西洋知識。他也協助馬禮遜教育會(1835年)和中國醫藥會(1838年)的成立，參與新舊約文理聖經的翻譯工作。與他同來的雅裨理(David Abeel)稍後成為閩南第一位宣教士，協助英國教會成立東方婦女教育促進會(1837年)。衛三畏(Samuel Wells Williams)是著名的印刷家、著作家、學者，他的名著 *The Middle Kingdom* 兩鉅冊，直至今日還是西方學者關於中國的權威著作之一。伯駕(Peter Parker)則是中國教會史上第一位宣教醫生，他在廣州開設博濟醫院，他被稱為「用手術針將福音開放予中國」。

乾草堆運動影響了公理會的海外宣教，同時，該運動也影響了宣教史上極其重要的學生自願運動(Students Volunteer Movement)的形成。在我們進入學生自願運動這個主題前，需要先明白，自從1792年威廉克里(William Carey)推動宣教，直到1878年為止，在世界各地的宣教士人數約只有2千人。但是當學生自願運動於1880年代開始推動宣教以後，在二十世紀的初葉，全世界的宣教士人數已逾1萬5千人，就量的角度來看，可見其影響之大。

三、學生自願運動與宣教

基本上，學生自願運動的發展除了受乾草堆運動的影響，另一股力量則來自基督教青年會(YMCA)。1844年喬治威廉斯(George Williams)在倫敦成立青年會，很快就在1851年傳到了美國，並迅速於東岸及一些大學中建立工作。美國的青年會在慕迪和衛夏德(Luther Wishard)加入後，學生工作的發展更加快速。

有一位乾草堆運動「弟兄會」團契的畢業生羅義爾(Royal Wilder)，被「美部會」差往印度宣教，30年後因身體健康問題回美療養。他的兒子羅伯特(Robert Wilder)在普林斯頓大學讀書期間，因著父親的鼓勵在校內成立了「普林斯頓海外宣教團契」(Princeton Foreign Missionary Society)，他們的誓約是「若出於神的許可，我願意並渴望被差到福音未得之地」。

1886年青年會在麻州的黑門山舉行研經夏令會，大會講員慕迪挑戰學生獻身宣教，一共有來自普林斯頓海外宣教團契的89間學校251名學生參加，並且有99人簽下了「普林斯頓誓約」獻身海外宣教。在聚會結束後，為了跟進工作並推動宣教異象，有一年的時間羅伯特等人巡迴全美國162間大學或神學院，全年共有2,106個學生簽名獻身海外宣教。

為了更加有效的推動此一學生宣教運動，青年會、女青年會以及神學院校際宣教士聯會(Inter-Seminary Missionary Alliance)在1888年共同組成了「學生自願運動」(Student Volunteer Movement for Foreign Missions)這個組織，簡稱SVM。他們的口號是「在我們這一代把福音傳遍世界」，穆德(John Mott，1865-1955)擔任首任總幹事，羅伯特擔任巡迴幹事。

1891年學生自願運動在美國俄亥俄州克利夫蘭舉辦首次宣教會議，共計有來自151所大學的558位學生，及31位宣教士和32個差會代表出席，會中並作成每四年舉辦一次宣教大會的決議。與此同時，也有40所大學及32所神學院，允諾在經費上支持他們獻身宣教的校友。

受到美國學生志願運動的鼓勵，在英國、南非、北歐各國的學生團契也紛紛跨越校際，成立類似美國學生自願運動的組織。有鑑於此，衛夏德於1888至1892年之間巡迴各國，並於1890年來到中國。他鼓勵共同成立一個國際性的基督徒學生組織，要為「在我們這一代把福音傳遍世界」而奮鬥。1895年，世界基督教學生運動(The World's Student Christian Movement, SCM)正式在瑞典成立為一個組織(World Student Christian Federation)，穆德擔任首任總幹事。

穆德上任後迅速前往日本、印度、澳洲、紐西蘭等亞太各國，在上述各國成立了70個學生組織及4個全國性的基督教學生運動，也在穆德的努力下，學生自願運動、世界基督教學生運動、青年會，成為一個三合一的宣教網絡，彼此在事工與人力上相互支援。

1888年至1919年從學生自願運動差往海外的宣教士共計8,140位，其中2,524位來到中國宣教，當時中國是全世界最大的宣教工場。1886年青年會在中國成立，1890年衛夏德來訪中國，並出席中國青年會的第二次大會。會中大家提議請美國派遣青年會幹事來華，因此1895年他們派出了第一位幹事穆德，於1896年來華。在短短的三個月內，他組織了22個學校青年會，也招聚了原有的5個學校青年會，於上海召開第一次的全國青年會議，會中有76位學生決志獻身事奉主，1910年中國學生自願運動成立。

就在學生們熱情回應海外宣教的同時，自由派神學卻悄然的佔領了西方許多的神學院，在學術的領域中透過理性滲透進學生自願運動中。

第一次世界大戰後，殖民地問題、種族問題、經濟大恐慌席捲世界各國，同時許多宣教士在學生時代受到自由神學的影響，錯把教育、醫療、社會運動取代了福音救贖的本質。他們的宣教其實和與信仰本質無關的海外人道工作無異，因此他們被冠上了社會福音派的稱號，而上述的三個青年學生團體卻接受了自由神學的立場。

1920 年是學生自願運動的高潮，當年有 6,890 位學生參加大會，2,783 人決志宣教，1921 年 637 人踏上宣教工場。但自此之後，該運動因為失去傳福音的動力，就日漸萎縮，1940 年以後學生自願運動停止宣教計劃，1969 年宣告解散。

在學生自願運動或世界基督教學生運動日益萎縮，青年會於各國的工作也日趨向於社會教育或社會福利機構的同時，在劍橋大學的基督徒學生聯會，卻在滋生另一波影響及於廿世紀的學生福音運動。

四、劍橋基督徒學生聯會

成立於 1877 年的劍橋基督徒學生聯會，於 1910 年退出了他們共同參與在 1895 年成立的世界基督教學生運動。當自由神學思想日漸侵入世界基督教學生運動時，他們仍秉持忠於聖經的立場，不贊成基督教學生運動對於聖經、十字架，甚至基督的神性與位格妥協的立場。1911 年，後來擔任聖公會澳洲總主教的哈沃莫維爾(Howard Mowll)成為劍橋基督徒學生聯會的主席，協助他們建立穩固的福音神學立場，從此未曾動搖。

1918 年第一次世界大戰結束，當時的劍橋基督徒學生聯會在規模與人數上均與基督教學生運動不成比例，但是後者卻向劍橋基督徒學生會示好，希望他們可以重新加入基督教學生運動，以補足基督教學生運動中日益欠缺的向基督委身以及往海外宣教的熱誠。

代表劍橋基督徒學生聯會的迪克(Daniel Dick)及谷柏(Norman Grubb)，與基督教學生運動的委員會，於他們秘書長拉羅(Rollo Pelly)的辦公室見面討論時，谷柏留下這段寶貴的文字記錄：「經過一個小時的討論後，我一針見血的問拉羅：『基督教學生運動是否以耶穌基督的救贖寶血為中心？』他略微猶疑，然後說：『嗯！我們承認這點，但不一定以此為中心。』迪克和我便說，我們不會加入一個不以耶穌基督寶血為中心的組織，我們從此分道揚鑣。」

劍橋基督徒學生聯會的同工們意識到，如果劍橋大學必須有一個基督徒學生聯會，那麼世界上每一所大學都應當有一個類似的學生團契，因此 1919 年 12 月，第一屆大專校園團契會議(InterVarsity Conference)在倫敦召開。

從 1934 年起，英、美兩國的學生福音工作就定期每年舉辦學生福音會議。1939 年二次大戰爆發前，超過 800 人參加該年的會議。大戰的爆發使國際學生福音運動組織的成立延遲到戰後。1946 年在牛津大學召開了戰後首

次國際學生福音會議，各國代表深覺時機成熟，於1947年在美國波士頓成立「國際基督徒學生福音團契」(International Fellowship of Evangelical Students, IFES)。

英國的大學校際基督徒團契(University and College Christians Fellowship)在成立IFES之前，就成立全國性的宣教團契，影響亞洲各國學生福音運動至深的艾得理(David Adeney, 1911-1994)曾是學生宣教秘書。他們的團訓是「廣傳福音，不完不休」。

中國各大學「基督徒學生聯合會」(簡稱學聯)於1945年7月在重慶成立，當IFES正式成立時，學聯是當時極為重要的成員，直到1955年「北平學聯」停止聚會為止。但是目前在台灣的校園福音團契，及香港的基督徒學生福音團契，仍承接該運動的精神，繼續於學生福音運動中，在中國人的土地上回應普世宣教的大使命。在台灣，自1979年起，校園福音團契每三年舉辦一次青年宣教大會，每次約有2千人參加。目前IFES於全世界約170個國家有正式或非正式的學生工作群體成立。

五、學生宣教大會

美洲方面，大專校園團契(InterVarsity Christian Fellowship)在美加展開大學校園工作，在各州成立學生小組。1936年，美國哥倫比亞聖經學院內亦成立學生海外宣教團契(Student Foreign Mission Fellowship)，其後，於1945年併入大專校園團契。

1946年，大專校園團契在多倫多舉行學生宣教大會，參加者共575人，來自加拿大和美國151所大學。這一次大會成為日後每三年在美國依利諾州厄巴納市舉行宣教大會(Urbana Student Mission Concention)的傳統，更為二次大戰後的宣教注入一股新的動力，影響直到如今。自1946年至至2003年，厄巴納學生宣教大會已舉辦了二十屆，每次約有2萬人出席，共有20萬位代表接受挑戰，回應神的呼召參與普世宣教工作，宣教大會亦成為美加各大學的重要福音工作之一。大專校園團契亦在超過530所大學中開展了學生福音工作。

因參加人數日增，Urbana校園已不能容納，2006年起學生宣教大會將移至密蘇里州的聖路易市舉行。

(蘇文峰為資深文字工作者，《海外校園》總編輯；劉智欽為國際關懷協會在泰國的宣教士。)

本文主要取材於兩位作者合著之《中西宣教史》第四課，由海外校園、大使命中心、基督使者協會出版，經編者增刪。)

研習問題

1. 作者陳述了五個學生運動，請詳論哪一個對普世宣教運動的影響最大？

2. 這五個運動之中，哪一個對中國影響最大？

The Call to Services
獻身中華

戴德生(J. Hudson Talyor)著　　陸中石譯

中國內地會(Chinese Inland Mission)的創辦人戴德生(J. Hudson Talyor)，帶來更正教的宣教新世代。在他的自傳裡，〈事奉的呼召〉一節，戴德生描述了他在靈性、學識及實踐上如何準備自己到中國傳福音。加入中華傳道會(Chinese Evangelization Society)，在中國 7 年之後，1860 年他因健康問題被迫返回英國。〈需要新的機構〉一節詳細寫出他回到英國後，慢慢湧出一份確信，神呼召他個人組織一個新的宣教機構，專心服事中國內地省份數以百萬的人口。在 1865 年，於卜來墩(或譯布萊頓Brighton)的沙灘上，戴德生作了這一個重要的決定。

事奉的呼召

初嘗得救的喜樂以後，隨著時間的逝去，興奮的心情日趨平淡，隨之而來是一段痛苦掙扎的日子。但這日子亦跟著過去了，留下來的是一份深刻的體驗；體驗到自我的軟弱，以及全心倚靠主的必要，因為主是我們唯一的守望者，唯一的救主。當人與罪惡爭戰，飽歷痛苦失望的時候，因著信靠以色列的牧者而換來的平靜安穩，乃是何等甘甜！

在我得救後數月，一個悠閒的下午，我把自己關在房裡，用了好一段時間與神相交。當時的情形，至今仍歷歷在目。我滿心歡喜快樂的把靈魂傾倒在神面前，一再向祂表示我的感激和愛意，感謝祂所作的一切——就是在我放棄了所有的希望，甚至連得救的意願也要放棄的時候，祂拯救了我。我懇求祂給我一點工作，好表達我對祂的愛和感激；無論這工作多麼卑微，不管它多難受多瑣碎，只要叫神歡喜，我便樂意捨己，為祂而作，因為祂為我成就了萬事。我記得很清楚，當我將自己、我的生命、我的朋友、我的一切，毫無保留地獻在壇上，那浸溢我靈魂的莊嚴感覺，給我一個明顯的確據，就是神已接納我的獻祭。神的同在有說不出的真切，而且滿有祝福。那時我還未滿 16 歲，我記得我躺在地上，伸開四肢，靜靜地俯伏在神的面前，心中有一股不可言喻的敬畏和喜樂。

對於事奉的內容，我卻一無所知，但我深深意識到我已不再屬我，而這種感覺至今仍未能磨滅；一直以來，這感覺是實在的。兩三年後，我有一個非常難得的機會，叫我能夠習醫，條件是要跟一位亦師亦友的醫師當學徒。可是，我覺察到我不能對任何約束許下承諾；我已不再屬我，不能再憑己意行事。況且我不知道神在何時或何種情形底下要用我，為了等神的安排，我要讓自己保持自由，隨時準備接受祂的呼召。

在我定意獻身事主後數月，有一異象深深印入我的心靈，這就是神要在中國用我。這工作看來要付出很大的代價，甚至要付上我的生命，因為當時的中國並不像今日那樣開放，當時的宣教團體罕有宣教士在中國工作，而有關在中國宣教的書籍亦不多見。但我知道在本市公理宗教會的傳道人手上，有一本麥都思(Medhurst)所著的《中國》，便登門造訪，借書一讀。他欣然答應，並問我為甚麼要讀這本書；我告訴他神要在那地方用我一生。「你打算怎樣去？」他問道。我回答說我一點也不知道，似乎只好跟十二使徒和七十個門徒在猶太地的作法一樣，腰袋不帶金錢，行路不帶口袋，只靠差我的主供給我一切的需要。牧師慈愛地把手放在我的肩膀上說：「啊！年青人，等到你年紀較大的時候，你便會比現在聰明一點。這種想法，基督在世的時候還可以行得通，現在卻不行了。」

我現在可大得多了，但不見得比那時更聰慧。我愈來愈深信，我們若照著主給門徒的指示和保證去做，在今日的世上一樣是行得通的。

麥都思的《中國》一書強調以醫療傳道的重要，因此我決定研究醫學，作為日後工作一項重要的準備。

我的父母對於我傳道的決心既不反對，也不鼓勵。他們勉勵我，當以信心盡力鍛鍊自己的身體、意志和心靈，以禱告的心等候主的引導。祂若向我啟示，說我弄錯了，就順服祂的引導；祂若在適當的時候為我開路，就遵命去傳道。這忠告對我很重要，日後我常有機會經歷和證實。自此，我開始多作戶外運動，增強健康。我將羽絨墊褥及其它舒適的傢俬盡可能拿走，為將來刻苦的生活作準備。我更按照自己的能力，去做基督徒當作的工作，諸如派發單張、教主日學、慰問貧苦和有病的人。

為了更有充份的準備，我在家中自修一段時間後，便跑到赫爾市(Hull)接受醫學和手術的訓練。我在那裡充當一名醫師的助手，這醫師與赫爾醫學院有連繫，而且是多間工廠的外科醫生；所以，診所裡經常會碰上許多工傷的病例，讓我有機會觀察並進行一些簡單的外科手術。

在這裡發生了一件事情，是不能不提及的。在離家前，我特別注意如何將第一次收入，以及怎樣按比例將財富奉獻予主的聖工。我知道我需要在離家之前，好好查考手中的聖經，

為這問題尋找答案，免得日後因著環境的壓力，生活的需求而影響我的決定。最後，我定意無論賺取多少金錢，或擁有多少財富，都要為主的聖工奉獻不少於十分一。以當日在赫爾當助手的薪金而論，這本來是輕而易舉的，但由於我好友兼僱主的家庭有了變動，我要搬到外面居住。雖然在親戚處找到一安舒的居所，但即使加上額外工作所得的收入，也剛好足夠支付我的食宿費用。

現在我腦海中盤算著一個問題，到底這份收入是否也應按著什一奉獻，獻予上主？這確實是收入的一部分，而這份收入既要繳稅，我覺得照理是不能豁免什一奉獻的。但另一方面，若把我全部的收入作什一奉獻，剩下來的便不足以支付其它需要。有一陣子，我曾感到十分尷尬，不知怎樣做才好；經過不斷的思想和禱告，在神的引導下，我決定離開這安舒的居所和愉快的環境，搬到近郊去。那裡只有一房一廳，膳食自行料理；但我可以從容地將我全部收入作什一奉獻。雖然變動頗大，卻帶來不少的祝福。

我花上更多的時間靈修，研究神的話語，我又探問窮苦的人家，以及在夏夜參與福音的工作；以我從前的生活方式來說，這是不大可能的。在這些工作中，我遇上很多困苦的人，才發覺以自己目前的生活而論，實在可以更加節儉，而且所能捐助的，遠超出我起初所定下的比例。

大約在這個時候，有一個朋友把我的注意力引到主耶穌基督前千禧年來臨的問題上，他並且列出了一系列有關的經文，建議我思考這個問題。不過他給我的經文，並沒有附上任何詮釋或筆記；所以有一段日子，我花了頗多的時間來把它們研讀。在聖經的亮光引導下，我看到那帶著復活的身軀離開世界的耶穌，將會照樣的再來；祂雙足要站在橄欖山上；祂要登上祂先祖大衛在世的寶座，那是祂未出生前已應許的。此外，我又領受到在全卷新約聖經中，主再來乃是祂子民最大的盼望。至於在奉獻和事奉方面，主的再來亦構成強大無比的動力，對於在試煉和痛苦中的信徒來說，更是莫大的安慰。我亦明白到主並沒有向祂的子民顯明祂再來的時日，為要叫他們日復一日，時復一時，過著儆醒等候主回來的生活。這種生活並非是物質的生活；換句話說，無論主是否在某特定的時間再來，最重要的是盡一己之力，作好迎接主的準備，以便祂在甚麼時候出現，我們都能夠以喜樂而不是悲苦的心情，向祂交賬。

這種蒙福的盼望在生活上帶來具體而實際的果效，它教我在自己小小的圖書館中，仔細的尋找，看看有沒有任何書籍是不需要的，或是對我將來的事奉沒有裨益的。它又教我查驗自己的小衣櫥，好確定在主回來那一刻，裡面沒有任何東西足以令我感到歉疚。結果，我的藏書顯著地減少了，一些貧苦的鄰居卻因而得到一點

好處,然而我心靈的獲益,比他們更大更多。我又發現我的一些衣物,若依這方法處理,對人對己皆可以發揮更大的益處。

在我一生中,每當我在環境許可下而這樣做的時候,我都感到得益不淺。每逢我抱著這個念頭,自地窖走遍閣樓,沒有不叫我感受到莫大的屬靈喜樂和祝福。我相信我們所有都陷於囤積的危機——有可能是出於無心之失,或是基於職業的壓力中,積存了一些對別人有用而自己卻不需要的東西,以致喪失許多屬靈的福份。如果神教會的全部資源,能夠好好地加以運用,我們所能成就的,想必比現在更為遠大!有多少窮人可以得著飽足,多少赤裸的可以得到蔽體,多少未聞福音的人可以聽見福音!我建議你們也把我以上所作的,在思想上養成習慣,只要環境允許,便切實執行,因為這樣做對我們是有益處的。

需要新的機構

「耶和華說:『我的意念,非同你們的意念,我的道路,非同你們的道路。天怎樣高過地,照樣我的道路,高過你們的道路,我的意念,高過你們的意念。』」(賽五十五 8-9)這些話是何等真實!當神以最佳的途徑,為我們帶來極大的福氣時,我們即使不像晚年的雅各般口出怨言:「凡事皆與我作難」,但我們不信的心往往充滿這樣的感覺,或是充滿了恐懼,就像昔日門徒看見主在海面上走,心裡驚惶,主行近他們那裡,平靜風浪,迅速的帶他們到安全的地方。就算以普通常識而論,我們也應知道祂的道路至為完全,不可能犯錯。祂曾經應許我們,祂「必成全關乎我的事」。祂對我們的照顧無微不至,連頭髮也為我們數算過;我們的遭遇也是出於祂的安排,祂自然遠比我們清楚當怎樣為我們謀取真正的好處,以及榮耀祂自己的聖名。

> 盲目的不信肯定犯錯,
> 並無從體察祂的工作;
> 神是祂自己的詮釋者,
> 祂定會將祂心意顯明。

在我來說,因為健康不佳而要放棄在中國為神工作的機會,那簡直是一場災難;更何況工作剛剛比以往更有果效,突然要離開寧波那一小群極需照顧和教導的基督徒,心內倍添愁煩。我的憂傷並沒有因為返抵英國而減少,因為醫療報告顯示,至少在未來數年內,我不可能重返中國。我當時一點也不能曉得,神要我與中國作長遠的分離,乃是必須的,因為神要賜福祂的工作,正如祂一直在賜福中國內地會一樣。身在寧波的時候,四周的呼求壓得我透不過氣,叫我無從想及內地其它地區有著更大的需要!即使能夠想及,也肯定不能作些甚麼。在英國的數年間,我每天注視著掛在書房牆上的巨大地圖,遼闊的中國內地,以及我曾經為主工作的小小地方,都與我同樣接近。禱告是唯一可以減輕我內心重擔的方法。

長期離開中國已是無可避免的事，跟著的問題便是如何在英國，仍能對中國作出最佳的服事。這導致我與內地會今已去世的高富牧師(Rev. F. F. Gough)一起工作了數年，為大英及外國聖經公會修訂寧波語的新約聖經。在進行這件工作的時候，我因為目光短淺，除了看見聖經本身及其中的註釋的價值外，看不到這件工作對寧波的基督徒還有甚麼意義。但現在我才明白，若沒有在這些日子得著神話語的餵養，以我當時的屬靈基礎，實在無法成立像中國內地會(China Inland Mission)那樣的宣教組織。

研讀神的話語叫我明白到，要得到合乎神心意的工人，並不是靠大力的呼籲。相反的，我們**首先要懇求主打發祂的工人**，然後強化教會的屬靈生命，好叫信徒面對廣大的需要，**不可能再留在家裡**無動於衷。我發覺使徒古時傳道，並不是先籌措一筆金錢或定下一套方法，而是馬上**起來作工**。他們信靠神信實的話語：「你們要先求祂的國和祂的義，這些東西都要加給你們了。」

這時候，神答應了我的禱告，差遣祂的工人到浙江去。首先，宓道生先生(Mr. Meadows)和年青的太太，藉著我們的朋友白嘉先生(Mr. Berger)的合作和幫助，於1862年1月出發到中國去。第二位是一位女士，她得到外國傳道會(Foreign Evangelization Society)提供旅費，於1864年離開英國。第三和第四位一同在1865年7月抵達寧波。第五位不久之後亦跟隨他們的腳蹤在1865年9月安抵寧波。於是我們所祈求的5名工人，全數蒙主答應，而我們更得到激勵，為更大的事仰望神。

數月來懇切的禱告，以及經歷過無數次的徒勞和失敗，我深信要推行中國內地的宣教工作，**亟需成立一個特別的機構**。在這段日子裡，我不但得到我的摯友和同工高富牧師每天為我禱告，與我一起磋商，還得到白嘉夫婦寶貴的意見和支持，我和我的太太(在這關頭，她的判斷和敬虔俱有著無窮的價值)，在不少日子裡常與他們夫婦倆一同以禱告的心靈商議此事。這個計劃可能會受到本國宣教團體的干預，其中的困難是可以預見的。但我們的結論是要單純地倚靠神，祂或會成立一個適當的組織，並且看顧它，使它不會阻礙任何進行中的工作。我同時有一個愈來愈強烈的信念，就是神要我向祂尋求所需的工人，並且與他們共同進退。但因為不信的緣故，我過了一段頗長的時間，仍未敢踏上第一步。

不信的人時常三心兩意！我若奉主耶穌基督的聖名祈求更多的工人，我不會懷疑祂會否賜給我。我也相信，神既聽了我們的禱告，祂必會為我們預備工作所需的一切，中國的大門也會為我們敞開，引導我們到那些未曾踏足的地方傳福音。但我那時卻不曉得信賴神**保守**的能力和恩典；怪不得我不能夠把預備與我前往中國的同工，交託給祂保守。我恐怕工作中

必然遇上危險、困難和試煉，會令到一些較為稚嫩的基督徒吃不消，因而怪責我硬拉他們去承擔一些他們無法應付的工作。

那麼，我可以作甚麼呢？心裡的罪疚感愈來愈強烈。由於我不願向神求取工人，故沒人前往中國去，而每天卻有成千上萬人葬在沒有基督的墓穴之中。沈淪的中國令我憂心如焚，日間難以安寧，夜裡不得休息，以致健康日壞。在好友皮亞士先生(Mr. George Pearse)的邀請下，我跟他在卜來墩(Brighton)住了幾天。皮先生那時在股票市場工作。

1865年6月25日星期日，我因不忍看見禮拜堂裡過千的基督徒安然地在高興快樂，而千百萬未聞福音的人正走向滅亡之路，所以獨自一人來到沙灘，心內十分痛苦。在那裡，神降服了我的不信，叫我把自己交在祂的手裡，供祂使用。我告訴神我已把所有重擔交給祂了；我是祂的僕人，我要遵行祂的命令，跟隨祂的指引，願祂照顧和引導我，以及與我一起同工的人。不用解釋，也可想像到平安立時在沈重的內心湧流。就在那處地方，我求主差遣24名同工到中國去。當時內地有11個省份沒有宣教士，我求主每一省派遣2人去，另2個則往蒙古。我將這個請求寫在隨身帶著的聖經空白處上。回到家裡，一片釋然，是多月來未曾體會過的；並且心裡肯定神一定會賜福祂自己的工作，而我在其中亦得以分享這福氣。先前我曾經向神禱告，求祂打發工人到那11個省份，並且供應他們所需，但我卻未順服，沒有求神使用我成為他們的領袖。

大約這時候，在太太幫忙之下，我寫了一本小書《中國屬靈的需要和呼求》(*China's Spiritual Need and Claims*)，書中每一句話都浸潤在禱告中。藉著白嘉先生幫忙整理稿件，並且負擔了印刷費用，這書印行了3千本，很快便人手一冊。一有機會，我便將那計劃公開宣講，特別是在1865年於伯斯(Perth)及米特美(Mildmay)舉行的培靈大會上，我不斷的為此禱告，很快便有年青人願意獻身宣教，經過一段書信來往之後，我邀請他們到我家中，那時我家在倫敦東部。當一幢房子容不下他們的時候，隔壁的鄰舍搬走了，我便把它租下來；當再次容納不下時，神在附近為我們預備了地方。不久，有不少的青年男女接受訓練，投身於傳福音的工作上；在某程度上，這可以給他們一個考驗，看看他們是否適合當搶靈魂的工人。

研習問題

1. 你能指出戴德生所寫的「事奉的呼召」和「需要新的機構」兩篇小文章，當中有何關聯？

2. 請用你自己的文字寫出，戴德生在思量需要一個新的宣教機構時，何以猶豫不決？

中國的屬靈需要與呼求(節錄)

這樣的一個國家的呼求，我們當然不但要接納，並且要加以回應。難道佔世界三分之一人口的一個民族的永恆結局不值得我們同情，不能激發我們盡上最大努力嗎？難道從世界未信者一半人中傳來無助的悲鳴，從這群沒有盼望的可憐人中響起的哭號，刺不進我們耳朵裡，使我們要身心靈總動員去為中國的救恩需要而齊心向前嗎？我們要靠著神的大能，在祂裡面剛強起來，從強者的手中奪回擄物，從永火的邊緣挽回生命，又解救那些受罪和撒但轄管的靈魂，帶領他們歸回到我們萬王之王的勝利行列當中。

我們在神面前為上述的事情禱告，看見中國對那能使人真正喜樂的福音毫不認識，心裡有很大催迫，要盡我所能，使那些經歷主寶血大能的生命，都對中國的需要有負擔，同時求主打發工人和預備資源，使福音可以遍傳這片大陸的每一個省份。我們要靠主才能作工，因為祂是所有力量的泉源；祂的膀臂並非縮短以致不能拯救，祂的耳朵並非發沈以致不能聽見。祂永不改變的話指引我們去祈求和接受，使我們的喜樂可以滿足；聖經又叫我們大大張口，讓神填滿我們的需要。滿有恩惠的神，甘願聽命於憑信心的禱告，讓祈求者可以支取祂的能力，但同時我們不要忘記，祂是不會輕忽那些讓其他人滅亡而不去作工的人的血債的。

——摘自戴德生著《戴德生嘉言錄》(海外基督使團，1990)

Tribes, Tongues and Translators
種族、語言與譯者

湯遜(Cameron Townsend)著　編輯室譯

我們明白仍有很多很多的障礙要克服。無論怎樣，我們既曾嚐過神的信實和大能，就不應畏懼橫亙在我們面前的攔阻。我們本著對大能信仰無比的信心，可以再次歌唱，可以笑對不可能的事，更可以大聲呼叫「必定成就！」[1]

金綸湯遜是威克理夫聖經翻譯會(Wycliffe Bible Translators)和姊妹機構世界少數民族語言研究院(Summer Institute of Linguistics)的創辦人。當他仍是學生，一天，在派贈西班牙語聖經的部分經卷的時候，深深體會說西班牙語聖經並不適合危地馬拉的印第安人。在1929年，他完成了加支告語(Cakchiquel)新約的翻譯工作，又轉到為其他部族的聖經翻譯而努力。由這時開始，不少人加入他的行列，並且應用語言學以及進步的科技。過去50年，威克理夫的翻譯者分佈全球，為許多語言創製文字，翻譯部分經卷，充實部族的社會，使他們可以回應多數民族所加諸的壓力。

「金叔叔」受到世界各地君王、總統與「小民族」的尊重和讚賞，大量基督徒亦陸續投身於這一個異象，完成了逾3千種語言的聖經翻譯，使5千個族群受惠。湯遜在1982年辭世，年85歲。

勿做傻子！——這是50年前，當我決定要為中美洲印第安人一個大部族加支告族翻譯聖經時，朋友對我的警告。他接著說：「這些印第安人的語言如此怪異，不值得你去學習，去為他們翻譯聖經。無論怎樣，他們都不會懂得閱讀，任由他們學習西班牙語吧！」

14年後，我正夢想要接觸所有部族，這位朋友雖然看到加支告族有了聖經後的改變，仍作同樣的論調。其後，我把亞馬遜河其他很小的原始族群也列入計劃之內時，一位資深宣教士朋友再加上一句：「他們會把你殺掉，這些叢林部族會用任何方法把你置諸死地，他們會用矛、用弓、用箭，把一個一個的外來者殺死。就算他們不殺你，你也會染上瘧疾，你的

獨木舟會在急流中傾覆，你會缺乏供應品，回到出發點要一個月的時間。忘記這些部族，留在加支告族吧！」

可是我無法忘記他們。一天，神給我一句話，一切問題都解決了。神說：「人子來是為拯救失喪的人。(你怎樣理解這句話？)若一個人有一百隻羊，其中一隻走迷了路，他會不撇下這九十九隻，往山裡去找那隻迷路的羊嗎？」(路十八 11-12)

這句話提醒了我，我要追這「一隻迷羊」回來，而且，4千位年青人在後面跟隨。

我們稱自己為威克理夫聖經翻譯者，以記念第一位以英語翻譯全本聖經的約翰威克理夫(John Wycliffe)。我們之中有半數是在部族群體中間工作，專注於語言學和翻譯，為他們翻譯聖經；另一半則作支援，如教師、秘書、機師、技師、印刷者、醫生、護士、會計，亦有供應隊伍，把麥片、食油、嬰兒牛奶等必需品運往前線。我們的工具是語言學和神的話，本著愛心和服務的精神來服侍，從來沒有歧視。

許多部族開始接觸福音，因為今日的飛機和短波廣播，打破了從前的地理障礙，而新發展的語音學科學，也打破了陌生語言的藩籬。巫術、殺戮、迷信、無知、恐懼以及疾病，都因有神話語的亮光、文字、醫療，和與外面世界的接觸而銷聲匿跡。從前在生命中迷失的部族人民，都被神的話重新塑造，無論在墨西哥南部的山區、亞馬遜河流域叢林，或者澳洲的沙漠平原的部族，都迅速從舊時代躍進了新時代。

部族之門因這新穎的接觸而迅速為我們開啟。聖經翻譯之路，過去50年的進展，鼓舞我們期望在世紀交接的時刻能夠完成任務。要把神的話帶給3千個未有聖經的部族，需要更多的翻譯者及支援人力資源。步伐必須加速，每一項翻譯需要5至25年，或者更長的時間，而參與其中的人，不僅需要差往每一部族的語言學者，也需要一位或多位可提供資訊的本土同工。

從政治方面來說，今日好像是這些被忽略的國家與被忽視的部族的日子；從屬靈方面也可以這樣說。路加福音十四16記載有一個人，他擺設了豐盛的筵席，邀請了許多賓客，卻被婉拒。然後，他派人前往城裡的大街小巷邀請了普羅大眾前來，但仍有空位子。最後，他派人到路邊和籬笆旁把人拉進來，他們都來了。或許這些遠方從沒有過絲毫機會的部族，終有一日有特別的機會。

我們知道他們一定要聽到神的愛的信息，因為他們都包括在大使命，以及啟示錄七9預言的那一大群被贖的人之內：「許多的人，沒有人能數過來，是從各國、各族、各民、各方來的，站在寶座和羔羊面前，身穿白衣，手拿棕樹枝。」他們必須透過能明白的語言聽見了神的話語，才能夠

站在那裡。難道還有其它方法可以得到救恩呢？

願神激動人的心，更多人願意加入我們的行列，到每一個部族去，完成神給我們的任務。

注釋

1. Steven, Hugh. *Wycliffe in the Making — The Memoirs of W. Cameron Townsend* 1920-1933. Harold Shaw Publishers, Wheaton, Ill., 1995. P.254

研習問題

1. 你認為威廉克里、戴德生和金綸湯遜三人有哪些相似之處？

2. 湯遜因三段經文而決意為「無聖經的部族」譯經，請以你的理解陳述每一段經文在未得之民群體的宣教工作上不同的意義。

威克理夫聖經翻譯會 2025 計劃

到 2025 年時，

要使世上每一個人都能聽聞福音——現時仍有約 27% 是未得之民；

要使全球人口的 40% 成為基督徒——現時約佔 33%；

要使全球大使命基督徒增至 20%——現時積極履行使命的信徒只佔 10%；

要使每 2 千基督徒便有 1 位跨文化宣教士——現時每 4,800 人才有 1 位；

要使每位基督徒奉獻收入的 3% 予福音事工——現時所佔比例為 3.3%；

要在每一個人口 5 萬以上的城市建立教會——現時有 116 個這類城市未有教會；

要使每一個民族之內都有教會——現時共有 1,200 民族並未有教會；

要使每一種語言都有聖經——現時只 405 種有新舊約聖經，1,034 種有新約，883 種有部分經卷。

資料來源：Momentum Jan/Feb 2006

The Glory of the Impossible
難以置信的榮耀

施為美(Samuel Zwemer)著　　劉文昭譯

　　1887 年，羅伯特懷德(Robert Wilder)代表「學生志願運動」(Student Volunteer Movement)探訪荷普大學(Hope College)，那時，施為美(Samuel Zwemer)快要完成大學課程，他回應羅伯特的呼籲成為志願者，很快便與同學組織差會前往阿拉伯。施為美在阿拉伯差會中服務了23年，曾經到過巴士拉(Basrah)、巴林(Bahrain)、馬斯喀特(Muscat)和科威特(Kuwait)等地宣教，並成為「學生志願運動」的首位候任幹事。施為美亦從事演講和寫作，從開羅一個跨宗派的研究中心開始，影響整個穆斯林世界。他是一位多產和有恩賜的作家，撰寫文章和書籍挑戰教會向穆斯林國家傳福音，對歷史性和普及性的伊斯蘭教作學術研究，並為中東的穆斯林和基督徒出版阿拉伯語福音單張和書籍。他編輯英文季刊《穆斯林世界》達36年之久，評論穆斯林世界的時事，並成為對穆斯林宣教策略的論壇，他同時對開羅著名的阿瑟哈(Al-Azhar)穆斯林宣教士訓練中心的學生和教授作個人佈道。施為美是一位傑出的福音派領袖和學生志願運動中受尊敬的講員，他推動 1906 年在開羅(Cairo)及 1911 年在勒魯(Lucknow)的會議，開啟了與穆斯林較少對立而具建設性的進路。亨特(James Hunt)評述這位福音大使：「他可說是一位意志專一的人，雖然他的興趣和知識廣博，但我與他談話，從未超過十分鐘而話題不轉向伊斯蘭教的。」本文取自學生志願運動於 1911 年出版的刊物。

世界上未得福音的宣教工場挑戰我們要有強大的信心，也要預備壯烈犧牲。我們願意為某一項事業犧牲的程度往往與所具的信心成正比，信心有能力把難成的事轉變成為事實；當一個人受到要完成某事的信念所支配，就會不顧一切，直至完成為止。正如外號鐵公爵的英國首相威靈頓公爵 Arthur Wesley 所說，我們有「行軍命令」，因為我們的元帥不會缺席，而是與我們同在；難成的任務不僅可行，更是必須去做。司布真(C.

Spurgeon)以經文「所有的權柄都賜給我了……我就常與你們同在」講道時說：「你既有無窮的能力，其它因素都不重要了。有人說他會盡所能去做，其實任何一個傻子也會如此；但是相信基督的人會做他所不能做的，嘗試去做那難以置信的工作。」[1]

一個真正的拓荒者雖然經常遇到挫折與表面上的失敗，但永遠不會灰心。偶爾有人殉道，只會帶來新的激勵；反抗亦只會激發更多的活動。沒有巨大的犧牲，難以取得偉大的勝利。若征服旅順港需要人類的子彈，[2] 我們便不能期望不付上生命而取得非基督教世界的旅順港和直布羅陀。假如我們真的相信宣教是一場爭戰，而神的榮耀受到衝擊，為了闖開封閉的門和取得不同的工場，賠上生命和花費金錢又有何足惜？戰爭總是要灑鮮血和耗費貲財的；我們所關心的只應是繼續積極爭戰，不惜任何代價和犧牲也要贏取勝利。這些未得的工場在得到五旬節的祝福前必須先成為髑髏地。第一位到穆斯林世界的宣教士盧勒(Raymond Lull)在中世紀時已表達了同樣的思想，他寫道：「饑餓的人會狼吞虎嚥，神的僕人也要如此，渴望以死來榮耀神；他日夜鞭策趕快完成他的工作，為神灑熱血、流眼淚。」[3]

倒逆的鄉愁

世上未得之地需要那些願意為了基督而願意忍受孤單的人。對開荒宣教士而言，主耶穌在使徒看過他被釘的手和腳後所說的話特別有力：「父怎樣差遣了我，我也照樣差遣你們。」(約二十21)主耶穌來到了世界，這是一個很大的未得的宣教工場。「他來到自己的地方來，自己的人倒不接待他。」(約一11)祂來了，歡迎祂的卻是人們的嘲笑、祂的生命、受苦以及祂的寶座、十字架。祂來，是期望我們去傳福音，我們必須跟隨祂的腳蹤。開荒的宣教士在克服障礙和困難時，不單有幸認識基督和祂復活的大能，也和祂一同受苦。為了西藏或索馬里蘭、蒙古或阿富汗、阿拉伯或尼泊爾、蘇丹或阿比西尼亞(譯注：即今埃塞俄比亞)的人，宣教士可能蒙召與保羅同說：「現在我為你們受苦，倒覺喜樂，為了基督的身體，就是為了教會，我要在自己的肉身上補滿基督苦難的不足。」(原文引希臘文聖經，西一24；參可十二44及路廿一4)這不是宣教士難以置信的光榮嗎！誰會心甘情願辭別溫暖又舒適的家庭和充滿愛心的家人，去尋找那些在風暴怒吼中，叫聲僅隱約可聞的迷羊呢？這便是宣教事工的榮耀，家庭的關係和需要不能阻止那些感受異象和大牧者的靈的人前往工場，因為失喪的是神的羊，神要我們作祂的牧人而非雇工，我們一定要把迷羊找回來。

雖然路途艱辛，我也要到沙漠中找到我的羊。

弗斯博士(Dr. Forsyth)說：「對我

而言，宣教士放棄對老家的愛，對本鄉心死，將心繫於所服侍和贏取的人們，沒有比這情操更美好和更動人了。他們不能在英格蘭安息，定要回到為基督獻心的地方長埋。與這種倒逆的鄉愁相比，一般的愛國主義是多麼平庸！這種熱情是屬於一個沒有邊界和沒有受偏愛族的國度，這是無家可歸的基督的熱情！」[4]

在蒙古的基目爾(James Gilmour)、中非的李文斯敦(David Livingstone)、剛果的革仁斐爾(Grenfell)、阿拉伯的弗爾克那(Keith Falconer)、西藏的日金哈博士(Dr. Rijnhart)和泰勒小姐(Annie Taylor)、新幾內亞的查爾麥爾士(Chalmers)、中國的馬禮遜(Morrison)、波斯的亨利馬廷(Henry Martyn)，和所有像他們一樣的人，都有這種倒逆的鄉愁，這種熱情使他們以那最需要福音的地方為家。因為有了這種熱情，其它的熱情都不復存在；在這個異象前面，其它的異象都褪色了；這個呼召掩蓋了其它所有聲音。他們是天國的開拓者、神的先鋒，渴望跨越邊界，發現新的地土或征服新的帝國。

拓荒的精神

這些神的先鋒並非拿著小斧和火炬，而是帶著聖靈的寶劍和真理的火把前去，並且照亮後繼的人。他們的傷疤便是作使徒的印記，並且在受苦中得榮耀。他們像首批使徒般「身上常帶著耶穌的死」，並證明自己「在鞭打、監禁、擾亂、儆醒、禁食上是神的僕人」。

拉浩主教法蘭治(Thomas Valpy French, Bishop of Lahore)被史托博士(Dr. Eugene Stock)稱為教會宣教會(Church Missionary Society)的最傑出宣教士，真正具有拓荒精神和認識那難以置信的光榮。在印度40年的勞苦，換得豐盛的收穫，之後，他辭退主教之職，計劃向阿拉伯內陸傳福音；在學問和靈性上，他都是一位偉人。「與他一起生活，有如沐浴在靈風裡；安格丁(Engadine，瑞士的旅遊勝地)的空氣對身體有益，與他親近亦對靈命有益。與他一起，等於受教育一般。他認為一個人如果蒙神清晰的呼召，便沒有甚麼東西不能放下，包括家庭、妻子、健康；但每個人都知道祂對信徒的要求只是祂自己曾作及常作的事。」當烏干達的馬凱(Mackay)清楚地發出請求，呼籲「六位青年，英國大學的精英，用信心去冒險」，到阿曼向阿拉伯人宣教，[5] 這位勇敢的66歲老兵單獨應召，這便是難以置信的光榮。臨終前不久，他從馬斯喀特(Mucat)寫了一封短柬說：

假如我得不到可以與阿拉伯人純熱交往的忠心僕人和進入內陸的嚮導，並得到一般的供應品(我只要一點點)，我可能嘗試往巴林(Bahrein)或荷台達(Hodeida)及薩那(Sana)；若失敗了，便到北非一些高地。因為若沒有我們自己的房

子，我會很難忍受當地的氣候(至少在最熾熱的季節)，工作會陷於停滯。但求神保守！縱使是短暫的，我也不會放棄內陸的計劃；除非所有的通道都關上，任何嘗試都會變得瘋狂。[6]

「我不會放棄」——直至生命終結，他的確沒有放棄。基督的教會也不會放棄，他和很多像他一樣的人在阿曼犧牲了性命，但這工作仍在繼續。

使徒的抱負

阿拉伯和蘇丹的未得之地，正等待與法蘭治主教有同樣精神的人，立志由已有宣教中心的地區向外開展，即使中心地區的人力不足，需要加強，這並非阿 Q 精神或空想，而是真正要履行使徒的工作。保羅說：「我立了志向，不在基督的名被稱過的地方傳福音，免得建造在別人的根基上。就如經上所記：未曾聞知他信息的，將要看見；未曾聽見的，將要明白。」(羅十五20-21)當保羅離開這個重要的城市哥林多時，他寫出這一段說話，並且指出這是他尚未探訪羅馬的原因，但他希望在前往西班牙的途中探訪羅馬。第一世紀時，保羅既從耶路撒冷傳福音至以利古(Illyricum)，再至羅馬帝國的最外圍；二十世紀肇始，我們也應有同樣的志向要進入每個未得的工場，以致「未曾聞知他信息的，將要看見；未曾聽見的，將要明白。」

沒有一個使徒單單因一個命令強迫要到外地去，各人都像赴愛人的約會一般，完全是心甘情願的。他們由共同的異象所牽制，但也有個別的異象，吸引他們到需要的地方。在基督教成立的早期，基督徒沒有計較的心，大部分使徒都死於巴勒斯坦以外之地；按世人的思想，會禁止他們在本地人歸信基督之前離去。計較的天性是信心的死敵，假如使徒們容許這天性控制他們的動機和行動，便會說：「耶路撒冷的需要如此大，我們對同胞的責任如此明顯，我們必須遵守由近及遠的原則，在贏得耶路撒冷、猶大和聖地之後，才是出外宣教的時候；而且我們這裡的問題，無論政治或道德、宗教仍未解決，若肩負新的重擔，明顯是荒謬的。」[7]

任務的龐大與艱難激動了初期教會，它所顯出令人難以置信的情形便是其榮耀所在，它的普世特性就是其壯麗之處，時至今日仍如是。日本的尼西馬(Neesima)寫道：「在默想基督教在世界上奇妙的增長時，我感到很快樂；我相信基督教遇上障礙時，它會更快速前進，正如流水受到阻撓時會流得更快。」[8]

希望和忍耐

開闢土地的人應抱持希望，神永不會使他的莊稼工人失望，收割經常

會隨著撒種而來。中亞洲的宣教士何柏格(Hogberg)初到工場的時候寫道：「我們要召集幾個人來聽福音也不可能，無法找到小孩子來上學，不能派發福音冊子和單張。我們建立新的宣教站時，也建造了一座小教堂，但我們在懷疑，這房子會否坐滿願聽福音的穆斯林呢？現在，我們的小教堂已坐滿了，需要一所更大的房子！我們天天盡力傳福音，而穆斯林也不再反對了。有一位穆斯林向我說：『在你來到之前，沒有人提及或想到耶穌；現在到處都聽見祂的名字。』在我們剛開始工作的時候，他們把福音書丟掉或燒毀，或者拿回來；現在，他們購買福音書，親吻它們，把書高舉觸及前額和壓在胸前。這是穆斯林對一本書的最高敬意。」9

但開荒的莊稼工人一定要有恆久忍耐；當耶德遜(Judson)在緬甸的監獄中拖著長長的鎖鍊，一位囚友以嘲笑態度詢問他帶領異教徒歸主的前景，他說：「前景就像神的應許般光明。」10 今天沒有一個國家是無法接觸的，也沒有較耶德遜在緬甸所面對和克服的情況更艱難。

封閉之門的挑戰

既然所有未得之地的宣教工作前景「像神的應許般光明」，為何我們還要遲疑不去傳福音呢？斯彼爾(Robert E. Speer)說：「在這世代向全世界廣傳福音並不是戲詞，也不是隨便說說而已。在今日的世代，向全世界傳福音是耶穌基督對每一個門徒的召喚，將自己放在十字架上，跟隨基督的腳蹤——祂本來是富足的，卻為我們而貧窮，叫我們因此而變得富足；祂不以性命為念，作我們的榜樣，犧牲生命像基督為救贖世人而捨命。」11 誰會為了未得之地如此呢？

今天的學生志願者不能安於只是喊「要在這世代將福音傳遍世界」的口號，而是要實際投身於最被忽視和最困難的工場，以及那些莊稼已熟需要增添收割者的國家中。缺乏工人的呼聲強於福音的機會，機會主義不能支配宣教工作；敞開的門在招手，關上的門在挑戰那些有權進入的人。世上未得之地有一個特別重要和緊急的要求：「在基督教歷史的第二十個世紀之內，應該沒有未得之地，教會應毫不遲延地彌補這可悲的情況。」12

活出生命，不是謀生

未得之地挑戰所有無大志的基督徒，他們的生命被一些微不足道的事情所佔據。有些人的眼睛從未看過偉大的異象，頭腦從未被不自私的思想所抓住，心靈從未因別人的罪而悸動，手腕從未因舉起重擔而疲倦或強壯。既知道在未得之地上有這千千萬萬沒有基督的人，他們就應有新的馬其頓呼聲，以及合神心意的驚人異象，正如伯蘭主教(Bishop Brent)所說：「我們從不知道自己有甚麼道德能力，直

至我們嘗試以行為表達；一位青年需要某程度的探險，以確定他所能發揮的人類能力。」[13] 難道有較在宣教工場開荒更能測試一個人的英勇能力嗎？那些人在家鄉覺得英雄無用武之地，在其它地方無法找到合適的空間來發揮頭腦和靈魂的力量，這正是他們的機會了。許多基督徒大學生期望從事法律或營商維生，其實，他們有足夠的能力和才能進入這些未得之地。一些年青的醫生，他們可以在一些新的宣教站召聚數以千計的「在異教和伊斯蘭教恐懼下受苦」的人，解除這些人的痛苦重擔，但他們竟把精力放在人口密集的大城市中行醫，彼此競爭，以賬簿衡量成就；這只是謀生，他們其實可以活出更有意義的生命。

布洛斯主教(Bishop Phillips Brooks) 有一次提出一個大任務的挑戰：「不要求安逸的生活，卻求作更剛強的人。不要求與能力相等的任務，卻求與任務相等的能力。那麼，完成任務並不是奇蹟，而你卻成為了奇蹟。」[14] 對於未得之地的福音工作，充滿令人困惑的艱難和難以置信的光榮，再沒有其它說話更適合了。神會給予我們能力來完成任務；對過去在工場上的人，神的能力是足夠的；同樣，對今日在工場上的人，神的能力也是足夠的。

面對著數百萬在黑暗中和墮落的人，透過那些探訪者的可靠見證，知道他們的生活狀況，這項偉大而未完成的任務、未嘗試的任務，今天在呼召那些願意忍耐和受苦的人去完成。

不是犧牲，乃是特權

1857 年 12 月 4 日李文斯敦訪問劍橋大學，為非洲那幾乎完全未得之地作出懇切的呼籲；他的言詞，像給大學生的最後遺言一般，正好作本文的結束：

在我方面，不住因受神委派擔任這項職責而喜樂，人們認為我為非洲犧牲了一生中很多時間。那可以稱為犧牲嗎？只是償還對神所欠的大筆債項中的小部分而已，我們永遠無法還清欠神的債。這工作帶來蒙福的回報、行善的意識、平安的心靈和將來榮耀歸宿的光明盼望，這算是犧牲嗎？擺脫對這個詞彙的看法和這種思想吧！它絕不是犧牲，反而是一種特權。經常的焦慮、疾病、苦難或危險，以及追求一生的舒適和仁愛，或會使我們停下來，使我們的精神搖動，靈魂下沉；期望這些都是過眼雲煙。若與將來在我們當中顯現的榮耀相比，這些算不得甚麼。我並沒有作了甚麼犧牲。

我懇求你們把注意力轉向非洲，深知幾年以後，再不能前往那地方了；它現在仍是開著的，不要讓它再關閉！我要回到非洲為商業和基督教開路，你們會繼續我所開始的工作嗎？我把它留給你們！[15]

注釋

1. 司布真的講章請參 "Our Omnipotent Leader" 一文，刊於 The Evangelization of the world (London, 1887)。

2. Tadayoshi Sahurai 所著 Human Bullets 一書，乃一位駐旅順的日本軍官的經歷，揭露日本人的愛國主義及服從。

3. Raymond Lull 之 "Liber de Contemplations in Deo" 一文，見 Samuel M. Zwemer 所著之 Raymond Lull: first missionary to the Moslems (New York and London: Funk and Wagnalls, 1902)，頁 132。

4. P. T. Forsyth, Missions in State and Church: Sermons and Addresses (New York: A. C. Armstrong, 1908), p.36.

5. Mrs. J. W. Harrison, Mackay of Uganda, P.417-430.

6. S. M. Zwemer, Arabia : The Cradle of Islam; Studies in one geography people and politics of one peninsula with an account of Islam and mission work...(new York: F. H. Revell, 1900), P.350。

7. Charles H. Brent, Adventure for God (New York: Longmans, Green, 1905), P.11-12.

8. Robert E. Speer, Missionary Principles and Practice: a discussion of Christian missions and of some criticisms upon them (New York: F. H. Revell, 9102), P.541。

9. S. M. Zewmer, Letter to Commission No. 1，見 1910 年在愛丁堡舉行的全球宣教會議。

10. Authur Judson Brown, The Foreign Missionary: an incarnation of a world movement (New York: Fleming H. Revell, 1932), P.374.

11. Speer, 同注 8，頁 526。

12. 見 1910 年《愛丁堡全球宣教會議彙報》，第一冊。

13. Brent，同注 7，頁 135。

14. Phillips Brooks, Twenty Sermons (New York: E. P. Dutton & Co., 1903), P.330.

15. William Garden Blaikie, Personal Life of David Livingstone...(New York: Harper & Bros., 1895?), P. 243-244。

研習問題

1. 施為美所說的「倒逆的鄉愁」是甚麼意思？

2. 本文所提出的挑戰有否觸動或擾亂了你的心靈？請用你自己的話重述本文所提及的挑戰。

3. 請評論施為美提出每一個人都要思想「未得福音的工場」的見解，並從今日的情況來重述這一個見解。又，現時是否仍有「未得福音的工場」？

非洲宣教英雄 Willis R. Hotchkiss 曾在日記中寫下了一段感人肺腑的文字：「我在非洲孤單地渡過了四個年頭。我曾患病 30 次，被獅子襲擊 3 次，被犀牛圍攻多次⋯⋯然而，讓我由衷地告訴你，只要我再有機會在這黑暗大陸中舉起救主的名號，我是很樂意重蹈過去那滿佈荊棘的道路。」

——陳方《誰來關懷我》(新加坡逐家文字佈道會，1986)

The Bridges of God
神的橋樑

馬蓋文(Donald A. McGavran)著　　編輯室譯

《神的橋樑》在1954年面世後，隨即成為號召眾宣教士在每一群體中，以家庭及親屬關係作為橋樑，推動「群體歸主運動」的經典著作。這種方式與主導十九世紀宣教策略的「宣教站進路」形成對照，後者是把信主的人集中在「殖民區」或聚居一起，與社會主流隔離。馬蓋文指出，縱然在十九世紀和二十世紀初，這種方式是必須和實用的，但「一種新模式已出現了；這模式既可說是『新』的，也可說是與教會本身一樣古舊」。

馬蓋文(Donald A. McGavran)為世界知名的宣教學家，在印度出生，父母為宣教士。他於1923年重返印度，是第三代宣教士，除擔任宗教教育主任外，並將四福音書翻譯成印地語的查蒂斯嘎爾希(Chhattisgarhi)方言。此外，他亦開辦了富樂神學院普世宣教學院(今稱跨文化研究學院)。馬蓋文於1990年去世，享年93歲，留下多部影響巨大的著作，包括《神的橋樑》(The Bridges of God)和《認識教會增長》(Understanding Church Growth)等。本文選自其所著《神的橋樑》(修訂版)一書，1955年由英國World Dominion出版，1981年修訂，並由紐約Friendship Press在美國發行。

基督教宣教的關鍵問題

有關普世福音遍傳的專門研究已經很多，我們對傳播福音的種種問題亦已掌握了答案；但最重要的問題：**群體如何成為基督徒**？仍有待解答。

本文要探討的就是如何使家族、部族、種姓，簡單來說，就是使萬民成為基督徒。每一個國家皆由不同的社會階層所組成，許多國家的階層明顯分離，而每一階層的人，只會或多半會與同階層的人通婚。因此，他們的生活圈子僅限於自己的社會，即他們自己的族群之內。他們會與其他人一起工作，與其他社會的個人從事買賣交易，但他們所熟悉的生活完全圍繞著自己民族的圈子，對其他社會階層的個別人士，就算是隔壁的鄰居成

為了基督徒或共產主義者，也漠不關心；但是同一階層的人開始成為基督徒，他們的生活便會掀起波瀾。這些社會階層是怎樣開始產生連鎖反應的呢？**群體如何成為基督徒呢？**

這裡所提出的問題，不在於其思辨性，乃在於其切實可行性；即如何以忠於聖經的方式，在某些階級、種姓、部族及其它社會層面掀起基督教運動，假以時日，其中一些相關家庭的小部分人接受基督教信仰，或數十年後，群體全民歸主呢？而最重要的是，教會當懂得如何使所有群體，而不僅是個別人士成為基督徒。

不常見的群體歸主運動

崇尚個人主義的西方人士必須特別努力，才能掌握使群體成為基督徒的方法。宣教運動中的宣教同工，以西方人士為主，受西方訓練的，故在傳福音上，在引導個人成為基督徒方面觀念正確，但在群體歸主方面，觀念往往模糊不清，甚至是錯誤。

西方的個人主義很難理解團體的作用

在西方，基督化完全是個人的進程。原因有多方面；其一是由於西方國家中很少有排他性的小社會(Sub-societies)，另一方面也是自由意識所使然。家族中的一個成員成為基督徒，可以過基督徒的生活，不會受到其他成員所驅逐。進一步來說，基督教被

視為真理，甚至許多不信的人也有這種看法；故加入教會是一件好事，一個人為基督堅守立場為人所欽羨，教會也沒有遇到嚴重的勁敵。在這種情況下，個人完全可按自己的意願來作決定，而不必與社會關係分離。

再說，工業革命後，家族與家庭的生活起了變化，西方人變得習慣個人處事；又因家庭移民，大型家族瓦解，農村人口湧入城市；亦由於搬遷頻仍，人們只需按自己的意願行事，不必與鄰居或家人商議，獨立作決定的習慣由此而產生。在基督教會裡，這一項習慣更藉著奮興會而進一步加強，人們隨著高漲的情緒而作個人決志。誠然，這一神學前設不僅僅是意味救恩取決於個人在基督信仰上的行動(這是毫無疑問的)，但行動若是違反了家庭意見(此點尚有爭論)，就屬於更高的層面了。有人認為分別帶領個人加入教會，不僅僅是使人成為基督徒的較好方法，也是唯一正確的方法。但當問及如何使群體成為基督徒時，答案將會是由一個接一個的，個別引人來歸主。

這個社會的有機體是一個群體，他們期望保留文化和團體生活。事實上，透過歸主的過程也可以增強他們這方面的意願，但卻不大受重視。群體被認為是由許多個人集合而成，他們要一個一個的歸主，因此群體悔改的社會因素往往被忽略，因為群體並未被看為是一個獨立存在的實體。

無論如何，一個群體不僅是許多個人組成的集合體而已，在一個真正的群體中，通婚以及親密的社會交往，皆在社會內進行。一個真正的群體，個人不僅由共同的社會習俗和宗教信仰連繫，也因為有共同的血緣。一個真正的群體是一個社會性有機體，其成員大量通婚，故在他們的思想中，他們是一個獨立的種族。人類的家庭，除了在個人主義的西方外，多數是由這類種姓、宗族和群體所組成，所以，要使每個國家基督化，首先應使不同種族的群體基督化。

因為對抗種族偏見的鬥爭激烈，人類種族有別的觀念在許多範疇裡都被歪曲。宣教士們經常把這種對種族的厭惡感帶到服侍的部族和種姓中間，而這些部族和種姓一般相信自己是獨立的種族，同族通婚，有強烈的種族意識。可是輕忽種族的意義，勢必阻礙基督化。這樣做，只會成為種族意識的敵人，而非盟友。指部族群體不應有種族偏見是無益的，他們確實含有這種意識，並且引以自豪。因此我們應當理解，並使用它成為基督化的助力。

要做與不要做的事

要使整個群體基督化，首先不要做的事，是把該群體中的人個別帶到另一個社會去；只有當**該社會內**出現歸主運動，群體才會成為基督徒。畢凱特主教(Bishop J. W. Pickett)在其重要著述《以基督的方式進入印度人的心》(Christ's Way to India's Heart)中說：

> 將個人從印度教徒或穆斯林群體中抽出來的做法並非建立教會，相反地，只會激起人們對抗基督教，建造妨礙福音傳播的藩籬。而且，這種做法導致許多(不只少許)相關人士發生不幸事件。這樣做，事實是剝奪了信主者獲得由家庭和朋友及社會而來的支持和價值觀，使他們遠離惡念，過美好的生活。而與那些有共同基督教信仰的同仁，又難以發展友誼和社群的生活。把信主者與同胞分離的做法，亦犧牲了他們傳福音的潛在能力。這樣的教會是不健全的，沒有真正的領袖，能聚在一起是靠差會或宣教士的維繫。

同樣顯而易見的是，一個群體的基督化需要有重生的男女基督徒。一個人只是更改了稱號無法產生作用；新信徒必須留在自己的同胞當中，也必須經歷新生。「所以，你們若真與基督一同復活，就當思念上面的事，不要思念地上的事」。任何群體歸主運動的力量取決於有多少真正的悔改者，我們希望把這個問題弄得清楚明瞭。輕視或疏忽真正的個人悔改，對群體的歸主並無益處。事實上，沒有甚麼可以取代因信耶穌基督而稱義和得聖靈的恩賜。

故此，一個群體歸主運動失敗的原因，可能是新基督徒與自己的社會分離(即容許他們被非基督徒親屬排擠

出外)，或基督徒受到非基督徒的壓制而無法呈現新生命；初始乍現的歸主運動很可能因這兩項危機而夭折。

團體思維與團體決定

了解組成非基督教國家的無數小社會的心理非常重要，教會和差會領導者要努力從一個視個人行為為背叛的群體的角度來審視生命。在那些團體性的思想中，背叛者必須剔除，沒有任何同情和商榷的餘地。一個人不會看自己為一個自足的單位，而是作為團體的一部分。他的事業，他兒女的婚姻大事，他個人的許多問題，甚至夫妻間面臨的難處等等，都要從團體思維來解決。這種團體思維一旦被引導與主耶穌基督在生命上產生關係，其中的人就會成為基督徒。

但必須注意，團體的決定並非個人決定的總和，往往由領導者決定，跟隨者順從，而跟隨者不會走在人前；丈夫代表妻子、兒子們向父親許諾。「如果某某人不來，我們這一群人也必要決定嗎？」是經常性問題。當一個團體在考慮要成為基督徒時，必然帶來很大的張力，但也帶來興奮，需要較長的時間來作決定。宗教信仰的改變意味著一個社群的改變，只有當所有成員一同行動，這種改變才是健康的和具建設性的。

團體內部往往會有不同意見，對團體的抉擇有相當大的影響。例如某城鎮有 76 戶人家，可能分成為多個小團體。這些分歧，通常是由那德高望重的人帶領；有時卻基於地理因素，如一個村子的低地居民反對高地的人；有時則由於經濟原因，如擁有土地者反對無土地的人；有時是因教育問題、婚姻關係，或對習俗的態度等等。一個團體的思想通常先在小團體中產生，一個小團體的意願往往會在整個團體決定之前形成。當然，一個小團體要能維持足夠的社會生活，才有單獨的行動。

透過團體思維，加上很多個人的決定，群眾成為基督徒會形成一股浪潮，效果遠超過個人決志的總和；這一現象可稱為連鎖反應。每一個個人的決志會激勵其他人，他們的力量的總和亦會影響每一個人。當條件成熟時，不僅僅是每一個小團體，而是整個大團體一起來決志。

詞語之定義

我們稱這一類進程為「群體歸主運動」。「群體」(people)一詞較「部族」、「種姓」以及「宗族」等詞更具普世性，也較「團體」(group)一詞更確切，更適用於任何地方。故本文所提及的就是「群體歸主運動」。

偉大世紀的獨特模式

來德里博士(Dr. Latourette)將1800-1914這一時期稱為「偉大的世紀」，他說：「當想起基督教於十九世紀所面臨的種種艱難時，我們也看到基督教

在全球的驚人進展。這一時期的發展趨勢是一條急速上升的曲線。基督教在文化上的影響與人數不成比例，無論是在新的教育模式和人類救援及賑災工作上，或是在思想傳播方面，基督教都扮演了卓越的先驅者角色」。

在這偉大的世紀中，基督化是如何發展呢？這是一個最重要的問題，因為我們現在的思想仍受當時宣教方法所渲染。今天，我們在思想宣教工作的時候，所想到的都是我們所熟悉的，就是在這偉大世紀中在中國、非洲、印度等國家所獲得的成就。因為這段期間，出現了全新的、不同的進路，而舊一套使用了1,800年的宣教方法，幾乎被人遺忘了。現今的宣教士和教會只會考慮過去150年在宣教和基督化方面取得成效的方法。偉大的世紀創造出新的方法來應付新處境；無論是處境還是方法，均值得我們詳加探索。

新的處境：分隔的鴻溝

昔日宣教是由那些有統治權、財富、文明和現代的國家所推動的，這些國家有政治與宗教的自由，擴大生產及推行普及教育上皆獲得利益。1500年，曾訪問印度和中國的歐洲人談起這兩個國家，總是羨慕地與自己的國家相比較。但到了十九世紀，西方積極發展，而東方則停滯不前，以致兩者之間，出現很大的差距。西方宣教士前往那些貧窮、文盲、古老

的、農耕的國家。西方繼續在發展，隨著年代的推移，東西方的差距更大。雖然，宣教士努力使自己與當地人民認同，但一直無法除掉身上那種因自己國家進步而產生無可避免的疏離。

這一鴻溝在歐美宣教士的生活安排上最為突出。他們在本國的生活水平較宣教工場一般平民高出數倍，雖然，仍不足與少數富有的中國、日本和印度人相比。現代醫藥仍未發明，衛生健康需要高大而且寬廣的住屋，僱請低薪的傭工承擔大部分的家務，出入以汽車代步；當地人則靠兩腿走路，而膚色更把他與當地人分開。他不能像保羅一樣，使自己融入當地居民中間，因為他是一個白人，屬於統治種族。直到印度獨立七年後，在印度農村，白人宣教士仍被稱為 *Sarkar* (政府官員之意)。宣教士亦很容易染上瘧疾或腸病，一定要注意飲食，要採用西方的而非東方的方式烹調。所以說，即使在飲食的事情上，宣教士和當地人之間都存在著重大的鴻溝。

事實並沒有橋樑可以橫跨這一道鴻溝，甚至連類似使基督教通往外邦世界的猶太橋樑也沒有。在亞洲肥沃的平原上住了大批的人民，但中間卻沒有一人是基督徒的親戚，就是在海岸城市之中也沒有！西方白人士兵、官商與各地女子那種不門當戶對的婚姻，若不是充滿怨懟，便是充滿輕蔑，與其說是橋樑，倒不如說是阻礙。基督教要自然而然地進入幾乎不

可能；因為膚色、生活、聲望、文化、旅行方法、居住環境等各種因素，都令宣教士與需要救恩的當地人完全分開。

許多宣教士學習當地語言，並且學得很好。他們以愛心服侍當地人民，教他們的孩子讀書，探訪他們的家庭，與他們一起度過饑荒和疫症，與他們同吃，進行買賣；在熱帶地方的宣教士與當地人民認同的程度較任何白人團體為多。這樣說來，強調宣教士分離之說是誇大之詞。不管怎樣，對於學習宗教增長與傳播的學生來說，上述的接觸都是非正式的接觸，非生命的接觸，或部族、種族以及血緣的接觸。只有生命的接觸，才能使那些非基督徒聽了基督徒的宣講後說出：「這位基督宗教的使者是我們家族、我們群體之中的一員，是自己人。」非正式接觸也可能贏得少數個人接受新的信仰，但除非這些人能夠在自己的社會中發起一場生命運動，否則根本並未開始。

上述的分離，看來持續存在於一個不改變的世界中很久；西方居支配地位，東方仍然依賴的情況好像永遠如此。宣教士心中會想：「我們前面還有許多個世紀呢，或許會如當年羅馬與所統治的子民有 400 年的時間呢，我們可以逐漸把這些群體帶進基督教信仰的」。

在偉大的世紀期間，基督教宣教工作面對這種嚴重的分離。當教會及宣教士缺乏聯繫、接觸點與橋樑來跨越種族鴻溝的話，他們還能做甚麼呢？他們如何繼續履行主耶穌的大使命呢？如果失去了生命的接觸，他們如何能使萬民歸主呢？

新方法形成：探索性宣教站進路

如果要說現代宣教工作模式的特點，那就是宣教站及聚居的殖民區。宣教士面對分隔的鴻溝，於是興建宣教站和基督徒聚居區。

他們通常經歷了很多困難，才在當地取得一塊土地，建立適合白人居住的住宅，其後加建教會、學校及職員宿舍、醫院、痲瘋病院、孤兒院及印刷廠。宣教站通常成為通訊中心，方便前往附近的農村。宣教站是宣教同工的家，所有的宣教活動都在宣教站附近舉行。

與興建宣教站同時進行的是招聚悔改者。對那些初次聽到福音、對基督教一無所知或只知這是白人侵略者宗教的人，都難以接受基督教信仰。而那些相信了基督教的人，往往會被家人趕逐，只好來到宣教聚居區內居住，並且都會得到一份工作。在區內，孤兒受到保護，奴隸被贖釋放，婦女得到保障，有些病人治癒後成為基督徒；其中大部分的人都願意留在宣教站內，並學得各種謀生技能，然後分派參與各項服務；聚居區就是這樣形成的。

這種宣教方式是在十八、十九世

紀更正宗典型的個人主義下形成的，成為基督徒就要「分別出來」；而對那些歸信者來說，離開父母會使他們的決志特別有實效。建立清一色基督徒聚居區，使他們從非基督徒中間區別出來，似乎是一種很好且是唯一可行的辦法。縱使宣教士有意融入當地，但由於對基督教普遍的懷疑及暴力敵對行為，迫使他們形成聚居區。

這就是偉大世紀肇始時最具代表性的模式，我們稱之為探索性宣教站進路；但如果從所產生的教會方面來看，也可稱為「探索性聚居區進路」。

在那個時代，這是一個極佳的宣教策略，藉以確定那些民眾已具備基督徒的條件。在基督教被人接受為通往救恩之路前，必須讓人看到其穩定性；無人願意把他們的命運繫在一個今天在這裡，明天就遷往他處的信仰上，一定要經過一段日子的觀察，清楚知道基督徒的生活方式，以及基督為他們個人或團體做了些甚麼。當基督福音首次傳給他們，又展現了基督徒的生活，宣教站及聚居區就變得重要。當我們回顧過去百年歷史時，覺得這兩種宣教進路是必要且合宜的；雖然有許多限制，但可以說是那時代最好的宣教策略。這種進路無可非議，很適合於那個時代，是自然而然的產物。

根據回應而生的支路

幾乎所有的差會都採取這一進路。這條在平坦但空曠平原上向前伸展的路，到了某個地方出現岔路，一條沿著平原繼續延伸，而另一條路則通往翠草的肥沃山丘。無論宣教工作繼續是在平坦、習以為常的道路上(聚居式教會進路)，或藉群體歸主運動轉登高地山路，皆視群眾對基督教信息的反應，以及宣教士如何理解這種反應而定。

若一個地方的信徒幾十年後依然很少，那裡一定是由宣教站主導，繼續採用宣教站進路，且相當鞏固，原因是聚居區內有足夠的基督徒工人，差會可以擴展醫療、教育及傳福音的工作。若一個地方的信徒年年都在穩步增長，則一定是教會主導，而差會已轉登山路，因為他們已經採用群體歸主運動進路，數以千計的群眾已成為基督徒。

這兩條道路，兩種宣教方式截然不同。若要清楚思考宣教問題，必須先理清兩者之間的不同，故分開論述。關於群體歸主運動即山巔之路，將在下一部分論述，本段先論述平原寬廣之路，即由探索性時期逐漸轉入永久性宣教站或聚居區的進路。

回應少並非早期宣教士的期望。探索性宣教站進路並非為那些心裡剛硬、毫無反應的群眾建立居所，這只是視為**即將發生的大聚斂**的第一步。甚至當巴色差會(Basel Mission)首批 10 位宣教士在九年裡喪失 8 位之後，充滿英雄氣慨的尼斯(Andreas Riis)仍能從

非洲黃金海岸寫信回來說：「讓我們繼續努力！一定要為基督贏得整個非洲。縱有1千位宣教士死去，也要再差派更多的人」。這種探索性聚居殖民區進路所以被廣泛採納，因為他們期望以基督教信仰橫掃非基督教世界，帶給那裡的人說不盡的祝福。

但這些期望常常因回應冷淡而變得沮喪。來德里據實平靜地寫道：

亞洲以及北非的先進文化和信仰，不會像原始民族輕易地讓位予西方文明或基督教，原是我們所預料的。先進文化及其宗教的特點，通常不會那麼輕易在入侵的文明面前解體。

但反應如此冷淡卻是早期福音使者始料不及的，不免令他們失望。

群眾反應冷淡的重要成因不可低估，部分由於宣教士個人主義的偏見，部分則由於聽眾抗拒，因為歸信基督教後要**離開**本族。歸信者覺得他們不僅加入了一個新宗教，而且完全進入外國的生活——外國人講道，外國人帶領，外國人治理。信主者往往只是自己前來，甚至妻子亦拒絕同來，歸信的人自然很少。一種惡性循環就此而生：零星地一個一個的人成為基督徒，久而久之遂成為一種模式，故難以興起一個歸主運動，缺少這樣的運動，信主的人就一個一個零星地到教會來。在許多宣教工場中，一個人成為基督徒有心理的難關，就

如在南非的一個白人加入了黑人教會一樣，他知道他的子女可能會與黑人通婚。這個人不僅成為一個基督徒，而且也「加入了另一個種族」。在那些只與同族通婚的人中，當一個人成為基督徒時，他年邁的母親可能會譴責他說：「如今，你的兒子可以與誰結婚呢？他們再不能從我們中間娶妻了。」

探索性進路成為永久性：詞語之定義

當地的反應持續冷淡，聚居殖民區宣教的重點就會繼續在這群順從神呼召的人中工作。一旦有這種情況發生，我們可以說，差會一開始時是在平原上修築道路，力圖盡快抵達高處肥沃之地，後來卻在荒原上安營修路，並以為是神所賜予的責任。他們發現那裡有許多善工可做，事實上他們早已放棄到達山巔的期望而不自知，也不承認，但卻是實情。

由宣教站產生的教會

宣教的首要目的是建立教會，故我們查驗宣教站進路的成果時，就要審視由宣教站產生的教會；我們稱這些教會為宣教站教會或聚居區教會。

這類教會有一些優點。他們多由那些生命大大改變的基督徒所組成，成員有文化修養，來教會時會帶著讚美詩本，他們能夠閱讀聖經，普遍受過教育或有專門訓練。一些宣教站的

教會名冊上，有許多高中或大學的畢業生。教會成員中，日間的勞工和工匠、家務助理工和臨時工人佔相當大的比例，也有教師、傳道者、醫療人員、文員等其他白領工人；有些地方的教會則以工廠和鐵路工人佔大多數。整體來説，宣教站教會是由信仰穩固的基督徒所組成，他們中間少有迷信的人，也少有人遇見回歸舊有非基督教信仰的試探。教會成員以自己為基督徒感到自豪，同時也覺得作為基督徒團契的成員受益非淺。當然，其中也有一些掛名基督徒，也有人使教會蒙羞；但即使如此，他們還是願意把自己的孩子送到主日學校和教會來。

這些教會的組織強大，在自己的土地上擁有永久的教堂，牧師、傳道人通常都非常稱職，有經常性的主日崇拜和聚會，由長老、執事和其他被推選的人組成議會來治理教會。教會的奉獻若按他們的收入計算，可媲美西方教會的奉獻收入，雖然有時大部分奉獻來自差會的雇員。一些教會會友都持守什一奉獻，是很好的榜樣。總之，即使這些小而關係緊密，靠著婚姻而維繫的社群，也都把自己看為普世基督教的一部分。

在缺點方面，這些宣教站教會缺乏增長和倍增的素質。事實上，他們只是聚居而成的教會，由悔改得救的人，或「火堆裡抓取出來的柴」(譯注：指被贖回的奴隸)與饑餓的孤兒，或由這三種人混合組成。悔改信主和被救的人通常被他們的非基督徒親屬所遺棄，饑餓的孤兒與親愛的兄弟姐妹、叔伯嬸母們已失去親密的聯繫；進一步説，這些基督徒的生命已發生改變，與其他肢體(即宣教站內的基督徒)的團契，令他們感到前所未有的滿足，與自己未信主的親屬相比，更覺無比優越。尤其是那些從被壓迫的階級出來，情形確實如此。基督徒的第二代離他們非基督徒親屬更遠，到第三代時，在他們居住之地，根本不知道他們還有非基督徒親屬。每一位成員與原屬的非基督教社群的關係，原使教會繁殖的寶貴連繫，已不存在了。一個**新的群體**建立起來，他們只能與當中的人締婚，並且把自己看為一個獨立的社群。

聚居區內的基督徒非常體會教育的力量；他們覺得是教育把他們從深淵中救拔出來，故非常渴望子女能夠多受教育。為了讓子女們能夠進入學校，他們節衣縮食，並盡可能設法供子女攻讀學士或碩士；但他們不一定親身經歷神的能力，許多人認為是基督教教育——基督名下的教育把他們提昇的。宣教站教會內的信徒，許多都極少經歷聖靈的大能、罪得赦免，或信心的祝福，他們的見證很弱，但會説：「作基督徒，教育你的子女，雖不能帶給你很多好處，但對你的子女卻大有用途。」

聚居區教會對差會有強烈的依賴

心理，視之為父母，認為興建一個富有的社會服務機構服侍社區是宣教士的事。甚至有些宣教站教會成員因看見宣教站內的就業機會有限，把新的歸主者視為一個勞動單位，而非新來的移民。他們很容易得出這樣的結論：成為基督徒者越多，差會的資源分配就越分散，原有的基督徒所分得的東西也越少。甚至有信徒不鼓勵人成為基督徒的案例。

聚居區教會往往有太多雇員；他們從外國差會得到優厚的待遇，成員**滿足現狀**，從中獲得益處。一個擁有700人的典型宣教站教會，我們發現1位宣教士主管2所小學和1所全日制中學；另1位則主管1所女子寄宿學校，1位宣教士醫生和作護士的妻子管理1所醫院，以及1位在該基督教社區半職事奉的佈道宣教士。此外，還有1位當地高中畢業受過神學訓練的傳道人，5位留校教導男孩和7位留校教導女孩的高中畢業生，另有4位佈道者、5位女傳道和1間有6位職員的小學。而另外的宣教士，他們的資源未及上述一半，牧養著一大群來自一些群體歸主運動的基督徒，看見如此多項的工作，難以置信地說不出話來。可是，這類宣教站的教會，無論是本國的抑或是宣教士的領袖，都認為他們只是用了最低限度的外援。

但，這時代正接近尾聲

正如來德里所指出，無論如何，這時代將要過去。宣教站對東方國家的事務發揮重大影響的時代正接近尾聲，沈睡中的國家現已甦醒。在省級乃至國家政府的所有部門，得到千百萬稅收鉅款，主要用於建設國家前景。成千上萬的學生負笈西方、各種主要語言的刊物如潮湧、電影的出現、擴音器材和社會教育課程、敏感於外國的批評、極力要證明自己的國家與世界各國同等，以及對外國領導集團的憤懣等等，都預示了一個時代的結束，位於城市中心的宣教站所能發揮的影響力與數目已不成比例。

在亞洲和北非的差會學校的影響力已今非昔比。起初，它們是僅有的學校；如今，它們在所有學校中只佔很小的比例，但基於背景，學生仍然很多。當然，在大多數的國家中，仍有不少傑出的基督教學校，差會學校和修會學校仍是當地最好的學校。即使如此，它們的學生比例還不足1%；昔日，教會學校的學生有50%來自那些領袖階層的家庭。宣教教育學家們再不能迴避這個事實，就是差會學校再也不能像西方文化剛剛到達亞洲、非洲之時發揮同樣的影響了。

宣教站醫院的情況亦如是。直至1945年，印度的中部省份仍未有1位本地培訓的合格醫生；它們的大學裡無標準的醫學院，所有合格的醫生都是其它各邦的移民，或是海外的宣教士醫生。如今，大學的醫學院共有400位學生，這些醫生畢業後流入邦內各

城鎮，甚至鄉村，基督教醫院的壟斷情況已不復再。同樣的情況，在那些新興的國家中亦一一發生。

非基督教國家已不再容忍外國勢力的操控，承認需要西方國家指導有辱國體。東方國家，特別是印度，坦誠相信西方除了技術化和工業化之外，可以供給「有豐富精神的東方」的很少。西方自己的「先知」們自我鞭撻，大聲反對種族歧視、經濟剝削以及連年戰爭，東方國家相信不疑。西方被視為無靈魂、物質主義、不公義、金錢狂，以及別有用心的怪物。東方人在這個年代所表現的性情，再不是謙恭地坐在宣教士腳前聆聽教誨了。

如果上文暗示基督教的宣教工作，作為文化的「越洋助手」，已變得毫無作用的話，並非實情。在未來的歲月中，當所有的國家不得不更緊密合作之時，一切有助於國際間相互了解的友好合作將極有價值。西方人繼續居住在東方無疑是有益的，但宣教站對世俗產生強大影響的年代相信即將過去，但這不包括對本國教會的影響。

這類工作行將過去還有一個原因：現今的宣教資源將更多用於幫助國家建設、國際和平以及教會上，而非宣教站所考慮的，要進一步滲透於非基督教信仰與文化內。

致敬與惜別

我們已經看過偉大世紀的特有模式，這是一個宣教工作在地理及影響上都取得驚人進展的時代；是英雄主義、奉獻及自我犧牲的時代；是透過宣教站作親善與信仰的前哨，拉近東西方文化鴻溝的時代，以致可以看到對岸；這也是一個幾乎那裡有民族、國家，就有教會的年代。

這時代有它的模式，但這個時代過去了，新的時代來臨了，我們需要新的模式。這新的模式就在眼前，既新卻又與教會一般古舊。這是神所設計的模式，藉此模式，不僅是少數，而是成千上萬的人將要尊耶穌基督為主，並且一個群體接一個群體，一個宗族接一個宗族，一個部族接一個部族，一個社群接一個社群都成為主的門徒，並得到基督教信仰的培育。

神所賜予的群體歸主運動

當宣教站進路成為宣教活動的典型模式時，群體歸主運動也時有發生，但並未成為宣教士工作的規律，只有太平洋群島、印尼和非洲等地例外。這些運動是神的靈奇妙運行的結果，增長的模式與上文所描述的截然不同，全世界新建立的教會增長率的90%源於這種運動。那些年青教會的會友或會眾絕大多數是在群體歸主運動悔改信主的基督徒，以及他們的後裔。

儘管如此，我們仍認為上一世紀仍以宣教站進路為正統，群體歸主運動只屬例外。開展群體運動的宣教站

較服事固定教會的宣教站為少，宣教事業仍以服務非基督徒和成立聚居區教會佔多數，不少宣教會議的領袖都是熟悉或熱衷於宣教站進路的人。正如卡拉默博士(Dr. Hendrik Kraemer)所寫：「在這一革命性時期，宣教思維與計劃仍然深受宣教站進路所影響」。所以說，宣教站進路絕對是過去多年來的典型產物，而群體歸主運動僅屬例外。

以宣教站和群體歸主運動兩種進路來區分宣教工作的時候，我們必須承認，有些宣教工作不能如此歸類的，例如聖經的翻譯與印刷。我們無意把所有工作都歸在這兩大類上，但實際卻需要一個有意義的劃分，藉以把90%以上的宣教活動放於合適的位置。

群體運動綜述

耶德遜(Adoniram Judson)宣教士前往緬甸向佛教徒傳福音時，他先收容了一位粗野的克倫人(Karen)布育。克倫族是緬甸的一個落後的部族，屬精靈崇拜的農民，被緬甸人視為愚笨的民族，一般人評為「一條水牛可以受教，但克倫人卻不能」。耶德遜花了六個月的時間教導這位屢教無效的僕人，講述有關主耶穌基督救贖受死的意義，但進展甚微，以致耶德遜幾乎相信評斷不虛，但他仍然堅持。數月後，布育終於成為基督徒，雖然悟性並不高。

耶德遜在緬甸旅行佈道傳講福音，這位僕人一直跟著他，向每一個鄰近地區的謙恭受教的克倫人說話。於是，克倫人開始成為基督徒；這裡10戶，那裡2戶，再遠的叢林有5戶人家，都接受了耶穌基督為救主。我們沒有資料證明這些人家是否有關係，但極可能有親屬關係的家庭都前來信主，產生連鎖效應。我們有理由推測，這位僕人與他的近親，且不說表親和堂表親，都保持著美好的交往，早期的歸信者無疑源於這些親屬，以及他們的親屬。

耶德遜重視緬甸語聖經翻譯，較落後部族歸化基督更為重要，多年來，他把克倫人的歸主視為副產品。無論如何，到了第二代，有一些像使徒保羅一樣的宣教士，沿著山間小徑，穿越稻田原野，把基督教擴展到遙遠之地。如今，在克倫族以及有關的其他緬甸部族中間，興起了聲勢浩大的基督徒運動，人數成千上萬。克倫族的基督徒已成為有教養的人，並在緬甸的克倫、克欽(Kachins)及其他部族為主的地區成為教會領袖。克倫人的歸主已帶來數百萬信徒，在整個東南亞教會歷史上發揮關鍵性的影響。

相比之下，在緬甸佛教徒中間以宣教站進路的成效不大，這些宣教站的教會，在全緬甸可能只有2萬信徒。

克倫族基督徒都是些優秀的基督徒。在緬甸100個地區裡，都有克倫基督徒社區，有自己的教堂，自己的

牧師，自己傳統的定期崇拜，自己的主日學，過基督徒部族的生活，因此可預期緬甸基督教會定長久不衰。透過群體歸主運動而成為門徒的克倫人，正進入「完全」(perfecting)的過程，不會墮入只作掛名基督徒的錯謬信仰中。在遍佈全國的數千間教會裡，有不少是真正聖靈充滿的基督徒，他們是「重生了的浸信會會友」，足以和世界上任何重生了的浸信會信徒媲美。

我們所以強調這一點，是因為有人錯誤認為，那些因群體歸主運動而生的基督徒歸信是因家庭的連鎖反應，故難免成為掛名的基督徒。這種猜測往往是基於偏見，而非事實，所有教會都會面對掛名基督徒的問題。西方教會雖是由那些確信自己已重生的人所組成，但第二、三代卻很容易成為掛名基督徒。不同的教會有不同的政策，來幫助基督徒清楚明白救恩，群體歸主運動也不會鼓勵產生掛名基督徒的。

巴基斯坦北部有一群低下的丘赫拉族(Churas)，在穆斯林和印度教混合的文化中作農耕苦工，佔總人口7%，屬賤民階層，飽受壓迫。他們把死去的牲畜剝皮加工，又拾取動物的骨頭出售。起初，宣教士幾乎完全忽略了他們，只忙於向那些受人尊敬的印度教和穆斯林上層傳福音，把屈指可數的信徒納入宣教站教會。後來，丘赫拉族中一個名叫迪特(Ditt)的人歸向基督，甘冒被驅逐的危險，繼續住在本族，帶領他的親屬逐漸相信了基督。宣教士起初猶疑不決，惟恐允准這些「不可接觸的人」進入教會，觸怒了高等種姓和穆斯林，把基督教看為「賤民」階層的事。其後，這些信徒成群結隊來到，社會地位亦未因而改變，成為基督徒的人終於得到牧養和教導，並被接納進入教會。牧師和宣教士則花更多時間在教導與講道上，他們的注意力並未轉移要為信徒提供工作、妻室、房屋和土地。神將這一個使命交給一群虔誠的男女，他們也投身於這項任務之中。結果，約在80年後，印度那一片土地再也沒有丘赫拉族了，**他們全都成為基督徒。**

然而，在宣教站內的教會，信徒人數一般不會超過人口的1%；但在丘赫拉族地區，**教會人數卻達人口的7%**。許多村莊都有教會，並且不斷為基督作見證，是由巴基斯坦人而不是外國宣教士。

在印尼，亦有大量的宣教工作。除了那些固定的聚居區教會外，神更賜為數可觀的群體歸主運動。在蘇門答臘北部，有興旺的巴塔克人(Batak)群體歸主運動，人數成千上萬。蘇門答臘西北部海岸的尼亞斯島，1916年時一個基督徒都沒有，但1937年已有10萬2千信徒。在西里伯斯島北部的密納哈沙(Minahasa)各族，1940年成為信仰堅定的基督徒部族，群體歸主運動迅速發展。在摩鹿加、桑基以及塔勞

島上都有部族歸主運動。1930 年左右，在荷屬新幾內亞，一年內有 8 千到 1 萬人受洗；到 1936 年，據報更正宗基督徒已達161萬533人。天主教會也因無數次群體歸主運動而增長，據1937 年的統計，天主教徒已達 57 萬974 人。1950 年後在蘇門答臘，1960 年後在伊里安和加里曼丹都有新的、大規模的群體歸主運動。

全世界，因無數的群體歸主運動而吸引成千上萬的穆斯林歸主的事例，只在印尼發生。另一個有趣的現象是，在印尼土著與華人移民之間明顯存在一道可供基督教通過的橋樑，這道橋若是鞏固，也許可以**通過**印尼的群體歸主運動間接使華人成為基督徒，較在中國本土更有實效。

非洲也有許多群體歸主運動，大部分撒哈拉沙漠南部的非洲人成為門徒的日子為期不遠了。

在黃金海岸的群體歸主運動是一個教導性的個案，該地已發展成為一個大規模的長老宗教會。瑞士的巴色會為在黃金海岸建立福音據點，奮鬥了整整 19 年(1828-1847)，在 16 位受差遣的宣教士之中，10 位到達那裡不久便死去，情急之下，他們只好採取一個大膽的舉動，即找來 8 個西印度人家庭，向他們示範黑人可以讀懂白人的書(聖經)，同時，他們也教曉宣教士適應當地的氣候。在此期間，尚無 1 人受洗；直至 1847 年，才有第一批 4 個來自亞金亞布阿克瓦(Akim Abuakwa)

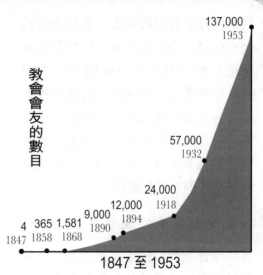

教會會友的數目

137,000
1953

57,000
1932

24,000
1918

12,000
1894

9,000
1890

4　　365　1,581
1847　1858　1868

1847 至 1953

族的人受了洗禮。通過以上圖解可以看出當地教會的增長。

直至約1870年，一切記錄顯示了探索性宣教站進路的成果：奴隸被贖得自由，然後受雇於宣教站接受教導，逃亡的奴隸得到庇護，修建宣教站的勞工也在此定居。在1868年，1位宣教士牧養 30 位基督徒。巴色會的 9 個宣教站均設有聚居殖民區，但在1870-1880年的 10 年間，許多家族連鎖成為基督徒，在說楚伊語(Tsui)的部族中間的幾個宣教站，四周有散居於村莊內的基督徒小團體。各地紛紛興建學校，小團體逐漸形成教會。與許多非洲的群體歸主運動一樣，這一項運動最重要的特徵是，許多異教徒家長願意把他們的孩子送到教會學校來，並渴望他們成為基督徒，學校因此就產生了巨大的影響。

早期的增長是部族性的，非洲部

族所倚重的教師傳道人，亦即略受過教育的第一代基督工人，一般都是從那些要發展基督教運動的部族中招募，他們受訓後回到自己的部族牧養信徒，並帶領他人歸主。稍後，隨著基督教運動在所有部族中興起，他們就成為維繫全國的合一因素，而工場委派工人則是不分部族。

群體運動誕生的教會

孕育和促進歸主運動的基督教宣教最明顯的結果就是產生為數眾多的基督教會，據統計有10萬以上的教會是由近年的基督教群體歸主運動而認識神，大部分發生於非基督教國家。

我們先思考一下那些意料之外的大規模群體歸主運動。太平洋的島嶼，很多已因群體運動而歸到主基督名下。印度的運動從馬拉(Malas)和馬地加(Madigas)到納加(Nagas)和加拉(Garas)，再到瑪哈爾(Mahars)和比爾(Bhils)，以及其它許多部族。在印尼和緬甸總共有20多個影響力強的群體歸主運動。在非洲，無數部族的教會在全族增長。據報告，1980年有兩個新的群體歸主運動，一在棉蘭老島，一在墨西哥；我們還可以舉出更多。這數百個群體歸主運動擴展的同時，教會也在倍數增加。

這成千上萬的教會有許多共同的特點；其中許多信徒是文盲的，有些地方的群體歸主運動教會內，文盲甚至佔80%之多，而教會裡的牧師一般亦只受過七年學校教育，再加上神學院的訓練。教會的建築物通常是臨時性的場所或茅屋，但亦有些歷史悠久的堂會有很好的堂址。在新興起的群體歸主運動中，宣教士由發動、籌集資金以至發展，承擔相當重要的角色；但牧養會眾之責，則差不多完全交予本國同工。而歷史較長和規模較大的群體歸主運動，現已交由該國的教牧人員帶領教會，宣教士則在教會議會領導下作助手。而像一般宣教站所提供的基督徒服務不多。孩童的教育方面，由於人數眾多，只有一些簡陋的小學校，少數的孩子能有受教育的機會。在宣教站教會內，每一個孩子都可以上學，經費多由差會負擔，只要孩子具備足夠的智力，便可以一直讀下去。但在群體歸主運動的教會內，所有基督徒能享受的教育利益，與一般非基督徒一樣，這就造成教會成員的文化低下。

在一些非洲國家，學校的情況截然不同，政府透過差會興辦教育，所以這些國家的群體歸主運動教會裡的孩童有很好的教育機會，教會成員的識字率得以大大提升。

由於會眾散居各地，難以提供醫療援助，故霍亂、天花、瘧疾、嬰兒疾病而導致突然死亡，孩童的生命有如飛蠅一般，健康環境成為人類的恥辱，是無數農村教會的特性。

群體歸主運動的教會非常穩定，但亦有不穩定，特別是在早期；但總

體來說，一個群體一旦成為基督徒，縱然面對殘酷的逼迫也會堅定不移。除了個人的信心外，來自世界各地的團契、肢體關係以及社會凝聚力的鼓舞，使軟弱的基督徒變為剛強，不至否認信仰。

未被重視的珍珠

至於群體歸主運動最令人費解的事實之一，就是很少人刻意去做。畢凱特(Pickett)記載，在印度發生的所有基督徒群眾運動，大多受到當地教會和差會領袖的抗拒。這些領袖都懷疑，接納一大群個別的人是否恰當，尤其許多人的信仰仍不堅定。然而，雖然受某種程度的壓制，運動仍在發展。人們不禁要問，若「偉大的世紀」一開始已經積極為不同群體的歸主而尋求和禱告，情況將會怎樣？

很少人真正理解群體歸主運動所以發生的原因，西方的個人決志方式蓋過共同決志的方式，也將教會臻於完善的過程，與一個群體從敬拜偶像轉向事奉永活神的過程混淆了。甚至有些地方的教會增長很快，如非洲某些地方，但因對群體歸主運動的誤解，造成教會無法有最大程度的增長，也對部族生活帶來不必要的損害。

群眾歸主運動是宣教工作的至高目標，但許多閱讀本書的人未必會同意，事實上這一觀點也從未廣為人接受。但我們不僅要肯定它，更要進一步宣告群體歸主運動中聖靈的攪動乃

神的恩賜，我們不敢把群體歸主運動僅僅看為一種社會現象。誠然，我們可以對產生運動的某些有貢獻的因素作出解釋，但是有那麼多神秘和遠超我們所求所想的現象，那麼多宗教信仰的產品，那麼多神大能的憑證，故我們必須承認，群體歸主運動是神的恩典。當日子滿足的時候，神就把無價的群體歸主運動開始交予他的僕人。如果運動成功，教會便會堅立；如果運動失敗，宣教工作便要退回拓荒的初階。此外，往往教會領袖不承認，群體歸主運動是宣教運動的最高目標。當人憑著信心努力不懈，蹣跚地推動宣教工作時，神的恩典臨到了又離去，未必為人所知。

我們要知道，當復興運動在中國、日本、非洲、穆斯林世界或印度興起，可能是以群體歸主運動形式出現。這正是宗教改革時期，福音派基督教在羅馬天主教的歐洲傳播的方式，這也是任何地方傳播的最好方式。

五大優點

群體歸主運動值得思考的五大優點：第一，為基督教運動提供了成千上萬植根於農村的永久教會，並隨著經濟生活的提高，他們不需依賴西方差會而獨立。他們適合於(不幸地太適合了)教育水準較低的階層，而他們的忠心與奉獻常常受到逼迫之火的試煉，而成為精金，巍然屹立，是奔走天路的忠貞同路人。

第二，他們亦具有自然本土化的優勢。在宣教站進路方面，信徒往往是個別被帶進外國人主導的模式中，但外國人設定的步伐與風格常使本地信徒錯愕難解。在真正的群體歸主運動中，類似非本國化問題就變得微不足道了。新基督徒極少看到宣教士，完全融入自己的文化中，無論衣著、飲食及說話幾乎沒有改變；教堂建築完全也依本土一貫的規格，與所住的房屋無異；不習慣外國曲調，所以用本地的調子來唱聖詩。如此，宣教站教會切志追求卻難以實現的本土化特質，群體歸主運動的教會毫不費力便得到了。但無論怎樣，需要特別努力的是保持完全本土化的方式來訓練群體歸主運動的青年和領袖。

群體歸主運動的第三大優點，是「教會自發性擴展」隨之自然形成。「自發性擴展」一語，總結了羅倫艾倫(Roland Allen)和普世主權(World Dominion)對宣教思維所作的有價值的貢獻。這種「自發性擴展」所要求的是，在新信徒組成教會之時，按合宜的教導使他們有屬靈權柄來使教會倍增，而不必借助外國宣教士。若宣教士們能作顧問或助手，可能對運動有幫助，但千萬不可覺得自己是完善教會的必需者，或者是教會無限擴展的能力。自發性擴展包含著對聖靈的完全信賴，並且要認識那些歷史悠久的教會傳統，對西方之外興起的年青教會未必有用。新的信徒團體要使自己

倍增，做法應與教會成立早期的新信徒團體一樣。「自發性擴展」的倡導者指出，由外國差會指導的運動結果會是華而不實和與贊助者對立，故正在探尋新的宣教方式。但這種宣教站進路將永遠使我們對普世福音化可望而不可及。

可期望的「自發性擴展」對宣教站進路的教會來說，是難以企及的理想。他們可能擺脫西方教會的一切束縛，確信具有使自己教友倍增所需的屬靈權柄，被聖靈充滿並有贏取他人歸主的渴望；但因為他們自己成為一個團體，與鄰近的居民並無有機性的聯繫，要建立新的教會極之困難。相比之下，群體歸主運動的教會卻很自然地「自發性擴展」。兩者都渴望贏得「自己的同胞」，同樣有很多機會藉著私下交談來作見證，也有許多接觸點可以傳遞福音。事實上，群體歸主運動這種自然增長有時可能被遍佈各處的聚居區的環境與技巧所減慢；群體歸主運動的教會領袖一旦明白，並且能夠擺脫這個因素，自發性擴展便較為容易發生了，便能像保羅的宣教工作那樣，謹慎利用群體歸主運動這種相對地非計劃性的擴展，來取得更大的、更有意義的擴展。最後，讓我們來看看群體歸主運動最顯著的兩大優勢。

增長的種種可能性

這種運動具有多種增長的可能性，雖然至今仍被教會領袖所忽視或

不認同，但並未減少其真實性和重要性。

團體運動的增長，可伸延至本區以外的同族群體中，即如保羅所發現，巴勒斯坦運動在國外許多地方都有增長點。因此，每一個歸主運動在其周邊地帶都有許多增長的可能性，例如很多馬地加人(Madigas)成為了基督徒，他們本是印度南部的勞工，但前往印度各地甚至國外作勞工。我們不難想像，有一位現代的馬地加保羅到處傳揚說：「我們馬地加人每年有成千上萬的人成為基督徒，我們找到了救主，我們已成為擁有基督那測不透的豐富財寶的民族了。」他正在世界各地發起馬地加運動呢！

群體歸主運動也有其內在增長點，就是運動過後仍未悔改歸主的餘下地區。在這些地區，基督教領袖必須注意尋找策略性門戶，**當門仍在開放時**便要進入。這些門或許開放一個時期，然後便關上，不讓基督教信仰流入。直到有一天整個民族都歸向基督，無論內部或外部都有了增長點。若在兩方面都努力耕耘，便會有豐盛的回報。

較難出現的是那些通往其它社群的橋樑，正如保羅發起向外邦人宣教運動所借助的橋樑。既被稱為橋，這個聯繫一定要大得足以不僅使少數個人，也使**更多的團體在短時間內受洗，但地域卻小得可以在另一個社群內開始一個群體歸主運動**。如果我們

努力尋找，可以找到很多這樣的橋樑；只要教會領袖們懂得，並善於使用，可以用作傳遞基督教信仰。

群體歸主運動增長的種種可能性，並不限於再發展新的運動；群體歸主運動教會的領袖發現，當教會獲得能力，並正常增長到一定規模後，包括那些在堂會周邊的個人慕道者受洗歸入基督，會慢慢地有規律的增長，較運動最旺盛的時期要安靜。曾有人總結，一個群體歸主運動教會一旦擁有 10 萬信徒，成為本土化教會，並在當地人口中佔可觀的比例，這個教會還會繼續增長。宣教士只要在這些教會有需要的地方稍予援助，所產生的果效便會遠超那些宣教站傳統的教會所能想像。

為基督教化提供標準模式

這項運動的第五個優勢是提供一個使人轉化為基督徒的合理的模式。成為基督徒並不在於依賴外國資金來改變生活水平，而是靠著神的大能使內在性情改變。在那些良好培育的群體歸主運動教會裡，是意味經常敬拜神、聆聽聖經教訓、為教會捐獻、遵守團體紀律、牧師在靈裡關懷會眾、恆常禱告與靈修，以及矯正非基督徒的行為。這種生活被視為基督教信仰的特徵，特別在那些信徒自己建立的農村教會裡，並沒有其它機構來分散他們對這種生活的追求。對他們來說，基督徒是那些「與教會同在，敬

拜神的人」，而不是那些「有醫院同在，便懂得醫藥的人」，或那些「有學校同在，便有優差的人」。一個健全的基督教運動要求的是，這個標準模式不僅是非基督徒，也是教會及差會領袖和所有成員都要明白。群體歸主運動提供了一種具有無限再生能力的模式，這是教會歷史上隨時空改變而略作修改的模式。

研習問題

1. 請簡單為「神的橋樑」一詞下一個清晰的定義，並解釋這些橋樑在宣教策略上的意義。

2. 群體決志有效力嗎？何故？請解釋鼓勵「眾多個人」決志的策略有何重要。

3. 在馬蓋文撰寫《神的橋樑》一書時，尚未使用「未得之民」一詞，請思想「群體歸主運動」的觀念對「未得之民」的宣教有何意義？

1857年12月3日李文斯敦(Livingston)在劍橋作了一次動人心弦的演講，用如下幾句話來結束他的演詞：「我要大家注目非洲，我知道，不出數年，我將會在那裡與外界隔絕；現在非洲的門仍是開著的，請不要讓它再關上啊！我要返回非洲為商貿和基督教打開一條進路，你們不要使我的工作後繼無人。我託付予你們了！」

——海恩波編《戴德生嘉言錄》(海外基督使團，1990)

The New Macedonia: A Revolutionary New Era in Mission Begins

新馬其頓——宣教革命性新紀元開始

溫德(Ralph D. Winter)著　劉文昭譯

　　馬蓋文(Donald McGavran)說：「在普世宣教國際會議上，溫德博士(Dr. Ralph Winter)指出，今天世上無疑有27億人口不能因『近鄰佈道』而聽聞福音，只能從近文化(E-2)和跨文化(E-3)的佈道者處聽到。這些佈道者跨越文化、語言和地域的障礙，耐心學習另一種文化和語言，數十年來不辭勞苦傳講福音，使基督教的教會繁衍和承擔責任。」本文乃溫德博士在1974年7月於洛桑會議上的講辭。馬蓋文更說：「沒有一篇洛桑會議的講辭較這一篇對基督教(由1974年)直至2000年間的擴展更具意義。」

　　近年來，不少福音派人士嚴重誤解，福音已傳到地極；至少從地理的角度來說，基督徒已經完成大使命了。出現這個誤解，委實令人詫異！在這個歷史時刻，我們對不同國家的宣教先賢表示尊敬，也感到驕傲，他們奮不顧身，壯烈成仁，使基督教成為世上最龐大和最廣傳的宗教，每一洲和每一國都建立了基督教會；成就並非空言！從主耶穌在加利利海邊開始至今，我們較任何時期都確知福音是為萬民的，基督教不僅是地中海一帶或西方的宗教，用任何語言來宣講都具有意義。

　　這是千真萬確的！所以，很多基督徒都以為工作已差不多完成了，我們只需要在全球現存的教會中加速推動本地佈道，從已植堂的地方擴展。很多基督教機構，由世界協進會以至不少的美國宗派，甚至是一些福音派團體，都倉卒地下結論，認為我們可以放下傳統的宣教策略，由各地的基督徒在本區來完成。

　　這是今天福音派口徑一致要**佈道**的原因。並非每個人都同意向外宣教，但較從前有更多人同意要佈道，因為這明顯是餘下的一件工作。不錯，必須佈道！大多數人悔改信主是基督徒向近鄰作見證的結果，這就是佈道。

　　可是，實況卻是最大的問題！今天世上大部分的非基督徒，在文化上

都不是基督徒的近鄰，需要獨特的「跨文化」佈道方法去接觸。

跨文化佈道：極大的需要

現實的例子

我們可以舉出一些現實的例證。例如，巴基斯坦有數十萬基督徒，差不多全未作過穆斯林，與穆斯林群體也無任何連繫可藉以向穆斯林作見證，但他們卻生活於97%人口是穆斯林的國家之中！穆斯林對基督徒所代表的社會階層亦非常不滿，一組基督徒大膽自稱**巴基斯坦教會**，另一組則稱為**巴基斯坦長老會**。他們以「國家」教會命名，只是表明是屬於國家的一部分，卻不代表他們在文化上與國內其餘的97%人口，即穆斯林相關。因此，穆斯林或許在地理上是這些基督徒的近鄰，卻非**文化上的近鄰**，故一**般的佈道方法**並不可行。

又以南印度教會為例，這個大教會是過去一世紀很多教會的宣教士共同努力的重大成果，他們自稱為南印度教會，但95%的會友卻只來自南印度逾100個社會階層(種姓)中的5個而已。基督徒要向這5個社會階層相同的人傳福音，可以用一般的佈道方法，可是，教會若要在那組成絕大部分人口的95個社會階層中有所收成，便非常困難了，需要**另一類的佈道方法**。

或以北蘇門答臘人數眾多的巴塔克教會(Batak Church)為例，這是印尼一間著名的教會，帶領了很多巴塔克人信主。他們不必學習外國語言，便能有效地直接接觸和了解數以千計的巴塔克人，可以發展大量的佈道工作。另一方面，大多數印尼人操不同的語言，屬於不同的民族。所以，北蘇門答臘的巴塔克基督徒要在印尼其它地區領人歸向基督，顯然是不同的事工，要用**另一種佈道方法**。

再以北印度那加蘭(Nagaland)的大教會為例。多年以前，美國宣教士從阿薩姆(Assam)平原進入那加山地(Naga hills)，一些阿奧那加人(Ao Nagas)信了主，然後，這些阿奧那加人帶領整個部族歸向基督，跟著亦使鄰近語言相近的桑達姆那加(Santdam Naga)部族相信基督，這些新的桑達姆那加基督徒繼續帶領全個部族歸主。這個過程延續，14個那加部族大部分人都成為基督徒。現在，大部分那加蘭人是基督徒——連政府官員都是——大家期望到印度其它地方作見證。若這些那加蘭基督徒要帶領其他印度人歸向基督，這一項宣教工作便像英國人、韓國人或巴西人向印度人佈道般困難，故此，那加人向其他印度人佈道是一個嶄新的、史無前例的任務。雖然他們同具印度國籍，較其他國籍人士有利，但並不因此使他們易於學習印度數百種陌生語言中的任何一種。

換言之，那加人向其他印度人傳福音，便要用截然不同的佈道方法。

用自己的語言領同胞信主，這種最容易的佈道，那加人已經很少機會使用了。然而，第二類的佈道亦非太艱難——就是他們向語言相近的那加族近鄰傳福音。至於第三類佈道，要得著印度遠處的人，則會遇見不少艱難。

各類的佈道方法

我們先為這幾類佈道方法正名。當一個阿奧那加人帶領一個同胞信主，就是**同文化佈道**(E-1)；當一個阿奧人超越語言的界限，向語言相近的桑達姆人傳福音時，就是**近文化佈道**(E-2)，工作並不容易，也需要不同的技巧；而當一個阿奧那加人到另一個語言完全陌生的地區，雖同在印度，如泰盧固人(Telegu)、科爾庫人(Korhu)或比爾人(Bhili)，工作較同文化佈道，甚至近文化佈道艱難得多了，就是**跨文化佈道**(E-3)。

再把這些名稱用於另一地區——台灣。操華語的人從中國大陸湧來之前，台灣島上已有不少種族，大部分操閩南語(Minnans)，也有一大群很早已從大陸來的客家人；而在山地，也有數十萬原居民，屬馬來－波利尼西亞人(Malayo-Polynesian)，語系與華語完全不同。若一個從大陸來的華人基督徒要得著其他同是從大陸來的華人，那是同文化佈道；若要得著一個閩南台灣人或客家人，那是近文化佈道；若要得著山地的人，那就是**跨文化佈道**。要知道，跨文化佈道中，文化距離越大，工作越繁複。

上述所提及的，只是語言的差別，在釐定佈道策略時，也要重視任何會影響佈道或溝通的障礙。例如日本，人人都說日本語，不像中國有那麼的多方言；但日本有階級的分界，要向其它階層傳福音非常困難。所以，在日本佈道有如在印度，社會差異較語言差異更重要，日本的基督徒不單要作同文化佈道，尚有更難接觸的近文化圈子。而從日本差到世界各地的宣教士，接觸語言完全不同的非日本人，便是在跨文化佈道。

又以筆者為例，母語是英語，但有十年時間在中美洲居住和工作，大部分時間在危地瑪拉，那裡的官方語言是西班牙語，但大多數人說馬雅系(Mayan family)的土著語言，因此要學習兩種語言。西班牙語中60%與英語的詞彙重複，要學習並不困難，而且在學習語言的同時，也逐漸熟悉伸延至這個新世界的歐洲文化，很容易便明白說西班牙語群眾的生活方式。然而，因為學西班牙語來得容易，相對地，學馬雅語便非常艱難。在日常工作中，經常要將英語換為西班牙語，再轉換成馬雅語，所以對這三種「文化差距」相當醒覺。當以英語向一個維持和平隊員談論基督時，是在作同文化佈道；以西班牙語向一個危地瑪拉人傳講時，是近文化佈道；以馬雅語向一個印第安人傳講時，便是較困難的跨文化佈道了。

筆者現居於南加州，所接觸的圈子大部分是同文化，但若到為數百萬說西班牙語的人中間，一定要近文化佈道；若要學習納瓦霍語(Navajo)向在洛杉磯的 3 萬納瓦霍印第安人傳講基督，便是跨文化佈道了。要向來自香港說廣東話的人述說基督福音，亦是作跨文化宣教。但要注意，對筆者跨文化的佈道，對其他人可能是近文化。一些美國出生的華人，或許接觸了很多操廣東話人士的次文化，所以向來自香港的人傳福音，只是近文化的佈道。

這次大會(按：指 74 洛桑會議)的參加者都有自己同文化的圈子，可以說自己的言語，憑自己文化經驗的直覺作回應。或許，幾乎我們每一位都有機會接觸近文化佈道的圈子——語言有些不同，或文化模式可能有差異，以致溝通困難。要接觸這些人，頗感困難，要誠懇地嘗試，而且要放下我們自己的想法向他們傳福音。更重要的是，他們信主後，來到我們的教會感到很不自然，若能在同文化的人中間找到基督徒團契，靈命的成長會更迅速。對佈道來說，重要的是他們有可能帶領自己社群中的人歸主。同樣，每一位參加這次大會的人都有跨文化的圈子：世界上大部分的語言和文化對我們都是陌生的，是遙不可及的，我們若要作跨文化佈道，需要克服很大的障礙，才能讓人明白我們的意思。

總括而言，基督教運動的擴展藍圖，先要在近文化和跨文化佈道上倍加努力，跨越文化的障礙進入新的群體，建立強壯的、持續的、有活力的傳福音宗派，然後由本土的教會繼續做那真正高效能的同文化佈道。我們要相信，直至每一個部族和每一種語言都有強壯和有能力傳福音的教會，可在其中作同文化見證之前，仍需要近文化和跨文化佈道，而且，需要是迫切的。

跨文化佈道：聖經的訓令

且看看聖經有關的說語。聖經有討論這些文化差異嗎？我們應花上時間和精神來討論嗎？文化差異是否重大的事情，要透過大會來討論？現在讓我們翻開聖經，看它所說的話。

徒一 8 強調文化差異

請看使徒行傳第一章的重要經文，也是這次大會的中心信息，耶穌把神對普世——耶路撒冷、猶太全地、撒瑪利亞直到地極——的關懷，交託給門徒。若非這段經文(及其它所有支持的經文)，我們不會在這裡聚集；若沒有這個聖經的訓令，也不會有這個普世福音遍傳大會。正因為這項工作——使萬民作門徒——把我們連結一起，共同努力。但請注意，耶穌並非只概括地說整個世界，而是按聽眾與這些地區的遠近，將這世界分為不同部分。在另一個場合中，他只簡單地

說「你們要往普天下去」；但在這裡，祂把工作分為幾個重要部分。

驟眼一看，會以為只是地域的區分，但仔細研究，便清楚知道不僅有**地理**上的距離，也有文化上的距離，線索在於**撒瑪利亞**一名出現的次序。我們可以透過新約所載猶太人難於向撒瑪利亞人佈道的事實，洞察出耶穌提及**撒瑪利亞**的意思，這裡所指的是耶穌在井旁與撒瑪利亞婦人對話的著名故事。撒瑪利亞在地域上並不遠，每當耶穌由加利利到耶路撒冷去的時候，必定經過那裡。當耶穌與這位撒瑪利亞婦人談話時，顯然面對一種獨特的文化鴻溝。但相信他們的語言很接近，耶穌明白這婦人的說話，她第一句回答便集中在猶太人與撒瑪利亞人之間的重大分別——在不同的地方敬拜。耶穌並未予以否定，接受了它，但卻超越它，指出猶太人和撒瑪利亞人以不同的方式敬拜，是人類文化上的限制；祂跨越了文化差異，對她的心靈說話。

當時，門徒均感到困惑；即使他們明白神關心撒瑪利亞人，也難以解決文化上的差異；即使他們願意嘗試，也不可能敏銳地跨越差異而進入核心——婦人的心靈。

保羅向文化差距更大的希臘人佈道時，也採用相同的原理。割禮是猶太人(甚至是猶太基督徒)最重視的一項文化，試想像，敬虔的猶太基督徒聽到謠言說保羅不施行割禮，與他們的

文化差異何等的大！保羅說，只要是在基督裡、相信祂、靠祂的名受洗、被祂的靈充滿、屬乎祂的身體，這樣，受割禮與否也無關重要。

現在，我們先來分辨文化差距和偏見的牆。猶太人與撒瑪利亞人中間，有一堵**偏見的高牆**；撒瑪利亞人與猶太人是近親，而希臘人與猶太人所敬拜的並非同一的神，故希臘人明顯較撒瑪利亞人與猶太人有更大的**文化差距**。但奇怪的，有時最接近我們的人卻是最難接觸的人。例如，猶太基督徒嘗試向撒瑪利亞人及希臘人傳福音，他們對前者的了解較後者清楚，但往往前者較後者更憎恨他。又如今天在北愛爾蘭貝爾法斯特(Belfast)的問題，並非文化差距，而是偏見。若在當地長大的基督徒要向掛名的天主教徒和一個東印度人見證基督，他會較容易明白他的天主教同胞，但對東印度人的偏見卻較少。一般來說，文化差距較偏見的高牆更易跨越。

如今，回到我們的中心經文，耶穌列出**猶太全地、撒瑪利亞、直到地極**，顯然不是指地理或偏見的牆。若是依偏見，撒瑪利亞應列在最後，祂會說：「在猶太、全世界，**甚至撒瑪利亞。**」祂可能是以**文化差距**為主要因素。故我們今天努力去達成耶穌的古舊命令時，亦要對文化差距敏銳，我們一定要以祂的區分作普世福音策略的基礎。

在耶路撒冷和猶太佈道，是我們

所說的**同文化佈道**(E-1)，聽眾與佈道者的語言和文化相同，唯一要跨越的是基督徒社群與外面世界的邊界，這是「近鄰」的佈道。無論我們的身份如何，住在那兒，都有一些近鄰可以作見證，而不必學習外語，也沒有文化差異；這就是我們常常談及的一種佈道，也是大部分的福音會議所提及的。但這次大會與從前所有福音大會對佈道的最大分別是強調向全球佈道，**要注意跨文化的前線的需要**。這次大會就是要我們知道，不可只聚焦於耶路撒冷和猶太兩地。

耶穌提及的第二個範疇是撒瑪利亞人。聖經記載，雖然耶穌和門徒可使撒瑪利亞人了解他們，但猶太人和撒瑪利亞人之間受到方言和一些主要的文化差異所分隔，這是**近文化佈道**(E-2)，因為要跨越**第二重界線**。首先，要跨越同文化佈道的前線，即是教會與世界之間的界線；然後，要跨越語言和主要的(但不巨大)文化差異的前線，所以我們稱之為近文化佈道。

我們稱之為**跨文化佈道**(E-3)的，在文化上的差距更大，這是耶穌所說的**第三個範疇**直到地極的佈道。在這個範疇內要接觸的人，其生活、工作、談吐，以及思想方式和文化模式都與佈道者完全不同。例如一般的猶太基督徒與撒瑪利亞以外的人完全沒有來往，假若接觸撒瑪利亞人是跨越了兩重界線(故稱近文化佈道)，那麼，接觸完全不同的人就是跨越三重界

線，所以稱這項工作為跨文化佈道是合理的。

猶太與撒瑪利亞

完全明白耶穌的劃分非常重要，祂所指的既非地理上，而是文化上的差距，其涵義可直接用於釐定今天的策略上。耶穌並非指由古至今我們都要特別關注撒瑪利亞，一個基督徒的猶太可能是另一個基督徒的撒瑪利亞。以保羅為例，基本上他是一個猶太人，但毫無疑問，他較彼得更容易跨越希臘人的文化差距，因為他熟悉希臘世界。從所用的名稱上來看，同文化佈道是近距離的，近文化佈道是接近的，跨文化佈道則是遠距離的(文化上，非地理上的距離)。對保羅來說，接觸希臘人是近文化佈道的工作；但對彼得而言，卻是跨文化的佈道；對本身是希臘人的路加，則是同文化佈道；故此，對彼得的遠距離，對路加卻是近的；相反的，接觸猶太人，對彼得是同文化佈道，對路加卻是跨文化。神差派保羅而非彼得到外邦人中間，部分原因是保羅在文化上較接近外邦人，同樣，保羅向希臘人以近文化佈道，較同文化佈道者如路加、提多、以巴弗提等較為不利，故在佈道策略上，他盡快把工作交給「本國」工人，這是個聰明的做法。保羅作為猶太人，初到一個城市，常在猶太會堂開始工作，那是他同文化的基地，有最好的同文化溝通能力，能

以純正的猶太口音作有力的講演。

我們必須坦白承認，在條件均等的情況下，本國領袖往往較外國人更易溝通。當宣教士從阿薩姆平原進入那加山區，他們要領阿奧那加人歸主較當地的基督徒更難。當首批德國宣教士向印尼的巴塔克人傳福音，一旦信仰植根後，宣教士較巴塔克人自己傳福音要困難。同文化佈道(E-1)——向同胞傳信息——明顯是最有力的佈道。人需要透過自己的語言來聽福音，我們是否相信神要人從同語言的人口中聽見福音呢？外國宣教士到來傳福音固然好，但仍不足夠。且看，有30種英語新約譯本可供選擇，但世上這麼多人在用外語翻譯的聖經時，讀起來卻詰屈聱牙呢？

因此，若各地的基督徒皆願意在教堂以外向人傳福音，帶領近文化的鄰居歸主，必會翻起最容易、最明顯的佈道浪潮，而且較任何外國宣教士更有果效。若我們繼續差派宣教士去做一些本地基督徒會做得更好的工作，是違反了耶穌的策略。若一國的國民可以講道，宣教士便沒有理由站在講台上；若本地的基督徒在同文化圈子中能有效地領人歸主，宣教士便沒有理由要作跨文化的佈道工作。

由於同文化佈道(E-1)較近文化佈道(E-2)和跨文化佈道(E-3)更有力(若其它條件均等)，而基督徒亦已遍佈全球，所以很容易令人誤解跨文化佈道已經不合時宜了。也因為這個觀點，

美國的大宗派便假定再不需要差派宣教士離鄉別井，到一個語言、文化完全陌生的地方去掙扎生存，他們已預設「有基督徒在那裡了」。美元幣值在急跌，美國教會緊縮預算，一些美國宗派削減宣教工作的程度令人咋舌，他們卻自我安慰，說這是由本國教會接手的時候了。面對這種情況，我們只能愉快地點頭說，若有本地基督徒能作有效佈道，同文化佈道當然是最有力的。

但是，同文化佈道的優勢實無法蓋過以下明顯的事實：若在一個語言或文化團體裡沒有見證人，不可能有同文化佈道。假若有一位本地的撒瑪利亞基督徒可以與那位撒瑪利亞婦人接觸，耶穌這位猶太人，便不須直接向撒瑪利亞婦人作見證了。又如埃提阿伯(埃塞俄比亞)的太監，我們可以推測由埃提阿伯基督徒來佈道較腓利更佳，但必須由一個非埃提阿伯人開始與他們接觸，才能有同文化的佈道。這種開創和倍增的工作是宣教士的主要任務；他必衰微，民族領袖必興旺。耶穌的近文化佈道啟動了撒瑪利亞城的同文化佈道，腓利向埃提阿伯人的近文化佈道也期望啟動埃提阿伯的同文化佈道。倘若那位埃提阿伯人是埃提阿伯的猶太人，他在埃提阿伯同文化的群體所產生的效果可能不大，亦不能有效地接觸非猶太埃提阿伯人。事實上，學者相信今日的埃塞俄比亞教會就是後期使用跨文化佈

道,將福音清楚地傳達到本土的埃塞俄比亞人的成果。

因此,正如上述近代宣教史中的例子,我們在聖經中亦可以得到相同的結論:

同文化佈道有力,但跨文化不可少

基督教運動擴展的主要模式,是首先特別作近文化佈道(E-2)和跨文化佈道(E-3),越過文化的阻礙,進入新的群體,建立強壯的、持續的、有力的傳福音宗派,然後那本國的教會(national church)繼續推動有力的同文化佈道工作(E-1)。因此我們相信,直至每一個民族和每一種語言族都有強而有力的傳福音教會,有同文化的見證之前,外來的近文化佈道和跨文化佈道仍是必需,而且是迫切的。從這觀點看,剩下的工作還有多少呢?

跨文化佈道:任務龐大

可惜,對於世上還有多少群體仍未有同文化佈道,大部分基督徒只有很模糊的概念。幸而,是次大會預先所作的研究,嚴肅地提出了以下問題:仍有部族和語言單位未被福音滲入嗎?若有,在哪裡?有多少?誰能接觸他們?這些初步的研究,顯示出跨文化佈道仍屬首要,並非一個已過去的任務,而令人震驚的卻是,今天世上最少有五分之四的非基督徒不能用同文化佈道去接觸。

「族群的盲點」

何以這個事實並未廣為人知?恐怕是因為我們為福音已傳入世上每個**國家**而喝彩,令很多人誤以為福音已滲入每種文化之中。這個誤會廣泛流傳,我們稱之為「民族的盲點」——就是存在於某些**國家**中不同**族群**的盲點;我要聲明,這種盲點似乎更普遍流傳於美國和美國宣教士中間。若果能夠正確地翻譯聖經,這一點會更為顯明:耶穌所稱的「民」(nations),主要是指羅馬政府結構內不同的族群;五旬節時來自各地的人(nations),並非代表**國家**(countries),而是**族群**(peoples)。馬太福音「使萬民(*ethne*)作門徒」的片語,並非指在每個國家建立一間教會後,我們便完成任務;神所要求的是,每一個族群都有一個強大的教會。

「族群的盲點」往往妨礙我們留意,在一個國家內對發展有效佈道策略很重要的小群體(sub-groups)。用馬蓋文(McGavran)的詞語來說,當我們從「族群的盲點」跳出來,便會看見社會是一個複雜的拼圖。可是,除非我們全部都從這個盲點中復原,否則,可能會將對教會或族群的合理期望與達到一致性的不合理目標兩者混淆。神顯然喜愛多元化,無論在任何情況下,這多元化督促佈道者要更加努力。人類社會拼圖內的少數民族和文化碎片,就是那五分之四被分隔在基督徒同文化佈道外的非基督徒。跨文

化事工的龐大，單從非洲和亞洲兩地便可見；一個統計顯示，有19億9,300萬人口中並未有見證人。然而，事工之巨不單在於「大」。

美國需近文化佈道

這問題較詮解大使命的佈道對象是族群(peoples)而非國家(countries)更為嚴重。任務的龐大也遠不及近文化和跨文化的複雜。舉例來說，在美國，我們是否準備好面對現有的教會不適合大部分非基督徒這個事實？北美的教會大部分都是中產，藍領的工人不會走進來。佈道大會可能吸引數千人到大禮堂，也有人透過家中的電視而歸主，但大部分新信主的人，除非已有熟悉的教會，否則會因找不到感覺合適的教會而流失。今日的美國基督徒可以永遠坐在教堂裡的舒適、中產的長椅上，等待世人來到基督裡與他們結連。除非他們採用近文化佈道，**到這些人群中幫助他們找到合適的教會**，否則，美國的佈道工作將會或已面臨效果逐漸減少。你可能說，事實仍有很多文化背景相同的人不願意到教會去，但有更多更多文化背景不同的人，即使成為熱心的基督徒，在現存的教會內也不會感到自然哩！

在美國，車子走了3,000哩仍說同一種語言——然而，從佈道來看，卻是十足的文化萬花筒；其它國家也一定會面對相類的問題。即使在美國，本地的電台已使用40種以上的語言，但在語言差異外，仍有很多同樣重要的社會和文化差異，語言差異並非溝通上的最大的障礙。

在近文化佈道中，耶穌群眾(Jesus People)建立了數百個新的堂會，這現象就顯出了需要有全新的崇拜群體。在美國，龐大的耶穌群眾運動(Jesus People Movement)，並非說不同的語言，而是有很不相同的生活和崇拜方式。很多美國教會已嘗試用吉他音樂和他們常用的其它特徵，但一個堂會所說的語言和生活方式是受到限制的。誰曉得許多因葛理翰在倫敦的佈道大會而歸主的、騎摩托車招搖過市的年青幫派mods和rockers如今怎樣？一方面是現存的教會與他們有文化差異，另一方面，也因未用合適的近文化佈道方法，為這些信主者建立新的堂會。正因為這個近文化佈道的觀念而使跨文化佈道工作更艱難，然而它是必需的。且讓我們看一個更著名的例子。

約翰衛斯理(John Wesley)向英國的煤礦工人佈道，結果是建立新的崇拜堂會。若他沒有鼓勵這些基層群眾有自己的基督徒聚會，唱自己的歌，與同階層的人聯繫，可能永不會有「循道運動」。此外，若不使用近文化佈道的技巧，這些人也不可能帶領其他人歸主，在這個新的社會階層上以如此驚訝的速度擴展基督教運動。這個結果震撼了，也永遠改變了英國；同樣，也震撼當時的教會。事實上，並非很多人欣賞衛斯理與煤礦工人接觸，更

少人同意煤礦工人應有自己的教會！

清晰的區分

因此，在同文化佈道與近文化佈道之間要有清晰的區分。按我們的觀察，當你所接觸的人，他們的背景有別於現時教會的會眾，需要建立自己的敬拜群體，藉以向他們同階層的人傳福音，這就需要開始近文化佈道的工作。約翰福音第四章告訴我們：「因著那婦人作見證的話……那城裡就有許多撒瑪利亞人信了耶穌。」耶穌敏銳地以近文化佈道方法向婦人見證，然後，她轉以同文化佈道來接觸城中的人。假若耶穌要她去與猶太人一同敬拜，即使她順服了，卻對她帶領城中人歸主造成障礙。耶穌實實在在地避開了敬拜的地點，以及與有差異的基督徒聯繫的問題；這些問題可留待日後解決。那些相信了婦人見證的撒瑪利亞人，更邀請這位猶太人與他們同住兩天，他仍然沒有要求他們作猶太人，因他知道他是在作近文化佈道。若他們能夠**建立自己的信仰團契**，所結的果子便能妥善保存，可以帶領更多人歸主。

我們更要清楚區分的是，耶穌在撒瑪利亞工作的文化差異，與我們所稱的「代溝」有何不同。無論文化、語言，甚至年齡上的差異，對佈道來說都不重要。不論差異的成因、持久或觀察的對錯，各類近文化佈道技巧的步驟頗為相似。每當需要成立新堂會的時候，就是近文化佈道的工作。我們聽到菲律賓的青年人建立教會，也知道新加坡最近有 10 間年青人堂會從原教會分出來。我們當然希望，以年齡為主的堂會與現時的教會關係更密切；但當代溝很深的時候，這些特別的團契，若有適當的自由，或能領更多被疏遠的年青人歸主——這是一個好開始。

無論我們為暫時性的**不同年齡**的人成立不同的聚會，而決定從事近文化佈道，讓他們有自己的聚會，跨文化工作的艱巨，主要是面對那深邃以及可能是永久性的**文化差異**。有些人經常說跨文化佈道走得太遠，我們甘冒被誤解，也要在此絕對誠實地說，全球的專門性福音工作正陸續打破文化障礙，帶領不同文化的人——有時是個人，也有小組歸主。但難處不在領人歸主，而是後繼工作的文化障礙。現存的教會參與佈道工作，但他們不曾考慮佈道組織要繼續留下來，幫助那些信主的人開始自己的教會，那些教會誤以為人與基督聯合就是要加入已有的教會。但若能正確地使用近文化佈道，這些初信者不致被認為要加入現存的堂會，反而**可以**為現時沒有教會的社區注入新生命。

穆斯林與印度教徒

組織跨文化佈道的最佳方法，不在本文討論範圍之內，因為涉及大量教會和機構成功和失敗的不同進路。

近文化佈道和跨文化佈道最好由專責的機構和社團發動，並且要忠誠及和諧地與教會合作。面對這龐大的工作，我們一定要專注於跨文化佈道的本質和優先次序。除中國大陸外，穆斯林和印度教徒是兩個最大的少有效的跨文化佈道的團體，兩者合共超過10億人口，我們的總結會以他們為中心。

正如前述，一個歸主的穆斯林一般不覺得會受到巴基斯坦長老會歡迎，而數世紀以來，穆斯林和印度教徒彼此猜忌，使穆斯林，甚至是悔改信主後的穆斯林，幾乎不可能受到前印度教徒的教會所歡迎。現時的巴基斯坦基督徒(幾乎全部從前是印度教徒)，並未成功把悔改的穆斯林融合在他們的堂會之內，而歸主的穆斯林也不大可能組成自己的堂會；不幸的就是這種僵局嚴重地拖慢了世上6億6,400萬穆斯林的近文化佈道工作。在麥加東邊和印尼某些地方，很多穆斯林成為基督徒，但並未一一被逼參加不同文化的基督教堂會；在麥加西邊、非洲中部乍得湖(Lake Chad)的島嶼上，有一些報告說，已是基督徒的前穆斯林，現仍每日向基督祈禱五次，也在星期五(伊斯蘭教的崇拜日)到基督教會崇拜。這兩個例子顯示，穆斯林可以成為基督徒，卻不一定要有很大的文化轉移。如果我們有保羅般的跨文化醒覺，希臘人不必成為猶太人才蒙神接納，便會有一道又闊又新的門開放給穆斯林。

大而**新**的機會，也可以在印度那些受偏見攔阻的「近鄰」佈道地區存在。對較遠地區的印度人，可以避開地區上的烙印，而作近文化佈道和跨文化佈道，在100個未被接觸的社會階層中建立教會。若宣教士忽視了偏見，便是愚昧，因為偏見大大增加了我們的工作的艱巨，偏見加強了文化距離，使近文化佈道較跨文化佈道更困難。換句話說，從那加蘭或卡拉拿(Karala)來的有學識、有教育的基督徒，可能較在當地長大、語言相同，但受誣蔑的低下層基督徒，更容易向南印度的中產印度教徒傳福音。但誰敢指出這點？諷刺地，在非西方國家的基督徒，逐漸醒悟不需要西化才能成為基督徒，但不少情況下，他們卻遲遲未醒覺，跨文化佈道需要容許他人自決，以建立自己文化的教會。

無論如何，機會與工作同樣巨大。若有6億穆斯林正等待福音，也有5億印度教徒在面對作基督徒的巨大障礙，但這障礙並非來自福音內的深奧屬靈因素。一位敏銳的觀察者深信，約有1億中產的印度教徒正等待成為基督徒，但沒有教會尊重他們的飲食習慣和風俗，接納他們加入。神的國度在乎吃喝麼？近文化佈道和跨文化佈道所特別需要的，並非降低標準使福音較易被接受，而是清理一些不相干的元素，使福音更清晰。也許不是每個人都能做這專門性的事工。

誠然，可能最終需要更多同文化佈道者來完成任務。但今日佈道的最優先次序，是發展近文化佈道和跨文化佈道所要的跨文化知識和敏感度，在有需要的地區，呼召遠方的宣教士來承擔這任務。沒有東西能妨礙我們接納這極重要的事實——除非基督徒在跨文化佈道的專門工作上踏出更大的步伐，否則，今日世上至少有**五分之四**的非基督徒，永遠不會有任何直接的機會成為基督徒。這是我們最優先的次序。

跨文化佈道的神學本質

這是個經常被問及的主要神學問題，相當深奧，所以會用餘下的時間來處理。這個問題的基本是：跨文化佈道的觀念，在同一地域內為不同文化的群體建立不同的教會，會否破壞我們在基督裡的合一？本著謙卑倚靠聖靈，尊重神的話，不受世俗的影響，筆者敢於堅持一個自己在數年前才明白和接受的觀點，繼續向前。對很多人來說，美國的種族同化就如民間信仰一樣，人們自動假設每個在美國的人最終都會說英語。國家之間的文化差異最令人煩惱，但一個國家內的文化差異卻是要克服的邪惡。人往往無意在教會中排拒任何人，但卻不自覺地假設，所有黑人、白人、墨西哥人最終都要參加白人、盎格魯撒遜人、更正教的教會，並以自己覺得最正式的方法行事。

隨著這種美國文化的基督教，很多宣教士假設一個國家應只有一間本國的教會(national church)——對某些完全未有教會的群體也如是。這些宣教士真誠地假設，自己國家內的宗派多元化是一種應要避免的罪。他們假設**南方**的浸信會不必到印度**北方**。今日在波士頓，大部分盎格魯人教會正等待阿拉伯人和日本人前來。美南浸信會到美國北部，在數百間好心的盎格魯人教會面前建立阿拉伯教會、日本教會、葡萄牙教會、希臘教會、波蘭教會，這些盎格魯人教會多年來會耐心等待這些外來人士溶入他們的生活。除了一兩個例子外，盎格魯人教會一般會熱心佈道，卻不察覺要作近文化佈道和跨文化佈道。

基督徒的合一與自由

這個問題已糾纏筆者多年。至今，對在不同民族和文化的基督教運動的合一和團契上的關注，並未減弱。我更明白正確的基督徒合一，是不會侵犯基督徒的自由。在佈道上，我們一定要問：以外在的形式進入穆斯林文化(如巴基斯坦)，或以他們自己的文化來清楚表達福音，孰重？我們的期望能否從統一性提升至有效地傳福音？筆者相信，合一並不需要一致；也相信在人類社會**和基督教普世教會中**必有正確的多元性，普世教會有如一首合奏的交響樂，我們不必要求每位新來的樂手拉小提琴來配合他

人，而是邀請樂手用自己的樂器來彈奏同一的樂曲——神的話。這樣，所發出的是一種屬天的聲音，每加入一種新樂器，神的榮耀和光輝便更輝煌。

使徒保羅的榜樣

但有些人會說：「這只是你的意思，使徒保羅又如何？他有為主人和奴隸建立不同的堂會嗎？」難以確知，但相信沒有，卻不表示從未出現。Paul Minear最近所寫的專題文章〈信之順服〉(*The Obedience of Faith*)，提出羅馬約有 5 個基督徒堂會，大概共3,000人，保羅寫給羅馬人的信實際是寫給羅馬城的一撮教會，作者更說這些教會各有不同，有些幾乎全由猶太基督徒組成，其餘大部分多是外邦基督徒。「不要只想像單一的基督徒堂會，我們應常常估計其可能性，城市中的基督徒群體有些是多元性的，也可有是外族，像加拉太和猶太的教會一般。」不論羅馬城的情況如何，保羅在旅程中經常到家庭教會去，全家人，可能主人和僕人在一起敬拜。我們不相信保羅會把人分隔，但我們知道，他在不同的地方會採用截然不同的方法，正如他曾說：「為了那些在律法以下和那些不在律法以下的人。」例如他在加拉太人中間建立了一個明顯屬非猶太人的堂會，與其它猶太堂會完全不同。我們知道，因為猶太基督徒跟隨保羅到加拉太去，嘗試要當地人遵照猶太基督徒的模式。加拉太教會是一個明顯的例子，顯示保羅不可能同時奉行猶太基督徒的生活方式和希臘(或凱爾特)模式。

再者，加拉太書指出，保羅決心容許加拉太基督徒有不同的基督徒生活方式。我們沒有任何記錄指他強迫人分開聚會，只看見保羅憑著神聖的勇氣，反對任何人欲透過文化來強迫基督徒，要**保持單一的生活模式**，阻止他人以自己的語言文化來崇拜和見證。這是一個明顯的個案，一個有跨文化佈道觀點的人在他的能力範圍內設法保證不同社會背景的歸信者有基督裡的自由。

同樣，在安提阿，保羅反對彼得。彼得是一位加利利猶太人，在某程度上兼有雙文化，至少可以明白安提阿教會的希臘生活方式。在其他猶太基督徒來到之前，他看來如此；在一些情況下，彼得要選擇跟隨猶太習俗抑或希臘習俗，處於兩難之間。是他缺乏神的靈嗎？是他缺乏神的愛嗎？是他不了解神的愛的方式嗎？彼得並未懷疑一間希臘堂會的有效性，在他的猶太愛國朋友到來以前，彼得已承認這一點。彼得感到痛苦的，是他被視為從一個群體轉移到另一個群體去。其中的意義，我們今天頗為清楚。新約時期有兩個截然不同的信徒群體，彼得被視為受割禮者的使徒，保羅則為未受割禮者的使徒。彼得較易得到猶太人的認同，但他也有一段

困難的時期，要向猶太人解釋他在哥尼流家中的經歷，亦即是他發現希臘堂會是合法的。另一方面，保羅較易與希臘人認同，即使他每到一個地方都在猶太人中間開始工作，希臘人或許最終是他的主要佈道對象。

求同存異

我們今天有的線索，便是保羅覺得一些基督徒對某些食物過度拘泥時，勸他們接納大多數人會有較直接的感受。然而，要確切地應用於今日的處境，則相當困難，若以新約處境與今日的印度來比較，則較為容易。假設印度的基督徒全是婆羅門(及其他中等種姓)，有極嚴謹的飲食條例，我們可以想像婆羅門基督徒難以容許那些吃肉的、不謹守條例的人作基督徒。但今日的印度，情況剛剛相反，是那些吃肉的人成為基督徒；那麼，如何應用保羅的佈道策略呢？從飲食方面來看，是婆羅門「在律法之下」，而非現時的基督徒；如此，我們能否想像保羅所說：「向律法以下的人，我就作律法以下的人，無論如何，總要得些人？」我們是否聽見他身為近文化和跨文化的宣教士說：「若吃肉使我的弟兄跌倒，我就不吃肉？」我們是否聽見他維護一些婆羅門的崇拜團體，反對提出或期望他們能改變飲食習慣，或加入不同生活方式的堂會以成為基督徒？在他反駁對他分裂基督教會的控訴中，我們是否聽見保羅堅持「在基督裡不分猶太人或希臘人、下等種姓或高等種姓」？這不是他經常重複的聲明嗎？這些不同種族的人，有不同的文化模式，同樣都會被神所接納。他在宣佈一個地區同化的政策，抑或堅持求同存異呢？

我們要小心處理這個觀點，不能強行(或不容許)一個分離的政策，或把基督徒分等級，而是要保証對不同的傳統平等看待。它明顯是一個使徒政策，反對強迫基督徒從一種生活方式皈依他人的文化模式，這是新約一件相當重要的事。真割禮屬於內心，真的浸禮是關乎內心，是關乎信心的事，不是工作、習俗或禮儀；在基督裡人是有自由的——有自由去保留或放棄自己本身的語言和生活方式。保羅不容許任何人以受割禮或不受割禮為榮；他絕無偏見，但卻普遍被誤解。保羅的問題是最終要得到猶太人的接納，但亞洲的猶太人，可能是基督徒，在聖殿裡指證他，指他相信希臘基督教傳統有各別的自由，逼使他殉道。每一位希望在使徒保羅的傳統中作宣教士的，請不要想像在兩個文化之間工作是一件容易的事，必須認清，這個專業的危險性高於跨文化佈道的迫切目的。

設若一個跨文化佈道者鼓勵一個婆羅門家庭在家中開始崇拜聚會，他應否堅持從其它城市邀請人去參加第一次的聚會？另一方面，任何婆羅門成為基督徒，開始明白聖經，不久便

會認識(無論之前是否完全清晰)自己現在是屬於一個普世的家，那裡有很多部族和語言——根據啟示錄(七9)所言，這種多元化會延續至末期。當跨文化佈道者要發展這個婆羅門堂會時，他不是建議婆羅門與普世教會隔離，也不會提議婆羅門基督徒迴避其他的基督徒，而是要婆羅門基督徒進入普世教會之內。他只會確定他們在基督裡有自由，保留那些不與基督福音敵對的生活方式，不會增加他們的疏離感，而且會把神的話給他們。神的話是最終消除所有偏見的萬能鑰匙，帶引他們進入普世的基督徒家庭，裡面所有人類、部族和不同語言的人，都是平等的。

合一與一致

這個題目相當微妙，若它對我們必須實行的佈道策略並非如此緊迫，筆者便不會論述，甚至不會提起，但這實在是今日佈道工作最重要的一個課題。

很多人問筆者，所謂成立青少年教會具策略性價值是甚麼意思？(我們必須明白重要的一點)青年的境況與上述所討論的內容相若。我們並非建議不准年青人參加成人崇拜，也非提議要把青少年隔離，設立年青人教會是一種方法，而非目的。我們並非擯棄年青人與長者應該時常一起崇拜的想法，如果他們**要想吸引其他不願與不同年齡的人**一起在基督面前崇拜的年青人，就要堅持(期望這是使徒性直覺)年青人有在基督裡的自由，可以用自己選擇的形式來聚集。

奇怪的是，這類對文化敏感的佈道工作卻往往受到地理上被隔離的人所接受。沒有人介意日本基督徒在東京自行聚集，或西班牙語基督徒在墨西哥自行聚集，又或華語基督徒在香港自行聚集，但對於應否容許或鼓勵說日本、西班牙或華語的基督徒在洛杉磯自己聚集，很多人都感到困惑。具體來說，在洛杉磯建立不同的堂會以吸引不同的人，是否好的佈道策略？說廣東話的非基督徒，是否需要一個廣東話堂會讓他們去認識基督教的信仰和團契？不同的人會給你不同的答案。這個成立不同堂會的佈道策略，一定要從基督徒自由的範疇來考慮，也要在福音應否向更多人有效地表達(即策略性佈道)的基礎上作決定。有些人會贊成有不同**語言**的堂會，但當出現社會性和非語言性差異時，便會猶疑；他們覺得語言不同可以分別聚會，但是福音教導我們要放下所有文化差異。很多人對本地堂會故意吸引某一社會階層的人非常不滿。雖然無論任何環境，人都不應被拒於教會之外，但人可以自行選擇所參加的教會時，便往往傾向於切合他們的生活方式，所以要絕對由他們自由選擇，永不可以強行隔離。我們既有這樣豐富的多元性，那麼，促進**堂會間**的合一和團契，即如現時我們在**家庭裡**所

作的一樣,較教導每個人都像說英語的美國人(Anglo-Americans)一般崇拜為佳。因此,我們要以此為榮:在人類歷史中,**普世的**基督教家庭中的成員,來自不同的語言和文化群體較其它組織或運動為多。美國人可能因世界的多元性而困惑,但神不然。因此,我們也要以此為榮:神容許不同的生活方式,歷世歷代靈活地以不同的形式存在。我們不應以單一的孤立為滿足,且讓我們永遠強調這些不同的生活方式,可以維持創新的接觸,以實現基督教傳統的豐盛。更讓我們謹慎,不要急於達至一致。假若把全世界的教會匯集成單單一個堂會,主日復主日,最終必然會失掉大量現時基督教傳統中的姿采。這是神所要的嗎?是我們所要的嗎?

耶穌為世上的人而**死**,祂的死並非為要保存西方的生活方式,祂的死並非為要穆斯林停止每日五次禱告,祂的死不是為要使婆羅門吃肉。你聽到保羅這位佈道者說,我們一定要進入這些人的體制內接觸他們嗎?這是事實,是一個跨文化佈道者的呼聲,而非牧者。我們不能使每一間本地教會都配合其它地區教會的模式,但為要有效地向23億8,700萬人作見證,一定要革新跨文化佈道的工作,不能再繼續漠視這個最優先的次序。

(作者曾在危地馬拉高原從事印第安瑪雅族宣教工作,其後任美國富樂神學院跨文化研究學院教授,又創立前線差會(FMF),並成立美國普世宣教中心及威廉克里國際大學,從事前線之宣教工作。)

研習問題

1. 請解釋同文化佈道(E-1)、近文化佈道(E-2)及異文化佈道(E-3)的意思。作者認為三者之中哪一種最有力量?何以作者認為這是最急切需要的?

2.「正確的基督徒合一是不會侵犯基督徒的自由」,你同意這句說話嗎?實際用於佈道上時,又有何重要性呢?

> 日本需要被聖靈充滿、熱心傳福音的工人。最大的需要是日本的衛斯理,日本的慕迪,日本的叼雷。
>
> 威爾奇(Paget Wilkes, 1871-1935)

When Failure is Your Teacher: Lessons from Mission to Muslims
失敗為成功之師——從穆宣學得的功課

Dudley Woodberry 著　金繼宇譯

失敗可以說是最好的老師之一，因為它鼓勵學生重新評估所用的方法，不會繼續盲目前行；但宣教重估必須從宣教士、方法、環境及受眾各方面來進行。本文著重在方法上的評估，但在此之前，先讓我們看看其它的因素。

宣教與穆民

向穆民宣教與其它宣教工作相比，導致成效不免大大遜色，但不能歸咎宣教士，因為從事穆民工作的宣教士是最優秀的一群，在奉獻心志、訓練及堅毅上沒有任何宣教士能超越他們。導致成效遜色的主要障礙，在於受眾和環境。第一種障礙是**社會性**的。很多以伊斯蘭教為主的地區，有一種團體性的團結，改變信仰者會受到家人與社會的排擠及迫害，有些甚至會按歷史性的「叛教法」處死。這種事情近年在伊朗及巴基斯坦等地都曾發生。

第二種障礙是**神學性**的。伊斯蘭教是繼基督教之後興起的唯一世界性宗教，故穆斯林相信所有基督教中有價值的東西都包括在其教義之內，並普遍認為猶太教與基督教的聖經都被竄改了。據傳統了解，他們的古蘭經特別否定一些主要的基督教教義，例如三位一體、基督的道成肉身、神子身份及被釘十架。

第三種障礙是**政治性**的。因為伊斯蘭教信眾認為，要將所受的教導應用到生活每一個領域上，包括政治；因此，在穆斯林佔多數的地方，非穆斯林往往成為次等公民。雖然許多伊斯蘭教國家在伊斯蘭教傳入之前，已有古時的教會了，但人們總認為基督教是西方的，是外來的。

這樣的認同帶來了第四種障礙，即**文化性**的。在引進西方形式的敬拜時，往往並未認識到很多伊斯蘭教的敬拜方式，是源自或改編自猶太教或基督教的。

第五個障礙是**歷史性**的。歷來穆斯林與基督徒在軍事、政治及宗教上的接觸，往往都是敵對的。穆斯林的敵人，包括拜占庭、中世紀的歐洲、十字軍、殖民強權、西方「經濟帝國

主義」及以色列的支持者，大都被認為是「基督徒」。

最後還有**屬靈的**障礙，因為「我們並不是與屬血氣的爭戰」。此外，所見的伊斯蘭教不少已滲雜了當地民間的神秘宗教。

歷來的做法

導致無數失敗的一個方法，是美部會(American Board of Commissioners for Foreign Mission)的宣教士們所用的。他們幾乎拼盡力量促使中東古教會復興，期望這些教會成為向穆斯林傳福音的主力。或許會有例外，但一般而言，這種作法所產生的恐懼、偏見、習俗，加上因語言造成的障礙，使穆斯林與傳統的、要向他們傳福音的基督徒疏遠，甚至以武力對付。特別是當突厥(Turks)及庫爾德(Kurds)穆斯林屠殺亞美尼亞族人及景教徒(或稱涅斯多留派)後，基督徒都想遷出伊斯蘭地區，放棄帶領穆斯林加入教會的念頭。所以，第一個教訓是：**向穆斯林傳福音時，宣教士不該選用穆斯林的敵對者為主要的方法——更非唯一的方法。**

初步的工作與選對象有關的是語言的選擇。許多到中東的宣教士，學習亞美尼亞語或新亞蘭語來與傳統的基督徒交往、合作，可是，這些語言卻非穆斯林所認識的。即使是穆斯林，使用阿拉伯語、突厥語、庫爾德語或波斯語的，也會使其他族裔與宣教士疏遠；就算他們懂得對方的語言，但因為彼此間有衝突，也不相往來。所以，第二個教訓是：**要選擇工作受眾的語言為主要語言。**

當一些族群如景教徒，對基督教或天主教所傳的福音較有反應，宣教士便蜂擁到他們聚居之處，這樣不但帶來競爭，也導致不明白基督真道的穆斯林感到困惑和加以譏諷。因此，第三個教訓是：**基督徒應彼此禮讓，至少在同一族群工作時應如此。**

宣教士雖經常反對自己本國的一些行動，但在工作對象的眼中，他們與殖民地強權有關。譬如中東人認為第一次世界大戰後的土地劃分一事，殖民強國出賣了中東人民，這種看法也殃及宣教士及所傳的信息，至今情況仍未改變。當一個國家支持某些不受歡迎的主張時，例如猶太的復國主義，該國所派出的宣教士，有時會被視為外國軍事及政治侵略的先鋒；許多伊斯蘭教國家的獨立或革命，如1969年利比亞的革命引致外國宣教士被勒令撤離。

有時，宣教士與本地政府的關係太接近。當政府正在壓制當地不同的族群，進行一些不公義或不受歡迎的行動，例如菲律賓政府對付棉蘭老島(Mindinao)上的穆斯林摩洛人(Moros)的態度，政治派系明顯的伊斯蘭世界，若與政府的關係太接近，一旦政府垮台，就被迫處於劣勢了。雖然福音對政治結構與人民亦有先知性的言論，但第四個教訓是：**外國宣教士切忌與外國或當地的政府關係太密切。**

另一項失敗的因素是策略的制訂。從個人主義的西方差出的宣教士常作個人佈道，當個人信主後，往往被排拒於家族之外；同樣，對家庭中無決策權的兒童傳福音，也帶來同樣的問題，結果造成信主者脫離原來信仰後被孤立，甚至受迫害，對原來的族群卻無多大影響。然而，也有其它的有效方法，例如重視鄉村或家族的決策者。在孟加拉，他們甚至延遲個人的洗禮，直至家長也願意接受洗禮。第五個教訓是：**善用每一種文化中的決策本質。**

不了解或未採納合乎聖經的本色化原則，也是導致失敗的因素。宣教士常常不了解自己引進的基督教禮儀，往往通過他們祖先的質疑，並且已經處境化了。他們對於所謂有意義的崇拜，亦未求證於聖經。此外，有些宣教士未看到神向不同世代的人工作，也是用處境化的方法。例如，祂與亞伯拉罕立約是以燒著的火從肉塊中經過(創十五 17)，也以割禮來表示(創十七)；這兩種方式都是當時的文化。祂與摩西在出埃及記二十章中的立約，卻是當時封建制度下赫人立約的形式——從宗主獲得益處的臣屬要同意遵守一套律例。

同樣，新約教會的組織，原是仿照猶太會堂的樣式，而會堂的組織也不是出於神，而是因猶太人散居各地，無法到耶路撒冷聖殿敬拜而發展出來的。開始時，教會只有長老，像會堂一樣，執事是後來因運作上的需要才增加的。

引進伊斯蘭教地區的崇拜形式之中，一些特別敏感的如天主教中的馬利亞及其他人的像，穆斯林視為偶像，因他們看待第二誡比許多基督徒還要認真。在這方面，宣教士們可以觀察在不同族群中發展蓬勃的伊斯蘭教，從中學習。例如在某些庫爾德族中，帶有音樂、舞蹈的Nagshibandi派的神秘主義何以會比遜尼清真寺的傳統形式發展得更快？

再者，許多宣教士把一些所謂伊斯蘭教的敬拜形式及宗教用語，都認為是錯的，卻不知道幾乎所有古蘭經中的宗教詞彙包括「阿拉」和幾乎所有與穆罕默德有關的敬拜儀式，都曾是猶太人或基督徒所使用的。因此，除非因被伊斯蘭教使用後變得不合聖經原意，這些東西若有助於當地人的話，仍可用來傳福音。例如孟加拉語新約譯本使用了穆斯林所用的詞彙，基督的門徒也自由採用了鄰居穆斯林的禱告形式。我們該留意分辨在傳者與受眾的宗教文化中，有那些元素可採用，或可作調適的，那些必須棄用。第六個教訓是：**要注意受眾的穆斯林，看怎樣才能把福音適切地傳給他們。**

處境化的進程不僅在於詞彙及敬拜形式的使用，也在於主題及用來解釋福音神學中的隱喻。希伯來書的作者在聖靈引導下用獻祭系統來解釋救贖；神卻帶領身處羅馬帝國的保羅使用法庭的用語；歷代基督徒學者們用

了不同的理論來解釋贖罪，例如安瑟倫(Anselm)提出「滿足説」，神的一個位格滿足了另一位格，但對穆斯林來説，這種解釋最難領會。

有些宣教士到工場前，對伊斯蘭教未有充分了解，受了「基督徒給穆斯林的信息」的訓練，以為伊斯蘭教是一個單一的信仰體系，實際卻是一組的信仰、禮儀及文化。他們只認識了正統的伊斯蘭教，可是，他們所遇到的穆斯林，大多數在信仰與實踐上都深受著當地民間信仰所影響。宣教士看重思想觀念與神學的問題，但民間伊斯蘭教所關心的是「能力」，他們會問：神、基督比我所害怕的神靈更有能力嗎？宣教士假設穆斯林與他們同樣需要救主，卻不知道民間穆斯林通常是從懼怕的觀點，而非從罪中得救贖的觀點來看。他們只以為伊斯蘭教對同樣的問題，有了不同的答案，卻不知穆斯林往往提出不同的問題。例如古蘭經把人性描寫為善或中性，而非聖經所説的偏向於惡，所以穆斯林常只問：神的旨意是甚麼？基督徒卻問：如何才能遵行神的旨意？第七個教訓在處境化上與第六個教訓有點重疊，就是**宣教士需認識各類穆斯林，知道他們的需要與問題，才能對症下藥。**

對症下藥又會遇上另一個問題，就是不太容易過渡到一個自養、自治、自傳的教會。宣教士們引進學校、診所與醫院，這一切提供了一個整全的福音，但也帶來了一些當地教會在財力、人力上無法支持的機構，在能力和資源上需要國外長期支援。第八個教訓是：**應該注重建立一個本地化自養、自治、自傳的教會。**

最後，宣教士不能敏鋭地察覺不同的人有不同的「時間表」。一段福音預工期是應有的，歷史顯示有些事件帶進一些福音回應期，1960 年代末期的爪哇就是如此。那時，共產黨發動了一次流產政變，觸怒了 Santris 派穆斯林大肆屠殺共產黨員或嫌疑者。所以，當印尼人要選擇一個信仰以表明自己並非無神論的共產黨員時，許多人既見到正統穆斯林的惡例，而基督徒卻樂於助人，因此就選擇了基督教。

另一個例子則是，約旦與黎巴嫩的研究顯示，遷往城市的新移民有需要，也願意接受新觀念，因此會對福音有回應，可惜當時有些宣教士仍留在毫反應的鄉間。第九個教訓是：**要及時**。在災難、居處或情況有所改變，或受其他同宗教者迫逼時，或對自己信仰、信仰團體的幻像破滅後，人們對福音的回應會有所提升。

神在祝福甚麼？

以往雖有失敗，但今天穆斯林對福音的回應較過去任何一個時期為大，而神也正在使用社會上一些負面的事件。以下是今天神使穆斯林歸主的五個現象：

第一個現象是**政治事件**。伊朗革命帶來了嚴酷的伊斯蘭教法苛政，但

卻因此導致人們對伊斯蘭教的幻像破滅，結果使聖經的銷售及到教會尋找基督的穆斯林都增加。同樣，在巴基斯坦，當 Zia al-hag 總統要以伊斯蘭教法立法時，聖經的銷售、聖經函授課程學生，以及信基督的人數都提高了。當東部巴基斯人受到巴基斯坦人以維護伊斯蘭教團結為名進行迫害時，他們不但成立了孟加拉國，對福音也有較大的回應。

當北伊拉克的庫爾德族人，在同為穆斯林的侯賽因(Sadam Hussain)手下受苦時，對福音也變得更有回應。而當蘇聯解體時，中亞一些伊斯蘭教共和國因經歷了 70 年無神論共產黨的統治，靈裡饑渴，也對福音較有回應。可見，神在使用政治情況。

第二個是**自然災害**。當孟加拉遇洪鋒時，基督教機構奉基督之名給予涼水；在日漸擴大的撒哈拉沙漠以南地區旱情嚴重，也有奉基督之名給予糧食救援。總之，在救災方面，基督教的救援和開發機構，較伊斯蘭教的同類機構反應較佳，會使穆斯林看到基督的愛，對祂作出回應。

第三個現象是**人口遷移**。由於戰爭或就業使人口都市化。為了逃避蘇聯的入侵，阿富汗的人口有四分之一成為難民，許多逃到可以自由傳講福音的國家，因而歸信了基督。當科威特受到伊拉克侵略時，許多難民因得到基督徒的援助而歸向基督。其它如北非人為了爭取更多機會而遷往法國等地，在他們感到孤苦時，一些基督教機構如 L'Ami 歡迎他們。一些遷往城市的新移民需要朋友，又能「接受」新觀念，雖然後來許多變得世俗化，或感到一切幻滅而轉向基要的伊斯蘭教，但在這契機之中，不少人歸向了基督。

第四個現象是**對能力的期望**，特別是患病或懼怕惡靈的人。正如今日許多基督徒蒙神垂聽禱告，經歷神的大能，蒙神醫治或以其它方式施恩，引領安渡苦難。這是北非等許多伊斯蘭教地區教會增長的一個因素。

最後是**民族復甦**。當庫爾德人受到侯賽因迫害時，我們看到神如何使用這個方法，我們也在孟加拉等地看到，穆斯林發現能用適合自己文化的方式藉著基督敬拜神，不會覺得基督信仰是外來的。

失敗是良師，在人軟弱中顯得完全的神，祂的大能一直在我們的失敗中作工，並藉著失敗教導我們。

(作者為美國富樂神學院跨文化研究學院榮休教務長，曾在巴基斯坦、阿富汗及中東國家宣教多年。本文英文原稿載於《大使命季刊》十二期，1996 年 8 月。)

研習問題

1. 作者指出，歷來對穆斯林宣教失敗的因素何在？

2. 今日，要向穆斯林宣教，應從哪些途徑入手？

The Lausanne Story
為洛桑運動溯源

洛桑世界福音委員會撰寫

1974 年，在瑞士洛桑舉行了劃時代的第一屆國際性全球福音會議，也是有最多地區教會代表的一次聚會，後來稱為「74洛桑」。而「洛桑」亦從此成為基督教圈中常用的詞語，除洛桑會議外，經常被人提及的有洛桑信約、洛桑運動、洛桑精神等；可見，洛桑會議並非單一的事件。

緣起

在 1974 年以前，各宗派或主要的宣教組織為協調宣教事工，亦會在某些國家內舉行全國性或國際性的大會，如 1854 年在紐約和倫敦的宣教會議，而 1860 年在利物浦所舉行的會議，更是引發｜一系列｜「世界級」的宣教會議。十九世紀結束前，最後一次最令人矚目的會議，是 1888 年 6 月 1 日在倫敦揭幕的「海外差傳百週年紀念大會」(Centenary Conference on Foreign Missions)，共有來自 140 間差會的 1,576 位宣教士參加。

踏進二十世紀，1910 年，著名的愛丁堡世界宣教會議(Edinburgh World Missionary Conference)在蘇格蘭舉行，這個不分宗派的大會，有1,355位宣教機構的負責人及教會領袖從世界各地赴會。然而，歷史告訴我們，「福音」和「佈道」等字的真義在 1910 年的會議中開始變質，漸漸偏離保守的傳統信仰，以至及後從這會議繼續發展出的運動，演變成為今日的合一運動(Ecumenical Movement)，不但轉離「使世界福音化」的正途，反而趨向「把福音世界化」的歪路。

從1910至1966這數十年，正是國際最動盪的時間，兩次的世界大戰、西方的經濟衰退、殖民地獨立、共產主義滲透全球、民族主義抬頭，作為西方文化根基的基督教亦直接受到影響。在神學方面，西方世界的自由神學與拉丁美洲的解放神學延伸至全球，靈恩運動更為強大與全面。在這段變遷頻仍的年月裡，羅馬教廷亦於 1963-1965 年間舉行第二次梵蒂岡會議，實行種種具體的改革。

有見新派思想影響日廣，著名的佈道家葛理翰博士(即葛培理 Dr. Billy

Graham)遂召開世界福音會議(World Congress on Evangelism)，於 1966 年在柏林舉行，有來自 100 多個國家的 1,200 名代表出席。大會的主題是：「一個種族、一個福音、一個任務」(One Race, One Gospel, One Task)，指出了一個清晰的方向，全球需聯合從事福音工作，使各民各族都進入神的名下，成為神的以色列民。柏林大會之後，一連串的地區性福音會議分別在新加坡(1968)、明尼阿波利斯(1969)、波哥大(1969)、阿姆斯特丹(1971)各地舉行。

歷史性的第一屆會議

踏進 70 年代，普世宣教的呼聲加強，新的宣教形式出現，更強調不止要宣揚福音，也要活出福音樣式；各地都興起強調聖靈工作的運動，對教會的復興作出了顯著的貢獻。66 年的世界福音會議所討論的議題，需要進一步深化，以釐定普世宣教的策略，切實處理實際的問題，更要確定當代世界福音工作的目標、原因與運作方式。為此，葛理翰認為需要籌備另一次更大規模的會議，讓各國教會領袖聚集商議。得到全球 200 位教會領袖的支持，組成籌備委員會，於 1974 年在瑞士洛桑舉行第一次國際性的全球福音會議，可說是歷史性的創舉，會議的主題是「讓全地聽見祂的聲音」(Let the earth hear His voice)。

出席洛桑會議的共 2,700 人，代表 150 個以上的國家，宗派背景亦各有不同，約有半數來自尚未基督化的國家。若把旁聽的觀察員、新聞記者及來賓計算在內，總共超過 4 千名基督徒參加。洛桑會議把世界上最優秀的基督教思想家及忠心的信徒聚集一堂，與會者包括婦女、平信徒、佈道家、宣教士、牧師、神學家、媒體工作者。當年的《時代週刊》(*Time Magazine*)的報導稱之為「有史以來最大規模的一次基督徒會議」。

葛理翰在開幕致詞時，提出會議有四個盼望和兩種需要：

四個盼望——建構符合聖經的福音事工，挑戰教會完成普世宣教使命，確定佈道與社會責任的關係，建立全球福音信仰人士的新團契。

兩種需要——會議期間多多強調禱告，與會者都帶著聖聖靈的能力回去。

大會執行主席澳洲悉尼聖公會主教 Jack Dain 總結會議時說，洛桑是討論如何將福音廣傳(Evangelization)的會議，而不是佈道事工(Evangelism)的會議；會議集合了各地的教會領袖，試圖用另一種眼光來觀看所置身的世界，以及那些尚未得著福音的地區。

(編按：此次洛桑大會亦引發了普世華人福音運動，簡稱華福運動。)

洛桑信約

第一屆洛桑會議結束之前，大會宣讀了〈洛桑信約〉，作為整體教會的

信仰和事奉核心，此信約可以歸納為七大項：聖經權威、福音工作的本質、基督徒社會回應的基礎、普世宣教的迫切、普世宣教的代價、福音與文化、靈界爭戰的真實。(信約內容詳見本書附錄)

延續

會議雖然結束，但大多數出席者倡議成立續行會，以延續洛桑會議的精神，帶領洛桑運動，由75位全球教會代表組成洛桑世界福音委員會(Lausanne Committee for World Evangelization, LCWE)。翌年，更組成4個工作小組，分別是代禱、神學、策略及傳訊，專注於有關的研究和出版。此外，並就有關議題舉行各類諮商會議，討論福音策略。在1977至1982年所舉行的會議都指向如何將福音廣傳，茲列舉如下：

1977年6月在美國加州舉行，討論有關「同類型單元原則」(Homogeneous unit Principle, HUP)，馬蓋文將此定義為「毋須跨越種族、語言或階級的障礙，便可以成為基督徒」，因為人類各種文化皆由創造主所賜，應予以保留及欣賞。

1978年1月在百慕達柳岸舉行，深化前會議之結果，討論主題為「福音與文化」，並發表《柳岸報告書》(Willowbank Report)，提出傳福音應重視處境化及對方的接受、悔改，宣教士是跨文化的福音使者，應該謙遜，

以道成肉身的耶穌為基督徒見證的榜樣。此報告書直至現在仍為宣教學者和宣教士所珍視。

1978年10月在美國Colorado Spring舉行深谷與高地會議(Glen Eyrie Conference)，與北美洛桑委員會及世界宣明會合辦，集中討論穆斯林的福音事工，認定伊斯蘭教世界的文化是高度多元化，並提出有關的福音策略。是次會議最直接的成果是，成立了施為美穆斯林研究學院(Zwemer Institute of Muslim Studies)。(編按：Samuel Zwemer中文譯名為施為美，生平參本書287頁。)

1980年3月在英國倫敦舉行的諮商會議主題是「簡樸生活」，會後發表的報告指出「對福音委身要過簡樸生活」，要改變過往奢華和浪費的習慣，始符合聖經的教導。報告最後呼籲重視普世宣教，基督快將再來，要審判、拯救和掌權。

1980年6月在泰國芭提雅舉行規模龐大的普世福音諮商會議(COWE)，延續74洛桑會議的主題「讓全地聽見祂的聲音」，是次進深討論「如何使他們聽見」(How shall they hear?)。會後發表〈泰國宣言〉，回應〈洛桑信約〉「教會以傳福音為基本使命」一項，提出要將福音傳給那些從未聽聞的人，不只是個人，而是一個個的群體。

1982年在美國密西根州舉行「福音工作與社會責任」諮商會議，是次會議指出，福音工作與社會責任有三重的關係，即社會活動既是福音工作

的成果，亦是福音工作的橋樑，也是福音工作的夥伴。

此後，先後舉辦了4次國際性會議以跟進有關議題，包括普世福音國際禱告會(1984年於漢城)、聖靈工作與福音諮商會議(1985於奧斯陸)、青年領袖會議(1987於新加坡)及普世福音、悔改及歸主諮商會議(1988年於香港)。

洛桑第二屆國際普世福音會議——馬尼拉

1989年7月，洛桑委員會在馬尼拉舉行第二屆國際普世福音會議，盛況更勝從前，共有3千人出席，包括後共產主義的東歐及蘇聯在內的170個國家的代表。在十天會期結束，集合各出席者的意見，發表〈馬尼拉宣言〉，進一步落實履行15年前的〈洛桑信約〉，鼓勵基督的整個教會將福音帶往全世界，宣揚基督，直至祂再來。

是次在馬尼拉舉行的會議，為日後的福音工作帶來不少的啟發，並為此而召開各類專題會議，例如1993年在瑞典烏普薩拉(Uppsala)舉行的「信仰與現代主義」諮商會議(Consultation on Faith and Modernity)。而影響最深遠的是，啟動了主後二千普世福音遍傳運動(AD2000 and beyond Movement)，落實要將福音傳予未得之民群體(按：此為一項以公元2000年為目標，鼓勵各國教會、信徒攜手合作，將福音傳至所有未聞福音的世界。)

洛桑2004論壇

2004年的洛桑福音普傳論壇以「一個新胸懷、一個新異象、一個新的呼召」(A New Heart, A New Vision, A renewed Call)為主題，討論31個與今日普世福音遍傳有密切關係的議題，如愛滋病氾濫、恐怖主義、全球化、貧窮、後現代主義、媒體、城市化等等。經過7天的會議，大家確認教會面對前所未有的挑戰，並決定優先協助6千個福音未得之民建立自養的教會。

總結

透過洛桑各工作小組在世界各地所組織或協辦大大小小的福音會議，教會及宣教機構之間產生了各種新的合作方式，帶領信徒以新的眼光來觀看世界，認識仍有20億以上人口未聽過耶穌基督的名。不僅1974年的洛桑會議，在普世教會擴展的歷史上是一個重要的里程碑，其後在所主辦或協辦的會議上，對神學和宣教學都帶來了不少新思維，尤其是在福音與本土化的議題上，訂出了新的策略，啟迪了新的方向。

洛桑委員會的工作一直受到祝福，並未因會議結束而劃上休止符，以後仍藉著不少國際性的普世福音大會，衝擊著各地教會。我們都殷殷禱告，盼望有更多會議，更多合作，帶給教會和信徒更大的啟發，將福音遍傳普世，世界各地的人都能得到耶穌基督的福音，神的國度在地上彰顯。

從歷史角度看中國文化宣教

蘇文峰著

到 2007 年，基督教(新教)來華已有兩百年之久。在這兩百年內，許多宣教士篳路藍縷，披荊斬棘。每一位宣教士，每一個時期的宣教團體，都希望中國能夠福音化，中國文化能夠基督化，讓整個中國人的心靈、思想、動作、存留都被福音所影響。但中國文化有幾千年歷史，一直是自滿自足的文化體系，到了二十世紀經過五四運動、文化大革命、後現代的衝擊，傳統文化逐漸解體，歷經痛苦的整合過程。我們盼望在整合之後，每顆心靈、整個文化能被基督信仰感化，這是我們的目標和使命。

然而，我們可以在兩百年中國教會的宣教歷史當中，學到怎樣的教訓呢？我們查訪古道，有哪些是錯誤的？前面的路向應該如何呢？讓我們簡短的作一次歷史回顧，因為繼往才能開來，鑑古才可知今。盼望我們從歷史中學得教訓，也盼望從歷史裡學到榜樣。

中國文化宣教的盲點

一、唐朝景教及元代也里可溫教——上行下效 → 政亡教息

七世紀唐朝時期，景教開始進入中國，到了元朝，景教成了也里可溫教；兩者基本上都是涅斯多留派傳來的。無論景教或也里可溫教，傳入中國的時候都從上層社會開始；從宮廷、貴族、知識分子開始，希望透過上層階級以影響民間大眾。但我們回顧歷史，就會發現，這樣的宣教工作過份依附政權，過份依靠上層的推動，過份依靠政府的力量，當這個政權漸漸衰微，整個教會也跟著積弱，可說是「政亡教息」。

二、明末清初的天主教

到了明末清初，天主教進入中國，與上述二者不同，宣教士大部分屬耶穌會，都是學者。他們立志像歐洲中世紀的修道士一樣，過清貧的生

活；也立志要「道成肉身」，所以，他們的飲食、服裝、起居，以及所有的生活方式都與當地人一樣。而且，他們幾乎是一旦出國宣教後，就不準備再回去，準備死在宣教工場上。當初耶穌會的宣教士，像利瑪竇、湯若望等都是非常傑出的學者，不止熟知教義，對西方的科技也有很深的研究；而且，他們到了中國以後，也用了很長的時間認真的學習中國的文化經典，希望藉著匯通轉化使中國文化基督教化。

這時期的天主教有相當的成就，比如利瑪竇所寫的《天主實義》，有正篇、續篇，對教義的分析以及中國文化的了解，皆有相當高的水準。而且與利瑪竇、湯若望與徐光啟、李之藻等當時很有名的士大夫建立了深厚的關係，能夠影響當時的統治階層，使他們成為天主教徒。但是，這時期的宣教仍有其盲點：

1. 由上而下 → 居高不下

它仍是由上而下，也就是由知識分子、宮廷，甚至由皇室開始推動。很多人都曉得康熙皇帝曾以十字架為題寫過一首詩，以為康熙是天主教徒。實際上，康熙雖然受天主教的影響，導致當時許多士大夫也接受了廣義的基督教教義，教會也在許多省份裡建立了教堂。但基本上仍是由上而下，所得的結果仍是居高不下，就是說仍留在上層、知識分子階層，還未

在民間裡生根。

2. 迎合習俗 → 無根之花

當時耶穌會在中國有一個策略，就是迎合習俗(accommodation)，目的是希望基督教不與中國文化衝突。他們從宣教歷史中看到，基督教一直被視為洋教，因此很盼望基督教進入中國時，中國人容易接受。當時，特別是耶穌會的宣教士，提出中國的信徒可以「祭祖」，可以「敬孔」，甚至也可以參加民間的集會、廟會，他們認為這是中國文化和儒家思想的大事，他們要在基督教中盡量找到與中國文化相合的部分。但這一個政策，後來成為無根之花。當時的中國信徒確實比較不會受到一般社會人士排斥，不會因持守中國傳統文化而對基督教有所抗拒。但得到的結果卻是，一般民眾把基督教當作中國文化的一部分，視之與中國民間習俗相似。當時，中國的天主教徒有幾十萬，雖然相安無事，但沒有經過衝擊，沒有經過屬靈抗爭，沒有經過認真的思想對話與交流，根基不會穩固；等到「禁教」(康熙、雍正均曾頒令禁教)以後，基督教在中國的有花無根就很明顯。這是我們從歷史學到的教訓。

3. 合儒超儒 → 合儒有成，補儒有限，超儒無功

當時天主教還有一個更重要的策略，即「合儒」「補儒」和「超儒」。在一些天主教宣教士所寫的書籍中，

提出先「合」，合了然後補充，補充了以後再超越。中國既以儒家思想為中心，就要先找出與儒家思想可以相合的部分；比如說，他們認為中國儒家所說的天，就像聖經所說的神一樣；又如祭祖，就是慎終追遠，也要紀念最早的祖先上帝；或者中國重視孝道，聖經裡也教導要孝順父母；中國講求仁愛之心，聖經裡也提到要有愛心；他們盡量找出中國文化裡與聖經教導相合的部分。直到今天，仍有許多人努力尋找兩者相合之處。

找到相合之處後，建立切入點，使中國人不再排斥基督教，接下來就要補中國文化之不足。補了以後，就要強調基督教的超越性，像耶穌基督的救贖、神的創造、基督再來，都超越了中國文化，都是儒家思想「未知生，焉知死」所未觸及的。因此，基督教的思想可以補充，可以超越儒家文化的不足。這是當時一個很理想化的宣教策略。

我們今天回顧，可說當時合儒雖有相當成就，但補儒卻很有限，超儒幾乎沒有甚麼成效。究其原因，與上述的「由上而下」有關。當時雖然得到一批知識分子信教，卻未能深入民間，沒有改變一般民眾的思想。基督的福音要進入一個文化裡，需要不同階層的人共同努力，不同崗位、不同教育程度的人要一起配合。若要補、要超的話，更要有很強屬靈的能力，很深入的信息，很能說服人心的教導，更要有基督化的生活型態。表面上的相合很容易，因為每一個宗教都有相同之處。東方有聖人，西方也有聖人；人同此心，心同此理。要找到相合之處不難。基督教與伊斯蘭教、基督教與佛教，很容易找到一些相合之處。但如果只是可以相合的話，聖經的獨特性在哪裡？耶穌基督救恩的獨特性在哪裡呢？要能夠把這獨特性介紹出來，講解清楚，讓人的心靈能夠真正接受，便需要許多相應的步驟、時間、人材，也需要很好的策略。當時天主教的人材、所作的犧牲、所下的功夫，都值得我們效法，但是並未成功。

三、太平天國——政軍教合一 → 混合主義

清朝中葉以後，反抗清朝的太平天國在其轄區立法迫使中國基督教化。試想：如果中國的領導者、政府首長都自稱是基督徒，整個國家的制度都基督教化，中國會怎麼樣呢？這是很多人的夢想。當時，太平天國控制了長江中下游幾個省份，是全中國最富裕的地區，所以太平天國可以實現政、軍、教合一。他們規定滿朝及全軍每日晨昏與飯前禮拜天父上帝，逢禮拜日，百工停息；打仗回來，須作禮拜。作禮拜時，把全營兵士的名單讀出，禱告，火化。他們的軍事首領就是傳道人。軍隊基本上以營為單位，營長本身是軍事將領，也是信仰

的領導者，政軍教完全合一。太平天國本質上雖是農民革命，但受到基督教思想的影響。洪秀全讀過所謂的「聖經學校」，作過短期的傳道人，對聖經有些了解。但很可惜，他的信仰很混雜，把基督教的信仰和民間宗教混合在一起，我們稱作「混合主義」(Syncietism)。在中國基督本色化的嘗試上，太平天國是一個失敗的例子。如果中國文化基督教化，而沒有純正的神學信仰，沒有聖潔的品格，沒有一群以基督的生命來統治的領導者，結果便會落入太平天國的窠臼。1853年太平天國起義兩年內就攻下了南京，建立國都，但建都以後，很快與傳統的、古今的革命團體一樣，在初期清明、廉潔，有抱負、有理想，軍紀嚴明；但等到握有政權以後，開始貪污腐敗，內部分化。而且太平天國更濫用神的名義，自稱上帝降凡、神靈附身，假借聖靈的話專橫擅權，對付異己。他們利用宗教，與政治、軍事結合在一起，信仰駁雜不純，這是文化宣教的鑑戒。

四、李提摩太路線──菁英路線 → 新文化運動

1842年五口通商之後，西方宣教士來到中國，其中文化宣教最有代表性的一個人物是李提摩太。他提出菁英路線，認為要影響中國，就要影響中國的知識分子；改變了知識分子，就可以改變中國民眾。因此，他辦《萬國公報》，辦廣學會，出版書籍，介紹西方最新的思想，包括科學、政治、經濟、法律、民主這些觀念。《萬國公報》可說是中國知識分子接受西方知識最主要的一個刊物，國父孫中山先生所寫的〈上李鴻章書〉就是刊登在《萬國公報》上。《萬國公報》曾得到李鴻章、張之洞這些政府官員出錢支持，因為這是他們吸收西方文化極重要的來源。

李提摩太的菁英路線中，亦主張辦大學，例如山西的太原大學，主要由李提摩太籌辦而成；燕京大學，宣教士有很大的貢獻；清華大學，是由庚子賠款中撥款創辦的。此外，還有北京的協和醫學院。這些最好的中國高校，都是李提摩太路線的文化宣教工作。這一個路線，在當時確實有相當的影響力。

到了「五四」運動及20年代的新文化運動時，知識分子主張白話文，主張中國要科學，要民主，主張中國要找出路。經過「五四」運動以後，中國人開始對過去有深刻的反省，認為傳統的中國文化已不適合這個時代。知識分子懷著「救亡圖存」的心，面對中國文化的解體、社會制度的解體、傳統道德觀念解體，提出新文化運動，大量引進西方思想和文化。民主、科學以及進化論的觀念，都是當時引進的。

在李提摩太的路線裡，中國應該有一批基督徒知識分子進行文化宣

教,可惜李提摩太的路線只得到了一批文化基督徒,裡面沒有生命的根基,雖在知識上非常傑出,但面對中國文化找尋出路的時候,無法發出以真道為本的指引和方向。結果,20年代的新文化運動產生了四個理論:1.否定論——否定基督教,認為基督教對中國完全不適合;2.取代論——用美學、教育來取代基督教思想,以提升人的心靈;3.選取論——中國應該選取基督教對中國有利的部分,像愛、饒恕、犧牲;4.兩元論——科學理性是一個範疇,宗教亦是另一個範疇,各有各的領域,各有各的價值,兩者應彼此尊重。到目前為止,無論是向大陸來,或是向香港、台灣來的知識分子傳福音,這都是我們所遭遇的四個難關——四個護教性問題。李提摩太的路線讓我們看到這種文化宣教的有限性,當我們走高級知識分子路線,走菁英路線的時候,發現單單文化性的傳播是不夠的,單單在文化上讓人們認識到基督教的可信性是不足夠的,還有生命的路要走。

五、劉小楓路線——引介比較→ 文化基督徒

到了80年代,劉小楓可是說大陸知識分子文化宣教的代表。他在歐洲得到博士學位,對基督教神學有相當深入的研究,故他成功地引薦基督教的思想進入當代中國文化裡;比如他所寫的《拯救與逍遙》及《走向十字架

的真理》等書,都對基督教思想有相當「漢語化」的闡述。特別在1989年前後,中國文化界有一段反思的時期,也是一個尋找出路的時期,劉小楓對歐陸神學的譯述產生很大的影響。90年代之後,中國很多大學有「宗教研究」,特別是基督教的研究。一直到今天,很多研究基督教的學者,經常在國內的大學講學,在哲學系、宗教研究所裡介紹基督教的思想觀念,培育了不少文化基督徒。

文化基督徒從某一個角度來說,對文化宣教有相當大的貢獻。中國學術界向來輕視基督教,大多認為基督教是老人、婦孺、無知的人所相信的,文化基督徒把基督教思想引進來,讓大學生有機會接觸,雖然不是全面,也不一定完全是福音派的思想,但所作的貢獻很大。可是,依筆者個人有限的了解,文化基督徒可能有一個很大的盲點,就是文化基督徒往往只注重基督教的文化性研究,卻不一定有真正的基督徒生命。他們在理性上,在學識上作了很多研究,確實也引領了許多本來對基督教不屑一顧的人,開始對基督教產生興趣和了解。可以說,他們作了相當好的拋磚引玉。但真正的「玉」必須是從耶穌基督而來的生命、生活和使命。生命的悔改、更新,必須是從頭腦到心靈的改變,這是一些文化基督徒所缺少的經歷。我們確實看到,劉小楓路線有其貢獻,也有其盲點。然而,我們前

面的路向應該如何呢？

文化宣教的出路

上面我們已「查尋古道」，那麼，到底哪一條是正路，要行在其間呢？筆者認為文化宣教有三個很重要的方向和原則：

一、進入世界觀和價值觀的改變

傳福音與文化宣教，一定要進入世界觀與價值觀的改變。通常，福音進入一個文化，特別是進入像中國有相當古老的、自滿自足的文化中，往往只帶來外在行為上的改變；本來禮拜天可能去郊遊，現在改去教堂裡作禮拜；本來是看電影的，現在來看牧師講道；本來是聽流行歌的，現在聽詩班唱詩；這些都只是行為上的改變而已。以前結婚鳳冠紅妝，現在穿白紗、白禮服；過去我們祭拜祖先時燒香，現在掃墓時獻花；這都是行為、禮儀上的改變，福音只傳到這個層次是不足夠的。為甚麼叫作「無根之花」呢？為甚麼有所謂「文化基督徒」呢？為甚麼有所謂「掛名基督徒」？就是指只有行為、禮儀文化上的改變，生命並無改變，內心深處的思想、觀念並沒有改變。福音一定要進入人生觀的改變。怎樣才是人生觀的改變？是整個世界觀，由過去無神的、唯物的、自我中心，改為以神為中心，一切思想、動作、存留都在乎祂。「因為萬有本於祂、依靠祂、歸於祂」（羅馬書十一36）；這可說是基督教最基本、最簡要的世界觀。萬有本於祂，這是創造論；依靠祂，是救恩論；歸於祂，是末世論；也就是我們基督教世界觀，是一個以神為中心的世界觀。

因此，整個世界觀的改變，就不止是「合儒」而已。合儒只是行為、禮儀上的「合」，但進入整個世界觀的改變的時候，就要認識「超」。中國文化以人為本，但基督的信仰以神為本；這是兩個文化的世界觀最基本的差別。因為世界觀的不同，我們的價值體系也就不一樣，對婚姻、金錢、成功，也對家庭、經濟、時間的運用都不一樣；亦即是問：人生最有價值的是甚麼？人生最有意義的事情是甚麼？相信我們作宣教、福音工作的人，都有很清楚的答案。價值體系不一樣，以至整個人生觀都不同，人生不是以享樂為目的，不是空喊以服務為目的，人生是以榮神益人為目的。因此我們一切所想、所求、所作的、所開的車子、所使用的一切物品，必要想到，若基督是我，會怎麼做？如果我是一個以神為中心的人，神要我怎樣使用金錢和時間？我的生活該怎麼過？我的專業訓練該如何被神使用？要想及這些，才是真正的世界觀的改變。生命的改變，是我們整個的思想，包括意志和情感的改變。我們今後的宣教工作，無論在神學院、在宣教工場、在教會裡作門徒訓練，都一定要進入世界觀與價值觀的改變。

有很多人，當神祝福他的時候，他就信神；當他遇到車禍，遇到困難，遇到失業，遇到父母生病時，遇到孩子去世的時候，他就不信神了。為甚麼？他還是以自我為中心，他只能接受神的祝福，不能夠接受神在他生命中要他面對的挑戰與磨練。這是我們今後一個很重要的宣教課題。

二、文化宣教應與戴德生路線相輔相成

現今不少人致力文化宣教，像李提摩太的路線一樣。但文字工作、學生工作若沒有與戴德生的路線互相配合，也只是帶出很多文化基督徒而已。戴德生的路線是甚麼？戴德生主張要深耕民間，深入到平民大眾裡，直接佈道。中國內地會所發的一份單張最能夠代表他們對天堂與地獄的觀念。戴德生在《中國屬靈的需要和呼求》一書中說過，他彷彿看到一個圖像，中國人一個個的在他面前走過；以當時中國人口4億多人計算，要23年才能走完。他說，每一個月有100萬人走到地獄裡，表示每一天就有3萬人走進死亡。因此他沒有時間做次要的事；他認為我們抓緊時間，搶救靈魂，要直接的傳福音，告訴人不相信耶穌基督就不能上天堂，要下地獄。今天你若忽略了1個人，他就是每天3萬人中的1個，每月100萬人中的1個。每一年有1,000多萬的中國人走到地獄裡，因此務要直接佈道、積極傳福音。這是戴德生當年的宣教異象，神給他的帶領與李提摩太路線不一樣。今日我們看到，這兩個宣教路線各有其優點和限制，兩者不應互相排斥，一定要相輔相成。

在另一方面，我們在文化宣教中，在大眾傳播、在知識分子、在思想界裡，我們一定要全面贏得人心。中國需要學識高深的神學家，也需要有像魯益斯(C. S. Lewis)、薛華(Francis Schaeffer)這樣偉大的福音傳播者。他們不像奧古斯丁、加爾文、卡爾亨利(Carl Henry)是神學家，但他們能夠將基督教的核心思想以文化宣教的方式帶到知識界，讓一般文化人接受。我們也需要大眾化的文宣者，能夠透過電視、小說、報章、電影，把基督教的思想和觀念傳播到民間，像日本的三浦凌子，像《魔戒傳奇》的托爾金，也像英國的魯益斯，他所寫的童話故事可以在電影院上映，或者像韓國很多電視的編劇，把基督教的思想帶到社會上，人人喜歡看韓國連續劇，裡面有愛、饒恕、執著的感情、家庭的溫暖，還有種種對人生的積極認識，這些都是我們所需要的，也就是大眾化路線與菁英路線兩者相輔相成的例子。

三、初代教父與信徒的結合

無論是文化宣教或者是直接佈道的宣教路線，最重要的都是人！我們從西方教會歷史裡可以看到很好的榜

樣。初期的教父，無論是坡旅甲、游斯丁、奧古斯丁，他們都是思想家、學者，受當時社會尊敬，成就非凡，但特別在第一至第三世紀時期，幾乎每一位教父都是殉道士。他們的生活就是信仰的體現，基督信仰具體落實在他們的生活裡。因為一個人的整個世界觀既是以神為中心，他的生活方式必然不同，他不必思想我要怎麼樣做才像一個基督徒，而是我所作的、所想的、所用的、所結婚的對象，或者在培育孩子、考慮工作、決定居住地的時候，整個的思想與信仰是結合在一起。

當時的教父，當時廣大的信徒，正如使徒行傳裡跟希律同養的馬念，或像古利奈人西門，或者一般平民大眾，無論是貴族、教師、凡夫俗子，他們的信仰就是他們的生活，他們的生活就是活出他們的信仰。所以，初期教會在當時希臘文化、希伯來文化這樣強大的沖撞下，能夠傳遍地中海沿岸，主要是有這些人。這些以神為中心的人，他們的思想、生活、行為，是整個結合在一起的，他們是最有功效的文化宣教士！

筆者相信中國教會的宣教方向，最重要是得到一批真正生命改變、思想更新、不效法這世界、願為信仰獻身的人。歌羅西書一章28節說「傳揚祂」，我們傳揚的是祂，不是傳揚基督教文化，不是傳揚一些思想和教義而已；我們傳揚祂，是「用諸般的智慧，勸戒各人，教導各人，要把各人在基督裡完完全全的引到神面前」。完完全全就不只是在文化的表象上，而是進入世界觀、價值觀的改變，讓眾人完完全全的來到以神為中心的生活中。但願我們從歷史裡得到教訓，但願我們從歷史中找到前面當行的方向。

(作者為美國校園福音團契總幹事，長期從事校園及文字工作。本文為作者在2005年12月華人宣教動員大會之講稿，由編輯室錄音整理，經講者斧正。)

研習問題

1. 試評論自唐代以來兩次文化宣教的盲點。

2. 作者指出基督教在文化中生根，必須進入社會的世界觀和價值觀。試評論這個見解？

對馬禮遜牧師在華傳教的體認

李志剛著

羅伯特馬禮遜牧師(Rev. Robert Morrison)是基督教第一位來華傳教的英國(United Kingdom)教士。[1] 他於1807年9月4日抵達澳門，7日到達廣州，至今將近200年的時光。回顧他自1807年來華，以至1834年8月1日在廣州病逝，前後歷27年之久。由於他在華期間，中國滿清政府採取閉關自守政策，嚴禁外國人進入中國，並且禁止西方教士在華傳教。因此他藉著任職英國東印度公司翻譯工作，才可留居在廣州和澳門。及至1834年，英國東印度公司專利權被英國政府撤銷，廣州工作解散，他受聘任英國在華商務總監律勞笑(Napier)翻譯秘書，成為英國政府的公務員，可是為時不足8個月。所以他在華工作的正職是東印度公司的翻譯，至於傳教可說是業餘的工作，這是礙於環境所然。但是他忠於蒙召的使命，他的成就和貢獻，遠遠超過他從事東印度公司的服務，為中國基督教事業奠定良好的基礎，影響中國教會至為深廣。

開創福音事業

馬禮遜牧師在華一生，所創建的工作主要如下：

一、翻譯中文聖經

馬禮遜牧師來華傳道固然受倫敦傳道會的差派，而他主要的任務，是因為倫敦傳道會應英國聖經公會(The British and Foreign Bible Society)所託，遠道前來中國，從事中文聖經的翻譯工作。所以當他到達中國後，隨即學習中國語文，並同時進行翻譯，於1813年在廣州出版新約。1815年得威廉米憐牧師(Rev. William Milan)協助翻譯13卷舊約，1819年譯成，1823年在馬六甲(Malacca)出版。成為當時基督教人士在華通用的聖經。在《馬禮遜譯本》的基礎上，才有日後聖經不同版本翻譯的演進。

二、傳教書刊出版

馬禮遜牧師處於禁教的環境，深知文字宣教的重要，期間努力從事傳

教書刊的寫作和出版。他提倡的「恆河外方傳教計劃」(The Ultra-Ganges Mission Plan)，首先於1815年在馬六甲出版《察世俗每月統記傳》，成為中國第一份中文報刊，首開中國報業先河。而1819年在馬六甲創辦的英華書院，更有中、西文印刷局的開設，出版中、西文的宗教書刊，以此傳播福音。他本身勤於寫作，出版的中文書報有12本，英文書報有19種；除文字宣教外，更成為近代中、西文化交流的啟導者。

三、創辦英華書院

由於中國是傳教的禁地，為此之故，馬禮遜牧師提倡的「恆河外方傳教計劃」，其中一項工作就是要在馬六甲創辦英華書院，終於在1818年11月11日舉行奠基禮。該校主要宗旨是教授中、西文學，傳播基督福音，促進中西文化交流。他是英華書院創校人，率先捐獻私蓄1千英鎊作為開辦費，並允諾每年捐出100英鎊作為常費，他對教育傳教的熱誠為後人所敬仰。而該校於1943年搬遷香港，至今仍是香港著名的中學，歷年培育不少人材，蜚聲國際，故他有「校祖」之稱。

四、興辦醫藥傳教

馬禮遜牧師在應倫敦傳道會派遣來華之前，曾在倫敦聖巴多羅買醫院(St. Bartholomew Hospital)從事醫科學習，所以對醫藥傳教的觀念早有認識。由於他與東印度公司約翰李文斯敦醫生(Dr. John Livingstone)志同道合，遂於1820年在澳門開設診所，聘請中醫主理，贈醫施藥嘉惠貧苦，是基督教在中國第一家醫藥機構。1827年，他在英國休假歸來，診所同年又得郭雷樞醫生(Dr. Thomas Richardson Colledge)支持，在澳門開設一家眼科診所。於1832年，又在廣州開設眼科診所。兩年後有美部會派來醫療傳教士伯駕醫生(Dr. Peter Park)抵廣州，於1835年創辦博濟醫院，成為中國第一家西醫醫院。其後於1838年成立中國醫藥傳道會，是為世界第一個醫藥傳道會，這與馬禮遜牧師的醫療傳教事業是一脈相承的。

五、推廣傳教工作

馬禮遜牧師雖然處於一個艱苦環境之下，但仍然等候神的旨意，在適當的時機作出合宜的宣教工作。由於中國環境的障礙，他建構的「恆河外方傳教計劃」，是將宣教目標轉移到南洋以華人為對象。為此他鼓勵倫敦傳道會先後差派17位教士，開展南洋各地的工作，成為日後中國基督教的奠基者。無可置疑，他對歐、美各差會的宣傳和鼓勵，先後有荷蘭(The Netherlands)傳道會、美國(U.S.A.)美部會差派宣教士相繼來華傳教。例如信義宗的教士郭士立牧師(Rev. Dr. Karl Friedrich A. Guslaff)在中國沿海遊行佈

道的突破；美部會裨治文牧師(Rev. E. C. Bridgman)、衛三畏(S. W. Williams)教士藉主辦《中國叢報》(The Chinese Repository)在廣州安頓下來；伯駕醫生又可以在廣州開辦醫院，投入醫藥傳教。凡此種種都是馬禮遜牧師的鼓勵所引動，成為其後教會發展的基礎。

馬禮遜的偉大精神

綜合以上所述，馬禮遜牧師的傳教事業是具有整全性的理念，確立中國基督教日後發展的路向。但我們可以從他一生的事奉中，體驗他偉大的精神。

一、聖經的精神

無可置疑，馬禮遜牧師對中國教會有多方的貢獻，但最重要的是他將66卷聖經全翻譯成中文，讓中國教會信徒可以直接閱讀神完整的聖道。因為他忠心聖經翻譯，以至後來的外國宣教士，同樣看重聖經的翻譯，將中國教會建立在「惟獨聖經」的真理上。所以今日華人教會，必須效法他以聖經為本去建立我們的教會。

二、敬虔的精神

十九世紀的宣教士，本身具有一種敬虔的精神，他們將生命獻上從事宣教工作是義無反顧的。他們在艱難困苦和生死絕望之間，常常禱告仰望神。馬禮遜牧師在華一生都是處於危難苦痛之中，然而他的敬虔，從聖經

上所得的力量，在禱告中所得的幫助，才使他有偉大的成就。

三、宣教的精神

馬禮遜牧師在得時不得時，都在找尋宣教的方法，以華人為宣教對象，作出超越時空的福音工作。他被派往中國從事聖經翻譯，本是一種「為中國」(for China)的傳教工作；可是因為環境的緣故，則改變「為華人」(for Chinese)。此即何處有華人，何處就有宣教工作。這因為「地」是死的；「人」是活的，所以宣教是以人為對象。他不但個人從事宣教工作，同時更鼓勵其他宣教士從事宣教工作，以便在中國滿清政府開放之後，即有不少宣教士進到中國內地開基佈道。

四、合一的精神

馬禮遜牧師在中國並沒有建立一家教會。他原屬的倫敦傳道會更不是一家教會，而是不同宗派信徒組合的差會機構。但他對於同時代的不同宗派的差會和教會抱有一視同仁的熱情，凡接觸過他的宣教士和信徒，都會得著幫助和鼓勵，即如米憐牧師、麥都思牧師(Rev. Walter Henry Medhurst)、修德牧師(Rev. Samuel Kidd)、郭士立牧師、裨治文牧師、雅裨理牧師(Rev. David Abeel)、衛三畏教師等都是受到馬禮遜牧師的感召，又得著鼓勵前來中國宣教的應募者。

事實上，馬禮遜牧師的成就和偉

大，是我們仍然要不斷學習和認識
的。時近 2007 年，為紀念馬禮遜牧師
來華傳教二百週年，世界各地華人教
會抱著感恩的心，記念神重用的僕
人，為此期望我們各地華人信徒，從
不同的領受，見證神對他的恩典，激
發我們敬虔宣教的熱誠，步武他勇敢
堅毅的心志，拓展神福音的國度。

1. 當時所稱傳教即今日一般所稱之宣教，傳教士即
今所稱之宣教士。

(作者為香港禮賢會牧師、香港基督教文化
學會會長，本文原刊於《今日華人教會》
2005 年 12 月號。)

研習問題

1. 請寫出你對馬禮遜的認識。

2. 馬禮遜並未長期留在中國內
地，也未建立教會。何以受到推
崇？他最大的貢獻是甚麼？

從國內宣教到普世宣教

蘇文峰、劉智欽合著

從中國的「耶路撒冷」到「撒瑪利亞」──國內及近鄰宣教

廿世紀初至抗戰期間，中國社會及教會均飽經內憂外患。教會外有「五四運動」以來「非基督教運動」[1]的猛烈攻擊，內有自由神學、「社會福音」的困擾。但20、30年代卻也是中國教會屬靈復興的時期，全國各地瀰漫著復興的氛圍。這時期神所興起的僕人主要將福音傳給本國同文化、近文化、異文化群體；也漸漸將福音帶到鄰近的「撒瑪利亞」，即韓、日、東南亞及南洋群島。

一、佈道團

在這段時期，有幾類佈道團在國內同文化及近文化的宣教工作中，扮演了重要的角色：

1. 中華學生立志佈道團(1910年，山東濰縣)

1910年由山東濰縣廣文學校發起的「中華學生立志佈道團」推丁立美為幹事，喚起了基督徒學生立志終身傳道的心志，團員有1,170人，決志傳道的有530人。

2. 地方性的佈道團

1911年「湖南逐家佈道團」由長沙內地會的葛蔭華(F. A. Keller)和蕭慕光兩位牧師發起，共有團員28人。他們遊行佈道，攜帶單張、小本聖經逐家分送；五年之間，曾進入10萬7千餘家佈道。

此外地方性的佈道團也在各地組成，如1912年廣東珠江以南的「河南佈道團」、1913年「上海車夫聽道處」及「福州旗族佈道」、「上海基督徒佈道團」、「回民佈道」等。後來香港也有「香港基督徒佈道團」成立。

3. 中華國內佈道會(1918年，雲南)

1918年，聯合全國基督徒力量的「中華國內佈道會」，是一個新的里程碑。這個佈道會先由雲南開始，1922年推廣到黑龍江，1923年進到蒙古。他們的事工拓展了國內佈道的範圍，由沿海逐漸遠至邊陲地區。

4. 伯特利佈道團(1927年，上海)

　　1927年到1937年這十年大復興時期，許多佈道團點燃了福音燎原之火。1927年在上海由伯特利差會組成的「伯特利佈道團」，是最具代表性的一個，由計志文任團長，聶子瑛、林景康、李道榮、時約翰為團員，1931年宋尚節加入。通常計志文和宋尚節講道，其餘4人司琴、領唱和翻譯。由1931至1933年三年內，他們的足跡遍達13省，聚會千次以上，聽道40萬人，決志信主約1萬8千餘人。

　　宋尚節1934年離開後，此佈道團仍在山東、陝西及西北帶領奮興佈道會。1936年進入貴州、雲南山區，向少數民族宣教，並與當地學生共同組成4個小佈道團。後來伯特利佈道團成立了10個分團，走遍全國及東南亞。

二、文字宣教

1. 中文聖經翻譯

　　古今中外宣教士最優先的工作，是翻譯適合當代語言的聖經。這時期有3種中文聖經譯本是文字宣教的典範：

　　(1) 和合譯本：1890年上海第二次來華宣教士大會中，決定推選代表合譯通用的譯本，分三個委員會出版：1904年出版淺文理新約，1906年出版文理新約，1907年出版國語新約，1919年出文理合併舊約，及國語新舊約，後者乃今日最通行之和合本(Union Version)。和合譯本的出版，

對宣教的貢獻是無以倫比的，也可以說是宣教士對中國譯經最重要的貢獻。

　　(2) 新舊庫譯本：由中西人士如陸亨理(H. Ruck)、鄭壽麟等小組，在北京譯成。1939年出版新約，新約附詩篇則於1958年在香港出版，其特色為強調忠於原文直譯。

　　(3) 呂振中譯本：1946年由燕京大學出版新約，1952年香港聖書公會出版新約修正稿。此版本參考多種原文譯本，有七處直接譯自亞蘭文。舊約至1970年始譯成，由香港聖經公會代印出版。

2. 書報刊物

　　這段時期基督教的出版機構有69處，較著名的是廣學會、宣道書局、青年協會、聖教書會、浸信書局等，自1926至1928年出版的刊物有《基督教文社》、《金陵神學誌》、《聖經報》等。單在1936年一年，中文基督教雜誌總計有211種，英文27種，書籍出版了549種。這些書刊對文字宣教及信徒造就都有很大的幫助。

三、文化使命

1. 教育事工

　　此期教育著重於高中及大學，基督教及天主教的16所大學大多以中國人為校長，成績斐然。基督教在1934年有13所大學(學生5,718人，約佔全國15%)，3所醫院，7所神學院；男中

學115所，女中學102所，男女同校中學43所；高小約1千所，初小約6千所，全國各教會學校學生總數超過20萬人。這些學校培育了許多基督徒及傳道人，較著名的如：計志文、蔡蘇娟、石美玉等。此外，教會對平民教育的推動，也有極大的貢獻。

2．社區宣教

以醫院、禁煙、婦女工作、青年會、孤兒院、紅十字會、賑濟會最為著名，尤其在內戰及抗戰期間之貢獻最為國人稱道。

四、本期具代表性的中國佈道家

在這段時期，神使用許多佈道家燃起國內宣教的火炬。他們都受過高等教育，在信息上堅持基要信仰，對真理的態度絕對而不妥協。他們大多善用詩歌與信息配合，恩賜和風格或有不同，但都滿有靈力，且「各盡其職，建立基督的身體」(弗四12)。

1. 石美玉(1873-1954)

江西省九江縣人，父親是美以美會牧師，母親是女校校長。1892年與女同學康成同赴美國密西根大學(University of Michigan)醫學院，1896年畢業，是第一對留美接受西方醫學教育的女性。回國後，成為著名的女醫生、教育家，1925年獻身作女佈道家，並組織了伯特利差會(Bethel Mission)，設立教會、醫院、學校等。計志文曾跟她出去佈道，受她影響極大。

2．丁立美(1875-1936)

山東省膠州人，是清末到30年代中極為傑出的奮興佈道家，對青年學生影響極深，尤其教會學校中因他講道而決志獻身宣教者不知凡幾。中國一些近代著名人物的傳記中，常提到他的影響力：「講辭動人，聲淚俱下，感我至深」(簡又文)；「祈禱，詞句和聲音真是美麗，『立美』名不虛傳」(謝扶雅)。其任「中華學生立志佈道團」首任巡行幹事及「雲南佈道會」拓荒牧師，晚年在山東及天津兩所神學院任教。

3．王載(1898-1975)

福建省福州市人，1921年自動由海軍退伍獻身傳道，是國內所謂「自由傳道人」、「走方宣教者」的第一人。初期常露天佈道，隨走隨傳；在大樹林或路邊，手拿搖鈴，身背木箱，發單張、唱詩、講故事、作見證、講福音。後來與倪柝聲、王峙、繆紹訓、陸忠信、王連俊等同工配搭，點起了福州復興的火炬。他在1925年主領的復興聚會，深深影響了後來被神重用的計志文、趙世光、石美玉、周志禹、藍如溪、胡美琳等，成為中國宣教火炬的傳遞者。1928年後王載常到中國各地及南洋佈道，此後40多年任中國第一個差會「中華國外佈道團」負責人。

4．宋尚節(1901-1944)

福建省莆田縣人，30年代最有影

響力的奮興佈道家。父親宋學連是美以美會牧師，故宋尚節少年時已協助教務，甚至主領晚間禮拜。1926年在美國俄亥俄州立大學(Ohio State University)獲化學博士學位，翌年在紐約經歷聖靈澆灌，成為他「靈性的生日」，隨後回國。次年，開始在閩南傳教和到各地講道，以「十字架」、「重生」、「寶血」等為主題，1931年起專講「罪」的問題，滿有聖靈能力。1931至1933年加入伯特利佈道團，1934年起獨自傳道，足跡達全國及海外南洋、台灣。雖然英年早逝，但其奮興、佈道的信息和靈活獨特的方式(大聲疾呼、跳上跳下、實物教材、又講又唱)都被神重用。

5．趙世光(1908-1973)

上海人，1925年上海大復興時獻身事奉，是這段時期的中國佈道家中行程最廣遠的一位，也是第一個以堂會為基礎，創設中國人全球性宣教團體的牧師。

1936年與1938年趙世光兩次赴南洋佈道後，決心開拓宣教事工及團隊。1942年3月，他先創辦《靈糧月刊》，6月成立上海靈糧堂，並確立了由近而遠，由同文化到近文化，再去異文化的宣教策略。1945年靈糧世界佈道會在上海成立後，先在附近城市設分堂，繼而推展至華南、華北、華西。1947年差派兩位宣教士往印度和印尼。1949年中國政權改變以後，他

的足跡遍及美、歐、亞世界各地，也在各地設立靈糧堂及神學院；縱觀他一生的果實，在國外多於國內。他不僅個人有眼光、有遠見，且能帶動信徒和同工投入宣教事工，為中國教會留下了極寶貴的屬靈榜樣。

6．計志文(1901-1985)

上海人，父親是私塾教師，家境貧寒，曾輟學在布店作學徒。1923年讀伯特利中學時重生得救，1925年英國人魏克思(Paget Wilkes)在上海主領的佈道會中，計志文與趙世光、周志禹等同時蒙召獻身，由王載為他施浸。他的一生與趙世光有許多相似之處，同是在國內佈道及海外各地宣教。

1925至1946年的22年間，計志文在中國各地宣教的行程及時間，超過其他傳道人。他於1927年成立的伯特利佈道團是促使中國教會大復興的先鋒，約有300位同工一起配搭事奉。

1947年，計志文在上海另成立中國佈道會，並在杭州設立了中華聖經神學院。他一生除了遊行佈道外，亦建立教會、辦神學院、學校和孤兒院，在抗戰期間亦設招待所收容難童、難民，為教會的社會關懷立下好榜樣。

從「撒瑪利亞」傳回「耶路撒冷」──國外宣教

1949年以前，由中國教會自己創設的國外宣教團體，有五個頗具代表性：

一、中華國外佈道團(1929年，廣西梧州)

1927年，來自加拿大在廣西宣教30多年的宣道會牧師，也是梧州建道聖經學校的校長翟輔民(R. A. Jaffray)到南洋群島巡視後，鼓勵同工「起來，向南走」(徒八26)。次年，王載等7位曾到過南洋佈道的傳道人，與翟輔民決定成立一個固定的組織，推動南洋的宣教。1929年3月26日在香港成立「南洋佈道團」，行政與經費完全自立，王載任佈道團主席，這是首個向國外宣教的中國差會，後改名為「中華國外佈道團」(Chinese Foreign Missionary Union)。

佈道團首位宣教士是派往越南的朱醒魂(1921年到越南，1928年轉往印尼)，然後是1929年到印尼的林證耶和練光臨。佈道團成立8年後，平均常在工場上的宣教士有21位之多。1942年至1945年因戰爭而事工停頓，1945年事工恢復，總部設在印尼泗水。1945至1973年間在南洋各國設立了15個教會，帶領極多人信主。因印尼政府要求更名，中華國外佈道團遂於1973年改稱為教會(基督教會合一堂)，決定各堂會自立。差會的角色雖告一段落，但各教會在自立中仍存合一之心。

二、靈糧世界佈道會(1942年，上海)

趙世光是第一個以堂會為基礎，創設中國人全球性差會的牧師，原在上海宣道會守真堂牧會。1936年及1938年，趙世光兩度往南洋佈道，深覺「現今是我們中國教會給的時候了」(趙世光《宣教歷程》卷一，69頁)。

1941年12月8日太平洋戰爭爆發後，西方差會財政支持斷絕，趙世光與同工決心建立不屬於宗派的中國宣教差會。1942年6月一個晚上，他和5位同工跪地禱告後，決定團體取名為「靈糧堂」，並於8月開始主日崇拜(在協進中學大禮堂)，也以幾間課室作訓練傳道人的神學院和聖經學校。這間上海靈糧堂成為日後靈糧世界佈道會的母會，接下來有上海會堂及南京、杭州、蘇州分堂。

1942年10月，上海靈糧堂開始向虹口區因逃避希特勒而來華的2萬名德國猶太難民傳福音，汪純懿和李明雲兩位以英語帶領猶太人查經，此事工一直持續到1945年大戰結束。

1945年抗戰行將結束時，靈糧世界佈道會(Ling Liang World-Wide Evangelistic Mission)在上海成立，目標是「願神也照樣會用著我們中國立志傳道的工人，向外國宣傳福音，從上海(耶路撒冷)起，擴展到全中國(猶太全地)和遠東各國(撒瑪利亞)，直到地極」(《宣教歷程》卷一，115頁)。據此，靈糧世界佈道會，準備擴展至華南、華北、華西各大都市，再推展至各鄉村，並設立幼稚園、小學、孤兒院、養老院，也設立華東神學院(蘇州)，訓練牧會、宣教人材。

1947 年秋，欒傳真和周主培被按立為宣教士，差到海外，前者到印度加爾各答，後者則往印尼椰加達的靈糧分堂，都向華僑及當地人宣教。

1949 年以後，靈糧世界佈道會往海外拓展，在香港、台灣、南洋、日本、北美、英國……設立了分堂。1955 年趙世光在椰加達創辦了基督教迦瑪列大學(Gimoeiel University)，1956 年 2 月設立宣教師學院。趙氏也在東南亞及世界各地主領奮興佈道會，尤其 1965 年在韓國五大城市主領了 200 次聚會，共 50 萬人聽福音，這是他跨文化宣教的範例之一。

數十年來，靈糧世界佈道會主要以植堂方式拓展宣教，2003 年洛杉磯靈糧堂在美墨邊境的兩個墨西哥小城，也成立了向墨西哥人傳福音的佈道所，就是其中一個實例。目前，多國都有靈糧堂，但靈糧世界佈道會並非宗派，各地的靈糧堂在決策、經濟、行政上完全獨立，教會路線雖有不同，但其向外宣教的共同異象則均能持守，至為難得。

三、中國佈道會(1947 年，上海)

1946 年，計志文離開伯特利差會後，因感許多北方人逃難來到上海，乃開始普通話主日崇拜，這是中國佈道的雛型。兩年之內，約有 500 人信主，乃於 1947 年成立中國佈道會教會，在上海西邊原法國租界處開始西區禮拜，此外又在杭州建立中華聖經神學院，在江灣建兒童樂園孤兒院。

1949 年，中國佈道會(Chinese Evangelization Society)在台灣、香港、新加坡、馬來西亞、印尼、美國、泰國等地，建立了聖道堂及聖經學院、神學院、孤兒院、學校、出版《生命月刊》，計志文任差會會長。中國佈道會在 1949 年之前雖未差派宣教士到國外，但計志文牧師在國內外多年宣教事奉的果效，1949 年後在海外卻擴展延伸；曾從台灣派出 300 位同工往印尼，1952 年開始的中國佈道會瑪琅東南亞聖經神學院，畢業生遍佈印尼華人教會。直到今日，中國佈道會的事工仍成為多人的祝福。

四、遍傳福音團(1943 年，陝西鳳翔)

1943 年，陝西鳳翔西北聖經學院的師生們在禱告中，看見中國教會欠了各國福音的債；副院長馬可牧師為此組成一個禱告會，特別為還福音的債禱告。馬可牧師覺得，主為中國信徒保留一條道路，就是要將福音傳回耶路撒冷。後來在院長戴永冕(戴德生的孫子)主持下，每星期三有 70 多位師生決志為西北七省禱告，並成立了「遍傳福音團」(The Chinese Back to Jerusalem Evangelistic Band)，只限中國人參加，不接受外國支援。馬可任團長，後來還出版《遍傳福音團報》。1944 年起福音團的幾位同學先後被差派往西北的甘肅、寧夏、青海、西

藏、新疆，其中趙麥加和何恩證夫婦更南下至喀什。遍傳福音團的志向是從西北七省開始，沿絲路經阿富汗、伊朗、伊拉克、敘利亞等7個伊斯蘭教國家，將福音傳回耶路撒冷。可惜1950年後這事工便停滯了。

文化大革命後，遍傳福音團的同工紛紛回到事奉工場，並對當年立下的初衷絲毫不變。正如到了疏勒後一輩子未回內地的趙麥加所説：「新疆到耶路撒冷的道路，銅門深鎖。然而我們辦不到的總希望我們的子女可以繼續承擔。」

五、西北靈工團(1949年，哈密)

西北靈工團是由山東濰縣樂道院靈修院發展而出的。1945年10月，山東濰縣的樂道院教會成立靈修院，是年冬天，在山東滕縣華北神學院教書的張谷泉牧師帶領了十幾位學生返回濰縣，參加剛成立的靈修院。靈修院拒絕來自差會的經濟物質供應，全憑信心仰望依靠神，對當時的教會影響很大。靈修院的院歌「安提阿、安提阿，基督香氣從此發……教會建遍地角共天涯」，已表明了福音宣教的方向和使命。

1946年秋天，聖靈啟示靈修院師生要差派工人面向大西北、新疆、耶路撒冷，張谷泉亦多次傳講「把福音傳回耶路撒冷」的信息。1946至1948年間，先後六批共42人(7個中小學生除外)，按照聖靈的引導，從不同方向出發，沒有人的安排計劃，也無經費支援，經歷了許多想不到的難處、危險，同時也經歷了神與他們同行的恩典。他們所走的路線、交通工具、地方雖不相同，但目標「到新疆去」卻是一致。他們更隨走隨傳，見證主所賜的「到西北，到新疆，把福音傳回耶路撒冷」的異象，沿途受到各教會熱情的、全方位的幫助。直到1949年6月，才全部抵達新疆哈密。正如張谷泉在1949年寫的〈西北之靈工〉歌詞中所道：「……穿山復越嶺，徒步又航行，曠野和沙漠路開通……神子奮起，搶救亡靈，不避艱險，甘受貧窮，踏錫安大道，面帕勒斯聽，愛旗插遍心始安寧，迎主再來橄欖山頂……」。

1948年，抵達哈密的人員增多，秋天，首派工人李道生夫婦、張俊廷弟兄等，到天山麓巴里坤縣(原名鎮西)傳福音，並建立教會。1949年，在哈密的工人自己動手蓋建禮拜堂，並由始終關心並支援西北宣教事工的楊紹唐牧師定名為「哈密基督教西北靈工團」。

靈工團在上海出版一份不定期刊物《西北靈工》，向內地關心邊疆宣教工作的弟兄姊妹介紹宣教動態、真理亮光。對新疆各地的工人，這份刊物則有交流及傳遞神的話語、異象、恩典的作用。參與發行、編輯的有張谷泉(主編)、趙西門、謝模善等，1949年4月28日出版第一期，至1951年因為不准登記而停刊。

《西北靈工》第二卷卷首語中寫道：「我們的道路在祖國的邊疆——新疆和西藏；我們的道路也在祖國的西方——印度、阿富汗、伊朗、伊拉克、敘利亞、阿拉伯、帕勒斯坦。這些地方是神託付我們所要走的道路，是祂劃給我們工作的地界。」這段話清楚表述了西北靈工團的宣教使命。他們的步驟是先在哈密建立總站，於新疆各地設教會，分派工人進入西藏，再進入中東，廣傳福音，直到耶路撒冷，迎接主來。

1949 年 6 月第一次五旬節大會的消息傳到內地，傳到天山南北，很多弟兄姊妹前來參加聚會，並決志奉獻為主傳福音。在南京泰東神學院學習的趙西門、文沐靈夫婦與兩位姊妹於 1949 年 8 月 15 日到達哈密，從山東濟南靈修院來的亦有四位弟兄。奉獻為主的人男女約有 50 人，加上從濰縣靈修院來的，總數超過 100 人。

同工往天山南北各地傳福音，建立教會，只有一個行李捲和一個聖經書包，完全憑信心仰望神的預備，白天勞動，晚上聚會，也不樹靈工團的牌子。1949 年間，傳道工人分別到達焉耆、孚遠、吐魯番、阿克蘇、塔城等地。

1951 年群羊的牧人被擊打，經歷血與火的試煉；4 月張谷泉入獄，其他亦相繼被囚。一些少壯工人就組成臨時的事奉帶領，一部分人員返回了原籍，有些如今仍然在事奉教會。1956

年獲平反昭雪，入獄的同工們大都被宣告無罪釋放，惟張谷泉仍被囚，文沐靈、劉德民、孫信民則於獄中殉道。至 1980 年，張谷泉得到平反，恢復政治名譽，而西北靈工團亦獲得承認為宗教團體，而非反革命組織；受株連的李道生、趙西門等也在這年得到平反。

五十年來，這個中國教會土生土長的宣教團體仍堅守在當年神呼召他們去的福音工場上，有些 50 年代被分散到各地的同工又回到新疆，守著神所賜的「傳回耶路撒冷」異象。他們都像趙西門〈十架歸路〉詩歌中所唱：「認定十架的血路，這是我唯一歸途……我願流血奉國道，不願偷生在斯土。」

(**注**：本節取材自 2004 年 10 月西北靈工團三位老同工在新疆所寫的〈對有關歷史問題事實真相的說明〉一文。)

從海外到普世——海外華人教會的宣教

1949 年前後，許多中國信徒及傳道人移居港、台、歐、美、東南亞及世界各地，一些原在國內的教會及宣教差會總部也遷到海外。這次的大移民潮如抗戰時期(由沿海至內地)一樣，為當地原有的華人教會帶來福音的大豐收，也使國內與海外的事奉經驗、眼界、人力和靈力資源交流匯聚，開拓了過去國內教會未能達成的境界。

一、海外華人的宣教團體(差會)

從50年代至今，海外華人的宣教團體及事工可分為四大類：

1. 1949年以前在國內已有的差會

如中華國外佈道團、伯特利差會、靈糧世界佈道會、中國佈道會等(無法全部列舉)，這些差會在1949年以前，已有國外宣教的經驗，並已設立了堂會、佈道所、神學院、教會學校、社會關懷等事工；1949年以後加上國內出來的人力資源，原有事工更加蓬勃發展。

2. 1949年以後海外華人教會的植堂宣教和移民宣教

1949年以前，少數中國教會已有由近而遠的植堂宣教；1950年以後，海外華人教會的資源更豐富，交通更方便，植堂宣教也更積極。他們先在母會所在地附近植堂，漸漸拓植到其它城市鄉鎮，再拓植到其它國家。更有一些教會進而鼓勵會友以宣教的心志移民到本國偏遠地區及外國，將移民宣教和植堂宣教結合，這些教會(包括宗派性教會及獨立教會)大多是設有專人專職的差會，例如：

1954 台灣浸信會聯會有國內與國外傳道部(台北)

1960 靈惠堂差傳部(菲律賓)(鄭果、許書楚)

1970 大喜信教會(新加坡)

1972 香港希伯崙堂差會(香港)(李非吾)

1973 真理差會(新加坡)。另有：懷恩堂(陳方)

1974 中華宣道會海外佈道會(香港)(李佳音)。另有：港九潮人生命堂福音差會

1975 馬來西亞基督教會差傳委員會(馬來西亞)

1978 台北地方教會聯合差傳小組(台北)(吳勇、鄭家常)

此外，近年來台北的靈糧堂、聚會所(召會)，洛杉磯的台福教會等在植堂宣教上，都有很大的成效。

3. 跨教會的華人獨立差會

1949年以後，許多不屬於一個宗派或教會的獨立宣教差會在海外成立。

50年代，英國的王又得牧師在倫敦創辦基督教華僑佈道會。60、70年代，移居北美的華人知識分子日增，以留學生及專業人士為對象的中華歸主協會(1959年，趙君影)、中國信徒佈道會(1961年，王永信)及基督使者協會(1963年，周主培、蔡錫惠)等福音機構成立，在推動北美華人教會的差傳事工上，有很大的貢獻。

其它獨立差會還有1968年在台北成立的中華海外宣道協會(吳勇)，1975年在香港成立的中華福音使命團(郭誠)，1990年在美國成立的大使命中心(王永信)，1995年成立的華人福音普傳會(黃存望、林安國)等(恕無法一一列舉)，都已差派不少宣教士到海外。

此外，另有一些以專業和醫療、救濟、扶貧事奉的華人差會成立，如國際關懷協會(1997年，李秀全)、中亞分享援助協會(2001年，楊嘉善)、美國德州恩友國際服務社(2002年，黃善榮等)等，及差派教師到中國或其它國家的差會(恕無法全部列舉)。

在聯合性的宣教事工上，香港於1973年成立了一個共同推動差傳的「香港差傳事工聯會」，西馬早已在1971年成立「馬來西亞國內外宣教協會」，1980年新加坡成立「佈道與差傳中心」，台北於1998年成立「基督教聯會差傳事工促進會」，其它地區也有類似的差傳聯會。而最能代表全球華人教會的聯會，當推1976年10月在香港成立的「世界華人福音事工聯絡中心」(簡稱華福中心，CCCOWE)，每五年舉辦一次全球的華人福音會議，致力推動華人教會突破封閉的觀念，把福音廣傳至華人以外的群體。

4. 國際性差會

1963年，在中國宣教近一百年的中國內地會(China Inland Mission)，在香港改組為海外基督使團(OMF)，一方面將宣教對象擴大至亞洲各族群，一方面積極推動華人成為宣教士，加入成為新的國際性差會的成員。在此之前，遠東廣播公司(1945年成立)等不少機構早已成為國際性差會的一員。

80年代起，許多原來只有西方宣教士的差會改組為國際差會，並在華人地區成立華人事工委員會，招募華人加入事奉。有些華人差會則在多個地區註冊，並接納不同國家的同工加入事奉，也成為國際性差會，如更新傳道會(李定武)等。

(附註：1949年以後的中國大陸教會，因種種限制，無法作海外宣教，按國內一份教會刊物《道路》2000年6月報導，近年有一家庭教會系統進行移民宣教。1999年9月，這個教會系統的同工向神要了三個憑據：(1)求神預備30對夫妻；(2)求神預備移民所需的費用；(3)求神預備培訓地點和教材。神印證了這項事工，已在1999年開始了。第一批移民宣教的主要對象是國內近文化或異文化區域，如邊遠地區、少數民族。據聞，中原某教會亦在2000年麥收前夕，打發了20多對夫婦移民宣教。與此同時，對國外宣教亦有了初步的計劃，特別是對周邊國家，如緬甸、印度、北韓及阿拉伯等特別有負擔，準備遣送人學習阿拉伯語，為向阿拉伯國家宣教奠定基礎。

除了這個教會系統的移民宣教策略外，中國教會向鄰國宣教及沿著絲路回歸耶路撒冷的心願，亦從未稍減。全國各地許多的信徒、傳道人、大學畢業生，早已默默裝備自己的語文、聖經真理和事奉，當時候到了，就開赴遠方他鄉。)

二、海外華人宣教士

總計1949年以後至今的海外華人

宣教團體，應已超過50個。1998年1月《華傳路》刊登林安國牧師統計的華人宣教士數目是1千餘人(新 / 馬400，香港350，台灣200，北美200)，筆者相信至2003年應已超過1,200人。若加上目前神在中國大陸已儲備的宣教人材，將來海內外華人教會可差派的宣教士，將如美國宣教學者Peter Wagner所預測的，到2050年將超過全世界任何一個國家。

在當今海外教會中，新加坡在差傳事工及宣教士的人數上，可能是華人教會中最多的，有「華人教會的安提阿」之稱。早在1960年，詹姆斯(G. D. James)成立了亞洲佈道團契，1992年已有100名宣教士及當地同工在9個國家事奉。按1992年的統計，全新加坡共有320位全職宣教士，出自76間不同教會，在93個國家事奉。1991年的全國宣教諮詢會議中，所定的目標是：在公元2000年前，至少培養出500名長期的新加坡宣教士，其中200名在福音未得之地事奉；本地半數的教會成為差傳宣教士的教會；三分之一的教會各認領一個福音未及之群體；而新加坡本身不再有福音未及的群體(unreached people)。相信上述目標均已達到。

香港地區，根據香港差傳事工聯會在網頁上的公佈，2002年12月總計香港差派的宣教士共296人，包括專職及帶職宣教士。其中由堂會直接差派的有15人，由差會差派的有281人；當中男性106人(35.8%)，女性190人(64.2%)；已婚206人，單身男性6人(2%)，女性84人(28.4%)。宣教對象有華人及非華人，亦有多元性群體。所到地區包括亞洲、歐洲、非洲、中東等，以亞洲區佔大多數。事工類別則有開荒佈道、植堂、牧會、培訓領袖、教育及神學教育，其餘尚有救援、醫療、行政及推廣、社區發展、聖經翻譯、識字教育、文字工作、廣播等。(2006年資料請看注釋2)

台灣校園團契亦提供了一份2003年3月的資料，總計台灣差派的宣教是232人。差往地區有亞洲、獨聯體(前蘇聯)、歐洲、非洲、美洲(北、中、南)、大洋洲(澳紐、新幾內亞)等。

單由港、台兩個地區的統計資料可以看到，海外華人宣教士的足跡已達到世界各地，事工類別也兼容並包，且有許多宣教士已和普世差傳事工及差會接軌，成為普世教會完成大使命的新生力軍。

若是海內外教會齊心努力，攜手共進，我們深信，「廿一世紀是中國人獻身宣教的世紀」，已是指日可待了。

注釋

1. 五四運動的主要領導人都留學國外，深受當時西方科學實證、唯物無神等反傳統、反基督教思潮影響，在高舉民族救亡、反帝愛國的大旗之中，也蘊涵著反基督教的思想。其後更匯合了上海及北京的學生，反對世界基督教學生同盟第十一屆大會1922年4月在北京清華學校舉行，形成了一股強大的反基督教勢力。

2. 據香港差傳事工聯會的2006年統計，至該年12月底，由香港差出的宣教士共376人，男女比例

為37%及63%；其中包括專職宣教士280人(74.4%)、帶職宣教士51人(13.56%)、支援同工12人(3.2%)、短期宣教士10人(2.65%)、其它類別23人(6.11%)。宣教士的婚姻狀況：已婚的有267人(71%)，單身男性9人(2.4%)，單身女性100人(26.6%)。事奉對象仍以華人為多，但非華人及多元群體所佔比例正在上升；宣教士前往的地區大部分在亞洲(65.2%)，最少是北美(1.3%)，次少是中東(1.9%)。

(作者蘇文峰為美國校園福音團契總幹事，劉智欽現任國際關懷協會宣教士，在泰國宣教。本文由編者撮取自兩位作者合著之《中西宣教史》第六課至第八課。)

研習問題

1. 二十世紀初至1949年中國內地的教會在宣教方面有何突破？

2. 作者所列出的團體和人物對你來說，有何值得借鑑之處？

圣经翻译的丰年

聯合聖經公會總部公佈的消息，截至2006年底，以最少擁有一卷經卷計算，聖經已譯成2,426種語言，按地區劃分，非洲是擁有最多不同語言聖經的地區。

洲 / 地區	单行本	新约／旧约	新旧约全书	总数
非洲	221	312	160	693
亞洲	221	246	132	599
澳洲、紐西蘭、太平洋島國	143	242	38	423
歐洲	114	37	61	212
北美	39	30	7	76
加勒比島嶼國家、中美洲、墨西哥、南美洲	113	277	30	420
人工語言	2	0	1	3
总数	853	1,144	429	2,426

資料來源：《亮光》2007年4-6月號，香港聖經公會出版

華福運動的信念

編輯室整理

華福運動是近期在中國大陸以外，散居世界各地的華人教會中興起的一個屬靈更新運動。這運動以福音信仰為本，以同心合意承擔普世福音事工為宗旨。[1]一個屬靈更新運動要繼續茁壯成長，必須建立鞏固的神學根基。根基穩固，則運動的意義鮮明；方向準確，則日後的策略、計劃及行動，才會步履穩健。

華福運動的神學信念在以往十多年間已漸漸萌芽。華人教會的領袖在不同的場合中曾申述及討論這課題。[2]在沒有取得眾華人教會認可名稱前，筆著跟隨華福中心助理總幹事林來慰牧師之提議，暫且稱之為「華福神學」。[3]今天，當華福運動誓言要同得萬民的時候，我們更當刻意地及鮮明地建立「華福神學」。本文乃討論在華福運動的現象背後一些共通的、卻未被明顯地說明的神學信念。

一、「華福運動」的本質：民族事主信念

「華福神學」基本上是一種民族委身事主的信念。它是一種民族神學（Ethnic Theology）。它呼籲全球華人（「華人」一詞在本文是指那些散居中國大陸以外有華人血統的人）起來，天下一心，攜手承擔叫萬民得聽福音的使命。這種基督徒民族精神雖然沒有成為〈華福宣言〉中的信條，卻在該宣言的「前言」中縷述華福異象起源的一段文字中披露了：

當 1974 年 7 月「世界傳道大會」舉行於瑞士洛桑時，來自世界各地華人代表 60 餘人，藉此良機，朝夕祈禱交通，認為中國教會，際此主來前夕，應當及早醒

悟，在真道的根基上合一，集中運用諸般恩賜，作整體有效的發揮，主動接起傳福音至地極的重任，完成末世宏道救靈的使命。[4]

上文所指的「中國教會」，若以今天詞彙重寫，當會改寫為「華人教會」。因當日與會者影響所及的範圍，乃散居中國大陸以外的華人教會。如此看來，「華福運動」民族事主的基本信念，是藉著那次洛桑大會，首先在當時來自世界各地華人教會領袖的心靈中萌芽。

以後，這種信念迅速地廣泛地被接納了；其後發生的許多事情，均足以證明這種心態。值得一提的有兩大事情：1976 年第一屆「世界華人福音會議」得以順利舉行，證明華人基督徒向心力的強大。另外，今天華福運動的組織架構中有 50 多個散處世界各地的區委員會，聯絡各區華人教會，以華人民族身份，攜手合作，承擔普世事工的異象與使命。這現象指出，各地華人教會對這民族事主的信念與委身，已與時俱增。

或許有人認為，「華福」的神學理念是一種移民的神學理念(Migrant Theology)。其實，「華福」的信念在本質上已超越了移民神學的範疇。無論從實況或理想兩個角度來看，華福運動涉及的範圍，不只限於第一代從中國大陸往海外的移民，也顧及各地土生土長的華裔。他們中間有懂華語的，也有些只懂當地語言的。按實況

而言，參與華福運動的信徒有移民也有華裔；按理想而言，華福運動正努力朝向兼顧非華語的華裔事工。這種方向可見諸華福中心出版的英文刊物《普世華人》(Chinese Around The World)、舉辦兩屆世界華裔福音會議(1984，1989)，以及華福大會中以多種語言宣講及翻譯信息等事上。

「華福」這種民族事主的信念，是值得被肯定的。當一位信徒委身事主，我們會給他許多鼓勵；當一家信徒全家委身事主，我們讚歎真難能可貴；今天，整個散居全球的華人民族信徒群體委身事主，我們當給予何等的肯定與感恩！

二、「華福運動」的堅持

參與華福運動的華人教會，對於現今所處的世代、在此世代中華人教會的身份，及其所扮演的角色，都有新的肯定與堅持。以下從三方面來申說：

1. 堅持神是歷史的主

聖經啟示神是歷史的主，在神的掌管之下，人類歷史會按著祂的旨意與容許，在現存的歷史時空奔跑。堅持神是歷史之主，對華福運動最少有兩種意義：

第一，人類歷史跑到末世時刻，福音會傳至地極，完成救贖的大使命。這天國的福音要傳遍全地，向萬民作見證，然後末期才到來(太二十四

14)。華福運動是盼望投入這末世時刻救贖歷史的洪流中。[5]

其次，在歷史之主的掌管下，對以往華人發展的過程、現在的過程，與將來的進程都是有意義的。按著華夏文化的鄉土觀念而言，罕有人會認為華人離鄉別井，四散東西，作天涯孤雁為人生有意義的樂事。但「華福運動」卻認為歷史之主容許這安排，乃意義深長的行動。「華福運動之父」王永信牧師於10年前已有如此觀察。他認為人類歷史之進程有如一盤棋局，神乃歷史之棋的策劃者、主持者。而近50年間華人加劇分散的情況，乃是神在走另一步棋。[6]

如此看來。華福運動形成於此時此刻，極具其歷史之意義。這不是人為的政治、經濟、國際、社會、人事變遷的自然趨勢，乃是歷史之主的手，藉著人間因素所刻意塑造的一種成果，為要使華人能投入這末世的救贖洪流中。

2. 堅持華人基督徒的民族身份

「華福運動」堅持此時此刻華人基督徒的民族身份，是有其可肯定的價值與意義。我們不只是信徒，乃是華人信徒；若只是前者，則我們與其他民族沒有甚麼分別。但神卻刻意用兩種血緣塑造我們，一種是基督的血，我們都為基督的血所洗淨，罪得赦免，蒙主拯救；另外，我們與生俱來就有華人的血緣，是神安排我們生於華人的民族中。我們堅持神這種塑造，於此時此刻具有獨特的意義。

從聖經的啟示來看，神沒有否定種族的存在。反之，在救恩的呼召中，祂是放眼諸民族，耶穌囑咐門徒去使萬民作祂的門徒(太二十八19)。天上的讚美詩也歌頌羔羊用自己的血從各族、各方、各民、各國中買人來歸神(參啟五9)。民族存在是人間處境的實況；呼召各民歸主，也是主所認許的策略。此時此刻，我們華人信徒是接納了這種民族身份，並且喜愛之。

從華福運動的歷史來看，華人信徒的民族身份就有其優秀的實用性。華人大量地加速從中國大陸往外遷移乃是近40多年之事，因此各地華人正面對一種過渡期——移民社會漸漸演變成本地社會的過渡時期。這種改變會帶來身份危機——覺得既非中國人，也非本地人。我們究竟是甚麼人？身份危機也帶來生存意義的危機，叫人生方向難以定準。但今天，「華福運動」重新肯定華人民族身份，而把身份的基礎蘊造在基督裡，叫我們肯定這身份在天國中的意義。這肯定喚醒了華人信徒的群體事主意向，彼此認同，彼此配搭，為主而活。在華人移民歷史中，沒有其它力量較這種基督的民族身份的肯定，更具團結的動力和凝聚力。

雖然「華福運動」堅持華人信徒民族身份的意義，但它並非否定或排擠其他民族的信徒。相反地，它同時肯

定其他民族事主的價值。天國的子民是一幅五彩繽紛的拼圖，華人民族是這拼圖中的一份子；雖然目前所佔的面積不大，但卻是不可或缺的一片。同樣，天國的使命需要基督全教會的各民各族共同承擔。而華福運動則以華人信徒身份，善用其獨特的條件與優勢，投入這救贖歷史的洪流中，正如其他的民族信徒，也按個別的長處投入了。各民各族的信徒因此是彼此配搭，各按各職，履行基督交付的使命。

3. 堅持普世福音使命

神的揀選與祂交付人的使命是不能分割的；揀選必定帶來使命，正如昔日神揀選亞伯拉罕，他的使命就是要使萬族因他得福(創十二 1-3)。耶穌呼召門徒跟從祂，他們的使命就是要得人如得魚(太四 19)。同樣，「華福運動」肯定神今天揀選華人教會，我們的使命就是要傳福音至地極。歷屆的世界華福大會對這普世福音事工的使命都沒有遺忘，華福運動歷三十年仍堅持這使命，是對現今華人教會的責任與力量的肯定。

(1) 肯定「未得之民」策略的適用性

華福運動自開始以來，一直鼓勵華人教會要胸懷普世，並嘗試介紹各種實用的工具與方法，協助華人教會步上實踐使命的途徑。經過五段五年期的探索，今天已頗能腳踏實地的踏上征途了。

茲錄七屆大會之研討主題，以作佐證：

第一屆　1976　異象與使命
第二屆　1981　生命與事工
第三屆　1986　更新、突破、成長
第四屆　1991　跟隨基督、同得萬民、邁向二千
第五屆　1996　歷史的主、世界的光
第六屆　2001　新千年、新裝備
第七屆　2006　基督全人福音遍萬邦

「未得之民」的福音策略，早在第二屆華福會議藉著研究工作開始介紹出來。[7] 以往廿年間，有不少地區嘗試採用各種策略，並收明顯的效果。可見，華福運動的領導層已肯定了「同得萬民」的宣教策略、普世宣教的承擔。

(2) 肯定分散是為了聚斂

「華福運動」認為華人分散世界各方有神的心意和智慧，目的是叫我們能在廣大而不同的地區，同時投身人類救贖洪流中。這樣看來，華人的分散各地，乃是為了在各地把萬民聚斂於基督裡。其次，華人信徒落籍世界各國，在各地取得各種有利的條件，使他們可以進一步被分散(差派)往別些國家，作更前衛性的聚斂工作。

這種分散是為了聚斂的信念，可以在聖經中找到許多支持(參耶三十一10)。神為了使萬民得以認識自己而把子民分散在不信的人中，是聖經歷史常見的例子。亞伯拉罕被呼召，從本來是吾珥的城市居民，變成迦南地遊

牧民族的一員。他一生在當地南北遷徙，叫當地人認識他的神，亞比米勒就是一個好例子。在新約中最明顯的事件，是神藉著司提反殉道之後，耶路撒冷城發生大逼迫，使門徒四散，而掀起了教會歷史中首次全面性的宣教、佈道、植堂運動(徒八至十一章)。

從神分散子民的原則來看，今天華人被分散，乃是祂打發工人往工場的策略。在我們還未醒覺時，神的差派已經臨近；這是神高超的智慧，非人所能及(賽五十五 8)。

(3) 肯定多元化的特質是能力的資源

今天華人信徒是一個多元雲集的群體，他們當中擁有不同國籍、持不同護照、操不同語言、成長於不同的文化中。從人的角度來看，這些差異本該很自然地會叫華人信徒分化解體。但「華福運動」卻認定一主、一信、一使命的民族事主信念，反把華人信徒維繫起來。不但如此，它更進一步肯定我們中間的多元化，是我們最強大的力量與資源，這是神在此時此刻賞賜給我們的恩典，要作成祂的工。

以上的信念也可以從聖經找根據。神要在人類當中完成祂的救贖歷史，已命定多種不同文化與語言的信徒參與。使徒行傳記載聖靈降臨、教會成立那一刻，教會是一個多種語言、多種文化的猶太民族教會。當時在耶路撒冷首批信主的人，是從各地回來過節的猶太人。他們已數代散居各處，自稱為「帕提亞人、瑪代人、以攔人，和住在米所波大米、猶太、加帕多家、本都、亞西亞、弗呂家、旁非利亞、埃及的人，並靠近古利奈的呂彼亞一帶地的人，從羅馬來的客旅中，或是猶太人，或是進猶太教的人，克里特和亞拉伯人」(徒二 9-11)。

這些人在耶路撒冷信主後，便成為了首批福音的見證人，構成了一個多元文化、多種語言的宣教隊伍。

今天在華人信徒中，許多是能操數種語言(包括方言)，能適應數種文化的成員。他們能掌握這種生活與適應的技巧，是移民家族過渡時期的自然趨勢。雖然這種學習來得並不容易，但無可否認，我們已在相當的程度上掌握了。這些多元文化的成員或個體，構成了普世宣教事工中極寶貴的能力資源。

上述觀點，與聖經歷史的救贖事工吻合。歷代以來，最被神重用的宣教領袖，都是一身具多元文化的表表者。亞伯拉罕在城市文化中長大，卻在遊牧文化生活中被塑造成為「信心之父」的宣教士；摩西是希伯來文化、埃及文化及曠野文化集合於一身的宣教群體領導人；被擄後分散的猶太人中，最有效的見證人並非回歸耶路撒冷那一群猶太人，而是散居各地，操各地鄉談之猶太裔；[8] 新約聖經中最突出的宣教人材，是兼具希臘與希伯來文化背景，和能操希利尼話及亞蘭語的保羅。

華福運動沒有要求眾華人信徒回歸傳統華夏文化，或放棄寄居地或成長地的語言。相反，華福的神學觀念，是同時重視並肯定這些難能可貴的多元元素。

結論

綜合本文所討論的信念，「華福運動」相信福音要傳遍萬民，然後末期才來到。而歷史之主刻意於此時此刻塑造了華人民族團結事主的心態，並藉著人為因素，把他們打發到各種未得福音的萬民中，給予他們多種文化及語言的恩賜，並諸多的有利條件，又賜給他們適切的福音事工策略，以便投入前面人類救贖歷史的洪流中。換句話說，華福運動是主打發普世華人教會攜手合作得著萬民的結果。在我們還未醒覺時，主的差派已來到；在我們還未刻意預備自己踏上征途時，主的裝備已成熟。神如此恩待華人教會，是何等大的恩典！

注釋

1. 林來慰：《華福運動縱橫談》，世界華人福音事工聯絡中心出版，1990年，第17頁。

2. 同上，第44-52頁。

3. 同上。

4. 〈華福宣言〉，世界華人福音事工聯絡中心出版，1976年。（按：全文見本書附錄。）

5. 同上。

6. 王永信著〈華人遍佈全球的屬靈意義〉《今日華人教會》，世界華會福音事工聯絡中心出版，1980年1月號，第10-11頁。

7. 參羅曼華編著，《華人教會手冊〈補充資料〉》，世界華人福音事工聯絡中心出版，1981年。

8. Gail Law, "Political change and Migration: A Missiological Perspective", *CGST Journal* No.9, July 1990, Hong Kong China Graduate School of Theology.

(本文初稿寫於二十世紀90年代初，經編者補充修訂。)

一粒麥子不落在地裡死了，仍舊是一粒；若是死了，就結出許多子粒來。（約十二 24 ）

亞次保(Roderic Thomas Archibald, 1876-1954)

第三部分

文化考量

Understand Culture
了解文化

Lloyd E. Kwast 著　　金繼宇譯

文化到底是甚麼？對一個剛開始研究宣教人類學的學生來說，可能是一連串模糊不清的描述、定義、比較、模式和範例等等。相信很難找到一個詞語較「文化」所包涵的內容更廣泛，也沒有一門學問較「文化人類學」更複雜。然而，若要把神的大喜信息有效傳予不同的群體，首先需要了解「文化」的意義。

研究文化的基礎是先掌握自己的文化。人人都有自己的文化，沒有人能夠擺脫。一個人或許懂得欣賞不同的文化，甚至可以在多種文化中有效地溝通，但亦無法越過自己或他人的文化，真正地作出超文化透視。可見，研究自己的文化也是一項困難的工作，要客觀地看屬於自己一部分的東西，而且看得完全，幾乎是不可能的事。

一個有助於了解文化的方法，就是把它分成幾個**由外而內的層面**，最後才進到文化的核心。我們可以假設有一個「太空來的火星人」，從這個「外星人」的眼光來看事物。

這位「外星人」最留意的是人們的**行為**，這是最容易看見的文化表層。他對人們的活動感到奇怪，想知道人們在作甚麼。當他走進一個教室，大感興趣的是：人群從一個或多個門口走進來，隨意分散到室內各處；然後，有一個打扮不同的人進來，很快便走到一個顯然是事先安排的位置，面向其他人開始說話。這位「外星人」也許會問：他們何以聚集在這個房間內？說話的人何以有不同的打扮？何以只有一個人站著，其他人卻坐著？這些都是尋求意義的問題，在觀察行為時提出的。可是，若向教室裡的人尋問答案，必然眾說紛紜。也許有人會聳聳肩說，這裡的人就是如此；這個答案顯示出文化的作用是「提供行事的模式」，這就是一群宣教人類學者所下的定義。文化亦可以說是一種強力膠，把一群人緊黏在一起，使他

圖一

們感到同屬一個群體，不可分離；辨認的方法就是他們做事的方式——行為。

在觀察的時候，我們的訪客開始理解，在這裡生活的人所作出的許多行動，顯然受到同一社團中相類的選擇經驗所影響，並且自然地反映出他們的**文化價值觀**，這是文化的第二層面。這些選擇就涉及甚麼才是「好」的？甚麼才是「有益」的？甚麼才是「最好」的？

圖二

若這位「外星人」繼續留在教室裡，他也許會發現這群人用許多不同的方式在那裡消磨時間；有些在做其它事或玩耍，但不少人在學習，因為他們相信這是一個較工作或玩耍為好的選擇。然後，他會發現這群人的其它選擇：多數的人用小型的四輪汽車代步，認為有助行動較為快捷。他也許會注意到，有些人會在其他人抵達後數分鐘才匆匆走進來，會議完結又立即離開，他們說這是有效運用時間，是非常重要的。當一種文化面臨不同的抉擇時，價值觀是「預設」的結論，使在這種文化中生活的人，明白「可以」或「應該」作的事，以「配合」或適應這種生活模式。

除了行為及價值觀，我們會面對更多文化本質中的基礎性問題，這就帶我們進入一個更深的層面，認識**文化內涵中的信念**。信念為文化中尋求「哪些是真的？」提供了答案。

圖三
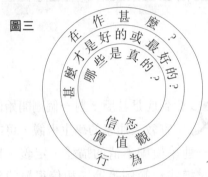

文化中的價值觀並非隨意定出來，而是反映了一個潛在的信念體系。舉例來說，在教室裡，一個人可能發現他更加了解「教育」所具的特殊意義，因為在這樣的環境下，才能真正了解人、人的思考以及他們解決問題的能力。就此意義而言，文化被定義為「經學習而得的共同理解的方法」或「共同所認識的導引」。

有趣的，我們的訪客或會發現房間裡不同的人，雖然有相類的行為與價值觀，卻可能表現出完全不同的信念。他更可能發現，這些行為與價值觀都與所源自的信念恰巧相反。這個問題的出現，往往由於文化中的流行信念（影響價值觀與行為的信念）與理論信念（對價值觀及行為實際只有輕微影響的信條）之間不協調所引致。

任何文化的核心都是它的**世界觀**，為最基本的問題——甚麼是真理

——提供答案。在這個領域內，文化所關注的是真理的「終極」大問題，雖然很少人會提出，但文化卻提供了最重要的答案。外星人向教室內的人群發問，卻只有很少人曾經認真思考這個生命中最深入的假設。他們是誰？來自何地？是否有任何人或物在掌握著真理？他們所看見的是否已是事實的全部，抑或尚有其它部分，或許還有更多？現在是唯一重要的時刻嗎？目前的事物是否受到過去、未來的特殊事件所影響？每一種文化都對這些問題設定了答案，這些答案就控制和整合著文化的每一項功能、各層面和各部分。

行為仍會反映出舊的體系。從事跨文化福音工作的人，若對世界觀未予以留意，所付出努力便會付諸流水，未能使人產生真正的改變。

以這個模式來解釋存在於每種文化內的複雜部分和關係，未免過於簡化；然而，正因其簡單，可以作為每一個文化研究者的基本綱領。

(作者曾在西非喀麥隆宣教，從事神學教育達 8 年之久。1974 年回美，任加州 Tablot 神學院宣教系主任，亦為 Biola 大學教授。)

圖四

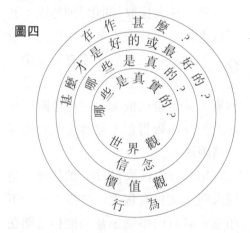

研習問題

1. 文化各表層之間有何關係？
2. 你所在的文化模式的實際價值觀是甚麼？

世界觀是每一種文化的核心，認識了這一點，就明白何以許多人在信念層面感到困惑。一個人的世界觀給了他一套信念體系，並且從他實際的價值觀和行為反映出來。當一個人受到新的信念體系衝擊時，若他的世界觀並未被挑戰而改變，他的價值觀和

文化的衝擊

陳方著

宣教士到工場事奉所遇到的最大困難，是文化上的調整與適應。在一個截然不同的文化中，我們找不到自己原有的朋友，找不到過去常見的物件，也找不到自己的文化，於是在情緒和心理上就產生極大的波動，同時感到四方八面的壓力迎面而來，在這種情形下我們要採取怎樣的立場呢？要盲目地接納新的文化，還是死守著舊有的文化呢？差傳學家稱這種矛盾的心理為「文化衝擊」(Culture Shock)。

保羅希伯(Paul Hiebert)給「文化衝擊」的定義是：「文化衝擊是指當我們進入另一個文化時，所遇到混亂和失去方向的感覺。」

梅耶馬林(Marvin Mayers)的定義也大同小異：「個人在新的文化中力求調整自己，以期適應，因而產生許多情緒上的困擾，我們稱這過程為文化衝擊。」

在文化衝擊之下，我們感覺到從前所學的文化模式，現在突然變得很不切實際。在新環境中，我們好比一個無知的小孩，必須重新學習生活中最基本的行為——包括怎樣交談、進食、上市場等等。

一般來說，人們對文化衝擊有三種不同的反應：

第一種人採取「同化」的態度：為了被人接納，他會不顧一切地完全投入，不知不覺地把自己原有的文化忘記了，開始批評自己的差會、自己的國家，甚至自己的文化，待他歸回原居地，反而覺得很不自然，並且出現情緒困擾。

第二種人採取「退縮」的態度：這種人對新文化有很大的抗拒心理，不願意嘗試新的事物，甚至把自己關在屋子裡，終日陶醉在舊有的文化中，而且盼望立刻回家。

第三種人採取「認同」的態度：這種人肯接受新文化的挑戰，他欣賞異族的文化，也接納不同的生活方式，不過還能保存自己的文化，最終成為雙重文化者。

同化	認同
1.因擔心被人排斥，而接受當地文化；	1.因福音的緣故而接受當地文化；
2.存自私的動機，一心謀求自己的好處；	2.存正確的動機，一心謀求別人的好處；
3.盲從地跟隨當地文化；	3.只接受與信仰沒有衝突的文化；
4.擁有當地文化，忘卻原有文化。	4.擁有雙重文化。

許多人誤以為「同化」就是「認同」，從上表可見，這兩者之間有顯著的差異。

文化衝擊的病症

幾乎每一個宣教士都曾患上「文化衝擊病」，若患者不能突破，就會意志消沉，甚至放棄宣教的事奉。但若靠主的恩典，突破一切困擾，就能成為具雙重文化的人。

根據國際事工差會(SIM)宣教士米倫(Myron Loss)的統計，今天中途退出宣教行列的宣教士，其中有73%是受不住文化衝擊的緣故。

一個患上「文化衝擊病」的宣教士，有下列八大病癥：

(1) 不停向同工**訴苦**，頻頻發出怨言；

(2) 向神**質問**：為何帶我到這種地方？為何偏偏選中我？

(3) 喜歡**找人錯處**，不易與人相處；

(4) 極大的**挫敗感**，不敢嘗試新的事工；

(5) 有不健全的自我形象，常常**低貶自己**，甚至懷疑自己的價值；

(6) 心中充滿**焦慮、緊張與嫉恨**；

(7) **百病叢生**；

(8) **不願意**嘗試本地食品。

如何面對文化衝擊

米倫曾在 *Culture Shock* 一書中列出15個面對文化衝擊的秘訣，筆者嘗試將其中要點寫出，相信能為讀者提供一些實際可用的方法：

一、 擬訂一個合理的目標

一般來說，宣教士初到工場都是胸懷大志，喜歡擬訂一個很高的目標，盼望在短期內為主完成大事。由於他居住在一個完全不同的環境中，在溝通和處事方法上往往會遇到很多困難。逐漸地，他發現事與願違，力不從心，於是開始埋怨自己，同時也感受到極大的挫敗感。

有許多差會都要求宣教士花一年的時間來學習語言，以後才讓他作逐家探訪和植堂工作。但宣教士卻覺得「要收的莊稼多」，不願意安靜坐下學習語言，到頭來發現語言學不好，福音工作也沒有果效。在這種情形之下，筆者對新宣教士的忠告是：「學習語言也是一種事奉，你若能專心學好語言，日後的事奉會有更顯著的果效！」

新宣教士應為自己擬定一個比較合理的目標，逐步完成，到適應力加

強後，才攀上高峰！

二、職責範圍要有伸縮性

石約瑟(Joseph Shenk)指出：「差會為他們的宣教士訂下一些職責範圍是絕對必要的，但有時因為環境的變遷或當地教會的要求，差會應賦予這些職責範圍一定的彈性。」新的宣教士到工場後，可以透過書信將職責範圍重寫，以**適應當地**的實際需要。

筆者在尼日利亞福音派宣教學院任教時，發現非洲宣教士的一個共同特色。在非洲小村落從事開荒植堂的宣教士有時也要兼任農夫，理由有二：(1)宣教士可以透過有關農耕的話題和村民溝通，互相交換意見，從而建立彼此的信任；(2)在非洲村民的心目中，一個不事農耕的人，就是「好吃懶做，白佔地土」，宣教士若只專心傳道，而不事「生產」，會引起村民的不滿，進而對其所講的真理充耳不聞。一個差會若在其職責範圍內強調：「專心從事開荒植堂，不得兼任農夫」，那就是一種「閉門造車」，不具伸縮性的方法。

三、要常常喜樂

亨塞(Tim Hansel)寫了一本書，名為 *When I Relax, I Feel Guilty*，作者告訴我們不應有「稍作鬆弛，就是犯罪」的感覺。

「喜樂」是一個聖靈充滿的人的記號，也是聖經對每位信徒的要求，亨塞提醒每位宣教士都要學習享受神所賜予的生命，盡量往光明和樂觀方面去看不同的事物，也學習感恩，「要常常喜樂」。

四、保持健康的情緒

索理醫生(Charles Solley)提出下面五個良方，幫助你**保持健康的情緒**：
(1) 培養廣泛的興趣；
(2) 願意從不同的角度來解決個人的危機；
(3) 了解個人的不足，學習接納自己，不急於模仿他人；
(4) 能接納別人；
(5) 主動性強，能控制活動，而非由活動牽著鼻子走。

五、謹記人不過是血肉之軀

每一位宣教士都是血肉之軀，他們有肉身、情緒和靈性上的需要。宣教士不應該以為身體疲乏就是過錯，他同樣會碰上飢餓、病痛，只要了解那是人生必有的現象，那就不足為怪了。此外，宣教士也有情緒或感情上的需要，他也會碰到孤單和恐懼，也會有被愛與被關懷的感覺。

在靈性方面，宣教士必須**明白個**人的靈性會有起伏高低的時刻，切勿因為靈性陷入低潮而感到過度驚恐，反倒要正視問題的癥結，**靠主**恩典，回到祂的懷中。

大衛布銳內德(David Brainesd)在紅印第安人當中宣教的初期，也一度

陷入靈性的低潮。在日記中他寫道：「我的心不斷下沉……似乎我在紅印第安人中的事奉，注定是不會成功的。我的心靈極度疲倦，渴望死亡來臨！」後來他立志撥出大部分的時間來禱告。1745年，在紅印第安人當中有了屬靈的轉機，一年半之內已有150位紅印第安人歸入主的名下！

六、不要完全拋棄原有的文化

有些宣教士為要與當地人認同，迅速與過去的文化一刀兩斷，結果常常遇到更大的衝擊。下面三項提議相信有一定的幫助：

(1) 將一些家中**常用的物品**帶到宣教工場中——宣教士可考慮帶一些家庭照片、家中的油畫、家鄉的食品等到工場上，這些東西可幫助你在過渡時期中保有一定的安全感。

(2) 盡量使新的住所產生一種**家的溫暖**——有些宣教士認為宣教生涯只是人生歷程的一個「暫居」小站，對住所的一切都不感興趣，也不會細心設計，結果心理上會感到很大的失落！親手為住所設計越多，越會使你有回到家中的感覺。

(3) 把**個人的文化傳統**帶到工場上——華人宣教士可帶毛筆、墨硯、中國象棋、筷子等富有文化特色的東西，既可以幫助自己保有過去的文化，也可以向外人介紹自己文化的優美。這種做法能幫助宣教士建立健全的自我形象，不致貶低自已，

而患文化衝擊的病態。筆者在非洲宣教期間，便是依此而行。

七、與幾位當地人建立密切關係

宣教士初到新的環境，就應該和幾位當地人**建立關係**，彼此探訪，力求將彼此的**距離拉近**。關係密切後，對方也會邀請你參加他們的社交活動，教導你如何欣賞他們的文化，宣教士在這種自然和諧的氣氛中，便不知不覺地接納了當地的文化。

八、明白不同文化之間的差異

宣教士可以透過觀察、訪問和閱讀，明白自己的文化及福音對象的文化之間的差異。(參下頁表)

引起文化衝擊的要素

一個往外地旅遊的人不會有文化的衝擊，因為他是懷著興奮和期待的心情去看事物，不需要定居當地，也不需要和當地人建立起密切的關係。但對宣教士來說，完全不同，他知道這是未來漫長歲月的生活方式，必須學習適應異文化，也要在他們當中活出一個領袖的樣式，在這個適應調整的過程中，往往會感受到文化的衝擊。

一、角色的轉變

在新的文化中，宣教士的社會角色起了180度的改變，他要像小孩一樣**從頭學習**，麥耳瑞(McElroy)稱這個

過程為「角色的衝擊」，他在 "New Missionary and Culture Shock" 一文中提醒宣教士必須在心理上準備有角色的轉變(role switch)，否則會有不安和受威脅的感覺；如果情形不加改善，宣教士最終會成為一個頑固、退縮，而且喜歡埋怨的人。

米倫往玻利維亞宣教之前，是一名美國空軍軍官，地位很高，土兵見到他都要敬禮問安；但在玻利維亞卻成為一個藉藉無名，備受懷疑的異鄉客。在這新的環境下，他下意識地感

	非洲文化	華人文化	西方文化
家庭方面	1. 重家族觀念：父母、叔伯、姑嫂、子孫住一起，組成大家庭，個人不易過獨立生活； 2. 平均20人住一房子； 3. 實行多妻制。	1. 重家族觀念：夫妻、父母、兒女同住； 2. 平均10人住一房子； 3. 過去實行多妻制，現已廢除。	1. 重個人主義：夫妻和兒女組成小家庭。個人喜歡獨立生活； 2. 平均4人住一房子； 3. 實行一夫一妻制。
與人交往方面	1. 敬重長者：年紀越老，越多人尊敬； 2. 崇拜權威； 3. 歡迎訪客隨時拜訪； 4. 私下指責； 5. 許下諾言，卻不實踐； 6. 以口說為憑。	1. 敬重長者； 2. 崇拜英雄； 3. 歡迎訪客隨時拜訪； 4. 私下指責； 5. 許下諾言，忘了實踐； 6. 口說為憑。	1. 敬重有學問和才幹的賢者：不論長幼； 2. 崇尚民主，反對權威； 3. 拜訪前要預約； 4. 當面指責，愛辯論和公開澄清； 5. 不輕易許諾； 6. 書寫為憑。
性格方面	1. 喜怒哀樂形於外； 2. 重感情過於理性； 3. 愛聽故事，聽不懂理論、邏輯； 4. 不重視數字； 5. 沒有時間觀念。	1. 喜怒哀樂藏於內； 2. 重感情過於理性； 3. 愛聽故事及理論； 4. 對數字不感興趣； 5. 較不守時。	1. 喜怒哀樂定時節制； 2. 以理智控制感情； 3. 注重理論、邏輯； 4. 重視數字； 5. 守時。
處事方面	1. 人情重於事情； 2. 重關係； 3. 沒有計劃，只有實行； 4. 不會儲蓄； 5. 現實主義：缺少遠見； 6. 沒有組織。	1. 人情重於事情； 2. 重關係； 3. 計劃多，實行少； 4. 太會儲蓄； 5. 深謀遠慮：多談理想； 6. 不重視組織。	1. 人情與事情界線分明 2. 重「法」、「原則」； 3. 有計劃，也有實行； 4. 有少量的儲蓄； 5. 腳踏實地； 6. 有嚴密組織。
男女之間	1. 男女分開吃住和工作； 2. 男權至上； 3. 男人不做家務。	1. 男女授授不親； 2. 女人順服男人； 3. 男人少做家務。	1. 男女同工； 2. 女權至上； 3. 男女都做家務。
宗教信仰	1. 信鬼神、行巫術； 2. 群體歸主。	1. 信鬼神、行巫術，拜祖先之靈； 2. 群體歸主。	1. 信神也信科學； 2. 個人決志，少受旁人影響。

到自己的**價值和身份受到威脅**。

筆者夫婦初到尼日利亞也感到角色的衝擊。我們在新加坡是教會的牧者，有時主日要負責數堂信息，散會後又忙於和會友握手問好，匆匆忙忙地總覺得為神做了很多工作似的。到了尼日利亞，我們在不同的教會中都以「新朋友」的身份被介紹，然後靜靜地坐在一個角落。講員以豪薩語 (Hausa)證道，我們雖然集中精神去捕捉一兩個熟悉的聖經詞語，但還是茫無頭緒。有時台下捧腹大笑，我們只好聳聳肩膀來一個苦笑；有時台下忙著翻聖經，我們還得靠別人的幫忙。會眾站立，我們坐下；會眾禱告，我們張眼。在這種衝擊下，真令我們無所適從。

作為宣教士訓練學院的老師，我們必須定期探望學生們的宣教工場，一方面可以實地了解宣教工場的需要，另一方面也給予學生們鼓勵和讚賞。1989年8月3日，我們夫婦和院長及同工，一同乘車奔向尼日利亞北部一個小村都代耶(Dukdaye)。

學生 Ali Emmanuel 見到我們後，差不多高興到迸出眼淚來。試問在這荒山野嶺中，又有誰來關懷他呢？我們一行四人，一個白人，兩個黃種人和一個黑人，這樣奇妙的組合很快就引來全村孩子的圍觀，其中有幾位老村民可能很久以前見過一兩個白人，但黃種人呢？對全村人來說，相信還是生平第一次碰上的啊！我們坐在小涼亭聊天，一聊就是兩個鐘頭了。圍觀的小黑人起初驚奇害怕，後來就開始跑到我們跟前，碰碰我們的手臂，然後又畏縮地退回。原來在黑人的傳說中，白種和黃種人的皮膚是既細嫩又容易破裂的，所以他們爭相來摸摸，以證實古代傳說的可靠性。當我們環顧四周，發現這些小黑人個個衣不蔽體，一行行的鼻涕掛在嘴邊，肚子腫脹，赤著一雙沾滿黃泥的腳。在酷熱的非洲叢林內，這些「肉牆」還節節迫近，目光全部對準我們，把我們當作展覽品一般。由「牧者」而變為「展覽品」，這種角色轉變，又是一種文化的衝擊！

一切安頓之後，Ali帶我們去拜訪他們的「Sarki」(豪薩語即酋長或土王之意)。那天，土王坐在屋前草蓆上，我隨著Ali在距離土王10呎處開始屈身問安，之後還脫了鞋子必恭必敬地走到土王面前，等到他一聲號令，我們才能坐下。我心想：「你這小土王有甚麼了不起？我曾環遊世界各地，而你只是一個窮鄉僻壤的小領袖，為甚麼我要在你面前必恭必敬呢？」無論如何，為著興旺福音，我們要學習轉變角色，成為小土王的臣子！

我們走在非洲的路上時，總覺得自己像小孩子一般無知。乘公車要怎樣付錢？購物要怎樣講價？怎樣到銀行？怎樣回家？這一切基本常識都要旁人來教導，難怪角色衝擊有如此大

的威力！

二、生活方式的改變

在非洲及一些比較落後的國家作宣教士，你會發現要用一半以上的時間去維持生計。伊利莎白(Elizabeth Elliot)說：「宣教士生活的一大特色是充滿了諸多的『不方便』。每當我花上大半天在土製的爐前生火時，心中就充滿矛盾，難道我來這裡只是做飯燒菜嗎？修讀語言才是我真正的工作，我是否捨本逐末呢？」

我們第一次在市場上買了牛肉和豬肉，心想煮飯前將肉清洗一番，切成薄片，就可下鍋了。誰知道細看之下，發現那些肉類都是連毛帶皮，血跡斑斑，肥肉纍纍的，結果每一餐都要花許多時間才能備妥。

到商場購物也是一件十分費時間的事。在新加坡，只到一間超級市場幾乎可以購妥所有的東西。但在尼日利亞，要買幾樣東西，就須穿過大街小巷，到處查問。每間商店的貨色都不齊全，同一件貨品的標價也隨時改變，而且有些昨天還有貨，今天就缺了。記得我們曾在一間商店買了兩個阿拉伯麵包，覺得味道很不錯，再跑回去想多買幾個，不料店員告訴我們已經賣完了。這樣每天去問，竟要等上一個月才有貨源呢！這也是一種文化衝擊。

在尼日利亞我們居住在座斯鎮(Jos)，生活較小鄉村已好多了，但也感到諸多不便。一次，我們在做晚飯時發現煤氣用盡了，我請教鄰居應怎樣通知煤氣供應商將新的煤氣罐送來。他聽後笑道：「這裡從來沒有送貨服務，每個人都得自己到商店中把煤氣罐抬回來啊！」我聽後大吃一驚，怪不得在非洲道路上常會看到有人抬著褥子走，也有人用頭頂著鐵床呢！

這裡雖然有自來水，但水源卻經常無緣無故停止，有時每天停4、5個小時，有時隔天才有水。1989年在貝寧省(Benin)的政府廉價屋村內，居民曾缺水31天，要到附近水塘或溝渠內汲取髒水。聽了這則新聞後，真覺得宣教的道路**並不容易**走啊！

此外，電源也會隨時中斷。記得我在非洲教差傳學的第一個星期，每一晚都沒有電源，害得我的備課大受影響！另一次，我要在一個教會負責主日崇拜講道，電源卻在那段時間內停了35個小時之久。在非洲宣教期間，我們真正體會：「趁著白日，多作主工」的道理。

三、語言上的隔膜

宣教士初到工場，最先遇到的衝擊是「語言衝擊」。語言是人與人之間交往的最基本、最重要的媒介。宣教士到了異文化群體當中常會成為一個**啞吧**。在與人交談時，他要像小丑一樣指手畫腳，有時還要找小孩子充任語言老師，當他鼓起勇氣吐出一兩句當地話時，卻又引得旁人捧腹大笑。

米倫到了玻利維亞就開始學習新的語言，為了取得更大的果效，無論在靈修、與人交談或者閱讀，他都盡量使用當地的語言文字。半年之後，他發現自己運用母語(英語)的能力竟然相應減低，一時連約翰福音三16的英文經文也背不出來。宣教士在語言衝擊下的確會有一度感到苦悶，甚至有流淚的經歷，但若能**忍耐掙扎**，兩年後就能同時掌握兩種語言了！

在尼日利亞的宣教士會遇到另一方面的語言衝擊。筆者在北部居住了一段時間，學會了一兩句豪薩的問候語，如：「你好！」(Sannu)，「你好嗎？」(Ina Gjiya)，「你的家人都好嗎？」(Yaya gide)，可以與人交談片刻，頗有一點滿足感。可是，當離開北部到其它 14 個縣探訪學生時，筆者又再成了一個啞吧，很少人聽懂我的豪薩語；原來尼日利亞有498族之多，豪薩語只在北部通行，東南部多用蒂夫語(Tiv)，南部則採用伊博語(Igbo)，西部採用約魯巴語(Yoruba)。在這種情況下從事宣教，又是一種衝擊。

四、文化上的不同

宣教士在一個截然不同的文化中，常常會有**無所適從**的感覺，下面介紹見面禮、做事方法和時間觀念三方面的差異。

一般來說，非洲人見面時會有很冗長的問安，如果見到熟悉的人而不停下來多問候幾句，那就很不禮貌。

沃洛夫族(Wolof)見面時先彼此行禮，然後說：「願你平安！」接著就問了下面的問題：你是否平安？你最近怎樣啦？你家中大小都好吧？你的身體健康如何？最後以「感謝神」來結束。內容甚為廣泛，起初聽來，總覺得這種問候語有些囉唆，甚至近乎虛假，後來才明白這是他們基本的禮貌。

在非洲主領佈道會的人都發現一個事實：非洲人對呼召的反應非常熱烈，但真正信主的人卻不很多。資深的宣教士海斯(Herold Hide)和筆者分享他的一個特殊經歷。有一次，他在佈道會中呼召會眾決志信主，有很多人舉手。接著他又問當中有多少人願意在星期日參加崇拜，又有很多人舉手。海斯興高采烈地通知教會多預備椅子，同時也籌備了一個小型的歡迎會。主日到了，你猜有多少位決志者回來呢？一個也沒有！原來非洲人的舉手別具意義：有些表示同意你所講的一切，有些為了湊熱鬧而舉手，另一些是為給講員面子；只有少數是真正義無反顧的決志，這也是文化衝擊之一啊！

筆者在非洲也發現另一個文化特色，非洲人很少說「我不懂」這三個字。為了探望學生的宣教工場，我們幾位講師常要出外遠行到一些窮鄉僻壤，很多地方連街道名也沒有，我們通常會下車向人問路。非洲人都很樂意為我們指點迷津，指手畫腳講得有

聲有色，可是當我們照他們的指示而行，卻常發現是錯誤的。原來非洲人生性熱情，他們認為既有人前來請教，不應使對方失望離去，多多少少要來個指引，總比說「我不懂」有禮貌，這又是另一種文化衝擊！

宣教士常以「非洲時間」來取笑那些經常遲到的人，其實不完全正確。所謂「非洲時間」實際上**有其文化特色**。由於許多非洲人都住在鄉村，沒有鐘錶，所以他們的時間觀念不是抽象的「幾點鐘」或「幾分鐘」，而是根據一個事件或一種現象來定的。舉例來說，有一個非洲人請你明天到他的村子一趟，你很自然就問：「甚麼時間最適合？」他會告訴你「太陽出來時」或「公雞啼叫時」或「吃午飯時」。他對時鐘的指針一點也不感興趣，時間觀完全憑藉一件事或一種現象。如果你向人詢問有關酋長兒子出世的年月日，村人會說：「去年芋頭初熟時，這小孩子就出世了。」非洲人平時上禮拜堂聚會也不看手錶，只等宣教士敲打鐵圈，村民就魚貫而入。

五、環境上的適應

宣教士的死亡率甚高，尤以非洲為然，最大的兇手是**瘧疾**。當筆者閱讀蘇丹內地會(今稱國際事工差會)早期宣教史時，不禁深深感到傷痛。1893年，3位青年宣教士到尼日利亞宣教，不到一年，1個患痢疾而死，另1個則因瘧疾而喪命。1900年，賓漢

(Rowland Bingham)帶領另外2位青年再赴尼日利亞，幾星期後他患上了嚴重的瘧疾，被迫回國。1901年，賓漢和3位同工又到尼日利亞，終於建立了蘇丹內地會在非洲的第一個宣教基地；但在兩年內，1人喪生，2人患病回國，只剩下1人獨挽狂瀾。

西非是著名的「白人墳墓」，筆者在尼日利亞美恩高(Miango)的一個白人墳墓所看到的情形，就和歷史所記載的完全一樣。成年宣教士還可以捱上好幾年，但他們的兒女卻多數忍受不住**炎熱的氣候與疾病**，一個一個相繼身亡。在美恩高墳場上，筆者默禱片刻，也抄下了一些小孩們的墓碑日期，眼前彷彿看到昔日宣教英雄和骨肉之親生離死別之苦！

1989年11月11日，我們在尼日利亞宣教期間，一對澳籍宣教士夫婦的兩歲兒子突然去世。我們夫婦接到消息後心中非常沉重，知道這種喪子之苦是人間最大的傷痛。這孩子曾患上脫水症，但經過治療後已有了轉機，他在11月10日還天真活潑地到處亂跑，想不到第二天眼睛一翻，就離開了人世。宣教士對環境的適應還是一大困難。

沙威廉(Bill Sands)是一名牙醫，他和家人1987年從美國到尼日利亞從事醫療宣教，兩年之內先後患了7次瘧疾，身體一直消瘦。非洲的蚊子非常凶狠，雖然每週定期服用防止瘧疾的藥丸，也不能擔保平安無病。難怪我

所認識的宣教士中，十之八九曾患上瘧疾！

尼日利亞有一種所謂「哈馬頓」(Harmattan)的風，常為居民帶來許多疾病與不便。每年11月至翌年2月是屬於旱季，強風由東北吹來，掠過撒哈拉沙漠，成為一種非常乾燥的風，風中夾有細沙與病菌，「哈馬頓」吹過之處，很多人會患上傷風、感冒、眼疾或腦膜炎。聽宣教士説，在1970年代，一次「哈馬頓」的吹襲下，有200多人患上腦膜炎，有人早上患病，晚上就不支而逝世了。1989年11月，我們第一次遇上了「哈馬頓」，一夜之間，窗戶、桌面都蒙上一層黃沙，氣溫突然下降至20度，整個宇宙好像被一塊大黃布罩著，連飛機也不敢起飛。經過幾天的吹襲，我們的臉變成了乾皺的橘子，嘴唇破裂，皮膚也起了很多皺紋。夫妻兩人對看，不禁同聲説道：「我們都老了！」

六、飲食習慣的不同

筆者對第一次在非洲叢林中吃的非洲餐，有非常深刻的印象。那天筆者夫婦在都代耶村中用晚餐，打開鍋子，只見一大鍋好像粥的東西，是非洲玉米 (Guinea-Corn)和肉類混合而成。我問旁人，鍋中之物為何，他們笑著説：「就算告訴你，也不曾聽過，還是少問為妙！」**吃些不懂的東西**，這也算是文化衝擊。

尼日利亞北方人主要的糧食是Tuwo，南方人主要的糧食是Eba和Sokwara。Tuwo是由非洲高粱煮成，搓成團狀。Eba的作法比較複雜，先將木薯曬乾，磨成粉狀，然後注入清水，置放數天，讓其變酸，再煮成糊狀。Sokwara和Tuwo的作法大致相同，不過所用的材料是芋頭。對於非洲人來説，這就是他們的飯，如果一天不吃，就覺得其餓無比。而他們的菜又是怎樣的呢？一般來説，普通家庭用餐時只做一盤菜，稱為Miya，其實是所有醬汁的總稱，有些Miya是由Okra樹葉煮成，發酸後才吃；有些是咖哩醬，較富有的還用豬肉、雞肉與一些香料配成。吃時要用手抓一把Tuwo，以掌心搓成一粒小球，醮上一些Miya，再送進口中。吃Tuwo和Sokwara是要經過咀嚼，才送進喉嚨，但吃Eba卻大有學問啊！有一次筆者在南部哈科特港(Port Harcourt)用餐，學生請吃Eba，還特別交代：「不准咀嚼，只准吞吃。」聽後大吃一驚，這樣巨型的Eba球如果不經過細細咀嚼，怎樣消化呢？他笑著説：「對我們人來説，只有吞進一粒一粒的Eba球才能填滿肚腹，如果咀嚼，就覺得像沒有吃過一般。」

在非洲用餐應該學習用手進食。每次進餐前主人會端來一大盤清水，等每一位客人都洗過手後，才開始用餐。起初我總覺得很不衛生，特別看到非洲人指甲縫內的污垢，黝黑的皮膚，和他們共同從一個盤子內取食，

真令人反胃，後來吃多了也**自然習慣**起來。

最近看到一篇由保羅希伯所寫的文章，才明白用手進食也算是相當衛生。用手拿食物的人會說：「我們進食前必須先洗手，而且我們的手從未進過別人的口，是自己私用的『餐具』，但你們的叉、筷子，不知接觸過多少人的口呢！如果餐具洗不乾淨，還會傳染疾病呢？」作為跨越文化的宣教士，我們必須學習**摒棄「文化自我中心」**(Ethnocentrism)，切勿以自己的價值觀來批評其他民族，否則所受的文化衝擊更大更多！

參考書目

Elliot, Elisabeth, *These Strange Ashes*, New York: Harper and Row, 1975.

Kalu, Ogbu U., *African Cultural Development*, Nigeria: Fourth Dimension Publishing Co. Ltd., 1978.

Loss, Myron, *Culture Shock*, Indiana: Light and Life Press, 1983.

Maxwell, Lowry J., *You Da Gobe*, Nigeria: Challenge Publications, 1963.

Obaweya, Ben. & Mohammed, Jingudo, *Social Studies for Nigerian Junior Secondary Schools* Book 1-3, Ibadan: University Press Ltd., 1988.

Winter, Ralph & Hawthorne, Steven ed., *Perspectives on the World Christian Movement A Reader*, Pasadena: William Carey, 1981.

Hansel Tim., *When I Relax I Feel Guilty*, Elgin: David C Cook, 1979.

Keidel, Levi., *Stop Treating Me Like God*, Card Stream: Creation House, 1971.

Kormifeld, Bill., *Cross Cultural Christianity*, Nigeria: Nigeria Evangelical Missionary institute, 1989.

Mayers, Marviin K., *Christianity Confronts Culture*, Michigan: Zondervan Publishing House, 1974.

McElroy. Richard, "The New Missionary and Culture Shock"Latin, *America Evangelist* 52 (May/June 1972): Inside Front Cover, 1-2.

Shenk, Joseph; "Missionary Identity and Servanthood." *Missiology* (Oct, 1973):505-15.

Tucker, Ruth, *From Jerusalem to Irian. Jaya*. Michigan: Zondervan Publishing House, 1983.

陳方：《誰來關懷我》。新加坡：逐家文字，1985。

(作者為新加坡華人基督教會懷恩堂主任牧師，本文章原刊於《華人宣教新景象》一書，因篇幅關係，經編者撮簡。)

研習問題

1.作者指出，一個人到外地生活通常會出現甚麼情況？

2.怎樣可以避免在文化上無所適從之感覺？

3.試比較你自己的家庭文化與居住地的社會文化有何差別？

要小心民族優越感，像剛吃完大蒜一樣，人家會嗅到的！
Beware of your racial superiority. Just like eating garlic, people can smell that particular odor.

何斯德(Dixon Edward Hoste, 1861-1946)

Cultural Differences and the Communication of the Gospel
文化差異與福音傳播

Paul G. Hiebert 著　　宋鄭寶琪譯

你很興奮，因為已經被接納為宣教士了！與往日不同，你坐在台上正中，接受教會為你舉行盛大的惜別會。機場的一幕，既激動又傷感，然後你登上了客機。你踏足在陌生的土地上，感到有點不安，但早已有朋友在等待你。在餐廳裡，你看不懂菜單，於是裝模作樣地點了一些食物。食物來了，你只能認出其中一些，其餘看來不能下嚥——是烤昆蟲，抑或是動物的內臟？你往市場買水果，賣水果的婦人完全聽不懂你的話，你手腳並用。要付錢了，你只能攤開手掌任由她取掌中的錢。你要坐公車到市區去，可是迷了路，你想像往後十年都要坐公車！你生病了，可是你覺得當地醫生不懂得醫治外國人。你很想回家！可是，怎樣向教會交待？是工作完成了抑或自己受不了？

　　你的反應完全正常。

滿意水平線

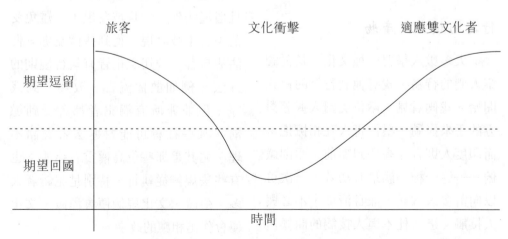

文化衝擊是指身處不同的社會中，對文化迷失方向。

當置身於一種新的文化裡，人人都會受到文化衝擊。但前往旅遊就不會有這種經歷，因為飽覽風景名勝後，便返回舒適的酒店。文化衝擊也不是對貧窮和衛生設備落後而起的反應，因為外國人來到美國，也有同樣的經歷。所驚訝的是，過往所學習的文化模式竟變得毫無意義。對當地的生活，我們所知的比小孩子還少，而且需要開始學習基本的生存之道——怎樣交談、問候、飲食、購物、出門等事情。當我們理解這就是我的生活和家園時，文化衝擊便臨到了。

文化的概念

為了明瞭文化衝擊以及不同文化之間的溝通，我們首先要認識何謂文化。讓我們先為文化下一個簡單的定義，然後再作詳細闡釋。文化是「一個整合信念、情感和價值觀而成的體系，置身其中的一群人有共同的表徵(symbols)、行為模式和產物」。

行為的模式及產物

大多數人學習一種文化，是從觀察人們的行為、找尋他們行為的模式開始。我們看見，兩位美國人握著對方的手來搖動，墨西哥人互相擁抱，而印度人則合什高舉到額前，頭則微俯——這一種姿態最有功效，一次可以向許多人致候，兼且清潔，不必與人接觸。這一種不與人接觸的問候禮在印度社會非常重要，因為高級種姓不會與低級的種姓接觸，以免被沾污而需要沐浴潔淨。而南美洲的西利安努人(Siriano)向人問安，則是將唾液吐在對方的胸間。

也許最奇特的問候方式，要算是Jacob Loewen 在巴拿馬所見。他與當地酋長乘坐小型飛機離開叢林時，留意到酋長回到族人那裡，逐一吮吸他們的嘴巴。Loewen 問這個習俗的來由，酋長說是學自白人；他們看見白人每次上飛機前，必定吮吸親人的嘴巴，便以為是保證旅行安全的魔法哩！

並非所有行為都由文化塑造而成。在正式的情況下，行為和言語都受到文化所規範；可是，日常生活很少如此正式，我們可以在某些容許的行為中作出選擇。所作的選擇又往往反映出當時的環境(例如教室以外可穿泳衣)和個人的品格。文化原是一套支配我們社會生活的遊戲規則，大部分參加遊戲的人經常意圖稍稍違規，並且逍遙法外。一旦被發現了，難免受罰；若不被發現，得到些微益處，便沾沾自喜。一切文化皆有執行規則的方法，例如散播流言、放逐、動武等，但並非所有觸犯者都會受到懲罰。某些社會可能對違法者置諸不理，尤其是那些位高權重者違法；也有些法規無從執行，特別是犯錯者太多。這時，文化規例便會湮滅，文化便會作出相應的改變。

文化也包括實物在內，例如房

屋、籃筐、舟船、面具、手拉車、電腦等等。在大自然居住的人，必須適應或改變它以符合自己所用；大部分傳統的社會，生活環境多數是在大自然裡。而複雜的工業社會，人類的環境大多是由文化模塑；電力使晝夜不分，飛機和電話使地域無阻隔。

人類的行為和實物都是人看得見的東西，所以，是我們研究文化的重要入手點。

文化的核心——信念、情感和價值觀

一個社群共有的信念、情感和價值觀就是文化的核心。透過經驗，人們建構自己內心世界裡的圖像或地圖。舉例來說，一個人對自己住宅附近的街道會有一幅內心圖像，那些街道是通往教會和辦公室的，那些是往市區的主要大道；當然，還有許多街道不在這幅地圖之內，只要他不需前往，便不必知道。

然而，並非我們所有的意念都反映出外界的現實，許多都是我們內心的構思，使我們的經驗有組織和有意義。例如，我們一生中看過不少樹木，各不相同，我們根本不會一一為它命名，對小樹叢、房屋、汽車等每一項經歷都一樣，不會命名。等到要思想或談論有關的事情時，我們就必須將這無數的經驗歸類為一些易於處理的概念。例如，我們稱這一類顏色為「紅色」，那一類為「橙色」，第三類為「黃色」，這些類別都是由我們的頭腦所創造；使用其它語言的人，或許把這些顏色歸為一種，或分為兩種或多種。那麼，他們是否也像我們一樣看見各種色彩呢？固然是。事實上，我們可以在腦海裡按需要而分出許多類別來，也可以把它們組合成一個較大的系統，用以描述和解釋人類的經驗。文化是一個群體對所處世界的內心地圖(mental map)，不單**是**外在的物質世界，也是一幅**用來**決定行動的地圖，指引人們的決定和行為。

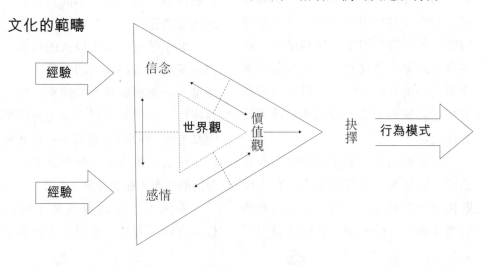

文化的範疇

經驗 → 信念
世界觀 → 價值觀 → 抉擇 → 行為模式
經驗 → 感情

信念

對現實有共同的信念，可以使交往和社群生活和諧，也使人們有共同的範疇和思維來處理世事。信念也告訴人甚麼是存在的，甚麼不存在。例如大多數西方人縱然從未見過，但都會相信有原子、電子、萬有引力和DNA；印度南部的村民，相信凶惡的 *rakshasas*——是一種大頭、突眼、長髮、住在樹上和崖石間的靈體，專在夜間撲向疏於防範的旅客身上。然而，並非所有印度人都相信它，正如並非所有美國人都相信神一樣，但我們要注意他們的文化中存在這樣的事。

情感

文化與人們的情感有關，亦即他們的美感、飲食與衣著品味、愛好與憎惡，以及享樂的方式、哀傷的表達等。某一類文化的人喜歡燙熱的食物，另一類則喜歡甜味或清淡的食品；有些地方用尖銳、刺耳的聲音唱歌，另一些地方則用低沉、圓潤的腔調；有些社群會用挑釁和鬥爭來發洩情緒，另一群則追求自制和平靜；有些宗教鼓勵人藉冥想、秘術和藥物來達到內心的和平、安靜，另一些則強調採用瘋狂的樂曲、舞蹈和自殘來使心神恍惚。

文化的情感透過美的標準、衣著品味、房屋和食物反映出來。在人際關係上也有重大的影響，也就是我們對禮儀和交際的看法；我們透過面部的表情、語調和姿態，傳達了愛、恨、鄙視和種種不同的態度。

價值觀和忠貞

文化包括了人們用來判斷生活經歷的價值觀，也由此決定文化的正誤和好壞。例如古代的日本，鞭打躺臥的馬匹是罪行，在別人已撒種的土地上再撒種也是罪行；在印度某些地方，發怒較不道德的性行為是更大的罪。

文化的整合

文化是由大量的行為模式、觀念和產物構成的，而又不只是這一切的總和。這些模式或多或少會被組成文化核心的世界觀所綜合，融入較大的文化組合或整體的文化體系內。這世界觀是由人們對現實的基本認知、情感和評估性的假設所構成。這些都是想當然的假設，不必檢定，大都不明確；但一般人不會「思考它們」，而是「以它們來思考」。人們相信世界即如他們所看見的一樣，不同意的人是錯誤或是瘋狂的。

要了解這種文化模式的融合，我們只須看一般美國人的表現：一位聽眾進入音樂廳欣賞音樂演奏，必定先找座位，如果找不到，他便會離開，因為全場「滿座」。事實上，地板還有很多位置可供人坐，但卻是文化上不容許的，至少在交響樂演奏會上不可。

美國人家中也有各種不同的座位，客廳、餐桌、書桌、草地都有可

坐下之處，晚上也有寬闊的睡床。出外旅行時，最害怕的是晚上找不到私人房間，故他們必先預訂酒店，花數百元來換取一晚安眠；許多地方的人都認為，晚上只需一張毯子裹身取暖，有一塊平地睡覺便足夠，世界上平地很多。在飛機場，凌晨三時，美國旅客寧披衣坐在椅上，也不願像其他旅客橫臥於地板；他們寧捨舒適也要保持尊嚴。

美國人不止坐臥都要高出地面，房子也建在平台之上，圍上牆壁，並加上籬笆，把孩子留在屋內。何以如此？這種行為模式源於他們的一種世界觀，假設地板是污穢的。這也解釋了他們在屋子內穿著鞋的原因，同時，即使地板剛洗刷乾淨，母親也不准小孩子撿吃掉在地上的薯片。

日本人則相信地板是清潔的，他們進門前先脫鞋，睡和坐都是在地板的蓆子上。如果我們穿鞋進入他們的家，他們的感覺就像有人穿著鞋踏在沙發上一樣。

文化差異與福音使者

我們久已生活在自己的文化中，對此不大覺察，一旦進入簇新的文化環境中，便立即強烈地發覺別人生活上的差異。起初，我們看到衣著、食物、語言和行為都有不同；其後，又發現信念、情感和價值觀也截然不同；最後，我們認識世界觀上的基本差異。生活於不同文化的人所置身的並非同一世界，並非只是掛上不同的

標籤，而是有極大的差異。

文化差異位於服侍「他人」的宣教任務的中心，我們可以怎樣用不同的語言宣揚福音，以及在與我們顯然不同的文化中建立活力充沛的教會呢？

誤會重重

我們剛跨過初步的文化衝擊後，就要面對三項終生的難題。首先，是處理認知上的誤解。一些在剛果的宣教士與當地人建立融洽關係感到困難，一名當地的老人解釋他們與宣教士交往有所保留時說：「你們帶來的罐裝食物，有一罐外面的圖畫是玉米，打開後，裡面是玉米，你們吃掉它。另一罐外面的圖畫是肉類，裡面是肉，你們又吃掉了。後來，你們有了嬰兒，也帶來很多小罐，罐外有嬰兒圖，你們打開來，竟把裡面的東西餵給嬰兒吃！」對我們而言，這些人把事件混淆實在愚不可及，其實也是合情理的。因為他們的認識不深，只按他們的認知來看我們的行動；我們對他們的理解也如此。我們覺得他們沒有時間觀念，因為按我們的文化他們遲到了；又或我們指他們說謊，實際上他們講討好的話。(正如有人對我們說「你好嗎」，我們也會不假思索地答「我很好」。)這是文化上的誤會，帶來不良的溝通和人際關係。

Edward Hall曾指出不同的時間觀念所引起的困惑(1959)。比方，兩名美國人約好在10時會面，他們如果在10

點鐘前後 5 分鐘之內來到，仍算得上是「守時」。若一方遲到 15 分鐘，遲來者便會道歉不已，承認自己「遲到」；若他半小時後才到達，必須好好道歉；若是 11 點鐘才到，最好是不要來，他已是罪無可恕。

在阿拉伯某些地方，人們對時間另有一套見解。如果約會是 10 點鐘，屆時只有一名僕人奉主人命出現，其餘人等出現的適當時間是從 10 點 45 分至 11 點 15 分，時間長短是顯示他們的獨立和平等。這種安排很妥當，每當兩位同等地位的人士同意 10 點鐘會面，每人到達也期待對方出現的時間，大約是 10 點 45 分。

當美國人與阿拉伯人約會，往往會出現問題；時間定了 10 點鐘，美國人 10 點抵達，對他來說是「守時」，阿拉伯人 10 點 45 分抵達，他也是「守時」。可是，美國人覺得阿拉伯人沒有時間觀念(不對)，而阿拉伯人則覺得美國人的行為像僕人(同樣是不對)。

誤會乃源自對另一種文化的信念、情感和價值觀不明瞭，解決的方法是理解另一種文化的運作。我們進入一種簇新的文化中，首項工作是做學生，入境問俗。若有某種文化對我們「毫無意義」，我們必須假設問題是在我們的身上，因為當地人的行為對他們自己來說是「有意義」的。

種族優越感

大部分美國人進入印度餐廳時，看見印度人用手指抓咖哩和飯來吃，便會發顫。試想像，感恩節晚餐時，用手吃馬鈴薯泥和醬汁的情景。我們的反應出於自然，因為每個人從小在自己的世界中成長，以自我為中心，經過不少困難，我們才學會打破人我之間的藩籬，從別人的觀點看事物。同樣，當我們接觸另一種文化的初期，也難以從他人的文化觀點看世界；我們是種族中心。

種族中心的根源，在於我們的人性傾向，是以自己在情感上的假設來回應別人的行為，而回應又往往加上濃烈的喜惡。一旦受到其它文化的反抗，我們立刻搬出自己的一套來自衛，認定本國的文化較別的優勝。

但種族優越感是雙軌的；我們覺得另一種文化的人是原始民族，他們也批評我們不文明。某次，一些北美洲人在餐館款待一位印度訪問學者，有一位從未到過海外的北美人提出一個慣見的問題：「你們在印度，真是用手指來吃飯的嗎？」這問題的含義，當然包括他的文化態度，認定用手指吃飯是粗鄙和齷齪的行為。北美洲人會用手拿胡蘿蔔、薯條和三明治來吃，卻從不用手拿薯泥、醬汁或牛排。那位印度學者答道：「在印度，我們的看法與你不同；進食前我們往往仔細洗手，而且只用右手。此外，我的手指從未進入他人的口中。當我看見叉子和匙羹，常想起這些食具不知進過多少人的嘴裡呢！」

種族優越感往往在發現文化有差異時產生。北美洲的人看見其它文化環境的窮人住在街上，大為吃驚；這一個文化社會的人，看見北美洲人把自己家中的老人、病人和屍體交給陌生人料理，也覺驚奇不已。

種族中心的解決方法是有同理心，我們必須學習欣賞別人的文化和行為。可惜，我們的優越感和對其它文化的負面態度往往根深蒂固，不易消除。

不成熟的判斷

我們在認知上有誤解，在情感上以種族為中心，在評價方面又往往在未了解和欣賞別人之先，已妄下判斷。我們的初步評估往往認定別人屬於低級和無知之類。

若人們能仔細了解和欣賞其它的文化，便會懂得尊重它們，明白它是締造人類生活的可行途徑。各種文化也有其優勝之處，例如科技，或家庭關係，「各盡其職」務使生活更有意義。若對所有文化都能如此忠誠地認知，便會產生文化的相對論，亦即相信一切文化同樣美好，沒有一種文化有權批判別人。

文化相對論對其他人及文化高度尊重，也避免了民族優越感及不成熟批判所引起的錯謬，實有其可取之處。然而，採用全盤文化相對論，可能犧牲了真理與公義。倘若所有對事實的解釋皆正確，就沒有錯誤了；倘若所有行為按文化處境都是公義的，我們就不必講「罪」了。那麼，不需要福音，也不用宣教。

我們有其它選擇嗎？怎樣才可以避免不成熟與種族優越的錯誤批判，仍能肯定真理和公義呢？放眼現在，人們恣意批評的情況，有增無已。科學家期望彼此誠懇地公開他們的發現，和仔細選擇所研究的題材；社會科學家必須尊重當事人和研究對象的權益，而商人、官員亦各有其生活上的價值觀。我們不能避免下判斷，社會也無法避免批評。

然則，我們應怎樣才能不帶種族優越來批判其它文化呢？我們有權利以個人身份批判與自己有關的事，也可以批判其它文化。不過，這些批判應先取得正確的資料；在批判**之前**，必須了解和欣賞這些文化。但我們多傾向於作不成熟的批判，乃因為無知與種族優越感。

作為基督徒，我們需要另一種批判的依據，就是聖經的準則。這神聖的啟示，是我們批判一切文化、肯定人類創意中的美善和譴責邪惡的立場。誠然，非基督徒會抗拒這些準則，用自己的一套。我們只能傳揚救贖大愛的福音，讓福音自己來說話。根本上，真理不需倚靠我們的思想和話語，自會自我呈現。我們為福音作見證時，不必自感優越，而是肯定神所啟示的真理。

但，如何避免從自己的文化觀點

來解釋聖經，又不把我們自己的文化準則強加在別人身上呢？首先，我們必須認識，當我們講解聖經時會帶著自己的文化偏見；然而，若經別人指出，我們便應坦白承認。我們必須讓福音在新基督徒的生命中作工，並認識引領我們的聖靈也在他們身上運行。推己及人，容讓他們犯錯，如我們也容許自己犯錯一樣，並且從他們身上學習。

其次，我們應當研究服侍地區和自己國家的文化，對兩者作比較和評估。真心追求認識另一種文化，可以消弭自己的文化偏見，並使我們懂得欣賞其它文化的優點。同樣，讓其它社會的基督徒領袖學習我們的文化，藉以認識我們，亦屬重要。

此外，重視與當地同工的對話，使成為瞭解對方的文化橋樑，又可以幫助我們更認識神藉聖經啟示的真理和道德的標準，而不受文化的限制。同工看我們的文化盲點會較我們自己更清晰，正如我們看見他們對我們的文化有成見一樣。與不同文化的基督徒對話，使我們不致無視社會的特殊情況，強把外來的信念與準則加諸其上；也使我們不會落入否認真理，將道德標準降為文化的相對論。

三種評估

人們藉批判來衡量一種信念的真與假，決定喜惡的感情，以分別價值觀的對與錯；宣教士也應從這三個層面來評估其它和本國的文化。

從認知的層面來說，我們必須處理對現實的不同認識，包括在狩獵、耕種、建屋、人類生育和疾病上各種不同的意見。例如南印度的村民相信疾病由一些發怒的本地女神引起，因此必須獻祭來止息瘟疫。我們必須明白人們的信念，才能明白他們的行為，但我們可以認定現代的疾病理論對制止病症更有功效。另一方面，當我們察看過他們的狩獵後，可能認定他們的方法勝過我們。

我們不僅要評估當地人的民間科學，也要評估他們的宗教信念，因為這一切都影響他們對聖經的了解。雖然他們或已有神、祖先、罪及救恩的觀念，但仍未必足以明瞭福音。

作全球化的基督徒

當我們學習在一個新的文化環境中深入生活時，一件事隨即發生：我們成為全球化的人，昔日狹隘地認為自己的生活方式才是獨一的文明方式，立即破碎。我們必須處理文化多元化——人們以不同形式建立了各種文化，各自相信自己的文化優於其它。事實上，除了對我們的「異樣」感到好奇之外，他人並無興趣學習我們的生活方式。

然而，當我們對其它文化認同，成為全球化的人後，我們卻發現自己已與國內的親屬、朋友疏離。這並非文化衝擊的逆轉，當然，我們久居海

外返國時也有文化衝擊，而且，我們對事物的看法大異於前。我們已改變了假設所有的文化都要向「同一個文化」學習的思想，因而令老朋友大惑不解。同時，我們可能發現自己最好的朋友也是全球化的人呢！

就某種意義而言，全球化基督徒並不會完全囿於一種文化之內，無論是屬於本國或僑居地的。美國人到了外國，對故國魂牽夢縈，需要藉一些小小的習慣來滿足——來自家鄉的一個食物包、一封書信、一位帶來最新消息的美國訪客。回到美國，他們則懷念第二故鄉，同樣要藉來自該地的訪客，或一頓該地的菜餚才能得到安慰。全球化的人最快樂的時刻，就是他們從一方飛往另一方之時。

文化差異與信息

文化差異影響傳遞者，也影響福音信息。每一個社會看世界都有自己的一套方式，受當地語言和文化影響。沒有語言無偏頗，沒有文化在神學上是中立的，故福音在新文化中演繹和傳播並不容易。如果我們對此不明白，傳道就陷於徒勞無功；最壞方面來說，福音遭誤解和扭曲。

文化差異對福音信息會產生不同的影響。第一，傳遞者應用人們明白的語言傳講，故要學習新的語言和翻譯聖經，不但要使用當地的語言表達出與聖經原文相近的意義，更要查核這些字詞在當地文化中有沒有其它的

含義，不要歪曲原意。第二，新信徒必須學習怎樣對待他們的舊文化；可否繼續參加當地的節慶、唱固有的歌曲、火化屍體、敬拜祖先、求靈巫指點迷津呢？誕生禮、婚禮、喪禮等可以保持本地色彩，但應合乎真正的基督徒身份。第三，教會要有效發揮作用，禮拜堂、敬拜儀式和領導階層的作風，就要迎合和適應當地的文化。第四，傳福音的方法，也要適合當地文化。用於小部族社會的方法，通常不適用於鄉村或城市；適合大城市的，也不合於部族或鄉村社會。最後，必須發展一套神學，讓聖經在他們特有的歷史和文化處境中說話。這些都是福音介入新的文化環境中必需的處境化。

處境化引起一不少難題，我們必須論述；現在提出三種情況。

福音與文化

福音與文化有何關係？我們必須區別，否則，便會誤把自己的文化當作信息。於是，福音便變為民主、資本主義、長椅與講壇、某某修會規章(Robert's Rules of Order)、主日的服飾了。傳福音主要的障礙之一，乃是信息的外國成份；基督教的外國成份，有不少是我們(指西方宣教士)放在上面的文化擔子。正如印度的佈道家默迪(Mr. Murthi)所說：「不要把福音當作盆栽帶來給我們，把福音的種子帶來，在我們的土壤裡栽種。」

要區別福音及含人類文化的福音並非易事；不管甚麼信息，必須賦予文化形式，才能令人明白和向人傳播，故免不了要利用某些類別的概念和表徵(symbols)來幫助思想。可是，我們務須小心，讓聖經信息不但塑造我們的信仰，也塑造我們文化中的類型和假設。

不能區別聖經信息與其它信息，會使文化的相對性和聖經的絕對性混淆。例如，曾有些教會認為婦女剪短髮或塗口紅屬於罪行，亦不准許會友上電影院，但這些行為已被接受。故此，今日有些人在爭論現在婚前性行為及姦淫被視為罪，到某個時候卻可能會被接受？

不錯，許多先前被認為是罪行的，現已被教會接納。那麼，基督教難道沒有道德絕對性嗎？我們必須認清每種文化都會定義何為「罪行」，並會隨著文化的變遷而修訂。另一方面，我們持守的聖經道德原則卻是亙古不變的。即使如此，我們仍須小心，因為有些聖經準則看來只適用於特殊的文化條件，例如土地於第七年休耕(利二十五)或信徒彼此親嘴問安(帖前五26)。

處境化與非處境化

文化是由一系列的信念與行為所構成，源於人們對自己、對世界、對終極現實的含蓄假設。這些文化當中有不少與聖經相違背，基督徒在這樣的世界觀內，如何傳遞和具體化表達福音呢？

其中一種反應是抗拒大部分舊信念和習俗，視之為「異教」。擊鼓、唱歌、戲劇、舞蹈、身體裝飾、婚俗、殯喪禮節，往往都指為不對，因為它們直接或間接與傳統宗教有關，所以基督徒不應接受。這種完全抗拒舊有文化的態度，引起不少問題。首先，它使文化陷於真空，急需填補，於是便由宣教士帶來的習俗代替。鼓、鈸等傳統樂器遂由風琴和鋼琴取代，引入西方聖詩和旋律來代替創作配合本土音樂的新歌，地上的草蓆改為長椅，西式的教堂與周圍以泥土和茅草搭成的集會場所格格不入。凡此種種，基督教遂被視為外國宗教，信徒也被視為外國人，是很自然的。

第二個出現的問題，是當宣教士壓制舊有文化形式時，自然轉向地下活動。新的歸信者會前來教會聚會，但平日卻會往巫師和術士處尋求指引，以解決日常生活的疑難。

第三個問題出於宣教士和教會領袖全盤譴責傳統文化，他們不但成為警察，而且窒息了新信徒的成長，因為他們否定了新信徒的自決權。教會在屬靈上的成長，需要信徒學習將福音性的教導應用於生活上。

對傳統方式的第二種反應是視它們基本上為美善，毫不加以批判便接納這些傳統進入教會。人要成為基督徒，只須稍稍改變即可。有這種態度

的人非常尊重他人與文化，並明瞭別人認為自己的文化傳統有極高價值。他們也承認福音的「外來成份」，乃是世上許多地方拒絕不肯接納福音的主要障礙。

這樣的態度有嚴重的弱點，它忽略了世人有共通性和文化上的罪，亦有個人的罪愆這項事實。罪在文化信念中呈現的如團體傲慢、種族隔離與對抗，以及拜偶像等。福音不但呼召個人，也呼召改變社會和文化。處境化必須表示福音不但以眾人明白的方式傳播，還挑戰個人和集體轉離惡行。

不加批判的處境化還有另一個弱點，它開啟了各種宗教混合的門戶。倘若基督徒保持那些與福音對立的信念和行為上，這些思想很快便會與他們新建立的基督教信仰混合，產生各種新異教信仰。

以上兩種方式都會削弱宣教的任務，我們和這些基督徒歸信者應怎樣對待受眾的文化遺產呢？第三種反應乃是從聖經教訓的亮光中評核文化。最先的步驟是研究舊有的方式，務求了解其中原委。宣教士和教會領袖應協助新信徒考察他們的傳統習俗。第二步則是帶領教會研究聖經中相關的問題，例如教會領袖可以利用舉行婚喪之禮的時候，教導有關婚姻和死亡的基督教信仰；這是極重要的步驟，如果信徒不清楚明白聖經的教導，他們便無法處理舊有的文化。第三步是讓會眾用他們新從聖經獲得的亮光來

評估自己過去的習俗，並且作決定。如此，他們仍可保留不扭曲福音的舊方式，放棄不合乎基督教教訓的。他們亦可重新詮釋一些舊方式來傳送基督教信息，例如可以用本地樂曲配上基督教的歌詞，也可以發展一些新的表徵符號和禮儀，用他們能理解的方式來傳播福音。透過這些程序，他們就能締建出既符合聖經，又符合處境的信念與行為來。

歸信與不能預見的副作用

所有文化特性是與整體文化互相結連，當一種或多種改變時，常常導致其它文化範疇內不可預見的改變。例如，非洲某個地方的土人成為基督徒後，他們的鄉村反而顯得骯髒；理由是他們原相信邪靈是躲藏在垃圾堆裡的，現在他們已不畏懼邪靈，所以用不著清理垃圾了。

很多文化特性在人們生活中起重要作用，若把它們除去而不供應代替品，後果可能不堪設想。有些地方，一個丈夫可以擁有數名妻妾，當丈夫成為基督徒後，只可保留一個妻子，卻沒有任何機構可以收容那些被放棄的婦女，許多竟淪為妓女或奴隸。

當我們在其它文化中事奉，理解文化以及文化上的差異，對我們有何意義？我們必須認清，有效地傳福音是我們的主要任務。我們走萬里路付出自己一生，只差五里便到達，功虧一簣，多麼可惜！在不同文化之中傳

福音，事非簡單，我們若不明瞭實況，福音便無法傳予他人。

我們要學習有效地跨越文化傳福音，我們便不可以忽略這個事實，就是神在工作，藉著祂的靈在人的心中作工，準備他們接受佳音。沒有聖靈動工，絕無可能有真正的悔改和使基督徒成長。神使用不完全的人作工具，把福音傳給我們，也藉著我們，向別人傳揚福音。我們雖然技藝未精，祂仍能使用我們改變他人的生命。這並非意味著我們可以忽略了解福音在異文化中傳遞的方法，而是說，福音能成功傳播，端賴神預先在人心中所作之工。基督教的傳播必定要藉著禱告和順服聖靈的引導方能成事。

(作者為三一福音神學院宣教及佈道系主任，亦曾在富樂神學院教授宣教及人類學，並曾在印度宣教。著有多本有關宣教人類學作品。)

研習問題

1. 在某一個特定的文化之中，是甚麼將信念、價值觀和情感融合一起的？

2. 請區分種族優越感的錯謬以及本文作者所稱的「不成熟的批判」？

3. 怎樣會成為本文作者所說的「全球化的人」？

4. 在跨文化傳遞之中，識別信念、情感和價值觀有何作用？

Culture, Worldview and Contextualization
文化、世界觀及處境化

Charles H. Kraft 著　　倪勤生譯

對參與跨文化工作的基督徒而言，重要的問題乃是：神對文化的觀點如何？猶太人的文化是神所創造的嗎？是否必須將這文化加諸所有跟隨神的人身上？抑或聖經指出神對文化有不同的立場？筆者相信林前九19-22正是這些問題的答案，保羅在這裡闡明他(和神自己)對多元文化的處理方法。保羅說：「向猶太人，我就作猶太人」，而「向律法以下的人，我就作律法以下的人」。保羅的原則乃是「向甚麼樣的人，我就作甚麼樣的人。無論如何，總要救些人」。

早期基督徒是猶太人，他們自然會認為福音以怎樣的形式臨到他們，也應該以同樣的形式臨到其他人；故他們以為既歸信耶穌，也必須歸順猶太文化。但神使用使徒保羅(一位猶太人)教導他和我們的時代，可以有不同的進路。保羅在上述經文中說明了神的進路，我們又可以在徒十五2以下看見，保羅極力抗衡早期教會的主流意見，為外邦人可以在他們本身的社會文化處境**內**跟隨耶穌而爭辯。神也親自將聖靈賜予未皈依猶太文化的外邦人，先藉彼得(徒十)，其後也藉保羅和巴拿巴，顯明這才合祂的心意(徒十三至十四)。

但教會對使徒行傳十五章的教訓何等善忘！我們時常開倒車，誤以為成為基督徒就等於認同我們的文化。新約時代之後，當教會要求所有信徒接納羅馬文化時，神就興起路德去証明，神悅納說德語的人用德國人的方式敬拜祂。其後安立甘主義崛起，顯明神願使用英語及英國人的習俗；衛斯理主義興起，叫英國的平民百姓都知道，神照著他們的文化背景來接納他們。每次在新宗派出現時都牽涉重要的文化爭議。

可惜，這問題至今仍纏著我們。福音的傳播者仍舊將他們的文化或宗派色彩強加在初信者身上。(因此，我們的宣教工作應嘗試應用人類學的原理，以保障信徒不必接受我們的文化。)但假如我們按聖經的教訓，就**應調整自己和陳述神信息的方法**，去迎合受眾的文化處境，而非像早期的猶太基督徒誤解神的心意(徒十五1)，要求信徒效法自己的文化才會蒙神所接納。

文化和世界觀的定義

文化乃人類學的詞彙，是指那些支配人類自己生活的結構化習俗，和隱伏在世界觀的假設。文化(包括世界觀)是一個群體的生活方式，是他們對生活的構思，以及應付生理、物質和社會環境的方法。文化包括了由學習而得、模式化的假設(世界觀)、觀念和行為，加上由這文化而來的產品(物質文明)。

世界觀處於文化的深層，是結構化的文化假設(包括價值觀和承擔／效忠對象)，主宰著人們對現實世界的理解和回應。世界觀與文化**不可分割**，而是**蘊含在文化之內**，是人類生活所依循的最深層預設。

文化可比作一道江河，有表層及深層；表層是可見的，但江河的大部分都在表層之下，是看不見的。然而江面一切發生的事情，都受到深層狀態所影響，例如暗流、河水的清濁及其它在水中的物件等。所以，在河面發生的事情，既是對外來事物的反應，也顯出了河流深層的特質。

文化也是這樣。在文化表層所見的，是模式化的人類行為；但這些模式化、結構化的行為不論有多矚目，都只是文化的一小部分而已。在文化的深處，稱之為**世界觀**的種種假設，是管理人們表層行為的基礎。當文化表層受到某些事物所影響而產生變化，但這變化的本質和程度，乃取決於文化深層內的世界觀結構。

表層文化
(模式化的行為)

深層文化
(世界觀的假設)

文化(包括世界觀)是一種結構或模式。文化本身不會**作**任何事情，就好像演員所依從的劇本；正常地，劇本提供指引讓演員跟從，但當他們遺忘了或其他演員作出改動時，便要修改劇本。

文化(當然包括世界觀)有多個層次，層次越「高」越多元化。例如，在多國族的層面，文化往往區分為「西方文化」(或世界觀)、「亞洲文化」或「非洲文化」。其實，這些文化包括眾多截然不同的國族文化；例如**西方文化**可以細分為德、法、意、英、美各類，**亞洲文化**可再分為中、日、韓等類。而這些不同的國族文化，又再包含各種次文化，例如在美洲，就有西班牙語美洲人、美洲印第安人、韓裔美洲人等等。在次文化裡，又可再分為各種**社團文化**、**家族文化**，甚至**個人文化**。

在某些情況下，「文化」一詞亦可指為不同社群所採用的各種策略(或對應機制)；因此，我們可以說**貧乏者的文化**(或世界觀)、**聾人文化**、**青年文化**、**勞工文化**、**職業司機文化**、甚至可以說**婦女文化**。確認某些人士所屬的文化類別，對釐定適合他們的福音策略，往往大有裨益。

人與文化

正如在一齣戲劇裡，我們能區分演員和劇本，文化也是這樣。一般人和專業人士通常會將文化看成為一個人；我們常聽見這樣說：「他們的文化**使**他們這樣」，或是「他們的世界觀**決定了**他們對現實世界的看法」。請留意句子中的粗体字，給人的印像是，文化如人一般。

正如在戲劇裡，演員一般都是慣性地跟隨既定的模式；但促使人們跟隨自己文化劇本的「力量」，正是人心裡的習慣，而非文化本身擁有甚麼力量。**文化(包括世界觀)並無任何內在和外在的力量。**

人們通常都會按既定的文化模式而行，但有時會例外。他們不時會修改舊習俗，創造新風俗。雖然，慣性強而有力地驅使我們附從習俗，但並非不可改變。因此，在跨文化傳福音時，我們需要認清改變的可能性及慣性所扮演的角色和力量。

上述的區分，可由**文化**和**社會**兩詞的對比來闡明；文化是指結構，社會是指人群本身。當我們感到壓力而要附從習俗，我們所感到的，是從民眾而來的壓力(如社會壓力)，而非來自文化結構本身(劇本)。

下面的表總結了人的行為與主導人行為的文化結構之間的差別。

應尊重文化和世界觀

我們外在及內在的世界都是由文化／世界觀所建構的，我們完全被包圍，就如一尾魚被水所包圍一樣。我們常常對身處的文化／世界觀毫不察覺，好像魚在水裡一樣，又好像我們常不覺察呼吸著空氣一樣。事實上，不少人只在進入另一個文化領域，看到有別於自己的風俗時，才注意到有文化存在。

當我們遇上在不同文化模式和世界觀假設中生活的人們，常為他們惋惜，彷彿他們的生活方式較我們的次等。故此，若是可能的話，我們會設法「拯

人群(社會)	文化
表層行為 我們所行、所想、所言或所感，無論是自覺或不自覺的，主要來自習慣，但也不乏創意。	**表層結構** 是我們按習性而行、想、言或感覺的文化模式。
深層行為 假設、評估及投入的行動主要是慣性，但也可有創意的： 1. 有關選擇、感受、思辯、解釋及評價。 2. 有關意義的賦予。 3. 有關解釋、與人相處、投入及適應或立志改變周遭的事物。	**深層結構(世界觀)** 是我們在假設、評估及委身於某些深層行為時的一些模式，包括：選擇、感受、思辯、詮解、評價、闡釋、與人相處、投入自己及適應或立志去改變周遭事物的模式。

救」他們脫離他們的風俗。美國人(包括宣教士)在幫助別人時所犯下的其中一個錯誤，就是不尊重他人的傳統習俗。

然而，耶穌的方法卻是尊重別人的文化及世界觀，而非幫助他們扭轉。就正如祂進入猶太人的文化中與他們溝通，同樣，我們也應進入那些期望他們得著福音的人的文化根源之中。跟隨耶穌的榜樣，我們發覺在別人的文化中工作，不但要本著聖經批判他們的文化及世界觀，而首先要接納這些人。假如我們希望所作的見証有果效，我們的言行就必須尊重他們所認識的唯一生活方式。同樣地，如果教會要如耶穌所期待的對受眾有意義，就要切合人們的文化生活(雖然仍須批判不合乎聖經的習俗和假設)，好像早期教會要適切第一世紀的人民生活一樣。我們稱呼這類適切文化的教會為「功能相等的教會(dynamic equivalence churches)」(Kraft 1979)、「處境化的教會」(contextualized churches 見下文)或「深入文化的教會」(inculturated churches)。

文化(包括世界觀)的特徵

我們可以列舉很多文化和世界觀的特徵，本文因篇幅所限未能盡述，在1996年出版的拙著 *Anthropology for Christian Witness*，有較詳盡的討論。

文化與世界觀的特徵

1. 文化 / 世界觀給予生活一個全面的構思，以應付生命的各層面，並給予人們**一套生活的方式**。

2. 文化 / 世界觀是昔日的遺產，人們**視為絕對和完美而學習**。

3. 文化 / 世界觀使**置身其中的人感覺有意義**。

4. 但，不論在生物或環境的現實中，或解答一個群體的所有問題，看來**並無任何文化 / 世界觀是完美無瑕的**。

5. 文化 / 世界觀是一個**調適的系統**(adaptive system)，一個**人生的機制**(mechanism for coping)，向人們提供一些模式和策略，使其能適應周遭的物質和社會環境。

6. 文化是世界觀外圍的一個**相當緊密的整合體**，世界觀的假設就是凝聚整體文化的「黏合膠」。

7. 文化 / 世界觀是**複雜的**，從未發現有一套文化 / 世界觀是簡單的。

8. 文化 / 世界觀的實踐和假設**建基於一組人或「眾人」的協議**，一個社群不自覺地照他們的文化模式來管理自己。

9. 文化 / 世界觀是一個**結構**，不會作成任何事。人們行事，乃是按照或修改他們的文化劇本。故所謂文化或世界觀的力量，依賴著人們的**習慣**。

10. 從分析的角度，人民與文化 / 世界觀是兩個實體；**在實際的生活裡，人民與文化 / 世界觀乃是一同運作的**。

世界觀的其它特徵

1. 世界觀包含所有文化價值、效忠對象和行為背後的**假設**(包括各種圖像)。
2. 世界觀的假設及圖像是**我們理解和回應現實**的基礎。
3. 有兩類現實：神眼中的現實(R)，和人類只能有限理解的現實(r)(林前十三12)。世界觀是**我們的鏡頭、代模或地圖**，藉著它，我們能理解、解釋、整理和回應屬於神的現實。
4. 世界觀的假設及前提乃從前人學習而得，並未通過我們自己的推敲，**事先亦無驗証，卻假定這世界觀是真實的**。我們甚少會想到，有一些群體的世界觀與我們不同。
5. 我們依照世界觀來組織和經歷自己的生活，**甚少質疑**，除非我們的經驗挑戰這些假設。
6. 在跨文化的事工上，**最難應付的問題是由世界觀差異而衍生出來的**。

文化的次體系

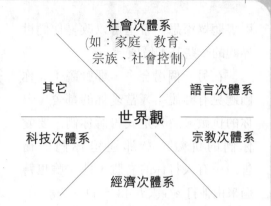

世界觀位於核心，影響著所有的文化，我們可以將這環繞核心的表層文化分成不同的**次體系**。文化次體系很多，以下的圖表列舉了一些例子，這些次體系形成了各類世界觀假設的行為表述。

雖然宣教士將基督教描繪成以西方形式的基督教取代傳統宗教，卻是個不正確的方法。基督教應針對人們的世界觀，從文化核心向四周的次體系發揮影響力。真誠悔改信主的人(不論在美洲或海外)，必須在自己的文化生活上表現出合乎聖經的態度和行為，並非單單在他們的宗教實踐上如此。

假如我們要帶領人歸向基督，使他們凝聚成榮耀基督及肯定文化的教會，就必須在他們的文化之中，依他們的世界觀去處理。或許我們會作得很有智慧，也可能很愚拙。但盼望藉著對文化和世界觀有更深入的了解，我們在與不同文化的人打交道時，更有智慧。

世界觀與文化的轉變

重大的文化變遷往往肇因於世界觀的改變；正如影響一棵樹的根部，也能影響它的果實，任何影響世界觀的因素也必左右整體文化，和跟隨這文化行事的人。

耶穌了解這種現像。當他想傳達某些重點時，他總是針對世界觀的層面。當有人問：「誰是我的鄰舍？」他就告訴他們一個故事，然後問哪個角色配得上稱為好鄰舍(路十 29-37)。他

引導聽眾深思,希望可以改變他們世界觀的一些基本價值。

在另一個場合中,耶穌說:「你們聽見有話說:『當愛你的鄰舍,恨你的仇敵。』只是我告訴你們,要愛你們的仇敵,為那逼迫你們的禱告……有人打你的右臉,連左臉也轉過來由他打。」(太五43、44、39);耶穌又一次播下改變深層世界觀的種子。

然而,當深層世界觀產生變化時,現況往往會失去平衡;位於文化核心的世界觀出現失衡時,文化的其它部分也出現難題。例如,美國人在世界觀上相信美國絕不會戰敗。但當美國在越戰無法取勝時,一片低落的士氣瀰漫著整個社會,甚至令國土出現不穩定狀況。

縱然一些人滿懷善意(如宣教士),在文化表層引進優良的改變時,但忽略這些文化行為背後的深層意義時,也可能引起嚴重的世界觀問題。例如,幾乎所有的宣教士都要求多妻的非洲男人必須先與「小妾」離婚,方可接受水禮。這條件曾令信主和不信主的非洲人在世界觀的層面上,對基督徒的神產生誤解,包括:神敵對非洲社會的領袖,神不喜歡婦女得到幫助和在家庭中有伴侶,神要男人只受一位妻子的奴役(白人看來正是如此),神喜悅離婚、對社會不負責以及甚至賣淫。這些誤解,從非洲人的角度來看,絕非不合理或牽強的推論。雖然,我們相信神訂立一夫一妻的制度,但改變的步伐太急促,不若舊約

時代,神耐心地經過了很多代,才除掉多妻的習俗。

上面提過,如果方法錯用,就算是好的改變也會帶來文化不穩或士氣低落。不少住在尼日利亞南部的伊比比奧族(Ibibio),因神恩典赦罪的信息而皈依基督教,因為基督教的神似乎較他們傳統的神明更寬大為懷。但皈依者卻不追求公義,因他們認為無論做錯了甚麼,神永遠會寬恕他們。澳洲土著的伊爾約龍特族(Yir Yoront),因宣教士引入鋼斧取代傳統的石斧,而產生分裂;原因是宣教士把這些斧頭交給了婦女和青年人,而傳統上他們都必須向年長的男性借用斧頭。這種改變雖然提高了他們的技術,卻挑戰了他們的世界觀,導致領袖權力瓦解,社會廣泛分化,幾乎使這民族滅絕。此外,在非西方的民族中,也因為西方形式的學校(包括差會開辦的)所影響,在文化或心靈上,帶給他們數之不盡的嚴重傷害。現在,你會明白在芸芸不可靠的指控中,人類學家對宣教事工的一些抨擊,確是有根據的。

處境化(合宜的)教會

基督徒作見証的目的,在於引人歸向基督,並組成合乎聖經、符合文化的教會群體。我們稱教會融入某群體的文化(inculturated)過程為「本土化」(indigenization),現在經常稱為「處境化」(contextualization)。

基督教處境化的過程是新約記載

的一部分，正是使徒他們透過亞蘭語及文化形式所接收的基督教信息，傳給說希臘語的人的過程，為讓說希臘語的人明白，使徒以聽眾們的思想模式表達基督教真理，並選取本土的詞彙和概念(轉化使用)，來表述有關神、教會、罪、回轉、悔改、皈依、道(logos)及其它有關基督徒生活和實踐的層面。

早期希臘教會面對一個危機，就是被猶太教的規矩所支配，因為作領導的都是猶太人；但神帶領使徒保羅等人抗衡猶太的基督徒，並為說希臘語的外邦人建立一個處境化的基督教。為達成此任務，保羅需要不斷地與很多猶太的教會領袖對抗，因他們認為傳福音就是單純地將猶太人的神學觀念加諸新信徒身上(參徒十五)。這些保守的猶太人，就是保羅所對抗的異端，他要保衛說希臘語的基督徒的權利，使他們可以聽到用希臘語言和文化表達的福音。從徒十及十五章我們得到結論：神的心意乃希望合乎聖經的教會再道成肉身(reincarnated)，進入每一種語言和文化的時空之中。

根據聖經的教導，教會處境化的過程並非指單單引進一套在歐美國家完成發展的產品，而是要仿效早期使徒曾走過的路。再以樹來作比喻，我們不應將基督教當作一棵樹原栽種和成長在某一社會中，然後將整棵樹連枝葉和果實移植到一個新的文化處境之中，仍帶著濃厚的原產地色彩。福音應該像種子栽種在接受這信息的群體文化土壤中，在其中發芽，得到雨水的滋潤和營養。從真正的福音種子所生發出來的信仰形式，表面上可以與傳福音的群體大異其趣；但在深處，就是在世界觀的層面，根源卻是一樣，兩者的生命同源而生。

一個真正處境化的教會，表面看來雖然是棵不一樣的「樹」，但主要信息沒有不變，仍清楚持守同樣的核心教義，因為信仰乃本於同一本聖經，只是表達福音的形式，所關注的論題輕重，會因社會背景的差異而有改變。因為文化的因素，一些問題對處境化的非洲教會，如聖經對家人關係的教訓、恐懼和邪靈、跳舞和禮儀，可能較美國的教會更為重要。

神期望今日的基督教與新約時代的教會是功能相等的(dynamically equivalent)，叫現代人感到基督教與他們切身的掙扎息息相關。雖然今天不少非西方教會的教義和敬拜仍然西化，這些教會若繼續如此就是不忠於聖經。當然，任何社會的人都面對一些相類的基本問題(如：罪的問題，需要與基督建立關係)，但這些問題呈現的方式卻因文化差異而有所不同。因此每種文化組別都需要以符合他們文化的方式來接觸。

將基督教處境化充滿危機

要推廣一個既合乎聖經又適切文化的基督教，是個很冒險的嘗試，往往受到**混合主義**(syncretism)所縈繞。混

合主義的意思，就是將基督教的假設與其它不合基督信仰的世界觀假設混雜，得出一個不符合聖經的基督教。

混合主義的出現，情況各異。有人把基督教禮儀當作魔法般實踐；有引用聖經向別人施咒；在印度，耶穌被視為眾多神明的其中一個人形化身；在拉丁美洲，有教會竟進行異教的占卜及巫術；或要求人們須承襲某種文化才可作基督徒。而在美國，混合、不合乎聖經的基督教則有：將「美式生活」與合乎聖經的基督教劃上等號；以為憑充足的信心就可以迫使神有求必應；雖然聖經明確定為有罪，我們應該以愛心和寬容，讓同性戀或甚至同性「婚姻」通行無阻。

混合主義最少有兩種形式。其一是輸入外來的信仰表達形式，受眾在沒有宣教士的指引下，自行用他們的世界觀對這些表達形式賦予意義，結果是產生一種本地化(nativistic)的基督教，正如拉丁美洲的「基督異教」(Christo-paganism)。羅馬天主教的宣教士特別容易墮入這種陷阱，每當有人實行所謂「基督教」禮儀，和說「基督教」的術語時，他們常誤以為這些人的信仰與歐洲的基督徒相同。

另一條混合主義的路線，就是信眾表達信仰的方式，不論外表的行為或深層的假設，完全由「輸入」的文化來支配，結果是一個完全外來、未適應文化的基督教。這樣的基督教，要求信徒根據外來的模式去敬拜神和實踐信仰，或發展出一套只適用於特定教會處境的世界觀，卻是信徒在其它生活層面不必關心的，信徒的傳統世界觀，幾乎沒有經過聖經原則的過濾。福音派的更正宗信徒，常提倡這種方法，究其原因，可能是害怕墮入第一類混合主義的錯誤之中。這種「基督教」通常只對西化的人具有吸引力，卻無法滿足傳統的普羅大眾，因為這種形式的認信，他們實無法領悟。

我們必須對混合主義的危機保持警覺，但有一條中庸之道可走；我們深信聖靈可以指引我們，亦使受眾有能力跟從。因此，我們必須恆常仰望聖靈(而非我們自己)的指引，與眾人一起尋求祂的帶領。我們應該使信徒確信，聖靈會照著聖經的教訓來引領。為要實踐這一個方法，宣教士Jacob Loewen決定永不直接回答初信者某些問題，如「我們該作甚麼？」Jacob卻會問他們：「聖靈怎樣指引你呢？」只當信徒盡力尋求這問題的答案後，他才會與他們一起尋求聖靈的指引。然而，在這個階段內，他亦會向信徒至少提出三條不同的出路，供他們選擇；可是，信徒往往會從他的建議中，產生第四條出路，就是他們自己的答案。如果這個答案有效，他們會繼續持守，否則，信徒會按需要自由地修改，因為這是他們自己尋得的，並非外界德高望重的權威人士所提議。

雖然，當我們嘗試將基督教植入某種文化時，混合主義的危機常隨之而來，但若要受眾經歷新約的基督教，這是必須克服的。不論在開荒或已奉

行基督教信仰多年的外國地區，要尋找一個有活力、充滿動感、合乎聖經和處境化的基督教，都意味著要嘗試新穎的、符合文化和聖經真理的方法，以理解、表達和實踐那「從前一次交付聖徒的真道」(猶 3)，尤其需要注意世界觀層面所發生的事。為達此目的，我們可以借用人類學家對文化和世界觀的見解，使我們能夠提倡一個真正處境化，真正適切而且有意義的基督教。

理解文化有助處境化

理解上述文化及世界觀的特性，對我們明白何謂合乎聖經、適應文化大有幫助。本文的探討，使我們達到了下列結論：

1. 神愛世人，是照著他們所屬的文化愛他們。聖經告訴我們，神樂意在每一類人的文化和語言之中工作，而不會要求他們歸順另一類文化。

2. 聖經的文化和語言並無特別，也是神所創造的，與現今世上一般人所用的 6 千多類異教的文化和語言一樣。聖經陳明神能夠用任何異族(甚至是希臘或美洲)的文化和語言去傳達祂的信息。

3. 聖經指出神與祂的子民以切合文化的方式工作。祂賦予現存的習俗新意義，並引導人照祂的旨意、並按著新的世界觀來應用。這些習俗包括割禮、水禮、在山上敬拜、獻祭、猶太人的會堂、廟宇、膏油和祈禱。神希望今日的教會適應文化，並應用大部分已灌注新意義的文化習俗去完成祂的旨意；如此，人的世界觀和外表的行為均會改變。

4. 但神在某文化中工作時，祂絕不會讓該文化絲毫不改；神先改變人，再通過他們改變文化架構。任何架構的改變，非因外在的壓力，都是因本地人按照對聖經的理解和神在他們生命中的工作，加上聖靈的帶領和賜力量而成就的。

5. 雖然處境化的過程常面對走向本地化混合主義的危險，但一個受外來文化形式所支配的基督教，也同樣是違背聖經的，與混合主義同樣錯誤。因此，我們要跟隨聖經的榜樣，也要冒使用受眾的文化形式的危險。

參考書目

Karft, Charles H. *Anthropology for Christian Witness*, Maryknoll, NY: Orbis, 1996

Karft, Charles H. *Christianity in Culture*, Maryknoll, NY: Orbis, 1979

(作者為富樂神學院跨文化研究學院人類學及跨文化傳意資深教授，有關之著作甚多。與妻子曾在非洲尼日利亞宣教。)

研習問題

1. 世界觀怎樣影響我們的行為？

2. 文化會否引發某些特定的行動？文化會否影響思考或行為模式？

3. 為甚麼我們極少質疑我們世界觀的假設？

The Role of the Culture in Communication
文化在傳意的角色

David J. Hesselgrave 著　　何寶珠譯

曾有一段時期，人類之間難以克服的障礙看似主要在物理上，要跨越險惡的海洋、高聳的山脈和無垠的沙漠才能將人群、訊息和物資傳送到遠方；所以宣教士完全清楚迎面而來的挑戰有多艱鉅。今天，有了噴射機、巨輪和高聳的接收器，早期的難題大多已解決了，不出數小時就可以把人、聖經或縫衣機運送到地球任何一方，也可以在數秒之內傳送電子訊息。

然而，卻存在一個非常真實的危機──由於科技進步了，要跨越地域國界非常簡易，而且可以很頻密，因而使我們遺忘了最令人困擾的文化障礙。科技的進步與通訊技巧之間的鴻溝，是人類現代文明最具挑戰性的一面。西方外交家已逐漸認識，所需要的不僅是更懂得要傳遞的訊息，有優秀的傳譯員或者能說英語的人，很多教育家亦已明白跨文化傳意是這個世代生活的要素。而宣教士亦已了解要穿越文化的障礙，所需的不只是擴音器和更大的音量。

複雜的命題

不幸地，不同文化之間的通訊，有如人類的差異般複雜。「文化」一詞的涵意很廣泛，概括了語言、政治、經濟、社會、心理、宗教、國家、種族等差異。Louis Luzbetak 寫道：

> 文化是一個生活的藍圖，是一個社會規劃自己的物質、社會和思維環境的依據，是應付物質環境，包括食品生產和一切科技知識及技巧的規畫。政治體制、宗族和家庭組織以及法律，都是社會調適的例子，是一個人與人互動的規畫。人類藉著知識、藝術、魔幻、科學、哲學和宗教來捕捉這個思維環境。所以，不同的文化，本質上是人類對相同問題的不同解答而已。[1]

宣教士一定要更認清文化對傳講基督的重要。歸根究柢，向特定文化環境內的人傳講能否生效，繫於他們對該文化的認識程度。

宣教士在首次前往另一個國家之前，通常所關心的是要長途跋涉才能

抵達工場。一俟他們到達後，要面對的最大難題卻近在咫尺；何等令人震驚！宣教士經過多年的學習，渡過千山萬水去傳講基督的福音，如今面對面看著所委身的文化群眾，卻連最簡單的信息也沒法傳達！試問問有經驗的宣教士在工場的挫敗經歷，他們大多數會告訴你，在傳達信息時所遇到的困難。

宣教士應有心理準備以應付這種挫敗。他們往往只想著要傳的信息；因他們相信了而得救，因學習而茁壯。現在，他們要向未曾聽聞的人傳講——這是作宣教士的目的，但在他們能發揮作用之前，他們一定要再學習，不只是語言，也要認識聽眾。他們在能教導之前須先行學習，在能講述之前須先行聆聽；他們不僅要認識向世界傳講的信息，也要認識置身其中傳信息的世界。

三重文化模式的宣教傳意

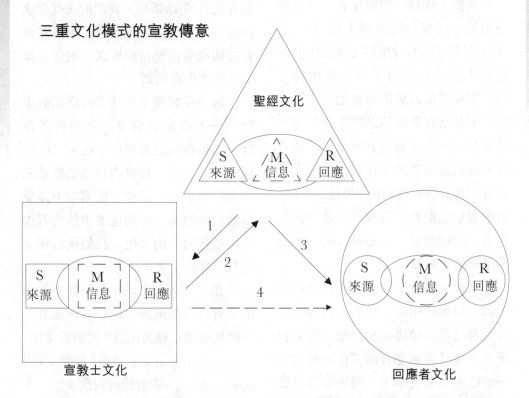

1. 基督教信息原是在「聖經文化」中賜下的，然後，透過適合「宣教士文化」的語言和方式，傳給宣教士。
2. 宣教士的第一個任務是回到聖經，按當時神所用的語言、處境方式來解釋聖經(解碼)。
3. 第二任務是在「回應文化」中，將聖經信息(聖經本身)用聽者、讀者能明白的語言、文字、形式來翻譯或傳遞(編碼)。
4. 最後一個任務是盡量減少注入「宣教士文化」。

三重文化模式

美國聖經公會的Eugene Nida對宣教士在溝通上的困難，有重大的貢獻。他所寫的〈傳意結構〉(Structure of Communication)一文內的討論和圖表，是本文討論宣教士傳意的三重文化模式的基礎。[2] 為了使讀者容易明白，我們在此作出了修改，讀者若看 Nida 的原著，得益更大。

宣教士作為一個傳達者，一定要檢視他自己以外的兩種文化(參上頁圖)。首先，他要看聖經；聖經中的信息並不是他自己的，不是他所創作的，聖經首次寫成的時候他不在場，他也不是活在聖經信息的文化環境。但他知道一定要努力表現，要「竭力在神面前得蒙喜悅，作無愧的工人，按著正意分解真理的道」(提後二 15)。對聖經信息而言，宣教士只是一個傳訊者，一個使者——是第二線的，並不是原始的來源。

其次，宣教士要看被差往服侍的人群，要他們明白，受感動而悔改，接受神話語的教導，相信唯一的主和救主。他看著回應者的文化，就會察覺自己永不屬於本土，將聖經信息處境化的能力亦經常受到局限。回應者的文化通常是他要適應的文化，且永不可能是他本身的文化。

宣教士在聖經文化和宣教對象的文化之間擔任中介的角色，因而構成了他作基督使者的不平凡機會。由於這任務的本質廣泛且要求甚高，故帶來特別的挑戰。

宣教士的信息也就是聖經的信息，是由神透過使徒和先知，以聖經時代的語言和文化背景流傳下來的。簡單來說，我們稱之為「聖經文化」，其實包含了一切聖經信息原來所處的文化處境——不論是以斯拉時代的猶大地、基督時代的耶路撒冷或保羅時代的雅典。在各種文化處境裡，信息都有其來源(以斯拉、我們的主基督或保羅)、信息內容和回應者；**來源**將**信息**按**回應者**能明白的形式，也就是按當時的文化所編寫。

每一位宣教士都是不同文化的產物——不論來自倫敦、芝加哥或首爾，都是在自己的文化中長大，以這種文化的語言、世界觀和價值體系來學習。他也在自己的文化處境中接受基督教的信息，而向他傳達信息者也可能產自同一的文化。我們稱這種文化為「宣教士文化」。

亦有一些人生活在另一種文化之中，有自己的來源、信息和回應者，我們稱這第三種文化為「回應者文化」respondent culture (或「對象文化」target culture)。對於這種回應文化，宣教士有即時和最終的意圖：第一，他希望他傳講基督的方式，使人能夠明白、悔改和相信福音；第二，他希望將信息以切合當地文化，本土領袖能完全掌握的術語來「交託那忠心能教導別人的人」(提後二 2)。

聖經文化的處境

透過上述的分析，可以更清晰看見宣教士的任務。宣教士一定要從兩個方向跨越文化疆界。第一項挑戰是按公認的聖經詮釋規則準確地將聖經信息**解碼**。若可以，他要以原文研讀聖經，按當時聖經文化來瞭解。任何一套優秀的釋經方法都應注意信息的原本文化處境、背景及語意、風格、受眾特色和神賜下信息的特別環境，這過程對釋經是很重要的。聖經詮釋者要常常留意，避免在釋經過程中滲進了自己的文化背景，導致原意錯漏或扭曲。產生這個傾向的原因，是我們大多數在學習自己的文化時，常會不自覺和不加鑑別便接受。

一位朋友參加了聖地旅遊團，來到約旦河谷，嚮導上前摘了些水果，削了外皮就吃果肉，還轉身對團員說：「按聖經所記載，施洗約翰的食物包含了這水果和野蜜。這就是 locust。」全體團員異口同聲表示驚訝。他們一向以為馬太和馬可福音中所說的locust是蝗蟲！事實上，他們所想的或許是正確，問題在於他們從未想到可能有另一個解釋，因為在他們的文化中，這個字普遍解作「蝗蟲」(grasshopper locusts)而非「洋槐果」(locust fruit)。

回應文化的處境

準確的釋經只是宣教士責任的開始。宣教士現在一定要往另一個方向去看——就是擁有自己的世界觀、價值體系和傳意編碼的「回應文化」。他要緊記在這個文化的回應者，也像他一樣浸淫在自己的文化意念和價值之中，有自己的一套。他們也許比不上「宣教士文化」中的非基督徒對「聖經文化」那麼熟悉，但他們亦會表現出同一的傾向，泛用和投射自己的文化到蘊含「聖經文化」的信息裡。

因此，宣教士的第二項挑戰，是用「回應文化」的人群認為有意義的語言和形式，來將聖經信息**編碼**(encoding)，務要傳講最多的聖經信息，而盡量使自己原有文化的**干擾減少**。

別以為這是一件容易的事。試想，怎樣可以用非洲扎納基人(Zanaki)所明白的方式來翻譯啟示錄三 20。我們不能對迎風住在綿延千里的維多利亞湖旁的扎納基人說：「看哪！我站在門外敲門」(啟三 20)，若如此解釋，就是指基督當時宣佈祂是賊。因為在扎納基人的土地上，竊賊習慣先敲敲他意圖爆竊的房屋的門，如果聽到裡面有人在動，就會逃竄到黑暗中。而老實的人來屋前，會叫喚屋裡的人的名字，讓人辨認他的聲音。因此，扎納基語譯本必定要說：「看哪！我站在門外叫喚。」這樣用字，我們也許感到奇怪，但含意卻是一樣。這兩種情況，都表達基督在呼喚人來開門；祂不是賊，祂不會強行開門。當祂來

到我們面前,「祂會敲門」;但在扎納基,「祂會叫喚」。若要指出有任何不同,就是扎納基的説法較我們的稍為個人化而已。[3]

在「回應文化」的處境中,宣教士的傳達還有另一方面需要留意的。我們説過,宣教士的最終目的是要從對象文化中興起有效的基督信息源頭,若宣教士的傳達不能持守這個目標,便是短見。教會的普世任務,都因為缺少了這個異象而大大削弱了。西方的宣教士和教師很容易會鼓勵(常是不自覺的)本地的教會領袖,以西方的方式來思考和處事。一位亞洲牧者在參加一個跨文化傳意課程後,坦言他牧會多年,都在向亞洲聽眾講授「西方式講章」。畢竟,他是從北美宣教士聽到福音,又從英語和德語教科書研習神學、講道學和佈道學,他大部分的基督教訓練都是遵循西方文化的語言和模式。在這個案例上,雖然回應文化是他自己的文化,但他的基督教傳意缺乏與這種文化相關的地方,是不足為奇的。

此外,大多數的宣教士都沒有向「回應文化」教導向其它群眾傳達基督的關愛;因此,香港的基督徒很少關心印尼,委內瑞拉的基督徒對秘魯的未信者也漠不關心。故此,縱有宣教異象出現(已在很多「宣教工場」的教會出現),大都不是「西方」宣教士牧養的成果。這雖是一件諷刺而可悲的事,卻可以理解。宣教士的宣教關懷,都專注在他的對象文化;除非他能把全世界都看成神所愛的對象,並向本國的基督徒傳達,他們的眼光才不會被自己所局限!

注釋

1. Louis J. Luzbetak, *The Church and Cultures* (Techny, IL: Divine Word, 1963), pp.60-61。

2. Eugene A. Nida, *Message and Mission: The Communication of the Christian Faith* (New York: Jarper ans Row, 1960), pp.33-58。

3. Eugene A. Nida, *God's Word in Man's Language* (New York: Jarper ans Row, 1952), pp.45-46。

(作者為美國伊利洛州三一神學院普世宣教及佈道學院榮休教授,曾在日本宣教達12年之久,Evangelical Missiological Society 創辦人並曾兼任總裁。)

研習問題

1. 我們怎樣才可以學習其他人和其他群眾的文化,使傳意更有果效?

2. 怎樣才可以學習與聖經有關的文化,使能為一個回應文化群眾來將聖經信息編碼?

Redemptive Analogy
救贖的類比

Don Richardson 著　　楊竹安譯

宣教士初進異文化工場的時候，總會覺得格格不入，這是預料之內的，而福音也會被貼上「外來品」的標籤。我們該如何傳揚福音，才使它切合當地文化呢？

依照新約的做法，可以**救贖的類比**來幫助溝通。以下是一些參考的例子：

• 猶太人有獻羊羔的祭禮。施洗約翰宣稱耶穌就是那完全的祭牲，他說：「看哪，**神的羔羊**，除去世人罪孽的！」這就是**救贖的類比**。

• 耶穌與尼哥德慕這位猶太拉比說話，兩人都很熟悉從前摩西在曠野舉起銅蛇的事，凡被蛇咬的以色列人只要仰首一望這銅蛇，就得醫治了。所以耶穌告訴尼哥德慕，「摩西在曠野怎樣舉蛇，人子也必照樣被舉起來，叫一切信祂的都得永生」，這也是**救贖的類比**。

• 在曠野，摩西曾每週六天源源不斷供應以色列人奇妙的嗎哪來充飢，一群猶太群眾同樣期望耶穌也能常常施行五餅二魚的神蹟。耶穌回答他們說：「那從天上來的真糧，不是摩西賜給你們的。因為神的糧就是那天上降下來賜生命給世界的……我就是生命的糧。」我們再一次看到**救贖的類比**。

當一些人質疑基督教摧毀猶太文化時，希伯來書的作者清楚指出，耶穌完全了猶太文化的核心——祭司職份、會幕、獻祭，以至安息日。我們稱這些為救贖的類比，因為它們可以幫助人了解救贖的意義。在不同文化下，神會用特殊的方法來預備人心，使人認識到耶穌就是彌賽亞。如此看來，在聖經以外，神的普遍啟示就成了普世的救贖類比資料來源(參詩十九1-4及約一9)。

當今的重要策略

今天的宣教士可以運用這一個策略，在不同的文化中找出可供使用的救贖類比。仔細想一想：使用救贖類比來領人信主，他們可以從固有的文化中找出潛藏著的屬靈真義，信主者不必拋棄自己的文化背景，反而可以

從聖經和自己的文化遺產兩者中得到更多的啟迪，也能夠更有效地把基督介紹給其餘的族人。

救贖類比的探求和使用

薩維族(Sawi)的「和平之子」

筆者夫婦從《和平之子》(*Peace Child*)一書看到薩維族人以背叛為美德，都大感驚訝。如此，賣主的猶大不就成了英雄嗎？然而，薩維族也有這樣一個求和的習俗——一位父親必須從自己的子女中挑出一個孩子，交給敵方的一位父親來撫育，這孩子就叫做「和平之子」。在一次部族衝突的危急關頭，我們抓緊機會告訴他們，基督就是神的「和平之子」。這位最偉大的父親，為了向外邦人求和，竟捨棄了自己的兒子，薩維人立刻就能夠了解神的救贖故事。今天，70%的薩維人相信了耶穌。

達馬爾族(Damal)的金光閃爍年代——哈伊(Hai)

事實上，這種出人意料之外的救贖類比，並不限於薩維族。上一代，伊里安查亞島(Irian Jaya，今稱巴布亞)上的達馬爾族仍過著石器時代的生活。由於他們的天性較為溫和，常常受強大的達尼族(Dani)所欺壓。達馬爾族廣泛流傳著一種觀念稱為「哈伊」，亦即他們長久期盼的金光閃爍的年代——石器時代的理想國度，那裡沒有戰爭，人類不再互相欺壓，疾病也消失。

他們的領袖慕古曼代(Mugumenday)一直期望哈伊的到來。他在臨終之時，對兒子丹姆(Dem)這樣說：「兒啊！我這生等不到哈伊了。現在，你必須儆醒等候，也許在你有生之日它會來到。」

若干年後，幾對宣教士夫婦來到達馬爾山谷，學習達馬爾族語言，向族人傳福音。起初，丹姆和族人基於禮貌不得不聆聽。有一天，長大成人的丹姆驀然領悟，雀躍地說：「同胞們，我們的祖先等候哈伊已經很久了，我的父親也抱憾而終。但是現在，這些陌生人把哈伊帶來了！我們一定要相信他們的說話，否則，我們會錯失了這古老預言的應驗。」

於是，整個達馬爾族都樂於接受福音。短短數年間，教會幾乎在每個達馬爾村落如雨後春筍般冒出。這只是故事的開始，精采的事在後面哩！

達尼族(Dani)的長生不老

高傲自大的達尼族對達馬爾村落歡欣鼓舞產生好奇，就差了能說達馬爾族語的人去探問。當他們聽到達馬爾族長久的期盼得著應驗，大吃一驚，因為他們也在等待納貝爾安－卡貝爾安(Nabelan-Kabelan)的應驗——有一天人類可以長生不死。

達馬爾族的哈伊和達尼族的納貝爾安－卡貝爾安可能是同一回事嗎？

就在那時，一對在達馬爾族工作的宣教士哥頓和佩姬夫婦(Gordon and Peggy Larson)被差往達尼族。達尼族的勇士發現，這對宣教士口中常提到的耶穌，不僅能使死人復活，祂自己也經歷了死後復活。轉眼之間，達馬爾族的事件在達尼族重演了。消息在一個接著一個的村落中迅速傳開，野蠻的達尼族聽到了這生命之道，一個教會因此而誕生了。

阿斯馬特族(Asmat)的「新生」

對位於伊里安查亞島上的另一個野蠻民族阿斯馬特而言，「新生」的觀念同樣可用救贖的類比來表達。新約中的尼哥德慕是一個學識淵博的猶太學者，卻無法了解耶穌所說的重生；他說「人已經老了，如何能重生呢？豈能再進母腹生出來嗎？」然而，阿斯馬特族卻能了解福音中新生的觀念。他們有一個媾和的方法，就是由敵對的兩族男男女女排成如同產道的人牆，然後使雙方的孩子們從中間經過。凡順利經過的孩子便被視為敵方的重生孩子，如同新生嬰兒般受到百般嬌養呵護，並成為祝捷會的焦點人物；以後，他們成了和平的保證，可以自由穿梭於原本敵對的兩個部族之間。幾百年以來，阿斯馬特族深信：真正和平只能建立在新生之上。

若神呼召你向阿斯馬特人傳福音，你會從何處入手呢？且讓我們作一個假設：你已經能操流利的阿斯馬特語，能與他們促膝長談。一日，你前往探訪一位傳統的阿斯馬特人艾瑞庇(Erypeet)。你會先與他談一場戰爭，再提到這場戰爭在新生儀式後結束。然後，你對他說：「其實我對新生也很有興趣，正如你所知道，從前我和神之間也常有爭戰，那時我所過的日子就如同你和敵人在爭戰中一般苦澀。可是有一天，神來找我，並對我說：『為使我們和解，我已經預備好了新生，從此我可以在你裡面重生，你也可以在我裡面重生……。』」

如此一來，你必能引起他高度的興趣，追問你：「你們也有新生嗎？」他會驚訝你這樣一個外地人會如此進步，有新生的觀念，也曾經**經歷**！

「是的。」你回答說。

「和我們的一樣嗎？」

「當然，有些地方很相似，也有些不太一樣。」你如此回答，並接著說：「讓我詳細告訴你……」艾瑞庇因此就明白了。

為甚麼艾瑞庇的反應和尼哥德慕如此不同？因為在他的文化背景中有新生的期盼，阿斯馬特人艾瑞庇很快便能接受救贖的類比，你的責任就是說服他，使他明白自己也需要**屬靈**的重生。

難道救贖類比的運用純屬巧合？不。早已見諸新約之中，而且救贖類比處處可見，這是神恩典的工作。因為，我們至高偉大的神是實實在在的。

雅利族(Yali)的避難所──奧蘇瓦(Osuwa)

正如《遍地梟雄》(*Lords Of The Earth*)一書所言，在眾多不同文化中，在伊里安查亞的食人族雅利人的文化中，一直找不出可以使用的救贖類比。1966年，拓荒使團(Missionaries Of The Regions Beyond Missionary Union，即今世界宣教使團 World Team)，成功地帶領了近 20 人信主，雅利的神坎布(Kembu)的祭司立刻殺了其中兩位。兩年後，他們又殺害了 Stan Dale 和 Phillip Masters 兩位宣教士，兩人身上都中了百枝利箭。此舉使印尼政府震驚，不得不介入以防止暴亂擴大。懾於政府的強大軍力，雅利族權衡輕重，決定接納宣教士，以免士兵壓境。只可惜，宣教士們在雅利族的文化中卻找不出可以詮釋福音的類比例子。

最後，筆者和一位宣教士帶領一個「文化勘察」計劃，研究雅利族的習俗和信仰。一天，青年伊拉利克(Erariek)告訴我們他自己的經歷。他說：「許久以前，我的哥哥和朋友遭河對岸的敵人伏襲，哥哥的朋友當場喪生，哥哥逃到附近的一個圓形石牆，縱身跳入石牆內，然後轉身面對敵人，露出他的胸膛，大聲嘲笑他們，敵人就匆匆放下武器逃走。」

我差點兒把筆掉到地上，驚訝地問道：「他們為甚麼不殺他？」

伊拉利克笑著回答：「因為哥哥站在稱為『奧蘇瓦』的石牆中，他們就不敢動他一根汗毛，否則必定會被他們本族人追殺。」

雅利族的牧師和宣教士從此得到了一個很好的傳福音工具。基督就是屬靈的奧蘇瓦，是他們穩妥的避難所。雅利文化中特有的奧蘇瓦吻合了基督教所說的人類需要避難所。許多年前，他們在戰爭經常爆發的地區設置了多個奧蘇瓦，宣教士雖然見過這些石牆，卻未能發現它們的用處。

將神的名稱本土化

同樣，我們在全球數以千計的語言中為神取名時，也可以使用救贖的類比。基督徒常犯的一個錯誤，就是以為異教徒對神一無所知；其實，很多異教文化的觀念中，都清晰地存有一位創造萬有的至高之神。神藉著受造物和良知來啟示祂自己，這一點聖經早已陳明，毋須大驚小怪。可以看看以下的例子：

1. 使徒保羅寫道：「自從造天地以來，神的永能和神性是明明可知的，雖是眼不能見，但藉著所造之物就可以曉得，叫人無可推諉。」(羅一 20)保羅的佈道神學，是以外邦人在接觸猶太律法或基督福音之前，早已對神有粗略的概念為基礎，所以，他在呂高尼的路司得宣稱：「祂在從前的世代，任憑萬國各行其道，然而為自己未嘗不顯出

証據來，就如常施恩惠，從天降雨。」(徒十四 16-17)

2. 在寫給羅馬基督徒的書信中，保羅寫道：「當外邦人若順著本性行律法上的事，這是顯出律法的功用刻在他們心裡。」(羅二 14-15)

3. 使徒約翰宣稱基督耶穌「是真光，照亮一切生在世上的人」(約一 9)。所羅門王亦寫道，神已「將永生安置在世人心裡」，但他也審慎地説到，「然而神從始至終的作為，人不能參透」(傳三11)。根據希伯來學者愛格森(Gleason Archer)的見解，所羅門王認為，雖然世人的道德觀念起伏不定，但神賜他們掌握永生概念的能力。[1]

4. 那位闡述神藉被造物顯明祂自己的作者，所羅門的父親大衛王説：「諸天述説神的榮耀，穹蒼傳揚祂的手段。這日到那日發出言語，這夜到那夜傳出知識。無言無語，也無聲音可聽。它的量帶通遍天下，它的言語傳到地極。」(詩十九 1-4)其後，作者以太陽為主角，描述它「如同新郎出洞房，又如勇士歡然奔路」(詩十九 5-6)。以這段經文來引介帕契古鐵王(Pachacutec)登場是最合適不過的。

帕契古鐵的小規模革新運動

放眼人類歷史，帕契古鐵王也許是最切合上述保羅、約翰、所羅門和大衛所描繪的人選。帕契古鐵是印加人(Inca)，生於公元1400年，歿於1448年。[2] 他設計建造了也許是新大陸的第一座山上渡假中心馬丘比丘(Macchu Picchu)。自西班牙人入侵秘魯之後，馬丘比丘成了印加文化上層人士的最後崇拜處。

帕契古鐵和他的國民一直膜拜太陽神印帝(Inti)，但他對太陽漸漸產生了懷疑。帕契古鐵也像大衛一般，對太陽做了一番研究。就他觀察所得，太陽每天東升，在天的最高處照耀大地，然後西沉；就這樣日復一日，年復一年，乏善可陳。他無法像大衛般，把太陽比擬為新郎或勇士。帕契古鐵説：「印帝好像一個勞工，每天重複相同的工作；神決不可能像個勞工。如果印帝真是神，總會偶爾有一些創意吧！」

他再三深思，又觀察到：「少許雲霧便能遮掩印帝的光芒；如果印帝是真神，怎可能失去光輝呢？」這時，他才瞭解問題的關鍵──向來把**一件物件**當成造物主來膜拜！

如果印帝不是真神，誰是真神呢？帕契古鐵這才想起父親曾經讚賞的一個名字──威拉哥切(Viracocha)。他的父親曾說過威拉哥切是創造宇宙**萬物**的神，當然也包括印帝在內！帕契古鐵恍然大悟，從前錯認印帝為神實在是一件荒謬的事，於是他召集了太陽神的祭司們，開了一個媲美尼西亞會議的大會。會議上，帕契古鐵陳明威拉哥切才是至高主宰的原因，而

且下令大家只能向威拉哥切這位至高神禱告，今後，大家只能把印帝當作「族人」來看待。

雖然學者一般都忽略了帕契古鐵這位人物，推崇那位倡導以較淨化的太陽崇拜來取代古埃及混亂的偶像崇拜的埃及王亞坎那頓(Akhenaten)，公認其為少有的天才。[3] 然而，帕契古鐵確比亞坎那頓更有洞見，因為他了解太陽除了射出**刺眼**的光芒外，實在比不上那位肉眼所不能見到的偉大的神。如果亞坎那頓的太陽崇拜較諸偶像崇拜高明一等，那麼，帕契古鐵則因選擇了一位看不見的神而躍進了尖端的學術領域。

何以現代的學者，無論宗教界抑或世俗的，都忽略了帕契古鐵這位尖端人物？也許答案在於他未有進一步進取。事實上，能否將個人的洞見傳遞給普通人，是一項衡量天才的要素。從摩西到佛祖，從保羅到路德，偉大的宗教領袖都具有這樣的本領，可是帕契古鐵從未如此嘗試。也許因為他覺得他的國民過於蠢笨，無法認知這一位看不見的神的存在，故刻意不告訴他們。帕契古鐵王的革新縱然令人驚異，但只局限在上層社會，所產生的影響甚少。帕契古鐵死後不足一百年，來自西班牙的殘暴征服者摧毀了帕契古鐵王朝的上流社會，也結束了他的改革。

威拉哥切是一位真神，就那位創造萬有的神嗎？抑或只是出於帕契古鐵的想像，是冒牌貨呢？倘若使徒保羅生在帕契古鐵的年代，也到了秘魯宣教，他會直斥帕契古鐵的看法為荒謬嗎？抑或他會贊同，在這塊地上，耶和華名字就是威拉哥切？我們不難推斷保羅處理這個問題的態度。當保羅向說希臘語的群眾傳福音時，他並沒有大力推銷神的猶太名字——耶和華、雅巍、以羅欣、主或伊勒沙代，保羅卻以他使徒的權柄，認可業已通行 200 年的舊約《七十士譯本》的用法，以希臘文神(*Theos*)一字來稱呼猶太人的神。保羅懂得入鄉隨俗。

耐人尋味的是，舊約《七十士譯本》的譯者並未將雅威和希臘的神明宙斯(*Zeus*)劃上等號，保羅也沒有這樣做。希臘人雖把宙斯當作眾神之王，卻認為他是克羅諾斯(*Cronus*)和瑞亞(*Rhea*)兩位神明所生的下一代。如此一來，宙斯的名字便不能用來代替耶和華(雅巍)這位自有永有、無始無終的神。後來，羅馬時代的基督徒也用了和希臘文 *Theos* 同語根的拉丁文 *Deus* 來稱神。

此外，當保羅到雅典傳福音時，他大膽地將耶和華(雅巍)等同於雅典人民在祭壇所膜拜的「未識之神」，並說：「你們所不認識而敬拜的，我現在告訴你們。」(徒十七 23)

傳福音的契機

由此，我們看到一個重要的原則：神的名字無論是發音或是字母，

沒有任何部分是絕對神聖的；這恰與耶和華見証人的信念相反，也與中國人的傳統觀念相反。我們必須用一個稱呼來稱這位自有永有的神，所以，若有實際需要，神的名字在一萬種方言中，可以有一萬種不同的稱呼。在任何一種文化既有的神觀中，若有一些可以發揮的空間，那不是傳福音的攔阻——而是契機！

從保羅時代至今，在基督教遍傳世界各地的過程中，至高神的觀念至少與上千種文化傳統相結合：

- 當凱爾特(Celtie)宣教士向北歐的盎格魯－撒克遜(Anglo-Saxons)人傳福音時，並沒有強迫盎格魯－撒克遜人使用神的猶太名字或希臘名字，而是使用了本地人的稱謂，如 Gott, God 或 Gut。

- 1828年，美國浸信會宣教士鮑喬治夫婦(George and Sarah Boardman)發現緬甸南部的克倫族(Karen)相信遠古以前有一位名叫雅洼(Y'wa，讀音近雅威)的偉大神明，送了一本聖書給他們的祖先。不幸的，祖先把那本書弄丟了。根據他們流傳已久的傳說，有一天，將會有一位膚色極白的弟兄把這本失掉的聖書帶回來，他們就可以與雅洼重建交情。傳說中還指出，這個人出現的時候，腋下夾著一個黑色的東西。鮑喬治理所當然地成為那位傳說中的人，因為他的確有把黑色皮面聖經夾在腋下的習慣。接下來的數十

年間，10萬個克倫族人受洗歸入主的名下。

- 1867年挪威的路德會宣教士史賴斯(Lars Skrefsrud)發現，印度數以千計的桑達爾族(Santal)一直在為他們的祖先拒絕了 Thakur Jiu 這位真神而懺悔。史賴斯便向他們宣告，Thakur Jiu 的兒子已經來到世上，和原本交惡的世人言歸於好。結果，數十年之內，逾10萬桑達爾人接受了耶穌基督為救主！

- 長老會的宣教先驅在韓國發現韓國人的神名叫 Hananim，意即「偉大的那一位」。宣教士們並沒有強迫韓國人放棄原本的神名，去採用一個外國名稱，反而宣稱耶穌基督是 Hananim 的兒子。約80年間，逾250萬韓國人跟從了耶穌基督。

- 1940年代，蘇丹內地會的白艾伯弟兄(Albert Brant)發現，在埃塞俄比亞有數以千計的格迪奧人(Gedeo)毫不猶疑地相信 Magano 是造物主，有一天會派遣他的使者在一株特定的無花果樹下扎營，白艾伯弟兄滿有信心地在那株無花果樹下搭了一座帳棚。奇妙的事發生了，格迪奧人開始對福音產生興趣，不足30年已建立了250間教堂。

在宣教的歷史上，類似的突破性故事多得不計其數。保羅、約翰、所羅門和大衛都說對了，神藉普遍啟示來見証祂自己。可惜的是，過去的世代，少有人願意遵行主所吩咐的大使

命。帕契古鐵王心中有永生，若有福音使者幫助他尋到耶穌基督，指出他的推論極其正確，事情會如何發展呢？我們難以想像。

世上還有多少人會像帕契古鐵王一樣在錯失良機中死去？又有多少像帕契古鐵一樣的人，有機會在末日時和示巴女王及尼尼微人並列，一起審判不信者的罪 (路十一 31-32)？讓我們這個世代的人努力效法鮑喬治、史賴斯、白艾伯等宣教士，熱愛別人的靈魂，親赴工場去宣揚福音。

我們這一代，神的名稱可說是傳福音的關鍵所在。例如，好些基督徒認為伊斯蘭教徒稱呼神的阿拉伯名字**阿拉**(*Allah*)，絕不能和耶和華／以羅欣混淆。然而，在印尼有數百萬計的基督徒稱神為**阿拉**，稱主神為**吐汗阿拉**(*Tuhan Allah*)。或許正因為如此，印尼的基督徒在帶領穆斯林歸主的事上遠較其它地區的基督徒更有果效。我們也要知道，許多伊斯蘭教國家的穆斯林正要立法禁止基督徒以「阿拉」一名來稱基督，因為他們明白「阿拉」已深入穆斯林的心。

薩維族的和平之子、達馬爾族的哈伊、達尼族的納貝爾安－卡貝爾安、阿斯馬特族的新生和雅利族的奧蘇瓦，這些觀念正是各種人類文化的核心。若是宣教士們忽略了而不重視這些特點，人們會本能地抗拒這外來的福音。而救贖的類比正是尋找和確認神在各種文化中的普遍啟示，那麼，神的特殊啟示──聖經，便會被視為是神的、來自神、屬於神的最高啟示。世上還有許多地方的人對福音少有反應，甚至無動於中；我們藉著對當地文化敏銳的研究，使用救贖的類比，可以幫助我們尋得出乎意料之外的途徑去傳揚福音。

注釋

1. 資料來自與 Gleason Archer 的面談。
2. *Indians Of Americas* (Wash., D. C.: National Geographic Society, 1995), P.293-307.
3. *The Horizon Book Of Lost Worlds* (New York: American Heritage Publishing, 1962), P.115.

〔*作者為世界宣教使團(World Team)資深會牧，並經常在宣教會議及與本書有關之課程上演講。*〕

研習問題

1. 假設你是位宣教工場的新丁，你會如何在福音對象之中尋找救贖的類比？

2. 普遍啟示的觀念如何影響宣教士使用神的名字(特性)及聖經真理？

Three Encounters in Christian Witness
與福音見證抗衡的三種力量

Charles H. Kraft 著　　石彩燕譯

今天，在非靈恩派中我們聽到有關權能對峙(power encounter)的事件越來越多，使我們對靈界的恐懼減低了，也較昔日為開放，甚至有幾所宣教士訓練機構開設了相關的科目；然而，我們要避免走向極端。本文提出一個認識權能對峙的進路，就是按聖經真理來看三方面的對抗，其中兩種是福音派人士所熟知的。

基本概念

「權能對峙」一詞是由宣教士兼人類學家提柏特(Alan Tippett)首先提出的。他在1971年出版的書 *People Movements in Southern Polynesia* 中談到，按他所觀察，南太平洋早期接受福音的人，是因為看見神的大能與當地異教神明「對峙」時得勝，當地的男女祭司隨即褻瀆他們傳統神明的象徵物，宣佈棄絕它們，效忠真神，發誓只祈求真神保護和賜予屬靈能力。

同時，祭司會吃與圖騰有關的動物(如靈龜)，並請求耶穌保護。當地人看見祭司這樣做也沒有災禍降臨，就願意接受福音。[1]提柏特以這些事實，加上聖經的例子(出七至十二章的摩西對抗法老，王上十八章的以利亞與巴力先知對抗等)，建立了權能對峙的觀念。

近年來，這個名詞廣泛見於醫治、趕鬼及其它「顯出耶穌基督較某些民族所敬拜或懼怕的精靈、權能、假神更有能力的具體事實」，[2]也成為從敵人手中為神的國度「奪回領土」觀念的基礎。

由此看來，耶穌一生的工作都是神與魔鬼在權能上對抗。以後歷代的使徒和教會，繼續使用耶穌所賜給門徒的「能力、權柄，制伏一切的鬼，醫治各樣的病」(路九1)。今日，在中國、阿根廷、歐洲、伊斯蘭教世界等地，幾乎每一處有教會迅速增長的地區，都出現這類的事件。

提柏特亦看到，世上大多數的人都關注權能，看見神所顯出的能力，大多願意接受基督。[3]有關信心、愛心、寬恕的信息以及基督教的其它真理，對人所產生的影響都不及彰顯屬

靈能力所產生的果效為大。筆者的經歷與提柏特的理論相符。所以，跨文化工作者要盡量效法耶穌的工作，重視權能對峙。

其它的對峙

誠然，宣教士會面對不少權能對峙的提問，其中一個基本的問題是，怎樣把我們關注的權能與傳統強調的真理和救恩結合。在作見證方面，我們應該有三方面的進路。

耶穌與撒但對抗不僅是權能對峙，是有更廣闊面的。我們若要公道且持平的按聖經行事，必須對另外兩種的對峙——效忠與真理——同等關注。以下會專注於三者在新約聖經中的密切關係，並列出大綱，希望對讀者有所幫助：

耶穌與撒但的對抗

1. 耶穌在權能方面與撒但對抗：結果是把人從撒但的捆綁中釋放，帶進耶穌基督裡享自由。

2. **耶穌在人的效忠上與撒但對抗**：結果是把人從錯誤中挽救出來，與耶穌基督建立關係，並向神效忠。

3. **耶穌在真理方面與撒但對抗**：結果是使人從無知與乖謬中逆轉，正確地認識耶穌基督。

可是，世界上有不少已跟隨耶穌的人，認識許多基督教的真理，卻未放棄信主前曾信奉或接觸過的所謂靈界力量。他們並未靠著耶穌的大能來對抗從前所跟隨的黑暗勢力，也未擊敗它，生活於「雙重效忠」之中，對真理的認識混淆不清。

所以，有人認為舉行醫治、釋放大會，彰顯基督的大能，便會有大批的人跟隨主；又認為經歷過神醫治大能的人，便會自動委身於該力量的來源；這些都是錯誤的假設。

筆者知道有一些這樣的活動只吸引了幾個人真正信主。何故？因為沒人真正帶領這些經歷耶穌大能的人委身歸主，因為他們慣於接受不同來源的能力，所以覺得沒有必要專一效忠於耶穌，而不求問其它神明。

相信，耶穌期望我們和祂一樣，在我們的事奉中彰顯能力(路九 1-2)。可是，若只鼓吹權能對峙而忽略了另外兩條戰線——效忠與真理，這就不是持平地看聖經真理。在耶穌時代，不少人見過，甚至經歷了神的大能，但仍有很多未歸向祂；這個事實提醒我們，若單單彰顯神的權能作為傳福音的全部策略，便有所不足。

平衡各種對峙

上述大綱勾畫了耶穌事奉的三條戰線。一般來說，祂先作教導，跟著顯示權柄，然後再作教導，至少對門徒是如此(如路四 31 以下，五 1 以下，17 節以下，六 6 以下、17 節以下等)。耶穌的教導有時會委婉，有時也會直接地呼籲人效忠於神，或忠於祂。耶穌與人交往的時候，似乎多向未跟隨

祂的人顯示權能，而對已向祂委身的則以教導為主。

在展示了祂擁有極大的權能後，祂最少呼召了首五位門徒效忠於祂〔彼得、安得烈、雅各、約翰(路五)和利未(路五27-28)〕。門徒一旦決定了他們的效忠對象，便要學習和實踐更多的真理，才能成長。

正如今天大多數人一樣，第一世紀的猶太人十分看重屬靈能力，保羅也提到他們要看神蹟(林前一22)。耶穌每到達一個新地方，先從事醫病、趕鬼(例如路四33-35、39，五13-15，六6-10、18、19等)，祂是按著人所關心的事來切入。祂會派門徒作先頭部隊，進入一個村莊時，也吩咐他們用同樣的方法(路九1-6，十19)。

人群期望耶穌用神蹟來證明自己的能力，祂卻不願意用這個方法來滿足他們(太十二38-42，十六1-4)。可見，耶穌顯示權能，除了要彰顯神的大能外，相信祂想表達的至少還有兩個重要的目標。其一，耶穌顯出神的本性，是要叫人看到祂的愛，正如祂對腓力說：「人看見了我，就是看見了父。」(約十四9)每當有人來央求耶穌，祂就無條件醫治、趕鬼和祝福，即使沒有人回來謝恩，祂也不會收回已賜下的恩典(路十七11-19)。祂用神的大能顯明祂的愛。

其二，耶穌領人進入最重要的戰陣，就是效忠的對峙。所以法利賽人要求祂行神蹟時，祂明顯地挑戰他們

說，當審判的時候，悔改了的尼尼微人會定他們有罪(太十二41)。人能夠經歷神的大能是美好，是震撼人心的，但惟有靠著基督歸向神，人才可以得救。

對抗的本質與目標

這三種對峙——權能、效忠和真理——各不相同，每一種都意圖啟動一個過程，使基督徒的經歷可達到一個特定的目標：

1. 真理對峙所關注的是人對真理的認識，對抗的途徑是教導。
2. 效忠對峙所關注的是人與神的關係，對抗的途徑是作見證。
3. 權能對峙所關注的是人的自由，對抗的途徑是屬靈爭戰。

真理與認識是頭腦方面，向神效忠及建立關係主要在意志方面，而自由則在情緒的經歷。

1. 真理的對峙

真理的對峙需要運用思想，挑戰意志，真理亦為其它兩種對峙提供可以發生和詮釋的處境。耶穌時常教導真理，為使人更了解神和祂的計劃；也藉著教導真理，提高人的知識。聖經告訴我們，知識不單是哲學上和學識上的，乃基於與神的關係和經歷。與其它兩種對峙一樣，真理對峙不僅是字句或頭腦知識上的事，也是個人的，要從經驗出發。

我們專心教導知識和真理，便會

使人對其它兩種對峙也有充分的了解和準確的詮釋。只有透過真理才會清楚明白權能彰顯的重要性，否則會造成誤解，或只能產生很輕微的影響。惟有認識權能的來源、彰顯的原因，人才可以正確地詮釋權能的事。耶穌教導門徒時顯示祂的權能，可見人人都需要對此有所認識。

真理的對峙

開始 ── 過程 ── 目標
意識到　引向知識　了解真理

2. 效忠的對峙

這方面的對峙包括操練對主忠心和順服的意志，是最重要的一個對峙。不忠於耶穌，不順從祂，就不可能有屬靈的生命。

第一次的效忠對峙使人與神建立關係後，人的意志與神的旨意繼續交會，與祂的相交便越密切，也越像祂，也更能夠降服於祂的旨意之下，實實在在地與祂結連。透過真理對峙，會慢慢滋長出對神的忠心和緊密的關係，就是與真理緊密相連；也因為與神建立了關係，人才有真正的生存理由。

透過效忠的對峙，便能夠結出聖靈的果子，尤其是愛神、愛人的心。我們會從愛(或忠於)那惡者所操縱的世界(約壹五19)，轉向那位愛世界及願意為世界捨命的神。我們越與神親密，就越像他，與基督的形像更相似(羅八29)。

效忠的對峙

開始 ── 過程 ── 目標
忠於耶穌　關係漸密切　耶穌基督的性情

3. 權能的對峙

這一種對峙給予基督徒另一類的經歷，聚焦於拯救人脫離仇敵的捆綁。撒但弄瞎人的心眼(林後四4)，限制人，妨礙人，傷害人，為的是阻擋人效忠於神和真理。牠在人心各方面工作，似乎特別善於傷害人的情緒。所以人要忠於基督，就要在情緒上得到釋放。

權能的對峙

開始 ── 過程 ── 目標
醫治、釋放等　更加自由……　勝過撒但

一個人被醫治，得釋放，受祝福或擺脫敵人的操控，最大的收穫是得到自由，但對旁觀者的影響大不相同。若正確地詮釋，這個對峙所傳達的基本真理是神的權能和大愛，旁觀者看到的是神值得信靠，因為祂願意，又能夠把人從撒但所作的毀滅中釋放出來。

權能的對峙──旁觀者的觀點

開始 ── 過程 ── 目標
吸引注意　彰顯　信靠神

有時，我們愛人，接納人，寬恕人，在困擾時有平安，以及表現出基

督徒其它的美德，這雖然不能說是權能對峙，但這些行為會吸引人，帶領人相信神，在在見證著有一位慈愛的神存在，祂願意賜人豐盛的生命，救人脫離魔鬼。

三個戰線同時作戰

宣教士的福音見證，需要同時面對這三種對峙。從這三部分所構成的圓圈(參下圖)，可以看見這三種對峙不是個別出現的：

要從敵人的手中得釋放，便要：(1) 打開心靈接受真理，明白真理(林後四 4)；(2) 放下自我，向神效忠。並且繼續向神效忠，否則就不能認識和實行基督教真理，也不能行使權能；若不能繼續在權能對峙中獲勝，脫離撒但的轄制，就不能持守真理，效忠於神。我們在生活上，經常要面對這三方面的張力。

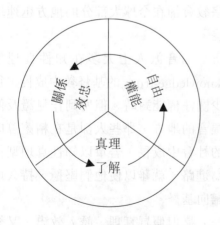

以上的圖反映出這三方面對基督徒的生活和作見證的相互影響。

對峙過程有三個階段，第三個階段的結果，是使人向剛進入第一階段的人作見證。開始時(第一階段)，人在撒但操控之下，無知及乖謬，向不屬基督的事效忠。但透過權能對峙，脫離了捆綁，得著自由，離開使人瞎眼、意志薄弱的敵人，向真理敞開；又透過真理和效忠的對峙，充分明白了應有的行動，也經歷了不少誘導他們忠於基督的挑戰。

踏進第二個階段，人雖已向基督效忠，但仍不斷受到仇敵的騷擾和傷害，要不斷在屬靈上爭戰，才得到更大的自由。他們仍要繼續接受教導和挑戰，使更順服、更效忠於神。在這三方面不斷的爭戰，人與神及與人的關係便更加密切。

到了第三階段，信徒與神的關係更密切，在權能對峙之中，就能藉著禱告來打破撒但的欺騙、騷擾、叫人生病、附體等勢力。在權能對峙時，真理的對峙和對神效忠的對峙會同時出現，所以，信徒會面對要更委身及順服神的挑戰，尤其是在向第一階段的人作見證時更激烈。

基督徒除了自己成長外，也要作見證。耶穌在世上的工作後期，更多談到自己與門徒及門徒彼此的關係(如約十四至十六章)，也提到會賜給他們權柄和能力(徒一 8)；耶穌慎重地把權柄和能力與作見證結連(如太二十八19-20；可十六 15-18；徒一 8)。

耶穌吩咐門徒要等候屬靈的能力，才開始作見證(路二十四49；徒一

	開始	需要	過程	結果
第一階段	被撒但擄掠	有自由去認識	權能對峙	
	無知／乖謬 ——	充分明白可以有行動	真理對峙	—— 委身基督
	效忠不屬基督的事	委身基督的挑戰	效忠對峙	
第二階段		賜予保護、醫治、祝福和釋放的屬靈爭戰	權能對峙	
	效忠基督 ——	教導	真理對峙	—— 與神及人的關係更密切
		更委身、順服的挑戰	效忠對峙	
第三階段		有權柄的禱告	權能對峙	
	與神及人的關係更密切 ——	教導	真理對峙	—— 向剛進入第一階段的人作見證
		作見證的挑戰	效忠對峙	

4)，正如祂自己受洗時等候神賦予能力(路三 21-22)。我們若未得著聖靈帶來的自由和揭示真理的能力，就是未受到完全的裝備去作見證(徒一 8)。

給福音信仰人士的指引

撒但擅於欺騙與裝假，故此我們要與牠對抗，而不是簡單地忽視牠。我們也知道與牠對峙時，在我們裡面的神，比那在世界上的更大(約壹四 4)；我們也應當感謝神，因為基督「解除了那些靈界執政者和掌權者的權勢」(西二 15)。可是，我們仍要作戰，這是保羅的吩咐，我們要穿上軍裝與「天空屬靈氣的惡魔」爭戰(弗六 11-12)。所以，我們雖然知道這場戰爭會怎樣結束，但仍需要面對許多戰爭，因此要認識仇敵，知道怎樣與牠爭戰。

從世界上的宣教工場調查所得，許多地方的基督徒同時效忠兩種勢力。不少信徒，包括牧師在內，仍然會找巫醫、巫師和靈媒。與此同時，長於權能佈道及見證的靈恩派和五旬宗教會卻在全球大部分的地方迅速增長。

福音派人士大多在知性真理型(knowledge-truth)的基督教中成長，很少關注權能對峙。但所到作見證及傳福音的地方，那些人卻是在精靈導向的社會中成長，若單以知性真理型作為進路，就難以使他們堅穩、持久地歸向基督。

撒但假冒真理，誘人效忠，又給人權柄；可以說，牠的箭袋裡有三枝箭。但福音派宣教士一般只有兩枝，所以宣教士的工作，時常陷入雙重效

忠與掛名主義而失敗。

我們常常遇到向神明或精靈效忠，或向耶穌基督效忠的挑戰。但當某地需要醫治、生育或雨水不足、洪水泛濫之時，我們一般的回應是開設醫院、學校，或提供現代化農耕技術。在他們(和聖經)而言，他們所遇到的基本上是屬靈的事，而我們卻給予世俗的答案。

我們以基督教叫人興奮的真理，與撒但虛假的「真理」相遇時，往往由於表達方法過於抽象，聽眾難以從我們的生活上看到這種真理。而且，大半的情況是，宣教士與當地基督徒對科學真理較聖經真理更感興趣。

工場上的宣教士和我們所缺乏的，就是「第三枝箭」——真正的新約大能，不斷地經歷每天在行奇事的神同在。我們必須以神的有效大能與撒但的虛假能力對抗，單單有真理和忠心是不足夠的。我們若想在普世宣教上有所成的話，就需要這三種基於聖經的對峙。

注釋

1. Alan Tippett, *People Movements in Southern Polynesia* (Chicago: Moody Press, 1971), p.206.
2. C. Peter Wagner, *How to have a Healing Ministry* (Ventura, Calif.: Regal Books, 1988), p.150. 亦參 John Wimber, *Power Evangelism* (New York: Harper-Row, 1985), pp. 29-32, 及 Charles Kraft, *Christianity with Power* (Ann Arbor: Servant, 1989).
3. Tippett, op. cit., p.81.

(作者為富樂神學院跨文化研究學院人類學及跨文化傳意資深教授，有關之著作甚多。與妻子曾在非洲尼日利亞宣教。)

研習問題

1. 在你的經驗之中，接受基督教的栽培時，最常提及的是哪一種對峙——真理、委身或權能？最少提及是哪一種呢？

2. 這些對峙是獨立的，還是互相依賴的？一方面的成長能影響其它方面嗎？

在人生任何彎角，神都為我們預備了新的憐憫。
At every turn He has had new mercies in store for us.

蓋士利(William Wharton Cassels, 1858-1925)

Social Structure and Church Growth
社會結構與教會增長

Paul G. Hiebert 著 李明儀譯

人類是一種社會性的生物，從出生、長大、結婚，以至死後埋葬，都與其他人一起。他們組成團體、有制度的組織和社會，社會結構就是他們用來締結關係和建立社會的方式。

一個社會可以從兩個層面來看：人際關係和社會整體。若能針對每一層面來作宣教研究，對教會增長的途徑會加深了解。

人際關係：雙文化的橋樑

當一位宣教士在外地安頓後，他會做甚麼？無論他所做的是甚麼工作，都會捲入許多人際關係之內，其中許多並非基督徒，但一般會花上大部分的時間在歸信者身上。他會走到市場去，或在鄉村裡的空地講道，但與他交往最頻密的則是當地的牧者、傳道人、教師和其他基督徒。這種種關係有何獨特之處呢？

從大部分的個案明顯可見，跨文化的溝通是多層次的。宣教士是從家庭、教會和學校接收訊息，他將所得到的訊息傳與本地的基督教領袖，然後由他們再傳給本地各城各鄉的信徒與非信徒。大部分的宣教工作就是由這些不見經傳的人來完成，只有很少例外。

以下我們學習怎樣使用結構分析來看這個傳意鏈(Chain of Communication)的其中一環——宣教士與本地同工之間的來往關係。這是所稱的兩個文化的溝通橋樑，也是大部分訊息在新文化中演繹的關鍵步驟。

雙文化之間的橋樑是兩種不同文化的人之間的一系列關係，不僅如此，它更是一種新的文化。宣教士不可能完全變成一個「本土人」。她整理房子、設立制度和做事的習慣，都反映出她本身的文化，但一步一步，她會逐漸發覺自己已融入了這個新文化。另一方面，與她合作的本地人也有同樣的感覺；他們並沒有離開自己的文化，但與宣教士的互動使他們大量受到外國文化的影響，因而可能被自己的文化所排斥。

處身於兩個文化的環境裡，要花

費許多精力在界定，在新文化裡會應如何運作。譬如說，宣教士在一個大部分人都沒有車子的社會裡應該開車嗎？若要開車，他的本地同工也要有車子嗎？宣教士的子女應到哪裡唸書呢？到當地的學校、宣教士子女學校，還是送到北美去呢？宣教士應該吃甚麼呢？穿甚麼服飾呢？他和本地員工住甚麼房子呢？這些都是在雙文化環境中所呈現的許許多多的問題。

身份及角色

「身份」這個名詞有許多普遍性意思，但在人類學上有其特殊的意義，定義是「個人在一個社會體系中的崗位」。在人際關係的層面上，社會組織是由許多崗位所組成，如教師、牧師、醫生、父親、母親、朋友等等。

每一個身份都帶來某些行為上的期望，例如：我們會期望教師對學生有某些應有的表現，她應該到教室授課，不應在上課時睡覺，或穿著睡衣而來。而教師在面對行政人員、學生家長以及公眾場所中，也有應有的行為表現。

所有的人際關係都有相對的角色，如：教師－學生，牧者－堂會會友，丈夫－妻子等等。兩個個體的關係本質乃基於他們所選擇的身份。

宣教士與本地人

「你是甚麼人？」這是一個置身國外的人經常會被問及的問題，因為人們想知道怎樣與這個新來者交往。

宣教士往往回答說：「我們是宣教士。」這就說明了自己的身份與角色，宣教士自己對這兩者完全清楚。他們知道「宣教士」是怎樣的人，也知道應有的行為。但那些本地人呢？尤其是那些從未遇過宣教士的非基督徒，他們又怎樣看這些外地人呢？

因此，我們必定要回頭來看文化差異。正如語言差異一樣，一個角色在不同的文化之中會有很大的差別。「宣教士」在西方所代表了的身份與角色，並不存在於大部分其它文化之中。當一位宣教士在其它文化中出現時，本地人會觀察他，並且嘗試從他的行為來推論他的角色，繼而總結他是那一類的人，期望他有怎樣的行為。其實，當一個外國人來到我們中間，又宣稱自己是一個「遁世者」(sannyasin)，我們也會有同樣的表現。從外表我們可能認為他是一個「嬉皮士」，其實卻是印度教的聖者。

那麼，人如何看宣教士呢？在印度，宣教士被稱為「*dora*」，這個字是用來形容富農和小國君王。這些微不足道的統治者買了大塊土地，建了圍牆，蓋搭平房和僱用工人，同時也為第二、第三位小妾分別蓋搭平房。當宣教士來到時，他們也是買了大塊土地，建了圍牆，蓋搭平房和僱用工人。他們也同樣蓋了其它的平房，卻是給同一區的女宣教士所用。

而宣教士的妻子被稱「*dorasani*」，

但這名字並不會用來稱呼「dora」的妻子，因為她不會公開露面，是由他的小妾陪伴坐木頭車或汽車外出。

這是一個跨文化的誤解。宣教士覺得自己是一位「宣教士」，卻未察覺在傳統的印度社會中並沒有這個角色。為了與他建立關係，本地人就在自己圈子裡的眾多角色中，給他一個切合的角色。可惜的是，宣教士卻不知道當地的人怎樣看待他們。

過去有些人把宣教士看成「殖民地的統治者」，這是第二個角色。他通常像殖民地的統治者一樣，是白種人，有時候也會藉此得到特權。他不用像本地人一樣排隊，就能買到火車票，對政府官員又有影響力。可以肯定，他會利用這些特權來幫助窮人和受逼迫的人，因為他使用這些特權，因而被視為殖民地的統治者。

問題是，無論是富有地主或是殖民地統治者的角色，都不能讓宣教士與當地人有密切的溝通或建立友誼——這些都是分享福音的最有效渠道。他們這樣的角色，反而讓他們經常和人群保持距離。

然而，宣教士可以扮演甚麼角色呢？這問題沒有一個簡單的答案，因為要看每一位宣教士所進入的文化角色而定。起初，她可以是「學生」，要求人們教她認識當地的習慣。當她了解了當地社會中的各種角色後，可以選擇其中一個能幫助她有效傳福音的角色。但當她選擇了所要扮演的角色後，便要記著，人們對她在履行角色時是否合乎期望會有所評價。

宣教士與本地基督徒

宣教士與本地基督徒及非基督徒兩者的關係是有差別的。根本來說，前者是他的「屬靈孩子」，而他則是他們的「屬靈父親」。

這個家長與孩子的關係是垂直和有權威的，宣教士自動掌管了一切。他是別人要仿傚的對象，亦是知識的來源。但是人們會厭倦做孩子，尤其當這些「屬靈孩子」長大，或較他們的「屬靈父親」聰穎。又，若不讓他們對自己負責任，他們就不會成長，或者會叛逆離家出走。

同樣，宣教士若是被困於這個「屬靈父親」的角色，不單難與人建立密切關係，平等相待，而且他很難承認自己有錯。若他向人承認自己的罪和軟弱，恐怕人們會失去對主基督的信心。因為他是作領導的模範，人們一般很快就會下定義說，領袖是不能承認犯罪和失敗的。明顯地，宣教士和本地領袖都會犯罪，但因為他們的角色，他們要有其它途徑去認罪和經歷基督徒群體的饒恕，而又不致摧毀所作的事工。

宣教士落入的另一個角色，是他們經常不察覺的，就是「帝國建立者」。我們每一個人需要感到自己是重要工作的一部分，這與把自己看成工作上的中心和不可或缺的人物，只

是一線之差。我們得到跟隨者，也建立了大教會、學校、醫院等團體，來證明我們的價值。

可是，像第一個例子，這個角色並不能作最有效的溝通。從結構上來看，這是一個垂直的角色，由上而下的溝通，缺乏了由下而上的回應。在下面的人們遵從上面的命令，但從不會把訊息吸收，形成為自己的思想。從基督徒的角度來看，這並不符合主基督的榜樣。相反的，這樣可能導至損人利己。

那麼宣教士可以扮演甚麼角色呢？既然，宣教士和本地人都是基督徒，我們可以參考聖經的模式——作弟兄姊妹和僕人。既是一個身體的肢體，我們必要重視與本地弟兄姊妹的平等相待，不要分為「我們」和「他們」。我們信任本地人就如信任宣教同伴，我們也願意接受他們為同工和管理我們的行政人員。在教會裡，領袖的委派並非基於文化、種族或經濟能力，而是按神賦予的恩賜和才幹來定的。

教會有如任何一個機構，要有領袖才能運作。但按照聖經，領袖是作僕人。一個領袖所追求的，是服侍他人而不是為自己(太二十26-28)；他是非必要的，可以被更換。由此來看，宣教士更是非必要的，最可以被更換的一個，因為他的工作是植堂，當他的存在阻攔教會增長時，他就要離開。

身份認同

好的人際關係不單靠選擇了一個合適的角色。在一個角色裡，從她對他人所表現的不同態度，顯露了內心的感受。

如果我們感到自己與工作的對象是不一樣的人，或多或少會有所顯露。我們可能不願與他們同住，只准他們進入自己家裡的客廳，不准自己的孩子與他們的孩子一同玩耍。甚或我們不容許本地人加入差傳委員會。

要與本地人認同，我們會在正式的場合表現——如學校或醫院的員工週年宴會，只在被邀請時到他們的家去，或邀請其中數位加入委員會。我們亦可以在某些場合中穿著本地服飾。但要正式的認同是近距離的。表面雖然認同，仍有人與人之間的基本差別。

身份認同的最實在的挑戰，不在我們在正式、有組織的情況下做些甚麼，而是我們怎樣使用悠閒的時間和我們最珍貴的財物。當委員會會議結束時，我們會站在一旁與來自母國同工們討論最新發明，佔用了地方來討論其它題目，而不理會本地同工嗎？看見自己的孩子與本地的孩子玩耍時會縐眉頭嗎？

可是，一個宣教士可能「成為本土人士」嗎？當然不能。北歐的移民也是經過三至四代之後，才融入了美國的文化；文化的差別越大，歷時越長。

身份認同的最基本要點，不在於形式上的對等——住同一樣的房屋，吃同一樣的食品和穿同一樣的服裝。縱然我們這樣做，但仍常常會表達了自己的內心與他們有所不同。主要是在內心世界和基本的情感。如果我們真實地視他們為一，那麼，就算生活方式不一樣，這個訊息一定會傳進對方的內心去。一個本地人把最好的食物給我們，讓我們睡在他的客房裡，用他的牛車，而我們也把最好的食物、客房及汽車與他們分享，所以，原則並非是形式上的平等，而是真愛及互相款待。

與他人合而為一，會使我們更有興趣認識對方和參與他們的文化。我們的榜樣就是基督，祂因為愛，道成肉身來到我們中間，並把神的好消息帶給我們。

社會組織及教會增長

另外一個途徑看社會結構，就是看個別的社會怎樣合成一個整體。在某一個特定的社會裡有哪些不同的社會團體和有制度的組織呢？他們是怎樣用語言去對話和產生變化呢？以下兩、三個例子可以指出這個觀念的應用和用途。

部族社會

在許多部族裡，社會團體在每一個人的生命裡扮演重要角色，較諸我們這強調個人主義和自由的社會裡更

重要。在一個部族裡，一個人從出生到長大，都生活在一大群有親屬關係和同一世系的人群裡，這群人是自遠古以來，同一祖先的男性後代所組成，還要加上家庭裡的其他男性。試感受這一類型的社會，想像你與所有的同姓親戚都住在一起，在同一個耕地上分擔責任的情況。所有年長一輩的男性都是你的「父親」，當你犯錯時，都有責任依家規和習俗來懲罰你；所有年長一輩的女性都會是你的「母親輩」，關心照顧你；同輩的都是「兄弟」、「姊妹」，而你「兄弟」的子女也都成了你的「子姪」。

在某些部族裡，世系是由同一個祖先的女性後代和家人所組成的。但無論怎樣，團體的權力和責任仍是這些人生命的核心。

在一個部族裡，強大的親屬關係帶給個人大量的安全感。當你生病或缺糧的時候，他們會供應一切；當你準備去唸書時，他們會給你支援；要買地或娶妻時，他們會給你奉獻；有人要攻擊你，他們會為你作戰。相對的，這群人也會對你有很多要求。你的土地以及你的時間都不由你來支配，當同一世系的人有需要時，期望你會與他們分享一切。

在這些部族裡，重要的決定往往由年高德劭的長者來做——就是那些有許多生活體驗的男性，尤其是生命中重要的決定，例如婚姻。我們的年青人一墮入愛河就準備結婚，卻未清

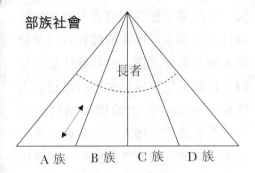

部族社會

長者

A族　　B族　　C族　　D族

- 強調親屬是維繫社會的基本
- 強大的團體導向，實行共同責任與集體決定
- 最小的社會階級組織
- 垂直的傳達

楚對方的社會、經濟、心理及屬靈背景；他們就不同了，在大部分部族裡，婚姻是由父母作主的。他們從長久的經驗知道婚姻的危險和陷阱，所以不會被曇花一現的感情所煽動。家長經過詳細的考慮各方面的因素後，才把新人配合。在這樣的婚姻裡，愛情的成長就如西方的每一對新人一樣，學習與對方共同生活和彼此相愛。

年高德劭的長者也要負責決定一切同宗和同族的事，一家之長(家庭的頭)也有權說話，但他們也要遵守長者的決定，才可留在部族裡。

這類的社會組織對基督徒的佈道來說並不容易。借用 Lin Barney 的經驗來做例子，Lin 在婆羅洲(Borneo)宣教的時侯，應邀到山上向一個鄉村部族傳福音。他走過一段崎嶇的山路後，抵達了這個鄉村，就被帶到一間長屋裡向聚集的男人說話。他整個晚

上都在分享耶穌的信息，最後，長者宣告他們會就這個新的道路作決定。成員分組談論這件事，然後領袖們再一起作最後決定。結果，他們決定成為基督徒──是所有的人。他們是一致作出這個決定的。

宣教士如今應該怎麼辦呢？叫他們回去重新思想，再逐一的作個別決志嗎？要記得在這類的社會裡，除了長者以外就沒有別的人能為如婚姻般重要的事作決定。那麼，指望他們個別去為他們的宗教信仰這個比婚姻更加重要的事作決定，是否實際可行呢?

宣教士應接受所有的人都已經重生嗎？他們中間當然會有些人不想成為基督徒，繼續會拜他們以前所拜的偶像。

集體所作的決定不代表每一個人都已歸信，但代表這個整體會開放進一步接受聖經的教導。宣教士的工作並未完成，只是剛剛開始，因為他要把全本聖經教導他們。

這類的群體歸主運動並非不尋常，其實，過去很多教會增長也是這樣發生的，包括這本書的許多讀者們的先祖在內。

農村社會

農村社會的社會組織與部族社會很不同，親屬連繫比較弱，而社會階層和等級比較強。權力通常集中從平民脫穎而出的菁英身上。

試以印度為例來說明農村社會的

結構如何影響教會的增長。鄉村劃分為許多不同的 jatis 或種姓(Caste)。其中許多如祭司、木匠、鐵匠、理髮師、洗衣工人、陶工和織布工人等，都有既定的工作專業，不能逾越。一個人不但要傳承屬於自己種姓的行業，也要娶同等級種姓的女子為妻，講求門當戶對。若以美國社會來作一個大概的比喻，就是教師的子女只可與其他老師的子女締婚，牧師的子女只會與其他牧師的子女結婚，每一個行業都是如此。故此，當子女仍很年幼，作父母的便會替他們商議婚事。

種姓亦有潔淨的與不可接觸的類別；後者在禮儀上會沾污其他的種姓。過往，曾被沾污的潔淨種姓民族需要進行潔淨的儀式才算回歸潔淨；因此，不可接觸的種姓過去所住的小村莊裡，必須遠離那些大村莊，亦被禁止進入印度教廟宇。、

當福音來到，它傾向只在其中一個種姓內活動，不會在兩個種姓之

內。一些第一批的歸信者來自潔淨的種姓，但當不可接觸的種姓接受基督的人數多起來，潔淨的種姓便加以反對，他們不想與城鎮中不同階層的人連繫。可是宣教士繼續接納所有的人，並要求他們加入同一教會，許多潔淨種姓的人因而離開教會，回歸印度教。

這不單是個神學問題，許多高等種姓的人歸主是誠心的相信福音，直至今天他們仍秘密的在相信。這實在是一個社會問題。高等種姓的人不願意與不可接觸的種姓連繫。當我們進行判斷之前，先來看看美國的教會和宗派。有多少教會是由不同的種族和社會階層的人混合組成呢？他們花了多少時間來拆解殘餘的種族隔離呢？他們中間有多少人因為財富、社會階層及政治勢力上的差異，而在團契和教會運作中受到輕視呢？

兩難的是，在神學上教會應該只有一個；但事實上，人在社會上是

農村社會

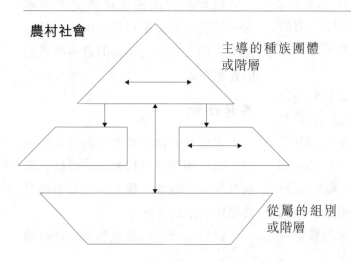

主導的種族團體或階層

從屬的組別或階層

- 強調以親屬關係來維繫整個社會
- 強大的團體導向，採取集體決定方式
- 跨組別的階級組織
- 團體內平行溝通，主導與從屬之間垂直傳達

有不同的，很難與自己明顯不同的人有密切的連繫和通婚。我們可以期望人在歸信的一刻，完全改變他們根深蒂固的社交方式嗎？換句話說，我們應否期望他們參加同一教會呢？又或者說，改變社會習俗是基督徒成長的一部分——我們應否准許他們組成其它教會，給與更多的教導而寄望他們最終會合而為一呢？這與美國教會所面對的問題很相似，就如解除煙癮、酒癮或其它在救恩內被定為罪的行為，是否必須呢？還是這是基督徒成長的一部分呢？

在印度，有些人認為人的得救與參加某一間教會沒有關係，因而為潔淨的和不可接觸的種姓分別設立教會。他們在高等種姓中很成功，但亦面對大量批評指這是違反神的旨意。

城市景觀

近年來，城市的增長異常驚人。在1800年，世界上沒有一個城市的人口超過100萬，超過10萬居民的亦少於15個。但至1950年，居民超過100萬的有46個城市，其中2個城市超過800萬。到2000年，則有22個城市居民超過800萬。預計到2015年，33個城市的居民會超過800萬。

全球性的急劇都市化

帶來許多與教會增長有關的問題。城市是屬於哪一類的社會結構？這個結構又怎樣影響傳意和作決定呢？在這個高度流動和多變的城市社會是怎樣出現改變的呢？

在城市社會，社會活動對教會增長的影響不及部族和農村社會顯注，以團體的決定為基礎，產生龐大的群眾運動，使群眾歸向耶穌基督，或透過種姓和親屬的關係分享信息，都不會出現。另一方面，亦產生新的勢力。城市人不停在追趕急劇的變遷。他們的思想受到大眾媒體、教育機構和自願組織所模塑。消息的傳遞經常是透過熟悉的群眾網絡；換句話說，在朋友之間一一傳開。

宣教士在城市裡應該採用甚麼方法呢？至目前為止沒有清楚的策略，也曾嘗試透過大眾媒體、友誼、近鄰

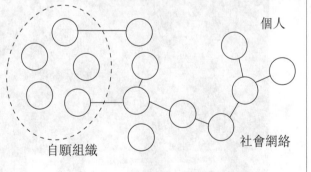

城市個人主義化的社會

個人

自願組織

社會網絡

- 強調個人主義和個人決定
- 機構以自願組織、網絡及地域組別為基礎
- 不同種族和階層
- 除網絡外，又利用大眾媒體

和公寓佈道、大的教育和醫療機構以及集體力量，但成功率參半，從來沒有一個簡單的方程式會帶來成功——相信永不會。建立教會是一件困難又長期的工作。

城市亦為傳福音提供了極大的機會。它們是世界通訊的中心，也是把觀念擴散到鄉間的源頭。早期基督教迅速增長的原因之一，就是透過城市。我們亟需細察現代城市的動態，藉以了解改變的產生，然後將這些洞見應用在今日的宣教計劃之上。

(作者為三一福音神學院宣教及佈道系主任，亦曾在富樂神學院教授宣教及人類學，並曾在印度宣教。著有多本有關宣教人類學作品。)

研習問題

1. 請解釋「雙文化橋樑」的意義和作用。

2. 作者描述宣教士採用了一些不合於傳播福音的角色。甚麼類型的角色是合適的？

3. 請解釋社會結構在一個社會裡怎樣影響信息的傳遞。

The Viable Missionary: Learner, Trade, Story Teller
可行的宣教角色——學習者、交易者、說故事者

Donald N. Larson 著　石彩燕譯

當筆者對宣教工作感興趣時，已超越了所屬宗派接受宣教士的年齡；但過去 40 年，都在幕後協助處理語言及文化的難題。從在世界各地對宣教士、本地人(包括基督徒及非信徒)的觀察所得，筆者有以下結論：宣教士對自己的角色與本地人眼中所看的，中間有一道寬闊的鴻溝。本文乃建議如何拉近兩者的距離。

典型的相遇模式

初抵工場的宣教士，在本地人眼中是個外來者，他們通常會從三個佈景(或隱喻)來看這些宣教士：學校、市集和法庭。宣教士可能從未想過，而且也不明白，本地人竟然會有這樣的看法。本地人與宣教士交往，往往感到自己在學校，宣教士是教師，自己則是學生，相遇的目的在於藉傳遞資訊而學習。本地人又會覺得自己有如在市集裡，宣教士是商販，自己是買家，相遇有如做買賣。有時，他們亦會覺得有如在法庭裡，相遇就如審判，宣教士是控方，自己則是被告。

在學校，老師會說：「我教給你這些知識」。在市集裡，商人會說：「我賣這些東西給你」。在法庭，法官會說：「我按這個標準來判定。」這三個佈景就成為了三個場景，本地人按這些場景來衡量宣教士和所傳講的信息的價值。在學校，本地人自問應否學習老師所教授的；在市集，會自問應否購買商人出售的物品；在法庭，則會問自己應否謹慎面對控方的指控。

這就帶來了一些要認真思考的問題。外來者能成功教授、售賣物品及指控本地人嗎？本地人需要宣教士所帶來的東西嗎？宣教士能借助商販、教師或控方的角色來傳遞福音嗎？

對本地人來說，教師、商販或主控的角色不一定成功，他們往往期望

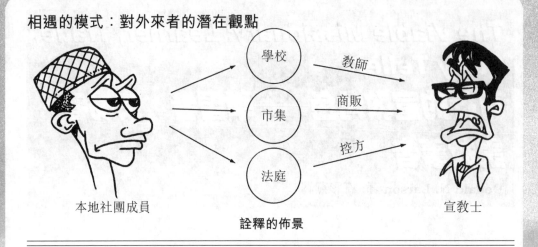

相遇的模式：對外來者的潛在觀點

學校 → 教師

市集 → 商販

法庭 → 控方

本地社團成員　　　**詮釋的佈景**　　　宣教士

外來者先明白本地人的觀點，然後才教授外界的事物；期望他的生活先符合本地水平，使用本地市集供應的物品，然後，他才出售貴重的貨品；同樣，也期望他先以本地的法例來衡量，然後才提出外界的標準。

這些次序很重要：先學習，後教導；先購買，後出售；先被控，後控告。外來者要跟隨這些次序向本地人扮演上述的角色。

而且，外來者不可以生活在社團的邊緣，否則，本地人會從負面來看你。「外來者」一詞含有負面的意思；故若宣教士要避免負面的反應，要在這個社團裡受重視，必須在某程度上成為一個「本地人」。

但若本地人不想接受外來教師的教導，購買外來商販的貨品，受到外來控方的指控，這位外來者必須先填平自己與本地人之間的鴻溝，才可期望有所成就。要填平鴻溝，宣教士要切實利用可行的角色與人建立關係。直至本地人看到宣教士處於合宜的角色，鴻溝才會消除。

進入的模式：本地人的潛在接受

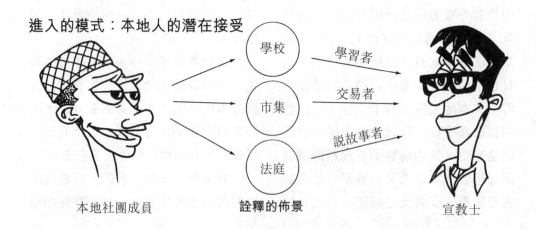

學校 → 學習者

市集 → 交易者

法庭 → 說故事者

本地社團成員　　　**詮釋的佈景**　　　宣教士

填平鴻溝

填平宣教士與本地人之間的鴻溝，通常是為舊角色改頭換面，設計一個新角色。宣教士可能是平生首次學習做外來者，要以新的方法與人結交，作人家的鄰舍。填平鴻溝就是說，宣教士要按本地的標準，而非自己的想法來衡量所成就的**果效**。他們必須知道，本地人是按本地的標準來**接受**宣教士，感到他們**肯受教**，才會**接受**他們的。

三個角色

宣教士要逐步扮演這三個不同角色——**學習者、交易者**和**說故事者**，這樣，才取得地主國主人的接受，才可以繼續留在當地。這些角色與學校、市集和法庭三個背景互相呼應。

初抵一個社會，首先會作**學習者**，幾個月後再加添另一角色——**交易者**，再幾個月後加上第三個角色——**說故事者**，但仍要繼續作學習者和交易者，同時又開始發展工作上其它需要的角色，而每一個新的角色都是填平與本地人之間的鴻溝的重要步驟。

且讓筆者作解釋。宣教士身為外來者，要對別人產生影響，必須設法得到該社會承認和接受。有些角色可以幫助他前進，有些卻不能。他的第一個任務就是確定那些是最合宜和有效的角色，然後，藉著這些被接受的角色，發展出一些可以分享經驗的途徑。

學習者

更具體來說，最初的日子我會專心學習語言，這是與當地社團認同的主要表示。為要有好的開始，必須用功學習，使他們知道我是認真的。我更要嘗試用他們的話來溝通，表示他們的重要性。我每天學一點點，每天與一個新朋友交談，每天都用新話題，漸漸，我可以表達自己，幾個月後已經有了基礎。

早上，先跟語言助手學習(用前人所定的課程，或由自己設計的)，從中找出一些可以在下午與人談話的題材。我告訴他怎樣利用這些材料來訓練，整個早上就在練習，下午就到公眾地方去，可以很自然地與遇見的本地居民談天。從第一天開始，就用所學到的詞語盡量與人溝通，主動跟人交談，用言詞加上表情，並且表明「我正在學語言，請與我交談，幫助我」。起初，這些自白只維持幾秒鐘，但愈操練，就說得愈流暢，而談話的時間就愈來愈長。

幾星期後，認識了數十位本地人，交了幾個朋友。與數十人交談後，我已經會一些簡單的句子，提出幾個簡單的問題，又可回答一些淺易的問題，認得路，更即時學會生字新詞；最重要的是，在這個社團中有「賓至如歸」的感覺。當然，不可能在幾個月內便學會了「整套語言」，但學會主動跟人交談，以有限的語言與人

溝通,向遇見的人多多學習。

交易者

當人人都認識我是個學習者,就開始加入交易者的角色。我在這裡**帶職事奉**的角色對在當地的居留有所幫助;若帶著人所共知的商業目的前來,動機就更具意義了。我在所生活的社團內與人交流經驗、見識,清楚表達我也是人,是從別處來作訪客的。透過人類學或相關學科的研究工作,我盡量在不同的地點居住,為有一天要扮演的角色作準備;同時也帶備了家人及本國的相片,當與人談到人類各種生活方式時,可以分享自己的背景資料。

在這些「交易季節」,我專心**融入社會**,**建立友誼**,並繼續在早上向語言助手學習,看看應怎樣談及所帶來的照片。如此,最初幾個月學習怎樣說得流利,然後練習怎樣描述這些照片,準備怎樣回答別人的詢問。在下午,我仍隨意到社區去探望人,以相片作為示範「表演和講述」的一部分。我刻意提到外地人的生活,他們如何謀生,如何享受,又怎樣傷害,怎樣掙扎求存,怎樣得著滿足。

在這「交易期」結束的時候,我不單是學習者,也對別人的需要有興趣,有一些資訊要與他們交易,但仍然要操練,使說話更為流利。我遇到更多的人,人數在乎這個社區的大小和複雜性,也成為人人認識的人物,亦成為本地與更大的世界之間的橋樑——最低限度有這樣的象徵。

說故事者

第七個月開始我又添了新角色,成了說故事者。早上,我繼續向語言助手學習,現在專心學習怎樣向遇見的人說簡單的故事,又盡量回答他們的詢問。故事的題材是以色列人在曠野漂流、基督來到世上、神的新子民形成、教會向全世界推進、最後來到這裡;其後,就是我遇到基督,成為基督徒的見證。整個早上我撰寫這些故事,又集中練習;到了下午,一如數月以來,我會到社區去,但現在則是說故事了。我仍是語言學習者和交易者,不過增加了說故事者的角色,每天都向遇見的人說故事。

在第三個階段結束的時候,我有了熟悉的人和朋友,又有無數難忘的經歷。人人感到我是學習者、交易者和說故事者,給人正面的印象。同時,我已準備作其它不同的角色。

再談切實可行性

在我們認為作學習者、交易者和說故事者等角色是理所當然、切實可行之前,先檢討一些重要的觀點。作為宣教士,必須循以下四方面來看每一個角色是否可行:(1) 所住的社區;(2) 其他同一社區的宣教士;(3) 差派的機構及(4) 自己。

理由就是,所扮演的角色要自己感到自在,能自然表達,而本地宣教團體

也認為是可行的。若本地宣教團體不認同我的角色和重要性，就不能在那裡久留了。同時，所扮演的角色也要得到差派機構所認同，給予支持和鼓勵；否則，也不能留下來。最後，角色也要受到本地人士所認同，不能像個怪人，與社會格格不入，或看來像個間諜或傻瓜。對於外來者是否能夠切實地活在一個社團之內，常常備受忽略，這是不應該的。若要繼續宣教，正面的經歷非常重要；本地人對我在當地的出現感到舒服，工作必須對當地的宣教工作有所加強和互補，差派機構所安排的工作合理，也要給予機會。

而本地人怎樣看學習者、交易者和說故事者呢？從本地人的立場來看，一位外來者已作好準備，又願意也有能力學習，大概會讓他留下來。此外，本地人一般很自然會對外間的事物感到好奇，我們可以敏銳地利用這份好奇心來與本地人接觸。最後，每個社群都喜歡說故事，道聽途說是很自然的，人人都喜歡，但我們必須尊重當地的規則。筆者相信若任何人已成功地扮演學習者和交易者的角色，與人分享故事和經驗，本地人大多會聽他的故事，甚至把所聽到的傳開。

大多數的宣教士都發現這些角色可行。成功的宣教士享受學習，又知道怎樣到處學習。他們一般明白不同的人有不同的生活方式，也欣賞交易者角色能夠發揮。他們喜歡說故事，也樂意聽人說故事，尤其是說故事者

的親身經歷。

從不同角度看角色的可行性

假若筆者今天在宣教工場上，想工作有果效又能樂在其中，肯定會扮演學習者、交易者和說故事者。

可是，差派機構和本地宣教團體卻會質疑這些角色。雖然宣教士經常是講道者、神學工作者和教導者，並非常常說故事，但三個角色之中，最容易扮演的可能就是說故事者。學習者的角色也會被質疑；本地的宣教團體期望新任的宣教士好好認識他們的事務多於學習，並沒有給他們時間或鼓勵他們親身認識本地人。雖然，差派機構和本地宣教組織都在強調帶職事奉，卻大多不去試驗交易者角色的可行性。

為甚麼不盡量利用學習者的角色呢？大多數外來者早晚會曉得它的重要性。為甚麼不讓新任的宣教士有正確的起步，使在第二、三期的宣教有更多的回報呢？此外，在本地人眼中，學習者所象徵的幾件重要事情，對傳福音都很有用處。福音談到認同與和好，學習者的倚賴和脆弱正細緻地傳遞了這個信息。況且，本地人認識宣教士是學習者，對本地的宣教組織並沒有害處，反而會有好處。

交易者角色的可行性，在於本地人是否歡迎外來的社群如專業人士和商人帶職事奉。可是，有些宣教士認為，以交易者來描述與人交流意見，

是從今日世界的人性來塑造宣教士形象，過於「世俗」。但從本地社團的立場看，這個世俗的角色來得更自然，更易於接受；若外來者是一群「聖潔的專家」，便會產生各種問題，引起反對，造成障礙。但我們仍要作其它的考量——這個角色強調福音是為所有人而設的。由於有不同的種族、民族、語言，所以除了人類學家、人口學家等幾類專家之外，基督徒也許較其他人更了解人類在各方面的差異，多元民族、多元文化、多元語言是真實地存在。交易者的角色藉著分享世上多個民族的基本「世俗知識」，有助正式的福音宣講。

顯然，以上的觀點可以推廣至宣教士的甄選、入職訓練及評估，但非本文討論範圍。

倒行進入

今天，我們的處境充滿了挑戰。殖民地主義繼續減弱，壯大成熟的本國教會則繼續增長，宣教士的角色受到質疑，他們越來越倍感挫敗。這是我們要認真看待的。宣教運動若要繼續前進，就要加入新角色，並為舊有的重新設計。聖經的訓令挑戰基督徒要與他人認同，把生命之道傳給他。況且，歷史顯示，人所表現的脆弱和靈活性，常常是福音信息最強而有力的見證。

數年前，在東非一個學習語言及文化的工作坊裡，一位宣教士問筆者是否認識大象的生活，筆者答說不知道。她跟著又具體地問，當一群大象圍著一個水泉，有另一群大象來到時，會發生甚麼事情，筆者又回答說不知道。接著，她解釋第二群大象的領袖會轉過頭來，背著水泉，倒行過去；直到屁股碰到水泉旁兩隻大象，牠們就會讓開，給牠一個位置。這是示意，第一群大象願意讓第二群大象接近水泉。筆者聽後就問她想說明甚麼道理，她直截了當又有力地說：「我們不會倒後進入的。」今天仍在繼續的宣教運動，可能要求宣教士「倒行進入」來服侍，學習者、交易者和說故事者的角色不適合「正面進入」，但他們可以「倒行進入」。

(作者為Link Care Center之跨文化學習之資深顧問，亦為美國明州聖保羅市伯特利學院人類及語言教授，也曾擔任Toronto Institute of Linguistics 總裁25年。)

研習問題

1. 除了作者描述的三個角色外，你還會建議用甚麼角色呢？

2. 作為「交易者」，你會向本地人示範哪些是有價值的東西？作為交易者，還要學習哪些溝通技巧呢？

3. 作者認為要作個成功的說故事者，首先要作學習者，然後是交易者，最後才是說故事者。請討論這觀點。

God's Messenger
神的傳訊者

Phil Parshall 著　何寶珠譯

作宣教士是一個偉大的呼召和榮譽。過去數十年，有機會和數百位不同國籍的宣教士並肩合作，心中充滿了喜樂，帶給筆者很多正面的影響。

宣教士的呼召是獨特的，他必須受過相當優秀的教育，然後跨越地理疆界，離開摯愛親朋，又在財政上作出犧牲(雖然不一定)，適應另一種語言和文化，還要參與一個緊密的團隊。同時，宣教士一定要敞開心懷來接受敵友的批評，也要願意重新檢討不容侵犯的方法。

傑出的沙爾博士(Dr. Saeed Khan Kurdistani)是伊朗基督徒，於 1942 年逝世。 1960 年，有一個人探訪他曾居住和牧養的地方時，詢問當地的一位長者是否認識他，這位長者喘定了氣輕聲地說：「沙爾博士就是基督自己！」我們恭敬地說這就是我們的目標。當我們步進新的千禧年時，我們需要認清一些具體的事務，如宣教士的財務、住宿、理智生活和教會牧養各方面。

財務方面

不同的人對這方面的意見往往差異極大。一些人感到必定要「本土化」，並抗拒所有不符合他們標準的人；另一些則強烈認為必要按西方的水平生活，以保障一家人的身心健康，並自辯說當地人會了解他們的需要。而在這兩個極端中間，亦有各種你可以想像的觀點。

第三世界很多國家的經濟衰退，形成了當地人與西方宣教士生活水平的差異。 Chaeok Chun 是一位在巴基斯坦的韓國宣教士，他評論這股張力說：「從亞洲受眾的觀點看，我認為今天基督教宣教士的工作顯然是舒適且有特權的，故亞洲人傾於抗拒宣教士和誤解他所傳的信息。」[1]

第七和第八世紀以禁欲主義著名的愛爾蘭修道士，他們整套的裝備就只有朝聖的手杖、錢包、皮水囊和一些聖徒遺物。他們收到富人的施贈，便立即送予需要的人。[2]這是當代宣教士的典範嗎？在這方面，馬蓋文博

(Dr. Donald McGavran)的建議是：「來自富裕國家的宣教士生活水平遠較他實際的需要為高，所以我們呼籲，宣教士採取行動來解決這項問題。在孟加拉，獨身或已婚無兒女的人，每個月的生活只需要300盧布(即10美元)。可是，現時難以想像有這一類的行動。」[3]

筆者甘冒引起爭議之險，表達對這項重大事情的見解：

1. 本地人如何看宣教士團體的財務是重要的，他們一般對自己和西方宣教士的生活水平的差異感到驚訝。如果我們漠視這個要素，便是立在危牆之下，對保羅清楚教導不要成為別人絆腳石一事，無動於中。

2. 單身或無子女的夫婦較容易適應簡樸的生活，應該受到鼓勵而不是立例。

3. 應該可以有試驗期。一對夫婦帶著初生的嬰兒住在穆斯林郊外村莊的泥地竹房子內，應該獲得支援；另一方面，他們認為何時應該離開工場，亦不要感到尷尬。

4. 每個家庭都應該在這個課題上向主開放。他們應以禱告之心，評估自己的身心需要，以期盡量不會為家中各人帶來反效果，又能達到與對象的生活方式吻合的目標，兩者取得平衡。

5. 宣教士一般可以住在鄉郊的簡樸環境裡，偶然到鄰近的城市渡週末，稍事休息和購買必需品。在我們的文化背景上，如此調適並不算是偽善。我們必須切實認識自己的需要，以及在異文化下忍受匱乏的各項能力水平。

6. 與宣教士討論這類事情是可行的，但必要認真地避免狂傲的批評、審判的態度和自義。住在極度貧窮或十分富庶地區的宣教士，往往是主觀及自衛性強的人；為了使基督身體的合一，避免與他們在這個話題上激烈爭辯，實屬明智。

住宿方面

「宣教院宅」(mission compound)的日子並未過去，這些西方人聚居地仍散佈於各發展中地區，備受當地人的誤解，有時還會產生厭惡。曾有歸信者質疑它們的存在，問道：「如果我說宣教院宅平房是人群和宣教士心靈的分隔牆，有錯嗎？」[4]

筆者確信，餘下的宣教院宅應該拆卸，讓宣教士自由走進人群之中，作道成肉身的見証，而不是關閉在一大片人群心目中有負面評價的土地內。基督徒能夠與非基督徒市民雜處，較住在封閉的社區內為佳；光必須放射才會對人有益。我們首五年的宣教期是住在孟加拉一個小鎮內，經歷了很大的學習和分享機會。在租住地方的睡房窗外，住了一個與丈夫分居的穆斯林婦女，帶著兩位年幼的女兒；很快，我們便成為好友。兩個女孩子經常來借香料或雞蛋，我們也感

到很自然。那位年幼的女兒發高燒時，我們把她帶過來照顧。我們從睡房窗戶學到的穆斯林文化，較數十本書所教的還多，在宣教院宅裡不可能有這樣的生活經歷和深入人群。

在城市、鄉鎮和村莊的生活上，需要有一點調度的自由，重點是跟服侍的對象保持聯繫。在大學區的學生工作所需的設施與農村差別很大。

理智生活方面

在殖民年代結束後，宣教工作經歷了急劇的變革，出現了新的進路和態度。開拓者如馬蓋文博士，把宣教科學普及化；市場上出現數百種個案研究和教科書，可作教材資源；不少著名的神學研究院開辦宣教學系，有富樂(Fuller)、三一(Trinity)、哥倫比亞(Columbia)、達拉斯(Dallas)、惠敦(Wheaton)和阿斯理(Asbury)，而富樂、哥倫比亞和惠敦更為在工場的宣教士提供延伸課程；而期刊方面，則有 *Evangelical Missions Quarterly* 和 *Missiology* 等，讓宣教士追上世界各地日新月異的概念和實用的傳福音工作。

對宣教士一點相關的忠告是，應該「心思開明，體察時代變化，並經常調適。十年以前的技巧不能再用，五年前的亦已過時」。[5] 看見年長的宣教士墨守成規，缺乏靈活性，總教人傷感。他們對傳統方法先入為主和堅守，使他們對邁向敏感的新實驗領域

小心奕奕，惟恐否定了真理；也使剛入伍的較年青宣教士感到挫敗，他們的意念和熱忱，往往因「保留在心中幾年吧，經驗會使你穩健和有成熟的表現」這類教訓性的忠告而喪失。資深和年資尚淺的宣教士之間，一定要發展不帶威脅的關係。一方有豐富的經驗，另一方有最新的理論和熱誠；聯合起來，差不多無敵手；分開了，便會造成災難，不只對宣教士團隊的內在精神，對觀察入微的本地社群亦然。

我們對耶穌基督盡忠，表示我們想成為祂最好的僕人，使祂得榮耀；這觀念不只要延伸到精神上，也要在智力上。真正卓越的學識會帶來更佳的效率而不是驕傲或自負，我們一定要避免在宣教工場上僵化，我們的心思和意念都要保持活力和儆醒。

在我腦海中歷久常新的是 Harlod Cook 的話，他在慕迪聖經學院(Moody Bible Institute)教授宣教學多年。1959年，他在宣教課上說：「同學們，你們的生命和事奉最重要的是態度，這是你們作宣教士成敗的關鍵。態度連於生命每一環節，你與基督、宣教士同工，以及與當地信徒及非信徒的關係，都深受到正確或不正確的態度所影響。」

對本地人的正面態度包涵很多成份，其中一點是同理心。且讓我解說一下：每天日出之時，我們村中的一個印度教鄰居會起來梳洗，外出站到

他的牛旁邊,然後舉目看太陽,雙手合什,進行敬拜太陽和牛的儀式。我看過這位印度教朋友如此行祭禮不下數十次。一天,那條牛病了,更突然死掉。這個印度教的家庭很悲傷,對他們來說,這種損失是震撼性的。筆者不贊同敬拜一條牛,但使我看到了那位印度教徒的世界觀。他傷心,我也傷心;很快學了幾句適當的話(因為我們剛抵達不久),走到他的店子裡,喃喃地說了幾個發音正確的字詞,表示對他的牛死了感到可惜,印度教朋友大為感動。我們在文化和信仰上南轅北轍,但是可以關心他,與他同行一段生命路。

有一句蘊涵真理的古老諺語:「有禮而不送,乃是無禮。」宣教士是施與者,這是他們的工作要求,日常所做的包括安慰、教導、醫護等。可是,只有施與並不足夠,在工作背後的動力是甚麼?有愛心嗎?有對另一個人深切關懷嗎?施與變成了專業責任嗎?窮人和少數宗教信徒成了要出售的商品嗎?這些都是不易回答的問題。

牧養方面

現在應該思考宣教士的事奉焦點了。我們看看新約的宣教,發現保羅的工作都是非常短期的;他來到一處地方,只逗留數星期或數個月,最多數年便離開,到新的地方去了。他所建立的教會並非由他來管理,即使那些教會受到異端的影響,保羅也只會勸告信徒要遵行真理。他不會削減支持經費,信徒是完全自由的。可是,現今的教會與保羅時代的情況大相逕庭。

紐畢真(Leslie Newbegin)筆下的保羅把領導權全交在本地人手中,他強烈地評論保羅不作現代宣教士所作的事,「他不建造平房」。[6]喬治彼得士(George Peters)表示,保羅或許曾大義凜然地說:「我在這兒的工作夠了,到此為止。」然後抗拒誘惑,繼續行程。[7]羅倫艾倫(Roland Allen)指出,保羅並未忽略那些教會,他繼續探訪並和他們通訊,但基本的領導責任卻全交到當地人手中。[8]

當敬拜的群體成立了以後,宣教士要盡快離開,歸信者不能轉為倚賴宣教士而非上主。

宣教士辛勤努力,建立和培植了幼小的教會後(不論是泰米爾、那加、美國或澳洲人),都應該把權力交給本地領袖。辛苦哺育不應維持太久,必須隨之為其斷乳和離開巢臼。然後,宣教士他往,重複上述過程。[9]

宣教士必須常常提醒自己要有開拓新前線的意願。

結論

筆者的睡房門上掛了一幅美麗的圖畫,是一艘船在狂風巨浪中行駛,畫中的題詞是:「船停泊在海港裡是安全的,卻不是造船的目的。」衝鋒

陷陣是危險的，但史冊從未記錄，某一場戰爭的勝利是由躲在戰火背後的後勤人員所取得。我們的任務是要反省、果斷和投入。

注釋

1. Chaeok Chun 在富樂神學院教牧學的博士論文 "An Exploration of the Community Model for Muslim, Missionary Outreach by Asian Women" (1997)，該文未經出版。

2. Sister Mary Just, *Digest of Catholic Mission History* (NY：Maryknoll Publications, 1957), p.22.

3. 馬蓋文 1979 年 3 月給本文作者的信。

4. D. A. Chowdhury, "The Bengal Church and the Convert," *The Muslim World* no 29 (1939), p.347.

5. Joseph A. McCoy, *Advice From the Field*, (Baltimore：Helicon Press, 1962), p.144.

6. Lesslie Newbegin, *The Open Secret* (London: SPCK, 1978), p.144.

7. George W. Peters, "Issues Confronting Evangelical Mission." *Evangelical Missions Tomorrow* (Pasadena, CA: William Carey Library, 1977), p.162.

8. Rolland Allen, *Missionary Methods : St Paul's or Ours?* (Grand Rapids : Eerdmans, 1962), p.151.

9. D. McGavran, *Ethnic Realities and the Church* (Pasadena, CA: William Carey Library, 1977), p.130.

(作者獲富樂神學院教牧學博士學位，曾在亞洲穆斯林地區服侍達37年之久，著有6本有關作品，亦為哈佛和耶魯大學的研究員。)

研究問題

1. 何以宣教士的生活水平會困擾人們的情緒？

2. 剩餘的宣教院宅應予以拆卸嗎？原因何在？

3. 本文作者建議宣教士長期融入福音對象之社群中，他又同時敦促宣教士要學效保羅的榜樣，只逗留數月或數年。試解釋這些理想如何可以一同實踐。

1833年12月馬禮遜夫人帶著小兒女離開澳門返回英國，馬禮遜寫信給妻子，在結尾寫道：「我立定宗旨將整個自己貢獻給中國人，特別是貢獻給聖經，一如以往的決心。我想在我們自己印刷所印行一本新版聖經。願上帝使我手所做工作順利成功，日日進步。」

——海恩波著，簡又文譯《傳教偉人馬禮遜》(基督教文藝，2000)

Do Missionaries Destroy Cultures?
宣教士摧毀文化嗎？

Don Richardson 著　　石彩燕譯

米切納(James Michener)的《夏威夷》(*Hawaii*)一書(及電影)中所塑造的嚴厲宣教士希利(Abner Hale)，是典型的頑固人士，惹人討厭。在書中，希利講道時，呼叫地獄的火焚燒「邪惡、討厭」的異教夏威夷人，甚至禁止夏威夷接生婦替宣教士太太接生「基督徒嬰孩」，令那位太太死去。希利為免兒女學習異教的夏威夷語言，禁止當地人協助妻子料理家務，導致妻子因辛勞而早死。一些華人佛教徒來到島上定居，希利又闖入他們的廟堂，打碎偶像。

劇情引人入勝，卻不幸導致了很多北美洲人以「希利」來稱呼「宣教士」——宣教士自此背負著他的影子。富樂神學院跨文化研究學院(School of Intercultural Studies, Fuller Theological Seminary)的人類學家提帕特(Alan Tippett)，曾研究收藏於火奴魯魯檔案館內，早期宣教士數以百計的講章，並無一位有像米切納筆下的罵人作風。

因此，我們明白考查實際記錄的重要，不要聽從流傳的成見。不過，宣教士實在不必要摧毀文化。天主教宣教士 Fray Diego de Landa 跟隨西班牙軍隊進入新世界，發現了龐大的馬雅人(Maya)圖書館，立刻想到要全部焚毀，他說「馬雅人感到震驚，並帶給他們極大的遺憾」。他認為那些書，全是「迷信和魔鬼的謊言」。1562年，整個馬雅文明，包括詩歌、歷史、文學、數學和天文學都化為灰燼，只有3份文獻能倖存，全因為 de Landa 的錯誤熱忱。

宏偉的圖騰柱曾聳立在加拿大太平洋海岸的印第安村落，1900年，因為宣教士誤認為是偶像，信徒又熱心執行指示，這些土著藝術品全被砍掉了。

這類事件都反映出我們的宣教士有時會摧毀文化。錯誤詮釋大使命、驕傲、文化衝擊，或不懂欣賞別人的價值觀，往往使我們對不熟悉的風俗，產生不必要的對抗；我們若能加以了解，反而可能成為傳福音的鎖鑰。

一些批評者認為，宣教士若留在

本國，原始部族就不會受到打擾，生活就會像盧梭(Rousseau)神話中的「高貴野蠻人」。事實卻是，李文斯敦(David Livingstone)到達非洲之前，阿拉伯人進行奴隸買賣；賈艾梅(Amy Carmichael)到達之前，男女童被捉到廟宇作駭人聽聞的雛妓。有時，也有一些邪惡勢力摧毀整個部族；在北美，攫取土地的殖民者，不只驅趕加利福尼亞州的雅希人(Yahi)，也驅趕休倫人(Huron)等印第安部族，可能消滅了20個之多；亦曾有拓荒者明知毛毯感染了天花，仍把幾輛牛車的毛毯送給一個部族。

有人估計巴西原本有400萬印第安人，如今只剩下20萬。過去75年，每年都有一個部族消失，有人假設他們融入了社會，但實情並非如此。數以千計的人被人用毒藥、機關鎗或低飛投彈殘酷地殺害，亦有數以千計**對生命冷漠**慢慢死去。我們知道，印第安男人會迫妻子流產，因為看到外人入侵，自己的文化瓦解，他們不願再把孩子帶來這個陌生的世界。

類似的悲劇不斷在這個世界發生。今天，人人都關注瀕臨滅絕的動物，當然有其理由；但人類數以百計的種族面臨更大的危機，一項保守的估計，每年會有5至6個語言獨特的部族消失。

「開明」的「不干擾」政策顯然無效，那麼，如何能阻止部族文化消失呢？政府撥地和社會福利計劃，或許

在物質層面有所幫助，但未能觸及部族的最大危機，就是破除他們與超自然的「正確」關係。每一個土著文化都與超自然有關，並且嚴格與它「保持正確的關係」。驕傲的外來者嘲弄一個部族的信仰，或粉碎保持正確關係的機制，都使部族的人嚴重地失去了方向。部族的人會相信因為丟棄了舊日的方式而受到咒詛，顯得孤僻和冷漠，認定自己的族民必會死亡，於是自我來實現這個預言。

物質主義的社會工作者和科學家無法幫助他們，還未開口，部族的人就會感到他們否定靈界的事，會更加抑鬱。誰能維護他們屬靈的權利，給他們最好的服侍呢？最合適的人是那些得到聖經指引，尊崇基督的宣教士——卻被受他們歡迎的神話指為頭號敵人。

兩個歷史例子

其一，根據Unevangelized Fields Mission(UFM)的宣教士Robert Bell所說，不足一代之前，巴西的韋韋人(Wai Wai)因有外來的疾病，又有獻嬰孩予鬼魔以阻止疾病的習俗，族民最後剩下60人。其後，幾位該會的宣教士進入部族中間，學習他們的語言，為他們發明字母、翻譯聖經、教他們閱讀，也把現代的醫療服務帶給他們。

宣教士並無否定超自然的世界，而是向韋韋人展示慈愛的神在統管萬有，祂已準備了一套他們從未想過的

方法，讓他們更深入與超自然「保持正確的關係」。韋韋人如今變得理性和愉悅，基礎就是**不必**向鬼魔獻嬰。族人由那時開始增加，今天成為巴西一個穩定的部族。韋韋基督徒並教導其它在縮減的印第安人團體，如何藉信靠耶穌基督以適應二十世紀的文化。

其二，1796年在史托克布里奇市(Stockbridge)附近，即今馬薩諸塞州(Massachusetts)，美國早期宣教士薩爾金特(John Sargent)和同工組織了一個社團以保障印第安人的權益，使他們能在歐洲人的侵略下生存。在種族優越感被指為社會弊病，在人類學誕生之前，薩爾金特和他的夥伴與印第安人並肩耕種，實踐今天人類學家所稱的「引導性改變」(directed change)；同時，也與他們分享信仰，基督教遂成為印第安人的信仰。

信仰和屬靈的友愛，支持這個部族捱過逾百年的苦難。貪婪的殖民很快便認定，純粹由「少數的印第安人」享用這片土地太浪費了，於是驅趕他們。薩爾金特抗議不成功，有關方面保證把西面較遠的土地給他們；幾年後，又受到另一批殖民的驅趕，同樣的事仍陸續發生。他們被迫流徙了15次，宣教士每次都與他們團結一起，並向有關方面爭取土地。最後，政府容許整個社團在密歇根州(Michigan)安頓，直到今天。

從以上兩個例子看見，宣教士引導改變文化，但並不專橫，也不以武力壓人。宣教士乃按新約聖經的倫理，也為了人民的生存而改革；然而，這兩方面通常是重疊的。

曾有人開玩笑般訪問筆者，責備筆者說服了印尼薩維族人(Sawi)放棄吃人肉。他問：「吃人肉有甚麼問題？薩維族數千年來都是這樣，為甚麼現在要放棄呢？」

筆者反駁說：「今天吃人的部族能生存於世上嗎？斷不可以！薩維族已是印尼的公民，印尼政府不許人民吃人；所以，我其中一個任務，就是要在警方動用武力之前解決事件，勸服薩維族人理性地**已願**放棄吃人肉。」

印尼的伊里安查亞省或許有400個黑皮膚的美拉尼西亞(Melanesian)部族，剛走出了石器時代，薩維族是其中之一。若干年前，荷蘭把伊里安查亞交給印尼，後來稱之為新幾內亞(New Guinea)。現已有超過10萬印尼人移居當地，部族的人準備了適應雄心勃勃的移民鄰居嗎？他們會絕種嗎？

逾250位福音派宣教士(太少了)分散在伊里安查亞省各地，向兩方面的人傳福音。宣教士熟悉印尼語，也懂得伊里安400個部族中多種語言，相信可以幫助不同種族彼此了解，緩和文化衝突。而且，得到印尼政府支援，宣教士相信可避免重大的文化衝擊。數以萬計的伊里安人(Irianese)因為相信基督，已順利進入二十世紀。純

粹基於商業利益的人，對部族的憐憫是曖昧的，不宜把如此重大的種族危機交予他們處理；惟有心裡湧流著基督之愛的宣教士，才能解決問題。

宣教士是文化的帝國主義者嗎？請你來決定！

　　請看一位記者對宣教士的指控。1976年伊里安查亞省發生大地震，麥當勞(Hamish McDonald)本要報導大地震的影響，後來轉而觀察部族與宣教士的關係，並寫了以下報導，刊於1976年8月3日的美國《華盛頓郵報》：

　　伊里安查亞省查亞普拉(Jayapura)訊：基督教基要派宣教士引發此地南部山區的原始部族的敵對，偶然也會引致被害。近期最殘酷一次約在18個月前，歐洲宣教士離開後，13位差會的本地助手被殺，並被吃掉。

　　人類學家和觀察家均攻擊宣教士，指其意圖摧毀傳福音地區的所有本土文化，導致最近出現的暴力事件，其實則相反，天主教和更正宗的主流團體，則採取較為寬容的政策。

　　基要派原本在偏遠的查亞維查亞(Jayawijaya)山區工作，由於最近的大地震使上千的人死亡，他們遂在這地區展開艱辛的救援工作。他們原為5個宣教團體，即宣道會(Christian and Missionary Alliance)、Unevangelized Fields Mission、Regions Beyond Missionary Union、The Evangelical Alliance Mission、The Asia-Pacific Christian Mission，如今聯合為宣教聯會(The Missionary Alliance)，而擁有15架輕型飛機和1架直升機的技術性宣教組織——飛行宣教團契(Missionary Aviation Fellowship)亦加入。當地缺乏公路，僅有一條由首府查亞普拉到機場長25哩的公路，這項空中服務顯得非重要。北美、歐洲和澳洲的公理會、浸信會、篤信聖經的無宗派群體非常支持他們，而成員和資金則大多來自美國。

　　有時，他們反對被稱為「基要派」，形容自己是「正統」或「信心」的基督徒，主要特質是相信聖經真理。

　　近年來，他們在查亞維查亞山區成立了幾個宣教工場，這本是地圖上看不見的山區，世人不大認識，約在20年前才首次與外界接觸。最近，當地的美拉尼西亞人學會了使用金屬器皿，他們吃甜薯、甘蔗和香蕉維生，偶爾會吃豬肉，也會用弓箭捕獵小的有袋動物或雀鳥。

　　他們飼養的家畜只有豬，但認為豬也有靈魂。我問在當地的一位人類學家，何以他們會吃如此親密的朋友，對方回答說：「沒關係，他們連人也吃。」

　　他們並無衣著，男人只用葫蘆葉蓋著下身，女人則用幾片葉子遮掩著前後。地勢高低不平，語言各異，把他們與最接近的鄰居也分隔開，他們處心積慮間中與鄰居衝突爭吵。

雖然他們的文化承認有私人和家庭財產，但顯然願意與人分享。不知甚麼時候從沿海某處運來煙草，他們就學會了吸煙，這是唯一的壞事。當地現時仍通行貝幣。

他們的文化和傳統宗教反映了人類最基本的觀念，他們與伊里安查亞省另外90萬人製作的傳統雕刻和手工藝品，都令人讚歎不已。

初抵達的宣教士一般會自行蓋房子，旁邊有一條草地跑道。其中一位告訴我：「第一件事是搬進去，與他們一起生活。你要讓他們知道你會幫助他們，給他們食物、藥物與及庇護，教導他們，也學習他們的語言。通常需要2至4年的時間，才學會他們的語言。你要找尋的是文化的鑰匙，以開啟文化和傳福音的通路。」

許多宣教士認為傳統文化沒有深層的價值，與福音全不相容。一位在巴布亞新幾內亞邊境的宣教士，提及與差會保持距離的老人，說他們對屬靈的事不感興趣。一位宣教士最近到某谷地暫留，未幾就分發襯衫予部族的人。在Nalca工場，宣教士勸婦女把草裙加長蓋著膝頭，似乎要滿足宣教士的端莊標準。

他們定吸煙為有罪，就加以禁止。最近，宣教士的空運服務搜查所運包裹，拒絕運送煙酒。

1968年，兩位西方宣教士在當地山區的南坡被殺；三個月前，一位美國宣教士開罪了當地人而被追趕，要離開 FaMalinkele 山谷。

Nipsan 工場曾發生吃人事件，荷蘭宣教士早在該地西邊距離較遠的 Wamena 開始福音工作，並聘請本地的伊里安人為助手。當宣教士休假離開，族人就找出15位助手，吃掉了13位，其餘2人逃入叢林。後來印尼軍方來到，但基於法律問題而未能處理。

那位荷蘭宣教士遂在歐洲和北美籌款購買直升機，希望從空中透過揚聲器傳福音；但第一次進行的時候，據報有一陣箭雨射向他。

荷蘭人把伊里安查亞省土地分區管理，1963年把管治權移交予印尼，天主教的工作一向集中在南部，不幸地，有人拿它來與基要派比較。

查亞普拉其中一個説法是：「兩者的差異很簡單，基督教宣教士要摧毀文化，天主教則是保存文化。」

最近，天主教在南岸的Jaosakor工場舉行獻堂禮，教堂主要由本地人設計，四周的牆壁結合了阿斯馬特人(Asmat)的傳統雕刻。內布拉斯加州堂區的主教 Alphonse Sowada(Nebraska-centered Crosier Fathers)，穿著主教袍主持典禮，而當地領袖亦穿著塗滿油彩的禮服，戴上牙造的項鍊和鼻骨輔禮，並且採用阿斯馬特人啟用社區建築物的禮儀，獻堂時焚燒貝殼，用竹器盛灰，撒在牆上、地上和祭壇上。

差不多所有在伊里安查亞的天主教宣教士，在蒙召之初，都需要修讀

人類學學位，其中多位已出版了不少有關本地人的專文和著作。一位神父說：「我們相信天主創造萬物並臨在萬物之中，因此，相信天主已在現存的文化裡工作。」

1976年10月21日筆者寫了一封信給報館，但從未在「讀者來函」一欄中刊登，據知，也沒有用來與麥當奴在伊里安查亞省觀察所得的作對照。然而，在鮑德利(John H. Bodley)所著，受到廣泛採用的人類學教科書《族群與發展的爭議：全球概覽》(Tribal Peoples and Development Issues: A Global Overview, Mayfield Publishing, Mountain View, CA, 1988)，其中一章節錄了本人的公開信，現加以濃縮如下：

執事先生：

最近，地震蹂躪伊里安查亞省的山區，幾個星期前，記者麥當奴前來採訪，他請求宣教士協助前往現場。

因為地震災區住著地球僅餘的石器時代部族，其中幾個仍屬吃人族，所以外界特別感興趣。地震觸發數以千計的山崩地塌，徹底摧毀了15個部族的村落，超過1千人死亡，生還的有1萬5千人，但他們的家園只剩下約15%。麥當奴接觸的宣教士，正忙著用飛機空運食物，飛機上盛滿人道救援物品，但仍大方地騰出空間，帶他從查亞普拉飛到內陸。

地圖上看不見這群住在山上的部族，若不是10多位基督教宣教士15年前探索得他們的蹤跡，世人或許永不認識這些部族，救援組織也不知道他們的困境。這些部族對外人極不信任，又善變，但福音派宣教士冒生命危險，成為這數千人的朋友。宣教士認真地學習，並分析部族未有文字的語言，任務之艱巨，少一分動力，拖延一點時間，也難以完成。他們也劃定了4條飛機跑道，現在的救援工作才能進行；順帶一提，麥當奴也因此可以到現場採訪。

宣教飛機降落在其中一條跑道，滑行後停下來，麥當奴跳下機，就開始拍照⋯⋯

宣教士有理由要盡快到達像伊里安查亞省的孤立地區，歷史告訴他們，佔多數人口的經濟和政治，無可抗拒地必會擴張到最孤立的少數文化群體裡。天真的學者坐在象牙塔裡，抗議打擾世上僅餘的原始文化，但農民、伐木工人、土地投機者、礦工、獵人、軍事領袖、築路工人、工藝品搜集者、旅客和毒販對此毫不理會。

他們無孔不入，經常摧毀、詐騙、剝削、傷害、賄賂，除了令原始部族失去免疫能力，患染無藥可治的疾病外，就沒有其它貢獻了。

這就是本世紀初部族消失的原因，單在巴西一地已有逾90個，其它拉丁美洲、非洲和亞洲國家的原始少數民族，亦迅速在消失。所以，每年約有5至6個部族消失的無情警號，只是保守的估計。

　　我們作為宣教士，不希望伊里安查亞的重要部族有同樣的命運。我們願意冒險先進到他們中間，因為自信較那些謀利的商界更具同情之心，能令他們作出改變，例如前輩薩爾金特，1796年在北美洲展開挽救馬希坎人(Mohican)免於滅絕的行動；又如一代以前在巴西的同事，挽救了韋韋人免遭同樣命運，我們相信可以幫助伊里安查亞部族在現代世界中生存。若再問「應該進入嗎？」，顯然已經過時了，因為已有人**願意**。

　　應該以一個更實際的問題取而代之：「最有同情心的人會率先進入嗎？」為減少他們脫離石器時代的衝擊，部族為了生存，要先學習新觀念才放棄舊觀念；要教導他們本國的語言，當與「文明人」發生爭執時，他們懂得維護自己；要用他們的語言寫作，他們就不會忘記本身的語言；要告訴他們金錢的價值，就不容易受無良商人所欺騙；最好有一些人從事貿易，那地區的商業就不致完全落入外人之手；更好的是訓練一些人當醫生、護士，我們離開後，他們可以繼續醫療工作，在疫症流行或地震發生時可以照顧同胞。而我們，就要作調查員，幫助調解文化衝突。

　　我們宣教士，不單單傳揚屬靈真理，也助人生存。我們享受在伊里安查亞等地方的驚人成就，埃卡里(Ekari)、達馬爾(Damal)、達尼(Dani)、恩杜瓦(Ndugwa)等部族，逾10萬位石器時代的人，歡迎我們的福音，認為是應驗他們數百年來的盼望；埃卡里人稱之為「阿賈」(aji)，達馬爾人稱為「哈伊」(hai)，達尼人稱「長生不老」(nabelan-kabelan)，是制止部族戰爭，終止人類苦難的永恆信息。

　　我們取得的是，最可能的文化成就，使數以萬計的人打開心門信靠耶穌基督。

　　我們雖然成功，也遇上挫折。大約兩年前，從歐洲差會來的同事Gerrit Kuijt 回到荷蘭前，把一個新的偏遠點交給沿海來的助手管理。就在這期間，一些沿海助手為了私人理由騷擾周邊的部族，對方為了報復而殺害了13位沿海人士。

　　要有同情之心。有時不易找到有責任心的助手，肯一起冒險到這些未開化的地方；但是，一定要信任一些人，因為別無選擇。

　　在1968年，兩位親密同工 Phil Masters 和 Stan Dale，前往雅尼族(Yali)探索新地方時被殺，但該族的長老 Kusaho 責備殺害他們的年青人，說：「他們並沒有傷害我們，你們下手，他們也沒有反抗，真是為了和平而來，你們犯了大錯。以後若有這樣的人來到我們村子，一定要歡迎他們。」

　　我們的朋友受創，卻打開了接納之門，這是付出沉重代價的勝利。兩位宣教士分別遺下妻子及5個孩子，但兩位遺孀都沒有為丈夫之死而譴責任何人，其中1位至今仍與我們在伊

里安查亞事奉。

我們所做的是偉大而艱辛的工作，沒有政府的資助，只是由教會、個人和公眾人士自發來支持，我們才會成功的。其實記者麥當奴也可以在這方面伸出援手。

麥當奴坐上飛行宣教團契的直升機，機上載滿達尼族基督徒奉獻的甜薯，和印尼政府從倉庫拿出來的白米。山崩後外人無法進入，被圍困的村莊像孤島，很多部族在飢荒邊緣，機師 Jeff Heritage 奇怪麥當奴似乎對此不感興趣，只在內陸逗留了幾小時，便回到沿海地區寫報告。

麥當奴在《華盛頓郵報》刊登了一段大新聞，顯然是要羞辱和惹怒我們，世上數以百計的報章都利用電報轉載。他指責「基要派」，毫無理據的攻擊；他藉 Gerrit Kuijt 失去 13 位助手、Phil Masters 和 Stan Dale 8 年前被殺，荒謬地控訴我們「激起原始部族的憤恨，迫使對方作出謀殺的反應。」又說：「人類學家和觀察者也批評宣教士企圖摧毀所有的文化……」

人類學家和其他的觀察家是誰？我們團隊中有不少成員擁有人類學學位，他們並沒有從他們的專業角度發出攻擊來警告我們。過去 20 年，我們在伊里安查亞與多位人類學家合作，彼此有很好的了解。

麥當奴或許在一個內陸直升機站上，遇到仍留在當地的 3 位德國科學家；據說，他們當中有些人並未廣泛認識我們的工作，便以先入為主的反宣教士情緒來批評我們。

他們堅守仍在某些地區流行的人類學舊觀點，提倡孤立原始部族，像在動物園的自然保護區裡，不讓他們有所改變。現時美國興起的一派，發現這套方法已不合時宜，主張要讓原始部族接觸與生存有關的「引導性改變」，使他們學會適應「入侵」文化，因為這已是無可避免的。

引導性改變正是福音派宣教士薩爾金特在 1796 年所提倡的，我們現今仍在實行。其實，只有宣教士願意這樣做；人類學家不會長期留在部族，人道主義者又缺乏足夠的動機。倘若我們受到攻擊，謹慎的記者應當問我們有何答辯；麥當奴有機會，但沒有這樣做。他有甚麼證據指控我們「企圖摧毀了伊里安查亞的所有本地文化」呢？

他寫道：「一位宣教士在某山谷所做的第一件事，是分派襯衫予部族的人。」事實因為該族人剛在地震中失去大部分家園，暫時棲息在水平線上 1 哩高的地方，身無長物，印尼政府官員提供襯衫，使他們在晚上得以保暖，希望不會爆發肺炎，令救援工作變得複雜；宣教士Johnny Benzel派發襯衫，只是實行政府的指示。

除了部族要求，我們是不會提供印尼或西方服飾的，若有，這種情況通常 7 至 15 年才發生一次。部族長老以葫蘆葉蓋著下身，在空地或用草棚下

講道，並無任何問題；現在絕大多數的男人仍穿葫蘆葉，女人仍穿草裙。

以短褲和布裙取代葫蘆葉和草裙來羞辱他們的，是印尼政府，而非宣教士；我們諒解印尼政府的做法，是希望部族盡快融入社會，並且找到工作。

麥當奴拍了一張納爾卡(Nalca)土人把原子筆插在鼻子已刺穿位置上的照片，刊在報紙上，並加上一句荒唐的說明：「原子筆取代鼻骨，基要派傳道人摧毀文化」。事實是，土人在Benzel的廢紙箱裡找到一枝用完的原子筆，插在鼻孔的骨上！麥當奴借此控告Benzel摧毀文化，十分狡猾。

麥當奴又再猛烈抨擊Benzel說：「他勸納爾卡工場的婦女增加草裙的長度，要蓋著膝頭……。」事實是，達尼族幾個家庭跟隨宣教士到納爾卡等地，達尼族人的裙子較長，數年之後，納爾卡地區的婦女仿效而已。

那麼，我們要完全贊同本地的文化嗎？不必如此，正如我們不會自動認同西方全部的文化。

我們要破除吃人肉的習慣，印尼政府也是這樣做；不同的是我們以道德勸勉，假使我們失敗了，印尼政府就會用武力。故此我們要在印尼政府動武之前，向部族灌輸自願放棄這種積習的理性基礎，避免帶來悲慘的後果。

我們也要制止多個世紀以來部族之間的爭戰。鑑於看到未來50年他們可能發生的事，今日就要部族停止彼此殺戮和傷害。我們通常強調在他們

的文化裡有和平相處的機制，只是很少採用而已；又或者我們作為第三者，讓他們從另一角度看自己的問題，從而停止戰爭。

我們反對巫術，懷疑這是部族戰爭的主要肇因；以巫術害人致死，不僅違反基督教良善的觀念，也違反人道主義，對嗎？

我們也反對性雜交，並非僅基於宗教理由。中國商人為尋找鳳鳥，1903年在伊里安查亞南岸登陸，把稱為性病性淋巴肉芽腫(lymphogranuloma venereum)的性病帶給10萬的梅林特族人(Merind)。由於許多人接受集體性交，所以這種傳染病像野火一樣傳開，10年間奪去9萬條性命。假若宣教士早於中國商人進入當地，授以正確的性道德觀，這數目龐大的生命或可保留。

麥當奴繼續用反對的語氣，把我們的方法與「天主教和更正宗主流團體採取較為寬容的政策」比較。

其實只有一個更正宗主流差會在伊里安查亞內陸工作，也經歷麥當奴用來控告我們的問題。例如：8年前差會主任中了3枝箭，嚴重受傷；8位為他背行李的人，在途經荒蕪地帶時被殺。這種意外純粹是工作上的危險，別人不應拿來譴責。

據筆者所知，天主教的宣教士在伊里安查亞沒有被部族傷害或殺掉，並非他們有「寬容的政策」，主要是在政府能夠控制的地區工作。他們在經

歷巴布亞新幾內亞邊境的殉道事件後如此作，亦無可厚非。

麥當奴若有時間訪問天主教和福音派更正宗的工作地區，並加以比較，就會發現天主教若非把文化作出更大程度的變更，最少也程度相同。例如在所有天主教地區，他們希望所有原始部族都放棄原來的名字，採用拉丁文名字，比方 Pius 或 Constantius；而在福音派更正宗的地區，族人仍沿用伊里安名字，譬如 Isai 或 Yana。不過，若是與生存有關的引導性改變，亦不能犯人類學上的錯誤。

麥當奴又說：「在伊里安查亞，幾乎所有天主教宣教士都要有人類學學位」。其實，天主教與更正宗福音派擁有人類學學位的宣教士，人數相若；而福音派在學習部族語言方面，遠勝對方。即使當地人聽不懂印尼語，天主教神父大多是用印尼語教導。

麥當奴提到在 Jaosakor 獻堂時灑石灰一事。若信仰滲入文化只能到此，天主教宣教士是不會滿足的；要有效滲透文化，就要較灑石灰更深入。除非你已掌握了埃卡里族的「阿賈」或達尼族的「長生不老」等內在觀念，否則，你不能接近人心。我們其中一位宣教士對麥當奴說：「我們正尋找文化的鑰匙……」麥當奴引用這句話，可惜卻未能完全明白說話的含義。

我們也要駁斥麥當奴文章另一點：Kuijt 籌款購買直升機，不是為「在空中傳福音」，而是用來服務伊里安查亞的部族。其實，就是這部直升機及時幫助地震的救援工作，又帶麥當奴完成報導工作。感謝 Kuijt 有遠見，我們不會像麥當奴那樣不懂欣賞。

麥當奴，你的文章有很多錯處、不理智和不負責任，令人不滿，你和《華盛頓郵報》應在報章上向我們公開道歉。

讀者

Don Richardson

宣教士摧毀文化嗎？正如醫生救人一樣，有時要先摧毀身體某部分；我們的確摧毀了某些文化，但我們累積了經驗，神又賜我們智慧時，就不應──也不會摧毀文化了。

〔作者為世界宣教使團(World Team)資深會牧，並經常在宣教會議及與本書有關之課程上演講。〕

研習問題

1. 你曾看過或聽過類似麥當奴所作的批評嗎？你認為這些批評宣教士的觀點對嗎？為甚麼？

2. 你認為作者已回答了麥當奴的批評嗎？有甚麼地方需要增刪呢？

3. 你認為會有更好的政策，不必引導部族社會作出改變嗎？何故？

Toward a Cross-Cultural Definition of Sin
確立跨文化的罪觀

T. Wayne Dye 著　　石彩燕譯

紀達從事部族文化宣教，非常關心信徒多妻、嚼檳榔與吸煙等問題，視這些行為是罪。可是，當地人對他的關注卻不以為然，所看重的是村民之間的嫌隙。當地人認為不順服丈夫、不服從領袖、不接待客人、親族間冤冤相報、發怒是更嚴重的罪。

紀達渴望與他們有良好的關係，可是難以與當地人談這方面的問題。他們感到紀達太吝嗇了，因為他不像村民一樣與人分享物品，他又似乎不了解他們親人之間的義務。紀達經常在公眾地方發怒(他只認為是「表現沮喪」)，他們就感到不滿，認為他時常犯罪；是以當地的領袖並不聽從他。

紀達也在其它的事上感到挫敗，因為許多信徒不能掌握順服神而活的意思；有幾位甚至明顯地犯了性方面的罪，紀達指責他們，因他們還未真正悔改，不能信任。但他自知不大認識當地人，不敢裁定他們的行為動機，只能看重婚、吸煙、嚼檳榔這些外在的問題。到目前為止，他只能確認不作這幾方面的事，就是悔改的果子了。

紀達不明白自己的問題，早在到達宣教工場以前已經存在。像許多宣教士一樣，紀達在家鄉已經是先知的角色了。在大多數的事情上，他都能判斷是非對錯，所以同輩都尊重他，由他來帶領。他是基督徒，又是專業人士，他以自己的尺度來衡量別人，發現自己犯錯的地方，別人也會做錯，所以在工場裡，很直覺地也用同一的方式。紀達既是村裡最有學問的人，完全向神委身，是個「屬靈」人，就不會質疑自己的假設。既然現時自己所在的地方比家鄉更需要神的話，很明顯，他要成為神的代言人。

其實只有一個問題，就是此法不通，當地人難以「接收」。事實上，紀達來到這個文化圈子，無論怎樣努力適應，仍是背著沉重的文化包袱。許多事情他認為是對的，是明智和自然的，其實並非聖經的觀念，只是紀達自己的文化。許多美國基督徒非常看重的效率、準時和清潔等價值，卻難以在聖經找到依據；這亦是紀達自己

和部族文化之間的差異，對他是最嚴重的打擊。當然，這個部族的文化，即如所有文化一樣，在神的審判下處處都顯出罪惡，要加以糾正。這兩種文化的差異既如此巨大，給他的衝擊也沉重，就影響了他的觀感，使他難以接受當地的價值觀。同樣，他也很難分辨(若可以區分的話)自己的價值觀那一點來自家鄉，那一點來自聖經。

紀達花了不少時間來責備那些在當地文化中最煩擾他的事，可是，這些事卻未必使他的聽眾良心不安。那些人很快便曉得甚麼事是紀達不贊成的，但卻不明白他何以不滿，他們自己認為有些事在道德上是不對的(但與紀達所嘮叨的不一樣)，也有罪疚感(也與煩擾紀達的不同)。他們對紀達的說話裝聾扮啞，或許出於禮貌而向紀達「認罪」，其實對某些事並沒有罪疚感，就是作基督徒也從未因良心不安而悔改。

罪的普世性定義

宣教士蒙召到工場，應如何處理罪的問題而問心無愧呢？要回答這個問題之前，我們先要知道當地人對罪的定義。讓我們先重溫聖經，以一個普遍性的標準來開始。羅三 23 提到有一個明確的標準，若不符合就是有罪，耶穌在太二十二 37-40 說，這標準就是全心全意愛神，又要愛鄰舍如同自己。在羅十三 8-10，保羅指明這種愛本於利未記的律例，是超乎文化的，最後他說：「愛就完全了律法。」

這種愛的律法具有普遍性的本質，是所有文化都推崇的行為。不可說謊、偷盜、謀殺和姦淫，這些是放諸四海而皆準的，雖然，每個文化對這些罪的內涵，看法都不同。人種學 (ethnographies)上並沒有相關的資料，人類學家認為這是不相關的問題。尤有甚者，一些人類學家集中探討人實在的行為，而忘記了文化裡的理想和價值觀。一位研究墨西哥人多妻問題的人對我說，那些人的妻子通常住在不同的村子裡，互不認識。我才恍然大悟，明白這種特別的文化並非多妻制度，而是很多男人養了小老婆。這位研究者誤將行為與文化背後的價值觀等量齊觀，觀察者顯然並沒有查問當地人是否認同「多妻」的做法，或者他們這樣的行為是否有罪疚感。

放諸四海皆準的道德原則，表面看似很清晰，但實際施行時卻由每種文化的特性來決定。例如，要顯出加拉太書五章所說的恩慈、溫柔、和平、節制等美德時，愛的定律是甚麼呢？工業國家的行政人員為一個約會而等候了十分鐘，已經非常忍耐了；可是，巴布亞新幾內亞的巴希內莫人 (Bahinemo)乾等兩小時，也視為等閒。棉蘭老島南部的村民熱情待客，甚至可以花掉一個月的薪金，美國人最慷慨的款待，也不會花上一天的工資。

嚴謹的如十誡，不同文化之中也會出現一些模糊之處。在市郊的人行

道上拿走了小孩的玩具，是偷盜嗎？在美國是犯了偷竊罪，在墨西哥卻不是。古時以色列人經過人家的果園，可隨意摘取果子吃；今天擅自進入南加利福尼州的果園，邊走邊摘取果子吃，卻是犯了偷竊罪。美國人把家中的長者交給國家照顧；巴布亞新幾內亞人卻認為這樣是犯了十誡的第五條。十誡的精神是清楚的，但不同文化的界定會有所不同。

不同文化既有不同的方法來實踐神所訂定關於愛的普遍性準則，那麼，怎樣判定某一個行為是罪呢？羅馬書二章說出重要的原則：

> 這是顯出律法的功用刻在他們心裡，他們是非之心同作見證，並且他們的思念互相較量，或以為是，或以為非，就在神藉耶穌基督審判人隱秘事的日子，照著我的福音所言。(羅二15-16)

羅馬書十四章也指出文化陶塑了人的良心。羅馬教會曾因以下兩件事而分裂：甚麼東西才可吃，要守甚麼特別日子。第一種情況是，那些吃素的人大概以前是拜偶像的；第二種情況則是，要守特別日子的人大概是猶太信徒(可能是「宣教士)。因著他們不同的文化背景，就不同意別人的某些做法。

保羅回答說，重要的不是行為本身，而是與神的關係(17節)。一個人必會按自己相信能討神喜悦的方式來行(12、18、22-23節)，然而，不同的人有相異，甚至相反的做法(2-3、5-6節)。神不但個別地審判人，也叫每一個人都能討祂喜悦(4節)。所以，輕視別人遵守自以為無必要的規條，是不應該的；也不能視不隨從自以為理想的基督徒行為的人不及自己屬靈(10節)。換句話說，人人各自向神交代的，惟有神知道，祂期望每一個僕人為祂作些甚麼。

聖靈的角色

這並不是說神滿意任何人對正義的理解，而是經常引導人更愛、更順服祂。祂不斷地教導新的真理，矯正人對罪、對美善的認識，以及神怎樣對待子民(約十六8)。祂啟迪及改變人的良心，使信徒日趨成熟的過程，是悠長的。宣教士要體察聖靈在信徒的生命那一方面動工，協助他們。

當聖靈教導個別人士時，整個社會也會向著更公義、更仁慈及道德正直的方向。在歷史裡，我們常常看見社會的改革往往是由有回應的基督徒來推動。

沒有一個現存的文化體系完全為神所喜悦，尤其當一位初到貴境的宣教士遇到異教文化的道德標準時，這種情況更凸顯出來。這個社會可能十分注重禮儀，但對謙恭或殘忍的事卻不加理會；他們可能看道德事件是世俗的，或是私人的事，與神明無關。在這種社會，人們目前的良心狀態未能反映神對他們的終極心意；假若他

讓聖靈作工使人知罪並更新

1. 當你被差到一個地方，要認識當地的文化倫理體系。

2. 把所發現的與自己的文化作比較，又把兩種文化與聖經比較。對兩種文化的強項弱點要敏銳，這樣才能幫助你克服盲點以及種族優越感。

3. 在不違背自己的良心下，學習按著所服侍對象的文化標準來過愛人的生活。每次做決定時，要清楚自己是按哪一種文化來思考，是自己的、當地的，還是新約聖經的文化。要按著合宜的文化觀點來作決定。

4. 聖靈令初信者明白甚麼是罪後，才教導有關的悔改真理。在某些事情上，也許是文化與聖經有所衝突，但要有耐性講解神的標準。雖然有些文化使你不安，但與基督教信仰沒有衝突的，求神讓你能夠接納。

5. 讓聖靈繼續開導他們，最終會改造他們的社會。你要不斷聽取他們分享神在信徒心裡的工作，要學習相信初信者也有睿見。

6. 教導初信者順從聖靈，並倚靠祂；也教導他們持守純潔的心，讓聖靈能把新的真理教導他們。教導信徒讀聖經，而非你為他們「預先消化」的講義；要教導他們從聖經中得智慧，從中找出行事為人的原則。

們接受了神，毫無疑問，神會領導他們改變社會的秩序。

今天我們認為錯的事，新約聖經卻未有隻字提及，因為神容許信徒逐漸明白怎樣在一個獨特的文化裡作基督徒。昔日羅馬帝國實行的奴隸制度非常殘忍而不人道，較諸今天宣教士和當地信徒不能接受的任何事物更甚；然而，聖經從未直接譴責，卻要人學習在自己的文化裡為基督而活。

在今天來說，這個含義是清晰的。人不會自然而然便知道神怎樣教導別人。一個人認為某個行為是自然不過的，卻可能牴觸了另一個人的良心；牴觸了一個人的良心的，另一個人又可能覺得沒有問題。在文化一致的處境裡，達到共識的事物可能有很多，如此，人人有義務彼此分享自己所確信的。然而，若在不同文化的處境裡，最好是說出行動背後的聖經原則。

在本文開始時，筆者描紀達在部族文化中遇到煩惱。他大惑不解，一些明顯是罪的行為，神卻沒有向當地信徒提及。他指出這是「罪」時，當地信徒又不心悅誠服，甚至完全不認為是罪。與此同時，他忽略了其他當地人認為真正的罪。事實上，紀達不知不覺嘗試扮演聖靈，而不是求問聖靈在信徒個人生命裡的工作，自己怎樣可以與聖靈同工，以致影響整個群體日後的情況。

紀達雖然感到困惑，他的教導亦

得著了一些信徒，但卻使他們面對難題。因為宣教士所講的，與他們良心所感受到的不一樣。在學習認識神的心意上，他們長時期的在掙扎。在這樣的情況裡，凡宣教士建議或做的**每一件事**，人人都盲從，包括擦牙、在餐桌上擺放鮮花。這種缺乏獨立的能力，延誤了發展本土教會的進程。宣教士要將全本聖經教導信徒，當他們學會運用聖經時，便會看見宣教士所教導的與自己認為是對的，兩者何等不同。

有關罪的教義是複雜的，盼望宣教士開始時先作一個學習者，多花時間學習那個文化的價值觀和規矩，然後把難題來分類，看它是：1). 屬於聖靈已經叫人知罪的範疇；2). 雖與聖經衝突，但聖靈仍未動工叫人知罪；3). 這個文化觀點雖使宣教士不安，但與基督教信仰協調。作這樣的分類時要謹慎，越過表面，進到文化內涵中的真正理想，才去確定它的價值體系與意義。即使如此，答案也是粗略的，要等到當地信徒「恐懼戰兢」作成自己得救的工夫(腓二 12)，才有真正的答案。

(作者為威克理夫聖經翻譯會國際宣教顧問，與妻子曾在30個國家中培訓聖經翻譯人材，過去亦曾在巴布亞新幾內亞服侍。)

研習問題

1. 你的家庭或文化價值觀之中最看重的是甚麼，時間管理抑或是良好的人際關係？

2. 神對不同文化是否有不同的標準？抑或是聖靈以不同的途徑，帶領群體直至完全順服神呢？

The willowbank Report (I): The Bible and Culture
《柳岸報告》之一 —— 聖經與文化

洛桑世界福音委員會撰寫　　王國鈞譯　　編者選輯

《柳岸報告》乃1978年1月於百慕大薩默塞特橋柳岸(Willowbank, Somerset Bridge, Bermuda)舉行「福音與文化」諮商會議之報告。會議由洛桑世界福音委員會主辦，出席者共33位，包括神學家、人類學家、語言學家、宣教士和牧師。報告乃綜合了17篇會前文章，並在會議期間透過全體及小組討論而成。全份報告共九項，本文乃首四項。

文化的聖經基礎

人既是上帝所造的，其文化必含有美與善之豐富內容。然而人已經墮落，故文化某些部分已被罪所玷污，且有魔鬼的成份。(〈洛桑信約〉，第十段)

神按自己的形像造男造女，把人類之獨特才能如理性、道德、社交、創意和靈性等賜給他們。祂更吩咐人類生養眾多，遍滿全地，又叫他們管理全地(創一26-28)。這些神聖的命令，是人類文化的來源。故我們的文化基礎，就是管理自然界(亦是我們的環境)，以及發展社會的組織形式。我們在神的命令下使用創作能力，就能榮耀神、服侍人，並完成我們在世上的重要責任。

如今，人已經墮落，我們一切的工作必有勞苦、血汗和掙扎(創三17-19)，也會為私心所醜化；因此，文化之中不會有完全的真、善、美。每一種文化的核心，無論視這核心為信仰或世界觀，都包含了自我中心的成份，是人對自我的崇拜。故此，除非一種文化能徹底改變效忠的對象，否則無法完全伏於基督的主權之下。

然而，可以肯定的是我們乃按神的形像所造(創九6；雅三9)，即使這神聖的樣式已被罪所扭曲，神仍然期望我們負起管理這地和其上生物的責任(創九1-3、7)；而人類在祂普遍的恩典(common grace)之下，有創作、利用各項資源努力取得成果的恩典。雖然創世記第三章記載了人類的墮落，第四章記載了該隱殺亞伯，但該隱的後嗣卻是文化的創始者，如建築城市、飼養牲畜、製造樂器和各樣銅鐵器具等

(創四 17-22)。

過去,很多福音派基督徒看文化過於消極。我們不會忘記人類的墮落和失喪,需要基督的拯救,但願意在這份報告書之初,先肯定人類的尊嚴和人類文化的成就。當人類拓展社會組織、藝術和科學、農業和科技,他們的創作力都在反映他們的創造者。

文化的定義

要為文化一詞下定義,並不容易。廣義來說,它可以簡單地指為人類一起處事的模式。若一群人共同生活和合作,不論是否有明文規定,許多事情都要有所協議。所以「文化」一詞不會用來描述一個家庭,而是一個團體。

文化蘊含著一種對相同性質(homogeneity)的量度。若這一群人不止來自一個氏族或小部族,文化之中便會包涵一些次文化,甚至在次文化中再有次文化,差別可能很大。如果差別超過了某一個限度,就會產生抗衡文化(counterculture),亦可能帶來破壞。

文化把不同時代的人連繫一起,每一代的人都傳承著舊有的傳統,但並非生而知之,每一代都需要重新學習,這是一個從社會環境,特別是在家庭裡學習的過程。在很多社會裡,文化元素往往透過一些儀式來直接傳遞,有時也透過其它嚴謹的教導。因此,在潛意識的層面裡,往往存有很多與文化相關的行為。

因此,一個被接納的文化,涵蓋了人類生活的每一件事情。

文化的核心是一個世界觀,即人對宇宙大自然的普遍理解,以及自己所處的位置,這可能是「宗教性的」(關乎神、神明、靈界及與自己的關係),或如馬克斯主義社會中所表示的「世俗」現實觀念等。

從這基本的世界觀伸延而出的,是判斷或價值的標準,以及行為的標準。前者如值得欽羨的善,或是社群普遍接納與不接納的行為;後者則關乎群體對內的人際、性別、兩代關係,或對外的交往。

文化往往在一種語言的界限之內,透過一些格言、神話、民間故事和不同形式的藝術來表達,成為每一個團體中所有成員的思想架構。它統管著社團內所發生的一切行為,如敬拜活動,或一般的福利、法律和行政法規、社交活動(如舞蹈及遊戲)、規模較小的活動(如會社和社團)、大量有共同目的的會社。

文化永遠不會是靜態的,經常在改變,但必須在可接納的規範之下逐漸發生,否則,就會造成文化分裂。對一個叛徒最嚴重的刑罰,就是把他與自己的文化社群隔離。

任何人都需要處身於一種文化之內,這是歸屬感的一個來源,同樣也會帶來安全感、認同感和尊嚴,令人感到自己是一個大群體的一部分,並

且能夠分享社會的過去和未來的盼望。

在聖經方面，我們可以從舊約集中關注的三個層面——人民、土地和歷史——來了解人類文化。種族、領土、歷史是構成以色列人民經濟、環境、社會及藝術形式的三重來源，也代表了人力和生產形式、財富和優質生活的來源。這個模式提供了一個觀點來詮釋所有的文化。

也許，我們可以概括如下：文化是一套整合的體系，其中有關於信仰(神、現實或終極意義)、價值(真、善、美及規範)、風習(舉止、相交、談吐、禱告、衣著、工作、遊戲、商貿、農耕、吃喝等)，與表達這些信仰、價值、風習的組織(如政府、法院、廟宇或教堂、家庭、學校、醫院、工廠、商店、工會、會社等)；這套體系連結著整個社會，從而產生認同感、尊嚴、安全感和延續性。

聖經啟示中的文化

神在聖經中的自我啟示，是透過受眾的文化，故此我們要自問，這對今天的跨文化傳意任務有甚麼意義。

聖經作者審慎地使用文化中所有的素材來表達信息，例如：舊約多次提及巴比倫的海怪鱷魚，神與祂子民所立「盟約」的形式和古代赫人封立宗主國的「條約」非常相似，又或聖經作者雖不肯定哥白尼之前的宇宙觀，卻不時提到「三層天」。我們現今亦常以

「日出」和「日落」來作比喻。

同樣，新約的語言和思想形式也摻雜了猶太和希臘文化，保羅也曾借用希臘哲學的用語。當然，聖經作者以自己文化中的字句和形像，創意運用，過程是由聖靈所掌管的，除去一切虛假和邪惡的意思，成為真和善的器具。這些無可置疑的事實，卻引來幾個需要深思熟慮的問題，以下提出五點：

聖經默示的本質

聖經作者使用自己文化的字詞和意念，是否違背聖靈默示的真理呢？不是！聖經有不同的文體，就暗示了有不同形式的默示過程。例如，不同的先知書作者描述所見的異象與主基督的教訓，在形式上就有很大的分別；歷史書與書信的作者也用了不同的表達形式；然而，卻是同一位聖靈向他們獨特地默示。神使用不同作者的知識、經驗和文化背景(雖然神的啟示經常超越這些)，卻帶來一樣的結果，神的話語透過人的語言表達出來。

形式與意義

每一次傳遞信息都包含了意義(要傳甚麼)和形式(傳的方法)，無論是聖經或其它的書籍，形式和意義皆互為表裡。那麼，如何將信息從一種語言翻譯成另一種語言呢？

字面上的翻譯(形式相等 formal

Correspondence)，可能會隱藏或者扭曲了原意，較好的方法是從所要翻譯的語言中，找到一個對聆聽者能產生相同影響力的表達。這就意味需要改換原來的形式，以保存所要表達的涵義，這稱為「功能相等」的翻譯(dynamic equivalence)。請看以下的例子，《英文標準修訂本》(RSV)把羅馬書一章17節譯為：「神的義在福音裡彰顯出來，從信到信。」這是照原來希臘文逐字的翻譯，即「形式相等」的翻譯，卻未能將「義」和「從信到信」的意思清楚表達。而《現代英語譯本》(TEV)則譯為「這福音顯明神如何使人與自己和好，從開始到末了都是全靠信心。」這個翻譯放棄了希臘字和英文字一對一的原則，卻能把原來句子的意思表達得更恰當。這樣「功能相等」的翻譯，可能使翻譯員對聖經有更深的了解，使經文對另一種語言的讀者更有意義。

一些聖經的表達形式(字詞、形象、比喻)應予以保留，因為它們是重要的象徵(如十架、羔羊、杯)。然而，保留這些形式的同時，翻譯員也要嘗試把意義表達；《現代英語譯本》可十四36的翻譯是「請把這受苦的杯從我處拿開」，保留了「杯」的形式，但加上「受苦的」來表明意思。

新約的作者以希臘文寫作，所用的字詞在世俗世界裡已有長久的歷史，但他們冠以基督教的意思，如約翰稱耶穌為「道」(The Logos)。這是很

危險的做法，因為「道」在希臘文學和哲學上有很多不同的解釋，必定會帶有一些非基督教的含義。因此，約翰把這稱號放在教導性的處境裡，指出這「道」從起初就有，是與神同在，而「道」就是神，萬物藉著「道」而被造，是世人的光和生命，這「道」更成為人(約一1-14)。同樣，有些印度的基督徒願意冒險借用梵語「比濕奴」(avator)，印度教中三大神之一)化身下凡的事，來表達耶穌基督是神成為人的真理，並謹慎解釋；亦有一些印度信徒拒絕接受，因為他們認為，無論如何謹慎的解釋，都無法避免誤會。

聖經的規範性本質

洛桑信約宣稱聖經在「其所肯定的一切事上不可更改的」(第二段)，這留給我們一個非常重大的釋經責任，要正確辨別甚麼是聖經所肯定的，必定要完全保留聖經信息的基本要義。雖然，在跨文化傳意上，或為了表達某些意義而改變形式，但我們相信聖經本身亦具有規範性；因為神自己揀選它作為適當的器皿來傳遞祂的啟示。因此，每個世代和每種文化都可以有新的形式和解釋，但必須檢定其乃忠於原著。

聖經的文化條件

我們並未有足夠的時間來討論這個問題，但我們都同意一些聖經的命令，是特別針對當時的文化風俗，對

今日世界很多地方都不適合(如婦女在公眾場所要蒙頭，和彼此洗腳等)。面對這些經文，我們相信正確的回應不是按字面的解釋來遵行，或不負責任地置諸不理，而是要審慎地考查經文的內在意義，然後，應用於自己的文化中。例如互相洗腳的命令，所蘊含的意思是藉謙卑服侍來表達相愛的心，因此，在某些文化中可以寫成為對方擦鞋。這樣的文化轉換，並不是要逃避順服，而是要使聖經的教導切合時代和真確。

諮詢會議上並未討論爭議性的「婦女地位」問題。我們承認需要尋索一種解釋，既能顧及聖經所有教訓，男女的關係能按創造的次序，同時又能靈活地轉變為符合耶穌所提到的新秩序。

聖靈不斷的工作

我們強調聖經是最終和永恆的規範，是表示聖靈已停止了工作嗎？絕不是！但祂教導工作的本質卻有所改變。我們相信祂默示的工作已經完成，聖經正典亦已訂定，但聖靈的「光照工作」仍繼續使人悔改(林後四6)，運行在信徒和教會的生命。因此，我們要繼續祈求祂照亮我們的心，使我們曉得神對我們有何等豐盛的計劃(弗一17以下)，並且不膽怯，在今天能勇敢的作決定，負起應盡的任務。

我們既知道，在我們個人及教會的生活上，很少靠著經歷聖靈啟示來實行神的真理，我們就應在這方面更敏銳地開放。

研習問題

1. 創一26-28常被認為是神給人類的「文化訓令」(Cultural mandate)，你認為今日我們所實行的有多少？

2. 按照以上「文化」的定義，你自己的文化有哪些主要的獨特成分？

3. 如果你懂得兩種語言，請用其中一種語言作一句子，然後，嘗試以「功能相等」的方法把它翻譯成另一種語言。

4. 請舉出其它「文化上變換」的例子，既能夠保存聖經內在的意思，又能應用在自己的文化上。

明白神的話語

不但在神藉聖經的自我啟示裡蘊含著文化因素，我們在詮釋這個啟示的時候也受文化的影響；以下就是討論這個問題。所有基督徒都想了解神的話語，所用的是不同的方法和途徑。

傳統的進路

最普遍的方法是直接從經文的字面來研究，全不理會作者與讀者文化處境的差異。讀者將經文當作是用他自己的語言、文化處境和同一時代寫

成來詮釋。

我們承認聖經大部分可以用這種方法來閱讀，特別是有好的翻譯。因為神的話是給一般人的，並非單單是學者所特有，救恩的核心真理簡單清楚要讓所有人都看見：聖經於教訓、督責、使人歸正、教導人學義，都是有益的(提後三16)，而且，聖靈亦是我們的老師。

不過，這種「流行」進路(popular approach)的弱點，是並未嘗試先明白經文在原來背景中的意思，因而易陷於以其它意思取代神原意的危機。

第二種傳統方法則非常注重經文原來的歷史及文化背景，它尋索一段經文在原來語言中的意思，及與其它經文的關係。這一切都是很重要的操練，因為這是神在一個特別的時代和處境中，向一個特別的民族說話。因此，當我們了解各方面的背景後，就更能明白神的信息。

可惜，這種「歷史」進路(historical approach)的弱點，是它沒有顧及聖經向現代讀者要講的話，只停留在聖經對當時文化的意義，只分析經文而不加以應用，或只有學術上的知識，並沒有真正遵行教訓。這樣的詮釋亦可能誇大了完全客觀，因為他們忽略了自己文化的預設。

處境化的進路

第三種進路結合「流行」和「歷史」兩個進路的優點，抽取「歷史」進路對原來語言及背景的研究，配合「流行」進路所著重的聆聽和遵行神的話語，即對當代讀者的文化處境和經文都非常重視，也承認兩者之間必須「對話」(dialogue)。

我們盼望能強調這種經文和詮釋者之間的關係。今天的讀者不能夠，也不必從一個「真空」的背景來研讀聖經。他們應該察覺自己所關注的，是與自己的文化背景、個人情況和對他人的責任有關，這些關注會影響讀者對聖經所發出的問題。我們所接收的，不只是一些答案，也會帶來更多問題，因為我們對聖經提問，聖經也對我們發問，我們的文化預設會被詰問，而我們的問題也得到修正。事實上，我們會被逼修改先前的問題，重新發出另一些問題；如此，經文和詮釋者之間便會持續互動。

這互動的過程中，我們會不斷加深對神的認識和回應祂的旨意。我們愈認識祂，就愈有責任在自己的境況下順從祂；我們愈順從祂，祂也愈讓我們認識祂。

這樣不斷的在知識、愛心和順服上長進，正是「處境化」研經法的目標和優點。從神話語的原來背景，我們聽見神在我們現今的處境中說話；這是個心意更新的經歷，是以聖經為中心和規範來提昇靈性的過程。

學習的社群

我們也強調，對聖經的理解，不

單是個別信徒的責任，更是整個信徒社群的責任，包括了當代和歷史上的信徒。

今天，一個地方教會，要從自己的文化中辨明神的旨意，是有許多方式的。耶穌基督仍在祂的教會中選任牧者和教師，藉回應祈禱來對祂的子民說話，特別是透過崇拜中的講道。此外，藉小組查經、諮詢姊妹教會，也可以「彼此教導，互相勸戒」(西三16)；還有，安靜聆聽神在聖經中的話，也是信徒生活中不可或缺的。

教會也是一個歷史性的團契，從過去承受了豐富的遺產，包括了神學、禮儀、敬拜等。忽視了這些遺產，任何信徒都會陷於靈性貧乏，而這些傳統無論是否已成為一套宗派的特性，都必須經過聖經的評鑑。我們也不應把它強加於任何教會上，而是讓教會視為寶貴的參考資料，與獨立自主的精神抗衡，並成為與普世教會的聯繫。

無論過去和現代，聖靈透過許多教師來教導祂的子民。我們需要彼此相交，惟有「與眾聖徒一起」，才能一同明白基督的愛，是何等長闊高深(弗三18-19)。「聖靈在各種文化中光照屬上帝子民的心智，使他們從各自的見解中，重新領悟其中的真理。聖靈以上帝諸般的智慧，將這真理恆久地顯明給整個的教會。」(〈洛桑信約〉，第二段，回應弗三10)。

聖經的緘默

我們也考慮到聖經緘默的問題，某些教義或道德行為，是聖經並未清楚提示。聖經寫於古代的猶太和希臘世界，當然並未論及今天的印度教、佛教和伊斯蘭教，也沒有提到馬克斯的社會經濟理論或現代的科技。然而，我們相信教會在聖靈的引導下，查考聖經的例子和原則，能使基督徒具有主基督的心腸，作出正確的抉擇。當信徒社群同心敬拜神，在世上遵行祂的吩咐，這個抉擇的過程將會是最有成效的。再一次說，順服是明白真理的結果，也是一個先決條件。

研習問題

1. 能否舉出一些令你迷路的傳統讀經方法？

2. 選擇一段熟悉的經文與它對話，如太六 24-34，或路十 25-38。你可以提出問題，也讓經文向你發問；請記下這種互動的過程。

3. 請討論我們在現今世代有哪些尋求聖靈引導的實際途徑？

The willowbank Report (II): Humble Messengers of the Gospel
《柳岸報告》之二——謙卑的福音使者

洛桑世界福音委員會撰寫　　王國鈞譯　　編者選輯

《柳岸報告》乃1978年1月於百慕大薩默塞特橋柳岸(Willowbank, Somerset Bridge, Bermuda)舉行「福音與文化」諮商會議之報告。會議由洛桑世界福音委員會主辦，出席者共33位，包括神學家、人類學家、語言學家、宣教士和牧師。報告乃綜合了17篇會前文章，並在會議期間透過全體及小組討論而成。全份報告共九項，本文乃第六項。

謙卑的福音使者

我們相信，傳遞福音有說服力的主要關鍵，在乎傳者本身以及他是個怎樣的人。不必細數，他們必須有信心、愛心和聖潔，亦即他們個人要不斷被聖靈更新而成長，以致耶穌基督的形像在他們的性格和態度中更加明顯。

此外，亦深願在我們各人身上看見「基督的柔和謙卑」(林後十1)，亦即是說，要對基督的愛謙卑敏銳。我們相信這是極其重要的，故在這份報告中用一些篇幅來申論。首先，我們從宣教士的處境分析基督徒的謙卑；然後，轉看那位成為肉身的耶穌基督，作為我們切盼追隨的榜樣。

宣教士的謙卑

首先，我們需要謙卑的承認文化所帶來的問題，不應逃避也不能予以簡化。不同的文化對聖經的啟示、我們自己、傳福音的對象，都有莫大的影響；因此，在傳福音的過程中，我們受到一些個人的限制，自己的文化有意無意地牽制著我們，對聖經時代的文化或前往傳福音地區的文化，亦未能完全掌握；這些文化間產生互動，就構成了傳遞上的困難。每個跨文化傳福音的人，都要謙卑承認這些

問題。

第二，要存謙卑的態度來了解和欣賞傳福音地區的文化。能夠如此，自然引致真誠的對話，「可使聽者感悟而明白佈道是傳揚基督，勸導人們個別信靠主與上帝和好。」(〈洛桑信約〉，第四段)。我們常常以為自己擁有一切的答案，而我們唯一要作的就是教導；我們必須為這無知悔改，需要學習的地方仍有很多。我們也要為批判態度而悔改，不應忽視別的文化，也不可譴責它，應該尊重它。我們既不應心存驕傲，要把自己的文化加在別人身上，也不可把福音真理與相違背的文化元素混合，而是謙卑地分享福音——惟有建立了彼此尊重的真誠友誼，才可達到。

第三，我們要有謙卑的心，並非以我們所期望，而是以對方實際的境況來作為傳福音的起點；這正是主耶穌所作的，深願我們跟隨祂的腳蹤。很多時，我們忽略了對方的恐懼、挫折、痛苦、憂慮、饑餓、貧窮或權利被剝奪，被欺壓等，這些「切身的需要」(felt needs)，在實行「與喜樂的人同喜樂，與哀哭的人同哀哭」的事上太遲鈍。這些「切身的需要」有時只是更大需要的先兆，他們自己也不曉得或並未感受有那些更大的需要。誠然，醫生不一定要同意病人的自我診斷，但我們要從對象的現實境況起步，而非停留在那裡。我們有責任以溫柔和耐心引導他們看自己，即如我們看自己一樣，都是背叛神的人，而福音就是給他們赦罪和希望的信息。傳福音不按對象的現況，只是傳不適切的信息，讓對象停留在現況之中，不領他們進到福音的豐盛裡，所傳的是一個不全備的福音。若有謙卑和敏感的愛心，這兩種錯誤都可能避免。

第四，我們要謙卑的承認，即使最願意委身、最有恩賜和經驗的宣教士，到另一個文化、語言中傳福音，所產生的果效總不及一個受過訓練的本地信徒。近年，聖經公會也承認這個事實，一改從前主要由宣教士翻譯聖經(本地同工協助)的政策，開始注重訓練用母語的專材來從事翻譯。「神，若用我們的語言，會怎樣表達呢？」或「神阿！在我們的文化中，『遵從』是甚麼意思呢？」只有本地信徒，才能解決這些問題。因此，無論是翻譯聖經或傳福音，本地信徒的參與不可或缺，以自己的語言和文化把福音本色化，是他們的責任。可是，跨文化宣教士並未因此被視為閒人，我們要謙卑的看見，傳福音是關懷的好工作，所有的信徒(包括宣教士和本地信徒)要互相配搭。

第五，我們要謙卑相信聖靈永遠是最主要的傳訊者，只有祂才能開啟瞎子的眼睛，使人重生。「父上帝差遣聖靈為聖子作證，若無聖靈的見證，我們的見證一定失敗。」(〈洛桑信約〉，第十四段)。

「道成肉身」是基督徒見證的榜樣

我們的諮詢會議是在聖誕節期間舉行，神的兒子成為第一世紀加利利地方的一個猶太人，這是人類歷史上最偉大的文化認同。

我們記得，主耶穌願意祂的子民效法祂來完成福音使命。祂說：「父怎樣差遣了我，我也照樣差遣你們」(約二十21；參十七18)。因此，我們要自問，「道成肉身」對我們有何意義？對跨文化的見證人，這問題特別重要，尤其是到第三世界去的人。

我們默想腓立比書第二章時，我們看到基督自我卑微，是發自內心的：「祂不以自己與神同等為強奪」。我們受命以祂的心為心，因此要謙卑地「看」別人比自己強，比自己重要。這份基督的「心意」，看見人類無限的價值，並以服事他們為特有的權利。有基督心意的見證人，對福音對象和文化會極之尊重。

有兩個動詞指出基督的心意所帶來的行動：「祂倒空自己……祂自己卑微……」，第一個動詞說出祂的犧牲(祂所捨棄的)，第二個說出祂的事奉，願作奴僕(祂與我們認同，並任由我們使用)。我們嘗試思想這兩個行動對祂的意義，以及對跨文化宣教士可能有的意義。

我們先思想祂的犧牲。第一，祂捨棄了祂的身份。由於我們未能領悟到祂永存的榮耀是怎樣的，因此我們不能完全了解祂倒空自己的偉大，但至少，祂交出神兒子所享有的權利和能力。「身份」和「身份的象徵」，在今日的世界非常重要，但對宣教士而言並不合適。我們相信，在任何地方，宣教士不應該單獨工作或扮演領導的角色，應與本地信徒同工，接納他們的意見，甚至指導。無論宣教士的職責是甚麼，他們所表現出的態度應該「不是轄管而是服事」(〈洛桑信約〉，第十一段)。

第二，就是捨棄獨立，依靠別人。我們看見主耶穌向撒瑪利亞的婦人取水，居住在別人的家，用別人奉獻的金錢，借用別人的船、驢駒、樓房，甚至死時也葬在別人的墳墓裡。同樣，一個跨文化的宣教士也要學習依靠別人，首年的事奉更應如此。

第三，就是捨棄超然地位。主耶穌讓自己遭受試探、傷心、局限、經濟缺欠、痛楚。同樣，宣教士也必會遇到新的試探，如危險、疾病、氣候差異、前所未有的孤單，甚至有死亡的危機。

我們需要認同對方的問題；希奇地，主耶穌完全與我們認同，特別在希伯來書中所說的，祂有我們一樣的血肉身體，與我們一樣受試探，藉苦難學會了順服，為我們的緣故嘗死味(來二14-18，四15，五8)。在祂公開事奉期間，祂常與窮人和無權勢的人作朋友，醫治病人，叫饑餓的得飽足，撫摸那不可觸摸的，為了與那些

被社會擯棄的人為伍，祂連自己的名譽也不顧。

我們與福音對象認同的程度，是個極富爭論性的題目。這當然包括學習他們的語言，投入他們的文化中，學習以他們的方式來思想，體會他們的感受，作他們所作的。在社會經濟的層面，我們毋須「土化」(go native)，因為當一個外國人這樣作，不會被視為真誠的認同，反而覺得他在裝模作樣；但另一方面，我們的生活方式，也不應與當地有太顯著的差別。在兩個極端之間，我們的生活方式，既要能表達愛心的關顧和分享，也可以彼此接待而不會尷尬。我們可以作一個認同的測試，就是自己是否感到屬於這個群體，而他們又是否感到我們屬於他們的群體？應否自然地參與當地的國家或部族的慶典？是否會為他們所受到的欺壓悲嘆，又會與他們一起追求公義與自由呢?若該國遭受地震或發生內戰時，我們本能的反應是留下與所愛的民族同受苦難，抑或想立刻回家呢？

雖然，主耶穌完全與我們認同，但祂也沒有失去自己的身份。「祂從天降臨，成肉身，而為人」(〈尼西亞信經〉)，卻仍然是神。同樣，「基督的佈道者必須謙卑地倒空自己，但仍保留他們的真我。」(〈洛桑信約〉，第十段)。「道成肉身」是認同卻不會失身份。我們相信，真正的自我犧牲會導致真正自我的發現，謙卑服事中有滿足的喜樂。

研習問題

1. 若福音傳播的關鍵在乎傳者，他們應該是怎麼樣的人？

2. 按你所體會基督見證人應有的謙卑態度是怎樣的？你會特別著重那方面呢？

3. 道成肉身包括了捨棄和認同，主耶穌已經付上很大的代價；今日，「道成肉身」的福音工作，又需要付甚麼代價呢？

當我跪在弟弟病床邊那刻，才真正覺察到應把基督放在首位，為祂而活才有意義。

紀亞納(William Henry Temple Gairdner, 1873-1928)

基督教與祭祖問題處理獻議

亞洲神學協會撰寫　　陳佐人譯

來自亞洲9個國家的98位福音信仰人士，於1983年12月26至31日齊集台灣台北市出席「祖先崇拜問題研討會」。大會分別從聖經、歷史及實踐角度來探討祭祖問題。我們承認亞洲基督徒在面對祭祖問題時的苦惱，這個問題的處理，對今日亞洲教會的生活與見證有著重要的意義。

以下是一些較突出而主要的具體論點：

1. 祭祖問題主要是涉及個別基督徒與其非基督教家庭之關係的心理、社會與文化問題。

2. 祭祖禮儀造成了地方教會與其所處的社區的隔閡，使有效的佈道工作更形困難。

3. 祭祖問題亦有其更廣闊的層面，因為亞洲基督徒有長久受逼迫的辛酸史，他們一直都被迫要在順服神抑順服政權之間作出決定，這不是一個過去的問題，更關乎現在與將來。

歷史觀點

當基督教在中國、日本和韓國等國家中傳揚時，祭祖成為基督教所面對的最尖銳問題。教會曾經一度對祭祖問題抱善意態度視其為一種合乎需要的倫理與社會禮儀，但亦曾採取批判態度，視祭祖如偶像崇拜。

以中國為例，當耶穌會修士自十七世紀初以後的100年內，對這種根深蒂固的中國祭祖傳統抱善意態度時，他們的教會便增長。但當中國的羅馬天主教會自十八世紀初以後的200年抱批判態度時，教會便衰落以致幾乎消失。同樣地，當早期的保守更正教宣教士抱批判態度時，雖然仍產生了相當的悔改信主人數，但亦成了許多中國人的絆腳石，因為這態度被視為對這獨特的中國傳統，加予一種帝國主義的強制手段。而當一些宣教士採取一種相當善意的態度時，雖然挪開了攔阻，但究竟如何影響中國教會增長的速率，卻不大清楚。

在韓國，當羅馬天主教會在十八世紀末的25年間對韓國儒家祭祖禮儀抱批判態度時，即面對政府與普遍社會的強烈抵抗。而在二次大戰初轉為

採取溫和態度時，這種攔阻即除去，而教會也較易適應韓國社會。但是這種寬容卻不一定會帶來教會增長。當更正教於 100 年前在韓國傳播時，從開始便抱批判態度而成為絆腳石，但這卻不一定攔阻了教會增長，反而成為一種可能刺激佈道的因素，這種激烈的抉擇賦予初信者一種新的身份認同和使命感。

雖然儒家傳統在現代世俗化的社會中有日漸衰弱的跡象，但祭祖的傳統依然在大部分亞洲國家中給初信者帶來苦惱。在亞洲，傳統與文化的國族主義也有復甦的跡象，而自由派神學的潮流則有傾向將基督教容納於不同的宗教與文化傳統中。

面對這些時代潮流，現在是福音信仰人士醒覺和裝備，從而**合宜地**處理困難的祭祖問題以及基督與文化關係的時候。

聖經觀點

我們確信聖經是最後權威，全部聖經都是神所默示的話語；因此當我們在探討基督徒回應祭祖問題時，要以聖經的誡令和原則作為指引。

我們確信聖經基本上是關乎活人而不是死人，並且福音要向萬民宣講，因他們未來的狀況是視乎他們在此生對基督的回應。

在聖經中，伸延的家庭成員如父母、子女和近親都是構成社會中決策與行動的基本單位，而此現象亦見諸亞洲各文化。因此**孝親**的美德與**團結**是我們關懷的重心。人類家庭是屬於創造秩序，是全人類共通的。不過，在基督裡的家庭卻有一層嶄新與增添的意義，是活在與神的垂直關係和與他人及世界的水平關係兩個層面內。基督徒家庭分享了神給祂子民約的祝福，丈夫與妻子要彼此相依而生活，而兒女乃神所賜的禮物，父母要愛護和養育他們，教以對神和鄰舍的責任(創十八19；申六6-9；弗六4)，兒女則要孝敬和聽從父母(出二十12；弗六1-3)。

十誡以及其在新約中之詮釋，是祭祖問題的態度本質之基礎。我們要本於對神的愛與感謝來遵守這些誡命，藉此回應神無上的慈愛與憐憫。頭幾條誡命確立了神的獨一性和排斥了其它神祇，譴責任何形式的偶像崇拜，並警戒濫用神的名字。就在此經文脈絡中，第五條誡命(有些人稱為第四)說道：「當孝敬父母，使你的日子在耶和華你神所賜你的地上，得以長久。」(出二十12)。這條誡命帶有長壽與產業的祝福，因此我們若能完全地去愛、尊崇與敬拜神，我們也會願意尊重與尊敬我們的父母。

聖約的祝福與咒詛並不限於現時的家庭，並且會世代延續。神曾宣佈：「我耶和華你的神是忌邪的神，恨我的，我必追討他的罪，自父及子，直到三四代。愛我守我誡命的，我必向他們發慈愛，直到千代。」(出二

十5-6)。如此代代相傳，有其延續性，而從聖經重複提及「亞伯拉罕、以撒、雅各的神」可以看見在列祖時期，一個人與其去世家人合一的意識是十分強烈的。

當整個家庭或其個別成員歸信基督時，他們在聖靈裡重生，而基督就成為他們的元首。他們所有的關係與行動都要順服於基督，由祂管理，各成員也要因對基督的尊崇而彼此順服(弗五21-33)。這種對基督的效忠超越了其它一切的要求，在某些情況下，我們甚至要作出痛苦的決定，以致不能順服父母、部族領袖或其他治理我們的人(結二十18-20；徒五29)。這種決定應該經過審慎的探討後以謙卑的態度作出，並且還需與其他基督徒及教會領袖共同磋商。即使在這種情況下，我們仍要在神面前存謙卑與感恩的心，去維持我們對父母和其他長官的尊敬。

死亡是與生命斷然的決裂，復原生命是絕不可能的。我們至終必須認識到死亡是罪的結果或工價(羅六23)，隨著亞當罪惡的悖逆，全人類因此有份於亞當的死亡(羅五12)。保羅說死的毒鈎就是罪(林前十五56)，所有人都有罪，須受神的憤怒與審判(來九27)。

全智的神藉著聖經漸進性地啟示了死亡的本質，舊約的用字「陰間」(Sheol)常指墳墓，是所有人死後去的地方(創四十二38；何十三14)，也是惡人的居所(民十六30；詩九17)和義人的居

所(創三十七35)。約伯形容陰間是往而不返之處，幽暗、死蔭與混沌之地(伯十21等)。在新約希臘文「陰間」(hades)的用法與舊約相似，但正如財主與拉撒路的故事(路十六23等)所顯示，新約更是強調了審判與刑罰的意義。聖經形容死人最終的目的地與狀態為地獄或天國(heaven)。在最後大審判的日子，我們都要在基督面前顯現，並因著我們今生對基督的回應而接受審判(林後五10)。

天國是享受神的同在，有著不同的關係，也是所有被基督救贖的又新又屬乎靈界的身體的居所。救恩是神無條件與恩惠的禮物，賜予所有悔改歸信那位被釘與復活的基督的人。救恩不是我們自己或其他親友努力的成果，是單藉著信而得(弗二8等)。

進一步說，那些在基督裡死了的人立刻便與主同在，耶穌對那位垂死的強盜說：「我實在告訴你，今日你要同我在樂園裡了。」(路二十三43)。而保羅曾宣稱：「因我活著就是基督，我死了就有益處……情願離世與基督同在，因為這是好得無比的。然而我在肉身活著，為你們更是要緊的。」(腓一21等)在復活的時候，我們都會改變，以屬靈的身體被提昇，進入與神完全交通的狀況；永遠享受與神同在的復活盼望，是全人的再創造。「靈魂不滅」(immortality of soul)這個用詞需要小心運用，因為不朽只屬乎神(提前六16)。在希臘和亞洲的宗教

性文化中找到的，沒有軀體的靈魂不滅的觀念，與新約中對身體復活的盼望大相逕庭，而介乎肉身死亡與復活之間的「圓寂」(soul-sleep)觀念也需要十分謹慎地掌握，一些提及死亡如睡覺的經文如太九24、林前十五51等節，以及帖前四13等節，都可能是用比喻的手法來形容沒有恐懼的死亡，而不是對居間境界(intermediate state)本質的真正描述。

從掃羅嘗試藉著隱多珥女巫來與已故的撒母耳接觸一事來看(撒上二十八1-25)，聖經禁戒任何與離世的人的靈魂溝通的嘗試，那些尋求通靈者或尋找招魂者的人，不但玷污了自己並且犯了屬靈的姦淫(利十九31；二十6)。所有對死人崇拜與祈求的舉動都被聖經禁止，但是我們卻應鼓勵基督徒，特別是那些初信者，將他們逝去的親人交託給神，並且為那些死者對他們的意義而感謝神。

因著我們的救恩是建基於基督在十字架上已完成的工作，所以為死人禱告與做彌撒以使他們得救是毫無益處的。馬利亞與其他聖人為「煉獄」中的人代求的思想，是毫無聖經基礎的，應被摒棄。另一方面，以合宜的尊敬與莊嚴地舉行葬禮和清掃墳地，藉此表示對去世親人的尊敬，則應被表揚。我們知道在舊約時代，丟棄屍體不埋葬被認為是最可悲的命運(王上十四11)，而不能埋葬在家族墳墓是被看為從神而來審判(王上十三21等)。

我們承認有些經文十分難以理解和應用於現實的處境中，當我們嘗試從一些經文如彼前三19與林前十五29，擬想出一些有關死人的狀態或與他們溝通的權利的結論時，要特別謹慎。

最後，我們確認目前需要建立一些可靠的釋經原則，去認真探討聖經信息的處境、接收信息的人的文化，以及傳遞福音者的態度。我們看見保羅在向那些未聞福音之人傳道時，顯出他是何等願意認同那些不同社會與宗教處境的人，但他的行動卻被基督的律法所規範(林前九19-23)。我們可以在不與神啟示的話語牴觸的情況下，認同那些我們接觸對象的風俗，但必須以無虧的良心來行事，對軟弱弟兄姊妹以適當的體諒(林前八10；羅十四)。我們承認耶穌基督是主，並且歡悅地順服祂在我們生活的每一層面上的主權，包括我們的行動與動機，無論我們作甚麼，我們都是為神的榮耀而作。

實際觀點

我們承認真正的敬拜是向聖經中三一真神所獻上的敬拜，只有神才配得我們所有的敬慕與讚美，而只有神才能將祝福賜予我們。我們不相信祖先敬拜是真正的敬拜。

我們亦認為基督徒在不同文化的處境中，**不應**嘗試將福音遷就文化(culturalize)，而**應**按照聖經的教訓來**更**

新(transform)文化。我們完全明白我們不能活在文化真空之中,我們也不可能在世上擁有一個純正的基督教文化。因此我們不會全盤地否定所有現存的文化,也不會接受西方文化即等於基督教文化。我們的參考點不是文化處境而是基督,而文化是需要在基督的主權下藉著聖靈的能力更新。

「祖先靈魂」並沒有任何超然的能力來賜予後人祝福或咒詛,我們因此鼓勵那些面對祭祖問題的基督徒毋須被一種對祖先驚恐、信靠或崇敬的感覺所控制,或在周遭的社會與信徒當中製造這種感覺。與此同時,基督徒在各種情況下都應按照聖經,順服聖靈的帶領和自己的良心,有智慧地選擇合宜的行動。

我們應時常記著孝敬父母的誡命以及第一、二條誡命,只有當我們忠心地遵守這些首要的誡命時,父母才會得到真正的敬重。信徒不單要尊敬父母和照顧父母、親友,還要在這些義務上比非信徒更盡責(提前五8)。

基督徒在任何情況下都有責任去尋找一些與未信主鄰居的接觸點,甚至在祭祖事情上也應對喪家表示真摯的同情,藉此向他們見證基督,最終轉變他們的風俗(林前九19-23;彼得二9、三15等)。但這個接觸點卻應始終維持在上文所申明的普遍原則及方針之內。

我們承認以上的一些方法不是最終的,也不能保證全無矛盾,基督才是最終的答案,祂的跟隨者應該隨時準備效法祂的受苦,正如許多聖賢在亞洲各地所經歷的。我們知道這些方針未必一定幫助教會增長,但我們祈求並盼望事實能如此。

我們將此份文件視為一份「工作建議書」(working paper),我們知道尚有許多關乎此問題的層面、角度與困難仍未清楚交代,因此我們希望這份聲明能刺激更多福音信仰的學者、牧者與教會領袖來繼續研討,使我們能更有效、更忠於聖經地在亞洲為神工作。

研習問題

1.聖經中有沒有提到對祖先的尊敬?請指出來並加以解釋。

2.關於對祖先的尊敬,中國文化與聖經的教導有沒有衝突?請加以討論。

第四部分

宣 教 策 略

Finishing the Task : The Unreached Peoples Challenge
作成祂的工——未得之民的挑戰

溫德(Ralph D. Winter) 與 郭克(Bruce A. Koch)合著　　李亞丁譯

「那裡要向列國觀看，大大驚奇，因為在你們的時候，我行一件事，雖有人告訴你們，你們總是不信。」——哈巴谷書一5

神在四千年前首次給亞伯拉罕使「地上萬族」得福的應許，正以「你們不相信」的步伐轉變為事實。儘管某些細節仍備受爭議，但整體的大趨勢卻是無可爭辯的。合乎聖經的信仰正在增長，向地極擴展，是前所未有的現象。

驚人的福音進展

今日，地球上每 10 人之中就有 1 人是活躍的基督徒。往日被稱為「宣教工場」的地區，如今，信徒的數目已超過那些差派國家的信徒人數了。事實上，現在從非西方教會差出的宣教士較西方的傳統基地所差派的還要多。在拉丁美洲的更正宗信徒增長率較人口高出 3 倍；中國的更正宗信徒人數，在不足 50 年之內已從 100 萬增至 8,000 多萬，而且大部分在近數十年間才出現；尼泊爾在 1980 年代仍是一個虔誠的印度教王國，當時只有一個飽受逼迫的小教會，如今，那裡已有成千上萬的基督徒，在 100 多個族群中亦已設立了教會。

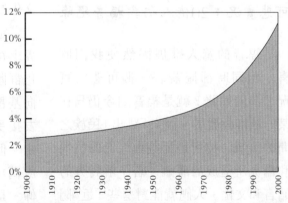

二十世紀活躍信徒佔全世界人口中的百分比
資料來源：Lausanne Statistical Task Force

經歷了十八個世紀的增長後，至 1900 年，活躍信徒仍只佔世界人口的 2.5%；但 70 年後，在 1970 年增至 5%；其後，只 30 年間已由 5% 增至 11.2%。今日，歷史上首次出現全球普遍每 9 個掛名或非信徒便有 1 位活躍的信徒。

E 分類法：從佈道者(Evangelist)的角度來看不同文化宣教

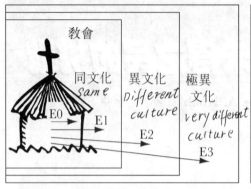

P 分類法：從需要福音的群體(People Group)的角度來看不同文化的宣教

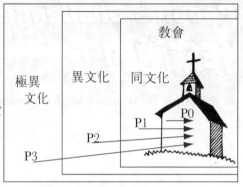

E0 表示帶領已參加教會聚會的非信徒或掛名信徒歸主

E1 表示帶領本地同文化，而在教會以外的人歸主。通常，這類對象對教會文化不熟悉，所以佈道者需要跨越一種文化的障礙。

E2 表示帶領文化不同但相近的人士歸主。通常，佈道者除了要跨越教會文化之外，還要跨越與福音對象本族的文化隔閡。

E3 表示佈道者與福音對象的文化差異很大，佈道者需要跨越兩種以上的文化隔閡。

P0 表示福音對象已參加本地同文化的教會，沒有文化障礙。

P1 表示該群體中已有同文化的本土性教會，他們若參加教會，只需適應教會的文化。

P2 表示該群體中沒有教會，但其文化與已有教會的群體的文化差距相近，他們信主需要適應教會文化及別的群體的文化。

P3 表示該群體中沒有教會，且與已有教會的群體的文化差距很大，信主時，需要跨越兩種以上的文化。

可悲實況：20億人仍與福音絕緣

福音的驚人進展固然使我們欣喜，但同時卻掩蓋著一個可悲的實況。為何如此？就是福音如今仍只在某一社群內發展，而未「跳出」民族之間的藩籬，特別是那些由人為的仇恨和偏見所造成的藩籬。若了解對方的語言和文化，人們就能對這些「近鄰」產生影響。然而，宗教往往受制於文化型態，所以若後者對前者的文化存有偏見，福音就難以「跳進」另一群人之內，除非那一群人一直期望自己的文化為其它的文化所取代。

這是甚麼意思？也就是說，若世界上每一教會的成員，都把自己同文化群體內的親友帶來教會，使他們歸向基督，然後，這些人再各自帶領親友接受基督，便能循環不息地領人歸主。但無論你花上多少時間，仍然有億萬的人從未有機會接觸基督教信仰，是因為偏見和文化藩籬使他們遠離福音。而且，教會所在地的人群若與教會毫無關連，這所教會便很難增長。世界上有三分之一的人生活在沒有教會的人群之中，與你從未到過教

會的親友一樣，都是靈性的失喪者，所不同的是，他們四周沒有同類的人，可以組成教會以享受團契生活。

如此，在我們面前的是世界上仍有數以千萬計的人從未聽聞「耶穌」之名，卻同時也看到數以億計的人，不僅耳聞耶穌，而且非常景仰祂，但卻不知道怎樣可作祂的門徒，不知怎樣跨過橫亙在他們面前大大小小的障礙，許多是超過了福音所要求。使徒行傳第十章中的哥尼流，為了和猶太基督徒相交，必須跨過成人割禮這一障礙，這是進入猶太信徒團契所付上的痛苦甚至危險的代價。一個突厥族穆斯林若要成為基督徒，所面對的是同樣巨大的障礙，因為他一生都被教導「作一個突厥族人就是一個穆斯林」。在他看來，基督教是那些野蠻異教徒十字軍的宗教，他們佔據突厥人的土地和人民(包括穆斯林和基督徒)，要作基督徒就是一個叛徒，背叛他的家庭、民族和國家。

「對萬民作見證」

福音在全世界有驚人的進展，我們實在不必驚訝，因為這正是主耶穌所說要發生的事，「這天國的福音要傳遍天下，對**萬民**作見證，然後末期才來到」(太二十四 14)。如果我們仔細查考這節經文的下半部分，就會發現許多在末世應當儆醒及應作的事。耶穌說，宣教任務完成之時，就是「在萬民中已有見證」。

所謂「見證」，耶穌是說「天國的

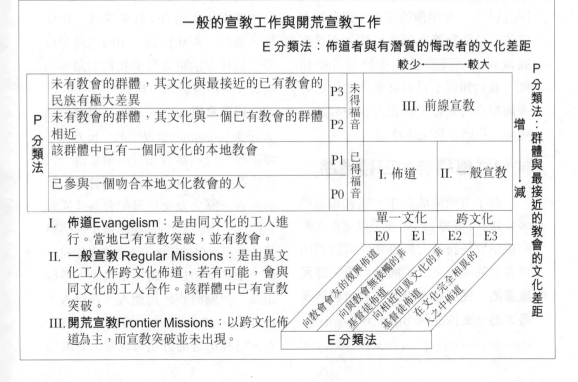

一般的宣教工作與開荒宣教工作

E 分類法：佈道者與有潛質的悔改者的文化差距

較少←————→較大

P 分類法			未得福音	III. 前線宣教		
	未有教會的群體，其文化與最接近的已有教會的民族有極大差異	P3				
	未有教會的群體，其文化與一個已有教會的群體相近	P2				
	該群體中已有一個同文化的本地教會	P1	已得福音	I. 佈道	II. 一般宣教	
	已參與一個吻合本地文化教會的人	P0				
				單一文化	跨文化	
				E0	E1	E2 E3

P 分類法：群體與最接近的教會的文化差距 增↑減

向教會友的復興佈道　向與教會無接觸的非基督徒佈道　向相近但異文化的非基督徒佈道　在文化完全相異的人之中佈道

E 分類法

I. **佈道 Evangelism**：是由同文化的工人進行。當地已有宣教突破，並有教會。

II. **一般宣教 Regular Missions**：是由異文化工人作跨文化佈道，若有可能，會與同文化的工人合作。該群體中已有宣教突破。

III. **開荒宣教 Frontier Missions**：以跨文化佈道為主，而宣教突破並未出現。

福音」將展現在全人類各社群的面前；天國的福音就是基督要勝過罪惡，釋放萬民，使他們可以順服在祂的掌管與祝福下，自由生活。神既要把祂得勝的國度，強而有力地在每一個民族展示，那麼，將在基督王權下生活的一群人，展現在每一個族群中，不是最好的方法嗎？這就是我們要在每一個民族中建立教會的原因。讓一群忠心跟隨基督的人來榮耀神，彰顯基督的主權；然而，這並非是唯一的辦法。

耶穌所用的「萬民」一詞，並非僅指所有的國家或城邦，這一個字的希臘文 *ethne*，包涵了世上所有種族、語言及構成這世界的家族。

那麼，「萬民」是哪些人呢？主耶穌並沒有提供一份名單，也沒有為「萬民」下一個明確的定義；因為最重要的不是要**計算**有那些民族，而是要**完成**到地上所有民族中傳福音的使命。我們知道，只有當萬民之中已有天國福音的見證，即在各族中有植堂運動，我們才算完成使命。

向群體傳福音的四種進路

為了有策略地合作，宣教領袖們多次修訂「群體」的觀念，以衡量我們完成整體任務的大概進展。可以用四種有效的途徑來看不同的群體，即**民族集團、民族語言群體、社會群體及最大的一致性群體**(Blocs of peoples, ethnolinguistic peoples, sociopeoples, and unimax peoples)。前二者可用於部署整體任務、制訂策略及伙伴關係以接觸已知的群體；後二者對那些正在工場建立教會的人較為實用。事實上每種方法都有其獨特價值，或特別適用於某一種策略性思考的層面。只有當世界上所有人都有機會聽到福音，並且作出回應時，我們才可以說基本的宣教任務完成了。

一、民族集團(Blocs of peoples)
——為全球性的觀點和策略

民族集團就是把不同的民族組合為幾個大類，然後加以分析。

主要文化集團(Major Cultural Bloc)：我們可以把不同的民族組合起來，特別是那些「未得之民」，按其主要宗教來釐定文化界線。「未得之民」的主要文化集團有：伊斯蘭教、印度教、佛教、部族信仰、中國民間宗教等。這種方法可以幫助我們總結未完成的任務與宣教潛力相比。

同類集團(Affinity Bloc)：是莊斯頓(Patrick Johnstone)所提出的一種方法，即把那些民族語言相近的組合為一民族組群(people cluster)，再根據每一組的語言、歷史及文化等組合為「同類集團」。下列 12 個同類集團中大多數是最少福音化的民族[1]：非洲撒哈拉以南、庫希特語族、阿拉伯世界、伊朗語族、突厥語族、南亞人、西藏人、東亞人、東南亞人、馬來人、歐亞人。這種組合的方法可以幫助宣教組

宣教領袖在策略性定義的共識

1982年3月，一群宣教領袖齊集芝加哥，參加由洛桑策略工作小組主催的會議，目的在明確界定未完成的宣教使命。是次會議出席人數空前之多，以兩天時間專門探討向未得之民的宣教，確定所需策略。會議產生兩個基本定義：

1. **一個群體**是「一大群人，彼此認同他們在語言、信仰、種族、住屋、職業、階級或種姓、環境等其中一項或多項都普遍相近。」……為傳福音的目而言……是「最大的群體，福音能夠在他們中間傳開，並且被了解和接納，而不會遇到攔阻，可以推動植堂運動。」

2. **未得之民群體**是「一個尚無本土的基督徒社群，可以向同族人傳福音」。

織探索新的宣教途徑，建立一種策略性伙伴關係以接近他們。[2]

二、 民族語言群體(Ethnolinguistic Peoples)——為動員及準備

民族語言群體是按共同的血緣、歷史、習俗及語言傳統而區分的種族或民族。

例如，生活在土耳其境內黑海地區的拉齊人(Laz)很容易被其他土耳其人識別，不僅是根據他們的面部特徵，也根據他們說突厥語時那種獨特「充滿情感」的發音。

有些民族語言群體看似只有單一的語言，實際可能包含了多種在內。威克理夫聖經翻譯會的創始人湯遜(Cameron Townsend)開始與危地馬拉的加支告族人(Cakchiquel)合作翻譯聖經的時候，跟隨他的翻譯員發現，要把福音傳給他們，單有1種聖經譯本是不足夠的，而是需要6種不同方言的譯本；若是製作福音錄音帶而非文字翻譯，可以顧及更多的方言。縱使文字相同但方言各異，基於文化偏見和發音差異，人常常不願聆聽用不同族群語言所傳講的信息。

最近，透過宣教研究學者合作，編寫出一份很完整的民族語言群體名單，給予開荒宣教很大的推動力，其中大部分資料已有簡介和相關的資訊，透過文字媒體和全球聯網廣傳各地。[3]

民族集團和民族語言群體名單，為我們提供了一個簡易的途徑，去確認不同的群體，也使更多的教會認識他們的存在和傳福音的需要。民族語言的研究，推動了教會為特定的群體禱告，及釐訂具體的計劃，帶來積極的傳福音策略和行動。

三、 社會群體(Sociopeoples)與初步福音工作

社會群體是那些有共同興趣、活動或職業的人所組成的較小的團體。

宣教士受差長期到工場開荒，他們要經過很多學習，才能與傳福音對

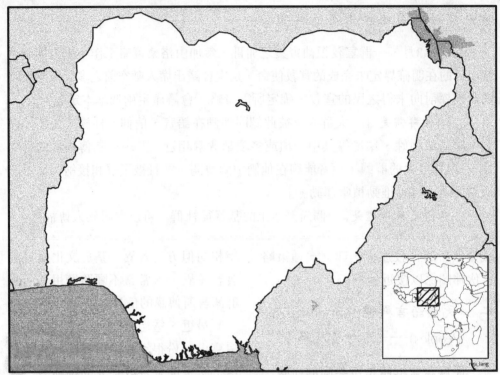

政治疆界：尼日利亞及鄰近國家

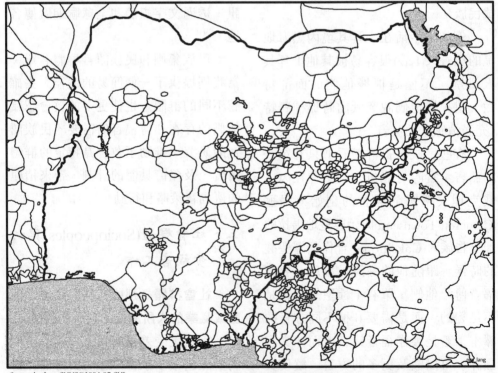

Geography from GMMS@1994-97 GMI
Language location from World language Mapping System

與上圖相同地區按民族語言分佈

象一起生活、溝通和了解。經過初期的文化學習與適應階段後，接下來就要考慮如何開始在當地建立教會了。

開始的時候，通常會在特定的人群中，以查經或禱告小組的方式可作有效的個人佈道工作；這些人群可能是在河邊洗衣的婦女，可能是計程車司機，或是大學學生，或最近從農村來到城市的工人。今天的世界，潛藏著不少向這類人群傳福音的機會；為宣教的目的，我們可以先在這些社會群體中開始初步的福音工作，作為橋樑，通往長遠建立教會的目標。

因此，對某些未得之民而言，接觸一個社會群體可能具策略性，因為可以從較大的社群中的一小群人開始，作為一個全面性的植堂計劃(full-blown church planting)的第一步。在建立教會的過程中，我們會發現某些類型的人群很有幫助，也有一些會妨礙進展。最先接觸的可以是商人和教師，當中不難為教會發掘出領袖和聖經老師，他們甚至可能會對當地的宗教領袖，如佛教僧侶，或精通伊斯蘭教神學的穆斯林毛拉(mullahs)等精神領袖產生影響。另一方面，你也可能錯選了人群，比如一開始就專注在兒童工作上，這類宣教幾乎全被認為會對兒童的家庭帶來威脅。

四、最大的一致性群體(Unimax peoples)——群體歸主運動

最大的一致性群體是指最大規模的族群一致地形成一個群體歸主運動；所謂「一致」，是指無論在了解或接納上，其中均無明顯的障礙，會攔阻福音傳播。

1982年，宣教領袖們為「群體」一詞定下了一個切實有用的定義：

為傳福音的目的而言，一個群體是指「**最大的一群人，福音可以在他們中間傳開，並且被了解和接納，而不會遇到攔阻，可以推動植堂運動。**」(見上文)

「未得之民」[4]一詞，如今被廣泛用來指那些民族語言群體，規模要較1982年所界定的為大。為避免混淆，及幫助我們釐清面前的宣教任務，我們用**最大的一致性群體**來區分1982年所定義的那類族群。

叢林部族和一些小的、偏遠地區的民族幾乎都屬於那種單獨的、最大的一致性群體，而在複雜的社會裡，要在較大的民族語言群體中找出最大的一致性實體(reality)，是頗大的挑戰。

語言是人們賴以了解一個人的文化身份的基本工具，但要接觸所有的民族，我們還要考慮那些分隔的因素，如宗教、階級、教育、政治和意識形態的信念、宗族或部族之間的宿怨、風習及行為等，在最大的一致性群體內的民族語言群，這些都是形成牢不可破的文化隔閡的潛在因素。這項事實可以解釋何以「未得之民」中會有不同的群體。

比如說，僅憑民族語言是不可能

接觸印度人；印度除了有超過1,600種主要語言和方言外，還被宗教、種姓等社會文化藩籬所分隔。根據1991年的一項社會學調查，僅在印度已確認有4,635個民族。

可惜，近鄰族群互相仇恨和恐懼，故在早期的佈道工作中，這些族群拒絕成為「群體歸主運動」中同一教會的成員。在索馬利(Somali)的穆斯林，主要宗族強硬對立，幾乎把整個國家毀滅。在佈道和建立教會的初期，由於種族間存有敵意，最有效的傳福音方法就是分別向不同的族群傳講福音信息。當然，福音的光明美盼在新的歸主運動中發揮作用，使民族鬥爭的仇恨得以癒合。

確實，歷史可以證明，那些互相仇視的小族群一旦成為基督徒後，開始逐漸合併為一個較大的族群。例如，基督教最初為斯堪的納維亞地區所接受時，當地住有數百群彼此仇視的部族，但今日的挪威、瑞典和丹麥地區大部分居民都和平共處，能夠統一，是因那些本是好戰的族群接受了基督教信仰的結果。

前三類接觸群體思想的進路——即民族集團、民族語言群體和社會群體——每一種都有助我們理解和回應基督託付給我們的大使命。所有方法都可以為我們指出起步點，而第四種方法(最大的一致性群體)更指向要完成的工作——並非指已無工可作，而是指出在一個已接納的民族中，使福音興旺的第一步。最大的一致性群體的進路，可以幫助我們更發奮工作，合力**完成**基督所吩咐的宣教使命。

最大的一致性群體的進路，其價值在於它確認阻礙福音發展的藩籬與局限，同時也激發那些有心志的基督徒，跨越藩籬去傳福音，不致令大族群當中的任何一個小族群失落。

他們會被計算嗎？

存在於各族群中的微妙而強大的社會文化隔閡，外界通常不會察覺，因為社會文化的偏見不容易界定，也不確知數量，所以有些人摒除了這最大一致性群體的觀念。儘管這些無形的「偏見藩籬」難被確知，但各種因素實在相關；還有甚麼事情比確認和找出攔阻人們跟隨基督的障礙更重要呢？

最大的一致性群體的定義，並非要我們確定總體的任務有多少，而是

群體觀念的四種不同進路

群體類型	民族集團	民族語言群體	最大的一致性群體	社會群體
組合	廣闊的分類	有1個或以上的有關族群	彼此認同的家庭網絡	同輩
定義族群的依據	宗教－文化範疇	語言、民族、政治的界限	社會及文化成見	活動或興趣
如何確認	有已出版的資料	有已出版的資料	在當地發現	在當地發現
具策略性意義	全球性概觀	動員及具策略性	植堂	小組佈道
數量	8個主要的文化集團	約3千「未聞福音」	估計1萬未接觸福音	未知數量

幫助我們認識未得之民的宣教工作何時能夠完成，並且確知那些地方尚未開始工作。

審慎地接觸萬民

這四種對不同民族的進路各有專注，亦各有價值。**集團**可以幫助我們總結任務，**民族語言**的進路可以幫助我們動員，**社會群體**可以幫助我們開始佈道。但須留意只出現在名單上的**社會群體**和民族語言群體中的植堂工作；這些名單常不能反映實況，而令人沮喪。宣教工人或許會發現那裡的群體較預期為多，亦可能出現相反的現象。同一群體在名單內可能出現兩次，因為分處兩個鄰近國家，實際卻是一個群體，或許只需要一次努力植堂，已經跨越了政治界線；例如，在烏茲別克斯坦(Uzbekistan)以外，20多個國家之中都有烏茲別克族群。

此外，亦有報導說烏茲別克斯坦境內有56個族群不說烏茲別克語，只有一個大族群(1,500萬人)說這種語言；所以，幾乎可以肯定這「一個」大族群代表了很多不同族群，需要我們分別接觸。

以政治疆界來區分群體，就如用切餅機來切割一個群體的地理分佈圖，然後稱每一小片為一個小群體。無疑，在某些情況下，一些被分割的群體的確很不相同，尤其是沒有新移民加入時，但很多時候並非如此。大部分發展中的世界，政治分離的觀念只是人為的，邊境實際上經常互相來往。

不妨以庫爾德人(Kurds)為例，這些非常獨立的民族至少生活於5個國家之中：土耳其、伊朗、伊拉克、敍利亞和阿塞拜疆。從宣教策略上看，他們顯然不只是一個群體，甚至亦不只有7個族群，其中除了4種主要語言的次語群，傳統上的鬥爭使他們彼此開戰，甚至在你覺得他們會聯手對抗非庫爾德人來保衛家園時，他們也在鬥爭。

宣教士們需要認識這個可能性，即如上述庫爾德人一樣，即使千百萬人生活在同一個國家裡，各族群並非聯合一致的。而在「庫爾德斯坦」以外，散居於13個國家中少數的庫爾德人，卻有潛質成為策略性的「橋樑」，把福音傳回家鄉；他們離開故土，思想較為開放，容易接受福音。若居於偏遠地區的一大群人接受了基督，他們一旦返回自己的家園，就會成為有效的福音橋樑。所以說，政治的界限一般無法限制福音的傳播。誠然，所有這些「國家的細節」資訊，有助於我們制訂策略，組織合作伙伴，把福音廣傳到散居各地的特定群體之中。

基要的宣教任務

每一個群體所需要的，是讓福音對這個群體開始有感染力和賜生命能力，由此而產生的教會才有能力完成把福音傳向每個人的使命。

目標良好但較次要，可能會拖延

工作或使我們分心。向街頭小販或學生傳福音，可能帶來個人成長或佈道的門徒訓練小組。但為何要止於此，而不去推動一個強調全家歸主的更大的運動呢？為何不期望神施展大能，並且願意透過一個實質的運動，在整個民族中間迅速且自發地擴展，把眾人都吸引到祂的兒子面前呢？

宣教的重要任務就是建立**一個獨立發展的本土植堂運動**，具有潛力去更新整個家族及改造整個社會。能**獨立發展**的意思，是說它能夠自我成長；**本土化**的意思，是指它不是外國的；而**植堂運動**，就是指它能在多代人之間建立團契，不斷向群體中其他人傳福音。許多人視這樣的本土化植堂運動的成就，是**宣教突破**。

當社會上的人(包括在教會以外的)認為這個運動是屬於自己的社會時，才算完成了基本的宣教工作；只有完全適應了這種文化，那有動力的、耶穌改變生命之愛，才能在整個群體中自由運行。馬蓋文(Donald McGavran)把這些宣教突破看為「群體歸主運動」，我們可以視此為一個群體中最低限度的成就，這樣方可使每一個人有機會向耶穌基督說「我信」，不至在眾多的福音屬靈要求上，加上文化的障礙。這樣，我們才能讓世上所有人有機會向基督和祂的國度說「我信」。這是耶穌給我們要完成的最低限度使命，所以我們不能連這個最低要求也不去做。

宣教完成──在所有最大一致性群體中都有突破

簡單來說，「結束」就是完成之意。1970年代，神開始讓許多人看見，每一個群體中的重要宣教任務都出現突破，是個可以完成的任務。那時，世界上仍有半數人口是福音未得之民，但宣教的活躍分子仍然堅信，如果能發起一場向未得之民(當時稱為「隱蔽之民」)傳福音的運動，那麼，重要的宣教任務會在數十年間完成。他們憑信心提出「2000年每一群體均有教會」的口號，來說明那可完成的宣教使命的精義。無人曾預測此目標在2000年底前**可以**完成，但他們確信這是可能的。這個口號成功燃點起無數人的心志，他們熱切渴望看到耶穌基督在每一個民族中受到尊崇、敬拜和順服。神亦以同樣的方法在其他人心中動工，興起一個全球性運動，專心迎接未得之民的挑戰。20年前只有少數人敢於夢想的異象，如今，我們看見它正在實現。

若說，向每一個人傳福音是不合理的，因為數以萬計的孩子天天在成長，達到自立年齡；對比之下，「每一群體均有教會」是可行和合理地接近大使命的意義，也是能夠完成的任務。在每一民族中作「見證」，或「使萬民作門徒」，就是我們所知，履行耶穌吩咐的最佳詮釋(太二十四14，二十八19-20)。

我們可以充滿信心說，對未得之民的宣教已近尾聲。1976年，世界上約有1萬7千個福音未及的群體，今日，約有1萬(最大的一致性群體)；而一個有動力的全球性運動，正努力要使「每一群體中均有教會」。

接觸最大的一致性群體：不可量度，卻可以證實

如何量度一個「獨立發展的本土植堂運動」的存在呢？用「可證實」一詞較「可量度」來表述為佳。我們一般不會說一個婦女部分懷孕，或一個人部分感染了愛滋病。在這種情況下，我們只可「證實」一種情況是存在或不存在。

以接觸最大的一致性群體為例，只有三種可能性：(1)肯定已經接觸，(2)肯定尚未接觸，(3)不確定是否已接觸。在理念上，我們希望集中最多的力量，到不確定是否已接觸或肯定尚未接觸這兩種群體之中。正如查詢尚有多少群體未經接觸一樣，我們從遠距離或不相關的資料中，是無法正確評估其中的宣教突破。

我們可以根據一些數據，對一個教會運動的存在與否作出正確的推測。假如一個語言群體實際上是最大的一致性群體當中的一個組群，其中某一組群正經歷如火如荼的植堂運動，其它的可能毫無反應或規模很小，當這種情況出現時會怎樣？那些同一組群中尚未接觸福音的最大的一致性群體，可能會沖淡，甚至反對這個組群中為神燃起的植堂運動；而其中一個族群的教會增長，亦可能使宣教士忽略了其它的族群。

神的訓令不是止於「完成」

神所要成就的事遠超過交託給我們的事；他要我們完成的使命清楚又簡單，就是要看見基督在每一個民族中受敬拜和跟隨。這是重要的宣教任務，是我們必須最專注和盡心去做，直至完成為止；但所做的不止於此。宣教的突破僅是神對每一個民族的計劃的開始，神會繼續實現祂的應許，破壞撒但的作為，把祂對亞伯拉罕的祝福帶給萬民。

萬民傳揚神的榮耀

主耶穌怎樣教導祂的門徒禱告？「願你的國降臨；願你的旨行在地上，如同行在天上。」(太六10)我們對神要接觸世上萬族萬民的心意的瞭解，是祂的國度降臨地上。其它經文亦說，神渴望看見祂的榮耀在列國中傳揚的時刻(賽六十六19)。因此，我們滿懷信心盼望那一刻到來，即「世上的國成了我主和主基督的國；祂要作王，直到永永遠遠」(啟十一15)。神必徹底擊敗那「管轄這幽暗世界的惡魔」(弗六12)。

很快，沒有一個「世上的國」不榮耀神的名。每一個民族的屬靈突破，都是福音在地上廣傳的先兆。撒但把萬民囚於牠的牢籠中，我們若不挑戰

牠在某一特定群體中的權勢，實無法從牠手中拯救出一個靈魂。在每一個尚未出現真正的屬靈突破的群體中，必有神的軍隊與黑暗權勢在「權力爭戰」；要攻克這「世上的國」，就一定要將神的榮耀「入侵」每一民族。

使徒保羅被差遣到非猶太民族之中，特別「要叫他們的眼睛得開，從黑暗歸向光明，從撒但權下歸向神；又因信我，得蒙赦罪，和一切成聖的人同得基業」(徒二十六 18)。我們是否過份著重佈道、社會改造、經濟增長，以致忽略了神首要的任務是要擴展牠的國度、敗壞撒但的作為呢？

這是一場屬靈戰爭，但不是說我們就可以放下傳福音的計劃和訓練，以及開荒拓展，坐下來禱告，讓神自己去作牠的工。

「因為我們並不是與屬血氣的爭戰，乃是與那些執政的、掌權的、管轄這幽暗世界的，以及天空屬靈氣的惡魔爭戰。」(弗六 12)

我們要知道，這不僅是神的戰爭，也是我們在作戰；是我們與神一起和那惡魔爭戰。我們也知道，世上每一處的重要工作，不是只倚靠自己的智慧或努力，而是加上神統治的大能去摧毀牠敵人的營壘，使神的榮耀彰顯，直至地極。

耶穌以牠獨有的權柄對我們頒下清楚的訓令，叫我們去「使萬民作牠的門徒」，我們要，而且必須完全順服。誠然，我們應該著重佈道事工的衡量，但不能把他當作是神計劃的終極參數。我們必須奮力前進，知道神評量事物的尺度，非我們所能完全理解的。牠的意念高過我們的意念。

這一切不能完全納入單一的人為計劃中，卻需要盡力匯聚每一項計劃、所有創意的進路，以及盡力獻上一切。我們知道，所有用來衡量群體和個人的方法，都只是客觀的目標。重要的是我們與神同在，神與我們同在，我們完全順從神的引導，履行我們的屬天呼召。

從圖表看宣教任務

盡管世界如此龐大複雜，仍有許多方法可以測量重要宣教任務的進度。現代研究者利用電腦來搜集、管理和整理龐大的資料。我們非常感激這些研究員，他們嘗試追蹤神如何在萬民中成就牠的應許。[5] 本文所有全球性的資料圖表都是取自他人的研究成果，沒有可引用數據時才自己估計。可是現實世界不斷變化，採用的數據有時難以反映最新情況。

當你參看本文的圖表時，你需要了解，我們是利用主導性的宗教作文化特徵來辨別一個族群。當然這不是說，當中每一個人都是這個宗教的成員。依此看來，如果一個穆斯林族群，即使伊斯蘭教是他們的主導宗教，但若其中已有基督教會，我們把這個族群算作已聽聞福音。

本文所有的圖表，除了「更正宗

宣教力量」外(見494頁)，皆取自〈向全球人類宣教〉(*All Humanity in Mission Perspective*)一文的圖表。

巨大的失衡

從「環球一瞥」(參下頁圖)，你可以看到**一大群人**生活在未得之地(白色部分)，都在穆斯林、部族、印度教和佛教集團之內，假如我們真正履行大使命，這些集團應是我們優先的對象。

在一些印度教、佛教和伊斯蘭教的民族之中，已有令人鼓舞的群眾歸主運動。一般認為，這三個集團是最抗拒福音的，但我們要知道，一個民族看似「抗拒」，問題可能出於我們的接觸方式。

我們是否優先考慮未得之民的福音需要？據估計，現時在**國外**宣教的人力約42萬，[6]其中僅有1萬人左右在1萬個未得之民群體中工作。換言之，有41倍的宣教士在「已經接觸」的群體中工作，何等不均衡！況且，要在未得之民中突破障礙，工作要比在已聞福音的群體中困難很多。

若只看更正宗的宣教士，情況會怎樣？或許較佳。在93年出版的《普世宣教手冊》，莊斯頓(Patrick Johnson)曾分析更正宗在主要文化族群集團中的人力分佈(見494頁)。[7]這是一幅比以前我們所看到的較為正面的圖畫，但仍顯示74%的更正宗宣教人力是放在以基督教為主要宗教，或受基督教文化影響的地區內。

請注意，莊斯頓的「更正宗宣教人力與主要文化集團人口的比照」，是包括在該文化集團中的福音已及和福音未得之民。一般觀察，縱使那26%在非基督教為主導宗教(即伊斯蘭教、印度教和佛教等)地區的宣教士，大部分都在已有福音突破的群體中工作，幫助教會拓展，而非在未得之民中開荒。換言之，他們是在「環球一瞥」圖中的灰色部分(未得之民的基督徒)中間工作。(見492頁)

自從耶穌吩咐祂的門徒使萬民作

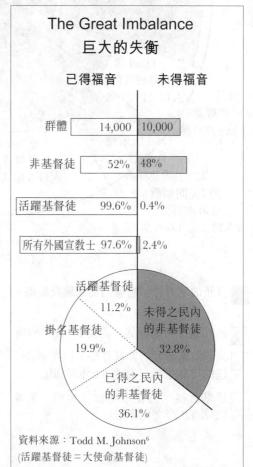

The Great Imbalance
巨大的失衡

	已得福音	未得福音
群體	14,000	10,000
非基督徒	52%	48%
活躍基督徒	99.6%	0.4%
所有外國宣教士	97.6%	2.4%

活躍基督徒 11.2%
掛名基督徒 19.9%
已得之民內的非基督徒 36.1%
未得之民內的非基督徒 32.8%

資料來源：Todd M. Johnson[6]
(活躍基督徒＝大使命基督徒)

環球一瞥

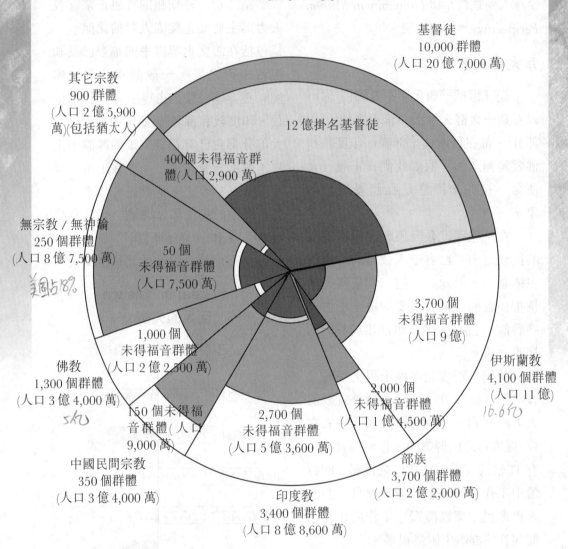

基督徒
10,000 群體
(人口 20 億 7,000 萬)

其它宗教
900 群體
(人口 2 億 5,900
萬)(包括猶太人)

12 億掛名基督徒

400 個未得福音群
體(人口 2,900 萬)

無宗教 / 無神論
250 個群體
(人口 8 億 7,500 萬)
美國占8%

50 個
未得福音群體
(人口 7,500 萬)

1,000 個
未得福音群體
(人口 2 億 2,500 萬)

佛教
1,300 個群體
(人口 3 億 4,000 萬)
5億

150 個未得福
音群體(人口
9,000 萬)

2,700 個
未得福音群體
(人口 5 億 3,600 萬)

中國民間宗教
350 個群體
(人口 3 億 4,000 萬)

印度教
3,400 個群體
(人口 8 億 8,600 萬)

部族
3,700 個群體
(人口 2 億 2,000 萬)

2,000 個
未得福音群體
(人口 1 億 4,500 萬)

3,700 個
未得福音群體
(人口 9 億)

伊斯蘭教
4,100 個群體
(人口 11 億)
16.6億

■ 真正的基督徒，透過門徒訓練及裝備，可以成為工人

■ 純粹是掛名基督徒，需要 E0 復興佈道

■ 未認信基督教的非基督徒，但在福音已達的地區生活，需要 E1 外展佈道

□ 非基督徒生活在未得福音地區，需要 E2 及 E3 跨文化佈道

這個圖表是把所有最大的一致性群體內的人，按主導性宗教來劃分，亦即世上每一個人都包含在內。宗教被視為一個族群的整體文化一部分。假如在一個佛教群體內產生教會運動，期望向同群體其他人傳福音，這一個群體會被認為是已得福音，但其仍屬佛教文化集團。

圖表資料依據 Todd M. Johnson〈主後二千年向全球人類宣教〉(All Humanity in Mission Perspective in AD2000) 一文。

從宣教角度看全球人類：主後二千概況

		總數	在不同文化的民族內的主導性宗教									
			基督教	佛教	中國民間宗教	印度教	猶太教	伊斯蘭教	無宗教	部族信仰	其它宗教	
最少福音化及未得（開荒宣教）	最少福音化語言群體	4,400	—	300	50	350	180	2,000	20	1,400	100	
	未得福音之最大一致性群體	10,000	—	1,000	150	2,700	200	3,700	50	2,000	200	
	個人（合百萬）大使命基督徒	3	—	0.3	0.5	0.4	0.01	0.3	0.7	0.5	0.29	
	非基督徒(P2)：E2 至 E3	1,099	—	100	80	465	8	310	74	45	17	
	非基督徒(P2.5)：E2.5 至 E3	824	—	110	10	60	1	580	0.3	60	2.7	
	非基督徒(P3)：E3	75	—	14.7	0	10.6	0	9.7	0	40	0	
	總計	2,000	—	225	90	536	9	900	75	145	20	
	全球國外宣教士	10,000	—	800	800	1,500	100	900	1,200	3,700	400	
已得福音化及未得（佈道及「本地」宣教）	最多福音化語言群體	8,720	6,750	150	100	120	50	300	100	1,000	150	
	已得福音之最大一致性群體	14,000	10,000	300	200	700	100	400	200	1,700	400	
	個人（合百萬）大使命基督徒(GCC)	677	489	11	22	45	0.2	30	54	22	4	
	掛名基督徒(P0, P.5)：E0 至 E3	1,218	1,191	1	0.5	10	0.02	1	11	3	1	
	非基督徒(P1)：E1 至 E3	2,196	392	103	227	295	8	169	735	50	217	
	總數	4,091	2,071	115	250	350	8	200	800	75	222	
	全球國外宣教士	410,000	384,400	1,000	1,200	3,500	900	1,500	8,000	7,500	2,000	
全球總數	語言群體	13,120	6,750	450	150	470	230	2,300	120	2,400	250	
	最大一致性群體	24,000	10,000	1,300	350	3,400	300	4,100	250	3,700	600	
	總數（百萬）	6,091	2,071	340	340	886	17	1,100	875	220	242	
	全體宣教士	420,000	384,400	1,800	2,000	5,000	1,000	3,000	9,200	11,200	2,400	

上表乃 Todd M. Johnson 按《環球基督教百科全書》第二版(World Christian Encyclopedia, 2nd edition, Oxford University Press)群體資料庫數據編寫。

其它宗教包括某些群體的主導宗教，如儒家、曼底安派、袄教、錫克教、通靈術。

最少福音之民：福音人口少於半數，相對地基督徒數目很少。

未得之民：對最大的一致性群體(1982年定義)的估計，當中並無一個有活力的植堂運動，或者一個可繁衍的本地福音化教會。

最多福音化語言群體(1982年定義的數目)：福音人口多於半數的估計，依據語言及社會因素如語言、民族組群、種姓)而得。

已得福音化語言群體：最大的一致性群體(1982年定義)內已有活躍的教會，所有族群的大部分人口是基督徒。

大使命基督徒：有福音確據基督徒，願意順服大使命。

全球國外宣教士包括所有類別的廣義基督教，如羅馬天主教、東正教、更正宗、聖公會、獨立教會及邊緣教派。

(「福音化」乃依據 David B. Barrett 所而定的福音指數[2]，至今仍未有公認的定義)。

更正宗宣教人力在主要文化集團中的分佈

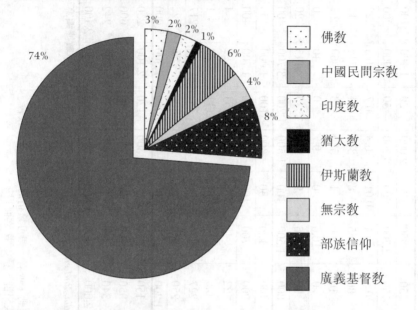

佛教

中國民間宗教

印度教

猶太教

伊斯蘭教

無宗教

部族信仰

廣義基督教

在主要文化集團中,每4位宣教士有3位是在基督教為主導宗教的人群中開荒工作

這兩個圖表顯示更正宗宣教人力概況,包括外國宣教士、在本鄉服侍的宣教士(包括跨文化與及近文化)、雙職宣教士及差會的總部同工(支援工場上的宣教士)。這些數字僅為初步的分析結果。
資料來源:Patrick Johnstone[7]

更正宗宣教人力與主要文化集團人口的比照

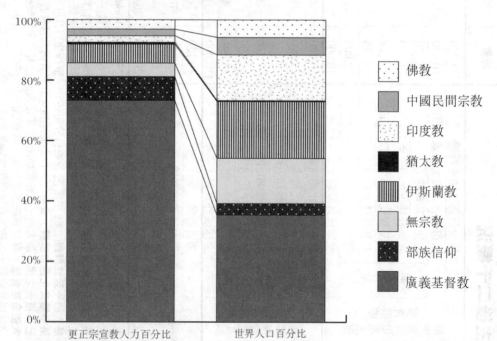

佛教

中國民間宗教

印度教

猶太教

伊斯蘭教

無宗教

部族信仰

廣義基督教

祂的門徒迄今已兩千年了，仍有 1 萬個最大的一致性群體，包括 20 億人口生活在地方教會未能接觸的地方。我們有理由盼望神要祝福萬民的應許會很快實現嗎？

巨大的動力

億萬人口聽來很嚇人，但宣教洪流繼續，勢不可擋。1974 年，我們發現世上還有四分之三的非基督徒是同文化佈道未能接觸的，大感吃驚；但今天，只剩下二分之一了！491 頁的圖表讓我們一目了然，也易於記憶。我們可以把世界的人口分為三個特別的部分：三分之一可稱為基督徒，三分之一是生活在已聞福音群體中的非基督徒，餘下的三分之一是未得之民的非基督徒。1974 年，世界上仍約有半數人口在教會所接觸的範圍以外。今日，在福音未及的群體中生活的非基督徒，已較在福音已達的群體中為少，可見已有明顯的進展。近數十年來，宣教士在更多未得之民中成功地開始了教會運動，這也是我們所樂見的事。

我們現正處於宣教事工的末期，這是首次有機會看見「隧道」的末端，世上每一個群體，在他們的語言和社會中都興起了教會運動，也有大有能力的面對面佈道。神在動工，藉著祂普世的身體來實踐祂對萬民的承諾，這是 25 年前我們無法想像的。數以千計的宣教士新軍，不再只是來自西方，也來自亞、非及拉丁美洲，這是宣教運動的果子，他們全心委身於大使命；宣教因而成為全球性合作的運動。我們需要非西方宣教組織的新伙伴、新見解及新進路；同時，我們也需要承認西方宣教士的經歷是宣教經驗的水庫，可供新興的宣教工作汲取。

工作雖然龐大，但若由全球眾多的信徒來分擔，相對便顯得不大。現時，一個最大一致性群體的福音工作可由 670 個教會承擔！只需要動員和

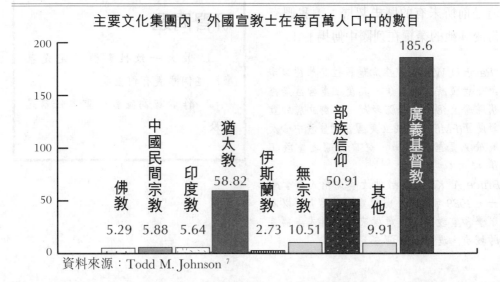

主要文化集團內，外國宣教士在每百萬人口中的數目

佛教	中國民間宗教	印度教	猶太教	伊斯蘭教	無宗教	部族信仰	其他	廣義基督教
5.29	5.88	5.64	58.82	2.73	10.51	50.91	9.91	185.6

資料來源：Todd M. Johnson [7]

裝備有志宣教的信徒比例不大，而且，從餘下的任務和人力來看，若與宣教前賢所面對的境況相比，工程並不大，且是可以達成的。

當我們專注於有潛質的宣教人力以及要滲入的群體時，同時也要注意宣教任務的可行性；與其說要向 4 億非信徒傳福音，不如說先**開始**在約 3 千個**最少聽聞福音**的語言群體中工作。在進行時，我們不免發現一些嚴重的文化偏見，攔阻福音工作；或許最後能**完成**在 1 萬個最大的一致性群體的工作。這 3 千個語言群體，將在短期內全都成為一些差會的對象，並在其中開始了宣教工作！

確定和滲入那些仍未得福音的最大一致性群體——「使萬民作門徒」的巨大挑戰，仍擺在我們的面前。聖經告訴我們，**會有**「許多的人，沒有人能數過來，是從各國各族各民各方來的」向神敬拜。我們正處於可將福音之光帶給地球上每一個群體的階段，這是前所未有的歷史契機；讓我們有份於「祂的榮耀在列國中傳揚」！

〔*Ralph D. Winter* 曾在危地馬拉高原從事印第安瑪雅族宣教工作，其後任美國富樂神學院跨文化研究學院教授，又創立前線宣教使團(FMF)，並成立美國普世宣教中心及威廉克里國際大學，從事前線之宣教工作。
Bruce A. Koch 獲猶他大學文化人類學學士，1988 年加入「前線宣教使團」，以人類學和宣教學雙重角度來對大量未得福音的城市，進行種族調查。〕

注釋

1. 「福音化」乃採用 David B. Barrett 所訂定的福音化指數。*World Christian Trends* (William Carey Library, 2001), Part 24 (" Microevanglicals") pp. 749-755.

2. 有關這些組合的用途，可以參考一本珍貴的書《教會比你想像中更大》*The Church is bigger Than You Think* (Christian Focus Publications/WEC/WCL, 1998).

3. 請參考有關「未得之民」的簡介。

4. 主後二千福音遍傳運動界定為族群中少於2%聽聞福音或 5% 認信基督徒。

5. 過去，我們曾依賴不同的專門資源，如今使用世界佈道研究中心(World Evangelization Research Center) Todd M. Johnson 所提供的資料。Todd 對最大的一致性群體非常熟悉，且不斷修訂供《環球基督教百科全書》使用的數據。筆者沒有嘗試修訂估計數字，使之與以前的估計較接近。最大的一致性群體數目增加至 1 萬，與數年前我所發表的數字相同，原因是資料來源和估計方法不同。

6. 全球國外宣教人力包括所有廣義的基督徒，即更正宗、聖公會、羅馬天主教、東正教等。

7. 更正宗宣教人力圖的數據來自93年英文版《普世宣教手冊》附件3。區分進入不同的宗教集團中的跨文化工人人力，是一項初步的分析，特別為本書而作。

(本文乃編者按 2006 年 5 月作者修訂稿修訂)

研習問題

1. 最大一致性群體的定是甚麼？這個意義有何重要？

2. 作者認為宣教的重要任務是甚麼？

Who (Really) was William Carey?
威廉克里究竟是誰？

Vishal and Ruth Mangalwadi 合著　　王碧霞譯

設想在一個印度全國大學問答比賽的決賽中，主持人向那些知識豐富的印度學生發問：誰是威廉克里？所有的手同時舉起。他決定讓每一個人都有機會作答，由聽眾來判斷那一個是正確的答案。

一位念**科學**的學生回答說：「威廉克里是位植物學家，草本植物 *Careya herbacea* 是以他來命名的。這是油加利樹的三個品種之一，只生長在印度。

「他把英國的雛菊引進印度，也引介了林奈園藝系統(Linnaean System)。因為他相信聖經的觀點：『主啊，一切受造之物都讚美你！』他出版了印度首本有關科學與大自然歷史的書籍，如介紹印度植物群。克里相信大自然被創造者稱為『好』，所以它不是需要迴避的幻覺(maya)，而是值得研讀的科目。他經常講解科學，並且要把基礎的科學前設注入印度人的思想中，讓他們知道低等昆蟲並非受束縛的靈魂，而是值得我們注意的生物。」

「威廉克里是第一個把蒸汽機引進印度的英國人，也是第一個為本地印刷工業製造紙張的人。」一個**機械工程系**學生高聲地說：「克里鼓勵印度鐵匠用本地的材料與技術仿造他進口的機器。」

「威廉克里是個宣教士。」一位主**修經濟**的學生宣佈：「他引進儲蓄銀行的觀念，以對付印度到處為害的高利貸惡鬼。克里相信神是公義的，他厭惡高利貸，認為印度的投資、工業、商業與經濟發展不可能承受36-72%的貸款利率。」

「克里在經濟上的成就是道德方面的，」這位學生繼續說：「這在印度特別重要；由於銀行家的貪婪與腐敗，而且在號稱實行社會主義下，銀行成為國營，儲蓄銀行的可靠性受到質疑，賄賂成風，利率往往高至100%，使老實的創業者借貸無門。

「為吸引歐洲資金到印度，使印度的農業、經濟、工業現代化，克里倡導一項歐洲人可以在印度購置土地財產的政策。最初，鑑於在美國推行的果效欠佳，英國政府反對此一政策，

但克里去世後，同一政府承認了他在經濟主張上的遠見。就如我們印度政府，經過一個半世紀毀滅性的仇外後，又對西方資金與工業開放了。」

「威廉克里是第一個倡導以人性對待痲瘋病者的人。」一位**醫科**學生用肯定的語氣說：「在克里到來之前，痲瘋病者往往被活埋或被燒死，因為印度人相信以暴力結束生命會得到潔淨，確保來世有健康的新生命。因病而死的人連續四次出生後，到第五次便生而為痲瘋病者。克里相信耶穌愛痲瘋病者，所以他們應該受到照顧。」

接著，一位**印刷技術系**的學生站起來說：「威廉克里是印度印刷技術之父，他使印度的印刷及出版事業現代化，又教導又推廣。他建造了當時最大的印刷廠，大部分的印刷廠需要從他在塞蘭坡(Sarampore)的宣教印刷廠購買鉛字粒。」

「威廉克里是位基督教宣教士。」一位**大眾傳播學**的學生回應：「他創辦了以東方語言出版的第一份報紙，因為他相信基督教教導真理與信仰，必須有討論自由。他創辦的英文期刊《印度之友》(*Friend of India*)在十九世紀的前半期，是引致印度社會改革運動的原動力。」

一位**農業**研究生說：「威廉克里是1820年代農藝學會的創辦人，早於英國皇家農業學會30年。克里在印度曾作過一次有系統的調查，在《亞洲研究》發表改革農業的文章，早於土著耕作系統(indigo cultivation system)潰壞兩個世代之前，已指出其破壞性了。」

他再說：「克里並非因為受僱才做這些事，而是害怕看到世上農地最好的國家之一，住滿了勤勞的農夫，竟有五分之三的土地淪為荒林，任由野獸與蛇類出沒。」

「克里是第一個把偉大的印度古典宗教作品如《羅摩傳》(*Ramayana*)，以及哲學著作如《數論》(*Samkhya*)翻譯成英文的人！」一個**文學系**學生說：「他把被認為只適用於鬼魔與女人的孟加拉語(Bengali)變成最傑出的印度文學語言。他用孟加拉語寫了一些福音歌謠，把印度人對音樂吟誦的喜愛帶進上主的聚會中。他也為學者們編寫了第一部梵語(Sanskrit)字典。」

「克里是一個英國皮匠，」一個**教育系**的學生插進來說：「卻成為加爾各答培訓公務員的威廉堡學院(Fort William College)的教授，教孟加拉語、梵語和馬拉都語(Marathi)。他為印度所有種姓的兒童開辦了數十所學校，並在靠近加爾各答的塞蘭坡建立了亞洲第一所大學。他要啟發印度人的思想，使他們從迷信的黑暗中得釋放。印度的宗教文化剝奪了大部分印度人民的求知自由，幾達3千年之久，印度教、莫臥兒(Mughal，印度穆斯林)和英國的統治者都以這種高級種姓的政策，把普羅大眾幽禁在無知裡面。克里以其巨大的屬靈力量對抗那些祭

司，他們為了一己的利益而剝奪了普羅大眾認識真理而得到的自由和力量。」

「威廉克里把天文學帶來了次大陸，」一位**數學系**的學生宣稱：「他非常留意破壞文化的占星術——宿命論、迷信性的恐懼、服從命運的安排。

「克里把天文科學文化帶給印度人，他不相信天體是管制我們生命的神明。他知道人類是為管理自然而被造，而太陽、月亮、行星的被造，則是為輔助我們實行管理的任務。克里認為人應該仔細研究天體，因為造物主創造它們是作為記號或標示，為單調宇宙的空間確定方向，區分東、西、南、北；為時間定年、日、和季節，使我們能編纂日曆，學習地理與歷史，為我們的生活、工作與社會釐訂計劃。天文學文化使我們得到釋放成為統治者，而占星術卻使我們活在星宿的轄制之下。」

一位**圖書管理學**的研究生站起來說：「威廉克里是次大陸建立借閱圖書館觀念的先驅。當東印度公司裝運一船船的彈藥和兵士來鎮壓印度時，克里要求他在浸信會差會的朋友，把一箱箱的書籍與種子送到這些船上。他相信這樣做，會使印度的土壤得以再生，使印度人民接受可以自由思想的觀念。克里的目的是創造一種使用方言的本土文學，但在這種文學未成形之前，印度人需要從世界各地接受知識與智慧，以期迅速趕上其它文化。他希望圖書館能讓印度人獲得普世的資訊。」

「威廉克里是個宣教士。」一位**印度森林**學院的學生說：「他認為，如果福音在印度興起，荒地將全面地變成沃土。他是印度第一個撰寫有關森林學文章的人，比政府首次在馬拉巴爾(Malabar)試行森林保育工作早約50年。克里實踐且大力倡導木材培植，並建議以環境、農業及商業為植樹目的。他的動機來自信仰，就是神造人來照顧大地。為了回應克里《印度之友》期刊的建議，政府首先任命波恩(Bonn)的Brandis博士管理緬甸的森林，並安排Clegham博士管理南印度的森林。」

「威廉克里，」一位女權運動的**社會學者**理直氣壯地說：「他是第一個反對殘忍謀殺與廣泛壓制婦女的男人，那些是十八、十九世紀的印度教作風。那時印度男人藉多妻、殘殺女嬰、童婚、燒死寡婦、安樂死及不讓女性識字來壓迫婦女，這些都是宗教所允許的。英國政府懦弱地接受這些惡行，把它們當作不能更改的印度宗教風俗。克里開始有系統地研究社會學與經典文獻，發表報告，藉此引發孟加拉與英國的公眾意見和抗議。他影響了整個世代的公職人員，也是他在威廉堡學院的學生一同抵制這些惡行。克里為女孩開辦學校，當寡婦改信基督教後，為她們安排婚姻。克里反對殉夫自焚的爭戰，堅持了25年之

久，終於導致1829年Bentinck勳爵頒下著名的法令，禁止世界上其中一種最可憎之宗教慣例——焚燒寡婦。」

「威廉克里是個英國宣教士，」一位**公眾管理**的學生這樣宣稱：「他原先不准進入英國統治的印度，因為東印度公司反對他向印度教徒傳教，克里遂轉到丹麥領土塞蘭坡。但因為該公司無法為威廉堡學院找到合適的孟加拉語教授，後來邀請他到那裡任教。在長達30年的教授生涯中，他改造了英國殖民政府的精神特質，從冷漠的帝國剝削轉而為作『文明』的服務。」

一個念**印度哲學**的學生這樣回應：「威廉克里是個傳道人，他復興了一個古老的觀念，認為倫理與道德都不能與宗教分開。這是吠陀的一個重要假設，但《奧義書》(Upanishadie，吠陀教義的思辯作品)的教師卻把倫理與靈性分開。他們以為人性的己(Atman)就是神聖的「己」(Brahma，是「梵」之意，可指眾生之本)，所以我們的靈不會犯罪，只是我們的己(Atmam)受了矇騙，想像自己與神有所區別而已。我們所需要的不是從罪中得拯救，而是啟悟，就是直接經歷我們的神性。這種對人的罪性的否定，以及注重我們神性的神祕經歷，使我們在印度可以極其「虔誠」，同時又可以公然地不道德。

「克里一開始便說明人是罪人，需要赦免，且要從罪的權勢下得釋放。

他指出使我們與神分開的是罪而非無知，非聖潔不能得神的喜悅。按他所說，真正的靈性始於我們為自己的罪悔改。這個教導使十九世紀的印度宗教景象起了革命性的變化。例如十九世紀最偉大的印度學者Raja Ram Mohun Roy，與克里及其他在塞蘭坡的宣教士接觸之後，開始質疑盛行於當時印度的靈性論。他的結論是：我長期不斷研究宗教真理的結果，發現基督教義更有益於道德原則，較我所知的任何教義更適用於有理性的人。」

最後，一個**歷史系**學生站起來說：「威廉克里是十九及二十世紀的印度文藝復興之父。信奉印度教的印度在智力、藝術、建築與文學上已在十一世紀時達到了巔峰。自從十二世紀，經院哲學家Adi Shankaracharya(788-820)倡導的絕對一元論(Absolute Monism)橫掃印度次大陸後，人們的創作泉源乾涸了，印度的大衰退開始了。物質環境、人的理性以及所有豐富人類文化的事物，都受到懷疑。而苦修主義、賤民主義、神祕主義、秘術、迷信、偶像、巫術、壓制的信仰和習俗卻成了印度文化的印記。外國統治者的侵略、剝削以及政治支配的結果，令情況更加惡化。

「在這種混亂的情況下，克里來到，開始了印度的改革過程。他不把印度看為一個可以剝削的外國，而是天父的土地，要愛護和照顧，是一個有真理而非無知、需要管治的社會。

克里的運動最終導致印度民族主義的誕生與後來的獨立。克里相信神的形像在人身上，而不在於偶像，因此被壓迫的人類應該受到服侍。他相信要認識與控制自然，而不是懼怕、討好或崇拜自然；相信要發展一個人的智力，而不是神秘主義者所教導的要撲滅智力。他強調要喜愛文學與文化，不要看它是幻覺要迴避。他的今世靈性觀、重視公義、愛自己的同胞如愛神，成為印度文化復興的轉捩點。印度文藝復興的早期領袖，如Raja Ram Mohun Roy, Keshub Chandra Sen 等人，都是從克里和與他一同共事的宣教士那裡得到啟示。」

這樣説，誰是威廉克里？

他，是西方近代宣教運動的一個先鋒，要把福音傳遍世界。是更正宗教會在印度的拓荒者，是一個把聖經翻譯成40種不同印度語言的翻譯者與出版者。克里是一個佈道者，使用每一個可用的媒介，把真理的光照亮印度生活每一個黑暗面。他是印度現代化故事的主角。

(作者夫婦在印度中部服侍鄉村貧民，從事社區發展、政治教育、佈道、領袖訓練及著作。)

研習問題

1. 威廉克里研究科學與大自然，有何動機？

2. 威廉克里的信仰在社會、經濟結構及習俗上產生怎樣的影響？

On the cutting edge of Mission Strategy
切合時代的宣教策略

Peter Wagner 著　　何寶珠譯

今天的宣教策略呈現嶄新的角度；我們不可以只作「忠心」的宣教士，也要在普世傳福音及使萬民作門徒方面取得「成功」。聖經中，才幹的比喻對這方面已有清楚的闡釋了。假如傳福音是我們首要的宣教任務，就必須清楚這任務所涉及的事情──其中權能的相遇，是今天宣教使命的重要因素之一。

今天，宣教工作的重大議題，可分為三大類：(1)宣教原則──清晰思考我們的任務；(2)宣教實踐──啟程宣教前要周詳策劃；(3)宣教能力──遇上敵對勢力時，靠超自然能力。行動大都源於思想，因此，以下從解釋一些宣教學上的理論開始。筆者相信，重要的起步點是先了解宣教、佈道、任務及工場所發生的事。

宣教──絕不妥協！

宣教的定義，百年來備受爭議，爭論主要環繞著所謂文化訓令及佈道訓令。

文化訓令有人稱之為基督徒的社會責任，並追溯至伊甸園時期。神創造了亞當和夏娃，吩咐他們：「要生養眾多，遍滿地面，治理這地；也要管理海裡的魚、空中的鳥和地上各樣行動的活物。」(創一28)我們作為按神的形像所造的人類，對神創造物的福祉有責任。新約教導我們要愛人如己(太二十二39)，好撒瑪利亞人的比喻告訴我們，鄰舍的範圍不僅指自己的種族、文化或宗教團體，而是指所有人類。對別人行善，不管是對個人或整個社會，都是聖經的教導，是神給我們的文化訓令。

首次出現佈道訓令是在伊甸園內。曾經有一段時間，亞當和夏娃經常等待神到伊甸園去，和他們一同團契。但罪出現了以後，神到伊甸園的時候，亞當和夏娃卻不知所蹤。團契崩析了，人和神分隔了。從這些事件中，我們可按神所說的第一句話明白祂的屬性，祂呼喚亞當說：「你在哪裡？」(創三9)祂立即找尋亞當；佈道訓令就是指找尋因罪與神分隔的失喪者。羅馬書十章告訴我們，呼求主名

的人便會得救，可是，他們不相信就不會呼求，從未聽聞就不會相信，沒有傳道者他們就不能聽聞。「報福音傳喜訊的人，他們的腳蹤何等佳美！」(羅十15)傳揚福音，把人從黑暗帶進光明，就是履行佈道訓令。

文化訓令和佈道訓令都是合乎聖經宣教的重要部分，兩者缺一不可。在福音派的圈子裡，對此已有共識。

但這共識最近才達成。1966年在柏林召開的普世福音會議幾乎全無提及文化訓令。約翰司徒德(John R. W. Scott)甚至把宣教定義為傳福音，並不包括文化訓令在內——雖然，他的措辭並非如此。1960年代，因社會動盪而引發的社會意識，使人關注文化訓令，但直至1974年在洛桑召開的普世福音會議上，才成為矚目的焦點。當時，司徒德的觀點也改變了，承認宣教包括文化和佈道兩個訓令。〈洛桑信約〉的第5條強調文化訓令，第6條則強調佈道訓令。

近期的爭論，則涉及四個立場：(1)文化訓令較佈道訓令重要；(2)兩者同樣重要，硬要區分是不應該的；(3)佈道訓令較重要；(4)堅持洛桑會議前的觀點，認為宣教就是佈道。

筆者認同〈洛桑信約〉，但不會花時間與那些認為宣教就是傳福音的人爭辨；他們認為社會事工應稱基督徒責任，或只是宣教事工的結果而非宣教本身。筆者不覺得這兩個觀念較其它普世遍傳的立場更有正面貢獻，但也不會單按實效來接納傳福音需要優先。筆者相信這是最能反映新約有關宣教的教義。耶穌來，是為要尋找拯救失喪的人(路十九10)，因此，我們要奉耶穌的聖名到各處作同樣的事。但，我們固然不可忽略作基督徒的責任，也不可讓它妨礙拯救靈魂的福音工作。

佈道——訓練門徒

如果傳福音是宣教的最首要任務，那麼，清楚了解福音工作是甚麼便極其重要。

界定今天基督教的普世福音工作，有三個顯著的方式，可以稱為臨在、宣告和説服(presence, proclamation, persuasion)。主張「臨在」的，認為佈道就是幫助人們的需要，以耶穌的名義給人一杯涼水，伸出援助之手。主張「宣告」的，承認臨在是必須的，但要跨進一步，傳福音是為傳揚耶穌的信息，讓人聽聞及了解福音。但，若按嚴格的宣告定義來說，人們一旦接觸了福音，不論他們是否接受福音，已算是福音化了。而主張「説服」的人則稱，臨在和宣告都需要，但聖經所教導的福音不止於此，因此，他們堅持要訓練門徒。

筆者同意臨在和宣告，但單是其中一項都不算是適切的福音工作，一個人在成為不斷求進步的耶穌基督門徒以前，不能被稱為接受了福音。

這一個觀點源自耶穌基督的大使命。四福音及使徒行傳均記載了大使

命,其中馬太福音把它的背景闡釋得最透徹:「所以,你們要去使萬民作我的門徒,奉父子聖靈的名,給他們施洗,凡我吩咐你們的一切,都要教導他們遵守。」(太二十八19-20)大使命內有四個行動的動詞,三個在希臘原文是分詞,即「去」、「施洗」及「教導」,有輔助動詞的作用,唯一的命令是「作門徒」。如果大使命是佈道所本的經文,它的目標可被解釋為傳講和使人作門徒。

如果使人作門徒如此重要,門徒又是甚麼?在神學上言,門徒是由聖靈重生,在耶穌基督裡的新人(林後五17)。經驗上,可憑一個人所結的果子辨認出他是門徒;若一個人真的重生了,一定結出可見的果子。我們這些同意教會增長運動的人會認為,重生之後有許多可見的果子,但其中最佳的指標,就是成為教會負責任的會友。一個人要成為耶穌的門徒,不單要忠於耶穌基督,也要忠於基督的身體。

在工場上的研究愈來愈顯示,單單建基於臨在和宣告的福音工作,在推動教會增長方面的成效,較說服的福音工作為遜色。

任務──接觸 78% 圈外人

耶穌說過,一個好牧人有 100 隻羊,發現有一隻不見了,就會丟下羊圈內安全的 99 隻,去找尋那迷途的 1 隻,直至把牠尋回;這是另一個指標,指出神所重視的是甚麼。我們必須花時間栽培現有的基督徒,努力建立健康的教會,兼顧質和量。但我們也要做個好牧人,只要有失喪的靈魂,就不要耽於安逸,因為基督為他們捨生,也希望他們和父神復和。今天,並未達到羊圈內有 99 隻,外面有 1 隻的情況;最多只能說,圈內有 30 隻,外面有 70 隻。

今天,世上有 30 億人在羊圈外,其中 8 億 5,000 萬在特定的文化環境內,可用一般的福音方法去接觸,宣教學上稱之為 E-1(參 480 頁)。這已是一項巨大的任務,要動用大量的人力、財力和技術資源。更需要的是,23 億人仍未能在自己文化內,建立有活力和繼續傳福音的教會。這 23 億人就是羊圈外的 78%,只能透過我們一般所稱的「宣教工作」來接觸,某些人必須離開自己安舒的文化環境,學習新的語言,學習吃不同的食物,過不同的生活,愛一些似乎不可愛的人,向他們分享基督的福音。這是跨文化的福音工作,稱之為 E-2 和 E-3(參 480 頁)。1974 年,溫德(Ralph Winter)在洛桑會議上指出,這些人是我們普世福音工作首選的對象。

工場──第三世界差出宣教士

我們正處於基督教宣教的春天,全球的福音工作和基督教會的增長速度都史無前例。近代的宣教年代,約自 1800 年威廉克里(William Carey)前往印度開始,此後的 185 年內,歸信基督

的人數和建立教會的數目較以往1,800年的總和為多。每一天，全球估計增加7萬8千位新基督徒，每星期成立1,600所新的基督教會。

限於篇幅，無法詳述世上不同地方的教會增長情況，只能略提重點，增長的地區很多都在中美洲、韓國、菲律賓、尼日利亞、巴西、埃塞俄比亞、中國等地方。韓國基督徒已佔人口的30%，且繼續迅速增長。1950年，當馬克斯主義統治中國時，全國有100萬信徒；經歷了許多逼迫後，身處外界的我們以為他們一定放棄了信仰，但保守估計，信徒可能已增至5,000萬，甚至更多。相信增長大多發生於1970年以後，在二十一世紀，中國繼續是世上福音收穫最豐碩的禾場。

神正呼召美國和海外大批工人響應，前去收取祂使之成熟的龐大莊稼。除了在二次大戰後的十年內，從未有年青的基督徒如此熱衷於宣教。

亞洲、非洲和拉丁美洲的教會也正動員他們的人力，作跨文化宣教。1972年，第三世界有3,400名宣教士，到1980年，數字上升至13,000，研究員如OC事工會的賴利凱斯(Larry Keyes)估計，該數字今天已增加了十倍。增長驚人，並且難以估計，這世代的宣教士也許來自非西方的較西方國家為多。

仔細思考我們的任務，是宣教策略的重要起點，這樣才能有根有基地去作正確而有效的行動。

宣教實踐──策略性計劃

上世紀80年代有關宣教工作最重要的著作之一，是由Edward Dayton和David Fraser合著的《普世福音遍傳事工策略》(*Planning Strategies for World Evangelization*)一書，他們說：「作為基督徒，策略使我們專心尋求神的心意和聖靈的意願。神渴望的是甚麼？我們怎樣可以塑造出祂所渴望的未來？」筆者同意兩人所提出的，訂立目標和制訂一套策略以達到目標，是信心的表現。就如希伯來書十一1所說，這是所望之事的實底。希伯來書十一6說，人沒有信心，就不能得到神的喜悅，筆者相信按照神的意願去構思策略是討祂的喜悅。

要構思策略，但一定不可以代替聖靈的工作。耶穌說「我要建立我的教會」，我們要強調這個「我」；祂已經建立了祂的教會二千年，祂會繼續建立，直到祂再來──不管有沒有我們的幫忙。但祂誠懇地邀請我們參加祂在普世建立教會的任務，如果我們接受邀請，就成為祂手中的工具。我在這裡提出，我們必須盡力成為主最佳的僕人，被祂使用以完成祂的工作。

因此，對恩主順從是我們對宣教策略態度的起點。大使命是一條清晰的誡命，我們要走遍世界，向每一個人傳福音，使萬民成為門徒(*panta ta ethne*)。神決不願有一人滅亡(彼後三9)，作為僕人，我們對主的意願不能置疑。

新約指示我們要像聰明管家般忠心事奉神；當時的管家，是委以重任的僕人。我們清楚的得到指示，我們是神奧秘事(與福音相類的字眼)的管家(林前四 1)。福音是甚麼？它就是神拯救的大能(羅一 16)。

我們也知道作管家的要求，就是要忠心(林前四 2)；重要的是明白這裡所說「忠心」的意思。筆者曾聽過一些人說：「主啊，感謝你不要求我成功，只要求我忠心。」可是，太二十五14-30對管家的工作和才幹的比喻重心，並不是這樣劃分的。它告訴我們，那些聽從主人意願，把二千銀子和五千銀子分別變為四千和十千的管家，都被認為是又善良又忠心的僕人；可見，成功和忠心相連。那位僕人把銀幣埋藏，又沒有賺錢，甚至連銀行利息也沒賺取的，被認為不忠心。

新約內管家的基本原則，是管家拿了主人給他的資源，按主人的目的使用，把收益和榮耀歸於主人。

這比喻可直接運用在宣教策略。我們既知道主的意願是要萬民作門徒，我們作為好管家，有責任運用祂賦予我們的資源去完成那任務，取得成功，才被稱為忠心。

訂定普世福音遍傳的目標，構思策略去達成，需要一定程度的實用主義。實用主義可以是世俗的，但這裡所說的是聖化了的實用主義。筆者並非提議有關教條或倫理的實用主義，而是以實用主義作為方法論。如果我們把時間、人力和金錢等資源，投放在應該可以訓練出門徒的項目，卻沒有果效，我們便應重新考慮這些項目，若有需要，願意作修改。耶穌另一個比喻說，若無花果樹經過一段時間仍不結果子，就應被砍掉，留下土地作更有用的用途(路十三 6-9)。

策略的目標

如果我們同意對普世宣教的策略性計劃採取積極的態度，各項活動的確實目標就變得非常重要。近日，很多地方都進行研究，使我們對所訂的目標有一幅更清晰的圖畫，以下只提出三項：未得之民、城市和全國。

未得之民

未得之民成為宣教策略對象的概念，於 1974 年瑞士洛桑世界福音會議上首次披露，世界宣明會 MARC 中心的 Edward Dayton 向與會者派發首份《未得之民指南》，然後溫德(美國普世宣教中心主任)在大堂演說時，強調群體的概念。

數年以來，研究未得之民的各位領袖，對未得之民群體的定義進行了激烈的討論。Harvie Conn 編纂的書 *Reaching the Unreached* 內，溫德所寫的一篇文章 "Unreached Peoples: The Development of the Concept" 有極詳盡的記載，筆者向有意對這課題作初步研究的人大力推荐此書。正如溫德所指，所有的人現今都同意以下的定義：

未得之民是指本土基督徒群體的人數和資源皆不足，若無外來(跨文化)援助，無力向這群體傳福音。

估計全球有75%的非基督徒身處於未得之民群體中，也就是有20億以上基督為他們而死的人，無法聽聞祂的愛。除非有人願意聽從神的呼召，撇下自己的文化環境而去；這就是宣教，純正而簡單。宣教年代的完結，距今尚遠；相反地，為基督作跨文化事奉，是今日基督徒的最大且最興奮的挑戰。

對於有多少未得之民群體，我們還未能清楚確定。多年來，很多人接納16,750這個數字，這是溫德約於1980年的象徵性估計；有些人則說，數字也許在10萬或以上，時間會告訴我們。不管最終的數字是多少，《未得之民年報》(Unreached Peoples Annuals)目前已確認和列出5千個以上，而列在「約書亞名單」(Joshua Project)內的更多。令人興奮的是，一些原本歸類為未得之民的，幾年後已經聽聞福音了。宣教學者一般都同意，「群體」這個單位是構思宣教策略的最有用的基本目標。

城市

世界各大城市內有很多群體稠密聚居。我們這一代，尤其是二次大戰後，一個重要的社會人口學現象是城市爆炸。二次大戰期間，只有紐約和倫敦的居民達800萬以上，今天卻有近20個這類大城市，預計到2015年將會有33個。墨西哥城當時的人口少於300萬，但到二十世紀末，居民已有3,000萬以上，成為世上最大的城市。

傑出的城市學家Raymond Bakke確認了250個以上稱之為「世界級城市」，大部分他曾造訪。世界級城市的人口超過100萬(形式或結構)，也具國際影響力(作用或角色)。世界級城市的數目，在二十紀末已上升至500個。

Bakke解釋未得之民和世界城市這兩個宣教目標，他將它們區分為「地理偏遠的未得之民」及「文化偏遠的未得之民」。假設兩者都有文化上的距離，但前者兼有顯著的地理障礙。傳統上，地理偏遠的人是我們差派宣教士往工場的主要對象；但在今天的城市，文化偏遠的人也許就住在隔壁或者兩條街道之遙，而我們或許不察覺他們的存在，也無分享福音。Bakke說：「除非現有的教會能夠刻意變為多元化，或者特為他們成立，或由他們來建立教會，否則沒有人向他們傳講耶穌基督。」

全國

儘管城市作為傳福音對象愈形重要，但本地或國際媒體仍以政治區分的國家為主，國際社會心理學上也以國家為主。我們為宣教訂定策略性計劃時，固然要重視群體和城市化的需要，但也不可忽略地理－政治的國家。現今對這一個觀點最清楚又積極推動的領袖，是Jim Montgomery。在80年代早

期，他離開了Overseas Crusades後，成立一個新的宣教機構——晨曦事工會(DWAN Ministries，全名是 Disciplining a Whole Nation，意即使全國成為門徒)。

晨曦運動的目標，是動員一個國家的全部基督的身體，堅定地履行大使命，致力為國內每一個村落和城市社區建立福音信仰堂會。Montgomery 接納群體的概念，但認為要專注於特定國家內的群體，才是使所有未得之民聽聞福音的最實際方法。

晨曦運動的計劃是長期的，會持續數年之久。開始時，它先對該國的福音工作和教會增長作廣泛研究，並將所得結果以該國語言印製成書。然後，集中基督徒領袖人力，統籌行動和實行問責，並召開全國晨曦運動大會，藉以激發興趣、找尋靈感、培訓和訂立目標，而大會前後的一般時期內，亦會召開地區性晨曦運動會議。

晨曦運動不只是一個意念，菲律賓於1974、1980和1985年召開的晨曦運動會議中，展開了導航項目。20世紀末，舉行第六次會議，成績蜚然；全國已經有逾30個晨曦運動或同類的項目，計劃建立近300萬的新教會。

宣教能力——在聖靈中工作

簡略地看過那些幫助我們把任務考慮得更清楚的宣教原則，也看過一些較以前更有效、更適切地傳福音的宣教實踐；最後要思考的，筆者稱之為「宣教能力」。

我們大多來自非五旬宗及靈恩派的信徒，對今日世界上的超自然力量和神蹟，未有足夠的認識。但當代宣教策略其中重要的一環，是聖靈在較傳統的福音派中的工作。在80年代的十年中，筆者在這方面的角色愈來愈活躍，注視著二十世紀發生的聖靈「第三波」運動。第一波是二十世紀初的五旬節運動(Pentecostal movement)，第二波是中期的靈恩運動(Charismatic movement)；兩者在二十世紀餘下的時間繼續活潑地開展。

第三波則包括我們(筆者也在內)，為了某些原因，不願意被視作五旬宗或靈恩派。我們愛、尊敬和欣賞那些參與這兩個運動的朋友，也祈求神賜福他們所有的工作。我們承認他們是現今全球基督身體增長最迅速的一部分，從他們身上學會不少東西，也期望學得更多。可是，我們的作風略有不同，雖然工作十分相似，但用以作神學反省的辭彙卻有不同。我們事奉同一個主，也投入同一項普世宣教任務之內。相信我們福音派需要對超自然力量有一套嶄新的看法，對世界觀有嶄新的認知，對天國的神學有嶄新的察驗。

神超自然能力的嶄新觀感

耶穌派遣他的門徒，「給他們權柄，能趕逐污鬼，並醫治各樣的病症」(太十1)，使徒保羅見證說，他「用神蹟奇事的能力，並聖靈的能力」(羅十五

18)，從耶路撒冷到以利哩古向外邦人傳福音。希伯來書也記載，救恩是透過神的見證「用神蹟奇事和百般的異能，並聖靈的恩賜……」而來的(來二4)。

儘管我們承認神話語的有效性，很多人未能在個人事工上經歷這種新約的力量，筆者在玻利維亞(Bolivia)宣教有16年之久，也從未見過。對筆者來說，神的能力是拯救靈魂，幫助我們過好的基督徒生活；回顧這種見解，筆者仍認為是對的，但這是對神的能力的看法。富樂神學院裡的同事，在回顧他們的宣教事業，都有相似的看法，使筆者得著不少安慰。

正如三一學院普世宣教及佈道學院的Timothy Warner說：「大部分教會避免踫到魔鬼力量這一課題，是可以理解的，我大半生都在努力避免接觸。」但他繼續說：「我們再無法苟安了！」Warner相信，權能和權能對峙(power and power encounter)，是今天宣教工作的主要要素。他從觀察未得之民所得，說：「世上很多地方……人們重權力過於真理。我們也許按西方標準來教導，邏輯性和說服力都很強，但我們的聽眾仍無動於衷。可是，讓他們在充滿恐懼的精靈世界中看見基督教的能力，他們所『聽到』的信息定較我們單單用言語來得清楚。」

加爾文神學研究院的Richard De Ridder也在他所寫的《使萬民作門徒》(*Discipling the Nations*)一書內，表示同樣的關注。他憶述在斯里蘭卡作宣教士的經歷時寫道：

有一件事使我刻骨銘心：傳統的改革宗神學與他們和他們的處境格格不入，極少針對他們真正的需要。撒但、魔鬼、天使、符咒等事情，感興趣的西方人不多，也不受注意，但這是本地基督徒生活所面對的問題，被精靈論所圍繞，長期恐懼靈界。我們曾經歷的一項最大喜悅，就是向人宣告基督戰勝那些力量，看到神明奴役人的枷鎖被基督解除。向這些人傳講「加爾文主義的五點要義」時，他們常常會問：「是甚麼問題？」可見，宣教士和牧者都抓不著他們的癢處。

筆者接到很多來自世界各地宣教士的信件(公開和私人信件皆有)，以下引述的是私人信件，由於未得到寫信人的允准，不擬公開人名和宣教機構，但可以告訴你，寫信的是一位傳統的福音派宣教行政人員：

正如你所知道，我們委身在伊斯蘭教世界植堂，面對龐大無比的權能衝擊。我深信伊斯蘭教裡有鬼魔的基地，較我們大部分人敢於承認的大得多。當然，說或寫這些事都不容易，但我們對伊斯蘭教一籌莫展，實在感到非常尷尬。為甚麼基督教要躺下，讓伊斯蘭教大軍像一列列坦克般向我們掃射？

這樣的呼喊愈來愈大。在富樂神學院我們的宣教學院內，有很多宣教士和國際教會領袖正問著相同的問

題，而我們正開始向他們提供一些現階段仍屬膚淺的答案。其中兩位在拉丁美洲哥斯達尼加(Costa Rica)服侍的學生，在近期的通訊內，寫到幾次遇上超自然能力的經歷：

自從我們於1月回到哥斯達尼加，一直用一種過去六年從未遇見的新能力來服侍。我服侍一個只被診斷為患癲癇症的人，但我將她從魔鬼壓制下釋放出來。這個人早年時曾有用靈乩牌(Ouija)行巫術的經歷，她的母親也與神秘宗教有密切關係。經過46年的折磨，她如今完全自由了。

宣教士慨歎「基督教一直經常被人當作教科書和頭腦知識來介紹」，這樣的基督教和新約時期的大相逕庭；新約裡，「崇拜是有活力和有意義的，禱告是渴望與神相遇，神蹟和奇事使人歸主。」

一位海外基督使團(OMF)在新加坡的宣教士，記述他曾向當地一位男士作見證，那人說：「我絕不會成為基督徒；我有一位兄弟當牧師，但母親生病時，他甚麼也幫不上。我們帶她到廟裡，她就被治好了。」另一個女印度教徒說：「你們這些基督徒的毛病是沒有能力！」我的朋友批評說：「人們認為基督教只是理性上的認信，是缺乏能力的言語上的宗教，這是何等可悲！」

福音派神學院教授和宣教機構同工，開始不斷提出靈界力量的課題；筆者深信，這是一個亟待探討的範疇。若要全面投入當代的普世宣教工作，就需要作新的研究真知明辨的實踐。

嶄新的世界觀意識

由於現今的宣教研究普遍受到文化人類學的影響，大大提升了世界觀的地位。我們較過往更自由、正確地談論世界觀，和了解它在日常生活中的意義。可是，我們發現了一件令人困擾的事，就是在第三世界中，宣教士傳講的信息受世俗化的影響，較我們想像的為多。

關於這一點，1982年，筆者首次在同事 Paul G. Hiebert 所寫的文章 "The Flaw of the Excluded Middle" 中察覺。文章開始時，他引用施洗約翰派門徒來問耶穌的問題：「那將要來的是你嗎？還是我們要等別人呢？」(路七20) Hiebert 強調耶穌的回覆，並非深思熟慮的辯論，而是以治病趕鬼顯示能力。

Hiebert說：「當我在印度宣教時讀到這一段，思想如何把它應用到我們今天的福音工作上，我有點不安。作為西方人，我習慣按理性思維，而不是藉人生病、鬼附，或陷於窮困生活，去顯示基督的能力。」他繼續指出，大多數非西方人的世界觀分三個層次；上面的是宇宙層，下面的是生活層，廣大的中間是兩者恆常互動的區域。中間這一層廣泛被神靈、魔鬼、祖先、妖精、幽靈、魔法、物神、巫師、靈媒、術士等力量所控制。西方宣教士的世界觀沒有這種

中間層，他們的共同反應是意圖否定靈界的存在，而不是宣告基督的能力凌駕它們。因此，Hiebert說：「西方基督教的宣教成為歷史上一股最大的世俗化力量。」

很多人都知道世俗的人本主義已深入影響美國的文化，但相對地，很少人明白它已多深遠地滲入我們的基督教組織，包括教會、學校和神學院。可是，我們所知愈多，便愈確認我們的世俗化世界觀，與新約時期猶太人和希臘人的差異實在很大，就會對所謂「範例的轉移」(paradigm shift)愈開放。這個範例的轉移，可大大幫助宣教士更多接觸他們傳福音對象的世界觀。

天國神學的全新探討

我們唸主禱文時說：「願你的國降臨，願你的旨意行在地上，如同行在天上。」但筆者必須承認，這些字對生命產生的意義，直至最近仍是很少；重複背誦，卻未經過屬靈消化的過程。其中筆者所理解的，天國是未來的事，於是假設祈求主再來；另一個假設是，神既是君王，祂的旨意今天正在地上實行，我們可以被動地接納一切所發生的事，是神直接或間接允許的。

如今，從另一重意義看天國的神學。筆者現在相信耶穌來的時候，已經把天國介紹到現在的世界。這是直接對抗或攻擊那稱為「這世代的神」(林後四4)的撒但所統治的黑暗王國。因此，較以往更認真對付撒但，確認一些今天發生的事，乃因敵人的意願，而非神的意願。基督第一次和第二次來臨之間的世代，是兩個王國爭戰的世代，兩股強大的力量正佔據同一領域。

筆者要立即說，我仍相信神在掌權，祂為了自己的原因，容許這場屬靈爭戰維持了約二千年至今，所得的結果卻毋庸置疑。撒但和牠所有的邪惡勢力，被耶穌在十架上的寶血所打敗，牠最多只能牽制戰爭，卻是凶猛的、毀壞的和非人道的行為，神期望作祂僕人的我們要主動對抗。

今天發生的事，有哪些明顯是在神旨意以外的呢？天堂裡沒有一個是窮困的、打仗的、受壓迫的、鬼附的、生病的或失喪的；作為福音派，我們對最後一種最了解。按彼後三9說，神不願有一人沉淪，然而，今天的世界充滿了沉淪的人，正如前面所述，有30億人在圈外，而我們的任務是作神手上的工具，就是要接觸他們，使他們重生，得以進入天國(約三3)。這是宣教的巨大挑戰。

我們要為基督盡力接觸失喪的人，按聖經和經驗所得，我們早就知道不會贏得全部人。縱使我們知道一些人不回應的原因，也不應灰心，從林後四3-4知道，主要是撒但成功地弄瞎了他們的心眼，使他們看不見福音的光。每年有數以百萬計的人死亡，到達那沒有基督的永恆居所，我們會

為此哭泣，因為知道他們滅亡並非神的旨意。

如果這個對失喪者的說法是真實的，那麼，對窮困、在戰場中、受壓迫、被鬼附和生病的人也許都是真實的。只要撒但仍是這世代的神，這一切都會和我們在一起。但同時，我們作為天國的公民，必須表現出天國的價值，並盡力對抗這些邪惡力量。例如，我們必須醫治病人，儘管早已知道並非每一個人都可以治癒。當1982年召開的一個高層的福音派會議上確認這一點，筆者感到欣慰。當時，洛桑委員會贊助在美國大急流城(Grand Rapids)舉行有關福音和社會責任的諮商會議，在彙報內確認天國的徵兆是「使瞎子看見、聾人聽聞、瘸子行走、病人痊癒、死人復活、平靜風浪和五餅二魚」，報告亦提及「鬼附是真實而可怕的情況，只有藉神的力量，求助於耶穌聖名得到勝利，才可釋放」。這正是宣教士們如 Timothy Warner 對我們所說的。

筆者同意 Charles Kraft 在一次教授會議上所說：「我們若不先教他們治病趕鬼，就不要把宣教士和本國的教會領袖差回工場，或把年青人差到宣教工場去。」我們仍處於這階段的初期，也不滿意我們正在做的工作，但我們相信神會繼續教導我們，使我們可以教導其他人。

神對筆者的其中一項呼召，是鼓勵傳統福音派非五旬宗和非靈恩派的機構，使他們對宣教能力開始有新的觀感——當我們遇到敵人時，靠超自然的能力來工作。

參考書目

1. Bakke, Raymond. "Evangelization of the World's cities," *An urban World: Churches Face the Future*, Nashville: Broadman,
2. Dayton, R. Edward. *Planning Strategies for World Evangelization*, Grand Rapids: Eerdmans, 1980, p.16.
3. De Ridder, Richard R. *Discipling The Nations*. Grand Rapids: Baker, 1975, p.222.
4. Hiebert, Paul G. "The Flaw of the Excluded Middle," *Missiology: An International Review*, vol. X, no.1, Jan. 1982, pp.35-47.
5. Hinton, Keith and Linnet. Singapore: May 20, 1985 Newsletter.
6. Lausanne Committee for World Evangelization and the World Evangelical Fellowship. *Evangelism and Social Responsibility: An Evangelical Commitment*, 1982. P.31.
7. Wagner, Doris M. ed. *Missiological Abstracts*. Pasadena, CA, Fuller School of World Mission, 1984.
8. Warner, Timothy "Power Encounter in Evangelism," *Trinity World Forum*, Winter 1985, pp.1, 3.
9. Weinand, George and Gayle. San Jose, Costa Rica. May 1985 Newsletter.
10. Winter, Ralph D. "Unreached Peoples: The Development of a Concept," *Reaching the Unreached*. Phillipsburg, New Jersey: Presbyterian and Reformed Publishing Company, 1984.

〔作者為韋勒領袖學院(Wagner Leadership Institute)及全球收割事工會(Global Harvest Ministries)創會總裁，著有40本以上有關於福音和教會增長的書籍。〕

研習問題

1. 何以作者說有好的福音遍傳策略便會有信心和信實？

2. 試解釋為何再考察天國神學，會對宣教實踐上的權能帶來影響？

Covering the Globe
覆蓋普世

莊斯頓(Patrick Johnstone)著　　編輯室譯

看見神在世上所成就的大事，我們得著激勵；但另一方面，現實仍有很多工作等待我們去完成，而敵對的力量亦十分可怕。普世宣教成功在望，但在耶穌再來之前，我們仍要推倒不少巨大的障礙，攻克不少堅固的壁壘。

以賽亞早已預告會有大規模的屬靈豐收：

> 因為你要向左向右開展，你的後裔必得多族(和合本譯為「國」)為業，[1]又使荒涼的城邑有人居住。
>
> (賽五十四 3)

這節經文指出我們要完成任務所面對的三大挑戰：**地域**——要抵達世上每一個有人居住的地方；**種族**——要接觸每一個民族；**城市**——要走遍所有城市。

地域上的挑戰

這應許提到神的子民要向左向右開展，同樣，亦可以說要向北向南，和向東向西。地球上每一處有人居住之地，都要向主耶穌基督的福音敞開；這一項地域上的挑戰，是艱苦的，但宣教士必定要前往，因為：

沒有山谷會太荒僻——如偏遠未聞福音的尼泊爾北部邊境的野馬之國

沒有海島會太遙遠——如印度洋上仍未聽聞福音的馬爾代夫諸島

沒有森林會太濃密——如矮小的俾格米人所住的剛果叢林

沒有大山高不可攀——如中亞洲的偏僻而崎嶇的西藏高原

沒有城市牢不可破——如嚴禁基督徒踏足的麥加

沒有沙漠乾旱難耐——如姆扎布柏柏爾人所住的阿爾及利亞撒哈拉沙漠綠洲

以下是其中一些地域上的挑戰：

10/40 之窗

我們的地球表面，有一片很大的陸地，上面仍未有重要的本土基督徒見證人，下頁的地圖顯示未得福音之地何等廣闊。

大部分北非及亞洲地區，以伊斯蘭教、印度教、佛教為主導性宗教；這個地圖特別指出今日世上這一地區

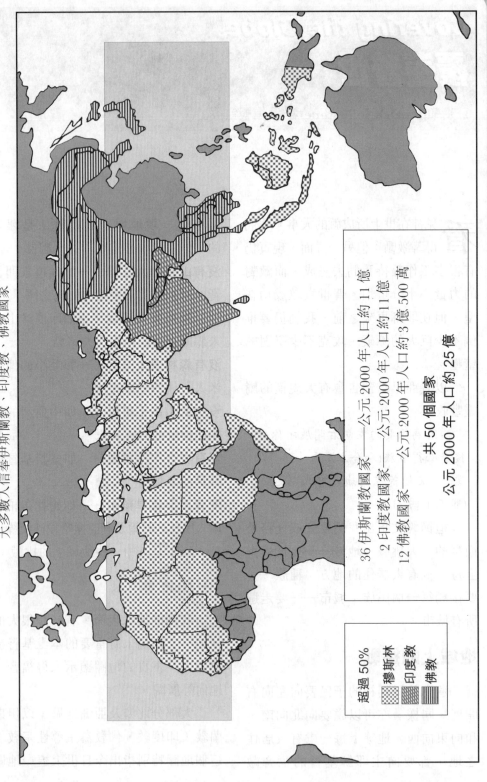

抗拒福音之環帶與 10/40 之窗

大多數人信奉伊斯蘭教、印度教、佛教國家

36 伊斯蘭教國家──公元 2000 年人口約 11 億
2 印度教國家──公元 2000 年人口約 11 億
12 佛教國家──公元 2000 年人口約 3 億 500 萬

共 50 個國家

公元 2000 年人口約 25 億

超過 50%

穆斯林

印度教

佛教

的挑戰。在未來十年或以後，這些地區將會成為宣教的主要開荒地點，可惜它們至今仍是最受忽略的地區。

筆者一向稱之為**抗拒福音之環帶**(Resistant Belt)，1990年主後二千普世福音遍傳運動(AD 2000)的布路易(Luis Bush)稱之為 **10 至 40 之窗** ，[2]是指在大西洋與太平洋之間的北緯10至40度地區，自此便廣為人所認識。這是一個很好的概念，讓大眾清晰看見——縱然這個長方形只能大概表示這個地區的屬靈挑戰。[3] 基本來說，在10/40之窗內或附近而未得福音的國家，土地大概只佔地球表面的35%，但人口卻佔65%。這圖包括 10/40 之窗的長方形概念及抗拒福音之環帶。

「窗」內的人口之多實在驚人；估計2000年時，全球60億人口中，約有12至14億仍未有機會聽聞福音 ，[4]其中有95%居於這「窗」之內。面對偌大的群眾無機會聽福音，也無機會經歷神透過耶穌基督所啟示的大愛，永遠得不著基督，我們怎可能肆意忽視呢？這是對信心、代禱和行動的巨大挑戰——我們有責任去做，因為基督的愛在催迫。[5]

而且，在這「窗」內，有全球90%最貧窮和受剝削和虐待最多的孩子，也有最大批的文盲人口；而疾病如愛滋病、肺結核、瘧疾肆虐，難以預防和控制；也因為政治敵對與宗教體系、地理環境與生活型態，成為最少公開宣教的地區。舉一個例子，差不多世界上所有遊牧民族都居於此，故是普世福音遍傳的最大挑戰。福音的浪潮已經高漲，淹蓋了三分之二的土地，並在沖擊著餘下的三分之一，這是撒但王國仍未潰敗的堡壘和要塞。我們不要低估這餘下的任務，但也不要因為艱巨而氣餒。下面的圖表顯示，10/40之窗和其餘地區基督徒、有機會接觸福音的非基督徒和完全未福音化

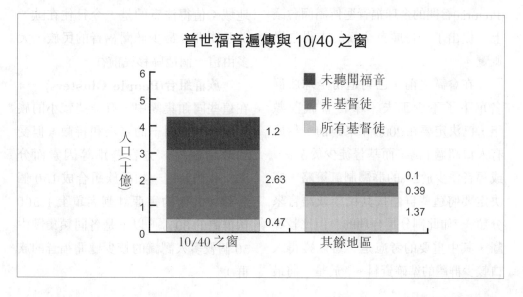

普世福音遍傳與 10/40 之窗

人口（十億）

- 未聽聞福音
- 非基督徒
- 所有基督徒

10/40 之窗：1.2、2.63、0.47

其餘地區：0.1、0.39、1.37

人口的數目和比例。

族群的挑戰

耶穌在馬太福音二十八19清楚宣告，我們必須使萬民作門徒，就是說：每一個**地方**有基督徒是不足夠的，每一個族群之中都要有耶穌的跟隨者。我們曾檢視福音接觸全球民族的驚人進展。[6] 我們不僅有使萬民作門徒的夢想，更盼望在有生之年能見其實現；可是要門徒訓練更加有效和持久，多項重要事工必須加強。

研究

要使每一個人成為門徒，我們必須明白各種有關因素，所以研究非常重要。二十世紀進行了多項研究工作，尤其在過去二十年，對全球民族的研究長足增加，我們可以知道有那些民族、住在何處，及福音化的程度。1997 年 6 月在南非比勒陀利亞(Pretoria)召開的全球福音遍傳諮商會議上，提出了一份頗為全面的未得之民概覽。

在會議之前，已對這份全球族群名單下了不少工夫。舉行會議前數年，已決定要在 2000 年來臨前，對所有人口超過 1 萬，而基督徒少於 5%，或福音派少於 2%的群體制訂策略，亦決定要將這些群體按其民族或語言來分類。[7]如此劃分是合理的，但比較專斷，其中重要的考慮是，難以獲得人口較少群體的準確資料。[8] 於是，將最

少聽聞福音的策略性群體的數目約由 3,000 減至 1,500。其後，再調查有關的差會，結果顯示，這 1,500 的群體之中，只有 500 個未有任何差會在其中開展福音活動；[9] 而亦從其它來源得知，名單上一些群體已有宣教活動，只是未有回應問卷調查而已。

我們亦明白，這一份 1,500 個群體的名單，無論閱讀、認識與在其中有宣教行動的都不容易，因此，再將這些族群組合為兩大類：

同類集團(Affinity Blocs)——可分為12類。我們再將這1,500類族群組合為 12 類。518 頁的地圖顯示出其中 11 個集團。[10] 第 12 類是猶太人，[11] 分佈於全球，難以在地圖上顯示。而第 13 類是其它不屬於以上任何一組，又互不相干的民族，難稱之為「一組」，因其遍佈於全世界。這 11 個地區性的組合，是因有相同的語言、歷史和文化等，全部都在 10/40 之窗內和附近地域；值得注意的是，今日住在歐、美及澳洲等最少聽聞福音的民族，大多由這一個地區移民前往。

族群組合(People Clusters)——在這些同類集團中，有一些較小的族群組合，有同一的名稱和特徵，但受到政治疆界、方言差別等因素而分開。我們將這一類民族組合成 150 個族群，共佔約書亞計劃名單上 1,500 個群體的 80%。以下是各同類集團中 50 個較多人認識的較少聽聞福音的族群：

撒哈拉沙漠南沿	富爾貝、曼丁哥、沃洛夫、豪薩、卡努里
庫希特	努比亞、索馬里、貝賈
阿拉伯世界	阿爾及爾阿拉伯、卡比爾、里夫、利比亞阿拉伯
伊朗	庫爾德、阿法爾、塔吉克、帕坦、俾路支、盧里
突厥	突厥、阿澤里、哈薩克、韃靼、烏茲別克、維吾爾
南亞	孟加拉、比哈爾、印地語、烏爾都、岡德
西藏	拉薩西藏、安多、不丹、康巴
東亞	回族、蒙古、日本
東南亞	緬甸、泰、壯、老撾、達爾
馬來	米南卡保、亞齊、巽他、馬都拉
歐－亞	車臣、切爾克斯、波斯尼亞、西伯利亞組群

茲分類如下：

同類集團名稱	族群數目	集團內的民族數目
非洲撒哈拉沙漠南沿	19	395
庫希特	4	37
阿拉伯世界	19	271
伊朗	12	181
突厥	12	256
印度－伊里安(南亞)	30	449
西藏	5	197
東亞	6	70
東南亞	14	93
馬來	18	175
歐－亞	5	44
猶太人	1	56
總數(約數) [12]	145	2,224

1997年10月《為窗內的人禱告III》
(*Praying through the Window III*) [13] 的小冊子，簡單介紹128個這一類的族群及代禱事項；[14] 在這個月內，估計全球使用這份材料來禱告的基督徒達 5,000 萬——可能是最大規模的禱告行動。深信神會在這些難以接觸的民族中動工，突破困境！

這是歷史上首次列出一份頗完整的全球民族名單，及他們聽聞福音的情況；因此需要下一階段的植堂行動。

植堂行動

我們這一代可以真正看見在所有民族內都開始了植堂行動嗎？一些人會質疑，故筆者在 1997 年的全球宣教大會(GCOWE97)上已就所知的提交報告。

主後二千普世福音遍傳運動主任布路易(Luis Bush)透過這次全球宣教大會，努力鼓勵差會的代表以及不同國家的出席者，委身向餘下的 500 個群體傳福音。在會議結束之時，只賸下

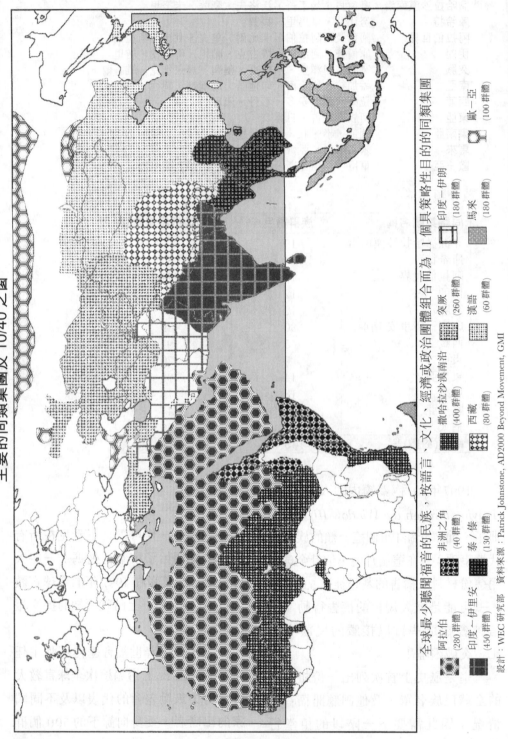

主要的同類集團及 10/40 之窗

全球最少聽聞福音的民族，按語言、文化、經濟或政治團體組合而為 11 個具策略性目的的同類集團

阿拉伯
(280 群體)

印度─伊里安
(450 群體)

非洲之角
(40 群體)

泰／傣
(130 群體)

撒哈拉沙漠南沿
(400 群體)

西藏
(80 群體)

突厥
(260 群體)

漢語
(60 群體)

印度─伊朗
(180 群體)

馬來
(180 群體)

歐─亞
(100 群體)

設計：WEC 研究部　資料來源：Patrick Johnstone, AD2000 Beyond Movement, GMI

172個未有代表認領。然而，要留意的是，一些人口少於1萬的較小的群體(可能有1,000左右)並未包括在內，卻在耶穌給予門徒的命令之內。

這是一項意義重大又令人振奮的工作，它指出餘下來仍未進行或無計劃在其中作開荒工作的群體已不多，能夠達到這一種情況，實在是宣教史上特別的時刻！它亦蘊含了需要建立網絡和彼此合作，以期獲得最大的效益。

在一個千人的小部族建立一個信徒堂會是重要的，可是，在600萬的西藏人之中建立一個教會，或在2億孟加拉人中間建立幾個教會，都只是滴涓而已，我們應以每一群體最少有一個教會為目標作起步。Jim Montgomery「全國皆門徒」的異象(Discipling A Whole Nation，或稱為晨曦運動)是正確的，我們需要確使世上每一個男女或孩童，很容易便與一群有活力和虔敬的信徒接觸。筆者估計今日世上已有300萬各類堂會，Montgomery所寫的書 *7 Million Churches to Go!* 把這項任務放在我們面前，挑戰我們去承擔。[15] Montgomery所創立的晨曦運動，推動全國性、不同宗派有目標的植堂運動。這一個異象，對全球不少國家產生了重大的影響。

植堂的成效能夠大大提高，因為得到了不少支持，也得到一些對民族和語言特別關心的媒體事工協助。這些事工注入了龐大的人力，所有的事工差不多都具備覆蓋全球人口和族群的潛力。以下簡單介紹一些這類巨型事工的可行性及目標。

聖經翻譯

要在一個民族之中建立一間壯碩的教會，但沒有當地語言的聖經，很難會成功。北非柏柏爾語(Berber)的教會曾一度興旺，但因為缺乏柏柏爾語聖經，698年至十二世紀伊斯蘭教來臨之時，突然銷聲匿跡；同樣，上尼羅河的努比亞族(Nubian)成為基督徒1,500年之後，屈從了伊斯蘭教，就是因為沒有努比亞語聖經之故。

威廉克里(William Carey)因此以聖經翻譯作為他主要的工作；他也透過他的繼承者為印度教會立下碩壯的根基。聖經翻譯的影響力，可從倫敦傳道會(London Missionary Society)在馬達加斯加的開荒工作可見，他們最優先的工作是將聖經翻譯成馬爾加什語(Malagasy)；未幾，Ranavalona女皇的駭人逼迫爆發，宣教士被驅逐，但當地教會得以保存，而且倍增。[16]

聖經公會(Bible Society)在全球顯赫的事工，使擁有聖經的語言數目天天在增加，我們為他們向神獻上讚美！近期，神興起威克理夫聖經翻譯會(Wycliff Bible Translators)，給予特別的異象，要為每一種未有聖經的語言供應一本新約聖經。如今，該會已是世上其中一間最大的跨文化宣教機構；至1997年，他們的工作團隊已經完成了420種語言的聖經翻譯，有965種語

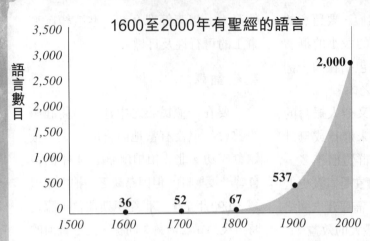

1600至2000年有聖經的語言

語言數目

- 3,500
- 3,000
- 2,500
- 2,000 **2,000**
- 1,500
- 1,000
- 500 **537**
- 0 **36** **52** **67**

1500　1600　1700　1800　1900　2000

經宣教士，使這項任務能早日完成；譯經的工作繁重，非我們這一代能目睹完成。

文字刊物

人所共知，非基督教的刊物腐蝕了千萬人的心，具極大破壞力的如希特拉所寫充滿種族歧視的《我的奮鬥》(*Mein Kampf*)、馬克思發表理論的《資本論》(*Das Kapital*)。但基督教刊物的力量亦不可低估，受基督教刊物影響(最少是部分影響)而信主的福音派基督徒，估計超過半數。

今日，基督教刊物的印製及派贈的數量相當龐大，除聖經公會外，尚有聖經聯盟(Bible League)、聖經恩物差會(Scripture Gift Mission)、基甸會(Gideons)、袖珍聖經聯盟(Pocket Testament League)等，在工作上互相補足。以下簡單介紹筆者認為最具全球性文字事工異象的逐家文字佈道會(Every Home for Christ, EHC)，他們的異象很簡單，但工作所涵蓋的範圍和影響力很大。

他們的異象是以禱告的心將一份簡單的福音性刊物派送到世上每一個國家內的每一個家庭和組織。逐家文字佈道會有系統地約向全球95%人口所說的語言地區，派贈了約20億份多頁並附有決志卡的福音信息；給予文

言的翻譯仍在進行。從以上圖表所看見的成果，令人驚訝！

1992年，成立了「聖經機構論壇」(Forum of Bible Agencies)，聯繫17間聖經翻譯及派贈機構，彼此鼓勵及代禱。在1993年，他們的目標是：

1. 1999年終，要為每一種有500萬或以上人口的語言翻譯全本聖經；屬這一類的有33種語言。

2. 1998年終，要為每一種有50萬人口的語言翻譯新約聖經；如此，有77種語言需要翻譯。

3. 1997年終，要為每一種有25萬以上人口的語言，製作一些聆聽或文字形式的經文材料。

4. 1997年終，要為每一種有10萬以上人口的語言開始翻譯工作。

在全球6,703種語言中，最少仍有925種，或許達2,000種語言需要翻譯新約。這些語言主要分佈於非洲撒哈拉沙漠南沿、非洲之角、伊朗、中亞、高加索、中國及印度。因此，我們應急切招募更多委身且有才幹的譯

盲者的信息是錄音帶，給予瞎眼的信息則是布萊葉點字本。該會在全球的80間辦公室，至今已收回1,900萬份決志卡，每位決志者都可以收到一套四部分的聖經函授課程作為跟進。他們的目標，是把決志者介紹到信徒的敬拜小組去。

其它的統計亦同樣令人驚訝；1997年，80國家內有約2千位本地的全時間同工，每一個派發週要統籌工場上1萬位義務派贈者的工作。平均來說，每週把福音信息派到35萬個新家庭，或每天約5萬家庭。如以全球平均每一家庭有5.2人來計算，即是每一天有25萬人透過該會接到救恩信息。

在逐家文字佈道會的活動地區內，若無任何形式的聖經信仰教會，便會鼓勵信主者聚集成為「基督小組」，一起團契、研經及敬拜。這些小組有時會發展成為組織健全的堂會，迄今，全球已有1萬5千個「基督小組」成立，大部分是在印度、印尼、尼泊爾、非洲、南太平洋及前蘇聯地區。最近來自非洲的報導說，有一個在剛果共和國金沙薩(Kinshasa)附近的基督小組，在兩年內成長為一所組織健全的教會，已有超過2千位會友。烏克蘭(Ukraine)一個城市內的基督小組，亦在18個月內增長至3千人以上。

逐家文字佈道會自1953年在日本開始以來，已在166個以上的國家，有系統地向每一個家庭派贈刊物。已在全國派發的，最少有75個國家；其它如新加坡、香港、台灣等地已多次派贈，而印度、菲律賓亦已派發了兩次，第三次接近完成。現時，該會仍在80個國家內工作，亦在前蘇聯、法屬非洲、亞洲及太平洋區有不少新項目。1997年總計，在全球派贈的刊物超過17億8,000萬份，是用數百種語言寫成。

我們不得不佩服這異象的闊度，而這些龐大數據一掃我們的沮喪和失敗感。我們也實在驚訝，在廣大又複雜的印度，這個全球最多人未聽聞福音的集中地，工作人員竟然可以幾乎全部家庭都探訪了兩次！

錄音帶事工

Joy Ridderhof 和她所創立的福音錄音差會的故事，是二十世紀一個偉大的宣教傳奇。[17] 這是一個聰明的創新設計，將簡單的福音信息，一點一滴錄進唱片裡；稍後，更製作錄音帶及光碟，甚至以未有信徒或宣教士地區的語言來製作。利用這種方式，可以很快製成多種語言和方言的福音信息，又可以用一些簡單的重播機器如插卡式(Card-talk)錄音，或者人手操作的卡式錄音帶重播，又可以將宣教士所講的信息錄下，多次重播。如此，文盲、無當地信徒或宣教士能操本地語言的，都不能成為向未聽聞福音群體傳播真理的阻礙，這是用來向完全未聽聞福音群體傳福音的首選工具。

福音錄音事工已經發展為國際性的宣教機構——「全球錄音網絡」，在30個國家設有基地，為世上每一個國家說各種語言的人，製作和送贈錄音佈道材料。在1997年，全球錄音網絡成功預備了第5千種語言的福音信息。[18]

利用這種媒體的一個好處是，製作錄音帶所需的資源和時間很少。對人數很少的群體，未來數年內仍不能有電台廣播或聖經翻譯，特別有益處。一位聖經翻譯者在開始工作之前需要詳細籌劃，也要用10至15年的時間，才能將新約翻譯成一種300人說的語言；但預備一卷錄音帶，甚至一系列供只有50人的群體的錄音帶，所需的籌劃遠低於此。

全球錄音網絡有一個計劃名為「遺族」(Tail-enders)——是指那些從未，甚至不會得到服侍的群體。全球錄音網絡要找出這些被遺忘和忽略的人，供應福音性節目。他們最終的目的是，為世上每一種仍然在用的語言和方言製作一套錄音帶，數目可能達1萬6千左右。[19]

限於篇幅，未能對其它有價值的機構多作介紹，這些機構專長於製作佈道及門徒訓練的錄音材料，如經文錄音帶及教導材料等。然而，必須指出，這些媒體在向世上最少聽聞福音之民傳福音所貢獻的力量，往往因為規模較小和獨立運作，而被其它事工所忽視，但他們卻能在我們有生之年，提升教會接觸每一種族、部族、群體和語言的潛力。

耶穌傳影片及錄像帶

「耶穌傳」影片是按路加福音描寫的耶穌生平如實製作，已成為近期一種最有力量的傳福音工具，也是歷史上最多人觀看的影片。[20]

這套影片在2000年的異象是，最低限度在全球300種有超過100萬人口的語言，或大部分有7萬5千人說的語言，甚至一些較小的語言民族可以擁有一套自己的影片和自行放映。而中期的目標是，在1993年要完成271種翻譯的版本。至1997年8月已完成了417種語言的版本，226種正在製作。(按：至2006年8月，已完成了965種。)

製作不同語言影片所需要的勞力、籌畫和資源都不菲，而很多不同機構的千千萬萬基督徒同工亦在勞碌地預備這套影片新語言的版本，和擴大播映的事工。這套影片已成為普世福音遍傳一項重大的貢獻。

廣播

基督教廣播獨特之處，在於能將對福音的長期偏見逐漸擊破，取得輝煌的成就；同時，又對基督徒及領袖的教導，特別在沒有其它教導資源的地區，發揮重大的貢獻。

最令人驚訝的佈道成果是，適合當地文化的定期廣播能滲進大部分對宣教封閉的地區。全球福音運動

(Global Evangelization Movement)的 Justin Long，他同時亦參與《環球基督教百科全書》的工作，估計透過電台和電視廣播而歸信基督的人數，可能達300萬，其中有40萬人可能是沒有教會的秘密信徒，與外界沒有來往。當然，這些數字難以確定，但不少來自俄羅斯、中國、印度及中東各地的故事，都令人興奮，而這些地區的教會差不多完全是透過廣播建立和培育成長的。在厄瓜多爾的 HCJB、環球廣播、遠東廣播、IBRA 等機構，結了不少果子，是早期貶抑這項事工的人所未能預料的。

上世紀末，一些大型的全球性事工組成 World by 2000 International Network，目標是「透過廣播向萬民傳揚福音」。說得更清楚，他們的目標是利用電台，每天以每一個超過100萬人口說的語言作半小時的福音廣播，亦即是說，全球95%以上的人口，將有機會以所懂得的語言聽見福音。蘊含在背後的意義是，那些不足100萬人口說的語言，當中或許有部分能說雙語的人，可以了解用第二種語言所傳的信息。當然，不少地區收聽廣播的人很少，但一些地區則很多。舉例來說，數年前估計，在伊斯蘭教國家也門(Yemen)的南部，15%的人口收聽遠東廣播在印度洋上塞舌爾群島(Seychelles)的廣播。

同時，World by 2000 Network 也決定，每一種超過100萬人說的語言每天最少有30分鐘的廣播，如此，估計全球約有140種大量人士使用的語言有基督教廣播；但仍有160種語言尚待努力。

自從World by 2000開始以來，已增加了75種新語言——開始邁向2000年的計劃，現今有約90種語言納入他們的發展計劃之中。[21]

能夠向著目標邁進，實在令人興奮！可是，要使剩下的民族都聽到廣播，所面對的是難以克服的困難，需要投入大量的專門人材和資金，也要拓展現時不足或根本沒有的事工，及有足夠的成熟的本土基督徒。以下是一些挑戰的例子：

- 在伊朗，300萬的盧里人(Luri)是全球最少聽聞福音的其中一群，亦未知道有任何基督徒直接向他們傳福音，而在其它國家可以接觸的盧里人社群亦很少。試想想，既無基督徒可以在電台向著擴音機說話，又如何廣播呢？

- 在尼日爾、尼日利亞及乍得有400萬的卡努里人(Kanuri)，行動伙伴(SUM)及國際事工差會(SIM)等差會，在他們當中工作數十年，已盡一切努力，但在這群穆斯林中間的基督徒數目，仍不夠手指和足趾的總和。既無有活力的教會，也難招募基督徒領袖來作廣播事工；除非是一些同工放下現時主要的事奉來參與廣播。要預備每天30分鐘的廣播，在內容及需要都是一項挑戰，

需要有熱心的廣播同工和事後基本跟進工作。

衛星傳訊

衛星電視廣播正在急速發展，接收器亦迅速日趨小型，使用廣泛——可惜，普遍的節目都含有不良的意識，迎合人類最卑鄙的本能。然而，這種媒體已被證實，是向迄今無法進入的地區宣告福音的有效工具。

對某些國家來說，衛星科技的出現是一項恩澤，因為可以免除鋪設電話線路系統及地底電視傳送電纜的昂貴成本，縱使是未發展的國家，亦因而可躍進二十一世紀的科技世界。貧窮不再是阻礙進入高科技傳訊的主要因素。我們誠心期望能推行及有智慧地應用基督教電視傳播，使它能夠進入一些難以聽聞福音的龐大人口。

不少伊斯蘭教國家，對一些有損他們的道德倫理及宗教的節目非常注意，但卻無法控制。一些國家嘗試限制衛星電視接收，但終告失敗，因為接收器日趨小型，易於收藏。據估計，在1997年，沙特阿拉伯80%的家庭擁有衛星接收器；而在伊朗首都德黑蘭，每月安裝超過10萬個接收器。

基督教在這項媒體的投資，也急劇增加。1997年基督教廣播機構，如在塞浦路斯的SAT-7、英國的The Bible Channel、挪威的Miracle Network，都開始使用可以覆蓋整個中東地區的AMOS衛星。在印度，1997年9月每週有2,500萬人透過衛星聽見福音；1998年1月增加至5,000萬人，用11種語言收聽。同樣，在拉丁美洲及東亞，也有使用衛星網絡的龐大計劃。

正在迅速擴展的「寬頻」，更有利於用作互動的門徒訓練節目，不限於使用電子郵件、電腦及衛星傳遞聲音或視像，因而開啟了透過衛星個別訓練操不同語言門徒的方式，使所有封閉的疆界都形同虛設，無法攔阻任何事工了。這十年之間所發生的事，我們實難以想像——以德國為基地的差會可以訓練西伯利亞北部的曼特西(Mantsi)信徒，韓國漢城(今首爾)可以為阿拉伯語的毛里塔尼亞人(Mauritanians)開設信徒延伸課程，在法屬圭亞那(Guiana)的一群赫蒙族(Hmong)難民可以與老撾的赫蒙同胞團契交通！這就發揮所有本地堂會的潛力，從自己的設施來實踐直到地極的重要宣教工作。

然而，不要讓那些奇異的科技把你弄得目眩心惑，以為不需要代禱的大能，也遺忘了十架和受苦，或者輕視了外國宣教士真實生命的融合和道成肉身的價值。科技縮減了我們對近距離的依賴，和個人直接的接觸，但並未減低它的價值。每一個世上的人都要聽聞福音，受門徒訓練，但用工具的靈活性可以是多樣性的，我們要用於適當的地方。

每一種媒體，都提供一個覆蓋全球的層面，但並非每一層面對每一個人的影響相同；但將這些不同的媒體

層面累積起來，我們更有理由期望，假如動員教會所有資源，我們能夠完成任務的希望更大。

城市的挑戰

二十一世紀宣教最大的挑戰，是大城市；我們忽略城市已到達危險的境界。世界上最大的城市，是我們大多數的財富、痛苦、智慧、墮落、創新和罪惡的源頭。城市能啟動社會改變，若能智慧地運用，可以成為國度擴張的動力。

二十一世紀會是城市的世界，即如前二十個世紀，基督教都在鄉村世界。第二個千年終結之時，亦是大多數鄉村的終結，全球人口50%以上已城市化。

兩世紀以前，世界都是鄉村，城市人口只佔4%，只有一個大城市存在——就是有110萬人口的北京。[22] 但1900年已增加了14%，有18個大城市和2個超級城市(倫敦和紐約)；至2000年，城市化已達51%，約有20個巨型城市(北美和歐洲各只有1個)、79個超級城市和433個大城市。這個趨勢將會延續，至2100年時，可能鄉村居民只佔全球人口的10%；可見，今日城市的宣教策略較保羅時期更重要。

總結二十世紀開荒宣教的特徵，是接觸未得福音的群體；二十一世紀的特徵，則是關注全球大城市的需要——有如萬花筒般複雜和多層面。二十世紀的宣教前線著眼於鄉村，但我們必須扭轉視線，未來的前線將會在城市。

我們曾因鄉村地區而失落城市，然而，所有鄉村的人民都流向城市；對差派教會來說，叢林、高山、沙漠、偏遠島嶼的魅力和浪漫，看來才是「真正」的宣教工作，而住在混凝土森林或骯髒貧民窟的，他們的吸引力遠遜於此，並非發展事工的理想地方。

大力倡議關注城市貧民需要的人是Viv Grigg。我們首次見面的地方是在馬尼拉一個骯髒的貧民窟內，我們一起走過臭氣沖天和嘈雜不堪的地方，再攀登一道狹窄的樓梯，穿過一扇活板門，然後坐下來喝茶。他身無長物，簡單的物品散落在炎熱、侷促的小房子內。令我感到，他最有資格代表窮人發言，而他亦直截了當地說出宣教工作的挑戰：

……我們必須組織像十二世紀時的傳道修道士；或第五及第九世紀時使北歐人悔改的愛爾蘭巡迴僧侶……我們必須派出願意與貧民共處生活的男或女、夫婦或單身的團體，在窮人中間傳天國的信息，並在那些大的貧民窟內建立教會……[23]

同時

神已給與西方差會機會，回到合乎聖經的要求，及學效早期宣教士道成肉身的榜樣，向窮人傳福音。城市的需要十分急迫：需要數以千計的人到數十個第三世界的城市作催化劑，在每一個城市催生運

動。請聽，20億人在呼喊！

我們的城市荒涼，挑戰巨大，但新一天的城市宣教工作已經露出曙光。而主應許我們，這些城市將住滿屬祂的子民。

注釋

1. 中文和合本與許多語言的譯本都作「國家(nations)」，乃從現代的國族觀念來看，而以賽亞所指乃是族群或子民，而非政治實體。
2. 見主後二千普世福音遍傳運動刊物。
3. 印尼、蒙古、中亞的伊斯蘭教國家、斯里蘭卡、馬爾代夫及索馬里都應包括在內，但卻在「窗」的外面；而在「窗」內的南韓、菲律賓、厄立特尼亞及很多歐洲地中海國家的人口，明顯是或普遍是掛名基督徒，可能因此而被忽略。
4. 莊斯頓1993:27(估計未聞福音者佔 20%，居於有機會聽見福音地區的非基督徒佔 47%，承認為基督徒佔 33%)。Barrett, 1987 所著 Cosmos, Chaos and the Gospel, (Birmingham AL: New Hope)一書(估計未聽聞福音者佔17%)。(譯按：Barrett每年均有最新之統計，可參考 International Bulletin of Missionery Research。)
5. 林後五 14-15。
6. 莊斯頓著：《教會比你想像中更大》一書,(Great Britain: Christian Focus Publications/WEC)
7. 從進一步的研究和工場的回應顯示，1,500個民族之中，有些並非國民族語言，而是因民族文化而群居。印度基督徒領袖所發出的呼籲指出，民族語言類別並不切合期望在印度種姓內植堂的民族文化現實。因此，我們需要再分出一個包含這些類別的有關名單，更詳細指出植堂的實際情況。
8. 2000年時，我們已列出一份完整的最少聽聞福音之民名單，包括人口在1萬以下的群體。
9. 主後二千普世福音遍傳運動(AD2000 and Beyond Movement)曾出版一份完整的名單。
10. Global Mapping International印備一份同類型集團的彩色地圖，地址：7889 Lexington Drive, Suite 200A, Colorado Springs, CO 80920，郵址：<info@gmi.org.>，網址：<http://www.gmi.org/>
11. Fischer, 1997. Intercessor's Prayer Guide to the Jewish World. 1997: USA: YWAM Publishing.
12. 這些數字只可視為約數，有較深入的研究顯示，其中一些民族實際較多聽聞福音，所以會以另一個取代——通常是在其它地區所發現的較大移民社群。
13. 主後二千普世福音遍傳運動自1993年起每年贊助一份全球禱告年表，每年專為全球一類特別人口禱告。
14. Hanna 1997, Praying Through the Window III.
15. Montgomery 1975, 1989, 1997, Dawn 2000:7 Million Churches to Go. Montgomery 對教會需要倍增的挑戰，分別應用於未聽聞或已聽聞福音，但不容易接觸教會的地區。
16. Neill 1964, A History of Christian Missions, (Hasmondworth, Middlesex: Penguin Books Ltd.), pp. 269-270.
17. Barlow, S. M., 1952, Mountains Singing; The Story of Gospel Recordings in the Philippines (Chicago: Moody Press). Thompson, Phllis, 1978, Count it all Joy: The Story of Joy Ridderhof, Gospel Recordings.
18. 全球錄音網絡的郵址：GloReNet@aol.com，網頁：http://ourworld-compuserve.com/homepages/GloReNet
19. 1999年，威克理夫聖經翻譯會的《人類語言學研究》指所知的全球語言共6,700種，並且列出這些語言的有關方言，使語言表上增加了1,000種方言。至於語言和方言的差異，實難釐定；不但由於語音的差別，亦由於歷史、文化及社會因素所引致。假若一個群體憎惡他們同語言的鄰舍，便會改變小量字彙和發音，導致一種方言出現，但因而需要另一種語言的新約。
20. Eshleman, Paul, 1995, The Touch of Jesus (The Story of the Jesus Film) Orlando: New Life Publications. 書內介紹這套獨特福音工具的歷史、掙扎、勝利及所結的果子。
21. 可以透過World By 2000的網頁取得更多有關廣播語言的詳細資料：<http://www.wb2000.org/>
22. Barrett對大城市的界定是人口100萬，人口400萬的是超級城市，巨型城市則有人口1,000萬。見Barrett1986. Cities and World Evangelization, Birmingham AL, USA: New Hope.
23. Grigg 1992, The Cry of the Urban Poor: Reaching the Slums of Today's Megacities, Monrovia, CA: MARC Publication.

(作者現任「世界福音動員會」國際研究主任，曾在非洲多個國家宣教。著作甚多，其中《普世宣教手冊》一書，全球皆廣泛用作為普世未得之民代禱的工具。)

研習問題

1. 作者指出今日的宣教工作面對甚麼挑戰？

2. 作者提到傳福音可用的媒介有哪些，你認為那一種最有果效？

The Urban World
都市世界

Floyd McClung 與 Paul Filidis 合著　編輯室譯

世界正迅速都市化

　　每天早上，73% 的拉丁美洲人一醒來便發覺自己置身於城市之中。過去 10 年，孟買大都會範圍，每月都增加 5 萬人；1990 年，這個印度最大的城市，人口已達 1,200 萬，至 2000 年則達到 1,800 萬。孟買的人口像炮彈一般激增 50%，位列人口第三大城市，僅次於巴西的聖保羅和日本的東京。英國的曼徹斯特需要 139 年的時間，人口總數才達到 80 萬；而中國的上海，每兩年便有這樣的增長。

　　二十世紀之初，全球 87% 的人口居於鄉村，至 2010 年，相信都市人口會佔 53%。自 1950 年至 2000 年，都市的人口增長了四倍，由 7 億增至 30 億，每年約增加 8,000 萬。

　　都市現已成為全球大多數人口居住之所。

大都市與超級都市

　　都市的範圍亦隨著人口增加而擴大，並逐漸出現新的類別，如人口在 100 萬以上的稱為大都市(Megacities)，1,000 萬以上的是超級都市(Supercities)。1995 年，全球有 380 個大都市，隨後的 30 年內，相信會增加至 650 個；而超級都市的數目在 20 年內亦會加倍，1990 年只有 13 個，預計至 2010 年會有 26 個。

　　在二十世紀中期，只有紐約一地有 1,000 萬人口，20 年後，東京和上海的人口已超逾上述數字；上海成為未發展地區中首個超級都市。稍後 20 年，即 1990 年，13 個超級都市中，有 9 個在未發展的地區。預計至 2010 年，26 個超級都市之中，21 個會在發展中地區，只有紐約和洛杉機兩個在西方。

　　同時，首十個大都市的人口亦在大量增加。1950 年，印度加爾各答的人口有 440 萬，位列第十；1980 年，北京的人口增至 900 萬，成為第十大都市；預計 2000 年，將由人口達 1,320 萬的洛杉機取代。(編按：洛杉機在 2000 年的人口約為 1,600 萬)

數目之巨，令人難解！

都市裡的世界

以圖表和數字來認識一個都市，未及認識多元種族那樣深入。今天的都市，不僅龐大，更是種族多元化和複雜，例如荷蘭的阿姆斯特丹，有來自44個不同地區的種族，使用100種以上的語言。美國的芝加哥，1980年市內1平方公里住有近6萬居民，代表了50個不同國家。

在洛杉機，美南浸信會每個主日舉行52種不同語言的敬拜，市內各校區已確定要用80種教學語言，60萬學童中，25%僅略懂甚至不懂英語，而逾半學童需要上英語輔導課。

洛杉機容納了大量的墨西哥、韓國、菲律賓和越南僑民，紐約有來自不同的省份的中國人，巴黎的阿爾巴利亞人較阿爾巴利亞國內任何一個城市的人口為多；這些例子，正反映出今天各大都市的現況。

增長的原因

人群爭相湧到都市去，為的是逃避貧窮，尋找更美好的生活，或者求學和就業。在發展中的國家，充滿這一類希望的人會特別驚愕，他會發現市內半數同胞失業或就業不足，只能向路過的司機和旅客兜售香煙、報紙或鮮花。在非洲，25%的都市人口失業，這些來自鄉村的移民，很少能找到自己的理想，大多加入了失業大軍，被困在都市貧民的圈子內。

人口的增長，往往由於人民逃避饑荒、自然災害或人為慘劇而致。難民湧入，在非洲及亞洲形成了很多新城市；蘇丹、柬埔寨及埃塞俄比亞的人民逃避戰禍和迫害，撒哈拉沙漠南沿等地的人民則逃避旱災，又有些逃避自然災害，如90年代初菲律賓的皮納圖保火山爆發。

在都市居住的人往往被閃爍的霓虹燈引得目眩心惑，無疑，都市生活提供了多元的學習機會，充滿了流動性，但又寂寂無聞。大都市的人會越聚越多，卻往往湮沒於忙亂之中。為了上述目的而湧到城市的人，通常一抵達後，便會發現根本無法忍受這裡的生活。

世界人口之中，15歲以下的兒童約佔三分之一，其中85%生活於未發展的世界，大多在都市。發展中國家的都市，以兒童和青年居多，因為少年的人口比例很高，故不少都市的平均年齡低於20。這裡的兒童大多被人遺棄，在街頭成長，如巴西的里約熱內盧；更有些被迫從事性行業，如泰國。就算在其它地區，他們接受教育的機會和所獲得的醫療服務也很少。

都市是接觸未得之民的通道

我們必須抓緊都市在宣教策略上的重要性。都市不僅是一群人聚居的一個地理區域，更是潮流和運動誕生之所；重要的文化、政治、經濟及屬

靈運動都先由都市衍生，然後蔓延至四周，繼而向更遠的地方擴散。

首先，在文化進程方面，有各項運動、潮流和主義，是動態而非靜態的。都市是培育思想和價值觀的溫床；由出現衝突，轉移，逐步成形，直至可以表述。經過一段時間後，所浮現的思想，可能不止對一個都市的周邊世界產生影響；正如1960年代至1970年代早期，美國三藩市出現的嬉皮士(Hippies)文化，更發展成為反文化，今天雖已不復存在，但其影響力當時遍及全球。同樣，巴黎的時裝潮流、好萊塢的娛樂媒體，都影響著整個世界。

政治進程方面亦如是。某些都市是政治權勢和力量的中心，既是善，亦可以是惡。由北京或巴格達所發佈的命令，可能震驚全球；華府、倫敦及東京的政策，今天仍對全球有影響力，但難以保證可以維持至50年後仍不變，莫斯科的急速衰微便是一個例子。

重要的經濟進程亦先由都市展開。都市是工業和貿易的中心，大部分居民都有份於經濟發展。某些都市，如新加坡已發展成為極富裕的都市。在東京，公司董事局所作的決定，不止影響日本，更及於整個亞洲，甚至以外的地區。1986年初，大洛杉磯區的產品及服務行業總值達2,500億美元，與國民生產淨值位列全球第十一的國家相等。

最後是屬靈的進程。每一個都市，都具有屬靈的動力，其中一些如梵蒂岡、加爾各答和麥加的屬靈生命最受人注目，超越了其地理範圍。伊斯蘭原教旨主義的屬靈進程亦影響不少都市，在全球各地蔓生及產生分歧。

這四個進程在都市裡匯合，所有住在都市化地區的人，最重要的是建設其所居住的地方成為城市。無論如何，這些進程的力量顯示出尚有其它重要的層面。

顯然，都市對其地域以外的地區具有影響力；而藉著基督，所產生的影響力更能挽救人回轉向善。然而，教會怎樣才能令這些都市為了神的國度而發展呢？

多元性及策略性

都市化不僅代表了今日極重要的人口和社會變遷，也較從前有更多機會向更多聽眾宣告和見證福音。今日的都市，住著眾多形形式式的人群，可以成為接觸鄉村群眾及難以接觸的未得之民的通道。神正在搖動這個世界，把世界帶到我們的門檻前面。在大都市裡，可以接近世界上不同的人群，更可以向他們傳福音。

都市裡的每一種元素，都可以成為一種獨特策略的進路，以切合都市的型格和居民的文化。不會有一套策略可以完全適合各大都市的一切需要；能將邁阿密的古巴人帶到主面前

的策略，未必適用於香港的越南人。我們必須向神尋找有效的策略，來接觸都市裡每一種獨特的群體。

都市的改變

每一個都市都有其龐大的需要，明白每一個都市的特別需要，便會知道所應用的福音策略了。從拉丁美洲的國家來到阿姆斯特丹的婦女，很多都成為紅燈區的娼妓，一位曾在哥倫比亞工作的退休女宣教士，以她所懂得的拉丁美洲語言和文化和她們接觸，並在她的關懷下，一些從前作娼妓的婦女已成立了團契，並且在增長。

都市在改變。舉例來說，很多西方都市的經濟，正由勞工密集型轉為資本密集型，職位的數目一般都在下降，需要工作的貧民承擔著巨大的壓力。都市的人口和文化發展改變，人民直接承受其影響。一個地區若所遷入的人民超過其所能負荷，便會出現貧民窟和政府安置區。

在發展中的世界，不少國家圖與西方同步，衝向創建工業的基礎，放棄以農為本的經濟。前蘇聯地區在社會主義崩潰後，經濟出現了實質的混亂。中國在轉向市場經濟後，帶來了財富，卻導致文化轉型。每一種改變都帶給教會一個契機，特別是基督徒專業人士，可以利用自己的專業技術來進入這些都市。

神怎樣觀看都市

都市迅速地取代了茅屋和鄉村，成為全球龐大的宣教工場，但基督徒在心理上仍未能完全適應這個現實。很多基督徒都遠離都市，因為，我們的神學一直由鄉村形像所主導，又經常鼓勵到田園牧場和綠草如茵的小山去操練靈性和靈修。

我們必須發展城市的屬靈操練，基督徒不一定要到森林或峻嶺去尋找神，或到那裡使靈命更新。神就在都市裡，人可以在那裡找到祂。宣教也一樣，但需要時間來將傳統的宣教觀感，就是外來的、鄉村的、原始的、部族的和叢林的處境重新模塑。今日的教會，必須付出代價來培育都市智慧、願意為都市擺上生命的宣教士。

神並未離開都市，亦不會將都市看為無神的、充滿了罪、死亡和毀滅的中心；可是，基督徒並非如此想，他們意圖遠離都市，逃避都市貧民窟的危險和大都市的「腐朽」，享受近郊的「平靜」。這種只關注個人的和平和安全感，實在很短視，我們無法承受放棄或忽視都市的後果。今日在都市出現的潮流科技突破、醫藥的發現、都市幫派、新毒品或新的宗教異端，明天將會蔓延至小城鎮。

神對都市的呼召

危言聳聽的結果，都市被認為是龐大的罪和邪惡中心，其實，城郊、

城鎮和鄉村也充滿了罪惡。罪並非匿藏於環境之內，而是在人身上。對兒童心靈的腐蝕，城郊與都市一樣迅速，城郊與市區的居民同樣充滿罪惡。世界上最平安的地方不是城郊，而是在神的旨意裡；神居於屬祂的人中間，神的子民在那裡，神就那裡。都市是神居住的地方，是神聖的；都市並非惡魔所有，是屬神的；因為所有土地都是神的，都市的世界也是。

教會不單止被呼召向都市居民傳福音，也要投入都市的生活，使之趨於美善。耶利米書二十九7說：「我所使你們被擄到的那城，你們要為那城求平安……因為那城得平安，你們也隨著得平安。」只有教會能對都市的屬靈問題給予答案。看見都市塞滿了居民，神的心疼痛，因為他們聽不見神向他們所發出愛的呼喚，但神仍憐憫都市中痛苦和有需要的人群，耶穌也為耶路撒冷城的屬靈境況哭泣。很多基督徒已跪下來，為全世界都市的屬靈境況痛哭！

亞伯拉罕為所多瑪城祈求的故事，是首個神垂聽並回應代禱者祈求的例子(創十八)，亞伯拉罕向神提出不要毀滅那充滿罪惡的都市。對神來說，這是一個重要的都市，如果能在當中找到10個義人，祂願意保留！

尼尼微城是亞述帝國的首都，這是古代世界最強悍的一個國家，是當時中東的「納粹黨」，強橫、不道德以及崇拜偶像。神非常關心尼尼微人，所以差遣約拿前去，希望城裡的居民悔改歸向祂。約拿書四11顯示出神的心意：「何況這尼尼微大城，其中不能分辨左手右手的有十二萬多人，並有許多牲畜，我豈能不愛惜呢？」

聖經的故事在花園裡開始，卻在城市中結束，我們將永遠住在神的城中。作為基督的身體，我們需要關心地上的都市和居民的需要。今日，神向祂的教會說話，正如昔日對約拿所說的一樣：「往大城去！」這一代的宣教策略，若不以世界的大都市為焦點，是無法完成的。

〔Floyd McClung 參與青年使命團的服侍，曾在阿富汗及阿姆斯特丹工作，現正從事栽培工作。
Paul Filidis 為德國人，在阿富汗信主，曾在南亞及荷蘭阿姆斯特丹服侍，現為青年使命團(YWAM)傳訊辦公室主管，World Christian News 編輯。〕

研習問題

1. 作者認為大都市的影響力可以從四方面來看，對接觸未得之民有何正面和負面的意義？

2. 大都市裡的屬靈境況有何值得關注之處？

World Migration: Phenomenon and Opportunity
全球移徙的現象與契機

Paul Filidis 著　　編輯室譯

宣教工場就在門前

全球有數以百萬計的人在移徙，搬遷的原因很多，但必然對所處的新環境會有一定的影響。出入境，無論是自願的抑或非自願，是合法的抑或非法，都促使世界社團邁向國際化，其程度是史無前例的。

通常，戰爭難民的苦況最具新聞價值，也最令人注目。1994 年，全球有34次軍事衝突，是30年前的兩倍。與60年代的衝突來比較，現代的人民更容易受到傷害，所以他們更有理由要逃避。種族的對抗，更隨時會釀成戰火。

聯合國公佈，1994 年有逾 400 萬的新難民，總計全球高升至2,700萬。特別是盧旺達(Rwanda)的戰事，非洲的難民高達1,180萬，高升至58%，居世界之冠；亞洲則居第二，按聯合國難民專員公署(U. N. High Commissioner for Refugees)公佈，有 790 萬。南斯拉夫和前蘇聯的武力衝突，引致 650 萬歐洲人徙往他方，這些數字，顯示了

逃離家園的難民數目；但聯合國亦估計有同等數目的難民，在自己國家內連根拔起。(最新數字請參考 538 頁)

移徙並非僅因為戰爭，有不少人為逃避災難和飢荒，亦有些由於政府以不同的理由強行迫遷，更有大量受到不斷擴展的都市內，五光十色的環境所吸引。按聯合國所估計，二十世紀最後十年，有近 5 億人從鄉村遷移到都市。

很多人因為就業(大多來自南半球)，要來分享北半球的繁榮昌盛。其中大多數人的夢想，仍是為了逃避，他們也知道要付出很大的代價，包括失去了家園、分散了家庭，也失去了文化身份。國際勞工署(International Labour Office)估計有1億短期工人，不斷在世界各地巡迴。

十九世紀的殖民主義，至今仍在整個歐洲發出迴響；特別是殖民地統治者准許前殖民地人民自由進入，對歐洲國家的種族，構成巨大的影響。今日的英國，清真寺的數目多於基督教教會。

到外國學習的機會，亦對全球化帶來巨大的貢獻。數以百萬計的國際學生，不僅將自己祖國的文化帶往其它國家，也將自己在國外所吸收的價值觀帶回祖園。按設於紐約的國際教育協會(Institute of International Education)統計，全球有逾40萬的非移民國際學生，將會來到美國進修，其中大部分具潛質成為其祖國的未來領袖。

移民是今日的征服者嗎？

這樣的人口發展情況，有些觀察者語出驚人，指移民是今日的征服者，他們並非像昔日般以軍事侵略，而是逐漸移入數以百萬的人口，把一個社會的本來結構改變，最後取而代之。其他的觀察者則描塑出一個正面的形像，指較富裕的人可以與人分享機會，對於難民，則可以認識其它文化，使生活更多元化和多姿采。

在經濟蓬勃的時期，移民普遍受到歡迎，因為可以承擔本地人不願做的工作；但當經濟稍為不景，對外來者的態度便會改變，視他們威脅社會，改變國家性質，爭奪就業機會和社會利益。

以下是一些多元化移徙的情況：

- 二十世紀80年代美國人口的種族組合，是同一世紀中變化最大的——大部分來自移民；亞洲人增加了107%，操西班牙語的則有53%。

- 數以萬計的香港華人，因恐懼未來，於1997年香港回歸之前，選擇到其它地方建立新家園。

- 數以百萬的阿富汗難民，受到前蘇聯地區戰爭的威脅，及無休止的內戰，不敢回到家園；很多都在暫居國家內開始新生活。

- 300至400萬的南亞和東南亞勞工遍佈中東，波斯灣戰爭時，約有100萬離開，大部分現已回流。

- 數以百萬的北非和中東人已經定居西歐；一些分析預期，未來的20至30年間，將會再有2,500萬遷至。

- 在霍梅尼(Khomeini)時代，曾強迫300萬伊朗人流徙，到新的環境去生活。

- 每年約有70萬華人離開中國大陸，其中大多是非法的。現時，巴黎住有15萬華人，是歐洲最大的華人社群。另有10萬人移居歐洲其它地區，15萬人到俄羅斯，而美國每年吸納約20萬。(資料來源：《普世華人》1995年3月號)
  (按：據《大使命雙月刊》2006年4月號所刊，中國改革開放以來，歐洲的華人人口從1985年的40萬，增至近年超過100萬。單英國一地，已有逾30萬華人。歐洲的城市中，以巴黎的華人人口最多，約20萬。至於中南美洲的華人人口亦在劇增，雖未能有確切的統計數字，據上述期刊2005年8號所載，可能超過120萬之數。)

- 歐洲及北美的安置所需求大增，

1970年代每年平均有2萬5千人，1980年代增至7萬，在1990年，數量更突升至50萬以上，主要來自三分之二世界(編按：指亞、非、拉丁美洲。)

新世界失衡的掙扎

1,200萬移民及難民已經在歐洲社群內重建家園。按一些觀察家估計，因為共產主義的消亡，新的東歐移民潮可能湧進西歐；截至1990年終已有超過200萬人前往西方(資料來自*Newsweek*, 1990年12月7日)，而前南斯拉夫的種族衝突更使數量大增。

1990年，有520萬蘇維埃人民申請往海外旅遊。俄羅斯官員警告，在二十世紀最後十年內會有800萬移民。希臘接受了2萬來自前蘇聯的希臘少數族裔，亦有不少來自阿爾巴尼亞。以色列則接納了大量從蘇維埃回流的猶太人。

移民的衝擊，已經成為普遍的現象，不僅在德國，已遍及全歐洲。意大利吸納了100萬以上的非洲人，並且承擔所帶來的後果，也有相同數目的拉丁美洲和非洲人非法溜進西班牙。除了移民和難民外，也有很多「外勞」，都屬於新的移民群體，導致移民人數大增。

歐洲社群的統一，影響著拉丁美洲。「一個與歐洲市場同樣蓬勃的承諾，像磁石般吸引了數以千計的意大利人和西班牙人，在二十世紀早期移往烏拉圭和阿根廷。」(*The European*, 1991)如今，他們的下一代正考慮回歸歐洲。

歐洲人的回應

歐洲人面對可能出現嚴重的社會和經濟後果，曾數次召開研討會，討論處理東歐移民的方法，有些人甚至提出重建「圍牆」。1992年歐洲聯盟(European Community)成立，內部疆界開放，令制訂移民政策更為緊急。

一些人提出較溫和的主張，嘗試堵塞危言聳聽者的觀點，指出一些西歐的國家人口正在下降；未來20年，前西德地區的人口預期會由6,000萬降至4,000萬，故西歐需要新的移民。

其它的分析亦顯示，以西部援助來支撐東歐的經濟，可以堵塞湧向西部的人潮，但代價昂貴和效果短期。1990年代初，波蘭領袖警告謂，若債務無法紓緩，會遣送200萬失業人口往西方。可見，情況緊急，有若賓客臨門，無法拒絕。

策略性的發展和契機

國際化和世界社團匯合，當中必有分歧。從宣教的觀點來看，這是一股重要的趨勢。從前很多基於政治、地理、文化和語言的阻礙，無法接觸的未得之民，宣教研究者David Barrett相信，估計有1千這類龐大的非基督徒語言族群，有可觀的人數從三分之二世界來到基督教國家，其中不僅有個人，也有

「10/40之窗」內國家的大群人口(該地區內主要是世界最少聽聞福音的群體)，如今可以親耳聆聽福音了。

從前可能永遠沒有機會聽聞福音信息的人，如今可能對福音感到興趣——最低限度有機會在某些節日裡聽見。他們一般會對福音感到興趣，因為離開了一向受籠牢的傳統社會文化處境，置身於不穩定的境況。這樣的見證機會，不會持續很久；因為物質主義的壓力，會削弱他們對福音的開放。若教會能迅速地施以援助，幫助他們安頓及學習語言和文化，會得到截然不同的果效。

在這種情況下，神甚至會使用國際悲劇作為策略性的目的。越南「船民」為逃避共產政權，面對恐怖和危險，吃盡了苦頭；到了香港，被安置在難民營。在難民營內的福音工作，帶領了不少人歸主。當中不少人決定要把福音帶回自己的國家，而願意接受遣返。

除了順服基本的聖經教導，對「客人要一味地款待」(羅十二13)之外，教會在所處的社會也扮演重要的角色，在本地履行宣教的權利。有無數的故事，提及基督的身體(教會)伸出援助之手，友善和殷勤地對待移民，已證實這是傳福音的有效策略。能正確地理解，基督徒便可以掌握獨特的機會，成為重要的角色，帶領眾多未聽聞福音的民族歸主。

〔作者為德國人，在阿富汗信主，曾在南亞及荷蘭阿姆斯特丹服侍，現為青年使命團(YWAM)傳訊辦公室主管，*World Christian News* 編輯。〕

研習問題

1. 全球人口移徙會帶來哪些社會問題？對於福音的傳播有何助力與阻力？

2. 試設想一位從國外回流原居地的信徒充滿了傳福音的熱忱，他會遇到甚麼難題？

上帝的大能足以戰勝我們一切爭戰；
上帝的富源足以供應我們一切所需；
上帝的智慧足以指點我們一切迷津。

司米德(Stanley Peregline Smith, 1861-1931)

Where are the Poor and the Lost?
貧窮人與失喪者在哪裡？

Bryant L. Myers 著　編輯室譯

議題是策略，地點是普世。主要的問題是：如何將有限的資源分配，使能與從未聽聞耶穌基督之名的人分享福音？其次是：甚麼策略最有效？

誰？哪裡？如何？這是難以解答的問題、沉重的問題，甚至是神學問題；有何資料可以幫助我們開始思想，尋找答案？

我們所用「最需要的群體」以及「最貧窮的貧民」這些稱謂，通常指在物質上和福音上兩方面都有需要的人；最近所用「貧窮與失喪」一語，更能清楚明確地表達其中意義。

世界宣明會近年來正蒐集資料，從事研究全球人口和社會經濟，在屬靈和物質兩層面上的需要。

關於貧窮的資訊，一向不包括屬靈層面在內。世界宣明會的研究專家Don Brandt 與宣教拓展研究及傳訊中心(MARC)的同工，構思了四套指引(index)，得出一些指標(indicators)，嘗試透過不同途徑估計人群對福音的需要和開放程度。使用這些指引時，必須極為小心，因為它們與一般社會學研究的測試不同，僅作粗略的量度，讓管理人員在決定資源分配的時候作參考。

我們可以透過四個不同的途徑，來看世界對「貧窮人與失喪者在哪裡？」這個問題的答案，結合了屬靈和物質的指引。

(1) 哪一個國家的兒童死亡率最高，而管制福音工作最嚴？

(2) 哪一個國家的人類痛苦指數最高，非基督徒人口最多？

(3) 哪一個國家的人類痛苦指數最高，管制福音工作最嚴？

(4) 哪一個國家極度貧困的人民最多，非基督徒人口又最多？

當我們透過這些福音指引及 6 個社會經濟指引來篩選，便會呈現出 14 個國家，在脫貧和聽聞福音方面，都有最大的需要。就是：

11 個伊斯蘭教國家：阿富汗、阿爾及爾、乍得、印尼、馬里、毛里塔尼亞、摩洛哥、尼日爾、索馬里、蘇丹和也門。

2個佛教國家：越南及柬埔寨。

1個印度教國家：尼泊爾。

11個在非洲，4個在亞洲，1個在中東。

循這個途徑來看世界，你所得的主要印象是，失喪者所在往往物資短缺。若一個人希望透過這些數據來認識，那一個地方最需要聽聞福音，或找出最貧窮的貧民所在，所得的答案相同。

所得的第二個印象是最貧窮又最需要聽見耶穌名字的人，生活在伊斯蘭教和佛教處境下；這兩個宗教都傾向高度抗拒福音好消息。伊斯蘭教至今仍像古代一樣，視基督徒為敵人，基督教國度是世俗主義、西方主義以及一個可疑的靈性源頭。佛教則避談真理，接納耶穌是神靈之一，基督教是不需要的西方舶來品。在這兩個處境下的人民，不僅沒有機會聽聞福音，而生活環境也不准公開宣告福音。

這兩個普遍性總結，帶給未來幾年宣教工作一些頗有趣味的想法。若我們希望與一些貧窮而被禁止聽福音的人分享，哪一種策略最有果效？

看來，這些地方適合由耶穌所吩咐的第二大誡命，「愛人如己」來開始；最適合由包含著愛、關懷、憐憫以及能產生最終改變的工作來開始。

一個人如果是在被迫之下才願意分享自己珍貴的財物——那施行救贖和改變者的消息，就不能算是愛他的鄰居。進一步說，當一個人開始透過付諸實踐的愛心和仁慈，來分享福音，四周的人群會更願意聆聽神的國度和祂作王的真理。

這表明些甚麼？若那些失喪者同時亦是貧窮的人，那麼，展示憐憫、使社會轉化及宣告福音的全人事工，正是切合人類歷史這一個時刻的策略。若「道成肉身」是耶穌基督留下的服侍榜樣，那麼，這時代的傳信者，就是全人福音的工作者，應以他們的生命表達福音的價值和作用。

〔作者為世界宣明會研究及發展副總裁，並擔任該會宣教拓展研究及傳訊中心(MARC)執行主任，亦為社會行動福音委員會及世界洛桑福音事工委員會之策略工作小組主席。〕

研習問題

1. 在貧富懸殊的地區作宣教士工作，最有效的策略是甚麼？

2. 設若在你所居住的地方，有一大群既貧窮而又靈魂失喪的人；你會有怎樣的行動？

貧窮問題

隨著貧窮而來的飢餓及營養不良等問題危害人類的發展，而戰爭、自然災害及愛滋病等又使貧窮問題加劇，你有留意以下的報導嗎？

1. 全球一半人口(28億)每天的生活費用不足2美元。（2004年世界銀行集團年度報告）

2. 全球有3,000萬兒童忍飢挨餓。（聯合國兒童基金會2005年報告）

3. 全球每天有2萬9千名5歲以下兒童死於營養不良或其它可預防的疾病。（聯合國兒童基金會2005年全球兒童生存狀況報告）

4. 人為的糧食危機由1992年至2005年已上升了2倍。（聯合國糧農組織2005年全球食品安全狀況報告）

5.清潔用水及衛生設施的缺乏，導致更多疾病與營養不良，危害人類健康；發展中國家有五分之一的兒童並無「安全水」可飲。（聯合國兒童基金會2005年全球兒童生存狀況報告）

6. 1990年以來，在戰爭中死亡的人口，90%屬於平民，其中婦女與兒童佔80%。（聯合國兒童基金會2005年全球兒童生存狀況報告）

世界宣明會作為國際最大的基督教援組織之一，鼓勵人們採取行動，對抗貧窮；也期望教會更多認識貧窮問題，參加貧窮倡議行動，青年團體投入時間與金錢，同時懇切為貧窮問題禱告。

資料來源：世界宣明會 2006-01-12

難民

據聯合國難民公署報告，全球難民人口降至8,400萬，為26年來新低。自2002年以來，超過600萬難民回歸自己國土。但在本國內流徙的難民數字則上升，2004年有1,950萬，2005年升為2,100萬，其中最嚴重的是哥倫比亞（200萬）、伊拉克（160萬）、巴基斯坦（110萬）及蘇丹（100萬）。

阿富汗是全球輸出難民最多的國家，目前約有190萬人分佈在72個國家，但已較2002年時的超過460萬為低。

歐洲所收容的難民約佔全球難民的25%，數字已較前下降15%。

資料來源：www.momentum-mag.org Aug 2006.

貧民窟

全球共有 25 萬個可稱為貧民窟的住區。

貧民窟佔全國人口比例最大的國家是：埃塞俄比亞（99.4%）、乍得（99.4%）、阿富汗（98.5%）、尼泊爾（92%）。

有最貧窮的貧民窟人口的城市：馬普托（莫桑比克）、金沙薩（剛果）──66% 人口的收入低於每日最低開支所需。

埃及（開羅）和柬埔寨（金邊）：最近擅自佔地或居於屋頂而形成貧民窟的情況大增。

曼谷（泰國）：25% 的人口（約 110 萬）棲身於貧民窟或帳棚之下。

5 個南亞的大城市：卡拉奇（巴基斯坦）、孟買（印度）、德里（印度）、加爾各答的科爾卡特（印度）及達卡（孟加拉）共有 1 萬 5 千個貧民窟，人口共 2,000 萬。

拉各斯（尼日利亞）是全球最大的一個貧民窟走廊，有 7,000 萬人口從該國的伊巴丹經由此路湧向阿比讓（科特迪瓦）。

發展中國家的城市人口，有 85% 擅自把土地據為己有。

貧民窟人口的信仰：大多信奉伊斯蘭教和五旬宗基督教。

資料來源：Momentum July/August 2006

可參考網頁：www.momentum-mag.org

愛滋病

貧窮帶來的問題嚴重，而愛滋病的擴散，更是全球人類都要面對的：

1. 全球有 4 億人口感染愛滋病。（聯合國 2005 年愛滋病流行最新報告）

2. 目前有 1 億 5 千萬兒童因愛滋病而成為孤兒。（聯合國 2005 年愛滋病流行最新報告）

3. 東非與南非的感染愛滋病的年青人之中，76% 是女性。（聯合國兒童基金會/愛滋病計劃組織 2004 年報告）

4. 非洲南部人均壽命因愛滋病大大縮短，從 1960 年的 63 歲降至現在的 43 歲。（美國國際人口普查資料庫）

資料來源：世界宣明會 2006-01-12

Getting to the Core of the Core: 10/40 Window
管窺「10/40 之窗」

Luis Bush 著　林來慰譯

今天世上福音未及的群體，其核心部分是聚居在一個長方形的窗戶當中！基督徒知悉這個事實，已有若干年日。一般人都稱它為「抗拒福音之環帶」(the resistant belt)，這環帶通常包括印尼在內。

當第二屆洛桑會議於 1989 年 7 月在馬尼拉舉行，筆者在一次大堂聚會中已提出：大部分福音未及之民，「是聚居在一條從西非洲伸展至亞洲的環帶中，介乎赤道以北 10 至 40 度之間。這覆蓋了伊斯蘭教陣營、印度教陣營及佛教陣營……我們必須重新調校福音事工的焦點。」在過去 12 個月內，筆者從這個窗戶的內外觀察，就越覺得我們若認真地有意為每一個人及每一城市提供適切的機會，讓其經歷耶穌基督的愛、真理和救贖大能的話，我們就不能漠視必須向這個宣教窗戶集中火力的事實。為界定這個窗戶的緯度方位，我們可稱之為「10/40之窗」。

這個「10/40之窗」，與七個重要的事實甚有關連，就是：1. 歷史及聖經；2. 未聞福音之群體及國家；3. 伊斯蘭教；4. 三大宗教陣營；5. 窮人；6. 生活素質；7. 撒但堅固的營壘。

本文經常會出現兩個詞語：「未被福音化」(unevangelized)及「福音未及」(Unreached)。這兩詞彙的意思是《馬尼拉宣言》第二大段「主後二千年以繼的挑戰」題目上所表達的意思。「未被福音化的人，就是那些對福音有最低限度的知識，卻還沒有適當的機會回應的人。而福音未及之民，是指那 20 億從未聽聞過穌是救主的人，而且是他們當中的基督徒不能接觸的人。事實上，今天有 2 千種群體或國民，在他們當中完全沒有活潑、本土的教會活動。」

為甚麼委身的基督徒要把注意力集中在這個「10/40之窗」呢？**首先，由於這部分的世界具有歷史及聖經的意義。**

在這個「10/40之窗」中，我們找到關於始祖亞當、夏娃的始源記載。創世記一章 26 節記述神為人類所定的計劃，是關乎治理全地。人需要「看

守」或捍衛神的樂園，治理並管轄全地。我們在創世記第三章所讀到有關人類墮落的歷史事實，就是亞當夏娃有違看守樂園的職守，喪失了管治全地的權柄，然後洪水來到，隨後人類建造巴別塔，無一不在「10/40之窗」中發生。人嘗試努力糾黨抗逆神，結果衍生不同的方言，人類散居各處，形成各個邦國。

在這「10/40之窗」中，我們看見格蘭姆司克魯治(Graham Scroggle)所著《救贖戲景之展現》(*The Unfolding Drama of Redemption*)所描述的真理：「這世界已離棄了神。神也離開了它，卻揀選了一個人，最後會藉著基督尋找失喪的世人。」因此，古代歷史便是在這個「10/40之窗」的幅員上展陳開來，從文化的搖籃米所波大米亞(Mesopotamia)開始，橫跨新月沃土，直到埃及。古代帝國此興彼落，神的子民以色列之命途興衰，全視乎他們是否順服自己的神和守祂的約。在這裡，基督降生，渡過一生，在十架上死，後來復活。事實上，一直要到聖經記錄行將結束，就是使徒保羅第二次宣教行程時，屬靈的歷史事件才開始在這個「10/40之窗」的領域之外發生。對委身的基督徒而言，神與人有這麼多交往都發生在這一塊名為「10/40之窗」的土地之內，就已是一個要我們集中注意它的重大原因。

委身基督徒應注意「10/40之窗」還有**第二個原因**哩！這是因為世上大部分未被福音化的群體及國家均在於此。世上大部分人口住在「10/40之窗」的範圍內，事實上，這地方雖然只佔世界土地三分之一，但全球人口幾乎有三分之二是住在這「窗戶」內。這些人住在62個國家中，包括主權國家及非主權附庸國，即殖民地及不屬於母國整體部分的區域，例如加薩地帶及以色列西岸。上述窗戶內國家的數目，只包括那些在此窗戶內版圖相當大的國家。

當我們把世上最未被福音化的55個國家的地圖，疊放在這個「10/40之窗」地圖上的時候，立刻明顯看到，兩者非常吻合。

事實上，在這55個最未被福音化國家的30億人口中，有97%的人住在「10/40之窗」中，這就成為把福音傳給未聞福音的人挑戰的核心。

我們需要想及基督的使命，就是尋找拯救失喪的，祂並且用失羊與失錢的比喻來教導真理。為了醫治、挽回、拯救一個人，基督付出很大的努力。當我們想到這些住在「10/40之窗」中的人時，我們需要再思基督頒佈的任命，要我們傳福音給每一個人，使萬民作祂的門徒，為祂作見證直到地極。我們必須顧念住在「10/40之窗」當中的人。

委身的基督徒必須注意這個窗戶還有**第三原因：這是伊斯蘭教的心臟地帶**，北非、中東代表了伊斯蘭教宗教的核心。

55個最少福音化之國家及「10/40之窗」

最未被福音化的國家之中97%的人聚居在此

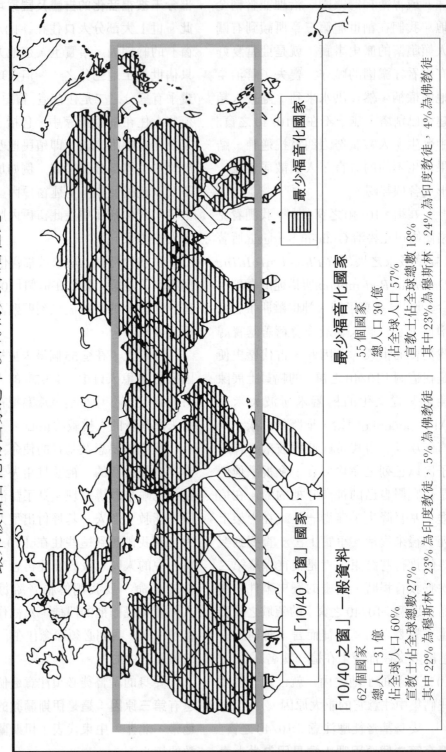

□ 「10/40之窗」國家

▤ 最少福音化國家

「10/40之窗」一般資料

62個國家
總人口31億
佔全球人口60%
宣教士佔全球總數27%
其中22%為穆斯林，23%為印度教徒，5%為佛教徒

最少福音化國家

55個國家
總人口30億
佔全球人口57%
宣教士佔全球總數18%
其中23%為穆斯林，24%為印度教徒，4%為佛教徒

資料來源：GMI/GRDB

1990年7月第二週，1,400名穆斯林在前往麥加朝聖，履行伊斯蘭教五大要求的時候，因一隧道坍塌被踐踏死亡。不過三年之前，便有402位朝聖者在伊斯蘭教遜尼派及什葉派歷世紀之久的鬥爭中死於麥加。

皈依伊斯蘭教的人數目的迭增，這從越來越多人前往麥加朝聖可看出來。與此同時，據報導有越來越多人在深入研讀古蘭經的過程中，發現其中所述最高的先知是耶穌基督而非穆罕默德。我們必須禱告，正如東歐人發現共產主義的無神意識形態經不起時代的考驗，同樣，穆斯林的「眼睛」和「心靈」得以開啟，認識到古蘭經提及的基督，不但是唯一至高的先知，而且是神的兒子，為人的罪而死，為救贖我們而復活，以至在未來10年，有數以百萬計的穆斯林得蒙拯救。

注意「10/40之窗」還有**第四個理因：這是世界三大宗教陣營的所在地。**

也是人口密集、窮、地區

在這長方形從左向右移動的時候，你會看見有些國家的大部分人民，不外乎屬於三大宗教的陣營。第一，伊斯蘭教陣營有7億600萬人口，佔「10/40之窗」中人口的22%；第二，印度教陣營共有7億1,700萬人，佔窗戶中人口23%；第三，佛教陣營有1億5,300萬人，佔比例接近5%。

1990年5月6日，安曼出版的《約但時報》刊出一篇來自阿爾及爾(今阿爾及利亞)的報導，題為「共產主義崩潰將弱化伊斯蘭」。在一個探討關於伊斯蘭教前途的會議中，埃及作家法米侯偉迪(Fahmi Howeidi)提出論文辯稱：「在新的地圖上，伊斯蘭教世界已被邊緣化了。」侯氏是參加該會議來自10個阿拉伯國家的40位學者和政治領袖其中之一。他說：「基督教已在東歐再生……」世上10億伊斯蘭教信徒，有90%住在窮困的伊斯蘭教國家，共同欠下西方國家沉重的外債。

地圖顯示伊斯蘭教、印度教及佛教國家均在「10/40之窗」之內，同樣，也可見這是世上最貧窮的人之所居地。

要注意「10/40之窗」的**第五個原因，正是窮人都在這裡。**事實上，世上最貧困的，就是國民生產總值平均每人每年不超過500美元者，10個人中有超過8位住在「10/40之窗」內。

世上有一半人生活在窮苦中，平均每人每年的國民生產總值不及500美元，共有24億這樣的人住在「10/40之窗」內。儘管如此，只有8%宣教士在他們當中工作。

在《地球是鵠的》(*Target Earth*)一書中，宣明會研究部同工布賴恩特邁阿士(Bryant L. Myers)撰寫一篇文章，題為〈貧窮人與失喪者在哪裡？〉(Where are the Poor and the Lost? 按：本書已選錄該文，見前文。)他提出說：「窮人失喪了，而失喪的也是窮人。」他下這結論，乃因觀察到大部分福音未及的人，都居住在世上最貧

窮的國家中。

　　一年前(1989年)，當大約170個國家的基督徒在馬尼拉參加第二屆洛桑會議時，所發表的〈馬尼拉宣言〉第二大段表達了對世上物質窮困的人深切的關懷：「我們再度面對路加所強調的，福音是給窮人的好消息(路四18，六21，七22)，從而自問這對世上絕大部分是困乏、受苦和受壓制的人有何意義。我們再被提醒，律法、先知、智慧書、耶穌的教訓事工，無不強調神關切物質貧窮的人，因而我們有責任去祖護及關心他們。」

　　世上55個最貧窮的國家，與最未被福音化的國家不謀而合，頗引人注目。事實上，你或可觀察到，最貧窮的人當中，有97%也正是在世上最未被福音化的國家中。當你把他們與「10/40之窗」聯繫起來的時候，你會發現這些最未被福音化的窮人，竟有99%——即23億人——住在「10/40之窗」之內。全球的宣教士隊伍，只有6%是在這佔全球人口44%的人當中工作。這肯定構成委身的基督徒在未來10年所面對的最大挑戰。

　　注意「10/40之窗」還有**第六大理由，這與生活的素質有關**。量度生活素質的一個方法，就是把三個變數加在一起：平均壽命、嬰兒死亡率、識字率。一旦找出世上生活素質指數最低的50個國家，我們發現，這些國家顯然又再與「10/40之窗」中的國家重疊。

世上生活質素指數最低的國家，超過80%的人口都是住在「10/40之窗」之內。這就相等於這些國家47%的總人口，但宣教士隊伍中只有8%的人是在這些人當中工作。這些人群中超過90%是住在印度教或伊斯蘭教國家之中。

　　詩人說：「以耶和華為神的，那國是有福的。」(詩三十三12)當然，當你比較一個國家生活質素及其基督徒人口比率時，顯然看見神賜福那些歸向祂的國家。然而，神隨著亦期望那些蒙賜福的國家成為其它國家的祝福，正如詩篇六十七篇1-2節說：「願神憐憫我們，賜福予我們，用臉光照我們，好叫世界得知你的道路，萬國得知你的救恩。」

　　委身的基督徒為何需要注意「10/40之窗」？**第七個理由，因為這是撒但堅固的營壘。**

　　正當基督教的勢力在全球各地逐漸膨脹的時候，聚居於「10/40之窗」中的人，卻似不但受著較其他人類更飢餓、生活質素更低之苦；而且，他們還沒法接觸到福音那更新人的、賜人生命的、改變群體的大能。使徒保羅在聖經中明說：「此等不信之人，被這世界的神弄瞎了心眼，不叫基督榮耀福音的光照著他們，基督本是神的像。」(林後四4)在同一封書信中，保羅說：「因為我們雖然在血氣中行事，卻不憑著血氣爭戰；我們爭戰的兵器本不是屬血氣，乃是在神面前有

能力，可以攻破堅固的營壘。」(林後十3-4)從「10/40之窗」來看，顯然撒但在地域建立了堅固的營壘，用牠的力量攔阻福音事工在這個地域擴展。

事實上，我們回顧歷史的時候，就可發現先知但以理留下的記載：他是備受神所重用的人，也是備受當代尊敬的人；他也是一名禱告的勇士。聖經說他禁食三週，只吃素菜、喝白開水。最後，天使長米迦勒把從神而來的答案在他禱告中告訴他。聖經形容米迦勒是天使長其中的一位，是有大權柄的。

舊約有三次提到米迦勒(但十13、21，十二1)；而新約則提到兩次(猶9；啟十二7)。在猶大書9節他被稱為「天使長」。顯然他是天使中地位最高的其中一位。有一次，他甚至與撒但爭戰，搶奪摩西的身體(猶9)。神特別委派他作以色列大君(但十21，十二1)。

然而，天使長米迦勒說，他被波斯國的魔君阻了21天(但十13)。當但以理開始祈禱時，天使長米迦勒便立刻回答他的祈禱，可是卻經常被那魔鬼阻撓。

這段經文給我們揭示了天上屬靈爭戰的真實，那爭戰也在地上進行，其中一方是波斯的魔君。波斯就是今天的伊朗。當我們反覆思想「10/40之窗」，以及但以理書第十章的歷史先例，就會發覺以下一事頗耐人尋味；1990年7月下旬，有一篇基督教的新聞稿指出，自從伊斯蘭教革命開始以來，基督徒就受到更大的逼迫。該新聞稿描述到伊朗政府一個特別專責少數民族的委員會，如何向聯合聖經公會的工作人員施以持續而有系統的掣肘。

事實上，你若察看「10/40之窗」，就會奇怪地發現伊朗所在的正是中心位置。這很可能標示著這是撒但一個重要的屬靈的堅固的營壘。曾在「10/40之窗」中多個國家有廣泛事工經驗的小喬治歐提士(George Otis, Jr.)曾下結論說，撒但可能有兩個主要的堅固營壘，一個是在伊朗，另一個是在伊拉克。他提出，伊拉克正像是巴比倫。90年伊拉克入侵科威特，大肆建立軍備，就上述意見及「10/40之窗」而言，不啻是饒有興味的發展。

從神所默示的歷史記載來看，我們很清楚的看到；連神的眾天使中位居要職的米迦勒，竟也被攔阻足足三週之久，不能為神向一位祂寵愛的僕人傳遞一個應允禱告的信息，那撒但的勢力的確相當龐大。

我們的福音事工若要有相當份量地向這個「10/40之窗」邁進，我們就必須穿上神的全副軍裝，鞏固邊防，用使徒保羅所描繪的兵器去爭戰。

結論

溫德博士(Dr. Ralph Winter)曾描述近代宣教史可分三大時期。或許，我們正在進入第四時期。200年前，委

身的基督徒群體的宣教注意力，是放在世界各大陸的沿海地帶；100年前，注意力則放在各大洲的內陸；然後，過去100年，注意力集中在福音未及之民。或許在二十世紀這最後10年中，我們需要注意「10/40之窗」。

這就需要我們重新評估先後次序。這就突出了需要尋索一些人，可以把耶穌的憐憫和真理傳給生活在「10/40之窗」中的人。我們必須考慮把所有宣教士重新調配，找出與「10/40之窗」中已有的信徒嶄新而有創意的合作伙伴方法，例如帶職事奉、非長居宣教士、短期宣教士，及重新檢視我們的財力資源當怎樣運用。另一方面，這並不是說在世界其它地方進行的訓練、救濟、發展和動員的宣教事工必須被削減。反而，意思是說我們必須相當程度地在這10年內加倍努力，把福音傳給「10/40之窗」中的人。我們若要忠於聖經，順服基督的使命，願意在主後二千年之前，使每一福音未及群體及城市均有具宣教意識的植堂運動建立起來，以致世上所有人均有適當的機會經歷基督耶穌的真愛、真理和救贖大能，那我們必須進到未得之民的核心地帶——「10/40之窗」。

〔作者現為世界更新(Transformation World)總裁，曾任主後2000普世福音遍傳運動國際主任，本文原載於 AD 2000 and Beyond 1990 9-10月號，時作者任國際福音協傳會(Partners International)國際總裁。〕

研習問題

1. 在「10/40之窗」內的國家，其宗教和文化與你所居之地有何顯著分別？

2. 你會怎樣描述「10/40之窗」內的福音需要？請加以解釋。

在人生任何彎角，神都為我們預備了新的憐憫。
At every turn He has had new mercies in store for us.

蓋士利(William Wharton Cassels, 1858-1925)

Business as Mission: A New/Old Strategy
商貿宣教——歷久彌新的宣教策略

Alan Bergstedt 著　　金繼宇譯

匯合兩類不同的工作作為宣教策略，由來已久，如醫療宣教、福音廣播、飛行宣教、語文宣教等。商貿宣教是一種新的策略，對接觸創啟地區各大城市的居民，可以作出有力的貢獻。

在很多國家的大城市，昔日的農村大家庭正由工廠及辦公室社群所取代。城市的生活裡，工作的場所亦成為彼此交往的地方。基督教在農村的復興，是由家庭之間的交往所帶來，所以，商業的社群亦是佈道及門徒訓練開花結果的好土。

很多國家不歡迎宣教士，但商貿之門卻大開，外國直接投資(FDI)，尤其是那些聘用本國人作出口貿易的新公司，特別受歡迎。

宣教士一向都很重視商人，因為可以提供經濟支持。但今天，宣教士應該視商場為履行大使命的場所。Dallas Willard 因而發出挑戰，在所著的 *Spirit of the Disciplines* 一書中說：「神聖的人要停止視之為自然的『教會工作』，而應以同樣的熱誠，透過農業、工業、法律、教育、銀行及雜誌等行業來從事傳統的佈道、牧養或宣教聖工。」

人類每日都活在商貿關係之中，商貿本身可以提供許多有利於個人、社群及國家的途徑，例如與雇員、顧客及供應商所建立的關係，都是很自然的見證渠道。以使基督受尊崇的方法來營商，是基督徒商人向眾多的商界夥伴作見證的機會。

事實上，商貿宣教已開始了——尤其是在那些很少聽聞或不認識耶穌之名的地方。有一個例子，就是一位初信的基督徒回到自己的群體中作宣教士，初時受到敵視以及疏離，被看為受僱於西方人士來傳教的「職業基督徒」。但自從他開創了一個小小的養牛生意後，便逐漸受到群眾的歡迎；雖然眾人都知道他是耶穌的跟隨者，但他做的事被視為與實際生活和大眾需要有關，因此被接納為其中一分子，更被邀請加入社區的長老議會。

多年來，我們所受到的教導是，

宣教士的呼召較為主作一個商人更高尚。但這種二分法已受到挑戰，尤其是要動員商貿人材到發展中國家去傳福音，有很多事例可以證明。

動員商界作商貿宣教

動員商界可以有三個步驟：第一，肯定從商的恩賜和呼召是神的大使命(太二十八 8-20)及創造訓令(創一28 說「要生養眾多，遍滿地面，治理這地」)的其中策略；第二，承認商界及屬神的商業具有未開發的潛能，可以在屬靈、社會及經濟上塑造個人及社群；第三，鼓勵教會肯定及派遣從商的弟兄姊妹投入全球的商貿事工。

推動商貿宣教運動

有兩類團體適合開創及發展商貿宣教，其一是宣教機構，另一則是基督徒企業家及投資者；兩者已有不少人參與，成為這項運動的先驅。因為他們認識所服侍的社群的需要，看見商貿宣教是回應神的呼召非常合適和有效的途徑。不少透過宣教機構而實踐商貿宣教的人，已使一些組織接納商貿宣教是一項合宜的宣教策略，與他們從前所設立的診所、醫院及學校一樣。

以營商來作宣教事奉要非常審慎，需要聰明智慧。當商業與宣教混合時，要面對哲學及運作上的考慮，我們對這項新的宣教運動所牽涉的一切，必須刻意緊緊抓著。

宣教牟利，備受質疑

在過往數百年，大多數人的觀點都認為宣教事業是在一個捐助支持的非牟利宣教組織的架構內，一個人不能既服侍人類又賺錢。為甚麼我們會認為非牟利機構較牟利機構為佳呢？

一位宣教士的報告這樣說：我們與一些曾是藏傳佛教徒的基督徒一起工作，他們有感動要回到自己的家鄉植堂，若用傳統的植堂方法，則有安全的考量。於是，這些青年買了一些牦牛、貨品及其它物資運到沒有基督徒的村莊去出售，並且與當地人簽訂合約，以後會繼續供應物品。就這樣建立了關係，同時，也使一小群的初信者萌芽生長。

這位宣教士原本在美國擁有一間售賣汽車零件的公司，他認識商貿宣教，但差會卻不明白。他看著 20 個商店開設，自己也因為簽證的需要，先後經營了一些小規模的公司，其中幾所因應宣教總部的要求而結束了。但另一方面，這位宣教士卻挑戰參與這個成功的植堂計劃中的一些新店主，要盡量賺錢，擴充營業，維持在村莊內的合法地位，並且要僱用工人。

宣教惟恐商業心態與文化損害其價值

商業與宣教機構之間存有優先次序、期望及作法上的差異，是很自然的。商業文化與典型的宣教組織文化

不同，故在政策、程序及策略上，我們必須審慎，使商貿宣教策略有可用的空間，而不會造成張力。我們必須克服對商業的負面心態，防止撒但用來阻止神的子民完成大使命。

宣教惟恐專心鑽營而忽略全人的靈命塑造

在商業活動中，可能會遺忘了靈命塑造與植堂事工。其實，開辦醫院或學校，亦會產生同樣的危機。從商貿宣教的一些成功例子可見，若有整全的國度目標，這些擔憂便會逐漸退減了。

宣教機構在運作上應有的考慮

當差會要從事商貿宣教時，有不少問題需要先予以解決，其中一些是：1. 籌款及薪酬的政策；2. 法律、擁有權及企業的結構組織；3. 職位及招募、培訓等；4. 牧養及責任問題等等。

要使業績卓越而又按主的方法來經營，我們不可能假設只需要藉著禱告及持守便可達到目標。我們必須正視現實，並非每位宣教士都能夠經商。有意從事商貿宣教的機構，在運作方面可以參考 2004 年洛桑論壇「商貿宣教」(*Business as mission*)的專案討論，亦可以從洛桑的網頁 w w w. lausanne.org 取得有關的資料，未來將會結集成書，付梓出版。(譯按：資料以英文寫成，尚未譯成中文。)

神賦予一些弟兄姊妹有商業的頭腦和心思，商貿宣教就是鼓勵他們開創生意，達到以下四方面的基本要求：1. 生意能夠賺錢維持及開展；2. 能致力與雇員、顧客、供應商及其他在生意上接觸的人分享福音，以履行大使命；3. 愛社群，並且透過教育、醫療、人道等計劃服務社群；4. 作神所創造的各項資源的好管家。

下一波的屬靈復興，可能透過發展中國家的城市商界興起。試想像，數以千計的商業地區有查經和敬拜聚會，數以百萬的失業工人蒙福找到新工作，公司東主與雇員及顧客建立了密切的關係，會是怎樣的一幅圖畫？這一切都因為從事商貿宣教的基督徒，向雇員及顧客活出他們個人的信仰。

(本文作者從事研究中國貿易多年，並參與洛桑 2004 年商貿宣教論壇。本文概念多出自是次論壇。)

研習問題

1. 請仔細思想一位從事商貿宣教的人士須具備甚麼條件？

2. 試思想商貿宣教士在建立教會時會遇到甚麼有利或不利的因素？

附：「商貿宣教」宣言

2004年洛桑「商貿宣教」專案小組曾就此商議一整年，內容包括「神在工作及商貿上的目的」、「商人在教會及宣教上的角色」及「世界的需要與商貿的回應」。小組由70多人組成，大部分為各洲商人，亦有教會及宣教領袖、學者、神學家、律師及研究人員，討論包括60篇專文、25個研究個案，亦舉行了數次國家及地區性的「商貿宣教」諮商會議，也有透過電子通訊進行討論。討論的高峰是為期一週的會面商談及工作。綜合所得，有以下各項：

聲明(Affirmations)

- 我們相信，神照祂的形像造男造女，並賦予創意，使能為自己及他人創造美好的事物——也包括商貿。
- 我們相信，應該跟隨耶穌的腳蹤，始終如一地滿足周遭人群的需要，藉以申明神的愛和祂國度的統治。
- 我們相信，聖靈會賜予所有基督肢體服事的能力，滿足其他人屬靈及肉體上的需要，申明神的國度。
- 我們相信，神已經呼召並且裝備從商的人士藉其事業建立神的國度。
- 我們相信，福音的大能會改變個人、社區以至社會，從商的基督徒可以透過商貿而進行全人塑造。
- 我們確知，在少聽聞及未認識耶穌之名的地區裡，貧窮與失業正在肆虐。
- 我們確知，發展商貿有其迫切需要及重要性，惟商貿宣教並不止於商業交易，乃以神的國度為觀念、目的及影響。
- 我們確知，需要在全球開創就業及多元化商貿，但必須以靈命、經濟、社會及環境塑造四方面為基本目標。
- 我們確知，在基督徒商人團體中，教會擁有龐大可供發展的資源，透過貿易，可以滿足世界的需要，並且在職場內外將榮耀歸予神。

建議

- 我們呼籲，普世的教會要確認、肯定、代禱、委任及遣送商人及創業者，使能運用他們的恩賜，及回應呼召到全世界去從事商貿——到萬民之中，直到地極。
- 我們呼籲，全球的商人接納這一項聲明，並思想如何運用其恩賜及經驗，透過商貿宣教去滿足世界上最迫切的屬靈與物質的需要。

結語

商貿宣教最終的目的是使神得榮耀——ad maiorem Dei gloriam——AMDG。

新千年的挑戰與急務——穆宣

雷恆著

從福音信仰立場來看，當代西方社會的信仰與道德顯然已日趨沒落，幾乎被近代日益膨脹的，由理性主義、科學主義、自然主義、人本主義、進化論、無神論、個人主義、物資主義等匯成的世俗主義與後現代情結狂瀾所淹蓋。

究其根本，原因是離棄了祖先所傳承，並堅持以安身立命的神為信仰與價值觀。西方基督教為何在屬世潮流沖擊下節節敗退？為何不少西方基督徒離道叛教？這種實況對東方、新興的基督教會(特別是華人基督教會)帶來怎樣的衝擊與影響？東方、新興基督信徒當如何看待與回應這令人焦慮的趨勢？這些都是非常需要加以省思與面對的宏觀課題，與整體基督信仰運動在新世紀與千年展望的宏觀挑戰有關。

為何「新千年」？

聽到或讀到「新千年」的挑戰，不知你心裡的反應如何？筆者指的不是「千禧年」國，也沒有動搖主必快來的信念。既然如此，不得不闡釋「新千年」概念的原委。

首先，從聖經啟示的角度看，使徒彼得告訴我們，就是主看一日如千年，千年如一日(彼後三8)。所以，即使我們相信主「明日」，或「快快」就要回來，也不得不作千年的準備，因為主不受地球上之時間觀念所限制。祂是時間空間的主，可按我們所瞭解的時間空間行事；祂也是超越時間空間的主，可按祂旨意所定的「時機」或「契機」(*kairos*)行事。神所定的「時機」，可以超越人的「時間」〔或說「年代」(*chronos*)〕觀念。所謂「時機」者，指在恰當的時候作恰當的事。既然如此，信徒必須常作準備，預備主隨時降臨；信徒也必須作長時期計劃，或許主的「時機」並不在我們所設定的年代臨到。為此，在人的「時間」和神的「時機」兩者的張力互動下，提到「新千年」的挑戰，同時相信主必快來，並不互相衝突。

其次，從宣教使命實際的需要看，筆者盼望仍有一個千年，能以從

事未竟之工。雖然基督教已成為全世界最大的宗教群體，世上仍然存有多處「未得之地」。文明古國如中國、印度仍有待認識主，歸信主；伊斯蘭群體仍不曉得在基督裡救贖之恩。就算中國擁有了 6,000 至 7,000 萬信徒，也不過是總人口的 5-6%。從全球的統計看，華族人士約 95% 仍隔在福音門外。而在「穆宣」(指向穆斯林宣教，引領他們歸主) 方面，若考過去千年記錄，不單乏善可陳，反而敗績連連。若主再給一個千年機會，教會也從歷史學習功課，重新發憤圖強，作當作的事，走當走的路，從失敗之處再起步，這樣或許能按主的心意完成使命。以隨時向主交帳的「kairos」心態，從事千年「chronos」的策劃和行動，是正確的、必須的。

回顧過去，環視現在，瞻望未來，教會將面對怎麼樣的挑戰，信徒當如何回應？

一、世界「文化村」的擠逼與挑戰

隨著交通和資訊的發達，整個世界成了一個「地球村」(Global Village)，或說「地球城」(Global City)，它也是個「文化村」，或說「文化城」(Cultural Village/Cultural City)；不同文化和宗教信仰人士生活在一起，擠逼在一起。可預料的趨向是，在物器的層面，一般社會都會走向現代化，追求先進；但在宗教信仰和倫理道德方面，恐怕許多人會走回傳統文化古道，以求安

身立命。因此，近年來亞太區古老文明的復興，包括伊斯蘭教的復興、儒學等的振興，可說在意料之內。

既然如此，基督徒不得不「知己知彼」；其實這裡的「彼」可能也是他的「己」的一部分，如儒學之於華族基督徒。而針對所面對的文化和宗教群體，作一些深入的探討，更是神學教育所當關注的課題，需要有更多基督徒學者和專家投身從事文化、宗教和其它人文學科的研究。

文化的核心價值和深層理念被稱為「世界觀」(Worldview)，表層的現象乃從這世界觀衍生出來；當然也有些表層現象是從外界學習而得的。「擒賊先擒王」，因此為要得到一個人，必須先從世界觀的改變著手，免得辛勞一番做來做去，還是搔不到癢處！筆者最關注的是伊斯蘭宗教和華人文化傳統的世界觀，至於如何由此門進入再進一步領人歸主，那可不是三言兩語能夠交代的。

注意右頁圖表，當前的挑戰不再是基督教國對非基督教國的挑戰，也不是西方基督教對東方宗教信仰的挑戰；這樣講法已經過時了，它應該是不分東西方的整體基督教核心信仰與價值觀，面對全球東西方各式各樣宗教、哲學、意識形態等世界觀的挑戰。從這個角度來看，今天世界上已經沒有一個可稱為基督教國家的(天主教梵蒂岡除外)，雖然西方文明尚含有些基督教與猶太教的價值觀。同樣，

從這個角度看問題的時候，必須要能分辨信仰的核心信念/價值與文化因素。當堅持信仰的核心信念與價值，對文化因素作靈活性的適應與處理。

當許許多多的人擠逼在同一個「文化村」內，如何與不同世界觀的人

中華文明

偶像崇拜和人文崇拜和人文/人本道義主義/實用主義(文化與道德自義)
Idolatry and humanitarian/humanistic moralism (Cultural & moral self-righteousness)

西方文明

世俗主義、自由主義、基猶價值、現代和後現代主義等混雜意識形態(文化與社會自義)
Secularism, liberalism, Judeo-Christian Values, modern and post-modern ideologies and syncretism (Cultural and social self-righteousness)

印度/佛教文明

偶像崇拜、自我神化和宗教性的人本的道義主義(宗教與道德自義)
Idolatry, self-deification, and humanistic/religious moralism(religious and moral self-righteousness)

伊斯蘭教文明

阿拉的獨一與合一性，和他所頒佈的律法條規(宗教與道德自義)
The Tauhid and the Shariah (religious and moral self-righteousness)

獨一的上帝

藉著

基督與祂的十字架　　和賜下並內住的聖靈

彰顯了祂為罪人捨己且聖潔的愛，並將贖罪的恩、永恆生命與神國榮耀賜給人；蒙恩人必須活出與此福音相稱(彰顯神的聖潔與愛)的生命見證。

基督信仰與價值觀

士和睦交流是個大學問；要傳遞自己的信念，並改變別人的世界觀是個更大的挑戰。因此，宗教信仰自由和宗教信徒之間的彼此尊重，越發顯得重要。我們可以不接受鄰居的信仰，也可以(甚至是應當)分享自己所得的啟示和恩典，但無論如何，彼此間必須尊重，愛人如己。

二、掌握基督教的基要信仰，排除不必要的紛爭和對抗

基督教的核心信仰與價值觀是甚麼呢？按筆者淺見，基督教啟示了天地間獨一的真神，祂出於自愛而為著祂所創造，也是墮落了的人，藉著基督，也藉著賜下與內住的聖靈，作出了自我的犧牲，將贖罪的恩和永恆生命與國度賜給人。基督徒既然透過十字架的救贖，和聖靈的賜下與內住，認識了上帝為主、為父，並與祂聖潔和愛的生命與國度有份，就必須在生活的每一個層面，無論個人、家庭、教會和社會裡，都要把這樣的生命加以見證，並活顯出來。在筆者看來，這就是基督徒的基要信仰和價值觀，或說核心世界觀的所在。

若有人問：「三位一體」教義的位置在哪裡？筆者認為，對「三位一體」教義的形成加以正確的瞭解，是為著闡釋這「上帝在基督裡」(也在聖靈裡)的基要真理；不單在基督和聖靈的工作，也在基督和聖靈的生命本質。在理念方面，很難把三位一體的真理作

邏輯性和理性化的分析，因為上帝的生命和工作，大於任何人的邏輯和理性。更重要的是，當在敬拜與實際生活中，把上帝透過基督和聖靈在你我裡面的生命與作為見證出來。這一點將決定基督教運動在新千年的成敗。信仰的神學基礎不容動搖，但決定成敗的關鍵還是在基督徒的生活見證。試作個調查，便會發現愛心比信條帶領更多人歸主！

回顧過去的教會歷史，感歎基督徒許多時候為著一些次要的問題而爭拗，以致羞辱主的名，非常不值，也不智。例如，基督教宗派間的禮儀之爭(特別在聖餐和洗禮)、政教關係之爭、行政體制之爭，還有近代的靈恩及反靈恩之爭，大體不是關係於基要信仰，而是次要和相對性的見解和經驗問題。更可惜的是，許多時候因人事或爭執，甚至鬧上法庭。

因著近年教會某些圈子為產生靈恩和反靈恩的緊張局面，筆者願分享一點個人意見。從歷史的回顧與評估，筆者深信靈恩運動的興起，肯定的帶著主的憐憫和恩典；但要謹防人為的偏差，如高舉某方面的恩賜或經驗。二十世紀看到靈恩運動的興起，也看到福音運動的振興，若這兩個潮流能取長補短，彼此充實，加上從教會歷史汲取教訓和智慧，將給基督教運動的前景，帶來無比的動力與希望。

鍾馬田(Martin Lyod-Jones)在《清

教徒的腳蹤》(香港：以琳，1993)一書第87-111頁，提到歐洲教會在十六、十七世紀的許多爭論和分裂，感到痛心疾首，特別是改教家與改教家之間的鬥爭，更令他難過之極。他說：「羅馬天主教和抗羅宗之間的分離，我是絕對維護的，死而後已。可是其它種種的分離，卻不合乎真理，這一點我是要強調的。這些分離，只是表明教會的分裂，其中所牽涉的一切，都是邪惡的；我們在神面前都犯了罪。」(鍾馬田，頁92)

鍾氏呼籲現代教會領袖，必須曉得如何劃分基督教信仰的基要部分和非基要部分，免得帶來不必要的傷害。他說對「基本信仰」的定義所引起的爭論，「就是有關基督教信仰的基要部分和非基要部分如何劃分的爭議，就是大家要求在太多的細節上要一致的結果。這一點，對我來說，是那一百年間所帶出來最重要的教訓」(同上，頁99)。求主幫助叫我們曉得如何尋求「In things essential, unity; in things non-essential, liberty; in all things, charity」(在基要之事上，同心合一；在非基要之事上，給予自由；在一切的事上，以愛相待)。

須求主賜下智慧，也要從歷史學習，知道如何分辨基要(fundamental)與非基要(non-fundamental)之別；這是鍾馬田耿耿於懷的。除了明顯的錯誤，如基督被造論、行為自救論、方言得救論、普救論主義等，不宜隨便批判不同的見解為異端。

敬虔派領袖施本爾(Spener)的一位朋友Gottfried Arnold(1666-1714)是位歷史學家，他指出：「沒有一個被同時代的人定為異端者就是異端，應當根據一個人的優點而加以判斷；甚至被看為異端者的見解，在基督教思想中都有其地位。」他甚至認為那些被稱為異端者較所謂正統者更有真理(Williston A. Walker, *History of the Christian Church*; NY: Charles Scribners & Sons, 1969. p.449.)。言下雖有過火之處，但對基督教界卻是個有利的提醒。

甚至對於傳異端者，也不能加以血氣的攻擊，只能憑理來辯論，深信愛心和真理至終必然得勝。宗教上的強制手段必須永遠撤棄，道德上的強制也當如此。司徒德(John Stott)在 *Issues Facing Christianity Today* (London: Marshal Pickering, 1990) 舉出兩個例子闡釋這論點：

一是中古教會的異端裁判所，所產生的反效果可說更大；今日大家都承認它與基督的恩典和精神全然不合。二是十九世紀末的禁酒運動，它甚至成功促使美國國會於1919年通過禁酒法令，後來發覺行不通而於1933年廢除之。意思是說，有關信仰問題，甚至是道德問題，講理、說服、勸導，是更有效的途徑(參J. Stott, p.47)；與其他宗教徒談論或爭辯信仰問題，更當如此。在亞洲社會，在教會面對

政治或宗教壓力的處境下還繼續內爭，將使自己死無葬身之處。

伊斯蘭先知穆罕默德死後，伊斯蘭教領袖與基督教領袖進行第一次的公開對話是在公元 639 年。一邊是阿拉伯將軍 Amr Al-ʿAs，他是敘利亞和米所波大米的佔領將軍，另一邊是被看為異端的安提阿「神人一性」派(Monophysites / Jacobites)的教長約翰一世(John I)。伊斯蘭將領要教長翻譯福音書，但不准他提到洗禮、主的神性和十字架。各教派的基督徒都感到很緊張，大家覺得大難臨頭，要求教長也代表他們講話，並答應同心為他代禱。在大難臨頭才想到不同宗派原來是主裡一家，應同心禱告，但許多時候醒悟時已太遲了！還好在有關事件上，約翰一世靠主站穩立場，不在信仰上妥協。若大家更早時候就學習彼此瞭解、尊重和接納，局面可能大大不同。在近代，所謂「神人一性」論也得到澄清和平反。

三、主裡相愛與合一的見證

面對新千年的各種挑戰，回顧過去，環視現在，並前瞻未來，筆者心裡最深切的回應，還是當回到主耶穌上十架前為教會禱告，特別是約翰福音十七 20-23 節：「我不但為這些人祈求，也為那些因他們的話信我的人祈求。使他們都合而為一，正如你父在我裡面，我在你裡面，使他們也在我們裡面，叫世人可以信你差了我來。

你所賜給我的榮耀，我已賜給他們，使他們合而為一，像我們合而為一。我在他們裡面，你在我裡面，使他們完完全全的合而為一，叫世人知道你差了我來，也知道你愛他們如同愛我一樣。」

要大家特別關注的，是主一而再的禱告和願望：「使他們都合而為一……叫世人可以信你差了我來……使他們合而為一……合而為一……使他們完完全全的合而為一，叫世人知道你差了我來……。」信徒的合而為一，跟世人對主的信服，對福音的信服，都有直接的關係。這一點，是未來普世教會成敗的最重要關鍵。

如何合一呢？前面兩點已略有提述，乃是在基督信仰的核心價值，或說基要真理上合一。這核心價值和基要真理是甚麼呢？以最簡單最濃縮的話說，特別針對著這世代的需要，當人類面對滅種威脅，當人際關係日益疏離，我說，能拯救世道人心的，還是上帝在基督裡所彰顯的捨己之愛、犧牲之愛，不單對主內肢體，也當如此對待每一個人，甚至是仇敵。若有人說，不單講愛心，也要講真理啊。當然，其實這愛本來就是「不喜歡不義，只喜歡真理」的愛。上帝在基督裡的愛是涵蓋了真理的愛，也是最基要的真理。

君士坦丁表示歸信基督，可能懷有政治動機，即以基督教促進帝國內各地區各種族的合一。恐怕他作夢也

想不到，以後的君王也想不到，宗教問題似乎為他們帶來更大的分裂。君士坦丁剛設立基督教為國教不久，就面對那非常棘手的「三一論」之爭辯和分裂，幾乎把他的帝國都撕裂了！以後的「基督論」爭辯(關乎基督的神性人性如何合一問題)也是如此，剛好碰到伊斯蘭的崛起和攻佔，令整個東羅馬帝國幾乎都斷送了！

「作神學」(theologizing)過程未免會產生不同的見解與作法，到時如何處理？

例如有關三位一體真理，今日一些歐美神學家覺得尼西亞信經中有關之解釋，特別是有關 *ousia*(本質)、*hypostasis*(屬性)、*persona*(位格)、*psusis*(本性)等用詞，對現代人，甚至是歐美人士也失去了意義和價值，何況對於我們東方人？甚願有華族神學家針對類似問題作些省思，至少在面對穆斯林的時候，肯定須作更深入的省思。如果宣教運動在前面的千年要有所突破，不得不在神學處境化方面下苦功。基要信仰不變，但表達的方式必須處境化。

參閱〈二千年來的血淚教訓〉(見《使斯蘭教與今日世界》大使命中心，2004。)一文，將發覺西方的世俗化和背道與基督教會的內爭、分裂、失敗有相當的關係，故教會須負起相當責任。更重要的是，痛定思痛，從中汲取血淚教訓。筆者不時思索這樣的一個問題：西方在信仰與道德上的淪落

還有救藥麼？西方基督教會能再次得到振興麼？有能力勝過世俗主義和後現代思潮的種種衝擊麼？筆者相信答案是正面的，只要西方基督教會堅持福音大使命，同時實踐相愛與合一的新命令。北美福音信仰(evangelical)教會還有些力量，應當有更大的復興契機。同時需要在聖經真理上更加充實，以及聖靈更大的充滿。

四、當把握機會收割熟透的莊稼

甚至在兩千年前主已宣告說，莊稼已經熟了，可以收割了！保羅也說：「看哪，現在正是悅納的時候，現在正是拯救的日子」(約四 35；提前六 2)然而在一些地方的莊稼，似乎比其它地方的更為熟透，因此不得不盡快收割，免得被糟蹋了！富樂神學研究院之普世宣教學院(今跨文化研究學院)創院主任馬蓋文(D. McGavran)提醒主的僕人要特別注意一些似乎熟透的莊稼而加工去收割，自有其中道理，因為很多時候，若不掌握機會，恐怕一去不復返。以下從歷史提述兩則有關錯失機會的例子：

約公元 1007 年，在北蒙古貝加爾(Baikal)湖之南，一位突厥族克烈愓(Keraits)部落的王到山地去打獵，迷失了路，又碰到大風雪。在絕望當中，他見到一個異象，一位聖徒向他顯現，並對他說，「你若相信基督，我必指示你不致死亡之路」。他應允願意信主，那聖徒也指示他平安之路回

到營地。於是這王召集城裡的基督徒商人，詢問關於信主的事。他們告訴他必須受洗，又送給他一本聖經；於是，王每日都向聖經敬拜。接著他差派使者到波斯庫賴斯坦(Khurasan)地區梅爾(Merv)城找尋當地的涅斯多留派(Nestorian)教長 Abdishu，要求對方派人去給他施洗，並說他們當中有20萬人已預備心要信主。試想，他們差派了多少人去？只有2位！一位牧師，一位副牧！面對20萬人的需要，兩個人能做甚麼！如果當時教長差派200人前往，好好教導他們，建立教會，或許整個突厥族都大受影響。

十三世紀蒙古人統治了中國，忽必烈大帝對各宗教都相當容忍，特別善待基督徒。按馬可波羅的記載，有一次問他為何不成為基督徒，大帝回答謂，在他周圍的基督徒都是無知的，而那些拜偶像的人又能行各種神蹟奇事，因此他不敢輕舉妄動。他對馬可波羅的父親 Nicholo 和叔父 Mefeo 說：「現在你必須去見你們的教皇，代替我要求派100個人到我這裡來。他們對你的宗教律法必須熟練，能夠正面指出拜偶像者的錯謬，並告訴拜偶像者，他們也可以作同樣的事，只是不願那樣作，因為那些作為是靠魔鬼邪靈作的；他們也必須控制拜偶像者，使他們再不能發揮作為。當我們看到這一切，便會棄絕拜偶像者和他們的宗教，我也將會受洗。當我受洗，我麾下的王侯和官員也將受洗，

他們的手下也會照樣作。最後，這裡的基督徒人數將較你那邊更多。」(John Foster，Setback and Recovery Church History 2, AD 500-1500, TEF Study Guide 8, London, SPCK. 1974. p.153.)

當教皇貴格利十世接到忽必烈的函件，他如何回應呢？忽必烈要求差派100人，他卻只派了兩位道明會的修士隨著馬可波羅到中國。可惜，當他們行到亞美尼亞，碰到該地區有戰亂，兩位都半途離棄，作了逃兵。馬可波羅說：「若教皇差派適當的人去傳我們的信仰，大汗可能已經成為基督徒了，因為肯定大汗有這樣的心願。」(同上，頁171)很可惜的，向蒙古人和中國人宣教的一個黃金機會流失了。當時蒙古統治了幾乎整個亞洲和部分歐洲。

近年來，接觸許多有關大陸的中國人渴慕福音的報道，特別在鄉區，更是熱切。這似乎是豐收的黃金機會，像這樣莊稼熟透的土地，把握每一個機會領人信主，並好好教導他們，是當前急務；求主差派更多工人到中國為祂收割。非洲的一些地區也是豐收地帶，不要錯過機會，特別是在與伊斯蘭教競爭的地區(公正並和平的競爭並沒有錯)。若伊斯蘭教搶先一步得到他們，這些人將永遠失去福音福份；急不容緩啊！

在前面的年日，教會必須在艱難的田地上鬆土、播種、施肥，更要掌握世界各處開放和肥沃的田地，收割

熟透的莊稼。教會需要播種等候的宣教神學，也需要或說更需要把握時機的收割神學。西方基督教走下坡，但其它地區的福音運動可以靠主往上爬！

五、「穆宣」事工不容忽略：給華人教會的挑戰

回顧歷史，伊斯蘭教得以迅速發展，部分原因是基督教不懂得掌握先機，以得到更多的阿拉伯、突厥和蒙古人；也未能帶領波斯人歸主。如今，世界約有12億穆斯林。身為福音教會的教牧和信徒，我們對穆斯林傳福音見證主的使命是責無旁貸的。面對新的千年，看來除非亞洲等地區之新興教會站立起來同共肩負使命，「穆宣」事工恐將無從突破。這是個東西方基督教會必須攜手承擔的大挑戰。

穆斯林對歐洲人向來並無好感。中古時期的穆斯林如何看待歐洲人呢？按十世紀的一位伊斯蘭地理學家所描繪，歐洲這地方是既冷又暗，歐洲人既醜、又笨、又粗！越北上越是野蠻。

十一世紀時期，西班牙托萊多(Toledo)一位伊斯蘭法官曾描寫他所知道的一些國家和民族，包括印度、波斯、希臘、羅馬、迦勒底等，他特別提到中國人和土耳其人，稱他們是「尊貴的民族」，對於歐洲人，稱他們無知蠢笨。Ibn Khaldun是中古時代最知名的地理和歷史學家，他寫道：「聽說地中海以北之地區，哲學

(Philosophical sciences)昌明，學者眾多，但只有阿拉知道他們擁有的是甚麼。」(Bernard Lewis, *The Arabs*, London: Hutchinson University Library, P.164-165。)

印象本已不好，加上日後的十字軍東征，彼此之間的許多衝突，以及近代的西方殖民主義、帝國主義、物質主義、無神主義、世俗主義等的衝擊，以至穆斯林多有仇視和輕看歐美人士者。他們特別批判歐美的個人主義、自由主義、放縱行為和世俗主義，更把他們的自由主義和世俗主義看為痲瘋！在此情況下如何有效地對他們傳福音呢？

在基督教與伊斯蘭教關係的歷史中，曾出了一些難得的基督教學者和領袖，他們正確並正面地看待問題。例如，亞奎那(Thomas Aquinas)就曾主張不能以壓力逼迫異教徒歸主；培根(Roger Bacon)反對十字軍，並提倡以愛心、寬容、和平的方式傳道，並鼓勵人學好語文為主作見證；教皇和挪留四世(Honorius IV)也提倡學習阿拉伯語文，在巴黎大學開始；十四世紀時，數處歐洲大學開辦了東方語言學系。聖佛蘭西斯(Francis of Assisi)曾三次去向穆斯林傳道，雖然只有第三次能抵達目的地埃及，並且向穆斯林教長個人談道。盧勒(Raymond Lull)是十三世紀的穆宣英雄，曾多次到北非佈道，更在那兒殉道。

亨利馬廷(Henry Martyn, 1781-1812)是現代最知名的一位「穆宣」勇

士，把新約聖經翻譯為優美的波斯語，也在穆斯林中為主作些見證。施為美(Samuel Zwemer)則是廿世紀的最傑出人物，被稱為「伊斯蘭的使徒」。從領人歸主的角度看，歷代以來，這些宣教偉人所成就的還是那麼一點點；然而，他們在有關之學術研究方面作出了巨大貢獻。

中國人或華人在這方面的前景如何？至少中國人在先天上已佔了些優勢。穆罕默德對中國相當尊敬，曾說「為追求知識甚至可以到中國去」。中國人被看為「尊貴的民族」，而且，除了國內兩三千萬的穆斯林，中國的新疆省可通往整個中東伊斯蘭世界。

馬來西亞的政界領袖常讚揚鄭和在600年前下南洋時並非帶著槍炮，乃是帶著禮物，而當年的馬六甲王朝也樂於向中國稱臣俯順。許多學者也認為馬來人乃二千年前從中國雲南移民前來的，印尼蘇島(Sumatra)北部的亞齊人自認他們參有中國人的血統。但願華人基督徒，無論是在中國或在海外，都能有這方面的看見和負擔。若亞洲和華族信徒不肯在此方面被主興起使用，恐怕穆宣的前景還是暗淡，那麼啟示錄五9-10的「各族、各方、各民、各國」恐怕就要少了穆斯林群體。

當前響徹各處的「傳回耶路撒冷」運動的精神可嘉，但實際作來，必須有世紀性甚至千年的視野與承擔才行，絕不是召開幾個會議或作點培訓即可了事；千里之行恐怕尚未真正踏出家門。無論如何，必須帷幄運籌，志在必得；總須有個開始啊！

面對新千年的挑戰和急務，除了上述幾點，還有許多可談的。例如：關注本土民族和文化的福音事工。福音傳到馬六甲將近500年了，還沒有一處馬來穆斯林組成的基督教會。回想北非教會如何猶如被連根拔起，因為他們忽略了本地人柏柏爾(Berbers)族的福音工作，心裡便感到焦慮。想到這一點，眾教會對東馬的土族事工都更要盡心盡力的協助，特別近年來有不少部落基督徒青年男女前來西馬讀書或工作，不知我們是否關心、扶持？本土民族與文化的福音工作絕對須做，教會才能在有關地區生根並茁壯成長。近年普世宣教界中，甚為關注到世界各處的「隱蔽群體」，要把聖經翻譯為他們的文字並把福音帶給他們。面對新的千年，這是當持之以恆之工作。

教會走入社會、服務社會，並認同文化、改造文化，也是當前急務。若作不到這一點，教會甚難在社會上有所作為，更不必說進一步的引領有關的社會群體歸主。回顧歷史，宣教士如康士坦丁(Constantine)和麥托丟(Methodius)等，成千上萬的人，帶著使命到天涯海角，甚至為當地人創造文字，這是福音得以廣傳的主要因素。在社會服務方面，司徒德提議基督徒當有更廣更積極的承擔，並指出要達到此目的，必須在神學觀念上先得到擴張。他主張教會需要在神論、基督

論、人論、救恩論各方面都加以擴張，使它們顯得更全面和充實；不單從特殊啟示去看神、看人、看救恩等，也從普遍啟示的角度加以看待和回應。(參 *Issues Facing Christianity Today*, p.14-25.)

在聖經研究領域，特別需要求主從新興教會興起許多信仰純正的新舊約聖經學者，以抗衡西方人本和自然主義者對聖經的批判。求主從我們當中興起許多立志承當時代使命的基督僕人。阿們！

(作者居於東南亞，從事神學教育工作)

研習問題

1. 作者認為「新千年」的意義在那裡？

2. 作者引述歷史為證。過往二千年所發生的事件對二十一世紀有何借鑑之處？

3. 作者認為當前的急務是甚麼？你同意他的見解嗎？

想到數以百萬計的中國生靈走向死亡，然而不少坐安樂椅的基督徒，卻無絲毫意向舉起一根指頭去幫助這些人，倒給撒但得勢獨行。

Think of all these millions going to destruction, and yet so many "arm-chair" Christians at home, never raising a finger to help them, but letting the devil have his own way.

杜明德(Arthur Twistle Polhill-Turner, 1862-1935)

在中國事奉是一種福份，也是一個重任，更是天地造物主向全人類彰顯祂慈愛的一個管道，甚或是唯一的管道。

It makes one realize that privilege and responsibility of working here to remember that one is a channel, and perhaps the only one, by which the Creator of heaven and earth makes known His love to the heathen.

章必成(Montagu Harry Proctor Beauchamp, 1860-1939)

二十一世紀宗教趨勢與挑戰

溫以諾著

屆於新紀元之始，承編者(按：指本文原刊《今日華人教會》之編輯)所囑為文「剖析二十一世紀全球宗教大趨勢，並分享今日華人教會及信徒應如何迎接此挑戰」。短文論大事，談何容易？雖然掛一漏萬之弊難免，今試選列三項要點與讀者互勉。

文中「宗教」一詞，是指「具有同一信仰體系，從而組成的信仰團體及制度。其成員共受同一之權威支配思想、態度、言行、價值觀及世界觀」。如基督教、伊斯蘭教、印度教、佛教、猶太教、民間宗教等，均屬世界性(或普世性 universal)，超越民族、國境、地域界限的「大宗教」。相反，如西藏喇嘛教、日本的神道教等，具有民族、區域、國界等特定範圍者，均為「小宗教」〔又稱為民族性宗教(ethnoreligion)或局部性宗教(particularistic religion)〕。

「宗教」不僅有大小之分，且有「派系」之別。就以「基督教」為例，內部可細分為「天主教」、於中世紀宗教改革而產生的「更正教」(Protestant)及東正教(Eastern Orthodox 或 Greek Orthodox)，以別於羅馬教廷的天主教等不同「派系」(Sect)。各「派系」又可細分為「派別」，例如更正教內有「福音派」、「靈恩派」之別等。

既已交代鑰詞用法，以下簡介二十一世紀三項全球宗教大趨勢，並提出今日華人教會及信徒迎接挑戰該有的策略。讀者可先參閱圖一，以助把握全文的思路及明白架構。

宗教世俗化

趨勢

各種宗教的產生與發展因時代及背景不同而各異，但該有出淤泥而不染，不受「世界潮流及風俗習慣的洪濤」(即「世俗化」)淹沒的特色，更應肩負中流砥柱及移風易俗的角色，發揮超脫及更新的功能。

就以基督教、猶太教及伊斯蘭教三者為例，三者均信奉獨一真神或真主；社會法律制度及個人行徑均以聖典(如聖經、摩西五經或古蘭經為準則及依歸；領導、教導及指導等權威，

圖一：世界宗教三大趨勢的危機及契機——華人教會及信徒回應策略

	宗教世俗化(參圖二及圖三)	宗教多元化趨勢及後現代思潮衝擊		宗教消費式趨勢
世界宗教三大趨勢	1. 基督教信仰在信徒會眾的思想、態度、言行、價值觀、世界觀各方面失去權威，缺少指導及克制能力。 2. 反對宗教的超越性，倡導現世及實用性。	宗教多元化是： 1. 某國、某民、某族在宗教上不再是單元的一致性，而是複式或多元式的。 2. 反對昔日「神明」的獨霸性，及否定傳統宗教「真理」的專有權。	後現代思潮是： 1. 反對「神」的超越性、客觀及獨特性，故此提倡神死人勝。 2. 反抗舊有「宗教傳統」的專制及霸權，故此要除舊解構。 3. 否定「真理」的客觀及絕對性，故此各持己見，各具權威。	1. 輕微型(消費式手段)：以增長為目的，推銷為手段，供求為原則，信眾為消費者。為求信眾人數增加及宗教勢力範圍擴張，以消費式為手段。 2. 嚴重型(消費為終極意義)：破除宗教對象的超越性客觀「神明」，代以主觀的「消費」為終極意義，「品嘗」作宗教選擇原則，「體驗」為真理評定準則，相同興趣為宗教團體凝聚力，現世代替來世。
危機	1. 內部：被色慾、財利、權勢侵蝕。 2. 外顯：附世隨俗的法例行為。 3. 結果：信仰破產，道德淪喪，同流合污，隨波逐流。	1. 昔日基督教盛行區域及原有基督教國家皆失守本位，異教及異端紛起。 2. 「宗教綜攝主義」或稱宗教混合主義」盛行無阻，信仰混雜，信眾委身不專。	1. 將宗教內的「神聖」、宗教制度及宗教權威等，全部相對化，徹底解構，完全推翻。 2. 代之以主觀、相對性、處境化的多元準則。	1. 拜「成功」為偶像，以熱心求成代虛心求助，重「量」過於「質」，求勝代替成聖。 2. 神鬼不理，真假不分，是非不辨。宗教個人化、經驗化、實用化。 3. 流變成為：消費>敬拜，自我感受>客觀真理，自我品嘗及品味>捨己博愛服務。
華人教會及信徒回應策略《危機》轉「契機」——羅馬書八28-39	1. 消極：堅拒「世界」，進入「內心世界」(參約壹二15-17)。 2. 積極：彼此相愛，互相建立，身量漸長(參弗四1-16)。背十架，自潔離卑賤，分別為聖，敬虔度日(參提後二21；羅十三)。 3. 結果：教會作燈台，在黑暗世代中照亮榮耀神，信徒作光作鹽，為義受逼迫，為主受苦(參太五10-16；帖前五5-11)。	1. 消極：慎防「即食」或「推銷式」佈道法，及急功近利的差傳政策，不只求教會人數增加，會眾規模擴大，而是質量兼顧。又應避免「綜攝主義」的信仰混雜，不辨真理。 2. 積極： (1) 不但熱心傳道使人做信徒，也應忠心教導、耐心培養信者做「門徒」。不但宣講「耶穌」，而是身體力行證明「耶穌是基督」，作真實的「基督徒」(參使徒行傳中先例)。 (2) 明白末世期間神奇妙地在普世及華人福音事工上的倍增作為，忠心竭力與神同工(參林前二；西一；可十六20)。	1. 消極： (1) 慎防信徒陷入「後現代思潮」的迷宮內，備受困惑，「隨流失去」(參來二1-4；提前一19)。 (2) 為「真道打那美好的仗」(提前六12)，攻破營壘，將人的心意奪回(參林後十5-6)。 2. 積極： (1) 宗教制度被廢及專家被棄，是動員信徒大眾的好時機。華人教會應重視、培育及動員華人信徒群眾，草根運動式配合事奉，廣播福音。 (2) 末世人情淡薄，新時代社會劇變，科技及都市化帶來人際的疏離，正是華人信徒發揮華人文化中的「關係」、聖經真理教導信徒肢體相關、教會是神家等「親情神學」的良機。	1. 華人教會領袖以身作則 (1) 消極：除偶像，歸真神；謙卑承認無助，誠心靠主。 (2) 積極：明白屬靈戰爭的真理，靠神忠勇作戰獲勝。 2. 華人信徒 (1) 消極：應謹慎慎防備消費式宗教的禍害，在此犯錯絆倒他人。 (2) 積極：入世作證救人而不隨世，於世俗潮流中(包括消費式宗教趨勢)逆流而上，恆切地作「屬靈持守」，竭力保持合乎聖經真理的屬靈素質。

傳統由宗派領袖(如教皇、神父、拉比、主教……)所獨有。

就人數多寡計算,世界大宗教,按圖一及圖二所示,前三名為基督教(33%)、伊斯蘭教(19.6%)及印度教(13.4%),三者均備受世俗化洪流衝擊。

約佔全世界人口三分之一的基督

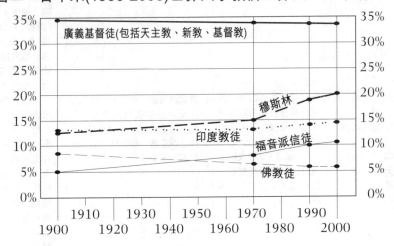

圖二:百年來(1900-2000)世界大宗教佔世界人口比率增長趨勢

廣義基督徒(包括天主教、新教、基督教)
穆斯林
印度教徒
福音派信徒
佛教徒

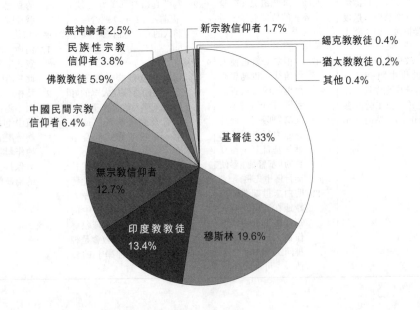

圖三:主後二千年世界大宗教信徒佔世界人口比率

無神論者 2.5%
民族性宗教信仰者 3.8%
佛教教徒 5.9%
中國民間宗教信仰者 6.4%
無宗教信仰者 12.7%
印度教教徒 13.4%
穆斯林 19.6%
基督徒 33%
新宗教信仰者 1.7%
錫克教教徒 0.4%
猶太教教徒 0.2%
其他 0.4%

教，是世界大宗教中信徒最多(參圖四，佔世界人口33%)，其中的靈恩派亦增長最快(參圖四為2.33%)。基督教百年來世俗化的趨勢，確是有目共睹的事實。以歐洲素稱「基督教國家」的英國、德國、法國為例，國內教會荒涼，信徒有名無實，基督教文化傳統對社會的影響力盡失，教堂無人問津，物業無法維持，只得改作博物館，供遊客觀賞。雖然「基督教」仍為國教，卻受世俗化的侵蝕，教會失去見證，信徒失去光與鹽的功能。基督教信仰在信徒會眾的思想、態度、言行、價值觀、世界觀等各方面失去權威及指導能力。作為國教的基督教，其文化風俗的主導地位，名存實亡。世俗化的效果，導致色情泛濫，人慾橫流，道德淪亡，世風日下，甚而墮胎、同性戀、安樂死(euthanasia)、吸食大麻等均合法化。

就是歐洲先民為尋求宗教自由，移居新大陸於北美洲創建之美國及加拿大。這兩個基督教移民國家，亦難免受到世俗化的禍害，其立國初期的猶太及基督教傳統(Judio-Christian heritage)及清教徒倫理(Protestant ethic of the Puritans)亦失效應。除了同性戀及墮胎合法化外，公立學校亦禁止教授「創造論」的課題和禁止學生公開禱告。最近美國於球賽前的禱告傳統，亦遭法律禁制。原為培育教牧人材而創立的哈佛(Harvard)、哥倫比亞(Columbia)、普林斯頓(Princeton)等神學院，現已變成高等學府，及從事純學術性研究的名校，碩果僅存的宗教系，亦變為「神死神學」、「婦解神學」等流行學派大本營，其宗教研究及神學教授均為多元宗教倡導者。各州及省政府為謀利徵稅而准許經營賭博及酒業。

基督教界與世俗妥協，信徒生活為頹風敗俗所污染，與世人同流合污。教會內外離婚率相同。教會不再是「社會的良心」，信徒不再作光作鹽，所傳講的是「另一種福音」(gospel of health & wealth，健康與財富的福音)。這是信仰失真，生活妥協的「世俗化」現象。

伊斯蘭教區域，如沙特阿拉伯(Saudi Arabia)、伊拉克(Iraq)、黎巴嫩(Lebanon)、埃及(Egypt)等國家，其政治氣候、法理條約、民間風俗等亦受「世俗化」洪流所襲，始引起保守派(conservative)及激烈派(fanatic)的抗議，他們圖力挽狂瀾，卻難抗衡由好萊塢(Hollywood)電影、網際網絡、性解放、物質及享樂主義等匯合而成的「世俗化」狂潮。圖四顯示印度教教徒不增反減，流失率每年0.087%。

圖四：主後二千年時，世界大宗教人口統計

宗教	信眾人數 (以百萬計)	總增長率[1] (百萬)	入教率[2]	世界人口 比率
基督徒總人數	1,999.6	1.45%	0.135%	33%
福音派[3]	647.8	1.47%	0.423%	10.7%
靈恩派	523.7	2.33%	0.588%	8.7%
伊斯蘭教	1,188.2	2.15%	0.080%	19.6%
印度教	811.3	1.84%	-0.087%	13.4%
非宗教	768.2	0.86%	-7.2%	12.7%
中國民間宗教	384.8	1.21%	-0.20%	6.4%
佛教	360.0	1.13%	0.045%	5.9%
民族性宗教	228.4	1.37%	-0.58%	3.8%
無神論	150.1	0.35%	-60%	2.5%
新宗教	102.4	1.12%	-3.8%	1.7%
錫克教	23.3	1.90%	0.13%	0.4%
猶太教	14.4	1.00%	-50%	0.2%
其他	24.3	不詳	不詳	0.4%
世界人口	6,055	1.47%	不詳	100

圖五：自1990至2000年，各宗教每年平均入教人數比率

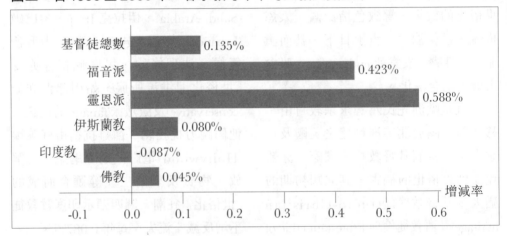

回應策略

　　在詳細討論三種宗教大趨勢下，華人教會及信徒在作出合適回應策略及具體行動前，應首先指出神是人類歷史的主宰，萬國在祂主權之下(參詩二、十八、二十、一零零等)，世代過去，神不改變，王朝興替，神仍掌權。因為按羅馬書八章28-29節：「我們曉得萬事都互相效力，叫愛神的人得益處，就是按他旨意被召的人。因為他預先所知道的人，就預先定下效法他兒子的模樣，使他兒子在許多弟兄中作長子。預先所定下的人又召他

們來，所召來的人又稱他們為義，所稱為義的人又叫他們得榮耀。」因此，大能的神能使「危機」變作「契機」，祂能叫萬事彼此合作，使祂的旨意成就，使愛神的人獲益，至終使祂的名得榮耀。

保羅在羅馬書八30-35提出一連串的問題，然後作出下列使人鼓舞的總結：「然而，靠著愛我們的主，在這一切事上已經得勝有餘了。因為我深信無論是死，是生，是天使，是掌權的，是有能的，是現在的事，是將來的事，是高處的，是低處的，是別的受造之物，都不能叫我們與神的愛隔絕；這愛是在我們主基督耶穌裡的。」(羅八37-39)。

華人教會的信徒面對二十一世紀(以下簡稱為「新世紀」)宗教世俗化趨勢所帶來的挑戰，應有的回應策略可分消極與積極兩方面討論。世俗化的可怕，不僅是外顯於俗不可耐的行為，更可怕的是防不勝防的心靈腐蝕。面對世俗化大趨勢的壓迫，華人信徒應消極地在心靈及態度上設防，不讓「世界」進入「內心世界」裡。約翰提醒我們：「人若愛世界，愛父的心就不在他裡面了。因為，凡世界上的事，就像肉體的情慾、眼目的情慾，並今生的驕傲，都不是從父來的，乃是從世界來的，這世界和其上的情慾都要過去，惟獨遵行神旨意的，是永遠常存。」(約壹二15-17)

華人信徒既然明白「人若賺得全世界，賠上自己的生命，有甚麼益處呢？人還能拿甚麼換生命呢？」(太十六26)故此面對世俗化的挑戰，就必須在心靈及心態上「否定自己的權益」(捨己、背起十字架作主門徒，太十36-39，十六24-25)，並撇棄所有(太十九29)，專心跟從主(可十29-30；路十八28-30)，這是積極地回應宗教世俗化趨勢的策略之一。

此外，在行為、交友等方面不可與人同流合污(參林前五)，不應受迷惑隨眾行惡(路二十一8；弗五3-7)，既知道「現今的世代邪惡」便不應作「糊塗人」，乃應「謹慎行事」，「作光明的子女」，「明白主的旨意」(弗五8-18)。除了這些消極的策略外，更應積極地在行事態度上分別為聖，因為我們的主是聖潔的(利十一44，十九1)，所以華人信徒應「自潔脫離卑賤的事」(提後二21)，正如經上說：「神的旨意就是要你們成為聖潔，遠避淫行；要你們各人曉得怎樣用聖潔、尊貴守著自己的身體，不放縱私慾的邪情，像那不認識神的外邦人。」(帖前四3-5)華人教會領袖、教牧同工應身體力行，以身作則地教導信徒，積極地效法但以理及約瑟等，出淤泥而不受沾染，處亂世而不會妥協，敬虔愛主，敬畏神而離罪惡，便不致被「世俗化」的洪流淹沒。更應在教會中相愛互助，在黑暗世代中如明光照耀，集體作燈台照明這黑暗世代，雖然因此「被世界恨惡」(參約十五18-27)，甚至為義受逼迫

(參太五 10-12；路二十一 12-19)，也在所不計。

宗教多元化趨勢及後現代思潮

二十世紀末期，柏林圍牆被拆毀，蘇聯解體，中國政府實行四個現代化及推行「中國色彩社會主義」，積極加入世界貿易組織(編按：已成為事實)等浪潮，東歐及非洲多國軍事及專制政府解體，民主制度的廣泛推展與實行，可見民主及資本制度雷霆萬鈞、勇不可擋的環球掃蕩，無遠弗屆。

趨勢

隨著民主浪潮而至的社會現象，包括社會經濟、社會平等、宗教自由等，而「宗教多元化」便是新世紀宗教一大趨勢。時下宗教多元化的流行，是因為舊式某國、某民、同一信仰及同奉一宗、同皈一教的傳統模式瓦解，接而代之的新現象。所謂「宗教多元化」，乃指「某國、某民、某族在宗教上不是單元式的一致性，而是複式或多式的」。例如中國歷史上，不同朝代的君王有尊孔、拜佛、崇道等特好，曾用君權法令推行「宗教單元」政制，但事實上，中國的宗教歷來有儒、釋、道等主流，及民間宗教等支流(參圖三及圖四)，甚至十年文化大革命浩劫，五十年共產專政，亦不能用馬克斯、列寧、毛澤東等無神主義、宗教單元制壟斷中國百姓的宗教生活。這是宗教多元化趨勢的例子之一。

對於擁有傳統「民族性宗教」的，如日本的神道教、印度的婆羅門教(Brahmanism)國家而言，上面所論及的「大宗教」普世增長率，是極普遍的好機會。原是封閉排外的國家民族，如今卻因民主盛行及宗教多元化的趨勢，帶來基督徒遵行大使命的「契機」。

如圖六所示，在1900年以前的18個世紀，基督徒只增長至全世界人口的2.5%，但二十世紀的70個年頭內(1900-1970)便倍增至5%，隨後30年

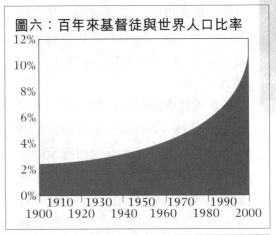

圖六：百年來基督徒與世界人口比率

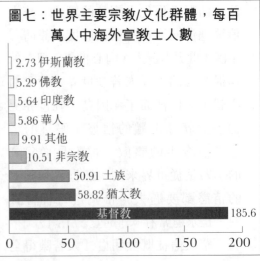

圖七：世界主要宗教/文化群體，每百萬人中海外宣教士人數

2.73 伊斯蘭教
5.29 佛教
5.64 印度教
5.86 華人
9.91 其他
10.51 非宗教
50.91 土族
58.82 猶太教
基督教 185.6

(1970-2000)再倍增至 11.2%。由此可見，華人教會及信徒面對宗教多元化趨勢時，積極的回應策略是把握時機，及時傳道，報答神恩。再看中國大陸基督徒人數，1949年新教(更正教)徒僅為70萬，但，無論至2000年1月宗教事務局估計有2,500萬，三自主席韓文藻估計有1,300萬，或非官方估計超過6,000萬的基督徒人數(*Mission Frontier* 2000年6月號)，都是奇蹟而使人震驚的增長數字，令人鼓舞振奮！

亦有所謂「10/40之窗」，源自1990年「主後二千福音遍傳運動」國際主任布路易(Luis Bush)所倡，乃指北緯10至40度之間，從北非一帶至日本整個地區，均為全球最需要福音之處，其中62個國家(包括中國、台灣、香港、澳門等華人集居地)。這又說明華人教會及信徒，應把握福音遍傳的「契機」，與各國基督徒分工合作，向華人及其他未得之民，努力傳福音，履行「使萬民作門徒」的大使命。如圖七所示，華人教會及信徒在超越文化福音工作上，必要更努力的合作。

乘著宗教多元化的浪潮，「宗教綜攝主義」(religious syncretism)，即宗教信仰及行為的混雜(溫以諾，1983，1988)便變本加厲地大行其道。因此，華人信徒應避免簡易推銷式傳福音法(marketing for quick sale)，傳者不應疏懶，或急功近利催人決志，信者不可糊塗認信。華人教會不應急迫使人「做會友」、「作信徒」或「作教徒」，而是認真又忍耐地宣講認罪悔改的「天國福音」，華人教會領袖應教導「全備的福音」及「整體真理」(the whole counsel of God)，使人「作主門徒」。否則，聚會時雖摩肩接踵，卻無法領人重生得救，成為神的兒女，作基督的門徒。不但要使人接受耶穌為「救主」，更要認祂是「基督」，效法使徒的榜樣(徒五42，九22，十七3，十八28)；不但要使人成「信徒」，且要作「基督徒」(徒十一26)，切實地「尊主耶穌為王」及為基督受苦(彼前二18-25，三14-四1)。因為「……凡立志在基督耶穌裡敬虔度日的也都要受逼迫……」(提後三11-13)。

構成宗教多元化現象的因素及過程非常複雜，實難以盡言。當然其中亦包括環球發展過程(globalization)、後殖民地政制(post-colonialization)、西化(westernization)、東化(easternization)[4]、新紀元運動盛行[5]、後現代思潮(post-modernism)的助長等多項因素。

在後現代思潮影響下成長的新一代，在新世紀的趨勢下，會反對傳統宗教的超越性，反抗宗教制度及宗教領袖的專制與霸權(故須推翻及解構)，也否定客觀及絕對真理(故此各人有權堅持一己洞見，各採立場，各具權威)，代之以主觀性(subjection)、相對性(relativistic)、處境化(contextual)、多元化(pluralistic)、等準則，且有分化權威(diffused authority)，互相尊重及容忍的必要。又把相對主義(relativism)提升為

絕對性(absolute)，用之取代傳統的宗教、倫理、真理等絕對性。這是後現代思潮的盲點。

由此可見，宗教多元化與後現代思潮不謀而合，相得益彰及相輔相承，且合流共組成勢力凶猛、盛況空前的巨浪，自二十世紀末期開始進行破壞、除舊及解構工作，形成一種新趨勢。

回應策略

促成宗教多元化趨勢的因由繁多，過程複雜，並非本文篇幅內可探討，但認識它所釀成的宗教氣候，及了解新世紀人們對宗教的態度，卻是談到回應時不可或缺的。

宗教多元化趨勢，使傳統排擠基督教的國家民族較前開放，是福音大門漸開的「契機」，華人信徒應該掌握美好機會(參圖七)，效法使徒彼得及保羅的榜樣(參徒十二、十六、十九及西一等)。消極避免綜攝主義的禍害，因它藉著中國文化傳統思想(宗教均導人向善，毋須棄此取彼，輕此重彼)，及宗教多元化的氣候，迷惑及困擾信徒。且華人教會領袖應禁採急功近利心態，忌用各種「即食式」、「罐頭式」簡陋佈道方法，使人作教徒、做會友，卻應該積極和徹底地使人作信徒及門徒，更願委身誠心真意又全心跟隨基督。

在後現代思潮盛行的新世紀，對昔日慣用的福音預工及佈道方法，有反思及調整步驟的必要，這是消極的回應政策。從前福音對象有神明的觀念，有敬神怕鬼的感覺，有來世永生的概念，追求客觀真理的認識等，均是新世紀中，宗教世俗化及多元化，及受後現代思潮支配的新一代所缺少的。傳福音由專家領袖包辦的佈道法，是現代人所鄙視的；動輒以聖經為權威，開門見山地指斥罪惡及斥異教的態度及方法，都是現代人所不甘忍受、不願接受的。當然在真理上是不能妥協的(包括三位一體是唯一真神、耶穌基督是唯一道路及神人唯一中保、聖經是神默示的唯一真理、因信稱義是唯一重生得救的真理)，但在初始接觸現代人時，便豎立藩籬，劃清界線，像新約時代的法利賽人(以選民心態排除外邦人，以律法傳統排斥異己等作風)，便是絆倒人的鑑戒。

在資本主義及物質主義盛行，社會競爭及貧富懸殊，個人主義及高等技術高漲，帶來人際疏離〔如電腦空間(cyberspace)、虛擬真實(virtual reality)等〕及人情淡薄(如家庭解體、重錢輕情、重利輕義等)的情形下，華人教會領袖應該積極地培育裝備信徒，領導他們了解及效法獨一真神(聖父、聖子、聖靈)彼此間永存完備的親情關係(即「親情神學」)，[6]在教會內有彼此相愛美好的見證(「你們若有彼此相愛的心，眾人因此就認出你們是我的門徒了」，約十三35)對外實行愛鄰舍如同自己的真理(參太五43)，進行友誼佈

道，是合乎聖經真理及中國文化背景的良方。

　　且在反抗舊有制度、宗教權威及宗教專家的新世紀中，裝備及發動信徒總動員傳福音(Kim 1995)，如楊牧谷牧師領導的「21課程」，便是既有遠見又符合二十一世紀宗教趨勢的楷模。這都是積極的回應。(編按：楊牧師已安息主懷，該課程尚待重組。)

注釋

1. 總增長率的計算是自然增長(出生人數減去死亡人數)與入教之總和。此項數字乃 1990-1995 每年平均計算。
2. 入教率是按每年飯依各教的新信徒，此項數據乃 1990-2000 每年平均及預測數據。
3. 按專家 Barrett & Johnson 的定義，「福音派」乃指基督徒中，加入基督教宗派或基督教運動熱心傳福音、差派宣教士或與「大使命基督徒」(Great Commission Christians)同義。
4. Easternization 中譯「東方化」或簡作「東化」，是指來自東方的文化及習尚，傳至西方帶來相應的影響及過程。其觀念與一般所謂「西化」(Westernization)相同，只是方向相反而已。近年來在西方歐美多國盛行的超覺冥想(Transcendental Meditation)、再世觀念(reincarnation)、草藥治療(homeo-pathic medicine)、針灸醫病、類常科學研究(para-normal science)、新紀元運動(New Age Movement)等，均屬東風西漸例證。(溫以諾 1999：69)
5. 新紀元運動為近代於全球各國不期然地興起之草根運動，其成員可分個人層面及團組織層面，並無固定信條，亦無嚴格組織(與一般的民間宗教相似)，共同處是認同「新紀元」世界觀，包括萬物歸一論、泛神論及神秘主義為理論基礎。(溫以諾 1999：69)
6. 親情神學(relational theologizing)為本文作者所倡導之中式神學探討方法之一，是配合華人意識形態及思維邏輯，揉合中國優美文化及重關係與感情的特質，所建構之本色神學思想。原指三一真神內裡聖父、聖子、聖靈三位彼此間的完美親情(參

約十七)。三位間相交、相親、相愛，是創造世界及拯救人類的動機及基礎，亦為人間美好親情的源頭及典範。作者前任教改革宗神學院時，一位博士班學生鍾偉強君曾以建構親情宣教神學為論文主題。(溫以諾 1999：61)

參考書目

Chung, Felix Wei-Keung, *QinQin Mission Theology: Case Study of Chinese Contextualization*. Unpublished Ph.D., dissertation, Reformed Theology Seminary, 1999.

Kim, Seong-Uck, *A Missiological Study of the Laity From a Contemporary Protestant Perspective*. Unpublished Ph.D., dissertation, Reformed Theology Seminary, 1995.

Rajendran, K.."The Great Commission Roundtable." *Mission Frontiers*, June 2000, pp.20-21 (Statistical data from *World Christian Encyclopedia*, 2nd Ed., Barrette, Kurian, Johnston, Oxford University Press.)

溫以諾：《中色神學綱要》，加拿大恩福協會，1999。

溫以諾：〈海外華人、華僑的意識形態〉，《今日華人教會》，1988 年 12 月號，第 23、24 頁。

溫以諾：〈漫談華族文化之優劣〉，《今日華人教會》，1983 年 1 月號，第 8 頁。

(作者為美國西方神學院人類學及宣教學教授，亦為該院跨文化博士課程主任。本文原刊於《今日華人教會》2000 年 12 月號及2001 年 2 月號。)

研習問題

　　1. 作者指出二十一世紀全球的宣教有何變化？

　　2. 面對「全球化」的大趨勢下，要作「大使命基督徒」應有何準備？

　　3. 面對「後現代」思潮，基督徒應作何準備？

穆斯林需要福音

雷恆著

伊斯蘭教(Islam，又稱回教)是世界的第二大宗教，只排列在基督宗教(包括基督教、天主教和東正教等)之後。穆斯林(Muslim，又稱伊斯蘭教徒)人口約佔世界人口的20%(約五分之一)，約12億。因此若談普世宣教(「普宣」，World Mission)，不能不談「穆宣」(或「回宣」Muslim Evangelism)。何況當前在世界各地，包括歐、美國家，伊斯蘭教已崛起成為基督教福音使命的最大抗衡與挑戰！

過去的恩怨情仇不談，因其中充斥著太多的人為因素。從歷史層面來看，雙方都有許多不對之處，基督信徒也當從中汲取血淚的教訓。然而從福音使命的立場和角度來看，穆斯林絕對需要福音，基督徒也絕對有責任把福音帶給他們。

本文嘗試分析基督教與伊斯蘭教在核心信仰上一些基要的不同，從中指出伊斯蘭教不足之處，並確定「穆宣」的使命與原委：

伊斯蘭教有上帝，卻沒有「阿爸天父」

伊斯蘭教的整個信仰、宗教功修與生活都建立在它的一神主義基礎上。它向人類宣示阿拉(Allah)的獨一性和合一性(Tauhid)。這位阿拉是創造主、生命的主、全宇宙的君王。這些信念都來自猶太教與基督教。很可惜，穆斯林(或稱「穆民」)稱阿拉為尊、為大、為主、為王，卻不敢稱他為「父」。阿拉有99個美名，卻缺少了「阿爸天父」這最親切、溫馨的美名。對基督信仰而言，這美名乃超乎萬名之上的名，可惜對穆斯林卻是個禁忌！

穆民自稱為阿拉的僕人或奴僕(abd Allah)，卻不敢承認為阿拉的兒女

阿拉與他們的關係是主僕關係，而非基督徒與父神之間的親子關係。但主僕與親子之間的分別關乎生命的本位和本質；其間的分別是何等的大

啊！按照聖經啟示，神創造人本來就是要人成為他的兒女，他要與人建立親子關係(參路三38)，可惜至今穆民尚未看到此基本真理，反而加以抗拒。

伊斯蘭教有先知，卻沒有救主

穆民相信先知，也以穆罕默德(Muhammad)為「封印」的先知。但按正統，他們絕不能稱穆罕默德為救主，也否定主耶穌為救主。他們認為只有阿拉是救主，人要得救必須靠自己的努力。不過民間伊斯蘭教(folk Islam)許多時候卻把穆罕默德看為救主。其實一般穆斯林相信穆罕默德在末日代禱的功效，已經把他救主化了。但基督徒確信主耶穌不單是先知，更是救主，是神為全人類設立的獨一救主(參徒四12)與君王。

伊斯蘭教有律法，卻否定十字架的救贖

伊斯蘭教的律法稱為「伊斯蘭教法」(Sharia)，它是阿拉給人類的指引(huda)。遵守伊斯蘭教法是得救的唯一道路，與此同時他們只能仰賴阿拉的旨意和憐憫。他們否定主耶穌十字架的救贖，認為那是誤解史實、不合理性、違背道德的。阿拉至高至偉，有無比的權能，為何需要流血贖罪呢？說一聲「赦免了」不就夠麼？但基督徒無不為基督十字架的「代罰替死」的救恩感激不盡、永遠稱頌。穆民看十字架為羞辱，基督徒卻以十字架為無比的榮耀。

伊斯蘭教正確地禁止把人神化，卻逾矩地禁止神來作人

伊斯蘭教堅持一神主義，因此當基督徒稱耶穌基督為神，穆斯林認為那是把人神化了，對他們來說這是「以物配主」(shirk)，是死罪！但基督教信仰堅持主耶穌絕對是神成為人，道成肉身，而非人成為神；本質上祂是由上而下，而不是由下而上。若神是全能的，為何祂不能來到世上作人？

伊斯蘭教正確地堅信獨一真神，卻否定這獨一真神能以三位一體的方式向人類啟示自己並成就救恩

既然神是全能的，祂為甚麼不能藉著父、子、聖靈之不同位格向人類自我啟示呢？有關問題，筆者通常解釋謂：父、子、聖靈的位格猶如交通燈的紅、橙、綠燈，雖然有三盞不同顏色的燈，卻只有一座交通燈。信徒可指著紅燈或綠燈說：「看，交通燈！」，但在本質和本體上只有一個交通燈。交通燈藉著三盞個別不同的燈彰顯它的存在和功能，上帝為何不能以父、子、聖靈方式彰顯祂的存在和功能？穆民偏狹的神觀限制了全能阿拉的作為！

伊斯蘭教有埋希哈爾撒(Isa-al-Masih)，卻異於聖經中的耶穌基督

埋希哈爾撒乃是基督耶穌的阿拉伯文名稱，但穆斯林並不曉得，也不承認基督(彌賽亞/埋希哈/al-Masih)及上主為全人類所設立(膏抹)之獨一救主與君王的涵義。他們的耶穌(爾撒)並非先存的、永恆的，更非神性的；他不過是先知/聖人，靠阿拉的力量行了許多神蹟奇事。雖然他也被稱為阿拉的話(Kalimah Allah)和阿拉的靈(Roh Allah)，但有關名稱只表示耶穌是阿拉用他的話和靈造出來的一位聖人而已。爾撒沒死在十字架上，當然也沒有榮耀的復活。雖然許多穆斯林相信他肉身升天，末日還要再來，但他再來，乃是要帶領基督徒歸信伊斯蘭教，並摧毀全世界的十字架！因此，伊斯蘭教裡頭的是另一位「耶穌」！

伊斯蘭教有「道成聖典」，卻否定主耶穌為「道成肉身」

他們相信阿拉的話可以頒下，並被收集成為一部書，卻否定屬於上帝，與上帝同在，也否認出自他的道本身可以降世為人，來到人世間，代表上帝來成就那永恆的救恩。他們認為主耶穌不過是阿拉的一句話的產品而已，而否定主耶穌的神性。另方面他們卻堅持古蘭經每一句話的神性。既然阿拉的話可成聖典，為何他永恆的道不能成肉身？

伊斯蘭教有「聖靈」，卻非同聖經所啟示者

對一般穆民而言，「聖靈」(Roh Qudus)是指天使長加百列。但按聖經啟示，聖靈是父神自己的靈或氣，屬於神、出自神，並與父神同等，有完備的位格和屬性，被差派到人世間，與道成肉身的基督共同成就永恆的救恩。聖靈可內住在人的心裡，帶來新生與能力，並引領人、為人代求。伊斯蘭教沒有這樣的一位聖靈。

阿拉有憐憫，卻沒有十字架的自我犧牲

穆民口口聲聲提述阿拉的慈懷與憐憫，但無論如何，阿拉絕對未曾作出十字架的自我犧牲。主耶穌十字架上的死，可以說是神在基督裡為罪人所作的自我犧牲，猶如父母為兒女捨己之情。但對伊斯蘭教信仰，阿拉對他僕人的愛，不過像君王或沙漠酋長對其子民般的施捨和愛憐。若說父神為人類彰顯十字架捨己的愛，伊斯蘭教認為那是不必要和多餘的。尊榮全能的阿拉為何需要這樣「作賤」自己？

伊斯蘭教有道德，卻缺乏十字架捨己犧牲的愛，對外人更是如此

伊斯蘭教十分重視道德(akhlak)。按照伊斯蘭教教義，如果能寬恕一個人或仇敵，那是一件美事。穆民之間

也常強調互愛與合一。但穆斯林沒有義務愛仇敵，因為以眼還眼、以牙還牙是天公地道的原則。因著否定了父神在基督裡所彰顯的那種愛，因此外人也不能要求他們對他人，特別是對頭人，表現出主動尋求和睦甚至捨己的愛心。人的道德表現很難超越信仰的準則和規範。

穆斯林有宗教敬虔，卻沒有父神的生命和性情

穆斯林的宗教敬虔是明顯的，有時甚至震撼人心。看到成千上萬，甚至上百萬的穆民整齊一致地集體拜禱，恐怕基督徒要自嘆不如。很可惜，伊斯蘭教的教義卻否定人得以與神的生命和性情有分。而對基督徒而言，這才是信仰的關鍵所在：透過基督的救贖和聖靈的內住，人得以從神而生(重生)成為祂的兒女，領受「神類」的生命和性情(參彼後一3-4)。伊斯蘭教認為那是僭妄越軌的歪理。

伊斯蘭教強調信仰，穆民卻缺乏得救的把握

雖然穆斯林很強調信仰，但他們一般對將來是否得救缺乏把握。許多穆斯林相信得救與否乃是命中注定，他們只能盡量做個好教徒，其他則聽天由命。按古蘭經九18、二十八67、六十六8的啟示，那些敬虔相信並遵守教規者，他們「或許」(asa-an)可期待來世的福份。因此，一般穆斯林最多只能說，「主若願意」(Insha Allah)，將來可以得救；但真正的基督徒擁有得救和承受永生的把握，並且是不須先經過煉獄煎熬的。離開世界，得以立刻與主同在，乃是好得無比的。

伊斯蘭教自以為更前進，實際上是開倒車

穆斯林認為伊斯蘭教比猶太教與基督教都更前進、更完美，但實際上是開倒車。

例如：在神與人之關係層面，神創造人本來就是要人類成為祂的兒女，祂要成為人類的父親。在舊約祂對其子民也以「父親」和「丈夫」自稱，有時甚至「神取人形」(theophany) 向人顯現。來到新約，神的父性更加突顯，神也以道成肉身方式與人同在。當五旬節聖靈降臨，祂進一步住進信徒心裡，實現「天人合一」境地。可惜600年後的伊斯蘭把這密切關係一刀砍斷，取代的是神人之間無從跨越的鴻溝；這肯定的是大開倒車！

倫理層面：舊約時代，上帝容忍多妻；來到新約，一夫一妻得以拉緊。(多妻者不能做教會領袖，任何人信了主後也不容許多妻。)但600年後古蘭經卻宣告若可公平對待，人可同時娶四個女人為妻；擄掠得來的妾還不算；誰說這是更前進的倫理？

舊約時代，人偷竊牛羊必須加倍賠償(參出二十1)；新約時代最多也不過如此。來到伊斯蘭教，卻以砍手砍

腳對付竊賊；誰説斷肢法更文明和優越？約書亞時代曾有聖戰，基督的十字架全然排除了聖戰，想不到600年後的伊斯蘭公然主張為宗教而戰，這豈不是開倒車？篇幅所限，不方便提述更多例子。

伊斯蘭教懲治了分裂和墮落的基督教派，卻不義的壓制基督教和抵擋福音

許多學者相信，上帝容許伊斯蘭於第七世紀興起，其中一個因素是為懲治當代彼此分裂和軋壓的基督教派。同時當代教會也步上了把聖母與聖徒們偶像化的危機。就如古時上帝容許亞述與巴比倫的崛起以管教以色列和猶大，同樣上帝讓伊斯蘭崛起以挑戰基督教會。

可惜伊斯蘭卻做得過火了，它不單把中東與北非一帶的教會削弱了，有的幾乎連根拔起；更甚者它進一步在凡所統治之處打擊基督教會和抵擋福音。這樣的不公不義，免不了遭受從上主來的報應。

然而基督宗教是否已從中汲取血淚教訓？

伊斯蘭教奮力要建立人間天國，卻看不到上帝國的本質和特性

穆斯林要把全世界伊斯蘭化，在各處建立伊斯蘭國，卻不知若不重生，沒有人能見神的國，更不必説進神的國(約三3-5)。千多年來穆斯林在有關方面的失敗説明這一點。

按著聖經的教導，神的國不在人為，乃在乎生命的更新和神在人心裡的掌權，以及將來基督統治萬邦萬國的王權。穆斯林(特別極端者)在有關方面的鬥爭，恐怕給人間帶來更大的恐懼和動蕩。

伊斯蘭教謂它傳的是「喜訊」，卻否定基督福音的信息

古蘭經二25，五19，十六89，四十八8謂它所傳揚的「喜訊」，穆罕默德是「報喜訊者」，可惜它卻全然否定基督的福音；它所傳的肯定是「另類」福音；穆罕默德也是「另類」報喜訊者。更可悲的是伊斯蘭企圖取代基督的福音。

伊斯蘭教與基督信仰最靠近，可惜卻也離基督最遠

伊斯蘭教、猶太教與基督教同為一神信仰的宗教，同尊亞伯拉罕為信心之祖。伊斯蘭教比猶太教更進一步的承認耶穌基督為大先知之一，也相信祂由童貞女馬利亞生，並行了許多神蹟奇事。可惜伊斯蘭教堅決的否定主耶穌乃道成肉身、神成為人、擁有全備的神性和人性，也堅決的否定祂被釘死在十字架的救贖之恩和榮耀的復活，因此幾乎否定了基督信仰所有的核心信念。結果凡進了伊斯蘭教者可説都與神在基督裡所賜下的救恩隔絕了！

伊斯蘭教裡有神的憐憫，但穆斯林肯定需要基督的救贖恩情

伊斯蘭教因受猶太教與基督教的多方影響，因此也領受了一些從上天來的憐憫與恩典。例如其一神信仰及強調敬虔和禮義廉恥等道德價值的倫理觀，但可惜因為否定聖經和福音，他們對神和祂天命的認識是片面與殘缺的。

筆者想像：如果把福音比為桌上的豐筵，伊斯蘭所領受的不過像桌上掉下的碎渣兒！但寫到這裡，筆者心裡大受責備：人家只得到桌上掉下的碎渣兒，卻能那麼敬虔委身於其宗教，我們這享受豐筵之輩，若不表現更大的敬虔與委身，豈不罪該萬死！相信特別在這世代，神仍然要藉著伊斯蘭與穆斯林挑戰基督教會在主裡信心、盼望和愛心的實在！但肯定的，穆斯林不能靠著一些碎渣兒養生，因只有基督能賜予那豐盛的生命、永恆的生命。

伊斯蘭教是基督福音的最大攔阻，卻不能阻止基督耶穌在時機成熟時，從天降臨向全人類顯明祂是上帝所立的獨一救主與君王

主耶穌為眾人死了、埋葬了、第三日復活、榮耀升天，並領受了超乎萬民之上的名，時機成熟時，天上、地面和地下的一切，都必向祂屈膝跪拜，這是絕對可信可靠的真理，沒有任何勢力可加以改變，這真理到時也必在全宇宙顯明(腓二9-11)。

因此信徒們，我們既然有了這樣保證，就讓我們好好的裝備自己和全教會，以便前仆後繼、盡心竭力的也向穆斯林見證基督罷。但願因著許多忠心的見證人，把福音也傳到穆斯林群體當中，讓許多潛伏著的奧沙馬拉登得以悔改。昔日的掃羅類似今日的奧沙馬(徒八3，九1-2)，但神將他改變成為保羅！

結論

穆斯林肯定需要基督的福音。哥林多後書三章15節說：「然而直到今日，每逢誦讀摩西書的時候，帕子還在他們心上。」因著那帕子，以色列人看不見，也不敢看摩西臉上的榮光。可惜直到今日，每逢穆斯林誦讀古蘭經的時候，那帕子還是蒙在他們的心上，叫穆斯林看不到：(1) 父神父性的榮耀光輝；(2) 父神在基督裡，特別在十字架上，向罪人所彰顯聖潔和捨己之愛的榮耀光輝；(3) 基督耶穌乃父神為全人類所設立的獨一救主和榮耀君王；以及(4) 塵土的人可蛻變為神永恆、尊貴、聖潔、榮耀的兒女。這一切，都是因為他們棄絕了主耶穌榮耀福音的緣故。

保羅針對他的同胞猶太人所講的一番話，同樣的可套用在穆斯林身上：「弟兄們，我心裡所願的，向神所求的，是要以色列人(穆斯林)得救。

我可以證明他們向神有熱心，但不是按著真知識；因為不知道神的義，想要立自己的義，就不服神的義了。律法的總結就是基督，使凡信他的都得著義。」(羅十1-4)

父神的宏願，是要看到各族、各方、各民、各國都有人被主的寶血所救贖，歸屬於祂，也與祂榮耀的國度有分(參啟五9-10)。穆民是各族、各方、各民、各國中最需要福音者，他們蒙恩得救的重任，如今應該是落在我們教會的肩上了。特別在各處的華裔信徒，更應當裝備自己，迎向這新千年鉅大的挑戰。

(作者居於東南亞，從事神學教育工作)

(本文原載自《今日華人教會》2000年12月號，於2003年3月修訂，刊《伊斯蘭教與今日世界》大使命中心，2004。)

研習問題

1. 伊斯蘭教信仰與基督教信仰最根本的分別在哪裡？

2. 基督信徒要向一位穆斯林傳福音，宜作怎樣的裝備？

3. 看見穆斯林對信仰的虔敬，作為基督信徒的你有何反省？

Evangelism: The Leading Partner
佈道——為首的伙伴

Samuel Hugh Moffett 著　　余淑敏譯

新約所用**傳福音**(Evangelize) 一字的意義，表面看來很狹窄，當中實際包含著一連串的動詞是用來描述佈道(Evangelism)的：宣講神的道(徒八14)，宣揚神的國(路九2)，宣告好消息(路四18，八1)。大致來說，這些文字是用來簡單描述宣告好消息(福音)，宣告耶穌基督就是那位彌賽亞，是來拯救的君王。所以，佈道就是宣告基督的國度降臨。然而，更重要的是，宣告應邀進入這國度的人必須藉信心和認罪悔改。

佈道並非……

因此，佈道只是基督徒的宣教事工其中一項而已。主耶穌與門徒除了宣告神的國度，使人信主以外，亦成就了很多別的事情。傳福音也不是崇拜或聖禮。保羅曾說：「基督差遣我，原不是為施洗，乃是為傳福音。」(林前一17)

佈道也不同於教會增長或建立教會。教會的建立或增長，無疑是佈道的目標，甚至是期盼的結果。然而，佈道事工也不一定能產生一個教會，或使人數增加。

同時，佈道也不限於護教。保羅說「所以勸人」(林後五11)，但堅持「乃是為傳福音……並不用智慧的言語」(林前一17)。

最後，新約的佈道工作，並無與基督徒的服務、基督徒的社會行動，或抗議世界不公義的行為混為一談，使徒行傳顯示，當時佔少數的說希利尼(希臘)語的猶太人，在分配物資上，抱怨他們的寡婦受到歧視。當時使徒的回應理直氣壯得近乎無情：「我們撇下神的道去管理飯食，原是不合宜的。」(徒六1-2)當然，他們立即採取行動來改善，但並未說這是佈道工作。

國度的處境

在國度的處境(Context)下，佈道者的宣告，不會狹窄得不理會窮苦、被囚、瞎眼或受壓迫者迫切的需要。

這使筆者想起一件向韓國人傳福音的往事。筆者曾就教會迅速增長的秘訣請教一位美國費城的牧師，他答

道：「每當有初抵達的韓國人來到，我會先幫助他們找尋工作，教他們日常應用的英語；若他們與上司相處有困難，會協助他們解決問題；當然，我會邀請他們到教會，那時便會向他們傳講福音了。」這就是將佈道處境化。

可是，單看處境而不理會經文，較諸將經文抽離於處境之外更壞，正如基督的救恩從不會抽離群眾眼前的和真正的需要，也不會不考慮那些是當前的需要。當耶穌引用舊約裡有關「傳福音給貧窮的人」以及「被擄的得釋放」，祂也是按祂自己的意思去成就。祂的救恩並非只是舊約所說的平安，祂的國度也不僅是以色列。

將佈道及社會行動兩者的意義混淆，或實行時強行劃分，是有害無益的。我們當中有許多佈道者，有時教導我們接受君王(The King)，卻遺忘了君王的國度(The Kingdom)；而一些先知的思想是狹窄的，他們意圖建立國度，卻遺忘了救贖的君王。

不僅是平衡

曾有一段時間，大多數的基督徒都相信佈道是唯一要做的，這是不正確的；其後，教會又偏向另一個方向。一些基督徒認為必須優先做的是重建社會公義；這當然重要，但並非基督徒唯一的使命，若人們清晰定之為教會唯一的使命，會導致災難，可能會因服務社會，而失去教會。

另一些基督徒意圖取得平衡，指出「基督透過救贖和服侍，成為神與人所立新約的中保……基督徒被召要承擔傳福音及社會行動的使命」。儘管如此，仍是不足夠的；教會在未來的使命遠大於此。教會需要動力，卻非盡力要使信仰與工作協調，而是成為伙伴。

從現實情況可見，工作的合作伙伴之中，必須有人擔當領導的角色，在同等的任務上分出先後，否則，便一事無成。那麼，在宣教工作應由何者作領導？佈道抑或社會行動？

筆者認為宣教使命與其它要改進人類環境的善事應有所分別：我們與神的垂直關係，應放於首位；愛鄰舍如己則是隨之而來的水平關係，是不可推卸的責任；而佈道，就是為首的伙伴。

這並非要高舉佈道而犧牲社會行動，而是兩者應結合一起的。然而，我們必須堅持，「好消息」沒有好行為配合，亦難令人相信；沒有神的話，好消息也難令人理解！況且，真正的好消息，並非我們對別人懷有仁愛之心，而是神藉基督為我們所做的一切事。有人曾說，傳福音正如一個乞丐告訴其他的人，在那裡可以找到食糧。

不論過去，現在或將來，教會最崇高的任務是佈道；這是新約教會首要的任務，亦是今日教會所面對的最首要挑戰。

一半人口未聞福音

筆者認為，發展佈道策略的重要因素，是向未得之民的領域推進。「必須集中向那些未聽聞福音的人」，因為地球有超過半數的人口，對神遣愛子耶穌基督拯救世人的好消息，仍未有所聞。在宣教工作上，向他們傳福音，是一個無可比擬的大挑戰。

基督徒關懷世界上的財富與糧食、自由等日益失衡的問題是正確的，但當中最災難性的失衡——認識耶穌基督的真光卻未能平均分佈，又如何解決呢？

筆者不大熱衷於數據，但對於「到六大洲傳福音」一語有所保留。舉例來說，我們大部分教會的宣教基金，被分配到第六個大洲去，就是北美洲，那裡至少有70-80%的掛名基督徒；在非洲，粗略估計也約有40%基督徒；然而，在亞洲，這片居住了超過地球半數人口的地方，只得3-4%名義上是基督徒。

未來十年，亞洲非基督徒的數目將會增加，人口遠遠超過全美國人口三倍之多(即6億5,000萬與2億2,000萬之比)。假如，我們的策略性目標是平等看待六大洲，就是自私地扭曲了現實世界對福音的需要。

最後一點：我們若將「佈道」的定義簡化，可有意想不到的收穫，因為人人都可以參予「佈道」。筆者曾經上過最愉快的一次佈道課，卻非來自專業的佈道者，而是一個賣西瓜的小販。

在韓國的一條村子裡，內子向那位小販詢問西瓜的價錢。那男人突然目瞪口呆，說不出話來，出奇地看著這個挺著長鼻子的外國人說韓語。大概他想起有更重要的話，甚至忘記了回答內子有關西瓜的價錢。他問道：「你是基督徒嗎？」內子回答他說：「是。」他滿面笑容說：「那真是太好了！」他接著說：「若你回答不是，我要告訴你，你會有多大的損失哩！」

要是我們人人都能像那賣西瓜的男人，感受福音帶給我們的喜樂，非要立刻將損失告訴那些未得救的人不可，我們便不用為未來的佈道工作著急了。

(作者為 Henry Winters Luce 之合一運動及宣教學講座教授，普林斯頓神學院的榮休教授，曾在中國及韓國為宣教士，並撰寫大量有關宣教及神學文章。)

研習問題

1. 作者在何種情況下，提出基督徒在貧窮人中間服侍，合作伙伴要以佈道為首？你同意嗎？請寫出理由。

2. 在財富和糧食失衡以及耶穌的真光失衡之間，會出現怎樣的關係？對這種基本需要及好消息的失衡，作者引用的基本理由是甚麼？

Evangelism Vs. Evangelization
佈道、教會增長與福音遍傳

編輯室編譯

佈道與福音遍傳

一般說的佈道(Evangelism)與福音遍傳(Evangelization)，在本質(傳遞福音)及目的(讓別人有機會接受基督)上相同，但實際有所分別。佈道是一種行動，福音遍傳則有一個可量度的目標。

佈道

是讓人人都聽到「好消息」，但如何進行(及要讓人知道甚麼)便需要計劃周詳。以下是三個佈道的模式，但彼此並不排斥；事實上，最有果效的傳福音，是同時使用這三種方法：

1. **臨在**(Presence) —— 臨在佈道是由有質素的基督徒散發出耶穌基督的特性，顯明傳道者的生命上對別人關懷之情。這個模式特別能反映出基督徒對病患者的照顧，對未受教育和貧苦者的關懷，以及作為一個社團的成員一貫所表現的敬虔生命。「臨在」的佈道模式未必需要言語見證，也不一定要與人群有緊密的認同。

2. **宣告**(Proclamation) —— 只有耶穌基督的真正好消息才會產生教會。我們的任務是傳福音，而且要用合適的方法和媒體來傳遞；最基本是以口頭宣講，或者藉個人見證來宣告。

3. **說服**(Persuasion) —— 要產生果效，宣告一定要喚起聆聽者作出正面的回應。福音使人正視需要向耶穌基督委身，驅策人作出決定。傳福音的目標就是使人成為門徒。

佈道要得到好的果效，一般來說，上述三種方法都需要平均使用。

福音遍傳

福音遍傳是傳道者活動的目標，所瞄準的通常是一個廣泛性的目標，如普世福音遍傳，故要有一個卓越的「結局」觀。要使福音遍傳，可以有以下兩種方法：

1. **植堂**(Planting) —— 相信了福音的人，要向耶穌基督委身，同時也必須加入基督的身體，成為本地信徒會堂的成員；這教會就成為他們在基督內成長和專一事奉基督的場所。

2. **拓展**(Propagation)——福音遍傳在植堂工作上所瞄準的是福音在自己的群體內擴展，同時亦要把握時間滲進其他群體內，一般希望達到福音普世遍傳的終極目標。「這不是說，今天我們有足夠的能力走遍世界，完成美好的工作；我們必須向著完成福音在普世遍傳任務這個目標前進。」[1] 福音普世遍傳應是所有宣教活動的終極目標。

佈道與教會增長

教會存在的目的是傳福音、領人歸主、帶領新信徒受洗加入教會，並且栽培信徒。如此，教會便能一步一步的成熟增長。因此，教會是個有機體(living organism)。

教會的增長，應該有下列四方面：內部增長(internal growth)、擴展增長(expansion growth)、伸延增長(extension growth)及跨越增長(bridging growth)。

1. 內部增長

會友靈命日趨成熟，有屬靈力量，可從以下三方面表現：

   (1) 增加事工組織。

   (2) 會眾屬靈質量提升。

   (3) 掛名信徒真正歸主(E0)。

2. 擴展增長

會友人數增加，有以下三種方式：

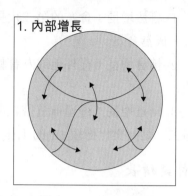

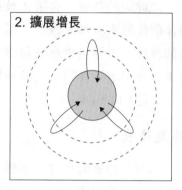

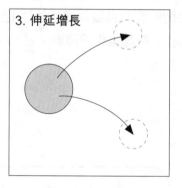

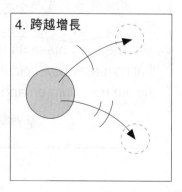

(1) 自然增長：會友的第二代長大成人，成為會友。

(2) 轉會增長：從外地或友會轉入信徒。

(3) 歸正增長：透過佈道帶領非信徒歸主，是同文化佈道(E1)的工作。

3. 伸延增長

一家健康的教會，會帶領教會以外的非信徒歸主，加入教會。而一家成熟的教會，不僅追求會友倍增，也應追求堂會倍增，在同文化的地區開設分堂，是 E1 的工作。

4. 跨越增長

一家有使命感的教會，不僅在同文化地區或群體內開設分堂，也應在異文化群體中(無論本地或外地)從事福音工作，跨越文化的障礙，是E2及E3的工作。

這四方面的增長是循序漸進的：會友靈命成熟，渴慕聖工，在本地、同族之中努力佈道，信主人數增加，需要增加崇拜次數，或者開設分堂，繼而在異文化群體工作，成為胸懷普世的教會。

注釋

1. Gill, B.A.(1979) *A Church for Every People.* Church Growth Bulletin, 15(6), 280.

(資料來自《普世宣教運動面面觀》英文版《研習指引》)

研習問題

1. 試說出佈道與福音遍傳有何實際上的差別？

2. 「臨在」、「宣告」、「說服」何者最適合華人教會？何故？

3. 試討論佈道與教會增長兩者的關係？

求主使我們成為不滅的火把，這樣，不管人對我們信息的反應多麼冷淡，火燄仍能不斷燃燒下去。

The Lord make us to be inextinguishable firebrands so that no matter how cold the reception of our message may be, the fire may burn on and on.

杜西瑟(Cecil Henry Polhill-Turner, 1860-1938)

The Spontaneous Multiplication of Church
教會的自然繁衍

George Patterson 著　梁偉文譯

我們的主差派我們去訓練每一民族(群體)遵行祂所有的命令(太二十八18-20)，然而，惟有當該民族之中有許多聽從主吩咐的門徒，又去使其他未聞福音的民族成為主的門徒，才算是完成「使該民族作主門徒」的工作。所以，我們不能僅以在某一民族中建立了一個教會，就自以為遵行了這訓令；我們(或我們所差派的人)必須建立一種能按教會的本質，自然增長、自然繁衍的教會，以至這些教會能生出第二、第三、第四代教會，並且繼續繁衍。教會的自然繁衍，是教會在聖靈的推動下，不假外力，自己孕育下一代教會(徒十三1-3)。

筆者在洪都拉斯一間傳統的神學院擔任牧者培訓工作，一群聰穎的年青男士來到學校，我們假設他們都很熱心。按照計劃，他們在受訓後要回到原居地當牧者。可是，這些畢業生卻發現印在他們證書上的金色字體，與他們家裡的白磚牆格格不入，於是進入了 Dole Banana Co.這所著名的香蕉生產公司工作。

上司十分氣憤，狠狠地責備我們這群導師，說要關掉學校，開始門徒訓練的工作；筆者反對，指難以實行。他說：「這是藉口！他們本是貧窮、半文盲、自給自足的農民，但你們卻視之為受過教育的中產美國人去教導。」

筆者寫信給散佈在拉丁美洲各地的宣教戰友，以博取同情。然而，他們也遇上同樣的問題。

向上司訴苦說：「我是個沒有課室的教師。」

上司回答說：「你大可進行延伸教學。」

是甚麼意思？

他把一個有異味的舊馬鞍遞給筆者，並且說：「你已經升職了，在這所新的延伸聖經學校擔任佈道及植堂部門的主任。」

經過幾星期向南邊猛烈抨擊後，學會了跟宣教頑固老頭對話，並且宣佈：「我可以做延伸神學教育的工作實在太好了！」

上司又警告說：「你的學生最好

要起來牧養自己的教會，否則這個延伸部門也要關閉。」

筆者將教牧研習課程帶到貧窮村落、山區和城市的有家室的男士(一如聖經所說的長老)，他們不是單身的年青小伙子，他們要種田、做工或承擔家庭責任，無法離開崗位，住進我們的寄宿聖經學院。他們亦沒有足夠的教育程度可以接受密集式的課程。但這些扎根於鄉村的年長男士，卻較年青而未婚的男子更容易開展牧養工作，並且獲得眾人的尊敬。因著神的憐憫，筆者慢慢學會怎樣向這些**長者**傳福音，將他們訓練成門徒，以至他們能建立並牧養屬於自己村落的教會。我們開始看見了增長，並非一個越趨壯大和日益增長的教會，而是很多小教會在慢慢、穩定地衍生，正如今天在許多福音未及之地所見一樣。

新約聖經門徒訓練的原則，可以協助洪都拉斯等地的教會繁衍。根據工場測試的結果，按照這些原則而訂定的計劃，在拉丁美洲及亞洲(包括那些視傳福音為非法的地區)都有持續而理想的果效。

我們必須將這些普遍**原則**與針對不同文化的實際**應用**兩者區分，倘若聖經原則能夠配合適切當地文化的方法，應可使教會在有足夠「好土」的地方繁衍。從神學上來說，這些能令福音種子扎根並倍增的好土，本是很多、很多的**壞人**(羅五20-21；太十三8-23；弗二1-10)。

這些原則實在很簡單，或許會令某些有學養的人失望，因為他們期望聽到一些較複雜的道理，至少是新的或是珍貴的東西。然而，無論你是否宣教士，都能透過以下四個簡單的行動，令主的門徒增長：

1. 認識你所訓練的門徒，並且愛他們。
2. 動員你的門徒教導他們正在訓練的門徒。
3. 教導並實踐在愛中順服耶穌的基本命令，並視為首要。
4. 門徒與教會間建立充滿愛、負責任的教導關係，使教會可以繁衍。

認識你所訓練的門徒，並且愛他們

你必定要先認識及愛一個群體，方能使他們成為門徒。當耶穌吩咐祂的門徒「舉目向田觀看」時，他們發覺要愛身邊的撒瑪利亞人實在十分困難，卻沒有發現這些撒瑪利亞人也可以接受神的恩典。

責任範圍應限制在一個群體或社群之內

我們必須將注意力集中在神交託給我們的一個群體內。保羅清楚知道他在神面前的責任範圍(林後十12-16；徒十六6-10；加二8)，他知道要在甚麼地方建立甚麼類型的教會。促使**教會有真正的衍生運動**，植堂小組需要從神那裡得著清晰的目標；所以，筆

者設定目標是阿關山谷(Aguan Valley)附近山區的西班牙語族群。目標越清楚，越有幫助。

每一位本地或海外的門徒訓練者都要這樣問：「我負責的對象是誰？」倘若一個宣教士沒有這樣做，他事奉的地理及民族界限便會模糊不清，他會在不同的工作機會中穿插。筆者曾在中美洲遇見一位巡迴的黃金勘探者，他說：「我正為主得著整個國家啊！」他由一個城市到另一個城市，在監獄和軍營中傳道；更利用私人飛機，以大批福音單張「轟炸」不同的村落。這看來很有意思，也得到本土的財力支持。但，除非他將某一個社群的人放在他的心中，否則永遠不會建立一個繁衍的教會。

在一個新的工場選擇你的目標群體，需要研究和禱告，也可與其他宣教士、當地居民商量；當然也要向神尋求指引。

要認識一個群體，就要與不同人士有心靈接觸——與歡笑的人同笑，與哀哭的人同哭，與兩歲大的小孩玩彈珠，與祖父輩玩西洋象棋(或他們在城市廣場所玩的遊戲)。如果你讓他勝利，或許會有幫助。這個原則亦可以應用在宗教辯論上；當你「初到貴境」，千萬不要以為自己常常是「對」的，要學習欣賞那地方的人和他們的方式，即使那是位掉了牙的長者。你要不斷聆聽和學習，直至你認識了一些他們的本土信仰或文化，可藉以傳講福音。

然後，你要觀察有那些人最接納你、最容易接受耶穌基督。對於在一些限制或抗拒福音的工場，**首先**須以工人階級或受剝削的少數人士為目標；這與一些教會增長的理論有所不同。在這裡，我們所關注的，並非某城市的教會如何衍生第二代，而是建立**首個福音據點**——在這裡，有人可能因為主作見證，而被人在胸口插上一刀。耶穌開始公開傳道，不往有影響力的中產階層，以及羅馬或耶路撒冷的領袖中間，而是往加利利湖上游，說粗鄙希伯來語的工人階級中間；否則，他可能很早已被釘上十字架了。

讓教會屬於整個人群

筆者像大多沒有經驗的植堂工作者一樣，初時只建立「傳道點」，而非真正的新約教會。有些人每星期都來聚集，聽聽講台上宣講的道理及唱歌(至少他們來唱歌)，信了主的人未受洗，本地領袖未受任何訓練，未遵守主餐，無人肯定誰是基督徒，以消閒節目(美國宣教士的作風)取代了順從、犧牲的教導。「傳道點」自成一格，並未發展成為順服、好施和繁衍的教會。當地信徒好像海綿，只會汲取外來工作者的時間和心血，沒有結出任何果實；除了神在我們的日常工作上顯出祂的恩典。

在構思教會的結構、形式和組織之前，我們應當找出教會裡的人能做

些甚麼，並將之化成計劃。筆者花了很多時間才認識，正式的講台宣講對今日很多福音未及的群體不能發揮作用(很多時是不合法的)，不希望你重蹈覆轍。如果你認識你的群體，你可以滿有能力的透過不同的方法宣講神的話語。我們曾經用戲劇方式讀經，用當地人創作的詞曲、詩歌、象徵意符和故事演說等不同方式。當他們唱出本地風格的歌曲時，會更加投入。

要讓新成立的教會確立自己的本位，要知道你在這個社區達到的目的，是建立一群樂於順服耶穌基督的人。筆者曾犯了一個錯誤，使教會一誕生便告夭折。在舉行第一屆浸禮及主餐禮時，外來的工作者多於社區內的人。事實上，當地人必須在這教會中佔大多數，尤其是第一次洗禮或崇拜的時候，否則，這教會很難在社區內立足。我們的初信者只認為他們加入了一個外人的組織，無法興奮地相對說：「**我們現在有了教會！**」這所新成立的教會必須被視為社區裡的一部分。

列出在該群體的門徒繁衍事工上應作的事

首先，你在各方面都作了很好的研究，包括種族、文化、物資、城鄉差異、語言類別、教育及經濟水平等，也學會了當地的語言；然後，你與一隊在各方面都盡量效法本地人的植堂隊伍，登上一輛擠滿人群的巴士，向新的工場出發。倘若這隊伍的成員，不少(或所有)都來自一些發展中國家，他們便毋須經歷漫長的文化適應，教會的植堂計劃也不致延誤(若一群人對宣教士的反應微弱，便需要時間作更深入的文化契合)。你終於抵達了目的地，安頓一切，作了一個深呼吸，禱告，踏出門口，然後你發現附近5萬名當地人，誤以為耶穌是著名演員尊榮(John Wayne)的表親，你會怎樣？

開始時候所做的事情，往往決定了以後數年的工作方向，這個方向能否建立會繁衍的教會？在不同的工場上，正確的步驟可以不同，卻必須包括教導初信者遵守耶穌的基本命令(太二十八18-20)。最簡單的建立一個真正教會的方法，就是教導一群信耶穌的人緊緊遵守祂的命令。在一個新的工場上，開始時教會的人數或許只得寥寥數位，然而，你若像耶穌那樣訓練當地的人成為門徒，教會便會成長。

剛起步時，應盡量避免參與社區建設工作(指與教會增長、學校和醫療診所無關的社區發展活動)。在洪都拉斯，我們也展開了社區發展工作，但都是從教會對外發展而出的，而非教會因社區工作產生。我們實際地教導會眾切實遵行主的大使命，去愛我們的鄰舍。倘若聖靈將扶貧活動與教會增長兩者連結起來，那麼，扶貧活動也可以幫助教會增長。然而，依賴慈善團體發展的教會，往往由外來的宣教士所支配，很難衍生新教會。

在沒有資深牧者或良好教會組織的

情況下，在一個**開荒的工場**中要開展一間能繁衍的教會，可參考以下的步驟：

1. 首先向一家之主的男士作見證。我們常常將簡單的聖經故事告訴他們，即使他們還未得救，通常會隨即將這些故事告訴家人和朋友；我們可以一同前去，教他們如何講述這些故事，並作示範。為何先以**男性**為目標？因為我們所在的文化稱為Macho(男士常配備大刀，故有此名)，而女性作領袖(不論對錯)往往會限制了新工作的發展。但當一個教會成立後，有了牧者和長老，女性便可以較高的姿態出現。因此，要留意在你所服侍的群體中，有甚麼約定俗成的標準，尤其要留意教會在他人心目中留下的第一印象。

2. 為所有悔改、相信的人施洗(可能的話，為全家施洗)，不要延遲。起初，彷彿有一隻巨大的鷹棲身在我的肩頭上，我常常留意那一位會眾會離去，我為了確保他們都「清清楚楚」得救而延遲了洗禮。不久之後，我發現很多人離去的真正原因，就是我的不信任。神的恩典實在奇妙，祂希望我們容讓祂的恩典流向不配的人(羅五 20-21)。

3. 設計一種可讓正接受訓練的長老帶領的崇拜模式，並使他們能將這模式教導別人。在本地領袖未學會帶領崇拜前，切勿**公開**邀請別人來參加。教會亦應當每星期守主餐，並以此為崇拜的中心，直至本地的會眾成熟起來，能以建立別人和謙卑的態度宣講聖經信息為止。

4. 當有較成熟的男人信主後，組織一個臨時長老會，教導他們怎樣向當地人傳福音和牧養教會。請記著，這方法只適用於沒有資深牧者或良好組織的新教會工場上。我們必須像保羅一樣，使用神賜給我們最好的人(徒十四 23)，否則，新的門徒便完全沒有領袖帶領了。

5. 為這些新長老安排牧養訓練，並讓他們透過事奉來學習。你至少每兩、三個星期與他們見面一次(越頻密越好)，直至他們被動員起來。

6. 為會眾訂立一系列的活動計劃，以耶穌和使徒的命令開始，讓參與者知道所訂的目標，以及在每項活動中的學習。觀察你所訓練的長老如何動員其他人參與事奉，也可以按此來衡量他們在學習和牧養上的進展。

動員你的門徒教導他們正在訓練的門徒

保羅為了將教會建立成一個有活力而繁衍的身體，吩咐牧者和教師要訓練會眾各盡其職，建立基督的身體(弗四 11-12)。

與你所訓練的領袖彼此建立

筆者像很多宣教士一樣，過份自我，擔心所訓練的門徒能否成長，花了很多年，才學會讓自己真正坐下

來，渴一口椰奶，笑對自己的錯失，信任聖靈在學生中間親自工作。我們怎樣可以推動所訓練的領袖透過彼此相愛，互相建立，並建立門徒呢？

保羅將提摩太留在剛剛成立的教會，讓他與長老一同事奉，並且吩咐：「你……聽見我所教訓的，也要交託那忠心能教導別人的人。」(提後二2)提摩太與保羅之間這份充滿了愛的師徒關係，何等有能力和功效！倘若你未曾像耶穌和祂的使徒一般的教導別人，就要來嘗試經歷神的祝福。若你害怕，可以由一兩個有潛質的會眾開始，在事奉中指導他們，使他們的事奉有果效。個人的門徒訓練不是指一對一的訓練(耶穌也教導12人)，更不是單指滿足個人的需要(耶穌花最多時間來培訓教會多位高層領袖，就是那些使徒)。

在洪都拉斯，筆者每次培訓的學生很少，但著重點是幫助每一位建立有效的事奉，並能夠將所學到的傳給會友，甚至第二、三代教會的見習牧者。他們教導教會裡的長老，這些長老又像保羅吩咐提摩太一般再教導其他人，這樣的連鎖訓練，很快便栽培了100位以上的長老作牧養工作。一個新教會成立，外來的工作者可以先培訓一位受尊敬的本地人作領袖，然後這位領袖教導教會中的其他長老。若每一位門徒訓練者都**全心**去做，門徒也立刻仿傚，教會便能繁衍。筆者不再以專業的方法來教導和講道(他們很欣賞，但難以仿傚)，也不再使用先進的器材，這對一個西方人來說，當然會不習慣。

當我們建立了如保羅與提摩太以愛連結的門徒關係時，極少需要討論拓植新教會的問題，聖靈會傳達神的話語，推動不同的「提摩太」來使教會自然繁衍。起初，筆者並沒有信靠聖靈，而是自己來推動，設立不同的規矩和條件，力求保持教義及教會純正，確保事奉者忠心，但卻阻礙了工作的進展，帶來一次又一次的失敗。筆者為此禱告，希望能幫助洪都拉斯人建立良好的事奉。神答允了，我亦在失望中學習，放手讓會眾以提前三1-7節的原則來選出領袖。

我們學會將建立教會和訓練領袖兩者結合。起初，筆者受自己的美國的文化背景驅使，成立不同的部門，各自發展事工。其後，筆者學會讓聖靈在這合一的身體內，結合不同的事工和恩賜(林後十二4-26)。

筆者也開始定下目標，專注栽培領袖。但按照弗四11-16，我們應該只在愛中建立**教會**；因此在教導的時候，亦督促自己要關注學生所服侍的會眾，而不是只留意眼前的學生和授課內容。

在明白要仿傚耶穌和祂的使徒訓練門徒的方法之前，筆者只關心於學生的成績，對於他在自己的教會內如何運用所學到的東西，不知道，也不理會。然後，筆者慢慢學會了將眼光從學生身上，擴展至他在會眾中間的

一個以牧者為中心的被動教會

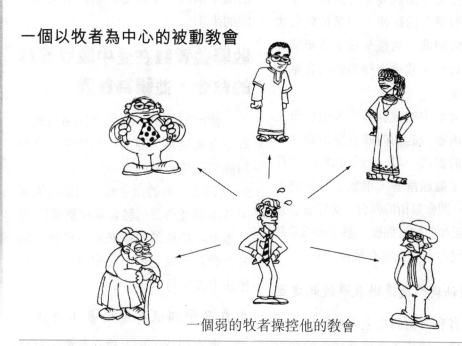

一個弱的牧者操控他的教會

一個有互動關係的動力教會

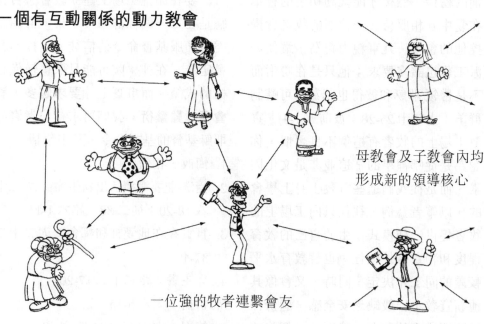

母教會及子教會內均
形成新的領導核心

一位強的牧者連繫會友

事奉。在每一節課開始的時候,筆者都會聽取學生的匯報,按著他們教會的需要來回應,然後,放下所預備要講授的材料,教導一些他們的會眾實際的需要。

由發展中的教會需要和機會來主導授課內容,起初的確有點困難;正如新約的書信一般,門徒訓練內容往往變成了**難題解答**。事實上,我們若要建立一間會繁衍的教會,必定會遇到困難,正如使徒所經歷一般;若逃避難題,便沒有人,也沒有教會了。

鼓勵領袖與門徒透過教導彼此建立

牧者和帶領的長老要成為所有領袖的榜樣,然後才能推動初生的會眾在愛中互相服侍。一位弱的牧者會操控他的會眾,凡事親力親為,縱使分派工作也諸多要求;他只是在吩咐而不是帶領(耶穌和彼得也認為不可轄制群羊:太二十 25-28;彼前五 1-4)。宣教工場上的牧者有這個不良習慣,你認為是從哪裡學的?這並非是文化因素,而是從我們這些宣教士身上學會的。以筆者為例,往往只向工場上的牧者提供一種模式;由於自己的教育程度和物質條件較佳,也替教育水平較差的同工作決定,同時,又會像其他新宣教士一般缺乏安全感,過份保護剛剛成立的教會。然而,一個強的宣教士就如一個強的牧者一樣,不怕將權力和責任交給其他人,也不會強行將有恩賜和委身的同工納入自己的

組織架構內,反而是由他們來建立不同的事工。

教導並實踐在愛中順服耶穌的命令,並視為首要

當耶穌肯定了祂的神性和在地上有完全權柄後,隨即吩咐祂的教會要訓練門徒遵行祂的命令(太二十八 18-20)。因此,祂的命令較一切法則規條(甚至是備受尊崇的**教會章程及細則**)更為重要。這樣的順服必須出於愛;倘若我們為了其它原因而順服神,就是律法主義,神不會喜歡。

先在愛中順服耶穌的基本要求

要在開荒工場上建立教會,目標應是在每一個社群中,聚集一群願意委身順服基督命令的信徒。這樣的教會定義,在神學院可能只取得僅僅合格的成績。而事實上,**要求越多,教會便越難繁衍**。我們要求初信者緊記耶穌基督的基本命令,其中包括:

1. 悔改、相信:可一 15
2. 受洗(並要繼續活出新生命):太二十八 18-20;徒二 38;羅六 1-11
3. 實實在在地愛神和鄰舍:太二十二 37-40
4. 守主餐:路二十二 17-20
5. 祈禱:太六 5-15
6. 施與:太六 19-21;路六 38
7. 使別人成為門徒:太二十八 18-20

這些命令要成為你的信仰經驗根基,否則你不是個順服的門徒,也不

會帶領別人成為順服的門徒。在門徒訓練和植堂的工作上，這些都是最基本的要求。

以順服來界定佈道和神學教育的目標

不要單單為了「決志」而傳講信息，而是為培養順服的門徒；只有門徒才能在一個文化體系裡建立一個自然倍增的教會。「悔改、相信」以及「受洗」這兩項命令，西方文化是指一個人獨自站在神面前「決志」信耶穌；但在其它文化裡，一個人要真心信主，須與朋友和家人商量。全家或一群人一起相信、悔改和即時受洗，而未經過講員的呼召，是一件很平常的事(徒二36-41，八11，十44-48，十六13-15、29-34，十八8)。悔改較決志更深入，是聖靈動工所產生的永遠改變，使我們完全重生。無論在那一個文化裡，純粹出於理智的決志，很少能產生永久和順服的門徒。

在工場上，大多數人信主不久便受洗，未曾修讀教義課程，但其後都會參加門徒訓練，學習順服；稍後，我們才再詳細探討教義。一個人未學會像小孩子般在愛中順服**以前**，便灌輸嚴肅的神學知識，是很危險的，會使他誤以為基督教只止於聖經教義，被動地學習聖經，而無法成為主動的門徒。

以愛心順服作為教導的根基

我們教導牧者要以新約聖經的命令作為教會所有活動的根基，當教導神話語的時候，也要讓會眾分辨出權威的三個層次，並且能應用在自己所作的一切事情上：

1. **新約的命令**：這些命令帶著所有天上的權柄，也包括新約書信中耶穌默示給使徒的命令，但只適用於已受洗、較成熟和已成為教會會友的信徒身上。這些命令永遠凌駕在任何人為組織的規條之上。

2. **使徒的經驗(並非命令)**：我們不能將這些經驗當作法例般執行，惟有基督有權為祂的教會、祂的身體設立法例；我們也不能禁止，因為使徒立下了先例。其中包括凡物公用、按手在初信者的頭上、經常在家中以同一個杯記念主餐、信主當天立即受洗等。

3. **人為的慣例**：新約聖經沒有提及，只是某一群人約定俗成的做法。倘若涉及紀律的問題，這慣例在天國裡亦會獲得認同(這只是對某一個堂會而言，不應以自己的慣例加諸另一堂會，太十八15-20)。

差不多所有的教會分裂和衝突事件，皆源於貪權者招攬跟隨者，高舉使徒的經驗和人為的慣例(即上述2、3兩種)，奉為法例。

我們根據耶穌基督的七大命令(悔改、相信、受洗、愛神和鄰舍、守主餐、祈禱、施與及訓練門徒)以及新約書信裡的其它命令，訂立了「會眾活動表」，列出健全教會的特徵和應具

備的重要事工，通常包括佈道、祈禱、施與、牧養關懷、教導、愛鄰舍、品格培育、輔導、敬拜、植堂及宣教等；我們亦在每一項活動之下列出相關的研習課題，這個表就成為牧養訓練課程的指引。我們也在適當的地方加插重要的聖經知識、教義以及教會歷史，務使神學教育與教會發展並行。每一項活動都要閱讀相關的材料，包括聖經、教義、教會歷史及教牧工作(這些都是傳統教牧訓練課程的內容)，並會查核學員所作的實習工作(所有材料皆採用 SEAN 的《訓練與倍增》的實用門徒訓練課程，地址：Casilla 61, Vina DelMar, Chile)。

要按照所聽聞的實況來決定這訓練課程的科目和次序，一切都視乎導師對實際需要和增長掙扎的了解。

門徒與教會間建立愛、負責任的教導關係，使教會繁衍

健全的子教會，需要彼此之間以及和母會維繫充滿愛和啟導的門徒關係(徒十一 19-30，十四 21-28 以及十五 1-2、28-31)。倘若你的教會、植堂或栽培的組織已經成形，請加入個人的門徒訓練；然而，不要作出缺乏人情味的更改。

幫助每間新教會繁衍

每一間教會都應像安提阿教會一般，差派工人繁衍下一代教會(徒十三 1-3)。在弗四 1-12，神曾應許將「使徒」加給每一間教會(「使徒」乃按一般定義理解為「受差者」)，這些「使徒」是神放在每一間教會中，他們非常熱衷將教會的「基因」(DNA)帶到新的地區去。在推動會眾投入教會繁衍的工作上拖延越久，便越難重新調整他們的思想。要教導會眾明白犧牲的喜樂，使他們願意為擴展基督國度的緣故，像當日安提阿教會一般，靠著聖靈的大能，與奉獻最多的人和領袖分離；經過禱告或禁食之後，可以正式舉行按手差遣禮。請記住，教會衍生的工作並非由個別肢體負責，乃是**會眾**同心禱告、同感於聖靈的結果；每一個新的教會要彼此連繫，每一個參與擴展的工作者只是教會的一雙手而已。

新教會的領袖要自己訂定計劃，自己作主動(不要強將你的計劃加諸他們，只須教導他們看聖經所提及的任務而自行回應)。舉例來說，我們曾要求我們的牧者製作一幅大地圖，以箭頭表示他們教會的計劃，或由第二或第三代教會接觸的村落，然後，請同工在他們願意獻上禱告和計劃的城鎮及鄰近社區簽名。

指導初信者向親友作見證

聖靈隨時準備在家人和朋友之間動工(徒十 24、44)。我們要幫助初信者維持與家人及親友之間愛的關係(不要為使他們有安全的基督教環境，而將他們從社交圈子中抽離，使這些本來有

助於傳福音的緊密關係變成障礙)。

我們預備了簡單的福音研習(主要是聖經故事)，縱使未受過教育的人，也能即時分享剛認識的信仰。我們陪著他們，作示範，並指導他們分享，讓他們立刻仿傚。

各教會間應建立造就性的門徒訓練關係

起初，筆者只在本地的堂會中推行「肢體生活」，之後才學會在各教會之間建立帶有造就性的門徒訓練關係，由教會的長老無私地訓練子教會，或第三代教會經驗較淺的牧者。

對較年長的長老而言，舟車勞動頗感辛勞，可以由子教會的重要同工約兩週一次到母教會去。倘若兩間教會之間只有一、兩天的步行路程，導師和學生可以輪流涉河或跨過泥濘小徑互訪。

然而，切勿由一個母教會同時分派工人到不同的子教會去，這是低劣的策略，彷彿只有母會才擁有從神而來的衍生能力。這個「中心點」策略(如下頁圖所示)會耗盡工人，打擊母教會。神的能力蘊含在一切有聖靈內住的教會內，讓母教會建立子教會，並訓練新的長老來幫助教會發展及衍生第三代教會。你只需訓練門徒訓練者，然後拭目以待繁衍！

這樣的連繫，可使沒有任何組織性權威的義務導師，與義務的學生一同作工，付出血汗和勇氣來建立教會

之間愛的關係，幫助人彼此相愛，互相切磋，並投入牧養事奉。在過程當中，有人會被槍擊、刀砍所殺，或因疾病拖累而孱弱，或險些溺斃，但仍是值得去做的。

現代西方宣教士最常見的錯誤，是支配當地的教會。筆者學會放手，讓聖靈大能在教會中興起不同的事工，造就會眾、衍生教會。筆者只是指導、鼓勵他們，教導聖經和給予輔導，不再催逼。之後，我們看見了連鎖反應；其中一個延展出去的網絡衍生了五代，超過20間教會(見598頁)。

我們定期見面，以進一步確定我們的計劃，並決定那一間教會將擴展至某些村落或社群。我們將範圍劃分為九個地區，並策劃在每一區繁衍下一代教會的步驟。過去多年，洪都拉斯延伸聖經學院的教牧學生，平均每年建立5間新教會，而每間教會都有1至3位新牧者在接受訓練。當這個計劃交給洪都拉斯人帶領後，縱有其他宣教士要求恢復用傳統的教牧訓練方法，教會仍繼續衍生。

倘若連繫鏈太長，影響溝通，你只需要將教導的關係簡單重組；但不要以為連繫鏈長，便會沖淡對教義的看重。在這條連繫鏈裡，每一位被聖靈充滿的導師都同樣愛慕聖經，注入活力。即使在最強的教會裡，通常與筆者這個外來宣教士也會有一、兩處地方斷了聯繫。維持這條連繫鏈的要訣，就是彼此之間有愛的交流；每一

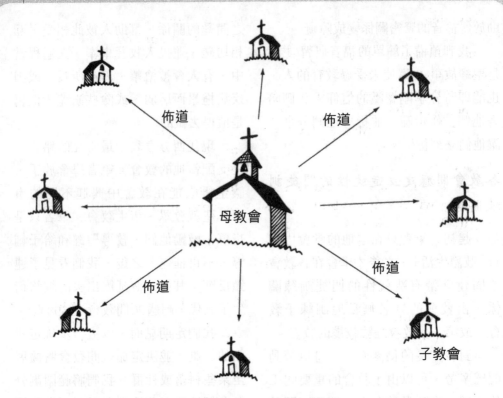

佈道

佈道

佈道

母教會

佈道

子教會

個子教會的受訓者能準確匯報情況，是十分重要的，因為他們的導師可以作出回應，並將神的話語應用在教會的生命、需要和發展機會上。

要切切祈禱，不要讓妨礙這種自然繁衍的傳統思想滲入；或上面曾提及忽略門徒訓練的教導，以及未能推動初信者由洗禮便開始學習順服。另一個常見的妨礙教會衍生的因素，就是宣教士提供的補助，阻礙了本地人學習奉獻，也養成依賴的心態。不要奪去貧窮人在犧牲、奉獻上可得到的祝福！神會用特別的原則，將他們的小錢倍增，叫他們在今世和永生裡都豐豐富富。以外援支持本地的牧者，會妨礙教會的自然繁衍；稍後，當資源不能滿足所有需求後，更會引來深的不滿。

為教會之繁衍能力禱告

每一個在連繫鏈內的新教會都像麥穗一般，具有再衍生的潛力。耶穌在太十三、可四及約十五以植物的增長和繁衍來比喻教會，教會與神所創造的植物一樣，蘊藏著種子，能按自己的種類繁衍下一代。我們所吃的皆是神賜給各類動植物巨大的繁衍能力所結的果實，只要往門外觀望，便會發現到處都有這種能力——綠草、樹木、鳥兒、蜜蜂、嬰兒及花朵都在大聲頌唱這種能力！這就是神作事的法則，繁衍就是祂的**作風**。請為此禱告！(當我們不祈求神動工的時候，祂便會以無窮的智慧慢慢進行；祂會自

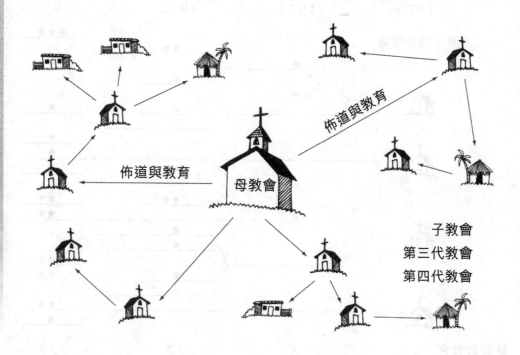

佈道與教育

佈道與教育

母教會

子教會
第三代教會
第四代教會

我限制，為的是遷就我們軟弱的信心！)我們自己不能使教會增長或繁衍，保羅栽種了，亞波羅澆灌了，惟有神叫他生長。我們撒種、澆灌、除草、施肥、築籬笆，但正如不能揠苗助長，只有教會那份從神而來的生長潛能能使教會繁衍。一間樂意順服、被聖靈充滿的教會，會在本地或外地繁衍，這就是教會的本質，也就是那位已經復活、賜生命的人子的身體。

(作者任教於西方神學院跨文化研究學系，所訓練的宣教士遍佈世界各地，亦曾在洪都拉斯北部從事神學教育及延伸課程達21年之久。)

研習問題

1. 根據作者的概述，哪些是耶穌基督的基本命令？何以要確保你所訓練的門徒和他們所訓練的門徒都完全服從這些命令？

2. 傳統神學的重點在教育學生 (educating student)，而聖經教育的重點則在教導教會(edify)。請闡述一個典型神學教授的教學方式，和一個為牧者提供門徒訓練的工人，在工作上有何不同？

3. 一個教會沒有任何一位牧者曾在正式的神學院修讀，衍生第四代教會的可能性如何？何以一間教會沒有牧者曾修讀正式神學課程，卻有更大的機會衍生出第四代教會？

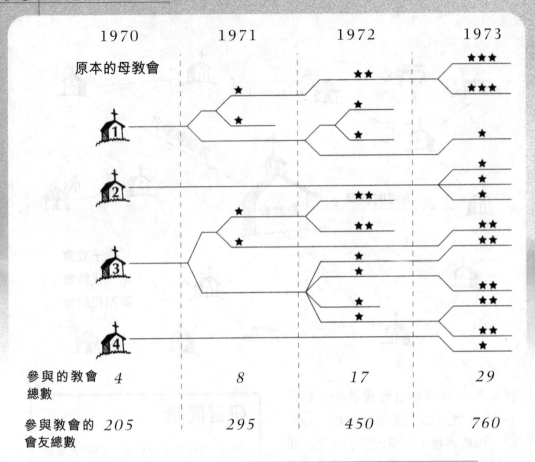

	1970	1971	1972	1973

原本的母教會

參與的教會總數	4	8	17	29
參與教會的會友總數	205	295	450	760

★ 子教會
★★ 第三代教會
★★★ 第四代教會

至 1979 年終，此計劃已誕生了：

第五代教會	8
第六代教會	4
此計劃已產生的教會總數	64
全部已受洗的會友(約數)	2020

A Church in Every People: Plain Talk About a Difficult Subject
在每一群體中建立教會——難題淺談

馬蓋文(D. McGavran) 著　　盧家馼譯

在二十世紀最後的8年裡，基督教宣教的目標應該是宣揚福音，並靠著神的恩典，在每一處未有教會的人群中建立——我們所說的——**一個教會**或**一群增長的教會**。所指的「人群」，包括城市、發展中地區、種姓、部族、山谷、平原或少數的民族。以筆者的見解，不應把維持教會穩定的長遠目標放在首位，只應是第二位。我們的目標不在每一個群體中召聚一小群人遠離人群的堂會，真正的長遠目標(在未知悉何日達成之時仍要堅持)應該是**在每一民族都有一群增長的堂會**。

當我們思考上述粗體字句的時候，請不要忘記，在一個沒有教會的群體中，要建立一間新的教會並不困難。宣教士抵達了，他們一家在禮拜日崇拜，是堂會的首批會友；他學習語言，也宣講福音，活出基督徒的樣式，向人講述基督，並幫助人們解決難題。他出售單張和福音小冊子，或者免費分發。幾年過去，一小撮人歸主；有時他們真的是因屬靈的理由而來聚會，有時也有不同的動機。無論如何，總會有一、兩位婦女、男士、小孩決志跟隨耶穌；差會所招聘的一些雇員也接受了救主，他們可能是來蓋房子的泥水匠、家傭、災民或孤兒。在非洲的宣教歷史中，教會開始時，往往是買了一批奴隸，釋放他們，若他們無家可歸時，差會聘用他們，當中很多人決志接受救主；150年前，這是一個常見的建立教會方法，自從奴隸制度取消後，這方法亦隨之而停止了。

上述情況所產生的教會，往往是組合性的教會——會友來自不同的社會階層；年長的、年青的、孤兒、災民、傭人和熱心的追求者。對所有的慕道者都考問了心事，確定他們是真心接受基督。然後在適當的時日，教會蓋了房子，如此，就成為這群人中的一個教會。那是組合性的教會，與地區中其它群體隔離，沒有一位當地人會說：「那群聚會的人與我們相同」。他們說得很對，這不是該群體中的教會，是一個差異甚大的社會單位。

這個經常用來開始福音工作的方法，要栽培世上的民族作門徒，進展會是緩慢的——請注意，「世上的民

族」是眾數。讓我們仔細觀察，這群會眾聚集一起後所發生的事。每一個人悔改成為基督徒後，就會被他的同胞視為一個離開「我們」，加入「他們」當中的人；他離開了「我們」的神，去敬拜「他們」的神。他有時甚至會被擯棄，逐出家門，生命受到威脅，曾有數以百計的悔改者被下毒或殺害。有時，擯棄的方式較為溫和，或是被人嚴厲責難，或被同胞視為背叛者。這樣建成的教會，往往被當地人視為背叛的一群，是一群組合性的會眾，個別從不同的社會、種姓或部族出來。

這樣，每一個人成為基督徒而被迫離開或退出組織嚴密的社會，我們只得著個人而失去了整個家庭；他的家庭、他的民族，以及部族的鄰居都對他極為憎恨，無法再與群體內的人交往；他們會說：「你我道不同，你捨棄了我們，你愛他們勝於愛我們；如今你敬拜的是他們的神，而不是我們的神」。結果，由此方式而產生的組合性堂會，**增長非常緩慢**。事實上，我們可以堅決地相信，由此而生的堂會，要使一個種族(群體)悔改，是極其艱難的事，其餘的人會說：「基督徒誤導了我們其中一人，我們不能再讓他們把任何人引入歧途。」

「逐一」(One-by-one)的方式相對地較容易，或許100位從事植堂工作的宣教士之中，會有90位喜歡採用這種方式，但筆者必須強調，他們只能建立這類組合性的堂會而已。這些宣教士宣講福音，講述耶穌的事蹟，出售單張與福音小冊子，也會用其它方法來佈道，他們歡迎慕道者，但所得的成效怎樣？所得的是這裡一位男士，那裡一位女子；這裡一個男孩，那裡一個女孩；各人因不同的理由而願意成為基督徒，同時忍受原屬的民族溫和或激烈的反對。

我們若要明白在一塊新的地土上，不論在從未接觸過或未聽聞福音的民族中，教會增長和不增長的要素，就要注意上述描述，但對大多數宣教士來說可能並不真確。不少宣教士會大聲疾呼說：「在這些未得之民中，除了帶領個別人士歸主外，還有更好的方法可以接觸他們嗎？實情並非如你所說的，我們組成一個完全隔離的教會；相反，在過程中我們有不少接觸點，可以進入每一位歸信者原屬的社會。」

那些據此力爭的人，大概只熟悉基督教地區的教會增長；當地信了主的男女不會被排斥，不會被視為背叛者，而是一件正當的事。在這一類社會內，每一個歸正的人通常都可以成為流通管子，向親友傳送基督教的信仰。關於這一點，根本不用爭論，筆者在拙作《神的橋樑》中已經加以討論。

但是，在組織嚴密的社會裡，基督教被視為入侵的宗教，個別信主者被視為犯了嚴重過失而遭排斥；在**這些地方**，若要在不同的層面裡贏得人歸主，我們不單沒法建立橋樑，反而豎立了一些難以克服的障礙。

且讓我們看看神在地上用來領人歸主的其它方法來作比較；所說的並非理論，而是簡單易見的事實。當你環顧

世界，會看到大部分宣教士用這種「在社群中逐一領人」的方法，成功建立的只是組合性的教會；然而，很多地方卻因群體歸主運動而建立了不少增長的教會，是一族一族的或一個一個的種姓接連興起歸主。從不同的角度看，這是更好的方式；若要有效地推行，宣教士應就下列七個原則來進行：

1. 以建立一群增長的教會為指標

應清楚知道自己的目標，並非在一個城市或地區建立一個組合式的教會——可能別無途徑，**但永遠不應以此為目標**。目標應該是一群增長的、本土化的堂會，每一位會眾都能與親族維持密切的關係；若這些堂會來自同一民族、種姓、部族，或社會某一層面，就會有更好的增長。例如，你要向台北的計程車司機傳福音，那麼你的目標不是要得著一些計程車司機、一些大學教授、一群農夫或漁民；而是要建立一間大部分由計程車司機和他們的妻兒，或他們的助理和技工一同組成的教會。當你在這一個特定的社群中得著歸信者時，會眾自然有親密的社會關係，每一個人都有回家的感覺。所以，目標必須清晰。

2. 集中向一個群體

當地領袖或宣教士和他的助手應該集中於一個民族內工作。假若你要在印度西南端喀拉拉邦(Kerala)的奈爾人(Nair)中間建立**一群增長的堂會**，那麼，你要將大部分宣教士和他們的助手，安排在奈爾人當中工作；他們可以向奈爾人宣講福音，公開對他們表示，盼望到他們那偉大的種姓中，如此，很快便會有千千萬萬人跟隨耶穌基督，但仍會留在奈爾人社群之內。當然，他們不再像昔日一樣敬拜那些奈爾人的神；跟著，很多奈爾人會亦步亦趨。這大批的奈爾人仍屬於這個社區，不過他們所相信的已經與昔日不同了。

神所呼召的奈爾人，選擇了相信基督，變得較從前更愛鄰舍，行事光明。他們蒙受救恩，成為美好的子民；他們仍是奈爾人，但同時成為基督徒。再說一遍，要集中在一個群體中工作。假如你有三位宣教士，不要安排其中一位在一群人，另一位在別的人群，而第三位則在 200 里外；如此，保證所建立的任何教會都只是小型的、不增長的、個別的歸主的教會，因為所處的社會階層的社會動力，將會聯合一致**抗拒**任何龐大的群體歸主運動爆發。

3. 鼓勵歸信者留在原屬群體

要鼓勵歸信者在大部分的事情上與自己的民族合一，繼續與他們同吃一樣的食物，不應說：「你們吃素，如今，我們成為了基督徒，要改吃肉。」當他們成為基督徒後，應較從前更嚴謹遵行吃素。在穿著方面，也應繼續和同胞完全一樣。在婚姻上，

大多數的民族都是本族通婚，堅持「本族人只可與本族人締婚」，對「我們的人與外族結婚」非常不滿意，然而，若基督徒是逐一的信主，那麼，他們便不容易與同族人結婚了。若一個民族中很少基督徒，當他們或他們的子女到達適婚年齡，需要到其它地區物色配偶，同族的人便會奚落：「你一作基督徒就使你的後代血統不純；你已離開了我們，歸屬他們了！」

個人成為基督徒後往往受到排斥、欺壓，甚至迫害，我們應該鼓勵他們以喜樂的態度忍受。一個人要追隨一種新生活，他所愛的人大多不以為然，反對的態度可能溫和，也可能很嚴峻；他應該多多忍耐，在任何情況下都要說：

我要較從前作更好的兒子，我要較從前作更好的父親，我要較從前作更好的丈夫，我要較以往更愛你。你可以恨我，但我不會恨你；你可以排擠我，但我必定接納你；你可以把我逐出祖居，但我仍會住在它的走廊，或住在對街；我仍是你們中間的一分子，較從前的關係更親密。

鼓勵歸信者在大部分的事情上仍與自己的民族一致。

請留意是「大部分」，歸信者不能再與民族一起拜偶像、醉酒，或明知故犯。假如原屬的社群靠盜竊維生，他們就不能再偷竊；但絕大部分的事情如談吐、穿著、吃喝、出門、住房等，在外表上，仍可與原屬群體非常相似，事實他們也應如此。

4. 鼓勵團體決志歸主

要嘗試帶領一組人決志歸主。假若民族中只有一個人決志跟隨耶穌，不要立刻為他施洗，對他說：「我們要共同努力去帶領多 5 或 10 人，若神願意，可能會有 50 人接受耶穌基督為救主；當你受洗時，他們亦可以一起受洗。」因為孤立一個人容易，但要孤立 10 人以上的小組較為困難，假如要反對 200 人，實際上難以做到。

5. 不斷領人歸主

這個原則就是年復一年，使民族內不斷有人成為基督徒，並且達到數十個團體。東西方宣教士常犯的一個錯誤就是，當他們帶領了少數人，或許 100、200，甚至千人歸主，然後宣教士用上全部的時間來教導他們，要把他們栽培成為好的基督徒，並且以為他們成為好基督徒後，福音自然傳開。因此，幾年來，他們可能只專注栽培幾個會眾，10 年、20 年後，他們才嘗試帶領這個團體以外的人信主，但不再有人成為基督徒。這樣的情形不斷重複出現。所以，宣教士一開始便要不斷接觸新的團體；可能你會說，「豈不是會產生許多靈性貧乏的基督徒，不認識聖經嗎？我們實行這個原則，肯定很快便有一群『不成熟』的基督徒，數目增長很快，甚至可能

達到5千，但都不是好的基督徒。」

當然會有危機。在這方面，我們必須認真依據新約聖經；記得保羅只是花了短短數星期，或數月去教導那些新建立的教會。我們應該信靠聖靈，而且相信是神呼召這群人離開黑暗，進入祂那奇妙的光明。他們在真理上的教導不足，抑或他們被孤立，不可以再接觸同胞；在此兩難之間應如何抉擇呢？似乎後者是一個更大的危險。**我們切不可讓新的信徒被孤立**，同時我們又必須繼續讓新的悔改者加入那不斷增長的教會。

6. 幫助悔改的人向自己的群體確證有最高的盼望

這一項原則是要使歸信者，不論是5個或5千，都應能夠說，或者最少能感覺到：

我們這些基督徒是我們這群人和社會階層的先驅，要向親戚和鄰居表露更好的生命之道。我們所闢開的路，對我們成為基督徒的人來說是美好的，對你們盈千上萬仍未相信的人同樣也是美好的。請千萬不要把我們看作背叛者；比較從前，我們是更好的兒子、兄弟、妻子，也是更好的同胞和合作伙伴，是工會中更好的成員。縱然我們表露出有更美好的生活方式，但我們仍舊完全屬於原來的社會；我們是帶領自己的群體進入那奇妙的應許之地的先驅。

7. 強調手足之情

這一項的重點是要不斷**強調手足之情**。在基督裡不分猶太人、希臘人、被囚的、自由的、化外人，或西古提人，我們在基督耶穌裡合而為一；但同時讓我們切切記著，保羅並沒有攻擊社會中不健全的制度，正如他沒有主張廢除奴隸，反而勸他們要作一個更好的奴隸，也叫奴隸的主人作一個更仁慈的主人。

保羅亦在一段著名的經文中強調合一：「不分男的、女的。」當然，在寄宿學校或孤兒院中的基督徒，仍然分男女宿舍，但在基督裡卻沒有性別之分，男孩和女孩在神眼中同樣尊貴，不同部族的男女也如此。我們同樣是罪人，也同樣被施恩救贖。這是真實的，但同時基督徒也要尊重社會中某些禮節。

當我們不住強調弟兄相愛時，我們肯定在每一民族、每一部族和每一社會層面中帶領更多的人順服神，就是使弟兄相愛的最有效方法。當基督徒在社會每一層面倍增，能達致真正的弟兄相愛、公平、美善和公義的機會也大大增加。事實上，要社會公平，最佳或唯一的方法是社會每一層面都有大量的委身基督徒。

當我們致力於群體歸主運動時，也不要誤以為「從社會中帶領個別的人進入教會」的方法是差劣的。一個寶貴的靈魂願意忍受嚴厲的排擠去跟

隨耶穌，一個寶貴的靈魂自己完全獻上；神過去這樣賜福，也會繼續這樣賜福。只是這方法太緩慢了！而且也常常使信徒的本族人不易有更多的機會聽到福音。

有時候，逐一歸主可能是唯一的方法；若是如此，讓我們來感謝神，接受這種限制。讓我們策勵所有經歷迫害和排擠的美好基督徒，為他們所愛的人祈求，同時鼓勵他們不斷努力，使他們的民族內有更多人相信，並且得救。

逐一歸主是神賜福教會，使其增長的方法之一，群體歸主運動則是另一個方法。在那些非基督教地區的新工場，教會能有巨幅增長，**往往**是群體歸主運動所帶來的，永不會是逐一歸主的結果。同樣，以逐一接觸來開始，亦是非常普遍的方法。在神使用以推動教會增長運動的書《神的橋樑》內，筆者曾作一個比方：差會在一個荒漠般的平原開始傳講基督，生活艱難，歸主的人很少，需要大批的宣教士；但逐漸，宣教士和信主者找到突破的方法，從乾旱的平原轉而登上翠綠的「山嶺」。那裡人口眾多，可以建立強大的教會，教會壯碩地成長，那就是群體歸主運動之地了。

請想想這一個比方。讓我們接納神的賜予；假如我們只能帶個別數人歸主，我們接納，並帶領那些信主的人能完全信靠基督。也讓我們常常禱告，開始之後，我們可以進入更高之處，到那更翠綠的地方，更肥沃之

地，因為那裡有一大群**同屬於一個社會層面**的男女，都成為基督徒，並且開啟了地球上每一群體歸主運動的途徑。我們的目標應使每一民族都有歸主運動，凝聚社會的動力來推動福音前進，同時帶領更多群眾離開黑暗，進入祂那光明的生命。我們呼召一群一群的人從死亡進入永生，讓我們確定能以最有效的方法來去完成這任務。

〔作者為世界知名的宣教學家，在印度出生，父母為宣教士，於1923年重返印度為第三代宣教士，並將四福音翻譯成印地語查蒂斯嘎爾希(Chhattisgarhi)語。此外，他亦創辦了富樂神學院跨文化研究學院。作者已於1990年去世，享年93歲，留下多部影響巨大的著作，包括《神的橋樑》(The Bridges of God)和《論教會之增長》(Understanding Church Growth)等。〕

(本譯文經編者修改)

研習問題

1. 「事實上，要社會公平，最佳或唯一的方法是社會每一層面都有大量的委身基督徒。」你贊成嗎？為甚麼？

2. 為何馬蓋文堅持「一群增長的教會」而不是「一個教會」，才是開荒植堂的適當目標？

His Glory Made Visible: Saturation Church Planting
神得榮耀——全面植堂

Jim Montgomery 著　　編輯室譯

「凡是我的都是你的，你的也是我的，並且我因他們得了榮耀。」——約十七 10

全面植堂計劃是一個異象，讓人看見道成肉身的耶穌臨在一個群體、一個地區、一座城市、一個國家以及世界上每一個小小的人口單位之內。

這個計劃的概念，現在聽來簡單明顯，但為了使萬民成為門徒，20 年來，筆者搜索枯腸，才得到這一個概念。為使福音能在普世遍傳，需要尋求一個最有效的策略，*DAWN 2000: 7 Million Churches to Go*[1] 一書對這事工整體有詳盡的記錄；你會看到一次又一次重大的挫敗，然後，一次又一次的成功。

策略能夠出現突破，是因為在菲律賓舉行的「基督是唯一的道路」運動 (Christ the Only Way Movement)，帶來了令人鼓舞的成果。在這個國土內，反應熱烈，全體教會差不多總動員向著一個異象，要建立 1 萬個福音

性研經小組；在這個以羅馬天主教為主的國家，證實這是一套可行的方法。雖然成果超越了目標，但筆者並不十分滿意，何以不感到興奮呢？因為在 3,500 萬菲律賓人之外，仍有接近 3,500 萬人並未與主建立個人關係。

「主，為何？」筆者開始禱告，並且不斷在問：「你所給的是一項我們無法遵從的命令嗎？你在欺騙我們嗎？你所指的是否就是聖經中明顯表達的意思？」

「如果你真正希望**萬民都成為門徒**，你何以不留在世上？你應該到每一條村落去，即如你在加利利時一樣；你應該說他們的言語，穿他們的衣著，熟悉他們的文化，吃他們的食物；你更可以把親友分佈於世上每一國、每一族、每一條村落之內，保持連繫。」

「你當彰顯你的大能，展示你的慈愛和憐憫，並滿有威嚴地傳遞你國度的偉大信息。何以要交給我們？你明明知道這是我們力所不逮的！」

幾週後，主好像對禱告有所回

應：「如今你要注意，這正是完成大使命所要做的。」

「看，你的主我，正如你所提議，真正道成肉身在世上每一個小小的群體之中了。」

從主而來的亮光，在腦海中閃過，一切都清楚了。主居於何處？

「基督在你們心裡成了有榮耀盼望。」(西一27)

「那在你們裡面的，比那在世界上的更大。」(約壹四4)

「無論在那裡，有兩三個人奉我的名聚會，那裡就有我在他們中間。」(太十八20) [2]

清晰可見，基督活著；當真正重生的信徒運用聖靈恩賜，在每一個地方作基督的身體，基督便會以能力、榮耀和憐憫，活在世上每一個細小的社群裡，以完全切合環境的方法，傳遞祂國度的奇妙信息。

1970年代中，我們一家完成了在菲律賓的宣教事奉後不久，筆者有機會與美國加州 Biola 大學的宣教學教授廖加恩博士(Dr. David Liao)談話，向他提及對菲律賓教會的夢想和承擔，希望在 2000 年時，堂會數目由 5 千增至 5 萬。

「啊！你所指的是全面植堂。」他說。

筆者曾參與全面**佈道**運動，如拉丁美洲的進深佈道，卻未曾聽過全面**植堂**一詞。

但這一個名詞正好用來描述當時在菲律賓發展的概念。1974年，筆者感到主對我說，完成大使命最直接的意思，是指看見復活的基督，道成肉身，進入世上每一階層、每一種族及每一種情況下的每一個人。

這就是指在每一個國家的每一個小小的群體內，建立一個以基督為中心的教會。

全國皆門徒 (Disciple A Whole Nation)

或許這是一個新的名詞，但全面植堂這個概念正是菲律賓的首個晨曦運動(Disciple A Whole Nation, DAWN)事工的核心。教會一起努力，由 1975 年只有 5 千個教會，要在 2000 年達到 5 萬個的目標；他們甚至更確定要在每一條鄉村建立 1 個教會，且已如火如荼在進行。至 1997 年，實際數字已超過 2 萬 9 千，估計新成立的教會將有 5 千至 1 萬。

主在 1970 年代對筆者所說有關菲律賓的話，如今在世界各地產生迴響。1998 年，晨曦運動策略在逾 140 個國家內有不同階段的發展，其中約 45 個國家已經達到可以主辦一次全國性晨曦運動大會的程度。綜合計算，在進行的晨曦運動正邁向接近 200 萬所新堂的目標，而且不斷有新的晨曦運動計劃開展。在中國的事工，最新的目標是使全國增加 100 萬個新教會。

由 4 個英文字的首個字母併合而

成的ＤＡＷＮ，通常強調第三個字(whole)：務必遍及全國(whole nation)；然而，遍及全國亦要加強對「國」這一個字的認識。一般來說，開始的時候，我們會從政治上理解這是指世上的一個國家，但亦需要從這個字的基本意義和聖經的涵義來理解，「國」字實蘊含著種族、語言及群體之意。晨曦運動的異象，呼召人展望怎樣可以在整個國家之內，特別要使每一個國民或群體中的每一個人都成為門徒。

我們確信，神希望每一個群體內的信徒數目遠多於屈指能數，神期望每一個城市及國家的每一個地區內的每一種族社群，都看見祂的榮耀。要在每一群體內產生突破性進路，就要在每一個地方都開始；具體來說，可以在每一個鄉村或城市近郊設立信徒細胞小組，又或每500至1千人就設立一個教會。

可見，全面植堂就成為我們提議完成大使命所用的策略的精髓，這是一個迎接世代終結的策略。

這是晨曦運動事工在1985年創立的原因，在創立目的中已明確道出我們的呼召是「在我們這一代之內，看見全面植堂成為普遍接受及熱切實行的策略，用以完成使萬民作門徒的任務。」

從聖經看全面植堂

當然，福音遍傳的策略要有果效，不能只靠我們所作的見證，或看似可行的方法。雖然，筆者的恩賜並非是一位學者或神學家，但晨曦運動開始了24年以來，已有不少的擴展，卻未聽見神學家的反對聲音，反而得到正面的評價。神學家和宣教學家的意見，都加強了筆者從主而得的領受，或向敬虔的導師學習。

這並非暗示我自己無法從聖經上找到支持全面植堂概念的依據。試從使徒保羅的事工中舉一個例子來看，他使用各種不同的方法，但都高度處境化，所結的果子也很強壯；他離開後，人口眾多地區的堂會倍增。所以說：「一切住在亞細亞的，無論是猶太人，是希臘人，都聽見主的道。」(徒十九 10)

亦如 Peter Wagner 在所寫的《傳火》(*Spreading the Fire*)〔三冊《聖靈行傳》(*The Acts of the Holy Spirit*)系列之首〕一書中道出：「使徒行傳中，最具體、持久的事工是植堂。宣講福音、治病、趕鬼、受逼迫之苦、舉行教會會議、使徒及其他基督徒的活動，目標是使基督教的教會遍佈當時的世界。」[3]

在這系列的第三冊，Wagner亦寫道：「無疑，保羅在這批新成立的教會中，對他們的影響力其中一部分是喚醒他們要向自己城市裡的失喪者傳福音，和在鄰舍中間建立新的家庭教會。**沒有一個宣教學的原則較全面植堂更為重要。**」[4](粗體乃筆者所加)

筆者也將這個教會倍增的觀念與舊約的異象和預言連繫，發現至少在

四卷書中重複提及：

以民數記十四 21 為例，經文說「遍地要被我的榮耀充滿」；同樣的預言亦可在賽十一 19 及哈二 14 看見。

主後二千福音遍傳運動的國際主任布路易(Luis Bush)亦向筆者提及詩篇七十二篇的最後兩節經文，第 20 節說：「耶西的兒子大衛的祈禱完畢。」大衛最後一句禱文說甚麼？就是「願祂的榮耀充滿全地。阿們！阿們！」(19節)

然而，哪裡是神的榮耀居所？肯定是「諸天述說神的榮耀，穹蒼傳揚他的手段」(詩十九1)，但亦有很多經文告訴我們，基督以及祂的榮耀都居於我們之內。

筆者以約翰福音十七章大祭司禱文來默想禱告的時候，再次看到這一點；筆者用的是西班牙語聖經，當看到第 10 節的時候，突然跳起來，經文是「**我因他們得了榮耀**」。

又再出現了！不止是植堂，不止是拯救靈魂，我們渴望的日子真正來臨時，全地將充滿主的榮耀。但神的榮耀在哪裡？「我因他們得了榮耀」這一句告訴我們，是在祂的子民身上。

在上述《傳火》這本書中，Peter Wagner 描述世界上很多地方的教會雖不完美，但都能藉耶穌基督準確地彰顯神的榮耀。[5]

全面植堂只是一個任務，藉信徒聚集成為一個身體，而顯出基督臨到每一處地方。

從事全面植堂工作，不僅因為它是完成大使命的一個好策略，更因為我們需要配合經常重複出現的舊約預言「認識耶和華榮耀的知識，要充滿遍地」(哈二 14)。

我們如此做，是回應大衛最後一節的禱文「願祂的榮耀充滿全地。」(詩七十二 19)

我們如此做，就可以使神的榮耀在世上每一個人類的小社群中彰顯。

以悔改者和教會為目標

某些增長的教會計劃，會以初信者增至一個固定數目為目標。表面上來看，這是合理的；但耶穌是為罪人而死，為何不盡量多贏取，設定在某個日期之前贏得某個數目呢？

試看菲律賓宣道會聯會(Christian and Missionary Alliance Convention)的工作，二十世紀首75年內，他們建立了 477 間教會，成績不錯，但肯定不是超額增長。1974 年教會增長工作研討會，首次提出 DAWN 的異象，他們因此訂定了一個健全的目標，要在短短的 4 年內增建 400 個教會。

懷著巨大的熱情和幹勁，他們動員了整個宗派，包括母差會宣道差會，都向著這個異象邁進。你可以想像，4 年之期屆滿後，總計開始了 416 個教會，會友增幅高於 1 倍，人數由 26,830 增至 58,543，超越了他們預期的目標，何等令人興奮！這是一項強大的平均年增長，教會增長率為 13%，新會友則為 21.5%。

承接著這個高增長的熱忱，他們發展一項新的事工，名為「83目標10萬人」(Target 100,000 '83)。

這一次，他們陷於很大的驚愕之中，竟然尚欠2萬之數才達到目標。經過分析後，他們認清錯誤在於以悔改人數為目標，追逐10萬之數，而忽略了傳福音和植堂才能帶來悔改者。

故此，他們下一項的計劃就是恢復以植堂為基本目標，同時亦有傳福音的活動。

我們自然期望盡可能領人認識基督作為個人救主，神不願意有一人沉淪(彼後三9)；但在開展一個實際的策略時，我們會發現，視線應放在能為主帶來最多人數的活動上，較注重贏取人數的多寡為佳。

全面植堂與未得之民

當一個群體中的信徒數目很少，當已知的基督徒受到迫害，當教會被迫秘密聚會，在這些情況下，考慮堂會要倍增是否合理？

絕對合理！筆者的觀點是，若我們對一個群體沒有全面植堂的異象，可能永不會找到一個策略可以建立眾多的教會；若我們認為要用很多年，甚至數十年時間，才能使教會開始倍增，那麼，就需要用這麼長期的時間。

對筆者而言，除非宣教士及策略家對穆斯林世界有一個為10億穆斯林建立100萬個教會(不論外觀)的夢想，

他們才可以縮短在這些國家裡的門徒訓練工作。筆者並非說這項任務是輕省的，也不是說這項工作進展期間不會有人殉道；而是說，除非有異象和目標，要為穆斯林的歸信者建立100萬個教會，否則，永遠不會找到可行之法。

在一個伊斯蘭教主導的地區中，已進行一項建立數以千計「教會」的計劃。這些教會看來不像教會，甚至也不稱為「教會」，但實際是教會，而且領袖們亦委身於全面植堂的異象。他們已定出計劃，要全國遍滿在主耶穌基督內的信徒細胞小組。

已經辭世的印度逐家文字佈道會(Every Home for Christ in India)總裁B.A.G. Prasad牧師也有一個類似的異象及計劃，要向印度的印度教徒傳福音；多年以來，利用充滿活力的事工，已兩次在全國各地逐戶分發福音性刊物。結果，超過500萬的印度人填寫決志卡，表示願意接受耶穌基督。然而，令Prasad牧師感到困惑的是，印度基督徒仍只佔人口的2.6%，與28年前這項事工開始時一樣。

這就需要改變策略。如今，逐家文字佈道會的本國宣教士，不再只在日間盡量逐村逐戶分發刊物，他們亦專注於植堂的事工。當同工前往探訪一戶人家，他們嘗試確定這一戶是否有人會對福音產生興趣，如果有，他們會盡可能帶領這個人歸主。如此，以這一位初信者為中心，最終會發展

出一個家庭教會。

這一項稱為「最後一擊五千」的計劃，在1995年已建立了約3,500個新教會！2000年的目標則是30萬個家庭教會！

Prasad離世前數月，在逐家文字佈道會全球會議的餐會上宣講了震撼人心的信息，他說：「所以稱為『最後』，因為我們相信主快要再來；所以稱為『五千』，這是我們在全國建立30萬新教會所需要的本國宣教士數目。」

他解釋說，印度現時分為400區，每一區需要10位宣教士，即共需要4千位，另外，亦需要1千位負責訓練和行政工作；因此，總共需要5千位。

這項事工，自1992年7月開始後，一直蒙神祝福；開始後18個月，已有1,500位宣教士，每一個月在約500個新教會為數以百計的人舉行洗禮。這些教會大部分都以家庭教會模式急速倍增，其中一些則擴展成為兩、三百人的堂會。這項事工更受到不可思議的神蹟助長和加速，曾在三種不同的情況下，會友因基督的名得以從死裡復生。

Prasad更告訴與會者：「我們祈求印度在基督再來之前，能成為一個基督教國家。」Prasad在1994年離世，但這個運動仍急速向前進發。

全面植堂是「從外而內」

另一位全面植堂的大力支持者和優秀的教師是Dwight Smith，一直推動要在全國建立有動力和福音派堂會的目標，他是聯合世界差會(United World Mission)的前任總裁，國際全面植堂事工的創辦人及主席，指出全面植堂是一個「從外而內」(outside-in thinking)的想法。

根據他的見解，一個本地或宗派性團體通常是從相反角度來思想增長，只想教會可以有多大，怎樣才可以增大一點點。「從外而內」的想法是截然不同，在鄰近的地區、城市、省份、一個群體或整個國家劃定一個圈子，然後就著這個圈子來思想：怎樣才可以為主贏取整個禾場？

或者可以藉津巴布韋(Zimbebwe)的本地牧者Freddie Gwanzura的見證來闡明這一個概念。1976年Gwanzura放下他作建築商的事業，加入使徒信心差會(Apostolic Faith Mission)為全時間的同工，未幾即在一個市鎮的外圍牧養一個60人的堂會。教會可容納百餘人聚會，但他想盡辦法也不能使人數增加。

在這段時間，一位德國的佈道家Reinhardt Bonkke在當地開佈道會，在距離教會1公里處架設了一個可容1萬人的帳棚。Gwanzura立即充滿了希望，以為教會在佈道會完結後一定會急遽增長。每一晚，帳棚內都塞滿了群眾，有數千人悔改。

佈道會後，Gwanzura的教會負責跟進工作，並且盡力要將這些魚圍在

網內，但效果有限。一年後，只有1位在佈道會信主的婦女參加聚會，而教會人數仍是60。

Freddie Gwanzura說：「佈道隊帶來唯一的益處，就是讓我們在艱苦中學會，不能將傳福音的責任投放在別人身上，寄望來訪的佈道者使教會增長。所以，我們開始自己傳福音和跟進，把握主所賜的各種方法，甚至喪禮都是一個傳福音的機會。」

逐漸，教會內的長椅坐滿了，需要將聚會移到院子舉行，出席人數由60增至約400。1982年，他們開始認為需要拓植新教會。首間是在附近的市鎮，由主要的團契差出一些會友。以為可以挪出一些空間，但不足一星期，教會再坐滿了人！所以，他們仍在多處地方拓植教會。

但Freddie Gwanzura說：「晨曦運動的研討會來到我們的地區，使我知道有些地方遺漏了。我的異象並不全面，晨曦運動將它完全改變，使我看見重要的研究和有用的資料。我對所面對的禾場有多大，有多少村莊或市鎮全不認識，也無探視何處無教會。晨曦運動使我知道應了解自己禾場內的省份和區域，主引領我看見現存的教會，只是我們需要的一桶水裡的滴涓而已，我明白我們的工作永遠不會完成，除非每一個人都加入了教會。」

今日他所督導的教會逾200間，晨曦運動的構思仍是他工作的核心，他一生要向在他領導下的人傳遞的信息是：「我們必須植堂！這異象支配著我；在所有鄉村拓植新堂會，以及使我們省內的教會增長，這是神要我們去做的主要事情。」

當Gwanzura停止思想如何使會友增加，開始將視線放在全省的禾場之內時，他的思想就由「從內而外」轉而為「從外而內」，已能夠掌握全面植堂的異象。

放諸四海

在全球及每一個層面都有這個從外而內構思的傑出例子。任何人都可以發展一個全面植堂計劃，但在我們這個時代，需要廣泛應用才可以完成大使命。正如 Leighton Ford 所觀察：「若我們的目標是要滲進全世界，那麼，我們一定要動員全教會，捨此別無他法。」[6]

若每一個西方及非西方的差會、全球2萬2千宗派、每一個福音機構與每一個本地教會、每一個代禱網絡都掌握了這個異象，那麼，必定可以「認識耶和華榮耀的知識，要充滿遍地」(由每一族群的地方教會來彰顯)，可以輕鬆地在主後2010年達到目標，甚至可以更早實現！

注釋

1. James Montgomery, *DAWN 2000: 7 Million Churches to Go* (Pasadena, CA: William Carey Library, 1989).

2. Ibid., pp.29, 30.

3. C. Peter Wagner, *Spreading the Fire* (Ventura, CA: Regal Books, 1994), p.60.

4. C. Peter Wagner, *Blazing the way* (Ventura, CA: Regal Books, 1995), p.48.

5. C. Peter Wagner, *Spreading the Fire*, p.60.

6. Robert E. Coleman, *The Coming World Revival* (Wheaton, IL: Crossway Books, 1989), p.86.(編按：該文章已收本書第一部分，請參 173 頁。)

〔作者是美國科羅拉多州晨曦運動事工會 *(DAWN Ministries)* 的創辦人及總裁，曾在 *OC International* 事奉 27 年之久，有 6 本著作，其中 *DAWN 2000: 7 Million Churches to Go* 一書，記述晨曦運動之起源及歷史。〕

研習問題

1. 請描述全面植堂的策略。何以本文作者確信全面植堂是完成大使命的關鍵？

2. 全面植堂(SCP)與晨曦運動(DAWN)有何分別？

3. 一國之內其它地區已有數以百計的教會存在，何以晨曦運動的策略仍要在一個地區的每一鄉、每一市裡拓植教會？

Pigs, Ponds and the Gospel
豬場、池塘與福音

James W. Gustafson 著　編輯室譯

在普世宣教中，基督徒談論融合佈道和發展已有數十年了，其中有不少障礙。或許最重要的是佈道的定義太狹窄，只限於口傳福音。耶穌基督的福音並非是簡單的一句話，而是活的道。福音就是生命，是神的話語成為肉身進入人類的文化和生命之中。

而世俗對發展的定義，成為了有宣教思想的基督徒第二重的障礙。世俗對發展的進路大部分是以經濟增長為焦點，以增加收入為目標，這個焦點形成了個人主義，甚至使企業家互相傾軋。強調個人主義及自我實現，是與神的教導對立。聖經是以團體的好處、教導自我否定以及彼此服侍為焦點。作為基督徒，重要的是謹記發展的原則與價值乃來自神的話語，而非華爾街(Wall Street，美國的金融中心)。

將佈道與發展融合的第三個障礙，就是基督徒未能活出基督的樣式。筆者非常難過，深深的感受到今天的教會遠離了恩典的福音，我們被美國社會所形成的宗教價值體系所矇騙，它所教導的是人所行的應該是道德上的善。只有基督徒了解和相信神恩典的福音——在有組織的生活和工作各層面都表現出神的恩典，會使教會及四周的社會不斷產生改革。

融合佈道與發展的最後一個障礙是，教會在許多不同的情況下表現出外來文化。特別在第三世界中，本地的文化往往被宣教士明確地或含蓄地指為罪，而西方教會的形式則被視為聖潔。所得的結果是，不會探討或建立與本地文化相關的教會生活形式，非西方人士的內心和思想裡，基督教仍是舶來品。

融合的全人發展

作為福音聖約教會的宣教士，筆者過去 27 年在泰國東北 Issaan 地區，參與一項融合植堂、佈道和發展的事工，以期克服這方面的障礙。幾位北美的宣教士和一位泰國東北的本地同工(1998 年共有 150 位)被委派參與這一個稱為「融合性全人發展」工作。稱它

為「發展」,是因為它的目的是尋求人在基督裡的改變;稱之為「全人」,因為它所處理的是「整個的人」,生命的整體;稱之為「融合」,因為這項事工每一部分都彼此連結,單獨存在便不能發揮作用。合作單位包括Issaan發展基金會、泰國聖約教會以及支援發展協會(Institute for Sustainable Development);前兩者關懷社會、經濟及人的需要,後者則為教會作研究和課程發展的培訓工作。

這項事工只有一個基本的焦點,就是耶穌基督能夠「誕生」於泰國東北部的文化之中。善於「串門」的團隊成員走遍各村莊來述說耶穌,他們不是講宗教,只會說「我們來並不是要你們改變宗教,因為每一種宗教基本上都很相近,都是導人向善。」然後,他們會說到認識神的話,就是耶穌基督活的話語,祂是在各種宗教之上。用這個方法來分享福音,很多人都給予正面的回應,因為有宗教的人都在尋索真理,卻無法在佛教裡得到。他們都同意難以遵守宗教的要求,但藉著接受耶穌,他們可以尋得救恩。這些初信者很快開始向親友分享這個好消息,教會因而不斷擴展和繁衍。

其中一些同工則專注於培訓工作,發展本土化的神學及學習材料,藉以使初信者在神話語裡扎根,使他們學習了以後,也教導別人。材料不是從英語翻譯而來,團隊中有泰國神學家與宣教士一同為泰人編寫泰語材

料。至今日,這項工作已經孕育了40個「母會」和超過250個「子教會」。團隊亦有一些人擅長於藝術,他們將福音透過文化形式向泰人陳述。當你到來探訪這些教會,你會看到以泰國的戲劇和舞蹈來講述福音,你會聽到以泰國樂器伴奏的泰語敬拜歌曲。透過這些方法,耶穌基督活現於泰國東北,也為人民所了解明白。

東北部是泰國的貧窮地帶,亟待發展,但我們相信須以服侍的心,而不是來作領導。我們的發展是以本地教會為前提,但不是視其為佈道的途徑。或者可以這樣說,是透過本地教會來影響社會、經濟以及人民的生活。其中一項發展是Udon Patina Farm,這是一所由三個不同的經濟體系所組成的農莊,為當地樹立了可以自給自足的農耕文化。

其中農莊有魚池、鴨和豬。鴨和豬的糞便與魚塘表面的草混和後,塘裡的魚就變得肥壯,數量大增。而塘裡的水和死魚,也成為塘畔、溝邊草木的有機肥料,豬的糞便也成為鴨的飼料。這些豬、魚、鴨不但可供村民食用,也可出售營利以支持教會的工作。這些農莊乃鄉村的合作計劃模式。

進行中的合作計劃

在Nong Hua Koo村正進行一個合作計劃。Kitlow是一個不折不扣的鄉民,租地耕種,一半的收穫要歸還給

地主，以致常要借貸度日，子女也要捱餓。Wundle亦如是，雖然他擁有一塊小小的禾田，可惜當地的氣候和土壤並不適宜於種植稻米，所以被迫經常借貸，到收穫時才能歸還。借貸的利息達120%以上，故難以有合理的生活。他們兩人都是聖約教會的會友，Issaan發展基金會與教會達成了一個「魚、鴨、豬合作計劃」。開始時，基金會先供應基本數量的動物，給予經營的訓練，並且貸款給他們購地。合作的成員需要物色合適的地方，建造養豬和鴨的圍欄，挖掘養魚池，並且承諾合作。事成之後，他們要以所畜養的動物抵還借款。

這兩家人與其他五家參與這合作計劃，每一個家庭每星期撥出一天輪流為這個計劃工作。透過出售豬、魚所賺得的金錢，使他們不必再舉債，也不需要再捱餓，因為所養的魚有半數可以供自己食用。他們也將十分之一的盈餘奉獻給教會，又將其餘的10%用在鄉村上，例如興建池塘養魚供小學生作為午膳。鄰居看見的不僅是他們的慷慨，也看見這項不平凡的合作，成員中有人生病或力有不逮時，他們也願意分擔工作、平均分配所得的盈餘。像這樣的鄉村合作促進了參與家庭的經濟，也為教會帶來資源；最重要的是，他們讓各成員有機會活出自己的信仰——學習去愛、服侍與彼此饒恕。

在農耕計劃以外，基金會亦會為本地教會提供職業訓練，像縫紉、技工等，也有基本的健康訓練，和切合鄉村貧困者的基本需要，藉以改變整個社區。所有計劃都歡迎團體參與而非個人。泰國東北因此出現很多新的社區，充滿了被更新的人。這些群眾與神，與人，與大自然都出現了新的關係。藉著回應神的恩典，他們發展了有動力的新生活型態，他們的價值觀完全改變了。

這項事工的核心，有7個基本的原則：

1. **權威性**。所有的活動的中心皆有一個強烈的信念，就是服從神話語的權威。構成這項事工所有政策和實踐的信念，都建基於神恩典的福音及其所包含的一切。

2. **融合性**。這項事工的每一層面都與神的恩典結連。我們靠著神的恩典來管理整個組織以及自己的生活。無論策劃、實行、評估及修正，我們都以恩典為原則來作楷模和指引，一切倚靠著恩典的大能。

3. **具彈性**。我們希望所做的每一件事，都能夠讓神的恩典在泰國東北部彰顯。為達到這個目標，我們自己與機構都願意作任何調整。

4. **本土化**。兩人若文化相同，彼此之間的溝通較清楚。能夠了解，便是有效的溝通，無論是言語或其它表示。為此，本地教會的敬拜和生活，以及發展計劃的結構和管理制度，悉依泰國東北部文化。

5. **權能對峙**。當恩典的福音進入泰國東北的文化與我們這項工作的每一個區域之中,都使本地文化的價值系統充滿能力和果效。結果,價值觀和思想都重新被塑造。

6. **進程／中介進路**。機構和基金會與本地教會是進程／中介的關係。進程是指「落實與進入」。發展是由群眾自己開展的,特別是社會基層的貧窮人民,是與參與的人對話來開始。中介的作用是「提升與向外」。基金會的角色是促進本地教會與外面各界及資源的連繫,如市場評估、技術研究等。

7. **本地教會為主**。作為基督教社團的基本單位,本地教會是全人發展開展的明顯據點,最終是要使本地教會成為本地的發展機構,能夠以神恩典的大能影響龐大的社群。

這項事工不會沒有難題。第一是傾向增長太速,員工數量的增長,會沖淡工作背後的基本哲學,特別是外圍人士的生命。機構的規模縮減,我們可以重新把焦點放回核心的價值上;倘若組織擴大,經濟的支援也成為機構最先要處理的事。所以,當發現關注運作的成本過於宣教工作時,我們知道必須裁減至可管理的規模了。

另一個問題是,在處理我們和別人的錯誤價值觀時欠忠誠。泰國文化與西方文化一樣,本質傾向於避免衝突。為了提升服務的能力,我們需要學習彼此溝通,也要以愛相待。其它有關的問題,都是回到核心點:我們需要多學習否定自己,接納自己的軟弱,在每一項細節上都倚靠神,我們便會得到更多從神而來的智慧、力量來滿足我們的需要。

外來差會、基督教援助機構與本地發展機構等,要考慮與本地教會合作,將佈道與社會發展融合。兩者對教會使命來說,都是重要的成份,社會的改革亦由此開始。當每一個文化的本地教會都有能力和完善的裝備,在自己的處境中靠著神恩典的大能,佈道與發展便可以結合,帶來真正的社會改革。

(作者為福音聖約教會世界宣教團隊的行政總裁,早年隨宣教士父母在老撾及越南生活,其後則在泰國東北從事宣教、植堂及社區發展工作達27年之久。)

研習問題

1. 試簡述「融合性全人發展」的計劃。

2. 試討論「融合性全人發展」計劃所列出的 7 項原則有何重要?

South Asia: Vegetables Fish and Messianic Mosques

南亞——菜蔬、魚池與彌賽亞清真寺

Shah Ali 與 J. Dudley Woodberry 合著　編輯室譯

我將古蘭經與聖經對比後，立志跟隨耶穌基督，我的穆斯林父親要用短刀刺死我。他認為我的決定，不僅叛逆了信仰，也背叛了家庭和文化。歷史上，曾有大批基督徒從印度教回轉歸主，並且用印地語配合西方形式來敬拜。

在表達信仰方面，筆者曾遇見兩大類難題。第一，視基督教為**外國的**。第二，基督徒為了滿足當地人的巨大需要，常常吸引了一些機會主義者和膚淺的歸信者，隨之而來的是佔人口多數的穆斯林憤怒。

披上穆斯林外衣的基督教信仰

筆者開始處理基督教的外國元素時，是受一位宣教士聘用翻譯新約，這次則是以穆斯林詞彙而非印地語翻譯，並給予一個穆斯林名字「尊貴的福音」(The Injil Sharif)。結果賣出了數千本，購買者大多數是穆斯林；如今，他們都接納了這就是古蘭經所說的福音。這個接觸方式大受歡迎，得到這個奇妙的成果，不但證明實際可

行，也有神學意義。與印度教經籍不同，古蘭經內有大量的材料與聖經相同。事實上，大部分穆斯林神學的詞彙是取自猶太人和基督徒。[1]

後來，一位富樂神學院跨文化研究學院的畢業生，邀請筆者培訓 25 對有志到鄉村和從事農業發展的夫婦。只有一對夫婦來自穆斯林背景，其餘都出現難處：穆斯林會探訪他們，但不會和他們一起用膳，直至他們學會在早上沐浴，因為按穆斯林的律法，他們與配偶同睡後必定要行潔淨之禮。

這些基督徒夫婦都像天使，他們友善、忠誠及願意捨己，也懂得向神祈求。可是，他們沒有穆斯林每日 5 次禱告之禮，就不能算為真正虔誠。因此，我們只僱用了有穆斯林背景的夫婦，並且發展了一套禱告禮儀，保留所有穆斯林和基督徒共有的禮儀及內容，但以聖經經文代替所誦的古蘭經。略為借用是必須的，早期伊斯蘭教也大量借用猶太教和基督教的習慣來建構宗教禮節，如認信、禱告禮

儀、布施、禁食和朝聖。[2]

我們的穆斯林鄰居把基督教定義為「背道者的外國宗教」，所以我們自稱為「穆斯林」——向神委身的人。向神委身，是基督教的教訓(參雅四 7)，而按古蘭經(五 111)所寫，耶穌的門徒自稱為「穆斯林」。[3]

當一些鄉村決定跟隨基督，村民繼續用舊有的敬拜場所(清真寺)來敬拜神，所不同的是，如今敬拜的是耶穌基督。若可能，也會栽培舊日帶領禱告的領袖(伊瑪目 Imam)繼續擔當屬靈領袖。

說服、能力與群眾

神也會使用不同的處境來帶領穆斯林歸信基督。筆者曾在不同的情況下與穆斯林教師(malvis)公開討論，並且指出，與他們一般相信的不同，古蘭經沒有指穆罕默德是中保。它更加指出，在審判日「代求沒有作用，除了那位充滿仁慈的予以准許，和祂出言證實。」(埃及所編的五 109/Fluegel 所編 108)。但按古蘭經所說這是從神而來的福音，不單指出神證實了耶穌的身份(如太三 17)，祂也是**唯一**的中保。

神也曾透過回應禱告來顯示祂的大能，例如一個三歲女童病癒，醫生曾說她快要死了；又如叫大雨降下，或制止一場洪水；再如突然出現一位人士，制止群眾殺死一位跟隨基督的伊瑪目。

我們刻意努力追求群體運動，而非個別人士歸主。若一個家族的領袖不受洗，不會替其餘的人受洗，也努力要使領袖明白信息。一個穆斯林的神秘派別(蘇非派)的酋長，明白了聖殿的幔子從上到下裂開了，於是拋掉了穆斯林的帽子，跟隨基督，也把他的跟隨者都帶來了。

因為文盲率很高，所以把聖經和訓練材料製成錄音帶，也以低廉的價錢將卡式錄音機售與鄉民。

可是，逼害隨之而來，我們的訓練中心被查封，筆者與三位同工受到檢控。同樣，領袖與其它基督徒團體之間發生衝突。但群眾歸主仍不斷發生。大部分初信者會留在獨立的彌賽亞清真寺內，而一些本土化的堂會則加入了主流宗派，亦有其它個別的堂會被吸納在傳統印度教背景的教會之內。

邁向自我承擔

我們除了嘗試以有意義的文化形式來表達信仰外，也嘗試滿足包圍在我們四周的龐大群眾的需要。我們宣告神的國度，也彰顯其價值，兩者同時兼顧，不免發生問題。

第一，以人的需要作為佈道的目的帶來問題——會操控群眾和吸引不忠誠的人。後來，我們幫助所有鄉民，而不論其信仰，也不會對敬拜耶穌的清真寺和他們教師有任何經濟援助。

第二，昔日的殖民統治者及受統治

者心態容易轉為捐贈者和收益者心態。

第三，從海外來的捐贈食物，因為運送困難，只會在城市分發，而且象徵性降低價格，未有足夠吸引力引起農民努力多產。

第四，技術的引進只對那些有技能和經濟能力的人有所幫助，擴闊了有與無之間的鴻溝。

處理這些問題，我們需要跟隨一些普遍的發展習慣，例如先貸款予農民買種子，待收成後才一併歸還，或者先供應抽水機，以提高生產力，再行付款。如今，我們在南亞認領了一個發展的計劃，可以作全人的基督徒關懷，處理所浮現的問題，並確定本土教會能自給自足。

這項計劃是訓練本土教會內的本地工人種植，和運作一個融合了養魚和菜蔬培植的系統。工人輪流到有需要的地區，教導本地農夫簡易的技術，使他們能自給自足。人口增加，耕地相對減少，運輸系統簡陋，迫使要供求相近，所產食品足以供本地人所用。

這密集式的食品出產系統，亦在其它地方發展。發展這個系統，需要挖掘魚塘，挖出來的淤泥堆積成為菜田，膳餘的菜葉和莖可用作魚的飼料，魚的廢物則是菜田的肥料。這些出產中心，距離該區的市中心很近，每天可以步行把產品攜來出售，而且，也有地方可供訓練當地農夫及耶穌清真寺領袖之用。

彌賽亞清真寺與完全的穆斯林(效法彌賽亞會堂及猶太人的模式)概念，基督徒仍多有誤解；亦有人不同意將佈道與人道主義事工結合，認為機構只能擇其一。無論如何，我們現時所發展的模式，為神使用，興起不少新門徒，表達了神關懷全人在肉體和靈性上的需要。彌賽亞穆斯林運動已經欲罷不能，透過親友間正常的探訪已進入鄰近的國家。筆者與同工最近探訪一個南亞國家，一條穆斯林鄉村的全體村民都跟隨耶穌了。

注釋

1. 參Arthur Jeffery, *The Foreign Vocabulary of the Qur'an* (Oriental Institute, 1938).

2. 討論詳情請參J. D. Woodberry, "Contextualization Among Muslims: Reusing Common Pillars," *The Word Among Us*, ed. Dean S. Gilliland (Word Publishers, 1989), 282-312.

3. 在這種處境下，他們無論如何都要表現因相信神和祂的使徒而順服(明顯地，那時穆罕默德仍未出生)。

(Shah Ali 是南亞一位有穆斯林背景基督徒的筆名，將新約翻譯成為本國語言。J. Dudley Woodberry 為富樂神學院跨文化研究學院榮休教務長，曾在巴基斯坦、阿富汗及中東國家宣教多年，編著甚豐。)

研習問題

1. 為甚麼嘗試使用有意義的文化形式和回應人類的需要會出現問題？

2. 宣教士可以稱他們自己為「穆斯林」，或者以伊斯蘭的文化現象來表達信仰嗎？何故？

中國大陸教會增長之十大原因

趙天恩著

中國大陸的教會，從1949年不到100萬的信徒，遞增到目前接近8,000萬之眾，其原因很多，表面的一般原因包括：福音廣播、運送聖經、中國的開放政策及有限度的宗教自由、遊行佈道者的興起、人民對馬列主義的絕望等。但其真正動力，乃是過去50年間中國信徒所經歷的苦難，及他們因走十架道路而學到的勇敢的心。謹按年代次序簡述如下：

一、死忠心的教會領袖感動了年青信徒 (1950－1958)

自1950年開始，中國的教會受到歷史空前的壓力與迫害，在這些苦難中，很多傳道人跌倒了；有些是甘心自願另謀出路，有些因承受不住與日俱增的壓力，有些則不願面對難關而離開牧者崗位。但也有少數的傳道人，靠主站穩腳步，始終不妥協、不控訴、不參加三自運動。為此，他們多半經歷了廿年以上的監禁或勞動改造。

這些傳道人對主的忠貞與見證，感動了無數的平信徒與青年跟隨他們的腳步，走上忠心事主的路，為中國教會的空前增長立下了根基。

二、平信徒領袖的興起重建愛主的家庭教會 (1958－1966)

1958年時，過去107年間(1842-1949年)西方宣教士在中國所建立的教會差不多已經消除淨盡，教會面對新的挑戰：在沒有牧師、沒有教堂、沒有聚會自由的情形下，如何繼續進行教會生活與事工？在此艱難狀況下，神興起了眾多的平信徒，冒險重建教會，在家庭中一起讀經、禱告、交通。他們相信主的話：「無論在那裡，有兩三個人奉我的名聚會，那裡就有我在他們中間。」(太十八20)於是開始了家庭教會運動。他們不單自己聚會，並且努力向外傳福音，不怕一切險阻，甚至在監牢中也繼續為主作見證。今天中國8,000萬信徒中，大概有85%是屬於家庭教會。

三、以為主受苦當作基督門徒的 代價與榮耀 (1966－1969)

文化大革命初期(1966-1969)，幾乎所有基督徒都遭受迫害；但是感謝主的恩典，中國信徒及教會因著苦難，生命都變得更為豐富，苦難使他們更能體驗與主同受苦、同死、同復活的經歷。因著苦難，教會得以「更新而變化」。本來羞於開口作見證的信徒，因著苦難與逼迫反而剛強壯膽，靠主得力，勇於開口傳福音、建立教會，為以後數十年的福音廣傳開了先河。

四、遊行佈道者的興起與眾信徒 的禱告運動 (1969－1976)

文革後期(1969-1976)，對信徒的迫害變本加厲，表面看來，中國幾乎成了一個「無宗教社會」。但是神在此時興起了一些遊行佈道者，他們周遊各城各鄉，召集信徒，鼓勵他們重新建立神的教會。他們唯一的倚靠就是神，他們唯一的方法就是禱告，於是家庭教會掀起了禱告運動。直到今天，多數家庭教會在每日早晨5點聚集禱告兩小時左右，然後才去工作；每晚禱告一小時，祈求主的保佑、引導、力量及福音的廣傳。

五、上山下鄉傳揚真道神蹟奇事 證明真道 (1976－1980)

毛澤東去世後，中國享受數年沒有政治運動的平靜生活，教會趁此機會努力傳福音。「無論得時不得時」，他們在公園、在家中傳福音，甚至曾舉行過千人以上的聚會。這是中國教會復興的開始，福音在沿海及內陸進一步地傳開，並有神蹟奇事證明所傳的道，例如：絕症得醫、糧食不減少、主的僕人被奇妙保護等，因此極多人歸入基督。

六、家庭教會對內衛道自清與對 外恢復聯絡 (1980－1982)

這個時期的中國教會最大需要是聖經及屬靈書籍。海外信徒從香港及各地帶入大量聖經及書籍供應，凡是聖經所到之處，教會隨即增長！

但是當教會增長時，異端邪說也隨之興起、蔓延。因為教會對聖經真理教導不足，以致異端來臨時，一般信徒(甚至一些傳道人)多應風而倒，被異端擄去！為了應付此緊急情勢，教會舉行了他們的「耶路撒冷會議」，制定信仰宣言，決定不參加三自會，召集鼓勵青年傳道人，並開始國內偏遠地區的宣道工作。

七、走十架道路面對大逼迫導致 福音廣傳 (1982－1983)

1982年中國宗教政策大量緊縮，許多家庭教會領袖被捕並遭受長期監禁，不少傳道人及信徒四散奔逃；但正如使徒行傳第八章初期教會遭逼迫一樣，他們的「分散」造成了福音的

「廣傳」。他們接受苦難是作主門徒的代價，甘心走「十架道路」。他們到處傳福音，建立教會。有一個家庭教會的系統制訂了「七條大綱」：1. 講十架救恩；2. 走十架道路；3. 認識三自；4. 建立教會；5. 供應生命；6. 聯絡交通；7. 開荒佈道。直到今天，走「十架道路」仍是家庭教會勝過恐懼及廣傳福音的秘訣。

八、訓練福音使者差傳全中國 (1984 - 1989)

1984年，中國在趙紫陽領導下，進入了經濟體制改革時期，家庭教會趁此良機加強宣教工作，特別是在邊疆地區及內陸。他們開始了為期三個月的「野地神學院」，結業的福音使者立刻加入福音使團，鼓勵他們到黑龍江、內蒙、寧夏、新疆、青海、西藏、雲南、貴州及海南等地宣教，進一步打開了中國大陸全國範圍的宣教工作，並促進了中國信徒的迅速增長。

九、馬列主義的幻滅與知識分子 的歸主運動 (1989 - 1995)

1989年6月4日天安門事件造成許多中國人對馬列主義徹底絕望，特別是青年學生及知識分子。他們開始渴慕超越性的真理，於是掀起了所謂「基督教熱」，有不少人加入了家庭教會或三自教會。大學校園開始出現查經班，這頗像60年代的美國校園。有些知識分子雖未完全接受主耶穌，卻欽佩基督教，於是形成所謂「文化基督徒」。

此外，這個時期出國的人越來越多，而他們留學的目的地絕大多數是到西方基督教國家。最近的統計共約為50萬人，計：北美25萬、日本10萬、歐洲10萬、紐澳3萬、其它2萬。

據估計，在北美的25萬名中國留學生中，今天至少已有十分之一信主了！這是何等可喜的事。我們相信海外歸主的中國留學生是將來中國福音化的重要鑰匙之一。

十、傳福音與建造教會方面順從 神不順從人 (1995 - 2000)

1994年開始，中國當局更加有系統地管制家庭教會，迫使他們參加三自會，導致很多家庭教會被迫分散，化整為零，不少教會領袖被捕下監。雖然如此，極少家庭教會參加三自會，因為他們已經學會為主受苦，走十架道路。未被「無神論」佔領的遊行福音使者與不妥協的家庭教會，直到如今仍是對主忠貞，致力於中國福音化及普世福音遍傳的主角，他們將繼續事奉，直到主來！

結論

筆者相信，以上這十項因素，不單是大陸教會迅速增長的關鍵素，同時也將會是廿一世紀促進中國福音化的關鍵！福音在華傳播的完成進度只

有神知道，而我們的責任乃是協助中國的教會，特別是在訓練遊行福音使者、培訓教會工人方面，直到完成主託付的大使命，迎接祂再來。

(作者為「中國福音會」創辦人，長期從事中國福音工作，已於 2004 年初辭世。)

(本文初稿刊《大使命季刊》第 28 期，2002 年 8 月。本文為修訂稿，見《薪火相傳——趙天恩牧師記念文集》中福，2005。)

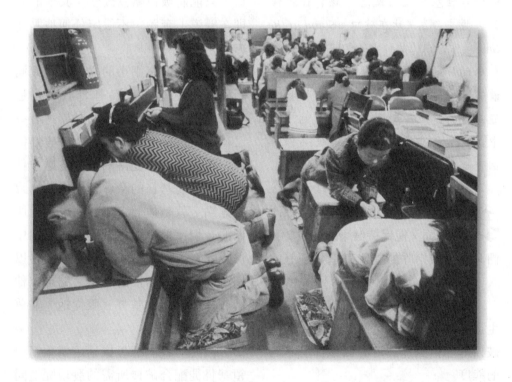

What it Means to Be a World Christian
作個胸懷普世的基督徒

David Bryant 著　　編輯室譯

1979 年，本文作者出版了《在破口上》(In The Gap)一書，提出要作一個胸懷普世基督徒的概念，該書後經修訂，並易名為《站在破口》(Stand in the Gap)。作者以「破口」一詞來描述神對全球的目的仍未得到應驗，以「破口最寬的一端」來描述最少人認識和跟隨基督的情況，基督是「破口」的唯一中保。本文雖經刪節，仍不失為作一個普世基督徒的最清晰宣告。

我們應怎樣稱一個會使我們全然改變，而又能保持健康的發現？我們又應怎樣稱呼那些曾有這類經歷的人？

如今，明顯可見，**所有**基督徒重生**進入**神對全球的目的及應驗之間的破口裡，但對這破口的**回應**卻有不同的態度。

一些人在睡覺，一些人在後退，亦有一些決意要站在破口之中，特別在它最寬闊的一端，有億萬的人在那裡等候首次聽聞基督的機會。一些人正迎向「宣教的朝陽」，而其他人仍群集在樹蔭下；很多人拖著閒懶的步伐，因為他們自己內裡存有不信的破口，只能將破口略為改變；其他的人則在賽道上奔跑，不設定任何地點和方法，完全對神開放。

有些人困在細小的盒子裡，充滿了宣教的迷思，以為基督教就是這樣，失去關心未得之民的動機。有些已衝出盒子，體會有目標的基督信仰，預備將神的愛傳到地極各處。他們決意要使基督的全球目標成為一致的焦點，就是他們自己和在破口上所做的一切。他們願意破碎自己，向中保降服，接受模塑來配合「破口」，以期產生最具策略性的影響。結果，他們成長，更認識基督，服從祂，並尊祂為中保。

因此，我們應怎樣稱這個重新引領基督徒配合破口所需的發現呢？同時，我們怎樣可以分辨那些已經完成的人呢？

一些在破口的基督徒，出現私心，又被瑣事纏繞，或「小心奕奕」地服從，只愛最接近和最易於關心的

人。我們應怎樣分辨在破口的其他基督徒，他們在門徒訓練中正確地成長，並且充滿活力去幫助其他國家的失喪罪人回歸。

我們應怎樣稱呼這些「特別」的基督徒呢？他們的立場是：

> 我們需要承擔個人向世界未得之民傳福音的責任，特別是對那億萬站在破口最寬闊一端的人，他們只能透過神子民努力開創的新工作，才有機會聽聞福音。在一個群體之中，若仍未有活潑傳福音的基督徒社團，就應該有一個，一定要有一個，將來必定要有。請讓我們一起來實現這個目標。

現在，就讓我們稱他們為**胸懷普世基督徒**(World Christian)。當然，任何一個新名詞都可能被誤解，舉例來說，一些人可能以為筆者所指的是「屬世」的基督徒(worldly Christian)，而不是胸懷普世的意思。但我們知道，既作了這一類，就難以作另一類；一個人不會願意有雙重角色！

這一個名詞並未見諸聖經詞彙，但請不要懷疑！這並非陳腔濫調，像經常貼在汽車上引人注目的字句，例如「被提請按響號」；也不是意圖高抬某些獲得超神秘祝福的新屬靈精英；而是指我們大家應有的表現，況且我們之中已有人開始成為這類的基督徒。

「胸懷普世基督徒」這個名詞，是1920年由Daniel Fleming在青年會所出版的一本名為《胸懷普世基督徒的標誌》(Marks of a World Christian)的書中提出，近期則有不少團體的刊物引用，如世界宣教使團(World Team Mission)、美北浸信會國外傳道會(Conservation Baptist Foreign Missionary Society)、美國長老會宣教研究中心(United Presbyterian Center for Mission Studies)，還有宣教更新使團(Mission Renewal Teams)和世界基督徒團契(Fellowship of World Christians)、學園傳道會(Campus Crusade for Christ)及Inter-Varsity Christian Fellowship。

一位胸懷普世的基督徒並非較其他基督徒優秀，但靠著神恩典，他有重大的發現，生命不再一樣。他發現了破口的真理，並且明白他正在破口之上，同時，他聽見基督呼召他相信、思想、籌劃及作出相應的行動。憑著信心，他已經選擇**站在**破口之中。

一些胸懷普世基督徒是宣教士，他身體力行站在破口之中，跨越了重要的人類障礙(文化、政治等)，成為唯一將福音帶給那些等候聆聽的人的途徑。每一位基督徒都應該作胸懷普世的基督徒，無論是「開赴前線」，抑或「留守家園」，獻出愛心、禱告、培訓、金錢，及以緊密的團體生活，來支持那些在「前線」的見證人。

胸懷普世的基督徒天天都是門徒，對他們來說，因著基督的緣故，他們的人生是以基督的全球目標為優

先。正如所有門徒一樣，他們需要積極探究大使命的意義，然後，將所學的付諸實行。

胸懷普世的基督徒是一些生命方向皆由一個普世異象所具體塑造的基督徒，這並非指那些感覺落在普世宣教運動的網羅中的基督徒，偶然地按鈕，聲稱他們已完成了自己的責任。胸懷普世基督徒既領受了一個異象，就要持守著，也要毫不猶豫地順服。

胸懷普世基督徒為主踏著堅實的步伐(Corrie Ten Boom 所說)，離開藏身之所，與救主一起漫游破口。他們是天國的僑民，在神的國度裡最需要服侍的地方安營。他們在世上無恆產，到處為家，不僅把福音，也把自己的靈魂送給這個正邁向死亡的世界。從古到今，他們是神散居全球的子民，超越國族，向未得之民傳福音，祝福地上萬族。

要成為胸懷普世的基督徒，有三個步驟：首先，普世基督徒要**領會**一個普世異象，要從神的方法來看目標，也看見破口的全貌；第二，普世基督徒要**持守**這普世異象，把目標作為自己在基督裡的生命中心，也把自己的生命放在破口的中心；第三，普世基督徒**順服**自己的普世異象，並一起探討一套可以對目標有長遠影響的策略，特別是對破口最寬闊的一端。

多年以前，一位名叫穆德(John R. Mott)的普世基督徒，領導學生志願運動，差出了 2 萬位新宣教士，下面勾畫出相類的步驟：

這是一項以一個世代內整個世界福音化為目標，並且思量最終要建立基督國度的企業，需要有遠見的領袖，同時也要有綜合的計劃、開創的魄力，以及懷著得勝的信心。

領會！持守！順服！——就是成為普世基督徒的三個步驟，讓我們按著綱領來作進一步的查考：

步驟一：領會一個普世的異象

- 看見神在基督內的普世目的
- 看見這世界藉著基督便充滿機會
- 看見世界充滿了不認識基督的人群
- 看見自己有與基督同工的本份

步驟二：持守一個普世的異象

- 要作一個胸懷普世基督徒
- 聯繫其他普世基督徒
- 部署服從異象

步驟三：順服一個普世異象

- 順服是你有規律地建立異象
- 順服是你在愛中將福音向外傳揚
- 順服是你向其他基督徒傳遞異象
- 順服是你向神交託異象

一個人怎樣知道自己已邁向普世基督徒的三個步驟呢？以下是一些重要的提示：

步驟一：我領會一個普世的異象嗎？

目的：我是從神角度來看這一幅基督的全球目標大圖畫嗎？

可能：我看見自己這一代教會具有潛力可以縫合神的全球目的和應驗之間的破口嗎？

人群：我看見世上未得福音之民所在的大範圍，特別在最寬的一端仍有億萬人未清楚聽聞福音嗎？

本份：我相信自己與其他基督徒現在可以對基督的全球目標產生策略性的影響嗎？

步驟二：我持守一個普世的異象嗎？

要作：我願意與基督同站在破口上，在祂的全球目標之中與祂有最緊密的關係嗎？

聯繫：我願意與其他基督徒組成隊伍，一同站在破口之上嗎？

部署：我願意按自己的普世異象，規劃獨特的途徑來協助填補破口嗎？

步驟三：我順服於一個普世異象嗎？

建立：我有付出時間來學習這個目標嗎？我有讓自己的普世異象增長嗎？

外展：我有個人參與這個目標嗎？我有幫助向未得之民傳福音，特別是在破口最寬的一端嗎？

傳遞：我有向其他基督徒傳述我的異象嗎？我有尋找更多普世基督徒一同站在破口上，盡力達到目標嗎？

交託：與神的應許一致，我有為那些仍未能為自己代求的人禱告嗎？更策略性來說，我有為全教會的靈性覺醒歸向基督而尋求神，藉此動員教會推動一個嶄新而有活力的普世宣教運動嗎？

最終來說，並非跟從這些「步驟」便可以而成為普世基督徒，乃是基督的恩典！我們的信心必須經常繫於祂的身上，而非簡單的三步進程。讓基督打開我們的心，領受祂的普世異象，也引領我們在這異象中安穩前進，並加添我們的力量，才能更有效地順服。正如詩歌的作者所說，普世基督徒會懇求基督：「成為我異象，是我心中的主！」

(作者是國際禱告特會的創辦人及總裁，亦是全美禱告委員會的主席；過去曾任牧職及宣教工作，並編寫了一系列有關聯合禱告、靈命更新、普世宣教的實用性訓練材料。)

研習問題

1. 以你所了解，一個「胸懷普世的基督徒」與「普通的基督徒」有何分別？

2. 一個胸懷普世的基督徒所有的是怎麼樣的異象？

A Global Harvest Force
全球收割大軍

Larry Keyes 著　　編輯室譯

韋格(Moises Vega)是位跨文化工作者，在巴拿馬出生。1984年在蘇丹一個偏僻地區擔任工程師時，將自己一生交給基督使用。1986年的一天，他正禱告求神引領的時候，被「正如我祝福你，你要去使我的工作蒙福」這句話所觸動。他知道這是神對他說話，於是，帶同妻子及家庭，往蘇丹首都喀土穆(Khartoum)南部250哩處的丁卡族(Dinka)和希盧克族(Shilluk)作見證。兼為工程師與跨文化工作者，所面對的挑戰相當大，但他所付出的努力蒙神賜福，很多人尋得救恩。

1991年，神激勵他回到巴拿馬作全時間的工人，強化當地教會，同時接受更多的宣教訓練。從1994年迄今，他參加了很多不同類型的訓練課程，包括有機會出席在韓國漢城(今首爾)的全球宣教大會(GCOWE)。最後，神讓他明白自己要到埃及、蘇丹等類的地方履行植堂義務，於是，他帶同妻子及5個孩子回到蘇丹，利用過往的經驗和所受的訓練，使北非的教會可以倍增。

類似韋格的故事還有很多很多！在不同的情況和環境下，神興起數以千計的新工人；這一支整裝待發的軍隊，來自不同的語言和民族，到每一種語言和民族之中，向他們傳福音和建立教會。

一支工人軍旅……

從西方的觀點來看，非、亞、拉丁美洲及大洋洲(統稱為三分之二世界)最初差出宣教士，是由十九世紀20年代開始。當時，Ini Kopuria 和Josua Mateinaniu在太平洋上，從一個島到另一個去傳福音，數十位宣教士也像他們一樣，在大洋洲各島嶼上植堂，並激發了很多宣教組織成立。今天，太平洋上的島嶼有大量的基督徒，其中一個原因就是，兩個世紀前美拉尼西亞弟兄會(Melanesian Brotherhood)一類的組織差出工人到很多福音未及之地去。

在亞洲，印度有超過100個組織，其中一個最著名的是印度宣教會(Indian Missionary Society)，在1909年創立，為要向國內不同文化的人傳福音。1925

年，Dipti 差會在這片次大陸成立，專向部族傳福音。1939年，使徒啟示會(Apostles Revelation Society)在加納(Ghana)成立，向加納及多哥(Togo)人傳福音。非西方基督徒積極參與跨文化福音工作，已超過170年了；但西方教會在過去40年，才完全知悉這種情況。

神早已多方使用這群數目日增的宣教士，他們透過每一種可能的途徑被差出；一些在本國作跨文化的工作，一些到遠方帶職宣教，也有一些專注於國外的同語言和同文化群體，亦有一些差出作短期宣教，更有一些永遠離開家園。數年前，我們尚可以有信心估計差出的總數，[1]如今，由於差派形式及組織的多元化，亦由於人數劇增，在在增加了困難，我們無法再像過往一樣提供全球的總人數。

但更清晰的是，過去30年間，三分之二世界的宣教士人數增長速度差不多為西方的5倍。事實上，按主後二千普世福音遍傳運動的估計，可能有16萬4千位非西方或三分之二世界的宣教士，在世界各地從事跨文化的工作，而來自西方的工人則估計為13萬2千。所以，不禁令人懷疑，未來的宣教領袖及資源會否來自三分之二世界？

正全球增長

從以下幾個增長的例子，任何基督徒都會得到鼓勵，看見大使命在應驗。在韓國最少有4,402位宣教士派往全球138個國家，從1972年至1996年增加了116%(1972年首次完成三分之二世界的宣教士及差會統計)。在這25年間，韓國宣教士前往的國家超過從前5倍；最大群的韓國宣教士可能在前蘇聯，其次是菲律賓、日本、中國及台灣。

來自菲律賓的則估計有600個「單位」(單身及夫婦)在國外事奉，另有2千個宣教士「單位」在國內的跨文化環境中，較1972年的估計數字顯著增加了23%，正如在菲律賓的資深宣教士 Eric Smith所說，菲律賓的宣教士數目正在擴大。

在新加坡，1994年有400位全職宣教工人在島國之外的跨文化環境，其中55%是第一期宣教士，45%則是第二期以上；這個數字較1972年的估計高出40%。

按一份有關拉丁美洲的研究，1997年至少有3,921位跨文化宣教士，透過284個差會前往全球86個國家，同時，亦有932位其他工人擔任行政工作或輔助宣教士。整體來説，數字顯示工人較1972年增加了7%，差會則增加了5%。正如在巴西的資深宣教士 Ted Limpic 所寫，教會每差出一位宣教士都代表為主爭戰的一次重大勝利。總括而言，這是拉丁美洲國家一個重要的現象，也是要將榮耀歸給神的原因。

如西方一般參與宣教

神正在世界各地迅速增加祂的見

證人；這些跨文化工人要看見神的國度擴展和成熟，必須是「人傳」而非只是「言傳」，所以其中很多都投身於全人的事工，關懷社會的同時，也關懷屬靈的需要。一些人像使徒保羅一樣帶職事奉，一面分享神的真理，一面賺取收入來維持生計。

很多工人是定期代禱者，而且有機會迅速看見神戲劇性地應允禱告，歸榮耀予神，以香港為基地的宣教士Lun Poobuanak以及他新拓植的教會為泰國卡拉信省(Kalasin province)向神求雨就是一個例子。由於天氣極為乾旱，一鄉村領袖向他說：「若你請求你的神，在這個月內降雨給我們，我們全省都會敬拜你的神，並且作基督徒。」禱告禁食了4天後，一場暴雨使所有稻田都漲滿了水，莊稼不致旱死。很快，134戶家庭都成了基督徒。

一如西方，這些新的工人團隊亦投入短期的工作。最近，蘇丹南部的基督徒以歌唱、舞蹈及盛大的宴席，歡迎來自南非開普敦(Capetown)的短宣隊，這是多年來首次有外隊來訪曼德尼區(Mundri district)。當這些宣教士分派聖經等屬靈刊物，渴慕的莫魯人(Morus)蜂擁而上，「搶掠」一空。東道主的蘇丹教會因而受到激勵，要延續這些宣教工作，向其他群體及部族傳福音。

三分之二世界的宣教工作亦包括設立訓練學校、有宣教胸懷的教會及組成本國宣教聯會，亦藉宣教年會及特別會議獲得資訊和友情。一些探討福音策略的本地刊物應運而生，有助

更迅速增長，亦有不少組織已訂立目標，努力向前，邁向成功之途。當中大部分都對未得之民有很強烈的意識，要集中力量和資源迎合他們的需要。

在其它方面，三分之二世界的忠心僕人亦面臨逼迫、恐懼和流失。在前蘇聯加盟國的車臣，來自俄羅斯的宣教士Vasili Luppof建立了全備福音第一車臣基督教會，由30位不同國籍的歸信者組成新的堂會，大部分有穆斯林背景。為主作見證期間，Vasili Luppof曾接到大量的恐嚇，但他工作如常。一天，他在家中被人帶走，從此再沒有人見過他！

也在期待合作！

三分之二世界的宣教領袖期望有更多機會與思想相近的工人合作，理由很多，其中一個是承認要更關懷宣教士，和得到更多國際間的支持，他們亦知道因為政府官僚、專業訓練以及資金的來源和渠道錯綜，使宣教任務變得更複雜。需要外界協助他們明白處理上述等重大問題的最好方法。最重要的是，聖經中教導基督身體要彼此依賴，故此，很多都期望能與相同異象和神學觀相近的差會彼此結盟。非洲流傳一個這樣的故事：一個小孩子進入高大的草原叢林游蕩，沒有人能找到他，部族裡的人都很焦急，大家手牽手走遍整個叢林，於是把他尋回。僅有共同的目標不足夠，要毫不猶疑地通力合作。

整個三分之二世界對伙伴計劃都

非常感興趣，大部分的合作都是與差派國本地或相類民族背景的群體在事工上合作，但很多合作都是同宗派和聯會的教會。然而，西方宣教團體和三分之二世界的教會及差會的聯繫正在擴展，而合作發展和平權伙伴的前景亦有所進展，實在令人興奮！事實上，若我們要遵行主的命令，完成大使命，合作是必須的。

神的目的：歡欣收割

回應神的邀請，在這個關鍵時刻一起合作同工，有兩個重要的價值。第一是策略上的價值。宣教工作有如聖經所說的耕耘，耶穌描述神是一位農夫(太十三3-23)；基督告訴我們，神不只是一位獨自幹活的農夫，「莊稼的主」有龐大的計劃，需要更多工人來完成大使命。耶穌請祂的跟隨者注視莊稼，他們看見要收割的禾田何等廣大，知道不可能獨自去做，就請求主人差遣更多工人去收莊稼(太九38)。

早期，神最優秀的工人們的禱告及努力，如今已有果效，神在全球回應他們的祈求，委身且勝任的見證大軍正在增加，基督的身體懷著希望整裝待發，要較從前更快完成福音遍傳的任務，且做得更好。這項工作遠超由西方差會獨力承擔的能力，非、亞、拉丁美洲及大洋洲弟兄姊妹的輔導、協助和增添人力是不可少的。神呼召所有人參與這個有意義和全球性的收割，祂要求每一個人都與萬國的人攜手，彼此支援，成為歷史上一支最強大的屬靈軍隊。這就清楚看見，我們若不願意與祂所差出的人加強合作，就不算完全委身於祂。

除了策略上的價值之外，還可以與非西方教會的志同道合者同工，實在萬分喜樂！耶穌提及祂的事工時曾說：「別人勞苦，你們享受。」伙伴合作其中一項要點是「撒種和收割的一同快樂」(約四36-38)。我們只有與他人同工，成為真正的伙伴，才能夠享受這一項極大的喜樂。我們不能只為豐收而歡欣，也要為神讓我們「一起」工作而歡欣。我們若能因服侍、學習、施與及一起禱告而喜樂，神更會給我們不可思議的時刻；時間稍為延遲，可能花費更多。假若莊稼的主差我們一起同工，我們就不要輕易喪失合作所帶來的深遠的福份。與人同工是我們最大的喜樂和成就，也帶給祂極大的榮耀。

注釋

1. Lawrence E. Keyes, *The Last Age of Missions*, William Carey Library, 1983, and Larry Keyes D. Pate, *From Every People*, MARC,1989.

〔*作者為 OC 國際事工會主席，亦為福音派差會團契(Evangelical Fellowship of Mission Agencies)主席，曾在巴西宣教達11年。*〕

研習問題

1.當組織多元文化伙伴時，需要留意哪些要項？

2.是否三分之二世界的差會增長，就是指已不需要西方的宣教工作？

The power of Partnership
伙伴的力量

Philip Butler 著　　汪莘譯

若要有效地為基督作見證，怎樣做才是明智呢？神的子民**一同分享**基督的愛，抑或各司各法，各自為政呢？從聖經、國際商貿經驗、邁向合作的全球趨勢以及普通常識都指著同一方向——伙伴關係。

15 年前，北美和亞洲之間的貿易，並無正式的策略性聯盟；今天，已有 300 多個，而且仍不斷有新的聯盟出現。

無論在西方城市或遙遠的、沒有教會的伊斯蘭教社區，當神的子民一同分享基督，並奉祂的名來服侍時，就會產生很大的效益。

伙伴關係——唯一的選擇

曾經誓不往來的對手很快便成為合作者，因為單獨行動的費用和危險性極高，進入新地區的挑戰也太複雜了。

在傳福音和宣教的領域裡，有兩個因素大大影響著我們的工作：第一，過去 10 年全球的社會和政治結構急劇變化，向未得之民分享基督的門戶大開，機會是意想不到的，我們今日可以接觸的近 10 億人口，10 年前與他們一起喝咖啡也不可能。第二，在全球幾十個國家中，宣教士的數目和可用的國家資源都在爆發。踏入二十一世紀，來自第三世界的宣教士和教會拓植者多於西方。

約有兩百年之久，西方的教會為宣教禱告和投資，期望看到教會在亞洲、非洲和拉丁美洲誕生；現在，第三世界的教會已經就位，與西方教會一起傳福音予世界餘下的部分——約 20 億未聽聞耶穌的愛的人口。

伙伴關係的合作已經談了很久，今天我們別無選擇了！

適時的概念

試想想，你決定要蓋一所房子，要視察所選擇的居住地點，找朋友們幫忙建造或招聘建築商。無論用哪一個方式，假若參與建造的人各不知道對方在做甚麼，或沒有圖則，後果會怎樣呢？

假如為房子畫圖則的人，完全不

和訂購建築材料的人商議；假如負責剪鋸材料的人不與裝嵌者合作；假如工人互不知道對方的工作進度，也不知彼此要怎樣配合；試想，後果會怎樣呢？

在某些情況下，我們的宣教工作亦相類似。電台廣播有關神的羔羊和捨生的信息；其它事工的文字材料卻提到基督另一個角色，也許是萬王之王；另一個佈道者則使用電影來宣講「墮落的本性」，提到我們的罪以及赦罪的需要。這樣，非信徒很容易產生誤解。這些機構各自訓練員工，各自策劃福音工作，很少想到要與同一地區的其他人協調。

非信徒接觸這一類欠缺組織的事工，像一所由工人各按己意而建造的房子，奇形怪狀，難以安居。他們從不同的基督教福音工作所接收到的，是不連貫的信息。

伙伴關係為何重要？

也有不少情況，是兩個或更多的機構以廣播、刊物或差遣宣教士向某一個群體傳福音，但附近另一個不同語言的群體卻從未有機會聽到基督。其實，我們可以採用一個較好的方法，就是機構合作。我們來看看阿默所遇見的事。

阿默正尋找人生的答案，所以在伊斯蘭教家鄉開始收聽基督教廣播，也參加了聖經函授課程，有機會與一位基督徒同工會面，因而被帶領歸主。

阿默經營一間商店，並要照顧年老的母親，但他每月要到另一個城市去一次，參加一個全日的聖經課程，並逗留一夜，亦加入了一個正在增長的教會團契。

有5個不同的機構在衷誠合作，以數年時間與阿默分享基督的福音，直到他成為一個成長中的教會成員。

阿默有機會接受函授課程，當準備好的時候又有人和他談話，並非巧合。因為廣播人員把阿默的名字告訴函授課程的同工，同工把他介紹給當地的一位宣教士，宣教士又把他轉介予聖經老師和該國的教會領袖。

這些機構早已把接觸、跟進、領人歸主和轉介到地方教會的步驟籌劃妥當；他們已協定「分擔」阿默的事工，每一機構各獻所長，包括了廣播、刊物分發、探訪，甚至與當地基督徒聯繫。

1. 伙伴關係是聖經的教導

聖經囑咐信徒同心合意成為一體；基督徒一般都同意，但機構的驕傲、自我、財務以及各自的工作計劃，常使他們難與其它機構合作。而且，合一的觀念若缺乏在基督裡的聖經基礎，亦難免令信徒懷疑。

約十七20-23這四節的經文中，耶穌兩次禱告，希望祂的跟從者能夠合一，使世界相信及認識耶穌是天父差來的。除了大使命以外，這是**其中一次耶穌最強烈表達宣教的意見**，指出我們的宣教信息可信，乃在於我們在

祂裡面合一。約十三35，十七11；林前十二4－17；弗四1－15和腓一27都描寫我們在基督裡的合一。

聖經提到合一，不僅是神學理論，林前十二章提到信徒之間的合作要落實在生活層面，實際也像人體各部分的配合。

為何要結伴同向未得之民傳福音呢？因為這是聖經的教導。

2. 伙伴關係展示社區見證的能力

在西方，大部分人各自獨居，不相往來；但傳統社會裡，個人的生活與家族及社區是分不開的。西方人常不理解東方傳統文化中，家族和社區結合的力量對個人所產生的影響。

在未得福音的語言群體和城市之中，數以百萬的人差不多全來自傳統文化背景的，家庭、社區和人際關係對他們非常重要。試想像這些傳統的社區內，人們對宣教工作有何看法。

宣教士一般都是外來者，與本地的傳統世界毫無關連，更令這些傳統群眾驚訝的是，外來的基督徒竟彼此也沒有關連！各自為政的事工奪去基督教的可信性。

在上述約十七20-23的經文中，耶穌似乎已預料到這個障礙，指出若要得到信任，需要有可信的合一。

若要在10/40窗內建立一些有活力的本地教會，宣教士們組成的基督徒社群，至少要與歸信者的社區同樣強大和關係密切。

合作伙伴仿效這些關係可以更有效地裝備本土領袖。

3. 伙伴關係是發展教會最有效方法

佈道的最終的目標，是要建立一個能發揮功用的信徒團體。單靠醫療工作不能建立教會，刊物、教導或聖經翻譯也不能。一位佈道者或一位植堂者可以開始一個教會，但若事先以刊物或教導來接觸及撒種，那麼，建立和維持教會的工作便容易得多了。

策略性佈道／植堂伙伴的精義，在於把上述工作的果效合併，各施其長，為建立有活力的本地教會目標而努力。

這樣的伙伴關係結合了許多專家和貢獻者，在一個綜合的伙伴關係內，特別是救援工作、專業服侍、翻譯、廣播、出版、佈道、門徒訓練等許多服務，都能自願向著同一目標邁進，在一個強大的本國教會內造就信徒。

再以房屋為喻，建屋需用各種不同的材料，不能只用木頭，也不能單用玻璃、水泥或石頭；工人也要知道怎樣使用這些材料來建成他所負責的部分，分工合作，才可以達到建成新屋的目標。

4. 變化無常的世界需要伙伴關係

世界在急劇改變，日新月異；據估計，我們現在可以接觸的國家和群體約有10億的人口，是10年前所無法

接觸的。

所以，現代歷史上最大的宣教時機正向我們招手；同時，危機和敵意也在威脅這些新機會。

政治或邊界上的突變和不穩定，需要伙伴分擔危險和機會──足以靈活地抓住開放的時機，足以機警地適應各種挫折。

在此情況下，沒有一個機構能孤軍奮鬥──特別是在一個國家、一個大城市或一個群體的全人佈道／植堂策略上，多種事工的聯合資源，能夠提供多元、靈活、資金和禱告的支持，也可以迅速作出適時、恰當的回應。

世界的情況要求我們有策略計劃，要預料改變，要統籌準備回應。

5. 伙伴關係使資源發揮最大效用

因為人力、財力、設備資源的稀少與過份使用，我們需要合作。教會擁有完成大使命的資源，但不能浪費在重複的工作和相牴觸的項目上。可是，工作重複所帶來的浪費和信息混淆，未及世上有人完全被忽略更惡劣。

自 1986 年起，「策略性佈道／植堂伙伴」(Strategic Evangelism/Church-Planting Partnerships)已經證明，投資於伙伴關係、人力和財力資源的每 1 英鎊、美元、馬克、日元、蘭特或盧布，較完全投資在佈道上，能產生多倍的功效。

我們這一個年代，教會有足夠的人力、財力、禱告資源和科技以完成大使命；但並非靠時機便可完成，必須敬虔合一與合作才成。

這些伙伴關係，無論具有正式的章程，或只是一般協議彼此為神國度盡忠，都要由工場事工和本地教會的需要來主導。

伙伴關係的形像

一個策略性宣教／植堂伙伴是怎樣的組織呢？

伙伴關係是超越網絡的一個積極步伐；網絡的基本重點在於分享資訊，而伙伴關係則在於採取聯合行動──一起努力，做得更好，伙伴亦毋須為合作而放棄自己機構的身份。

歷史上早有先例，差會能成為合作伙伴，特別是在Interdev差會所稱的策略性宣教／植堂伙伴關係下合作。

稱為**策略性**，因為它是一個接觸整個群體的全盤計劃，用盡一切可能的途徑接觸這個群體，把媒體、醫療計劃、佈道、跟進、門徒訓練等連結一起。

稱為**策略性佈道／植堂**，因為有清晰的目標，要領人在基督裡成長，在自己的本地教會中受造就。

稱為**宣教／植堂策略伙伴**，因為基督身體的不同肢體一同作工，每個教會、捐贈者和機構都為整體的事工貢獻資源和專長。

宣教／植堂策略伙伴是把廣播、文字工作、救援、聖經翻譯者、本國的佈道者、植堂者等都帶進一個合作性

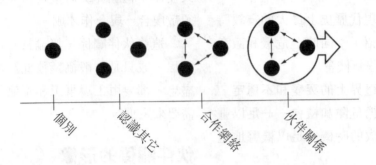

上圖橫線從左到右表示事工機構的配搭性漸增。開始時是個別機構單獨工作，稍後知道有其它機構，建立網絡，再後成為伙伴關係，一同工作。大部分伙伴關係都是在特別的、有限的計劃上合作，每一個伙伴機構都保持個別的身份。

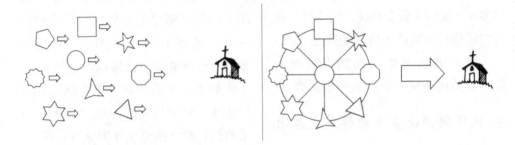

左邊的圖說明舊的獨立運作的事工模式。右邊的圖則表示這些機構保持個別身份，但在策略性佈道／植堂伙伴關係下合作。

的策略內。

對福音對象來說，策略性佈道/植堂伙伴是怎樣呢？

從接受者的角度看來，伙伴的形式是一個整體；信息和傳道者聯繫在一起，並且一同工作。

在中亞，一位牧馬的人從收音機聽到的信息，和從一位路過他村莊的亞洲傳道人所給他的刊物彼此連繫，也與他從「耶穌傳」影片所見，以及後來從基督徒那裡所聽見的配合。

當本地的基督徒遇見這位牧馬人，帶他到他們的新教會聚會時，他發現信息和傳道者所說並無不同，不會因完全沒有關係的團體和資訊而感到困擾。在人際關係上——他默默留意的——已適當地塑成了。這位牧馬人能集中注視基督，不會被混淆不清的信息或不協調的傳道人弄得心神煩亂。

對基督教工場的工人來說，策略性佈道／植堂伙伴是怎樣呢？

在一個有果效的伙伴關係中，基督徒工人知道他們不是孤獨的，在自己的機構以外，可以得到各地專長的

幫助，也知道他們可以把所接觸到的人或歸信者交托他們。

工人們可交換材料，也可合作改良材料；因為會有更多人使用這些資源，合作伙伴會分擔計劃的成本，因此減低了個別機構的開銷。

如此，機構所接觸的新信徒也可以參與較大的基督徒團契。在抗拒基督教的文化中，信徒常常感到被隔離，所以，透過伙伴關係擴大朋友的圈子是有益處的。

對新興教會來説，策略性佈道/植堂伙伴是怎樣呢？

信徒間的接觸有助於建立一個本土的基督身體。在佈道的初期，信徒少而分散。不同事工的伙伴，有助於新基督徒之間的接觸和團契。

對非西方教會來説，策略性佈道/植堂伙伴是怎樣呢？

西方宣教士的增長率目前每年逾3%，但非西方世界則每年逾13%；如此估計，至2000年，大多數更正宗的宣教士來自非西方國家。雖然，東西或南北有效的合作通常帶來挑戰，但來自非西方國家的神國資源增長率如此顯著，一些新而有效的事工形式實屬必須。

策略性佈道／植堂伙伴證明非西方人員實際具有與西方人員並肩的潛力，他們可以一同禱告、策劃，繼而合作推行，各獻所有。

西方差會龐大的預算和行政結構，經常予人權力和威嚇的影響，導致非西方的領袖在事工合作的參與和擁有權上，難有一種平等的感覺。

對差派教會和奉獻者來説，策略性佈道/植堂伙伴是怎樣呢？

對奉獻者而言，伙伴關係使宣教的奉獻可以產生更多的成果。

我們都希望看到自己的資源能為神的國度發揮最大的影響，沒有人希望看見自己的捐獻，因沒有果效，或事工的重複而作用減弱。

伙伴關係能令資源物盡其用。

例如，給予中亞伙伴關係40個差會其中一個的奉獻，可向奉獻者保證，同區的其它39個差會也在享用這些資源，以產生最大的果效，並沒有重疊或浪費。

奉獻者雖然捐助醫療工作者，但他知道廣播、文字工作、佈道者和本地的牧師都與這個醫療計劃合作，他們與有興趣的人接觸，幫助傳福音，把歸信者轉介到能發揮功用的地方教會。

宣教的伙伴關係像甚麼？像一個各部分通力合作的身體。

對於神，伙伴關係像甚麼？

試想想，當基督在子民中間與他們一起工作時，會有多麼高興，祂使整體較個別發展更有果效。以下是伙伴關係中神的能力彰顯的例子：

蒙古的突破

當1991年初在香港舉行第一次探索蒙古伙伴關係會議時，只有兩三個機構在該國工作，信徒寥寥無幾。如

今，已有來自十多個國家的35個機構在那裡活動；新約已經出版、修訂，且已3次售清，舊約也將完成；蒙古語的「耶穌傳」影片亦已製成，並有數以萬計的人看過；每天均有基督教廣播，在首都亦已有基督教電視台；有1萬至1萬2千人在30多個教會中崇拜，很多人相信受洗的信徒已超過5千。回想不到100年前，近50位基督教宣教士要把好消息帶進蒙古，在60天內全為主殉道！

巴基斯坦的伙伴關係

「生命良伴」(Along with life)是每日以烏爾都/旁遮普語(Urdo/ Punjabi)廣播的節目，收聽率高。這個節目把在巴基斯坦的伙伴聯繫一起，西方差會、巴基斯坦教會、文字事工、聖經製作、廣播和聖經函授課程等工作彼此連繫。自從這伙伴關係開始後，已接到數千位穆斯林的查詢，現時每月仍有300至400個查詢。

全印度的伙伴關係

住處印度西南部的卡納塔克邦(Karnataka)，林加亞特(Lingyat)印度教徒一向被視為分離「改革」派，驕傲、高學歷，控制著金融和政治，5年前成為策略性佈道伙伴的焦點對象。這個策略性伙伴由印度所有的基督教機構組成，聯合出版針對林加亞特世界觀的福音刊物，也為成員機構開辦傳福音方法的訓練大會，並聯合製作首個林加亞特語廣播節目，更共同跟進，現已看到許多人進入神的國度了。

伊斯蘭世界的希望

長久被忽略的伊斯蘭教地區，有6,000多萬人口，10年前組成了「策略性伙伴」，當時只有8個機構參與，只有1項事工。今天，該組織已有近80個機構，成員機構所組成的一系列工作小組，正為多項佈道、門徒訓練及領袖訓練計劃而努力。據估計，現時在這地區的神國資源是10年前的20至30倍。在一些自十九世紀晚期已有忠心宣教士，至今仍是宣教工場的國家中，其中一個國家由較龐大的「伙伴組織」推動特殊事工，最近5年內有近8千位穆斯林跟隨基督。

(作者為西雅圖 Interdev 差會總裁，在逾20個國家內推動伙伴和策略聯盟。)

研習問題

1. 伙伴關係怎樣展示出可以有組織地提高所傳信息的果效？

2. 請寫出一個例子來說明，在栽培初信者成為門徒的工作上，差會透過伙伴關係更能發揮作用。

宣教合作的新呼籲

鄭果著

我們都承認，華人教會的宣教起步遲，進度也慢，不但不敢與西方教會作比較，也不敢與南韓教會作對比。因此，筆者有兩個夢想，也是兩點新呼籲。

一、由鐵三角擴大到鐵四角

我們詳細研讀大使命的經文，特別是馬太福音第二十八章19-20節，可以知道完成大使命與四個單位都有關係。這四個單位就是教會、神學院、差會及宣教士。以往的鐵三角是指教會、差會和宣教士，鐵一般結聯在一起，才能把宣教事工辦得好。今日我們從聖經的指示及實際的經驗，看見神學院也應該加進來，成為鐵四角，始能把宣教事工辦得好，又辦得快。

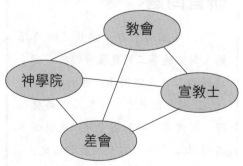

教會

教會是產生宣教士的大本營，教會的牧者和長執們，應鼓勵會眾答應神的呼召，多與獻身者交通，並安排他們去神學院進修，又安排他們回教會實習。等到他們畢業後，介紹他們參加差會，最後和差會舉行差派禮，用禱告和金錢支持他們上工場。

神學院

當我們在各地推動宣教的時候，會發現有的牧師不懂得作宣教，有的牧師不敢作宣教。牧師是教會關鍵的人員，若牧師不動，長執及會眾就無法動了，就是動了也是事倍功半。牧師是神學院造就出來，是否牧師未受過宣教教育的緣故？在此向各神學院呼籲，除了設宣教系，專給攻讀宣教者受造就外，神學院應有宣教必修的課程，如同教會歷史、釋經學等，是人人必修的科目。若是這樣，畢業的同學個個都認識宣教，在教會敢於推動宣教了。神學院設宣教必修科，可能不容易聘到宣教科教授，可商請差會

幫助，差會同工也理當幫助這件事。

差會

差會接納宣教士前，應與宣教士的母會取得密切的聯繫，也應與宣教士就讀的神學院瞭解宣教士的學識和品德。接納後當然要安排宣教士的工場，也要關懷他們的需要，最要緊是讓他們感受到差會好像他們的母親。同時，差會應作宣教士與母會的橋樑，轉達雙方面的信息，使差會、教會及宣教士，三方面緊密地結聯。

宣教士

宣教士勿忘記神學院的恩情，與母會及其它資助教會應常溝通，對差會應有順服的心態，作個神愛、人愛、又忠心、又良善的宣教士。

二、廣大胸懷切實合作互相支持

所有聖工最難作的是宣教，極其需要彼此關懷，互相代禱，相互支持；切勿彼此冷漠，互相批評，致宣教力量相互抵消。

因為宣教工作是遵行大使命，無論在任何崗位事奉，都是神國的同工，都是互為肢體；所以鐵四角的同工，應廣大為懷，切實合作，共同完成大使命。若以往單位或個人間，有甚麼不愉快的事，都請既往不咎，忘記背後，努力面前，實行合作。有些工場、有些事工、有些大聚會可以聯

合舉辦，事先坐下來商討如何進行。

華人合作在本質上有個困難，就是華人喜歡開「小公司」，不習慣開「大公司」；我們必須克服這個困難。筆者有個夢想，就是試行合併：許多小差會合併成幾個大差會，許多福音機構合併成幾個大福音機構，幾個華人神學院合為一個地區一個神學院。那是多麼美好！多麼有見證！多麼有功效！

人人都知道合併是不容易的。除非沒有自我，只求基督；除非不計自己的榮辱，只求主得著榮耀，否則是不會成功的。但筆者建議先從合作開始；各差會合作，各神學院合作，各教會合作，差會鐵四角又彼此合作，相信有一日有些單位要進行合併就沒有難處了。

筆者因從事宣教，有看見、有感動，故大膽向華人同工同道提出前面兩點呼籲，敬讀閱讀、代禱又商討，並貢獻寶貴的意見，看看這兩點是否可行？

(作者為資深宣教事工領袖，現已退休，專事宣教寫作。)

研習問題

1. 從正面來看，宣教鐵四角結聯，對宣教事工的發展有哪些好處？請列舉二、三個例子，並討論之。

2. 從負面來看，宣教鐵四角要結聯，有何實際的難處？可以克服嗎？請列舉二、三個例子，並討論之。

附　錄

The Lausanne Covenant
洛桑信約

唐佑之等

〈洛桑信約〉是第二屆世界宣教會議的宣言，也是赴會者在主面前所立的信約；為福音齊心努力。本文由香港代表團中的唐佑之博士與數位華人代表協同譯出。

引言

我們是主耶穌基督教會中的肢體，來自 150 餘國家，參加洛桑的世界佈道會議，同心讚美上帝，因祂賜給我們極大的恩，因祂的恩慈，帶領我們與祂相交，並與眾肢體彼此相交。為了上帝在這個時代的作為，我們感到興奮，然而為許多尚未成就的佈道事工，覺得有使命感。我們深信福音是上帝的好信息，賜給整個的世界。我們決心順服基督的使命，向每一個人傳福音，使萬民作主的門徒。因此我們要重申我們的信仰與決意，將此信約公諸於世。

1. 上帝的目的

我們確信上帝是唯一永恆的，是創造世界的主宰，聖父、聖子、聖靈三位一體的上帝，照祂旨意的目的，管理萬有。祂也曾在世界裡選召人歸祂，又差遣祂的子民回到世界，作祂的僕人與見證人，建立基督的身體，榮耀祂的聖名。我們感到羞愧，承認我們常常違背上帝的呼召，沒有實行我們的使命，對世界妥協或退卻。然而我們也感到歡欣，因為在我們這瓦器裡仍有寶貝顯明出來，所以我們要重新奉獻自己。(賽四十 28；太廿八 19；弗一 11；徒十五 14；約十七 6、18；弗四 12；林前五 10；羅十二 2；林後四 7)

2. 聖經的權能

我們確信全部聖經包括舊約與新約是上帝的默示，完全可靠，絕對權

威，在整體上是上帝唯一記載成文的話語，作為我們信仰與生活唯一不可更改的準則。我們也確信，上帝話語的能力成就救恩的目的。聖經的信息是對全人類宣講的，因為上帝在基督裡和聖經中的啟示是不可更改的，今日仍藉著聖靈說話。聖靈在各種文化中光照屬上帝子民的心智，使他們從各自的見解中，重新領悟其中的真理。聖靈以上帝諸般的智慧，將這真理恆久地顯明給整個的教會。(提後三12；彼後一21；約十35；太五17-18；弗一17-18，三10、18)

3. 基督——世界唯一的救主

我們確信，只有一位救主，只有一個福音，然而可以有許多佈道的方法和途徑。我們承認，人類藉著上帝的自然啟示，對上帝有若干的知識，但這種知識不能使人得救，因人的不義壓制真理。我們反對所有認為一切宗教及意識形態都包含有基督相等啟示之綜合論調及協商，因這是違背基督與祂的福音的。耶穌基督是唯一的神而人者，祂捨己作為罪人唯一的贖價，祂是上帝與人之間獨一的中保。沒有別的名我們可以靠著得救。人人都因罪而滅亡，但上帝愛所有的人，不願一人沉淪，惟願人人悔改。然而凡拒絕基督的，就是棄絕救恩之樂，他們就自行定罪，永遠與上帝隔絕。我們傳揚基督為世人的救主，並不是認為人人都可以自然得救或至終得

救。我們也否認一切宗教能提供救恩。傳福音是宣告上帝愛世上的罪人，並籲請人悔改與相信，全心全意地接受祂為救主、為主。耶穌基督是超乎萬名之上，萬膝都要跪拜，萬口都當承認祂是主，這是我們所希冀的。(加一6-9；約一9；徒十七26-28；提前二5-6；徒四12；彼後三9；提前二3-4；約三16-19，四42；腓二9-11)

4. 佈道的性質

佈道就是將福音傳揚出來。這福音是照經上所記：耶穌為我們的罪而死，從死裡復活，使我們的罪得赦，而且將聖靈賜給我們悔改相信的人。我們基督徒在世上的存在是必須的，因為這樣才使佈道的「對話」可使聽者感悟而明白佈道是傳揚基督，勸導人們個別信靠主與上帝和好。佈道的目的使人進入教會的團契，而在世上負責事奉。(林前十五4；徒二38；約二十21；林後四5，五11、20；徒二47；可十43-45)

5. 基督徒的社會責任

我們確信上帝是全人類的創造者及審判者。所以我們應共同負起祂對人類的關懷，就是對社會的公義及和好之關切，使受壓迫的人得以自由。人是按上帝的形象造的，每個人不論種族、宗教、膚色、文化、階層、性別或年齡，都具原有的尊嚴，所以應

當受到尊重及服事，不應非難。我們在此表示懺悔，因忽略佈道和社會關懷，並認為這二者是互相排斥的。與人和好，並不等於與上帝和好，社會關懷也不等於佈道。社會及政治行動更不等於佈道，雖然二者都是我們基督徒的責任。因為這是我們信念之當然表現；這信念就是對上帝與對人的。我們要對鄰舍有愛心，對基督有順服。救恩的信息也包含審判的信息，就是審判一切方式之排斥，壓迫及歧視。無論何處有罪惡與不公正的事，我們都不怕斥責。當人們接受基督時，他們就重生，進入祂的國度；在這不義的世界中，必須表彰並傳揚上帝的公義。如果我們所強調的救恩不能使我們在個人與社會的責任上有整體的改變，這就不是上帝的救恩。(約十七 18，二十 21；太廿八 19-20；徒一 8，二十 27；弗一 9-10，三 9-11；提後二 21；腓一 20)

6. 教會與佈道

我們確信基督差遣祂得救的子民到世上，正如父差遣子一樣，這就呼召我們付相似的代價深入世界。我們需要突破教會狹窄的藩籬，進入非基督徒的社會。在教會犧牲的事奉中，佈道是首要的。世界佈道事工需要整體的教會將完整的福音帶給整個世界。教會是上帝宇宙計劃的中心，是祂命定的傳福音之途徑。傳十字架的教會必須本身有十字架的印記。當教

會背叛福音，缺乏對上帝活潑的信心，以及對人真誠的愛心，在一切事工上，尤其在推進及財政方面不夠忠實時，就成為佈道的絆腳石。教會是上帝子民的群體，不是一個機構，不可與任何特殊文化、社會或政治制度，以及人為的意識形態認同。(約十三 35，十七 21、23；弗四 3-4；腓一 27；約十七 11-23；來十三 3)

7. 佈道的合作

我們確信教會在真理中有形的合一是上帝的目的，佈道也呼召我們聯合，因為合一使我們的見證有力量，反之分裂有損於和好的福音。我們也承認組織的合一可以採取許多形式，但卻未必對促進佈道的事工有所助益。我們具有相同聖經信仰的人，應該密切地在團契事奉以及見證上聯合。我們承認我們的見證有時會因混雜的個人主義及不必要的重複而受阻。我們深願自己能在真理、敬拜、聖潔及使命上要尋求更深之合一。我們切求地區的與功能的合作作策略性的計劃，有相互的勉勵，分享資源與經歷，使教會的使命得以進展。(約十七 21；弗四 3、4；約十三 35；腓一 27；約十七 11-23)

8. 教會在佈道工作上同工

我們感到欣慰，一個新的差傳時代已經開始。西方控制的陳舊的方式正迅速地消失。上帝正從新興的教會

中掀起了偉大的新的力量，去從事世界佈道事工，因此表彰佈道的責任是屬於整個身體。故此所有的教會，應求問上帝，也自問應如何把福音傳給當地的人及差派宣教士到世界其它的地方，對差傳的責任及角色應不斷的加以檢討。因此教會彼此間的同工應該增進，而基督教會的普遍性也就更清楚的表彰出來。我們也為那些從事聖經翻譯、神學教育、大眾傳播、基督教文學、佈道、宣傳、教會更新及其它特殊事工的所有特別機構感謝上帝。他們亦當時刻自我檢討，衡量自己在教會的使命上所盡的本份。(羅一8；腓一5，四15；來十三1-3；帖前一6-8)

9. 佈道任務的緊急性

世上有27億餘人，佔全人口三分之二以上，尚未接觸福音。這麼多人遭受忽略，我們深感羞愧。這對我們及整個的教會是一種恆久的譴責，然而現在全世界各處正以空前未有的渴望，要接受主耶穌基督，我們確實相信，這是讓教會和教會機構懇切為尚未聽聞福音的人得救禱告，而且，盡快展開新的努力，成就世界佈道事工。在已接受福音的國家內，外國宣教士及財力之減少，反而促進教會在自立中成長，並且進而將資源分送至福音尚未傳到之地區。宣教士們應以謙卑服事的精神，在六大洲內相互差傳，此一目的應以一切可行的方法，

在最短的時間內，使每一個人能有機會聽到、明白並接受福音的信息。我們不能期冀在一個沒有犧牲的情況下達到這個目的。我們為千千萬萬不公平的待遇中所造成的貧乏人們感到震驚。我們這些活在富裕境況中的人們，當盡責去過一種簡樸的生活方式，為的要更慷慨地捐助及佈道。(約九4；太九35-38；路九1-3；林前九19-23；可十六15；賽五十八6-7；太廿五31-46；徒二44、45，四34-35)

10. 佈道與文化

世界佈道策略的發展，要求創造性與先鋒性的方法。在上帝的引導之下，結果將使教會一方面深深的植根於基督，同時與它們的文化息息相關。文化必須經過聖經真理的考驗與判斷。人既是上帝所造的，他的文化必含有美與善之豐富內容。然而人已經墮落，所以文化的某些部分是被罪所玷污，且有魔鬼的成份。福音並沒有預先假定某種文化比其它優越，而是根據福音真理的公義原則，評估一切的文化，且在各種文化中堅持其道德的絕對性。宣教工作有時將外國的文化與福音一起輸出，以致教會受制於文化，而不是服膺聖經的真理。基督的佈道者必須謙卑地倒空自己，但仍用他們個人的真誠作別人的僕人。教會也必須致力於改造並充實文化，這一切都為上帝的榮耀。(可七8-9、13；創四21-22；林前九19-23；腓二

5-7；林後四 5)

11. 教育與領袖

　　我們承認，有時為求教會的成長而忽略了教會的深度，以致將佈道與培靈分開。我們也承認差傳工作，有時對當地的領袖不夠積極地裝備和鼓勵就將責任交託他們。各教會均應適合當地的情況；本色教會應有本色領袖。在各國有各別的文化，所以應設置有效的訓練計劃，造就教牧人員與一般信徒，使他們在真理上和佈道、培靈及事奉的操練上長進。這些訓練計劃不必仰賴任何固定的方法，而應依照聖經的準則及當地的集思發展創新的構想。(西一 27-28；徒十四 23；多一 59；可十 42-45；弗四 12-13)

12. 屬靈的爭戰

　　我們深信我們正從事恆久的屬靈爭戰，抵擋惡魔的權勢。他們恣意推翻教會，破壞世界佈道的工作，我們需要以上帝的兵器裝備自己，以真理與祈禱作為屬靈的武器來應戰。我們發現仇敵的活動不僅在教會外傳播似是而非的理論，更在教會內慫恿我們接受假福音，歪曲聖經事實，人取代了上帝的地位，我們需要儆醒，以分辨的心維護聖經的福音。我們認為我們決不受世俗思想與行為的影響，決不向世俗投降。雖然我們可以細心研究教會成長，不僅在數字方面的進步，更是屬靈方面的長進。這些都是有價值的，我們有時似乎沒有注意，然而我們承認有時為求人們對福音有良好的反應，不惜用各種方法施展壓力，注意統計等屬世的方法。教會必須在世界之中，然而教會卻不可在教會裡面。(弗六 12；林後四 3-4；弗六 11、13-18；林後十 3-5；約壹二 15-26，四 1-3；加一 6-9；林後二 17，四 2；約十七 15)

13. 自由與逼迫

　　每一個政府都是上帝所命定的，為要獲得和平、公正與自由的情形，使教會可以順服上帝，服事主基督，不受攔阻，宣揚福音。所以我們要為國家的領袖祈禱，並且要求他們保證思想與良知之自由，並重視實踐及傳揚信仰。這是合乎上帝的旨意，也在普世人權宣言中所說明的。我們也深切地關懷那些為謹守信仰而被囚的人，以及那些為耶穌作見證而受苦的弟兄們。我們應許為他們的自由祈禱與努力，同時也不因他們的遭害而怯弱。求上帝幫助我們，使我們不計代價，反對不公正的事，而忠於福音。我們也不可忘記耶穌的警告：逼迫是無可避免的。(提前一 1-4；徒四 19，五 29；西三 24；來十三 1-3；路四 18；加五 11，六 12；太五 10-12；約十五 18-21)

14. 聖靈的能力

　　我們深信聖靈的能力。父上帝差

遣聖靈為聖子作證，若無聖靈的見證，我們的見證一定失敗。聖靈使人知罪，信服基督，得以重生及長進，都是祂的工作。況且聖靈是宣教的靈，所以佈道只能在聖靈充滿的教會中才會自然地興起。任何的教會若不作宣教的教會，她就自相矛盾，消滅聖靈的感動。普世的佈道工作要成為實際，必須先有聖靈在教會中作更新的工作，在真理、智慧、信心、聖潔、仁愛與能力中更新。所以我們呼籲所有的信徒祈禱，求上帝的靈來復興教會，使教會在上帝的手中成為合用的器皿，使全地聽見主的聲音。(林前二4；約十五26-27；約七37-39；徒一8；詩八十五4、7，六十七1-3)

15. 基督的再來

我們相信耶穌基督必在權能及榮耀中再來，是可見的，為成全祂的救恩及審判。這再來的應許是我們佈道更進一步的激勵，因我們記念祂的話語，這天國的福音必先傳給萬民。我們相信在基督升天及再來之間的過渡時期，乃由教會的佈道事工所填滿，所以我們未到終點決不歇息。我們也記得祂的警戒說：假基督及假先知們要為最後的逼迫者舖路。因此我們拒絕人類之狂傲及自信的幻夢，以為人能在地上建立烏托邦。我們基督徒確信上帝必成全祂的國度，我們也以熱切期待的心情仰望那日之來到，就是新天新地，有義居在其中，上帝要作

王直到永遠。同時我們樂意重新奉獻自己給祂，為世上的人順從祂的使命。(可十三10；徒一8-11；太廿八20；彼後三13；啟廿一1-5)

結語

因此，我們以信心與決意和上帝，亦和弟兄姊妹嚴肅堅立此約。讓我們共同計劃，合力事奉，同心祈求，作成世界佈道的事工。我們呼籲別人與我們同工，願上帝以祂的恩惠、為祂的榮耀幫助我們，使我們誓忠於此信約。阿們，哈利路亞！

華福宣言

前言

「世界華人福音會議」（簡稱「華福」）開始於一個異象，當1974年7月「世界傳道大會」於瑞士洛桑舉行時，來自世界各地的華人代表60餘人，藉此良機，朝夕祈禱交通，認為中國教會際此主來前夕，應當及早醒悟，在真道根基上合一，集中運用諸般恩賜，作整體有效之發揮，主動接起傳福音至地極之重任，完成末世宏道救靈的大使命。於是決定召開一個全球性的華人福音會議，即以「異象與使命」為主題，並選出工作人員積極展開籌備事宜。

感謝主的帶領，「華福」業於1976年8月18至25日在香港舉行。全球27個地區選出之出席人1,500人參加了會議，經過八天不住的禱告、靈修、交通、討論，決定針對若干具有時代性的關鍵問題，作出實際的貢獻：

(1) 建立兩代之間的橋樑：際此末後時代，社會發生嚴重的「代溝」問題，教會有時亦難例外。我們應本聖經明訓：長幼有序，相愛無間。父老欣賞青年人的單純幹勁，年幼的尊重年長的屬靈閱歷，去除成見，各盡本份，以所得恩賜相互服侍，活出和睦同居的美善光景。教牧並應注重培養接棒的同工，盡量提供進修機會，全力造就牧會專才，兩代之間藉此打成一片，同心合意，興旺福音。

(2) 建立東西之間的橋樑：一般說來，東方教會注重靈命之深度，西方教會注重工作的效果。今日華人信徒遍佈東西各國，自易吸收雙方之長，蔚為主用。「華福」應使本身成為中西媒介，助長雙方優點的發揮，促成雙方均衡的運用，使福音工作越過一切的界限，達到前所未有的功效。

(3) 建立新舊之間的橋樑：神的話語安定在天，福音真理亙古常新，我們對基本要道的信仰，永遠不能改變，但我們對世局的觀察，對思潮的了解，對年輕一代知識分子的帶領，以及對恩惠福音傳揚的策略方法等等，卻必須跟上時代，採取因時制宜之方，藉收立竿見影之效。「華福」應

在各方面善盡舖路作用，以促進新舊思想的交流與了解，擴展福音領域，多多為主得人。

(4) 建立宗派之間的橋樑：教會歷史指出，撒但往往藉著教會分裂攔阻教會在主裡的合一與真誠的合作。牠知道，當教會聯手一致對外，福音就會傳遍地極，主就要再來，牠就要被毀滅。為此，「華福」應努力於消除各宗派之間的隔閡，促進了解，加強交通，使華人教會在人力物力的集中運用上，發揮最大潛能，藉此榮神益人。

基此，我們謹將信仰的根基、教會的聖工、合一的立場、神學的研究等等，分別條陳於後，作為「華福」對全世界之宣告：

聖經

包括新、舊兩約 66 卷的全部聖經，都是神所默示的話語：完全無訛，絕對可靠，是基督教會信仰和生活的準則，是人類救恩真理的依據，聖經的內容確然建立在歷史事實的根基上，但其中心卻是那位超自然、有位格的神，降卑自己進入人類的歷史，道成肉身的耶穌基督和祂的救贖。因此，人不可單憑理智和邏輯方法去研究，而必須藉著聖靈在人心中運行，給予屬靈的光照，方能領受聖經的真理。教會既然誠信聖經是神的話語，就必須清楚有力地傳講全部聖經的教訓，不可以偏概全，更不可斷章取義，避免高舉某一教義真理；尤當透徹明瞭聖經的原意，以免謬解經文，引入異端。今後華人教會應採取必要步驟，同心合意，對聖經從事更直接深入的研究，作出最充分正確的闡釋，使神的話語在神的光中，顯出祂的奇妙，俾有助於讀者或聽者生命的長進。

耶穌基督

耶穌基督是人類獨一無二的救主。祂本是神，為了完成天父拯救罪人免於沉淪的旨意，甘心離棄天上的榮耀，藉童貞女馬利亞由聖靈感孕而道成肉身。祂是完全的神，也是完全的人，在地上過了三十多年無罪的生活，最後被釘在十字架上，捨身流血，滿足了天父公義的要求，也成全了天父慈愛的救贖。祂死後第三天復活，然後升天坐在天父右邊為我們代求，不久還要再來地上，審判世界。祂今天是掌管天地萬物的主宰，有權赦免人的一切罪孽。凡憑信心接受耶穌作救主的人，必蒙恩得救；但凡不接受主耶穌的人，絕不能得救，因為除祂以外，別無拯救之道。

人的墮落和神的救贖

始祖亞當是照著神的形象造的，被造之初與神有完全自由的交通，後被撒但試探，違背神的命令，吃了分別善惡樹的果子，而被定罪。因此，所有亞當的後裔都成了罪人，要受永

火的刑罰！耶穌基督降世為人，完成了神的救贖大功，但人必須悔改認罪，相信耶穌基督是神的兒子，接受祂作救主，方能重生得救。凡不肯悔改相信耶穌基督的人必定永遠滅亡。救恩絕對是個別的，接受救恩是每人必須作的自我決定，獲得重生也是每一信徒必須有的個人經驗。

福音的性質

福音是神永遠計劃的中心，是聖父、聖子、聖靈三位一體的真神基於祂的預知，在創造世界時，早已安排好的。神創造人來享受祂的愛，和祂有交通，但因人的悖逆與神隔絕，面臨永遠的刑罰。神就差遣祂的獨生子，我們的主耶穌基督來到世上，為罪人受死、復活、升天、再來，完成了神為世人所預備的救恩，叫凡憑信心接受耶穌作救主的人，都得到新的生命，成為神選召的兒女，同享神家永遠的福樂。

這福音本是神的大能，要拯救所有死在過犯罪惡之中的世人；但人蒙昧無知，不會尋求救恩，教會必須主動的傳揚耶穌基督恩惠的福音，拯救失喪的靈魂。耶穌基督離世之前一再叮囑門徒：「你們往普天下去，傳福音給萬民聽！」所以傳福音是神給眾教會的使命，也是每一個基督徒的天職。

基督再來

在今世的末了，耶穌基督必親自在榮耀裡降臨。祂再來的目的是：叫活在世上的聖徒，身體得贖，叫已睡的聖徒復活，一同被提空中與主相見，永遠同在；至於不信主的，無論活人死人，基督要審判他們，使之進入永遠的刑罰。基督再來的確定日期，無人知道，因此信徒要時刻警醒準備，把福音傳遍天下，迎見主來！

教會

教會是基督的身體，基督是教會的頭，凡重生得救享有基督生命的信徒，都是這身體上的肢體。雖然因歷史背景、地理環境、信仰重點、工作方式等區別，導致了不同宗派與教會組織的存在；但基督的身體仍然只是一個，所以基督徒彼此之間應有正常的屬靈交通。以往中國教會由於觀念不夠正確，在這方面多有虧欠，願主幫助我們今後捐棄人為的門戶之見，建立更深的情誼。另一方面，因為教會是主的身體，沒有基督的生命就不是身體上的肢體，也就不能有屬靈的交通。

教會的職責有二：對內來說，教會是信徒敬拜、交通、學習及事奉的所在。因此教會必須為信徒的敬拜、交通、真理的學習與事奉的操練作適當的安排。對外來說，教會是傳福音的據點。在神的永遠計劃中，祂只藉著教會把福音傳到地極。教會中每一基督徒的存在、見證、生活和工作，都是神所使用廣傳福音的工具。因

此，為了宏道救靈，基督教會的存在是絕對必須的。

教會的合一

教會在真道上同歸於一，是神既定的目的，正如耶穌基督在約翰福音十七章所求的，信徒已在基督裡合而為一。而真正的教會合一，必須是基於內在生命的合一，不是外表組織的聯合；若無同一生命，合一是不可能的。

毋庸諱言，以往具有此同一生命的信徒，曾被局限於各自為政的宗派組織之內，加上對次要事物的不同看法的偏見，妨礙了教會的合一。這種分門別類的現象，不僅嚴重影響了福音工作的開展，抑且破壞了教會在人前的見證。我們呼籲一切同有基督生命，同被一靈所感的同道，今後應重視在主裡的合一關係，進行更敞開的交通，安排更有效的配搭，俾能更積極地在生活、工作、事奉上表現出合而為一彼此相愛的榮耀見證。

福音事工

教會向世人傳福音，是責無旁貸的，不傳福音有虧職守，必定得不到上頭來的能力和賜福！傳福音的基本意義是本著聖經，闡明人的罪惡，神的公義，以及耶穌基督的救贖。雖然其它附屬性事工，如醫療、賙濟、社會福利及教育事業等，間亦有助於福音的廣傳；但絕不可代替傳福音的基本工作。

使萬民作主的門徒，是主親自賜給教會的命令，也是傳福音的目的。但作主的門徒，並不止於信靠耶穌基督重生得救為已足，更要學習對主完全順服，在生活中尊主為大為聖，在真道上追求成長進深，在教會聖工中善盡個人本分，在敬拜交通事奉各方面維持均衡發展，漸漸長成基督的身量，彰顯神家中和睦同居的美善！

傳福音欲求良好果效，須在聖靈引導下，利用現代科技知識，爭取廣大對象，多多為主得人。對福音對象的深入分析、教會增長的各種方法、大眾傳播的諸般工具，以及傳道策略的研究等都應盡量採用。福音工作的真正價值不是看表面的果效如何，要看是否合乎聖經的教訓，有無聖靈的同工，以及能否彰顯基督。但無論運用任何方法，必須遵照聖靈啟示的原則，不能有損於基本要道的內容；倘只注重方法而忽略福音內容及神學根基，就是本末倒置，必難結出榮神益人的果實。

海外宣教事工

耶穌基督給祂教會清楚的使命，是要到普天下去傳福音作見證，使萬民作祂的門徒。主這使命，不是單給幾個體制完善、發展成熟的教會，乃是給祂的眾教會的！在此，華人教會不能否認過去的失職。由於沒有異象，缺少使命感，結果固步自封，失

去神的許多福份！靠著主的恩典，今後華人教會應在這方面盡心協力，補償以往的虧欠，注重海外宣教的事工。

近年來神特別恩待華人教會，使能持守純正的信仰，為真道打美好的勝仗，全球各地區的學生團契和大學查經班也都被神興起，相當蒙福。神如此賜福華人的教會團體，必有祂榮耀的目的，要我們去完成祂特定的計劃。

華人教會今天面臨歷史性的挑戰，在兩方面負有宣教的責任：一方面是向世界各地的中國同胞，尤其是中國大陸的八億同胞；另一方面是向全人類。因為今日華人遍處全地，使我們擁有一個獨特的機會向各地華人傳福音，已有許多華人教會個別地朝這方面努力，但所有華人教會應當聯手配搭，從事有系統的調查，建立有機體的聯繫，全面推動向全球各地華人傳福音的工作。

另一方面，基督給教會的宣教使命乃是向普天下傳福音。今後華人教會也必須就此方面善盡職責，接起福音的火炬，把基督恩惠的福音傳向地極，迎接主來！

基此，中國教會必須有計劃的聯合起來，集中受過專門訓練的人才，認真發掘教會潛在的力量；並借助西方差會的宣教經驗和技巧，展開對別種民族的宣教工作；更當用禱告和財力支援此項重大事工，鼓勵青年人接受基督的呼召，奉獻自己從事遠方宣教工作。同時各神學院也當配合差傳事工的需要，著重宣教士的訓練過程，造就青年人到別種文化的民族中間去傳福音。

神學研究與寫作

教會對聖經知識領受的程度，常能反映出教會成長的光景，中國教會已有將近二百年歷史，一般來說，對神的話語的認識，仍嫌不夠深入。直到如今，基督教的著作，特別在研究性的論述和參考性的工具各方面，絕大部份是來自西方。由此顯出中國教會始終未能恰如其分地以自己的文化來發揚光大神的話語。近年來華人教會知識分子普遍增加，受過高等神學教育的信徒漸多，對神學和聖經有造詣的亦頗不少；但著作的出版卻如鳳毛麟角，這是「華福」應當重視的一個問題。今後華人教會應當採取有效的聯合，倡導對聖經和神學的積極研究，物色對中國文化思想有見地和對神學及聖經知識有造詣的人選，預備適於寫作的環境，鼓勵廣泛而有深度的寫作，俾有更多中國學人信徒的著作問世，以提高中國教會屬靈的水準。

教會與社會的責任

教會的基本責任是傳福音救靈魂，但要讓世人明白神無限的愛，教會亦當以身作則，顯出愛心的見證，

擴大對社會的影響。因此教會對當前社會的需要漠不關心是不應當的,特別是華人教會散處在世界許多地區,對所居留的國家有責任善盡我們的本份。所以社會福利工作,有的是教會可以作的,有的是站在基督徒公民立場應當作的,不論是教會或是基督徒個人,都可藉著對社會的關懷,為福音舖路,加強教會對社會的影響。這樣,當福音廣泛傳開,信徒人數增加時,也就轉移了社會的風氣,使教會更受到尊重,使福音更有效地展開。

結語

「華福」在主的恩待與憐憫之中,與會代表業已成功地致力於一項歷史性的突破,在同一異象與大使命的激勵下,挑旺了華人教會的復興之火,豎立了中國教會史上一個嶄新的里程碑。今天華人教會努力的方向,就是勇往直前,義無反顧,同心合意,廣傳福音,以基督之心為心,以天父之事為念。我們願效法士每拿的教會,如同馨香的沒藥,至死忠心;我們也願效法非拉鐵非的教會,以弟兄相愛之誠,盡福音推廣之責;我們更願效法天上的教會,口唱心和地不斷頌讚至高的神。

唯一美中不足的,是大會限於環境,不能廣泛邀請更多的同道出席。許多有恩賜有負擔有影響力的主內同道,不能和我們坐在一起商討重要事工,我們深引為憾,我們深信若無他們以禱告與捐獻的支持,不可能有今天這些成果的獻陳!為此,我們除了感謝天父的保守和引導之外,要求主記念這些可敬愛的同道,基於「上陣的得多少,看守器具也得多少」的聖經原則,他們必定也分享了大會的成果和喜樂!今後尚有許多會後拓展性的實質工作,更需要大家提供屬靈的智慧與經驗,在這異端充斥,風雨飄搖的末世,為福音齊心努力,補償以往的虧欠。

我們對於西差會近二百年來差遣大量宣教士在中國歷盡艱難,不辭勞苦,到處播下福音種子,費財費力,乃至以身殉道,實在感動和感激,相信主必厚厚報答他們。這次大會的出席人名額中,特別留出百分之五,邀請西方宣教士為正式出席人。我們從他們身上學了不少功課,今後我們仍要向他們伸出友誼的手,在主裡彼此掬誠合作,使福音果效獲致應有的延長和普及。願主使用我們,在末後的歲月中,作光明勇敢的見證完成大使命,迎接主的再來!

(此宣言發表於1976年8月假香港舉行之第一屆世界華人福音會議)

GCOWE '95 Declaration
主後二千年普世福音遍傳
諮商會議宣言

溫以諾譯

我們的根基

我們來自186個國家，約4,000位基督徒，蒙韓國教會接待，齊集於韓國漢城(首爾)，秉承歷屆普世宣教會議的精神，於1995年5月17-25日舉行普世福音遍傳會議。

基於〈洛桑信約〉、〈馬尼拉宣言〉及〈普世福音派團契信條〉中所列的聖經基礎及福音使命，又受到1989年「新加坡會議」異象的啟發，我們願在普世宣教的大業中向前邁進，務求「於主後二千年時，每族有教會，每人聞福音」。

我們的使命

我們在異象、差傳及策略方面，均以耶穌基督的「道成肉身」為楷模(路四4；約一14)。惟祂是道路、真理、生命(約十四6)，當初門徒遵祂吩咐，靠聖靈能力，為祂作見證，往普世建立教會(徒一8)。

莊稼之主呼召我們跟從祂(可一17)，背起十架(可八34)，生活中願以神的國為優先(太六33)。基督強調門徒對祂效法，原要門徒不僅追求成聖，更要積極投身宣教(約十四17)。死而復活的主在世時，經常孕育門徒，囑咐所有門徒照樣多結果子(提後二2)。

我們的異象

我們遵從基督所賜「使萬民作門徒」(太二十八19)及「往普天下傳福音」(可十六15)的命令，關切全教會向全人類傳全備的福音，特別在「10/40之窗」(北緯10至40度，自西非至東亞一帶地域)、福音未及群體聚居之地，亦世界中貧困、文盲、疾病及受苦最嚴

重之處。

我們深悔過去未盡全力使普世得知基督，敗績易見，失職罪深；也為從前不必要的分裂及無謂的競爭，以致阻撓了福音事工的擴展而悔改。我們決定靠神恩典，不再忽視面臨的挑戰，而要把握現今的機會(帖四14)。

身處二十世紀末期，我們願強調把福音傳到地極的急迫性，並願以主後二千年作福音廣傳的里程碑，加倍地努力宣教，引進福音拓展的新世紀。

我們的目標

我們以僕人的心態，催促、鼓勵並聯繫眾基督徒領袖及教會，遵從大使命(太二十八18-20)及大誡命(太二十二37-40)。我們的意願是鼓勵現存的各宗派、堂會、機構、差會及各類服務性團體，互相配合，齊心努力，達成目標(約十七20-23)。

我們期望在世界各地，無論市區或鄉野，各民各族中推動一個差傳性的植堂運動。如此便可確保每人都有機會與信徒交往，體會耶穌基督的大愛及真理，經歷祂的救贖大能(約十三34-35)。值此部族主義及種族歧視盛行之時期，惟有福音能帶來族群間的恆久和解與和平(弗二14；加三28)。

我們的策略

心懷上述目標，我們願在禱告及禁食中等候神。若非祂賜復興，我們

一切努力將歸徒然。我們渴望神賜下至大的恩典及能力，使各處各方教會大大甦醒復興。此一巨大事工，非我們微力能及，但我們深信神凡事都能(林前十4；路一37；腓四7)。

我們願作觸媒，引起人們來關懷並加速做神發起的工作。若神眷助，我們將藉分發資料及鼓勵合作差傳，培育領袖，並藉關懷物質需要及社會公義，在各城、各國及各洲努力宣教。我們將盡力準確記錄在最少聽聞福音群體中植堂的進度，並作定期報導，使所有信徒得知各處未聞救恩真道的群體。

我們深知這些策略，均須於因國而異的合作計劃中落實。我們感謝此次大會期間接待我們的韓國弟兄姊妹，別具創意的具體行動方面，帶給我們的榜樣，如：1-1-1代禱運動(即每人每日下午1時用1分鐘，為1位未信主的友人、1個國家、1個福音未及群體、1位宣教士、1位牧者代禱)；呼籲身處每人每年平均生產總值超過美金5,000元國家中的信徒，每月捐出美金1元；呼喚信徒勇敢地為伸張人權及信仰自由而興起，然而策略需繼以委身實行。

我們的委身

於1995年5月20日晚「韓國學生主後二千差傳大會」中，8萬學生齊集十架旌旗之下，立願受命，委身待發，廣傳福音，足見「主後二千運動」

及普世宣教事工的極大潛力。

　　我們也立志在向普天下傳福音時，要常禱告和敬拜。我們必需從上頭來的能力，因此我們全心依靠聖靈，向「愛我……為我捨己」(加二 20)的基督再次委身。

　　雖然困難重重，我們仍然嚮往福音遍傳全地的那日來臨(太二十四14)。那時主從「各族、各方、各民、各國」救贖出來的人將聚集一起，永遠稱頌神(啟五 9，七 9)。我們委身於普世佈道事工，願致力於歷史流向的目標，那時一個成全完備、聖潔無瑕、全然美麗的教會，將被獻給天父，而且萬膝將跪拜，萬口將稱頌耶穌基督為主，使榮耀歸於真神(腓二 1-11；羅十9-10；林前十二 3)。